KS, JIS, ANSI, AA, AISI/ISS, ASTM, SAE, BS, DIN, VDEh, NF, EN, ISO

금 속 재 료
규격데이터북

이수진 編著

도서출판 골드

▣ 머 리 말 ▣

산업기술 발전은 금속재료의 개발과 아울러 활용에 대한 새로운 기술을 필요로 하며, 각 국에서 제조되는 금속재료의 규격을 터득하여야만 산업제품의 견적, 설계, 구매, 제조, 설치 및 시운전 등에 참여할 수 있으며, 더 나아가 세계의 글로벌화가 가속화됨에 따라 제품에 대한 소비자의 요구가 글로벌 스탠더드를 충족시키는 제품만이 생존할 수 있는 시대가 전개되고 있다.

금속재료의 적절한 선정과 활용을 위해 현장기술자들은 KS(한국공업규격)를 비롯하여 JIS, ASTM, SAE, AISI, BS, DIN, NF, ISO, 기타 제조 메이커에 의한 규격과 규격의 내용에는 화학성분 및 치수, 기계적 성질, 각종 시험치, 협의사항, 검사 등 세부사항까지 복잡하게 구성되어 있는 내용에 대한 이해가 필요하다.

또한 금속재료 구입에 있어서 기술자는 메이커와 제조방법 등에 따라 필요한 특수규정을 없애거나 추가하는 등의 서로 사전 협의사항, 열처리 작업시에는 단지 재료만을 체크하는 것 외에 Mill Sheet, H-벤드, 재질결함의 규정, 재료의 전처리 등을 조사하는 것은 당연하며, 특수한 재료인 경우에 제조방법이나 단련비의 확인, 청정도의 규정, 화학성분의 지정 등도 체크하는 것이 필요하다. 특히 화학성분의 경우는 일반적으로 메이커에서 말하는 것은 래들분석치로 제품에 의한 분석치와 다른 경우도 있으므로 이해가 요구된다.

세계 각 국의 규격에 의해 규정된 수많은 재료와 이외에도 정해져 있지 않은 메이커 자체의 규격까지 포함하면 현장기술자가 원하는 재료를 선택할 수 있는 범위가 넓지만 이에 반해 이 수많은 재료들을 관리하기 위해 기술자는 가능한 사내의 제작에 맞는 재료를 표준화하고 운용을 도모하는 것이 바람직하다.

이러한 복잡한 재료의 선택, 관리 및 이용의 어려움이 있는 현장기술자들에게 많은 참고가 되기를 바라는 마음으로 필자는 KS를 중심으로 각종 금속재료를 체계적으로 정리하고 비교·대비할 수 있는 자료를 정리 및 편집·저술을 하게 되었다.

2003년 2월

이수진 씀

▣ 이 용 방 법 ▣

Ⅰ. 대상 금속재료

【철강재료】

봉강 · 형강 · 철판 · 철대(鐵帶) : (일반구조용강, 압력용기용강)
박판(薄板) : (연강판, 표면처리강판)
강관 : (배관용강관, 열전달용강관, 구조용강관)
기계구조용탄소강 · 합금강
특수용도강 : (스테인리스강 · 내열강, 공구강, 스프링강, 쾌삭강, 베어링강)
주단조품 : (단강품, 주강품, 주철품)

【비철금속재료】

신동품(伸銅品)
알루미늄 및 그 합금의 전신재(展伸材)
주물 : 동합금, 알루미늄합금, 알루미늄합금 다이캐스트

Ⅱ. 수록규격

이 책에서는 다음에 열거한 규격으로부터 필요 항목을 추출하여 편집하였다.

KS(Korean Industrial Standards) 한국공업규격
JIS(Japanese Industrial Standards) 일본공업규격
AA(The Aluminum Association) 미국알루미늄규격협회
AISI(American Iron and Steel Institute) 미국철강협회규격
ASTM(American Society for Testing and Materials) 미국재료시험협회규격
SAE(Society of Automotive Engineers) 미국자동차기술회규격

BS(British Standards) 영국국가규격
DIN(Deutsche Industrie Normen) 독일국가규격
VDEh(Verein Deutscher Eisenh ttenleute) 독일철강협회규격
NF(Normes Francaises) 프랑스국가규격
EN(European Standards) 유럽규격
ISO(International Organization for Standardization) 국제규격

Ⅲ. 대조표의 구성

앞에서 나타낸 금속재료 별로 각 유사강종(재료)을 아래에 나타낸 기재사항에 의거 구성하였다.

1. 색인번호

색인으로부터 유사강종(재료)을 검색할 때 유사강종(재료)의 그룹마다 붙여진 색인번호에 따라 KS → ASTM(또는 JIS, BS, DIN) 순으로, ASTM→KS 등의 역으로도 가능하다(상세한 것은 "검색방법" 참조). 색인번호는 알파벳 및 일련번호로 표기하였으며, 알파벳 기호는 A에서 S까지 아래에 나타낸 금속재료를 나타내었고 일련번호에 따라 각 유사강종(재료)의 그룹 단위로 구별하였다.

A : 일반구조용강(一般構造用鋼)
B : 압력용기용강(壓力容器用鋼)
C : 연강판(軟鋼板)
D : 표면처리강판(表面處理鋼板)
E : 배관용강관(配管用鋼管)
F : 열전달용강관(熱傳達用鋼管)
G : 구조용강관(構造用鋼管)
H : 기계구조용탄소강 · 합금강(機械構造用炭素鋼 · 合金鋼)
R : 알루미늄 및 그 合金의 전신재(展伸材)
I : 스테인리스鋼 · 내열강(耐熱鋼)
J : 공구강(工具鋼)
K : 스프링鋼
L : 쾌삭강(快削鋼)
M : 베어링鋼
N : 단강품(鍛鋼品)
O : 주강품(鑄鋼品)
P : 주철품(鑄鐵品)
Q : 신동품(伸銅品)
S : 주물(鑄物)

2. 규격명

유사강종(재료) 마다 KS, JIS, ASTM, BS, DIN의 순으로 나열하였으며, 또한 강

종(재료)에 따라 AISI, AA, ISO, NF, VDEh의 각 규격을 병기하였다.

3. 기호

각 규격에 표기된 고유 기호를 충실히 채용하였다. 단, 편집상 이용에 차이가 없는 범위에서 변경한 것도 있다. 또한 규격에 따라서는 기호로써 나타낼 수 없는 경우도 있어 그때는 *로 나타내었다.

4. 화학성분

각 강종(재료)의 원소기호와 해당수치를 기재하였으며, 원본에서 규정한 주문(注文) 등은 적극 표 중에 포함하거나 각주(脚註)로써 나타내었다. 더불어 강재의 두께 등의 치수규정이 있는 것에 대해서도 그 수치를 표기하였다.

5. 인장시험

강재의 두께, 항복점, 인장강도의 각 수치를 기재하였으며, 사용 단위에 대해서는 KS가 국제단위(SI)를 채용하고 있으므로 모두 이에 통일시켰다. 또한 환산의 경우에는 KS A 0021(수치의 맺음법)에 따라 유효숫자 3자리로 나타내었다.

6. 규격번호

각 강종(재료) 기호에 해당하는 규격번호를 기재하였으며, 일부 금속재료에 대해서는 형상별(奉, 板, 帶, 線)로 규격번호를 기재하였다.

7. 기타 유의사항

① 공란은 해당 규정이 없는 경우를 나타냅니다.

② "이상" "이하" "초과" "미만"에 대해서는 다음과 같이 수학기호로 나타내었다.

0.75 이하(≦0.75), 0.75 이상(≧0.75)

0.50 초과 0.75 이하(0.50＜t≦0.75), 0.75 미만(＜0.75)

③ 구별하기 쉽도록 유사강종(재료)을 그룹마다 굵은 선으로 구별하였다.

④ 검색 시 이용의 편의를 위하여 각 페이지에 표기되어 있는 색인번호를 홀수페이지 오른쪽 위에 굵은 글씨로 크게 나타내었다.

Ⅳ. 검색방법

이 책의 검색을 기호별 색인에 따라 행합니다. 다음은 검색방법의 구체적인 예를 나타낸 것이다.

【예 1】

강종기호가 “405 S17”이라는 것만 알고, 그 규격명과 규격번호, 금속재료의 종류, 유사강종, 수치(화학성분 등)를 알고자할 때,

① 기호별 색인에서 “405 S17”을 찾아내면 대조표의 수록 페이지를 알 수 있고, 색인번호 “I 045”의 그룹에 속한다는 것을 알 수 있다.
② 이 책의 대조표로부터 색인번호 “I 045”의 그룹에 들어있는 “405 S17”이 영국국가규격(BS 1449 part 2)의 스테인리스강이라는 것을 알 수 있다.
③ 이 색인번호 “I 045”의 그룹으로부터 유사강종이 KS에서는 “STS 405”, ASTM은 “G 40500”, DIN은 “X6CrAl13”이라는 것을 알 수 있으며, 이하 화학성분, 인장시험 등의 수치를 알 수 있다.

이와 같이 하나의 기호로부터 유사강종을 거꾸로 찾는 것이(이 책에서는 KS를 기준으로 하고 있어, 위에서 설명한 것과 같이 BS로부터 KS를 알아내는 방법이 가능한 검색방법) 가능하다.

Ⅴ. 사용상의 주의

1. 각 유사강종(재료)을 선별할 때는 KS 비교를 기준으로 하였다.
2. 각 유사강종(재료)의 판정기준에 대해서는 화학성분, 인장강도(인장강도, 항복점) 등의 수치를 기준으로 하였으나 강종(재료)에 따라서는 화학성분을 주로 한 것, 인장강도 등의 강도레벨을 주로 한 것 등의 차이가 있다는 것, 또한 인장시험의 수치에 대해서는 국제단위표(SI)로 환산하여 수치를 정리하는 등의 이유로 인하여 실제 사용・선별 시에는 규격원본을 반드시 참조토록 주의하여 사용하기를 바란다. 더불어 이 책의 사용에 따른 손해 등에 대해서는 책임을 지지 않는다.

3. 이 책에 수록되어 있는 규격의 번호 및 제·개정연도는 "수록규격번호일람표"로써 나타내었다. 더불어 규격내용은 그 규격 상 제정, 개폐 등의 변경이 있기 때문에 이 책에 수록한 규격연도와 수집·소개된 규격의 연도가 차이가 있는 경우는 반드시 규격원본을 참조하십시오.
4. 이 책에서는 KS에 대해서는 거의 모든 관계규격을 수록하였지만 기타의 해외규격에 대해서는 KS와 대응하는 범위로 한정하였다.

Ⅵ. 기호별 색인

이 책에 수록된 모든 강종(재료) 기호를 알파벳순서 및 숫자 순서로 배열하였으며, 각 기호에는 규격번호, 색인번호, 수록페이지를 표기하였다.

Ⅶ. 수록규격번호일람표

이 책이 대상으로 한 규격의 번호 및 연도를 수록하였다.

▣ 차 례 ▣

미리말 / 5

이용방법 / 7

【철강】 Ferrous materials

봉강 · 형강 · 강판 · 강대(Steel bars, sections, plates, sheets and strip) / 15

일반구조용강(Steels for general structure) ··· 16

압력용기용강(Steels for pressure vessels) ··· 68

박판(Sheet and strip) / 113

연강판(Mild steel) ··· 114

표면처리강판(surface coated steel sheet) ··· 126

강관(Steel pipes) / 161

배관용강관(Steel pipes for piping) ··· 162

열전달용강관(Steel tubes for heat transfer) ··· 188

구조용강관(Steel pipes for structural purpose) ··· 216

기계구조용탄소강 · 합금강(Carbon and alloy steels for machine structural use) / 247

특수용도강(Steels for special purposes) / 283

스테인리스강 · 내열강(Stainless steels, heat-resisting steels) ··· 284

공구강(Tool steels) ··· 330

스프링강(Spring steels) ··· 354

쾌삭강(Free-cutting steels) ··· 360

베어링강(Bearing steels) ··· 368

주단조품(Steel casting and forgings) / 373

단조품(Steel forgings) 374
주강품(Steel castings) 416
주철품(Iron castings) 458

[비철금속] Non-ferrous metals

신동품(Copper and copper alloy) / 489

알루미늄 및 그 합금의 전신재(Aluminum and aluminum alloys) / 545

주물(Castings) / 651

동합금주물(Copper alloy castings) 652
알루미늄합금주물(Aluminum alloy castings) 672
알루미늄합금다이캐스팅(Aluminum alloy die castings) 688

수록규격번호일람표(List of standards classified) / 693

부록(Appendix) / 703

철강기호 · 비철금속기호 보는 법 705

기호별색인(Index) / 715

봉강(棒鋼) · 형강(形鋼) · 강판(鋼板) · 강대(鋼帶)

Steel bars, sections, plates, sheets and strip

■ 일반구조용강(一般構造用鋼)

Steels for general structure ······ 16

■ 압력용기용강(圧力容器用鋼)

Steels for pressure vessels ······ 68

棒鋼・形鋼・鋼板・鋼帯 (一般構造用鋼) Steel bars, sections, plates, sheets and strip (for general structure)								
索引番号 Index No.	規格名 Std.	記号 Designation	化 学 成 分 (%) Chemical composition					
			鋼材의 두께[1] t (mm)	C	Si	Mn	P	S
A 001	KS	SS 330					≦0.050	≦0.050
	JIS	SS 330					≦0.050	≦0.050
	ASTM	A		≦0.14	≦0.40[4]	≦0.90	≦0.035	≦0.04
	ASTM	B		≦0.17	≦0.40[4]	≦0.90	≦0.035	≦0.04
	ASTM	C		≦0.24	≦0.40[4]	≦0.90	≦0.035	≦0.04
	ASTM	30		≦0.25		≦0.90	≦0.035	≦0.04
	ASTM	33		≦0.25		≦0.90	≦0.035	≦0.04
	ASTM	36 Type 1		≦0.25		≦0.90	≦0.035	≦0.04
	ASTM	36 Type 2		≦0.25	≦0.40	≦1.35	≦0.035	≦0.04
	ASTM	40		≦0.25		≦0.90	≦0.035	≦0.04
	DIN	St 33	≦100					
	BS EN	S 185						
	DIN EN							
	NF EN							
	BS EN	S 235 JR	≦16	≦0.17		≦1.40	≦0.045	≦0.045
	DIN EN		16<t≦25	≦0.20		≦1.40	≦0.045	≦0.045
	NF EN							
	BS EN	S 235 JRG 1	≦16	≦0.17		≦1.40	≦0.045	≦0.045
	DIN EN		16<t≦25	≦0.20		≦1.40	≦0.045	≦0.045
	NF EN							
	BS EN	S 235 JRG 2	≦16	≦0.17		≦1.40	≦0.045	≦0.045
	DIN EN		16<t≦40	≦0.17		≦1.40	≦0.045	≦0.045
	NF EN		40<t	≦0.20		≦1.40	≦0.045	≦0.045

Index No. A 001

化学成分 (%) Chemical composition					引張試驗 Tensile requirements			規格番号 Std. No.
Cr	Mo	Ni	Cu	others	鋼材의 두께([1]) t (mm)	降伏点([2]) (N/mm²)	引張强度([3]) (N/mm²)	
					≦16	≧205	330~430	D 3503
					16<t≦40	≧195	330~430	
					>40	≧175	330~430	
					≦16	≧205	330~430	C 3101
					16<t≦40	≧195	330~430	
					>40	≧175	330~430	
						≧165	310~415	A 283
						≧185	345~450	A 283
						≧205	380~515	A 283
						≧205	≧340	A 570
						≧230	≧360	A 570
						≧250	≧365	A 570
						≧250	400~550	A 570
						≧275	≧380	A 570
					≦16	≧185	≧290	(17100)
					16<t≦25	≧175	≧290	
					25<t≦100		≧290	
					<3	≧185	310~540	10025
					3≦t≦16	≧185	290~510	
					16<t≦25	≧175	290~510	
				N≦0.009([5])	<3	≧235	360~510	10025
				N≦0.009([5])	3≦t≦16	≧235	340~470	
					16<t≦25	≧225	340~470	
				N≦0.009([5])	<3	≧235	360~510	10025
				N≦0.009([5])	3≦t≦16	≧235	340~470	
					16<t≦25	≧225	340~470	
				N≦0.009([5])	<3	≧235	360~510	10025
				N≦0.009([5])	3≦t≦16	≧235	340~470	
				N≦0.009([5])	16<t≦40	≧225	340~470	
					40<t≦100	≧215	340~470	
					100<t≦150	≧195	340~470	
					150<t≦200	≧185	320~470	
					200<T≦250	≧175	320~470	

Notes : ([1]) Thickness ([2]) Yield strength ([3]) Tensile strength ([4]) 두께40mm 초과는 0.15~0.40
([5]) 질소에 대한 특별규정 있음(64페이지 참조)

棒鋼・形鋼・鋼板・鋼帯 (一般構造用鋼)			Steel bars, sections, plates, sheets and strip (for general structure)					
索引番号 Index No.	規格名 Std.	記号 Designation	化 学 成 分 (%) Chemical composition					
			鋼材의 두께[1] *t* (mm)	C	Si	Mn	P	S
A 001(계속)	BS EN	S 235 J0	≦16	≦0.17		≦1.40	≦0.040	≦0.040
	DIN EN		16<t≦40	≦0.17		≦1.40	≦0.040	≦0.040
	NF EN		40<t	≦0.17		≦1.40	≦0.040	≦0.040
	BS EN	S 235 J2G3	≦16	≦0.17		≦1.40	≦0.035	≦0.035
	DIN EN		16<t≦40	≦0.17		≦1.40	≦0.035	≦0.035
	NF EN		40<t	≦0.17		≦1.40	≦0.035	≦0.035
	BS EN	S 235 J2G4	≦16	≦0.17		≦1.40	≦0.035	≦0.035
	DIN EN		16<t≦40	≦0.17		≦1.40	≦0.035	≦0.035
	NF EN		40<t	≦0.17		≦1.40	≦0.035	≦0.035
	ISO*	E 185						
	ISO*	E 235 A		≦0.22			≦0.050	≦0.050

Index No. A 001

化 学 成 分 (%) Chemical composition					引 張 試 験 Tensile requirements			規格番号 Std. No.
Cr	Mo	Ni	Cu	others	鋼材의 두께([1]) t (㎜)	降伏点([2]) (N/㎟)	引張强度([3]) (N/㎟)	
				N≦0.009([4])	<3	≧235	360~510	10025
				N≦0.009([4]	3≦t≦16	≧235	340~470	
				N≦0.009([4]	16<t≦40	≧225	340~470	
					40<t≦100	≧215	340~470	
					100<t≦150	≧195	340~470	
					150<t≦200	≧185	320~470	
					200<t≦250	≧175	320~470	
					<3	≧235	360~510	10025
					3≦t≦16	≧235	340~510	
					16<t≦40	≧225	340~510	
					40<t≦100	≧215	340~510	
					100<t≦150	≧195	340~470	
					150<t≦200	≧185	320~470	
					200<t≦250	≧175	320~470	
					<3	≧235	360~510	10025
					3≦t≦16	≧235	340~470	
					16<t≦40	≧225	340~470	
					40<t≦100	≧215	340~470	
					100<t≦150	≧195	340~470	
					150<t≦200	≧185	320~470	
					200<t≦250	≧175	320~470	
					≦16	≧185	300~540	630
					16<t≦40	≧175	300~540	
					≦16	≧235	340~470	630
					16<t≦40	≧225	340~470	
					40<t≦63	≧215	340~470	
					63<t≦80	≧215	340~470	
					80<t≦100	≧215	340~470	
					100<t≦150	≧195	340~470	
					150<t≦200	≧185		

Notes : ([1]) Thickness ([2]) Yield strength ([3]) Tensile strength
([4]) 질소에 대한 특별규정 있음(64페이지 참조)

棒鋼・形鋼・鋼板・鋼帯 (一般構造用鋼) Steel bars, sections, plates, sheets and strip (for general structure)

索引番号 Index No.	規格名 Std.	記号 Designation	化学成分 (%) Chemical composition					
			鋼材의 두께([1]) t (mm)	C	Si	Mn	P	S
A 001(계속)	ISO*	E 235 B	≦16	≦0.17	≦040	≦1.40	≦0.045	≦0.045
			16<t≦25	≦0.20	≦0.40	≦1.40	≦0.045	≦0.045
			≦40	≦0.17	≦0.40	≦1.40	≦0.045	≦0.045
			>40	≦0.20	≦0.40	≦1.40	≦0.045	≦0.045
	ISO*	E 235 C		≦0.17	≦0.40	≦1.40	≦0.040	≦0.040
	ISO*	E 235 D		≦0.17	≦0.40	≦1.40	≦0.035	≦0.035
A 002	KS	SS 400					≦0.050	≦0.050
	JIS	SS 400					≦0.050	≦0.050
	KS	SM 400 A	≦50	≦0.23		≧2.5×C	≦0.035	≦0.035
			50<t≦200	≦0.25		≧2.5×C	≦0.035	≦0.035

Index No. A 001~A 002

化学成分 (%) Chemical composition					引張試験 Tensile requirements			規格番号 Std. No.
Cr	Mo	Ni	Cu	others	鋼材의 두께[1] t (㎜)	降伏点[2] (N/㎟)	引張强度[3] (N/㎟)	
					≦16	≧235	340~470	630
					16<t≦40	≧225	340~470	
					40<t≦63	≧215	340~470	
					63<t≦80	≧215	340~470	
					80<t≦100	≧215	340~470	
					100<t≦150	≧195	340~470	
					150<t≦200	≧185	340~470	
					≦16	≧235	340~470	630
					16<t≦40	≧225	340~470	
					40<t≦63	≧215	340~470	
					63<t≦80	≧215	340~470	
					80<t≦100	≧215	340~470	
					100<t≦150	≧195	340~470	
					150<t≦200	≧185	340~470	
					≦16	≧235	340~470	630
					16<t≦40	≧225	340~470	
					40<t≦63	≧215	340~470	
					63<t≦80	≧215	340~470	
					80<t≦100	≧215	340~470	
					100<t≦150	≧195	340~470	
					150<t≦200	≧185	340~470	
					≦16	≧245	400~510	D 3503
					16<t≦40	≧235	400~510	
					>40	≧215	400~510	
					≦16	≧245	400~510	G 3101
					16<t≦40	≧235	400~510	
					>40	≧215	400~510	
					≦16	≧245	400~510	D 3515
					16<t≦40	≧235	400~510	
					40<t<100	≧215	400~510	
					100<t≦160	≧205	400~510	
					160<t≦200	≧195	400~510	

Notes : [1] Thickness [2] Yield strength [3] Tensile strength

棒鋼・形鋼・鋼板・鋼帯 (一般構造用鋼) Steel bars, sections, plates, sheets and strip (for general structure)

索引番号 Index No.	規格名 Std.	記号 Designation	化 学 成 分 (%) Chemical composition					
			鋼材의 두께[1] t (㎜)	C	Si	Mn	P	S
A 002(계속)	JIS	SM 400 A	≦50	≦0.23		≧2.5×C	≦0.035	≦0.035
			50<t≦200	≦0.25		≧2.5×C	≦0.035	≦0.035
	JIS	SN 400 A	6≦t≦100	≦0.24			≦0.050	≦0.050
	KS	SM 400 B	≦50	≦0.20	≦0.35	0.60～1.40	≦0.035	≦0.035
			50<t≦200	≦0.22	≦0.35	0.60～1.40	≦0.035	≦0.035
	JIS	SM 400 B	≦50	≦0.20	≦0.35	0.60～1.40	≦0.035	≦0.035
			50<t≦200	≦0.22	≦0.35	0.60～1.40	≦0.035	≦0.035
	JIS	SN 400 B	6≦t≦50	≦0.20	≦0.35	0.60～1.40	≦0.030	≦0.015
			50<t≦100	≦0.22	≦0.35	0.60～1.40	≦0.030	≦0.015
	KS	SM 400 C	≦100	≦0.18	≦0.35	≦1.40	≦0.035	≦0.035
	JIS	SM 400 C	≦100	≦0.18	≦0.35	≦1.40	≦0.035	≦0.035
	JIS	SN 400 C	16≦t≦50	≦0.20	≦0.35	0.60～1.40	≦0.020	≦0.008
			50<t≦100	≦0.22	≦0.35	0.60～1.40	≦0.020	≦0.008

Index No. A 002

化 学 成 分 (%) Chemical composition					引 張 試 験 Tensile requirements			規格番号 Std. No.
Cr	Mo	Ni	Cu	others	鋼材의 두께(1) t (㎜)	降伏点(2) (N/㎟)	引張强度(3) (N/㎟)	
					≦16	≧245	400~510	G 3106
					16<t≦40	≧235	400~510	
					40<t<100	≧215	400~510	
					100<t≦160	≧205	400~510	
					160<t≦200	≧195	400~510	
					6≦t<12	≧235	400~510	G 3136
					12≦t<16	≧235	400~510	
					t=16	≧235	400~510	
					16<t≦40	≧235	400~510	
					40<t≦100	≧215	400~510	
					≦16	≧245	400~510	D 3515
					16<t≦40	≧235	400~510	
					40<t≦100	≧215	400~510	
					100<t≦160	≧205	400~510	
					160<t≦200	≧195	400~510	
					≦16	≧245	400~510	G 3106
					16<t≦40	≧235	400~510	
					40<t≦100	≧215	400~510	
					100<t≦160	≧205	400~510	
					160<t≦200	≧195	400~510	
					6≦t<12	≧235	400~510	G 3136
					12≦t<16	235≦t≦355	400~510	
					t=16	235≦t≦355	400~510	
					16<t≦40	235≦t≦355	400~510	
					40<t≦100	235≦t≦335	400~510	
					≦16	≧245	400~510	D 3515
					16<t≦40	≧235	400~510	
					40<t≦100	≧215	400~510	
					≦16	≧245	400~510	G 3106
					16<t≦40	≧235	400~510	
					40<t≦100	≧215	400~510	
					t=16	235≦t≦355	400~510	G 3136
					16<t≦40	235≦t≦355	400~510	

Notes : (1) Thickness (2) Yield strength (3) Tensile strength

棒鋼・形鋼・鋼板・鋼帯 (一般構造用鋼) Steel bars, sections, plates, sheets and strip (for general structure)

索引番号 Index No.	規格名 Std.	記号 Designation	化 学 成 分 (%) Chemical composition					
			鋼材의 두께([1]) t (㎜)	C	Si	Mn	P	S
A 002(계속)								
	ASTM	*	≦20	≦0.25	≦0.40		≦0.040	≦0.05
			20<t≦40	≦0.25	≦0.40	0.80~1.20	≦0.040	≦0.05
			40<t≦65	≦0.26	0.15~0.40	0.80~1.20	≦0.040	≦0.05
			65<t≦100	≦0.27	0.15~0.40	0.85~1.20	≦0.040	≦0.05
	ASTM	*	>100	≦0.29	0.15~0.40	0.85~1.20	≦0.040	≦0.05
	ASTM	D		≦0.27	≦0.40([4])	≦0.90	≦0.035	≦0.04
	ASTM	45		≦0.25		≦1.35	≦0.035	≦0.04
	ASTM	50		≦0.27	≦0.40	≦1.35	≦0.04	≦0.05
	ASTM	50		≦0.25		≦1.35	≦0.035	≦0.04
	ASTM	55		≦0.27	≦0.40	≦1.35	≦0.04	≦0.05
	ASTM	55		≦0.25		≦1.35	≦0.035	≦0.04
	ASTM	58	≦40	≦0.23	0.10~0.35	0.60~0.90	≦0.0.35	≦0.04
	ASTM	65	≦13	≦0.24	0.15~0.40	0.85~1.20	≦0.035	≦0.04
			13<t≦40	≦0.26	0.15~0.40	0.85~1.20	≦0.035	≦0.04
	ASTM	A	≦100	≦0.18	0.15~0.40	1.00~1.35	≦0.035	≦0.04
	ASTM	36	≦20	≦0.25	≦0.40		≦0.04	≦0.05
			20<t≦40	≦0.25	≦0.40	0.85~1.20	≦0.04	≦0.05
			40<t≦65	≦0.26	0.15~0.40	0.85~1.20	≦0.04	≦0.05
			65<t≦100	≦0.27	0.15~0.40	0.85~1.20	≦0.04	≦0.05
	ASTM	50	≦40	≦0.23	≦0.40	≦1.35	≦0.04	≦0.05
			40<t≦100	≦0.23	0.15~0.40	≦1.35	≦0.04	≦0.05
	BS EN	S 275 JR	≦16	≦0.21		≦1.50	≦0.045	≦0.045
	DIN EN		16<t≦40	≦0.21		≦1.50	≦0.045	≦0.045
	NF EN		40<t	≦0.22		≦1.50	≦0.045	≦0.045

Index No. A 002								
化 学 成 分 (%) Chemical composition					引 張 試 験 Tensile requirements			規格番号 Std. No.
Cr	Mo	Ni	Cu	others	鋼材의 두께(1) t (㎜)	降伏点(2) (N/㎟)	引張强度(3) (N/㎟)	
					40<t≦100	215≦t≦335	400~510	
						≧250	400~550	A 36
						≧250	400~550	
						≧250	400~550	
						≧250	400~550	
						≧250	400~550	
						≧230	415~550	A 283
						≧310	≧415	A 570
						≧345	485~690	A 529
						≧345	≧450	A 570
						≧380	485~690	A 529
						≧380	≧480	A 570
						≧220	400~490	A 573
						≧240	450~530	A 573
				Nb≦0.05	≦100	≧290	430~570	A 633
					≦100	≧250	400~550	A 709
					≦100	≧345	≧450	A 709
				N≦0.009(5)	<3	≧275	430~580	10025
					3≦t≦6	≧275	410~560	
					16<t≦40	≧265	410~560	
					40<t≦63	≧255	410~560	
					63<t≦80	≧245	410~560	
					80<t≦100	≧235	410~560	
					100<t≦150	≧225	400~540	
					150<t≦200	≧215	380~540	
					200<t≦250	≧205	380~540	

Notes : (1) Thickness (2) Yield strength (3) Tensile strength (4) 두께40mm 초과는 0.15~0.40
(5) 질소에 대한 특별규정 있음(64페이지 참조)

棒鋼・形鋼・鋼板・鋼帯 (一般構造用鋼)			Steel bars, sections, plates, sheets and strip (for general structure)					
索引番号 Index No.	規格名 Std.	記号 Designation	化 学 成 分 (%) Chemical composition					
			鋼材의 두께[1] *t* (mm)	C	Si	Mn	P	S
A 002(계속)	BS EN	S 275 JO	≦16	≦0.18		≦1.50	≦0.040	≦0.040
	DIN EN		16<t≦40	≦0.18		≦1.50	≦0.040	≦0.040
	NF EN		40<t	≦0.18		≦1.50	≦0.040	≦0.040
	BS EN	S 275 J2G3 S 275 J2G4	≦16	≦0.18		≦1.50	≦0.035	≦0.035
	DIN EN		16<t≦40	≦0.18		≦1.50	≦0.035	≦0.035
	NF EN		40<t	≦0.18		≦1.50	≦0.035	≦0.035
	BS EN	S 275 M		≦0.13	≦0.50	≦1.50	≦0.035	≦0.030
	DIN EN							
	NF EN							
	BS EN	S 275 N		≦0.18	≦0.40	0.50～1.40	≦0.035	≦0.035
	DIN EN							
	NF EN							
	BS EN	S 355 M		≦0.14	≦0.50	≦1.60	≦0.035	≦0.030
	DIN EN							
	NF EN							
	BS	40 DD		≦0.16	0.10～0.50	≦1.50	≦0.040	

Index No. A 002

化 学 成 分 (%) Chemical composition					引 張 試 驗 Tensile requirements			規格番号 Std. No.
Cr	Mo	Ni	Cu	others	鋼材의 두께(1) *t* (㎜)	降伏点(2) (N/㎟)	引張强度(3) (N/㎟)	
				N≦0.009(4)	<3	≧275	430~580	10025
					3≦t≦6	≧275	410~560	
					16<t≦40	≧265	410~560	
					40<t≦63	≧255	410~560	
					63<t≦80	≧245	410~560	
					80<t≦100	≧235	410~560	
					100<t≦150	≧225	400~540	
					150<t≦200	≧215	380~540	
					200<t≦250	≧205	380~540	
					<3	≧275	430~580	10025
					3≦t≦16	≧275	410~560	
					16<t≦40	≧265	410~560	
					40<t≦63	≧255	410~560	
					63<t≦80	≧245	410~560	
					80<t≦100	≧235	410~560	
					100<t≦150	≧225	400~540	
					150<t≦200	≧215	380~540	
					200<t≦250	≧205	380~540	
	≦0.20	≦0.30		Nb≦0.05 v≦0.08	≦16	≧275	360~510	10113-3
				Al≧0.02(5) Ti≦0.05	16<t≦40	≧265	360~510	
				N≦0.015	40<t≦63	≧255	360~510	
≦0.30	≦0.10	≦0.30	≦0.35	Nb≦0.05 V≦0.05	≦16	≧275	370~510	10113-2
				Al≧0.02(5) Ti≦0.03	16<t≦40	≧265	370~510	
				N≦0.015	40<t≦63	≧255	370~510	
					63<t≦80	≧245	370~510	
					80<t≦100	≧235	370~510	
					100<t≦150	≧225	350~480	
	≦0.20	≦0.30		Nb≦0.05 v≦0.10	≦16	≦355	450~610	10113-3
				Al≧0.02(5) Ti≦0.05	16<t≦40	≧345	450~610	
				N≦0.015	40<t≦63	≧355	450~610	
					≦16	≧260	340~500	(4360)
					16<t≦40	≧245	340~500	
					40<t≦63	≧240	340~500	

Notes : (1) Thickness (2) Yield strength (3) Tensile strength (4) 질소에 대한 특별규정 있음(49페이지 참조)
(5) 질소고정원소가 충분히 존재할 경우는 적용제외(49페이지 참조)

棒鋼・形鋼・鋼板・鋼帯 (一般構造用鋼) Steel bars, sections, plates, sheets and strip (for general structure)

索引番号 Index No.	規格名 Std.	記号 Designation	化学成分 (%) Chemical composition					
			鋼材의 두께([1]) t (mm)	C	Si	Mn	P	S
A 002(계속)								
	BS	40 E		≦0.16	0.10～0.50	≦1.50	≦0.040	≦0.040
	BS	43 EE		≦0.16	0.10～0.50	≦1.50	≦0.040	≦0.030
	BS	43 DD		≦0.16	0.10～0.50	≦1.50	≦0.040	
	BS	43 E		≦0.16	0.10～0.50	≦1.50	≦0.040	≦0.040
	BS	43 EE		≦0.16	0.10～0.50	≦1.50	≦0.040	≦0.030
	DIN	St 44-2	≦40	≦0.21			≦0.050	≦0.050
			40<t≦100	≦0.22			≦0.050	≦0.050
	DIN	St 44-3	≦100	≦0.20			≦0.040	≦0.040

化学成分 (%) Chemical composition					引張試驗 Tensile requirements			規格番号 Std. No.
Cr	Mo	Ni	Cu	others	鋼材의 두께([1]) t (㎜)	降伏点([2]) (N/㎟)	引張强度([3]) (N/㎟)	
					63<t≦100	≧225	340~500	
					≦16	≧260	340~500	(4360)
					16<t≦40	≧245	340~500	
					40<t≦63	≧240	340~500	
					63<t≦100	≧225	340~500	
					≦16	≧260	340~500	(4360)
					16<t≦40	≧245	340~500	
					40<t≦63	≧240	340~500	
					63<t≦100	≧225	340~500	
					100<t≦150	≧205	340~500	
					≦16	≧275	430~580	(4360)
					16<t≦40	≧265	430~580	
					40<t≦63	≧255	430~580	
					63<t≦100	≧245	430~580	
					≦16	≧275	430~580	(4360)
					16<t≦40	≧265	430~580	
					40<t≦63	≧255	430~580	
					63<t≦100	≧245	430~580	
					≦16	≧275	430~580	
					16<t≦40	≧265	430~580	
					40<t≦63	≧255	430~580	
					63<t≦100	≧245	430~580	
					100<t≦150	≧225	410~580	
				N≦0.009	≦16	≧275	410~540	(17100)
				N≦0.009	16<t≦40	≧265	410~540	
					40<t≦63	≧255	410~540	
					63<t≦80	≧245	410~540	
					80<t≦100	≧235	410~540	
				([4])	≦16	≧275	410~540	
					16<t≦40	≧265	410~540	
					40<t≦63	≧255	410~540	
					63<t≦80	≧245	410~540	
					80<t≦100	≧235	410~540	

Notes : ([1]) Thickness ([2]) Yield strength ([3]) Tensile strength
([4]) 질소고정원소를 첨가한 (예 : T. Al>0.020)

棒鋼・形鋼・鋼板・鋼帯 (一般構造用鋼)			Steel bars, sections, plates, sheets and strip (for general structure)					
索引番号 Index No.	規格名 Std.	記号 Designation	化学成分 (%) Chemical composition					
			鋼材의 두께(1) t (mm)	C	Si	Mn	P	S
A 002(계속)	ISO	E 275 A		≦0.24			≦0.050	≦0.050
	ISO	E 275 B	≦40	≦0.21	≦0.40	≦1.50	≦0.045	≦0.045
			>40	≦0.22	≦0.40	≦1.50	≦0.045	≦0.045
	ISO	E 275 C		≦0.20	≦0.40	≦1.50	≦0.040	≦0.040
	ISO	E 275 D		≦0.20	≦0.40	≦1.50	≦0.035	≦0.035
A 003	KS	SS 490					≦0.050	≦0.050

Index No. A 002~A 003

化 学 成 分 (%) Chemical composition					引 張 試 験 Tensile requirements			規格番号 Std. No.
Cr	Mo	Ni	Cu	others	鋼材의 두께([1]) t (㎜)	降伏点([2]) (N/㎟)	引張強度([3]) (N/㎟)	
					≦16	≧275	410~540	630
					16<t≦40	≧265	410~540	
					40<t≦63	≧255	410~540	
					63<t≦80	≧245	410~540	
					80<t≦100	≧235	410~540	
					100<t≦150	≧225	410~540	
					150<t≦200	≧215	410~540	
					≦16	≧275	410~540	630
					16<t≦40	≧265	410~540	
					40<t≦63	≧255	410~540	
					63<t≦80	≧245	410~540	
					80<t≦100	≧235	410~540	
					100<t≦150	≧225	410~540	
					150<t≦200	≧215	410~540	
					≦16	≧275	410~540	630
					16<t≦40	≧265	410~540	
					40<t≦63	≧255	410~540	
					63<t≦80	≧245	410~540	
					80<t≦100	≧235	410~540	
					100<t≦150	≧225	410~540	
					150<t≦200	≧215	410~540	
					≦16	≧275	410~540	630
					16<t≦40	≧265	410~540	
					40<t≦63	≧255	410~540	
					63<t≦80	≧245	410~540	
					80<t≦100	≧235	410~540	
					100<t≦150	≧225	410~540	
					150<t≦200	≧215	410~540	
					≦16	≧285	490~610	D 3503
					16<t≦40	≧275	490~610	
					>40	≧255	490~610	

Notes : ([1]) Thickness ([2]) Yield strength ([3]) Tensile strength

棒鋼・形鋼・鋼板・鋼帯 (一般構造用鋼) Steel bars, sections, plates, sheets and strip (for general structure)

索引番号 Index No.	規格名 Std.	記号 Designation	化 学 成 分 (%) Chemical composition					
			鋼材의 두께[1] t (㎜)	C	Si	Mn	P	S
A 003(계속)	JIS	SS 490					≦0.050	≦0.050
	KS	SS 540	≦40	≦0.30		≦1.60	≦0.040	≦0.040
	JIS	SS 540	≦40	≦0.30		≦1.60	≦0.040	≦0.040
	KS	SM 490 A	≦50	≦0.20	≦0.55	≦1.60	≦0.035	≦0.035
			50<t≦200	≦0.22	≦0.55	≦1.60	≦0.035	≦0.035
	JIS	SM 490 A	≦50	≦0.20	≦0.55	≦1.60	≦0.035	≦0.035
			50<t≦200	≦0.22	≦0.55	≦1.60	≦0.035	≦0.035
	KS	SM 490 B	≦50	≦0.18	≦0.55	≦1.60	≦0.035	≦0.035
			50<t≦200	≦0.20	≦0.55	≦1.60	≦0.035	≦0.035
	JIS	SM 490 B	≦50	≦0.18	≦0.55	≦1.60	≦0.035	≦0.035
			50<t≦200	≦0.20	≦0.55	≦1.60	≦0.035	≦0.035

Index No. A 003

化学成分 (%) Chemical composition					引張試驗 Tensile requirements			規格番号 Std. No.
Cr	Mo	Ni	Cu	others	鋼材의 두께([1]) t (㎜)	降伏点([2]) (N/㎟)	引張强度([3]) (N/㎟)	
					≦16	≧285	490~610	G 3101
					16<t≦40	≧275	490~610	
					>40	≧255	490~610	
					≦16	≧400	≧540	D 3503
					16<t≦40	≧390	≧540	
					≦16	≧400	≧540	G 3101
					16<t≦40	≧390	≧540	
					≦16	≧325	490~610	D 3515
					16<t≦40	≧315	490~610	
					40<t≦75	≧295	490~610	
					75<t≦100	≧295	490~610	
					100<t≦160	≧285	490~610	
					160<t≦200	≧275	490~610	
					≦16	≧325	490~610	G 3106
					16<t≦40	≧315	490~610	
					40<t≦75	≧295	490~610	
					75<t≦100	≧295	490~610	
					100<t≦160	≧285	490~610	
					160<t≦200	≧275	490~610	
					≦16	≧325	490~610	D 3515
					16<t≦40	≧315	490~610	
					40<t≦75	≧295	490~610	
					75<t≦100	≧295	490~610	
					100<t≦160	≧285	490~610	
					160<t≦200	≧275	490~610	
					≦16	≧325	490~610	G 3106
					16<t≦40	≧315	490~610	
					40<t≦75	≧295	490~610	
					75<t≦100	≧295	490~610	
					100<t≦160	≧285	490~610	
					160<t≦200	≧275	490~610	

Notes : ([1]) Thickness ([2]) Yield strength ([3]) Tensile strength

棒鋼・形鋼・鋼板・鋼帯 (一般構造用鋼) Steel bars, sections, plates, sheets and strip (for general structure)

索引番号 Index No.	規格名 Std.	記号 Designation	化学成分 (%) Chemical composition					
			鋼材의 두께(1) t (mm)	C	Si	Mn	P	S
A 003(계속)	JIS	SN 490 B	6≦t≦50	≦0.18	≦0.55	≦1.60	≦0.030	≦0.015
			50<t≦100	≦0.20	≦0.55	≦1.60	≦0.030	≦0.015
	KS	SM 490 C	≦100	≦0.18	≦0.55	≦1.60	≦0.035	≦0.035
	JIS	SM 490 C	≦100	≦0.18	≦0.55	≦1.60	≦0.035	≦0.035
	JIS	SN 490 C	16≦t≦50	≦0.18	≦0.55	≦1.60	≦0.020	≦0.008
			50<t≦100	≦0.20	≦0.55	≦1.60	≦0.020	≦0.008
	KS	SM 490 Y	≦100	≦0.20	≦0.55	≦1.60	≦0.035	≦0.035
	JIS	SM 490 Y	≦100	≦0.20	≦0.55	≦1.60	≦0.035	≦0.035
	KS	SM 520 B SM 520 C	≦100	≦0.20	≦0.55	≦1.60	≦0.035	≦0.035
	JIS	SM 520 B SM 520 C	≦100	≦0.20	≦0.55	≦1.60	≦0.035	≦0.035

Index No. A 003								
化 学 成 分 (%) Chemical composition					引 張 試 験 Tensile requirements			規格番号 Std. No.
Cr	Mo	Ni	Cu	others	鋼材의 두께(1) *t* (㎜)	降伏点(2) (N/㎟)	引張强度(3) (N/㎟)	
					6≦t<12	≧325	490~610	G 3136
					12≦t<16	325~445	490~610	
					t=16	325~445	490~610	
					16<t≦40	325~445	490~610	
					40<t≦100	295~415	490~610	
					≦16	≧325	490~610	D 3515
					16<t≦40	≧315	490~610	
					40<t≦75	≧295	490~610	
					75<t≦100	≧295	490~610	
					≦16	≧325	490~610	G 3106
					16<t≦40	≧315	490~610	
					40<t≦75	≧295	490~610	
					75<t≦100	≧295	490~610	
					t=16	325~445	490~610	G 3136
					16<t≦40	325~445	490~610	
					40<t≦100	295~415	490~610	
					≦16	≧365	490~610	D 3515
					16<t≦40	≧355	490~610	
					40<t≦75	≧335	490~610	
					75<t≦100	≧325	490~610	
					≦16	≧365	490~610	G 3106
					16<t≦40	≧355	490~610	
					40<t≦75	≧335	490~610	
					75<t≦100	≧325	490~610	
					≦16	≧365	520~640	D 3515
					16<t≦40	≧355	520~640	
					40<t≦75	≧335	520~640	
					75<t≦100	≧325	520~640	
					≦16	≧365	520~640	G 3106
					16<t≦40	≧355	520~640	
					40<t≦75	≧335	520~640	
					75<t≦100	≧325	520~640	

Notes : (1) Thickness (2) Yield strength (3) Tensile strength

棒鋼・形鋼・鋼板・鋼帯 (一般構造用鋼)			Steel bars, sections, plates, sheets and strip (for general structure)					
索引番号 Index No.	規格名 Std.	記号 Designation	化学成分 (%) Chemical composition					
			鋼材의 두께[1] *t* (mm)	C	Si	Mn	P	S
A 003(계속)	ASTM	70	≦13	≦0.27	0.15~0.40	0.85~1.20	≦0.035	≦0.04
			13<t≦40	≦0.28	0.15~0.40	0.85~1.20	≦0.035	≦0.04
	ASTM	C	≦40	≦0.20	0.15~0.50	1.15~1.50	≦0.035	≦0.04
			40<t≦100	≦0.20	0.15~0.50	1.15~1.50	≦0.035	≦0.04
	ASTM	D	≦40	≦0.20	0.15~0.50	0.70~0.35	≦0.035	≦0.04
			40<t≦100	≦0.20	0.15~0.50	1.00~1.60	≦0.035	≦0.04
	ASTM	E	≦150	≦0.22	0.15~0.50	1.15~1.50	≦0.035	≦0.04
	ASTM	A	≦40	≦0.16	0.15~0.50	0.09~1.50	≦0.035	≦0.04
	ASTM	B	≦40	≦0.20	0.15~0.50	0.70~1.35	≦0.035	≦0.04
			40<t≦65	≦0.20	0.15~0.50	1.00~1.60	≦0.035	≦0.04
	ASTM	50 W	Type A, B 및 C : 각각 A 588 grade A, B 및 C와 동일					
	BS EN	S 355 JR	≦16	≦0.24	≦0.55	≦1.60	≦0.045	≦0.045
	DIN EN		16<t≦40	≦0.24	≦0.55	≦1.60	≦0.045	≦0.045
	NF EN		40<t	≦0.24	≦0.55	≦1.60	≦0.045	≦0.045
	BS EN	S 355 JO	≦16	≦0.20	≦0.55	≦1.60	≦0.040	≦0.040
	DIN EN		16<t≦40	≦0.20	≦0.55	≦1.60	≦0.040	≦0.040
	NF EN		40<t	≦0.20	≦0.55	≦1.60	≦0.040	≦0.040

Index No. A 003

化 学 成 分 (%) Chemical composition					引 張 試 験 Tensile requirements			規格番号 Std. No.
Cr	Mo	Ni	Cu	others	鋼材의 두께(1) t (㎜)	降伏点(2) (N/㎟)	引張强度(3) (N/㎟)	
						≧290	485~620	A 573
						≧290	485~620	
				Nb 0.01~0.05	≦65	≧345	485~620	A 633
				Nb 0.01~0.05	65<t≦100	≧315	450~590	
≦0.25	≦0.08	≦0.25	≦0.35		≦65	≧345	485~620	A 633
≦0.25	≦0.08	≦0.25	≦0.35		65<t≦100	≧315	450~590	
				V 0.04~0.11 N 0.01~0.03	≦100	≧415	550~690	A 633
					100<t≦150	≧380	515~655	
					≦40	≧345	485~620	A 678
					≦65	≧415	550~690	A 678
					≦100	≧345	≧485	A 709
				N≦0.009(4)	<3	≧355	510~680	10025
					3≦t≦16	≧355	490~630	
					16<t≦40	≧345	490~630	
					40<t≦63	≧335	490~630	
					63<t≦80	≧325	490~630	
					80<t≦100	≧315	490~630	
					100<t≦150	≧295	470~630	
					150<t≦200	≧285	450~630	
					200<t≦250	≧275	450~630	
				N≦0.009(4)	<3	≧355	510~680	10025
					3≦t≦16	≧355	490~630	
					16<t≦40	≧345	490~630	
					40<t≦63	≧335	490~630	
					63<t≦80	≧325	490~630	
					80<t≦100	≧315	490~630	
					100<t≦150	≧295	470~630	
					150<t≦200	≧285	450~630	
					200<t≦250	≧275	450~630	

Notes : (1) Thickness (2) Yield strength (3) Tensile strength
(4) 질소에 대한 특별규정 있음(64페이지 참조)

棒鋼・形鋼・鋼板・鋼帯 (一般構造用鋼)			Steel bars, sections, plates, sheets and strip (for general structure)					
索引番号 Index No.	規格名 Std.	記号 Designation	化学成分 (%) Chemical composition					
			鋼材의 두께(1) *t* (mm)	C	Si	Mn	P	S
A 003(계속)	BS EN	S 355 J2G3 S 355 J2G4	≦16	≦0.20	≦0.55	≦1.60	≦0.035	≦0.035
	DIN EN	S 355 K2G3 S 355 K2G4	16<t≦40	≦0.20	≦0.55	≦1.60	≦0.035	≦0.035
	NF EN		40<t	≦0.22	≦0.55	≦1.60	≦0.035	≦0.035
	BS EN	E 295					≦0.045	≦0.045
	DIN EN							
	NF EN							
	BS EN	E 335					≦0.045	≦0.045
	DIN EN							
	NF EN							

Index No. A 003

化学成分 (%) Chemical composition					引張試験 Tensile requirements			規格番号 Std. No.
Cr	Mo	Ni	Cu	others	鋼材의 두께(1) t (㎜)	降伏点(2) (N/㎟)	引張强度(3) (N/㎟)	
					<3	≧355	510~680	10025
					3≦t≦16	≧355	490~630	
					16<t≦40	≧345	490~630	
					40<t≦63	≧335	490~630	
					63<t≦80	≧325	490~630	
					80<t≦100	≧315	490~630	
					100<t≦150	≧295	470~630	
					150<t≦200	≧285	450~630	
					200<t≦250	≧275	450~630	
				N≦0.009(4)	<3	≧295	490~660	10025
					3≦t≦16	≧295	470~610	
					16<t≦40	≧285	470~610	
					40<t≦63	≧275	470~610	
					63<t≦80	≧265	470~610	
					80<t≦100	≧255	470~610	
					100<t≦150	≧245	450~610	
					150<t≦200	≧235	440~610	
					200<t≦250	≧225	440~610	
				N≦0.009(4)	<3	≧335	590~770	10025
					3≦t≦16	≧335	570~710	
					16<t≦40	≧325	570~710	
					40<t≦63	≧315	570~710	
					63<t≦80	≧305	570~710	
					80<t≦100	≧295	570~710	
					100<t≦150	≧275	550~710	
					150<t≦200	≧265	540~710	
					200<t≦250	≧255	540~710	

Notes : (1) Thickness (2) Yield strength (3) Tensile strength
(4) 질소에 대한 특별규정 있음(64페이지 참조)

棒鋼・形鋼・鋼板・鋼帯 (一般構造用鋼) Steel bars, sections, plates, sheets and strip (for general structure)

索引番号 Index No.	規格名 Std.	記号 Designation	化学成分 (%) Chemical composition					
			鋼材의 두께([1]) t (mm)	C	Si	Mn	P	S
A 003(계속)	BS EN	E 360					≦0.045	≦0.045
	DIN EN							
	NF EN							
	BS EN	S 355 N		≦0.20	≦0.50	0.90～1.65	≦0.035	≦0.035
	DIN EN							
	NF EN							
	BS EN	S 420 N		≦0.20	≦0.60	1.00～1.70	≦0.035	≦0.035
	DIN EN							
	NF EN							
	BS EN	S 460 N		≦0.20	≦0.60	1.00～1.70	≦0.035	≦0.035
	DIN EN							
	NF EN							
	BS EN	S 420 M		≦0.16	≦0.50	≦1.70	≦0.035	≦0.030
	DIN EN							
	NF EN							
	BS EN	S 460 M		≦0.16	≦0.60	≦1.70	≦0.035	≦0.030
	DIN EN							
	NF EN							

化学成分 (%) Chemical composition					引張試験 Tensile requirements			規格番号 Std. No.
Cr	Mo	Ni	Cu	others	鋼材의 두께([1]) t (mm)	降伏点([2]) (N/mm²)	引張强度([3]) (N/mm²)	
				N≦0.009([6])	<3	≧360	690~900	10025
					3≦t≦16	≧360	670~830	
					16<t≦40	≧355	670~830	
					40<t≦63	≧345	670~830	
					63<t≦80	≧335	670~830	
					80<t≦100	≧325	670~830	
					100<t≦150	≧305	650~830	
					150<t≦200	≧295	640~830	
					200<t≦250	≧285	640~830	
≦0.30	≦0.10	≦0.50	≦0.35	Nb≦0.05 V≦0.12	≦16	≧355	470~630	10113-2
				Al≧0.02([5]) Ti≦0.03	16<t≦40	≧345	470~630	
				N≦0.015	40<t≦63	≧335	470~630	
					63<t≦80	≧325	470~630	
					80<t≦100	≧315	470~630	
					100<t≦150	≧295	450~600	
≦0.30	≦0.10	≦0.80	≦0.70([6])	Nb≦0.05 V≦0.20	≦16	≧420	520~680	10113-2
				Al≧0.02([5]) Ti≦0.03	16<t≦40	≧400	520~680	
				N≦0.015	40<t≦63	≧390	520~680	
					63<t≦80	≧370	520~680	
					80<t≦100	≧360	520~680	
					100<t≦150	≧340	500~600	
≦0.30	≦0.10	≦0.80	≦0.70([6])	Nb≦0.05 V≦0.20	≦16	≧460	550~720	10113-2
				Al≧0.02([5]) Ti≦0.03	16<t≦40	≧440	550~720	
				N≦0.015	40<t≦63	≧430	550~720	
					63<t≦80	≧410	550~720	
					80<t≦100	≧400	550~720	
	≦0.20	≦0.30		Nb≦0.05 V≦0.12	≦16	≧420	500~660	10113-3
				Al≧0.02([5]) Ti≦0.05	16<t≦40	≧400	500~660	
				N≦0.020	40<t≦63	≧390	500~660	
	≦0.20	≦0.45		Nb≦0.05 V≦0.12	≦16	≧460	530~720	10113-3
				Al≧0.02([5]) Ti≦0.05	16<t≦40	≧440	530~720	
				N≦0.025	40<t≦63	≧430	530~720	

Notes : ([1]) Thickness ([2]) Yield strength ([3]) Tensile strength ([4]) 질소에 대한 특별규정 있음 (64페이지 참조)
([5]) 질소고정원소가 충분히 존재할 경우는 적용제외(64페이지 참조) ([6]) Cu 함유량이 0.35%초과하는 경우, Ni은 Cu의 1/2

棒鋼・形鋼・鋼板・鋼帯 (一般構造用鋼)	Steel bars, sections, plates, sheets and strip (for general structure)							
索引番号 Index No.	規格名 Std.	記号 Designation	化学成分 (%) Chemical composition					
			鋼材의 두께(1) t (㎜)	C	Si	Mn	P	S
A 003(계속)	ISO	E 355 C	≦30	≦0.20	≦0.55	≦1.60	≦0.040	≦0.040
			>30	≦0.22	≦0.55	≦1.60	≦0.040	≦0.040
	ISO	E 355 D	≦30	≦0.20	≦0.55	≦1.60	≦0.035	≦0.035
			>30	≦0.22	≦0.55	≦1.60	≦0.035	≦0.035
	ISO	E 355 DD		≦0.18	≦0.50	0.90～1.6	≦0.030	≦0.030
	ISO	E 355 E		≦0.18	≦0.50	0.90～1.6	≦0.025	≦0.025
	ISO	E 460 CC		≦0.20	≦0.50	1.0～1.7	≦0.040	≦0.040

Index No. A 003

化 学 成 分 (%) Chemical composition					引 張 試 験 Tensile requirements			規格番号 Std. No.
Cr	Mo	Ni	Cu	others	鋼材의 두께(1) *t* (㎜)	降伏点(2) (N/㎟)	引張强度(3) (N/㎟)	
					≦16	≧355	490~640	630
					16<t≦40	≧345	490~640	
					40<t≦63	≧335	490~640	
					63<t≦80	≧325	490~640	
					80<t≦100	≧315	490~640	
					100<t≦150	≧295	490~640	
					150<t≦200	≧285	490~640	
					≦16	≧355	490~640	630
					16<t≦40	≧345	490~640	
					40<t≦63	≧335	490~640	
					63<t≦80	≧325	490~640	
					80<t≦100	≧315	490~640	
					100<t≦150	≧295	490~640	
					150<t≦200	≧285	490~640	
≦0.25	≦0.10	≦0.30	≦0.35	Nb 0.015~0.060 V 0.02~0.10	≦16	≧355	470~630	4950-2
				Al≧0.020 Ti 0.02~0.20	16<t≦35	≧345	470~630	
					35<t≦50	≧335	470~630	
					50<t≦70	≧325	470~630	
					70<t≦100	≧305	450~610	
					100<t≦125	≧295	440~600	
					125<t≦150	≧285	430~590	
≦0.25	≦0.10	≦0.30	≦0.35	Nb 0.015~0.060 V 0.02~0.10	≦16	≧355	470~630	4950-2
				Al≧0.020 Ti 0.02~0.20	16<t≦35	≧345	470~630	
					35<t≦50	≧335	470~630	
					50<t≦70	≧325	470~630	
					70<t≦100	≧305	450~610	
					100<t≦125	≧295	440~600	
					125<t≦150	≧285	430~590	
≦0.70	≦0.40	≦0.1	≦0.70	Nb 0.015~0.060 V 0.02~0.20	≦16	≧460	550~720	4950-2
				Al≧0.020 Ti 0.02~0.20	16<t≦35	≧450	550~720	
					35<t≦50	≧440	550~720	
					50<t≦70	≧420	550~720	

Notes : (1) Thickness (2) Yield strength (3) Tensile strength

棒鋼・形鋼・鋼板・鋼帯 (一般構造用鋼) Steel bars, sections, plates, sheets and strip (for general structure)

索引番号 Index No.	規格名 Std.	記号 Designation	化学成分 (%) Chemical composition					
			鋼材의 두께([1]) t (mm)	C	Si	Mn	P	S
A 003(계속)	ISO	E 460 DD		≦0.20	≦0.50	1.0～1.7	≦0.030	≦0.030
	ISO	E 460 E		≦0.20	≦0.50	1.0～1.7	≦0.025	≦0.025
	ISO	E 460 DD		≦0.20	≦0.55	0.7～1.7	≦0.035	≦0.035
	ISO	E 460 E		≦0.20	≦0.55	0.7～1.7	≦0.030	≦0.030
	ISO	E 550 DD		≦0.20	0.10～0.80	≦1.7	≦0.035	≦0.035
	ISO	E 550 E		≦0.20	0.10～0.80	≦1.7	≦0.030	≦0.030
	ISO	E 690 DD		≦0.20	0.10～0.80	≦1.7	≦0.035	≦0.035
	ISO	E 690 E		≦0.20	0.10～0.80	≦1.7	≦0.030	≦0.030

Index No. A 003

化学成分 (%) Chemical composition					引張試験 Tensile requirements			規格番号 Std. No.
Cr	Mo	Ni	Cu	others	鋼材의 두께([1]) t (㎜)	降伏点([2]) (N/㎟)	引張强度([3]) (N/㎟)	
≦0.70	≦0.40	≦1.0	≦0.70	Nb 0.015~0.060 V 0.02~0.20	≦16	≧460	550~720	4950-2
				Al≧0.020 Ti 0.02~0.20	16<t≦35	≧450	550~720	
					35<t≦50	≧440	550~720	
					50<t≦70	≧420	550~720	
					70<t≦100	≧400	530~700	
					100<t≦125	≧390	520~690	
					125<t≦150	≧380	510~680	
≦0.70	≦0.40	≦1.0	≦0.70	Nb 0.015~0.060 V 0.02~0.20	≦16	≧460	550~720	4950-2
				Al≧0.020 Ti 0.02~0.20	16<t≦35	≧450	550~720	
					35<t≦50	≧440	550~720	
					50<t≦70	≧420	550~720	
					70<t≦100	≧400	530~700	
					100<t≦125	≧390	520~690	
					125<t≦150	≧380	510~680	
≦2	≦1	≦2	≦1.5	Nb≦0.060([4]) V≦0.10([4])	≦50	≧460	570~720	4950-3
				N≦0.020([4]) B≦0.005([4])	50<t≦70	≧440	570~720	
				Zr≦0.15([4]) Ti≦0.20([4])				
≦2	≦1	≦2	≦1.5	Nb≦0.060([4]) V≦0.10([4])	≦50	≧460	570~720	4950-3
				N≦0.020([4]) B≦0.005([4])	50<t≦70	≧440	570~720	
				Zr≦0.15([4]) Ti≦0.20([4])				
≦2	≦1	≦2	≦1.5	Nb≦0.060([4]) V≦0.10([4])	≦50	≧550	650~830	4950-3
				N≦0.020([4]) B≦0.005([4])	50<t≦70	≧530	650~830	
				Zr≦0.15([4]) Ti≦0.20([4])				
≦2	≦1	≦2	≦1.5	Nb≦0.060([4]) V≦0.10([4])	≦50	≧550	650~830	4950-3
				N≦0.020([4]) B≦0.005([4])	50<t≦70	≧530	650~830	
				Zr≦0.15([4]) Ti≦0.20([4])				
≦2	≦1	≦2	≦1.5	Nb≦0.060([4]) V≦0.10([4])	≦50	≧690	770~940	4950-3
				N≦0.020([4]) B≦0.005([4])	50<t≦70	≧670	770~940	
				Zr≦0.15([4]) Ti≦0.20([4])				
≦2	≦1	≦2	≦1.5	Nb≦0.060([4]) V≦0.10([4])	≦50	≧690	770~940	4950-3
				N≦0.020([4]) B≦0.005([4])	50<t≦70	≧670	770~940	
				Zr≦0.15([4]) Ti≦0.20([4])				

Notes : ([1]) Thickness ([2]) Yield strength ([3]) Tensile strength
([4]) 두께와 제조조건에 따라 첨가

棒鋼・形鋼・鋼板・鋼帯 (一般構造用鋼) Steel bars, sections, plates, sheets and strip (for general structure)

索引番号 Index No.	規格名 Std.	記号 Designation	化学成分 (%) Chemical composition					
			鋼材의 두께[1] t (㎜)	C	Si	Mn	P	S
A 003(계속)	BS	50E		≦0.18	0.10~0.50	≦1.50	≦0.040	
	BS	50 EE		≦0.18	0.10~0.50	≦1.50	≦0.040	≦0.030
	BS	50 F		≦0.16	0.10~0.50	≦1.50	≦0.025	≦0.025
	BS	55 C		≦0.22	≦0.60	≦1.60	≦0.040	≦0.040
	BS	55 EE		≦0.22	0.10~0.50	≦1.60	≦0.040	≦0.030
	BS	55 F		≦0.16	0.10~0.50	≦1.50	≦0.025	≦0.025
	DIN	St 52-3	≦30	≦0.20			≦0.040	≦0.040
			30<t≦100	≦0.22			≦0.040	≦0.040
A 004	KS	SM 570	≦100	≦0.18	≦0.55	≦1.60	≦0.035	≦0.035
	JIS	SM 570	≦100	≦0.18	≦0.55	≦1.60	≦0.035	≦0.035

Index No. A 003~A 004

化 学 成 分 (%) Chemical composition					引 張 試 験 Tensile requirements			規格番号 Std. No.
Cr	Mo	Ni	Cu	others	鋼材의 두께(1) *t* (㎜)	降伏点(2) (N/㎟)	引張强度(3) (N/㎟)	
				Nb0.003~0.10 V0.003~0.10	≦16	≧365	490~640	(4360)
					16<t≦40	≧345	490~640	
					40<t≦63	≧340	490~640	
					63<t≦100	≧325	490~640	
				Nb0.003~0.10 V0.003~0.10	≦16	≧355	490~640	(4360)
					16<t≦40	≧345	480~640	
					40<t≦63	≧340	480~640	
					63<t≦100	≧325	480~640	
					100<t≦150	≧305	460~640	
				Nb0.003~0.10 V0.003~0.10	≦16	≧390	490~640	(4360)
					16<t≦40	≧390	490~640	
				Nb0.003~0.10 V0.003~0.20	≦16	≧450	550~700	(4360)
					16<t≦40	≧430	550~700	
				Nb0.003~0.10 V0.003~020	≦16	≧450	550~700	(4360)
					16<t≦40	≧430	550~700	
					40<t≦63	≧415	550~700	
					63<t≦100	≧400	550~700	
				Nb0.003~0.10 V0.003~020	≦16	≧450	550~700	(4360)
					16<t≦40	≧430	550~700	
					40<t≦63	≧415	550~700	
				(4)	≦16	≧355	490~630	(17100)
				(4)	16<t≦40	≧345	490~630	
					40<t≦63	≧335	490~630	
					63<t≦80	≧325	490~630	
					80<t≦100	≧315	490~630	
					≦16	≧460	570~720	D 3515
					16<t≦40	≧450	570~720	
					40<t≦75	≧430	570~720	
					75<t≦100	≧420	570~720	
					≦16	≧460	570~720	G 3106
					16<t≦40	≧450	570~720	
					40<t≦75	≧430	570~720	

Notes : (1) Thickness (2) Yield strength (3) Tensile strength (4) 질소고정원소를 첨가한 것(예 : T. Al〉 0.020)

棒鋼・形鋼・鋼板・鋼帯 (一般構造用鋼)			Steel bars, sections, plates, sheets and strip (for general structure)					
索引番号 Index No.	規格名 Std.	記号 Designation	化学成分 (%) Chemical composition					
			鋼材의 두께(1) t (㎜)	C	Si	Mn	P	S
A 004(계속)								
	ASTM	C	≦50	≦0.22	0.20～0.50	1.00～1.60	≦0.035	≦0.04
	ASTM	D	≦75	≦0.22	0.15～0.50	1.15～1.50	≦0.035	≦0.04
A 005	KS	SMA 41 AW	≦200	≦0.18	0.15～0.65	≦1.25	≦0.035	≦0.35
		SMA 41 BW						
	JIS	SMA 400 AW	≦200	≦0.18	0.15～0.65	≦1.25	≦0.035	≦0.035
		SMA 400 BW						
	KS	SMA 41 AP	≦200	≦0.18	≦0.55	≦1.25	≦0.035	≦0.035
		SMA 41 BP						
	JIS	SMA 400 AP	≦200	≦0.18	≦0.55	≦1.25	≦0.035	≦0.035
		SMA 400 BP						

Index No. A 004~A 005

化学成分 (%) Chemical composition					引張試験 Tensile requirements			規格番号 Std. No.
Cr	Mo	Ni	Cu	others	鋼材의 두께(1) *t* (mm)	降伏点(2) (N/mm²)	引張強度(3) (N/mm²)	
					75<t≦100	≧420	570~720	
					≦20	≧515	655~790	A 678
					20<t≦40	≧485	620~760	
					40<t≦50	≧450	580~720	
				V 0.04~0.11 N 0.01~0.03	≦75	≧515	655~790	A 678
0.45~0.75		0.05~0.30	0.30~0.50	(4)	≦16	≧245	400~540	D 3529
					16<t≦40	≧235	400~540	
					40<t≦75	≧215	400~540	
					75<t≦100	≧215	400~540	
					100<t≦160	≧205	400~540	
					160<t≦200	≧195	400~540	
0.45~0.75		0.05~0.30	0.30~0.50	(4)	≦16	≧245	400~540	G 3114
					16<t≦40	≧235	400~540	
					40<t≦75	≧215	400~540	
					75<t≦100	≧215	400~540	
					100<t≦160	≧205	400~540	
					160<t≦200	≧195	400~540	
0.30~0.55			0.20~0.35	(4)	≦16	≧245	400~540	D 3529
					16<t≦40	≧235	400~540	
					40<t≦75	≧215	400~540	
					75<t≦100	≧215	400~540	
					100<t≦160	≧205	400~540	
					160<t≦200	≧195	400~540	
0.30~0.55			0.20~0.35	(4)	≦16	≧245	400~540	G 3114
					16<t≦40	≧235	400~540	
					40<t≦75	≧215	400~540	
					75<t≦100	≧215	400~540	
					100<t≦160	≧205	400~540	
					160<t≦200	≧195	400~540	

Notes : (1) Thickness (2) Yield strength (3) Tensile strength

(4) 내후성이 유효한 원소인 Mo, Nb, Ti V, Zr 등을 첨가해도 좋다. 단, 이러한 원소의 총계는 0.15%를 초과하지 않아야 한다.

棒鋼・形鋼・鋼板・鋼帯 (一般構造用鋼) Steel bars, sections, plates, sheets and strip (for general structure)

索引番号 Index No.	規格名 Std.	記号 Designation	化学成分 (%) Chemical composition					
			鋼材의 두께[1] t (mm)	C	Si	Mn	P	S
A 005(계속)	KS	SMA 41 CW	≦100	≦0.18	0.15～0.65	≦1.25	≦0.035	≦0.035
	JIS	SMA 400 CW	≦100	≦0.18	0.15～0.65	≦1.25	≦0.035	≦0.035
	KS	SMA 41 CP	≦100	≦0.18	≦0.55	≦1.25	≦0.035	≦0.035
	JIS	SMA 400 CP	≦100	≦0.18	≦0.55	≦1.25	≦0.035	≦0.035
	BS EN	S 235 J0W		≦0.13	≦0.40	0.20～0.60	≦0.040	≦0.040
	DIN EN							
	NF EN							
	BS EN	S 235 J2W		≦0.13	≦0.40	0.20～0.60	≦0.040	≦0.035
	DIN EN							
	NF EN							
	ISO*	Fe 235 WB		≦0.13	0.10～0.40	0.20～0.60	≦0.040	≦0.035
	ISO*	Fe 235 WC Fe 235 WD		≦0.13	0.10～0.40	0.20～0.60	≦0.040	≦0.035

化学成分(%) Chemical composition					引張試験 Tensile requirements			規格番号 Std. No.
Cr	Mo	Ni	Cu	others	鋼材의 두께(1) t (mm)	降伏点(2) (N/mm²)	引張强度(3) (N/mm²)	
0.45~0.75		0.05~0.30	0.30~0.50	(4)	≦16	≧245	400~540	D 3529
					16<t≦40	≧235	400~540	
					40<t≦75	≧215	400~540	
					75<t≦100	≧215	400~540	
0.45~0.75		0.05~0.30	0.30~0.50	(4)	≦16	≧245	400~540	G 3114
					16<t≦40	≧235	400~540	
					40<t≦75	≧215	400~540	
					75<t≦100	≧215	400~540	
0.30~0.55			0.20~0.35	(4)	≦16	≧245	400~540	D 3529
					16<t≦40	≧235	400~540	
					40<t≦75	≧215	400~540	
					75<t≦100	≧215	400~540	
0.30~0.55			0.20~0.35	(4)	≦16	≧245	400~540	G 3114
					16<t≦40	≧235	400~540	
					40<t≦75	≧215	400~540	
					75<t≦100	≧215	400~540	
0.40~0.80			0.25~0.55	N≦0.009(5)	<3	≧235	360~510	10155
					3≦t≦16	≧235	340~470	
					16<t≦40	≧225	340~470	
					40<t≦63	≧215	340~470	
					63<t≦80	≧215	340~470	
					80≦t≦100	≧215	340~470	
0.40~0.80			0.25~0.55		<3	≧235	360~510	10155
					3≦t≦16	≧235	340~470	
					16<t≦40	≧225	340~470	
					40<t≦63	≧215	340~470	
					63<t≦80	≧215	340~470	
					80≦t≦100	≧215	340~470	
0.40~0.80		≦0.65	0.20~0.50		≦16	≧235	≧340	DIS 4952.2
					16<t≦40	≧225	≧340	
					40<t≦63	≧215	≧340	
0.40~0.80		≦0.65	0.20~0.50	Al≧0.020(6) Nb 0.015~0.060	≦16	≧235	≧340	DIS 4952.2
				V 0.02~0.15 TI 0.02~0.10	16<t≦40	≧225	≧340	
					40<t≦63	≧215	≧340	

Notes : (1) Thickness (2) Yield strength (3) Tensile strength
(4) 내후성이 유효한 원소인 Mo, Nb, Ti V, Zr 등을 첨가해도 좋다. 단, 이러한 원소의 총계는 0.15%를 초과하지 않아야 한다.
(5) 질소에 대한 특별규정 있음(64페이지 참조) (6) 첨가원소 필요

棒鋼・形鋼・鋼板・鋼帯 (一般構造用鋼) Steel bars, sections, plates, sheets and strip (for general structure)

索引番号 Index No.	規格名 Std.	記号 Designation	化学成分 (%) Chemical composition					
			鋼材의 두께[1] t (㎜)	C	Si	Mn	P	S
A 006	KS	SMA 50 AW	≦200	≦0.18	0.15~0.65	≦1.40	≦0.035	≦0.035
		SMA 50 BW						
	JIS	SMA 490 AW	≦200	≦0.18	0.15~0.65	≦1.40	≦0.035	≦0.035
		SMA 490 BW						
	KS	SMA 50 AP	≦200	≦0.18	≦0.55	≦1.40	≦0.035	≦0.035
		SMA 50 BP						
	JIS	SMA 490 AP	≦200	≦0.18	≦0.55	≦1.40	≦0.035	≦0.035
		SMA 490 AP						
	KS	SMA 50 CW	≦100	≦0.18	0.15~0.65	≦1.40	≦0.035	≦0.035
	JIS	SMA 490 CW	≦100	≦0.18	0.15~0.65	≦1.40	≦0.035	≦0.035
	KS	SMA 50 CP	≦100	≦0.18	≦0.55	≦1.40	≦0.035	≦0.035

化 学 成 分 (%) Chemical composition					引 張 試 験 Tensile requirements			規格番号 Std. No.
Cr	Mo	Ni	Cu	others	鋼材의 두께(1) t (mm)	降伏点(2) (N/mm²)	引張强度(3) (N/mm²)	
0.45~0.75		0.05~0.30	0.30~0.50	(4)	≦16	≧365	490~610	D 3529
					16<t≦40	≧355	490~610	
					40<t≦75	≧335	490~610	
					75<t≦100	≧325	490~610	
					100<t≦160	≧305	490~610	
					160<t≦200	≧295	490~610	
0.45~0.75		0.05~0.30	0.30~0.50	(4)	≦16	≧365	490~610	G 3114
					16<t≦40	≧355	490~610	
					40<t≦75	≧335	490~610	
					75<t≦100	≧325	490~610	
					100<t≦160	≧305	490~610	
					160<t≦200	≧295	490~610	
0.30~0.55			0.20~0.35	(4)	≦16	≧365	490~610	D 3529
					16<t≦40	≧355	490~610	
					40<t≦75	≧335	490~610	
					75<t≦100	≧325	490~610	
					100<t≦160	≧305	490~610	
					160<t≦200	≧295	490~610	
0.30~0.55			0.20~0.35	(4)	≦16	≧365	490~610	G 3114
					16<t≦40	≧355	490~610	
					40<t≦75	≧335	490~610	
					75<t≦100	≧325	490~610	
					100<t≦160	≧305	490~610	
					160<t≦200	≧295	490~610	
0.45~0.75		0.05~0.30	0.30~0.50	(4)	≦16	≧365	490~610	D 3529
					16<t≦40	≧355	490~610	
					40<t≦75	≧335	490~610	
					75<t≦100	≧325	490~610	
0.45~0.75		0.05~0.30	0.30~0.50	(4)	≦16	≧365	490~610	G 3114
					16<t≦40	≧355	490~610	
					40<t≦75	≧335	490~610	
					75<t≦100	≧325	490~610	
0.30~0.55			0.20~0.35	(4)	≦16	≧365	490~610	D 3529
					16<t≦40	≧355	490~610	
					40<t≦75	≧335	490~610	
					75<t≦100	≧325	490~610	

Notes : (1) Thickness (2) Yield strength (3) Tensile strength
(4) 내후성이 유효한 원소인 Mo, Nb, Ti V, Zr 등을 첨가해도 좋다. 단, 이러한 원소의 총계는 0.15%를 초과하지 않아야 한다.

棒鋼・形鋼・鋼板・鋼帯 (一般構造用鋼)				Steel bars, sections, plates, sheets and strip (for general structure)				
索引番号 Index No.	規格名 Std.	記号 Designation	化 学 成 分 (%) Chemical composition					
			鋼材의 두께(1) *t* (㎜)	C	Si	Mn	P	S
A 006(계속)	JIS	SMA 490 CP	≦100	≦0.18	≦0.55	≦1.40	≦0.035	≦0.035
	ASTM	A		≦0.19	0.30~0.65	0.80~1.25	≦0.04	≦0.05
	ASTM	B		≦0.20	0.15~0.50	0.75~1.35	≦0.04	≦0.05
	ASTM	C		≦0.15	0.15~0.40	0.80~1.35	≦0.04	≦0.05
	BS EN	S 355 J0W		≦0.16	≦0.50	0.50~1.50	≦0.040	≦0.040
	DIN EN							
	NF EN							
	BS EN	S 355 J2G1W S 355 J2G2W		≦0.16	≦0.50	0.50~1.50	≦0.035	≦0.035
	DIN EN	S 355 K2G1W S 355 K2G2W						
	NF EN							
	ISO*	Fe 355 W2B		≦0.19	≦0.50	0.50~1.50	≦0.040	≦0.035
	ISO*	Fe 355 W2C Fe 355 W2D		≦0.19	≦0.50	0.50~1.50	≦0.040	≦0.035
	ISO	HSA 235 WB		≦0.13	0.10~0.40	0.20~0.60	≦0.050	≦0.035
	ISO	HSA 235 WD		≦0.13	0.10~0.40	0.20~0.60	≦0.040	≦0.035
	ISO	HSA 355 W2C		≦0.19	≦0.50	0.15~1.50	≦0.040	≦0.050
	ISO	HSA 355 W2D		≦0.19	≦0.50	0.15~1.50	≦0.040	≦0.040
	ASTM	K		≦0.17	0.25~0.50	0.50~1.20	≦0.04	≦0.05

Index No. A 006

化学成分 (%) Chemical composition					引張試験 Tensile requirements			規格番号 Std. No.
Cr	Mo	Ni	Cu	others	鋼材의 두께[1] t (mm)	降伏点[2] (N/mm²)	引張强度[3] (N/mm²)	
0.30~0.55			0.20~0.35	[4]	≦16	≧365	490~610	G 3114
					16<t≦40	≧355	490~610	
					40<t≦75	≧335	490~610	
					75<t≦100	≧325	490~610	
0.40~0.65		≦0.40	0.25~0.40	V 0.02~0.10	≦100	≧345	≧485	A 588
					100<t≦125	≧315	≧460	
					125<t≦200	≧290	≧435	
0.40~0.70		≦0.50	0.20~0.40	V 0.01~0.10	≦100	≧345	≧485	A 588
					100<t≦125	≧315	≧460	
					125<t≦200	≧290	≧435	
0.30~0.50		0.25~0.50	0.20~0.50	V 0.01~0.10	≦100	≧345	≧485	A 588
					100<t≦125	≧315	≧460	
					125<t≦200	≧290	≧435	
0.40~0.80			0.25~0.55	N≦0.009[4]	<3	≧355	510~680	10155
					3≦t≦16	≧355	490~630	
					16<t≦40	≧345	490~630	
					40<t≦63	≧335	490~630	
					63<t≦80	≧325	490~630	
					80<t≦100	≧315	490~630	
0.40~0.80			0.25~0.55		<3	≧355	510~680	10155
					3≦t≦16	≧355	490~630	
					16<t≦40	≧345	490~630	
					40<t≦63	≧335	490~630	
					63<t≦80	≧325	490~630	
					80<t≦100	≧315	490~630	
0.40~0.85	≦0.30	≦0.65	0.20~0.55	Zr≦0.15	≦16	≧355	≧490	DIS 4952.2
					16<t≦40	≧345	≧490	
					40<t≦63	≧335	≧490	
0.40~0.85	≦0.30	≦0.65	0.20~0.55	Zr≦0.15 Al≧0.020[5]	≦16	≧355	≧490	DIS 4952.2
				Nb 0.015~0.060 V 0.02~0.15[5]	16<t≦40	≧345	≧490	
				TI 0.02~0.10[5]	40<t≦63	≧335	≧490	
0.40~0.80		≦0.65	0.40~0.80			≧235	≧330	5952
0.40~0.80		≦0.65	0.40~0.80			≧235	≧330	5952
0.40~0.80	≦0.30	≦0.65	0.25~0.55	0.20~0.55	≦0.15	≧355	≧430	5952
0.40~0.80	≦0.30	≦0.65	0.25~0.55	0.20~0.55	≦0.15	≧355	≧430	5952
0.40~0.70	≦0.10	≦0.40	0.30~0.50	Nb 0.005~0.05	≦100	≧345	≧485	A 588

Notes : [1] Thickness [2] Yield strength [3] Tensile strength [4] 질소에 대한 특별규정 있음(64페이지 참조)
[5] 첨가원소 필요 [6] 내후성이 유효한 원소인 Mo, Nb, Ti V, Zr 등을 첨가해도 좋다. 단, 이러한 원소의 총계는 0.15%를 초과하지 않아야 한다.

棒鋼・形鋼・鋼板・鋼帯 (一般構造用鋼)			Steel bars, sections, plates, sheets and strip (for general structure)					
索引番号 Index No.	規格名 Std.	記号 Designation	化 学 成 分 (%) Chemical composition					
			鋼材의 두께([1]) t (mm)	C	Si	Mn	P	S
A 006(계속)								
	BS	WR 50 B		≦0.19	0.15~0.65	0.90~1.25	≦0.040	≦0.050
	BS	WR 50 C		≦0.22	0.15~0.65	0.90~1.45	≦0.040	≦0.050
	VDEh	WT St 52-3		≦0.15	0.10~0.50	0.90~1.30	≦0.045	≦0.035
A 007	KS	SMA 58 W	t≦100	≦0.18	0.15~0.65	≦1.40	≦0.035	≦0.035
	JIS	SMA 570 W	t≦100	≦0.18	0.15~0.65	≦1.40	≦0.035	≦0.035
	KS	SMA 58 P	t≦100	≦0.18	≦0.55	≦1.40	≦0.035	≦0.035
	JIS	SMA 570 P	t≦100	≦0.18	≦0.55	≦1.40	≦0.035	≦0.035

Index No. A 006~A 007

化 学 成 分 (%) Chemical composition					引 張 試 驗 Tensile requirements			規格番号 Std. No.
Cr	Mo	Ni	Cu	others	鋼材의 두께(1) t (㎜)	降伏点(2) (N/㎟)	引張强度(3) (N/㎟)	
					100≦t125	≧315	≧460	
					125<t≦200	≧290	≧435	
0.50~0.65			0.25~0.40	Al 0.01~0.06 V 0.02~0.10	≦12	≧345	≧480	(4360)
					12<t≦25	≧345	≧480	
					25<t≦40	≧345	≧480	
					40<t≦50	≧340	≧480	
0.50~0.65			0.25~0.40	Al 0.01~0.06 V 0.02~0.10	≦12	≧345	≧480	(4360)
					12<t≦25	≧345	≧480	
					25<t≧40	≧345	≧480	
					40<t≦50	≧340	≧480	
0.50~0.80			0.30~0.50	N≦ 0.009 V 0.02~0.10	≦16	≧355	490~630	SEW 087
					16<t≦40	≧345	490~630	
					40<t≦63	≧335	490~630	
					63<t≦80	≧325	490~630	
					80<t≦100	≧315	490~630	
0.45~0.75		0.05~0.30	0.30~0.50	(4)	≦16	≧460	570~720	D 3529
					16<t≦40	≧450	570~720	
					40<t≦75	≧430	570~720	
					75<t≦100	≧420	570~720	
0.45~0.75		0.05~0.30	0.30~0.50	(4)	≦16	≧460	570~720	G 3114
					16<t≦40	≧450	570~720	
					40<t≦75	≧430	570~720	
					75<t≦100	≧420	570~720	
0.30~0.55			0.20~0.35	(4)	≦16	≧460	570~720	D 3529
					16<t≦40	≧450	570~720	
					40<t≦75	≧430	570~720	
					75<t≦100	≧420	570~720	
0.30~0.55			0.20~0.35	(4)	≦16	≧460	570~720	G 3114
					16<t≦40	≧450	570~720	
					40<t≦75	≧430	570~720	
					75<t≦100	≧420	570~720	

Notes : (1) Thickness (2) Yield strength (3) Tensile strength

(4) 내후성이 유효한 원소인 Mo, Nb, Ti V, Zr 등을 첨가해도 좋다. 단, 이러한 원소의 총계는 0.15%를 초과하지 않아야 한다.

棒鋼・形鋼・鋼板・鋼帯 (一般構造用鋼)			Steel bars, sections, plates, sheets and strip (for general structure)					
索引番号 Index No.	規格名 Std.	記号 Designation	化 学 成 分 (%) Chemical composition					
			鋼材의 두께([1]) t (mm)	C	Si	Mn	P	S
A 007(계속)	BS EN	S 460 Q		≦0.20	≦0.80	≦1.70	≦0.025	≦0.015
	DIN EN							
	NF EN							
	BS EN	S 460 QL S 460 QL 1		≦0.20	≦0.80	≦1.70	≦0.020	≦0.010
	DIN EN							
	NF EN							
	BS EN	S 500 Q		≦0.20	≦0.80	≦1.70	≦0.025	≦0.015
	DIN EN							
	NF EN							
	BS EN	S 500 QL S 500 QL 1		≦0.20	≦0.80	≦1.70	≦0.020	≦0.010
	DIN EN							
	NF EN							
	BS EN	S 550 Q		≦0.20	≦0.80	≦1.70	≦0.025	≦0.015
	DIN EN							
	NF EN							
	BS EN	S 550 QL S 550 QL 1		≦0.20	≦0.80	≦1.70	≦0.020	≦0.010
	DIN EN							
	NF EN							
	BS EN	S 620 Q		≦0.20	≦0.80	≦1.70	≦0.025	≦0.015
	DIN EN							
	NF EN							
	BS EN	S 620 QL S 620 QL 1		≦0.20	≦0.80	≦1.70	≦0.020	≦0.010
	DIN EN							
	NF EN							
	BS EN	S 690 Q		≦0.20	≦0.80	≦1.70	≦0.025	≦0.015
	DIN EN							
	NF EN							
	BS EN	S 690 QL S 690 QL 1		≦0.20	≦0.80	≦1.70	≦0.020	≦0.010
	DIN EN							
	NF EN							
	BS EN	S 890 Q		≦0.20	≦0.80	≦1.70	≦0.025	≦0.015
	DIN EN							
	NF EN							

Index No. A 007

化学成分 (%) Chemical composition					引張試験 Tensile requirements			規格番号 Std. No.
Cr	Mo	Ni	Cu	others	鋼材의 두께(1) t (mm)	降伏点(2) (N/mm²)	引張强度(3) (N/mm²)	
≦1.50	≦0.70	≦2.00	≦0.50	N≦0.015 B≦0.0050 Nb≦0.06(4) Ti≦0.05(4) V≦0.12(4) Zr≦0.15(4)	3≦t≦50	≧460	550~720	10137-2
					50<t≦100	≧440	550~720	
					100<t≦150	≧400	500~670	
≦1.50	≦0.70	≦2.00	≦0.50		3≦t≦50	≧460	550~720	10137-2
					50<t≦100	≧440	550~720	
					100<t≦150	≧400	500~670	
≦1.50	≦0.70	≦2.00	≦0.50		3≦t≦50	≧500	590~770	10137-2
					50<t≦100	≧480	590~770	
					100<t≦150	≧440	540~720	
≦1.50	≦0.70	≦2.00	≦0.50		3≦t≦50	≧500	590~770	10137-2
					50<t≦100	≧480	590~770	
					100<t≦150	≧440	540~720	
≦1.50	≦0.70	≦2.00	≦0.50		3≦t≦50	≧550	640~820	10137-2
					50<t≦100	≧530	640~820	
					100<t≦150	≧490	590~770	
≦1.50	≦0.70	≦2.00	≦0.50		3≦t≦50	≧550	640~820	10137-2
					50<t≦100	≧530	640~820	
					100<t≦150	≧490	590~770	
≦1.50	≦0.70	≦2.00	≦0.50		3≦t≦50	≧620	700~890	10137-2
					50<t≦100	≧580	700~890	
					100<t≦150	≧560	650~830	
≦1.50	≦0.70	≦2.00	≦0.50		3≦t≦50	≧620	700~890	10137-2
					50<t≦100	≧580	700~890	
					100<t≦150	≧560	650~830	
≦1.50	≦0.70	≦2.00	≦0.50		3≦t≦50	≧690	770~940	10137-2
					50<t≦100	≧650	760~930	
					100<t≦150	≧630	710~900	
≦1.50	≦0.70	≦2.00	≦0.50		3≦t≦50	≧690	770~940	10137-2
					50<t≦100	≧650	760~930	
					100<t≦150	≧630	710~900	
≦1.50	≦0.70	≦2.00	≦0.50		3≦t≦50	≧890	940~1100	10137-2
					50<t≦100	≧830	880~1100	

Notes : (1) Thickness (2) Yield strength (3) Tensile strength
(4) 적어도 0.015% 이상의 세립화 원소를 함유

棒鋼・形鋼・鋼板・鋼帯 (一般構造用鋼)			Steel bars, sections, plates, sheets and strip (for general structure)					
索引番号 Index No.	規格名 Std.	記号 Designation	化 学 成 分 (%) Chemical composition					
			鋼材의 두께[1] t (mm)	C	Si	Mn	P	S
A 007(계속)	BS EN	S 890 QL S 890 QL 1		≦0.20	≦0.80	≦1.70	≦0.020	≦0.010
	DIN EN							
	NF EN							
	BS EN	S 960 Q		≦0.20	≦0.80	≦1.70	≦0.025	≦0.015
	DIN EN							
	NF EN							
	BS EN	S 960 QL		≦0.20	≦0.80	≦1.70	≦0.020	≦0.010
	DIN EN							
	NF EN							
	BS EN	S 500 A		0.03~0.12	≦0.50	0.30~1.80	≦0.025	≦0.015
	DIN EN							
	NF EN							
	BS EN	S 500 AL		0.03~0.12	≦0.50	0.30~1.80	≦0.020	≦0.010
	DIN EN							
	NF EN							
	BS EN	S 550 A		0.03~0.12	≦0.50	0.30~1.80	≦0.025	≦0.015
	DIN EN							
	NF EN							
	BS EN	S 550 AL		0.03~0.12	≦0.50	0.30~1.80	≦0.020	≦0.010
	DIN EN							
	NF EN							
	BS EN	S 620 A		0.03~0.12	≦0.50	0.30~1.80	≦0.025	≦0.015
	DIN EN							
	NF EN							
	BS EN	S 620 AL		0.03~0.12	≦0.50	0.30~1.80	≦0.020	≦0.010
	DIN EN							
	NF EN							
	BS EN	S 690 A		0.03~0.12	≦0.50	0.30~1.80	≦0.025	≦0.015
	DIN EN							
	NF EN							
	BS EN	S 690 AL		0.03~0.12	≦0.50	0.30~1.80	≦0.020	≦0.010
	DIN EN							
	NF EN							

Index No. A 007

化 学 成 分 (%) Chemical composition					引 張 試 験 Tensile requirements			規格番号 Std. No.
Cr	Mo	Ni	Cu	others	鋼材의 두께(1) t (㎜)	降伏点(2) (N/㎟)	引張强度(3) (N/㎟)	
≦1.50	≦0.70	≦2.00	≦0.50	N≦0.015 B≦0.0050 Nb≦0.06(4) Ti≦0.05(4) V≦0.12(4) Zr≦0.15(4)	3≦t≦50	≧890	940~1100	10137-2
					50<t≦100	≧830	880~1100	
≦1.50	≦0.70	≦2.00	≦0.50		3≦t≦50	≧960	980~1150	10137-2
≦1.50	≦0.70	≦2.00	≦0.50		3≦t≦50	≧960	980~1150	10137-2
≦0.30	≦0.50	≦2.00	≦2.00	N≦0.015 Nb≦0.060 Ti≦0.10 V≦0.10 Al≦0.080	3≦t≦50	≧500	600~700	10137-3
					50<t≦70	≧480	600~700	
≦0.30	≦0.50	≦2.00	≦2.00		3≦t≦50	≧500	600~700	10137-3
					50<t≦70	≧480	600~700	
≦0.30	≦0.50	≦2.00	≦2.00		3≦t≦50	≧550	650~820	10137-3
					50<t≦70	≧530	650~820	
≦0.30	≦0.50	≦2.00	≦2.00		3≦t≦50	≧550	650~820	10137-3
					50<t≦70	≧530	650~820	
≦0.30	≦0.50	≦2.00	≦2.00		3≦t≦50	≧620	710~880	10137-3
					50<t≦70	≧580	710~880	
≦0.30	≦0.50	≦2.00	≦2.00		3≦t≦50	≧620	710~880	10137-3
					50<t≦70	≧580	710~880	
≦0.30	≦0.50	≦2.00	≦2.00		3≦t≦50	≧690	760~930	10137-3
					50<t≦70	≧650	760~930	
≦0.30	≦0.50	≦2.00	≦2.00		3≦t≦50	≧690	760~930	10137-3
					50<t≦70	≧650	760~930	

Notes : (1) Thickness (2) Yield strength (3) Tensile strength
(4) 적어도 0.015% 이상의 세립화 원소를 함유

棒鋼・形鋼・鋼板・鋼帯 (一般構造用鋼)			Steel bars, sections, plates, sheets and strip (for general structure)					
索引番号 Index No.	規格名 Std.	記号 Designation	化 学 成 分 (%) Chemical composition					
			鋼材의 두께(1) t (㎜)	C	Si	Mn	P	S
A 008	KS	SPA-H	≦16	≦0.12	0.25~0.75	0.25~0.50	0.070~0.150	≦0.040
	JIS	SPA-H	≦16	≦0.12	0.25~0.75	0.25~0.50	0.070~0.150	≦0.040
	ASTM	1	≦100	≦0.15		≦1.00	≦0.15	≦0.05
	BS	WR 50 A		≦0.12	0.25~0.75	0.30~0.50	0.070~0.150	≦0.050
	BS EN	S 355 J0WP		≦0.12	≦0.75	≦1.0	0.06~0.15	≦0.040
	DIN EN							
	NF EN							
	BS EN	S 355 J2WP		≦0.12	≦0.75	≦1.0	0.06~0.15	≦0.035
	DIN EN							
	NF EN							
	ISO*	Fe 355 WIA Fe 355 WID		≦0.12	0.20~0.60	≦1.00	0.06~0.15	≦0.035
	ISO*	HSA 355 WIA		≦0.12	0.20~0.75	≦1.00	0.06~0.15	≦0.050
	ISO*	HSA 355 WID		≦0.12	0.20~0.75	≦1.00	0.06~0.15	≦0.040
A 009	KS	SV 330					≦0.040	≦0.040
	JIS	SV 330					≦0.040	≦0.040
	ASTM	A				0.30~0.60	≦0.040	≦0.050
	BS							
	DIN	USt 36	≦40	≦0.14		0.25~0.50	≦0.050	≦0.050
A 010	KS	SV 400					≦0.040	≦0.040
	JIS	SV 400					≦0.040	≦0.040
	ASTM	B		≦0.28		0.30~0.80	≦0.040	≦0.050
	BS							
	DIN							

Index No. A 008~A 010

化学成分 (%) Chemical composition					引張試験 Tensile requirements			規格番号 Std. No.
Cr	Mo	Ni	Cu	others	鋼材의 두께([1]) t (㎜)	降伏点([2]) (N/㎟)	引張強度([3]) (N/㎟)	
0.30~1.25		≦0.65	0.25~0.60		≦6.0	≧345	≧480	D 3542
					>6.0	≧355	≧490	
0.30~1.25		≦0.65	0.25~0.60		≦6.0	≧345	≧480	G 3125
					>6.0	≧355	≧490	
			≦0.20		≦20	≧345	≧480	A 242
					20<t≦40	≧315	≧460	
					40<t≦100	≧290	≧435	
0.50~1.25		≦0.65	0.25~0.55		≦12	≧345	≧480	(4360)
					12<t≦25	≧325	≧480	
					25<t≦40	≧325	≧480	
0.30~1.25			0.25~0.55	N≦0.009([4])	<3	≧355	510~680	10155
					3≦t≦16	≧355	490~630	
					16<t≦40	≧345	490~630	
0.30~1.25			0.25~0.55		<3	≧355	510~680	10155
					3≦t≦16	≧355	490~630	
					16<t≦40	≧345	490~630	
0.30~1.25		≦0.65	0.25~0.55		≦16	≧355	≧490	DIS 4952.2
0.30~1.25		≦0.65	0.25~0.55			≧355	≧450	5952
0.30~1.25		≦0.65	0.25~0.55			≧355	≧450	5952
							330~400	D 3557
							330~400	G 3104
						≧160	310~380	A 31
						≧205	330~430	17111
							400~490	D 3557
							400~490	G 3104
						≧200	400~470	A 31

Notes : ([1]) Thickness ([2]) Yield strength ([3]) Tensile strength
([4]) 질소에 대한 특별규정 있음(64페이지 참조)

棒鋼・形鋼・鋼板・鋼帯 (一般構造用鋼) Steel bars, sections, plates, sheets and strip (for general structure)

索引番号 Index No.	規格名 Std.	記号 Designation	化学成分 (%) Chemical composition					
			鋼材의 두께(1) t (mm)	C	Si	Mn	P	S
A 011	KS	SR 240					≦0.050	≦0.050
	JIS	SR 235					≦0.050	≦0.050
	ASTM							
	BS	250		≦0.25			≦0.060	≦0.060
	DIN							
	ISO	PB 240					≦0.060	
A 012	KS	SR 300					≦0.050	≦0.050
	JIS	SR 295					≦0.050	≦0.050
	JIS	SD 295 A					≦0.050	≦0.050
	KS	SD 300 B		≦0.27	≦0.55	≦1.50	≦0.040	≦0.040
	JIS	SD 295 B		≦0.27	≦0.55	≦1.50	≦0.040	≦0.040
	KS	SD 350		≦0.27	≦0.55	≦1.60	≦0.040	≦0.040
	JIS	SD 345		≦0.27	≦0.55	≦1.60	≦0.040	≦0.040
	ASTM	40 [300]					≦0.06	
	BS							
	DIN							
	ISO	PB 300					≦0.060	
	ISO	RB 300					≦0.060	≦0.060
A 013	KS	SD 400		≦0.29	≦0.55	≦1.80	≦0.040	≦0.040
	JIS	SD 390		≦0.29	≦0.55	≦1.80	≦0.040	≦0.040
	ASTM	60 [420]					≦0.06	
	ASTM	*		≦0.30	≦0.50	≦1.50	≦0.035	≦0.045
	BS	460		≦0.25			≦0.050	≦0.050
	DIN	BSt 420 S	6≦t≦28	≦0.22			≦0.050	≦0.050
	ISO	RB 400					≦0.060	≦0.060
	ISO	RB 400 W		≦0.22	≦0.60	≦1.60	≦0.050	≦0.050
A 014	KS	SD 500		≦0.032	≦0.55	≦1.80	≦0.040	≦0.040
	JIS	SD 490		≦0.032	≦0.55	≦1.80	≦0.040	≦0.040
	ASTM	75 [520]					≦0.06	
	BS							

Index No. A 011~A 014

化 学 成 分 (%) Chemical composition					引 張 試 験 Tensile requirements			規格番号 Std. No.
Cr	Mo	Ni	Cu	others	鋼材의 두께([1]) t (㎜)	降伏点([2]) (N/㎟)	引張強度([3]) (N/㎟)	
						≧235	380~520	D 3504
						≧235	380~520	G 3112
				C.E.≦0.42 N≦0.012		≧250	([4])≧実YP×1.10	4449
						≧240	≧265	6935-1
						≧295	440~600	D 3504
						≧295	440~600	G 3112
						≧295	440~600	G 3112
						295~390	≧440	D 3594
						295~390	≧440	G 3112
				$C+\frac{Mn}{6}\leqq 0.50$		345~440	≧490	D 3594
				$C+\frac{Mn}{6}\leqq 0.50$		345~440	≧490	G 3112
						≧300	≧500	A 615
						≧300	≧330	6935-1
						≧300	≧330	6935-2
				$C+\frac{Mn}{6}\leqq 0.55$		390~510	≧560	D 3504
				$C+\frac{Mn}{6}\leqq 0.55$		390~510	≧560	G 3112
						≧420	≧600	A 615
				C.E.≦0.55		420~540	≧550	A 706
				C.E.≦0.51 N≦0.012		≧460	([4])≧実YP×1.10	4449
				N≧0.012		≧420	≧500	488-1
						≧400	≧440	6935-2
				N≦0.012([5]) Ceq≦0.50		≧400	≧440	6935-2
				$C+\frac{Mn}{6}\leqq 0.60$		490~625	≧620	D 3504
				$C+\frac{Mn}{6}\leqq 0.60$		490~625	≧620	G 3112
						≧520	≧690	A 615

Notes : ([1]) Thickness ([2]) Yield strength ([3]) Tensile strength ([4]) ≧実YP×1.10과 별도 규정한다.
([5]) 충분한 N 고정원소가 존재하는 경우 표의 수치보다 높은 N을 함유해도 좋다

棒鋼・形鋼・鋼板・鋼帯 (一般構造用鋼) Steel bars, sections, plates, sheets and strip (for general structure)

索引番号 Index No.	規格名 Std.	記号 Designation	化 学 成 分 (%) Chemical composition					
			鋼材의 두께[1] t (㎜)	C	Si	Mn	P	S
A 014(계속)	DIN	BSt 500 S	6≦t≦28	≦0.22			≦0.050	≦0.050
	ISO	RB 500					≦0.060	≦0.060
	ISO	RB 500 W		≦0.22	≦0.60	≦1.60	≦0.050	≦0.050
A 015	KS	SSC 41		≦0.25			≦0.050	≦0.050
	JIS	SSC 400		≦0.25			≦0.050	≦0.050
	ASTM							
	BS							
	DIN							

化学成分 (%) Chemical composition					引張試驗 Tensile requirements			規格番号 Std. No.
Cr	Mo	Ni	Cu	others	鋼材의 두께[1] t (mm)	降伏点[2] (N/mm²)	引張强度[3] (N/mm²)	
				N≦0.012		≧500	≧550	488-1
						≧500	≧550	6935-2
				N≦0.012 Ceq≦0.50		≧500	≧550	6935-2
						≧245	400~540	D 3530
						≧245	400~540	G 3350

Notes : ([1]) Thickness ([2]) Yield strength ([3]) Tensile strength

질소에 대한 특별규정

- N의 최대함유량은 P의 최대함유량이 0.005% 감소함에 따라 0.001% 증가해도 좋다. 단, N의 레들 분석치는 EN 10025 시리즈는 0.014%, EN 10155 시리즈는 0.012%를 각각 초과해서는 안된다(S355 JOWP는 제외).
- 전 Al함유량이 0.020% 이상, 또는 기타의 질소고정원가 충분히 존재할 경우는 질소의 상한 규정값은 적용하지 않는다. 질소고정원소에 대해서는 검사규정에서 언급해야 한다.

鋼板・鋼帯 (圧力容器用鋼)　Plates, sheets and strip (for pressure vessels)

索引番号 Index No.	規格名 Std.	記号 Designation	化 学 成 分 (%) Chemical composition					
			鋼材의 두께[1] t (㎜)	C	Si	Mn	P	S
B 001	KS	SB 410	≦25	≦0.24	0.15～0.30	≦0.90	≦0.035	≦0.040
			25<t≦50	≦0.27	0.15～0.30	≦0.90	≦0.035	≦0.040
			50<t≦200	≦0.30	0.15～0.30	≦0.90	≦0.035	≦0.040
	JIS	SB 410	≦25	≦0.24	0.15～0.30	≦0.90	≦0.035	≦0.040
			25<t≦50	≦0.27	0.15～0.30	≦0.90	≦0.035	≦0.040
			50<t≦200	≦0.30	0.15～0.30	≦0.90	≦0.035	≦0.040
	ASTM	Grade 60	≦25	≦0.24	0.15～0.40	≦0.90	≦0.035	≦0.035
			25<t≦50	≦0.27	0.15～0.40	≦0.90	≦0.035	≦0.035
			50<t≦100	≦0.29	0.15～0.40	≦0.90	≦0.035	≦0.035
			100<t≦200	≦0.31	0.15～0.40	≦0.90	≦0.035	≦0.035
			200<	≦0.31	0.15～0.40	≦0.90	≦0.035	≦0.035
	BS EN	P 265 GH		≦0.20	≦0.40	0.40～1.40	≦0.030	≦0.025
	DIN EN							
	NF EN							
	ISO	PH 265		≦0.20	≦0.035	0.50～1.40	≦0.035	≦0.030
B 002	KS	SB 450	≦25	≦0.28	0.15～0.30	≦0.90	≦0.035	≦0.040
			25<t≦50	≦0.31	0.15～0.30	≦0.90	≦0.035	≦0.040
			50<t≦200	≦0.33	0.15～0.30	≦0.90	≦0.035	≦0.040
	JIS	SB 450	≦25	≦0.28	0.15～0.30	≦0.90	≦0.035	≦0.040
			25<t≦50	≦0.31	0.15～0.30	≦0.90	≦0.035	≦0.040
			50<t≦200	≦0.33	0.15～0.30	≦0.90	≦0.035	≦0.040
	ASTM	Grade 65	≦25	≦0.28	0.15～0.40	≦0.90	≦0.035	≦0.035
			25<t≦50	≦0.31	0.15～0.40	≦0.90	≦0.035	≦0.035
			50<t≦100	≦0.33	0.15～0.40	≦0.90	≦0.035	≦0.035
			100<t≦200	≦0.33	0.15～0.40	≦0.90	≦0.035	≦0.035

Index No. B 001~B 002

化学成分 (%) Chemical composition					引張試験 Tensile requirements			規格番号 Std. No.
Cr	Mo	Ni	Cu	others	鋼材의 두께([1]) t (㎜)	降伏点([2]) (N/㎟)	引張强度([3]) (N/㎟)	
						≧225	410~550	D 3560
						≧225	410~550	G 3103
						≧220	415~550	A 515 M
≦0.30	≦0.08	≦0.30	≦0.30	Nb≦0.01 Ti≦0.03	≦16	≧265	410~530	10028-2
				V≦0.02 Cr+Cu+	16<t≦40	≧255	410~530	
				Mo+Ni ≦0.70	40<t≦60	≧245	410~530	
				Al≧0.020	60<t≦100	≧215	410~530	
					100<t≦150	>200	400~530	
					150<	協定		
≦0.30	≦0.08	≦0.30	≦0.30	Cu+Cu+ MO+Ni	3≦t≦16	≧265	410~530	9328-2
				≦0.70 Al≧0.020	16<t≦40	≧255	410~530	
					40<t≦60	≧245	410~530	
					60<t≦100	≧215	410~530	
					100<t≦150	≧200	400~530	
						≧245	450~590	D 3560
						≧245	450~590	G 3103
						≧240	450~585	A 515 M

Notes : ([1]) Thickness ([2]) Yield strength ([3]) Tensile strength

鋼板 · 鋼帯 (壓力容器用鋼)　Plates, sheets and strip (for pressure vessels)

索引番号 Index No.	規格名 Std.	記号 Designation	化 学 成 分 (%) Chemical composition					
			鋼材의 두께(1) t (mm)	C	Si	Mn	P	S
B 002(계속)			200<	≦0.33	0.15~0.40	≦0.90	≦0.035	≦0.035
	BS EN	P 295 GH		0.08~0.20	≦0.40	0.90~1.50	≦0.030	≦0.025
	DIN EN							
	NF EN							
	ISO	PH 290		0.14~0.20	≦0.40	0.90~1.50	≦0.035	≦0.030
B 003	KS	SB 450 M	≦25	≦0.18	0.15~0.30	≦0.90	≦0.035	≦0.040
			25<t≦50	≦0.21	0.15~0.30	≦0.90	≦0.035	≦0.040
			50<t≦100	≦0.23	0.15~0.30	≦0.90	≦0.035	≦0.040
			100<t≦150	≦0.25	0.15~0.30	≦0.90	≦0.035	≦0.040
	JIS	SB 450 M	≦25	≦0.18	0.15~0.30	≦0.90	≦0.035	≦0.040
			25<t≦50	≦0.21	0.15~0.30	≦0.90	≦0.035	≦0.040
			50<t≦100	≦0.23	0.15~0.30	≦0.90	≦0.035	≦0.040
			100<t≦150	≦0.25	0.15~0.30	≦0.90	≦0.035	≦0.040
	ASTM	Grade A	≦25	≦0.18	0.15~0.40	≦0.90	≦0.035	≦0.035
			25<t≦50	≦0.21	0.15~0.40	≦0.90	≦0.035	≦0.035
			50<t≦100	≦0.23	0.15~0.40	≦0.90	≦0.035	≦0.035
			100<	≦0.25	0.15~0.40	≦0.90	≦0.035	≦0.035
	BS EN	-						
	DIN EN	-						
	NF EN	-						
	ISO	-						
B 004	KS	SPPV 235	≦100	≦0.18	0.15~0.35	≦1.40	≦0.030	≦0.030
			100<	≦0.20	0.15~0.35	≦1.40	≦0.030	≦0.030

1N/㎟=1MPa

Index No. B 002~B 004

化 学 成 分 (%) Chemical composition					引 張 試 験 Tensile requirements			規格番号 Std. No.
Cr	Mo	Ni	Cu	others	鋼材의 두께([1]) t (㎜)	降伏点([2]) (N/㎟)	引張強度([3]) (N/㎟)	
≦0.30	≦0.08	≦0.30	≦0.30	Nb≦0.010 Ti≦0.03	≦16	≧295	460~580	10028-2
				V≦0.02 Cr+Cu+Mo+Ni	16<t≦40	≧290	460~580	
				≦0.70	40<t≦60	≧285	460~580	
				Al≧0.020	60<t≦100	≧260	460~580	
					100<t≦150	≧235	440~570	
					150<	協定		
≦0.30	≦0.08	≦0.30	≦0.30	Cr+Cu+Mo+Ni	3≧t≦16	≧290	460~580	9328-2
				≦0.70 Al≧0.020	16<t≦40	≧285	460~580	
					40<t≦60	≧280	460~580	
					60<t≦100	≧255	460~580	
					100<t≦150	≧230	440~570	
	0.45~0.60					≧255	450~590	D 3560
	0.45~0.60							
	0.45~0.60							
	0.45~0.60							
	0.45~0.60					≧255	450~590	G 3103
	0.45~0.60							
	0.45~0.60							
	0.45~0.60							
	0.45~0.60					≧255	450~585	A 204 M
	0.45~0.60							
	0.45~0.60							
	0.45~0.60							
					6<t≦50	≧235	400~510	D 3521
					50<t≦100	≧215	400~510	
					100<t≦200	≧195	400~510	

Notes : ([1]) Thickness ([2]) Yield strength ([3]) Tensile strength

鋼板 · 鋼帯 (壓力容器用鋼) Plates, sheets and strip (for pressure vessels)								
索引番号 Index No.	規格名 Std.	記号 Designation	化 学 成 分 (%) Chemical composition					
			鋼材의 두께(1) t (mm)	C	Si	Mn	P	S
B 004(계속)	JIS	SPV 235	≦100	≦0.18	0.15~0.35	≦1.40	≦0.030	≦0.030
			100<	≦0.20	0.15~0.35	≦1.40	≦0.030	≦0.030
	ASTM	Grade A	≦50	≦0.14	0.15~0.40	0.90~1.35	≦0.035	≦0.035
	BS EN	P 275 N		≦0.18	≦0.40	0.50~1.40	≦0.030	≦0.025
	DIN EN							
	NF EN							
	ISO	P 285 TN	≦70	≦0.18	0.10~0.40	0.50~1.40	≦0.035	≦0.035
B 005	KS	SG 255	≦6	≦0.20	-	≧0.30	≦0.040	≦0.040
	JIS	SG 255	≦6	≦0.20	-	≧0.30	≦0.040	≦0.040
	ASTM	Grade D	≦6	≦0.25	-	≦1.20	≦0.035	≦0.035
	BS EN	P 265 NB	≦5	≦0.19	≦0.25	≧0.40	≦0.025	≦0.015
	DIN EN							
	NF EN							
	ISO	Steel 3	≦6	≦0.19	≦0.20	≧0.40	≦0.035	≦0.035
B 006	KS	SG 295	≦6	≦0.20'	≦0.35	≦1.00	≦0.040	≦0.040
	JIS	SG 295	≦6	≦0.20	≦0.35	≦1.00	≦0.040	≦0.040
	ASTM	Grade E	≦6	≦0.27	-	≦1.20	≦0.035	≦0.035
	BS EN	P 310 NB	≦5	≦0.20	≦0.50	≧0.70	≦0.025	≦0.015
	DIN EN							
	NF EN							
	ISO	-						

1N/㎟=1MPa

Index No. B 004~B 006

化 学 成 分 (%) Chemical composition					引 張 試 験 Tensile requirements			規格番号 Std. No.
Cr	Mo	Ni	Cu	others	鋼材의 두께([1]) t (㎜)	降伏点([2]) (N/㎟)	引張强度([3]) (N/㎟)	
					6<t≦50	≧235	400~510	G 3115
					50<t≦100	≧215	400~510	
					100<t≦200	≧195	400~510	
						≧275	400~540	A 662 M
≦0.30	≦0.08	≦0.50	≦0.30	Nb≦0.05 Ti≦.0.03	≦16	≧275	390~510	10028-3
				V≦0.05 Nb+Ti+	16<t≦35	≧275	390~510	
				V≦0.05 N≦0.020	35<t≦50	≧265	390~510	
				Al≧0.020	50<t≦70	≧255	390~510	
					70<t≦100	≧235	370~430	
					100<t≦150	≧225	350~470	
					150<	協定		
≦0.30	≦0.08	≦0.30	≦0.30	Nb≦0.05 Ti≦.0.03	≦35	≧285	390~510	9328-4
				V≦0.05 Nb+Ti+	35<t≦50	≧275	390~510	
				V≦0.05 Al≧0.020	50<t≦70	≧265	390~510	
				Cr+Cu+ Mo≦0.45				
						≧255	≧400	D 3533
						≧255	≧400	G 3116
			(≧0.20)	Al≧0.02		≧240	415~515	A 414 M
				Al≧0.020 N≦0.009		≧265	410~500	10120
				Ti≦0.03 Nb≦0.050				
				Al≧0.015		≧265	410~510	4978
						≧295	≧440	D 3533
						≧295	≧440	G 3116
			(≧0.20)	Al≧0.020		≧260	450~585	A 414 M
				Al≧0.020 N≦0.009		≧310	460~550	10120
				Nb≦0.050 Ti≦0.03				

Notes : ([1]) Thickness ([2]) Yield strength ([3]) Tensile strength

鋼板・鋼帯 (壓力容器用鋼)　Plates, sheets and strip (for pressure vessels)

索引番号 Index No.	規格名 Std.	記号 Designation	化 学 成 分 (%) Chemical composition					
			鋼材의 두께(1) t (mm)	C	Si	Mn	P	S
B 007	KS	SGV 410	≦12.5	≦0.21	0.15～0.30	0.85～1.20	≦0.035	≦0.040
			12.5<t≦50	≦0.23	0.15～0.30	0.85～1.20	≦0.035	≦0.040
			50<t≦100	≦0.25	0.15～0.30	0.85～1.20	≦0.035	≦0.040
			100<t≦200	≦0.27	0.15～0.30	0.85～1.20	≦0.035	≦0.040
	JIS	SGV 410	≦12.5	≦0.21	0.15～0.30	0.85～1.20	≦0.035	≦0.040
			12.5<t≦50	≦0.23	0.15～0.30	0.85～1.20	≦0.035	≦0.040
			50<t≦100	≦0.25	0.15～0.30	0.85～1.20	≦0.035	≦0.040
			100<t≦200	≦0.27	0.15～0.30	0.85～1.20	≦0.035	≦0.040
	ASTM	Grade 60	≦12.5	≦0.21	0.15～0.40	0.60～0.90	≦0.035	≦0.035
			12.5<t≦50	≦0.23	0.15～0.40	0.85～1.20	≦0.035	≦0.035
			50<t≦100	≦0.25	0.15～0.40	0.85～1.20	≦0.035	≦0.035
			100<t≦200	≦0.27	0.15～0.40	0.85～1.20	≦0.035	≦0.035
			200<	≦0.27	0.15～0.40	0.85～1.20	≦0.035	≦0.035
	BS EN	P 265 GH		≦0.20	≦0.40	0.40～1.40	≦0.030	≦0.025
	DIN EN							
	NF EN							
	ISO	P 265		≦0.20	≦0.35	0.50～1.40	≦0.035	≦0.030
B 008	KS	SGV 450	≦12.5	≦0.24	0.15～0.30	0.85～1.20	≦0.035	≦0.040
			12.5<t≦50	≦0.26	0.15～0.30	0.85～1.20	≦0.035	≦0.040
			50<t≦100	≦0.28	0.15～0.30	0.85～1.20	≦0.035	≦0.040
			100<t≦200	≦0.29	0.15～0.30	0.85～1.20	≦0.035	≦0.040
	JIS	SGV 450	≦12.5	≦0.24	0.15～0.30	0.85～1.20	≦0.035	≦0.040
			12.5<t≦50	≦0.26	0.15～0.30	0.85～1.20	≦0.035	≦0.040
			50<t≦100	≦0.28	0.15～0.30	0.85～1.20	≦0.035	≦0.040
			100<t≦200	≦0.29	0.15～0.30	0.85～1.20	≦0.035	≦0.040

1N/㎟=1MPa

Index No. B 007~B 008

化学成分 (%) Chemical composition					引張試験 Tensile requirements			規格番号 Std. No.
Cr	Mo	Ni	Cu	others	鋼材의 두께(1) t (㎜)	降伏点(2) (N/㎟)	引張强度(3) (N/㎟)	
						≧225	410~490	D 3540
						≧225	410~490	G 3118
						≧220	415~550	A 516 M
≦0.30	≦0.08	≦0.30	≦0.30	Nb≦0.01 TI≦0.03	≦16	≧265	410~530	10028-2
				V≦0.02 Cr+Cu+Mo	16<t≦40	≧255	410~530	
				+Ni≦0.70 Al≧0.020	40<t≦60	≧245	410~530	
					60<t≦100	≧215	410~530	
					100<t≦150	≧200	410~530	
					150<	協定		
≦0.30	≦0.08	≦0.30	≦0.30	Cr+Cu+ Mo+Ni	3≦t≦16	≧265	410~530	9328-2
				≦0.70 Al≧0.020	16<t≦40	≧255	410~530	
					40<t≦60	≧245	410~530	
					60<t≦100	≧215	410~530	
					100<t≦150	≧200	400~530	
						≧245	450~540	D 3540
						≧245	450~540	G 3118

Notes : (1) Thickness (2) Yield strength (3) Tensile strength

鋼板 · 鋼帯 (壓力容器用鋼)　Plates, sheets and strip (for pressure vessels)

索引番号 Index No.	規格名 Std.	記号 Designation	化 学 成 分 (%) Chemical composition					
			鋼材의 두께(1) t (mm)	C	Si	Mn	P	S
B 008(계속)	ASTM	Grade 65	≦12.5	≦0.24	0.15~0.40	0.85~1.20	≦0.035	≦0.035
			12.5<t≦50	≦0.26	0.15~0.40	0.85~1.20	≦0.035	≦0.035
			50<t≦100	≦0.28	0.15~0.40	0.85~1.20	≦0.035	≦0.035
			100<t≦200	≦0.29	0.15~0.40	0.85~1.20	≦0.035	≦0.035
			200<	≦0.29	0.15~0.40	0.85~1.20	≦0.035	≦0.035
	BS EN	P 295 GH		0.08~0.20	≦0.40	0.90~1.50	≦0.030	≦0.025
	DIN EN							
	NF EN							
	ISO	P 290		≦0.20	≦0.40	0.90~1.50	≦0.035	≦0.030
B 009	KS	SB 480	≦25	≦0.31	0.15~0.30	≦0.90	≦0.035	≦0.040
			25<t≦50	≦0.33	0.15~0.30	≦0.90	≦0.035	≦0.040
			50<t≦200	≦0.35	0.15~0.30	≦0.90	≦0.035	≦0.040
	JIS	SB 480	≦25	≦0.31	0.15~0.30	≦0.90	≦0.035	≦0.040
			25<t≦50	≦0.33	0.15~0.30	≦0.90	≦0.035	≦0.040
			50<t≦200	≦0.35	0.15~0.30	≦0.90	≦0.035	≦0.040
	ASTM	Grade 70	≦25	≦0.31	0.15~0.40	≦1.20	≦0.035	≦0.035
			25<t≦50	≦0.33	0.15~0.40	≦1.20	≦0.035	≦0.035
			50<t≦100	≦0.35	0.15~0.40	≦1.20	≦0.035	≦0.035
			100<t≦200	≦0.35	0.15~0.40	≦1.20	≦0.035	≦0.035
			200<	≦0.35	0.15~0.40	≦1.20	≦0.035	≦0.035
	BS EN	P 355 GH		0.10~0.22	≦0.60	0.10~1.70	≦0.030	≦0.025
	DIN EN							
	NF EN							

1N/㎟=1MPa

Index No. B 008~B 009

化学成分 (%) Chemical composition					引張試験 Tensile requirements			規格番号 Std. No.
Cr	Mo	Ni	Cu	others	鋼材의 두께([1]) t (㎜)	降伏点([2]) (N/㎟)	引張强度([3]) (N/㎟)	
						≧240	450~585	A 516 M
≦0.30	≦0.08	≦0.30	≦0.30	Nb≦0.010 Ti≦0.03	≦16	≧295	460~580	10028-2
				V≦0.02 Al≧0.020	16<t≦40	≧290	460~580	
				Cu+Cu+Ni +Mo≦0.70	40<t≦60	≧285	460~580	
					60<t≦100	≧260	460~580	
					100<t≦150	≧235	440~570	
					150<	協定		
≦0.30	≦0.08	≦0.30	≦0.30	Cu+Cu+Mo +Ni≦0.70	3≦t≦16	≧290	460~580	9328-2
				Al≧0.020	16<t≦40	≧285	460~580	
					40<t≦60	≧280	460~580	
					600<t≦100	≧255	460~580	
					100<t≦150	≧230	440~570	
						≧265	480~620	D 3560
						≧265	480~620	G 3103
						≧260	485~620	A 515 M
≦0.30	≦0.08	≦0.30	≦0.30	NB≦0.010 TI≦0.03	≦16	≧355	510~650	10028-2
				V≦0.02 Cr+Cu+	16<t≦40	≧345	510~650	
				Mo+Ni ≦0.70	40<t≦60	≧335	510~650	
				Al≧0.020	60<t≦100	≧315	490~630	
					100<t≦150	≧295	480~630	

Notes : ([1]) Thickness ([2]) Yield strength ([3]) Tensile strength

鋼板・鋼帯 (壓力容器用鋼)　Plates, sheets and strip (for pressure vessels)

索引番号 Index No.	規格名 Std.	記号 Designation	化 学 成 分 (%) Chemical composition					
			鋼材의 두께[1] t (㎜)	C	Si	Mn	P	S
B 009(계속)								
	ISO	PH 315		0.15～0.20	0.10～0.50	0.90～1.60	≦0.035	≦0.030
B 010	KS	SB 480 M	≦25	≦0.20	0.15～0.30	≦0.90	≦0.035	≦0.040
			25<t≦50	≦0.23	0.15～0.30	≦0.90	≦0.035	≦0.040
			50<t≦100	≦0.25	0.15～0.30	≦0.90	≦0.035	≦0.040
			100<t≦150	≦0.27	0.15～0.30	≦0.90	≦0.035	≦0.040
	JIS	SB 480 M	≦25	≦0.20	0.15～0.30	≦0.90	≦0.035	≦0.040
			25<t≦50	≦0.23	0.15～0.30	≦0.90	≦0.035	≦0.040
			50<t≦100	≦0.25	0.15～0.30	≦0.90	≦0.035	≦0.040
			100<t≦150	≦0.27	0.15～0.30	≦0.90	≦0.035	≦0.040
	ASTM	Grade B	≦25	≦0.20	0.15～0.40	≦0.90	≦0.035	≦0.035
			25<t≦50	≦0.23	0.15～0.40	≦0.90	≦0.035	≦0.035
			50<t≦100	≦0.25	0.15～0.40	≦0.90	≦0.035	≦0.035
			100<	≦0.27	0.15～0.40	≦0.90	≦0.035	≦0.035
	BS EN	-						
	DIN EN	-						
	NF EN	-						
	ISO	-						
B 011	KS	SPPV 315		≦0.18	0.15～0.55	≦1.50	≦0.030	≦0.030
	JIS	SPV 315		≦0.18	0.15～0.55	≦1.50	≦0.030	≦0.030
	ASTM	Grade C	≦50	≦0.20	0.15～0.50	1.00～1.60	≦0.035	≦0.035

1N/㎟=1MPa

Index No. B 009~B 011								
化 学 成 分 (%) Chemical composition					引 張 試 験 Tensile requirements			規格番号 Std. No.
Cr	Mo	Ni	Cu	others	鋼材의 두께([1]) *t* (㎜)	降伏点([2]) (N/㎟)	引張强度([3]) (N/㎟)	
					150<	協定		
≦0.30	≦0.08	≦0.30	≦0.30	Cr+Cu+ Mo+Ni	3≦t≦16	≧315	490~610	9328-2
				≦0.70 AL≧0.020	16≦t≦40	≧310	490~610	
					40<t≦60	≧305	490~610	
					60<t≦100	≧280	490~610	
					100<t≦150	≧255	470~600	
	0.45~0.60					≧275	480~620	D 3560
	0.45~0.60							
	0.45~0.60							
	0.45~0.60							
	0.45~0.60					≧275	480~620	G 3103
	0.45~0.60							
	0.45~0.60							
	0.45~0.60							
	0.45~0.60					≧275	480~620	A 204 M
	0.45~0.60							
	0.45~0.60							
	0.45~0.60							
					6≦t≦50	≧315	490~610	D 3521
					50<t≦100	≧295	490~610	
					100<t≦150	≧275	490~610	
					6≦t≦50	≧315	490~610	G 3115
					50<t≦100	≧295	490~610	
					100<t≦150	≧275	490~610	G 3115-1
						≧295	485~620	A 622M

Notes : ([1]) Thickness ([2]) Yield strength ([3]) Tensile strength

鋼板・鋼帯 (壓力容器用鋼) Plates, sheets and strip (for pressure vessels)								
索引番号 Index No.	規格名 Std.	記号 Designation	化 学 成 分 (%) Chemical composition					
			鋼材의 두께(1) t (mm)	C	Si	Mn	P	S
B 011(계속)	BS EN	P 355 N		≦0.20	≦0.50	0.90～1.70	≦0.030	≦0.025
	DIN EN							
	NF EN							
	ISO	P 355 TN	≦70	≦0.20	0.10～0.50	0.90～1.70	≦0.035	≦0.035
B 012	KS	SPPV 355		≦0.20	0.15～0.55	≦1.60	≦0.030	≦0.030
	JIS	SPV 355		≦0.20	0.15～0.55	≦1.60	≦0.030	≦0.030
	ASTM	Class 1	≦40	≦0.24	0.15～0.50	0.70～1.35	≦0.035	≦0.035
			40<	≦0.24	0.15～0.50	1.00～1.60	≦0.035	≦0.035
	ASTM	Grade A	≦40	≦0.20	0.15～0.50	0.70～1.35	≦0.030	≦0.030
			40<	≦0.20	0.15～0.50	1.00～1.60	≦0.030	≦0.030
	BS EN	P 355 N		≦0.20	≦0.50	0.90～1.70	≦0.030	≦0.025
	DIN EN							
	NF EN							

1N/㎟=1MPa

Index No. B 011~B 012

化学成分(%) Chemical composition					引張試験 Tensile requirements			規格番号 Std. No.
Cr	Mo	Ni	Cu	others	鋼材의 두께(1) t (㎜)	降伏点(2) (N/㎟)	引張强度(3) (N/㎟)	
≦0.30	≦0.08	≦0.30	≦0.30	Nb≦0.05 Ti≦0.03	≦35	≧355	490~630	10028-3
				V≦0.10	35<t≦50	≧345	490~630	
				Nb+Ti+ V≦0.12	50<t≦70	≧325	490~630	
				N≦0.020 Al≧0.020	70<t≦100	≧315	470~610	
				Cr+Cu+ Mo≦0.45	100<t≦150	≧295	450~590	
				C_{eq}≦0.43 ~0.45	150<	協定		
≦0.30	≦0.08	≦0.30	≦0.30	Nb≦0.05 Ti≦0.03	≦35	≧355	490~610	9328-4
				V≦0.10	35<t≦50	≧345	490~610	
				Nb+Ti+ V≦0.12	50<t≦70	≧325	490~610	
				N≦0.020 Cr+Cu+Mo				
				≦0.45 Al≧0.020				
					6≦t≦50	≧355	520~640	D 3521
					50<t≦75	≧335	520~640	
					75<t≦100	≧335	520~640	
					100<t≦150	≧315	520~640	
					6≦t≦50	≧355	520~640	G 3115
					50<t≦75	≧335	520~640	
					75<t≦100	≧335	520~640	G 3115-1
					100<t≦150	≧315	520~640	
≦0.25	≦0.08	≦0.25	≦0.35		≦65	≧345	485~620	A 537 M
≦0.25	≦0.08	≦0.25	≦0.35		65<t≦100	≧310	450~585	
≦0.25	≦0.08	≦0.25	≦0.35	V≦0.06 Nb≦0.03	≦65	≧345	485~620	A 841 M
				Al≧0.015 (Sol.)				
≦0.25	≦0.08	≦0.25	≦0.35	V≦0.06 Nb≦0.03	65<	≧310	450~585	A 841 M
				AL≧0.015 (Sol.)				
≦0.30	≦0.08	≦0.30	≦0.30	Nb≦0.05 Ti≦0.03	≦35	≧355	490~630	10028-3
				V≦0.10	35<t≦50	≧345	490~630	
				Nb+Ti+ V≦0.12	50<t≦70	≧325	490~630	
				N≦0.020 Al≧0.020	70<t≦100	≧315	470~610	
				Cr+Cu+ Mo≦0.45	100<t≦150	≧295	450~590	
				C_{eq}≦0.43 ~0.45	150<	協定		

Notes : (1) Thickness (2) Yield strength (3) Tensile strength

鋼板 · 鋼帯 (壓力容器用鋼) Plates, sheets and strip (for pressure vessels)								
索引番号 Index No.	規格名 Std.	記号 Designation	化 学 成 分 (%) Chemical composition					
			鋼材의 두께[1] t (mm)	C	Si	Mn	P	S
B 012(계속)	BS EN	P 355 M		≦0.14	≦0.50	≦1.60	≦0.025	≦0.020
	DIN EN	(TMCP*)						
	NF EN							
	ISO	P 355 TN	≦70	≦0.20	0.10~0.50	0.90~1.70	≦0.035	≦0.035
B 013	KS	SG 325	≦6	≦0.20	≦0.55	≦1.50	≦0.040	≦0.040
	JIS	SG 325	≦6	≦0.20	≦0.55	≦1.50	≦0.040	≦0.040
	ASTM	Grade F	≦6	≦0.31	-	≦1.20	≦0.035	≦0.035
	BS EN	P 355 NB	≦5	≦0.20	≦0.50	≦0.70	≦0.025	≦0.015
	DIN EN							
	NF EN							
	ISO	Steel 4	≦6	≦0.20	≦0.45	≦0.70	≦0.035	≦0.035
B 014	KS	SG 365	≦6	≦0.20	≦0.55	≦1.50	≦0.040	≦0.040
	JIS	SG 365	≦6	≦0.20	≦0.55	≦1.50	≦0.040	≦0.040
	ASTM	Grade G	≦6	<0.31	-	≦1.35	≦0.035	≦0.035
	BS EN	P 355 NB	≦5	≦0.20	≦0.50	≧0.70	≦0.025	≦0.015
	DIN EN							
	NF EN							
B 015	KS	SGV 480	≦12.5	≦0.27	0.15~0.30	0.85~1.20	≦0.035	≦0.040
			12.5<T≦50	≦0.28	0.15~0.30	0.85~1.20	≦0.035	≦0.040
			50<T≦100	≦0.30	0.15~0.30	0.85~1.20	≦0.035	≦0.040
			100<T≦200	≦0.31	0.15~0.30	0.85~1.20	≦0.035	≦0.040
	JIS	SGV 480	≦12.5	≦0.27	0.15~0.30	0.85~1.20	≦0.035	≦0.040
			12.5<T≦50	≦0.28	0.15~0.30	0.85~1.20	≦0.035	≦0.040

*Thermo-mechanical control process(熱加工制御)를 적용한 강

1N/㎟=1MPa

Index No. B 012~B 015

化学成分 (%) Chemical composition					引張試験 Tensile requirements			規格番号 Std. No.
Cr	Mo	Ni	Cu	others	鋼材의 두께(1) t (㎜)	降伏点(2) (N/㎟)	引張强度(3) (N/㎟)	
	≤0.20	≤0.50	-	Nb≤0.05 Ti≤0.05	≤16	≥355	450~610	10028-5
				V≤0.10 Nb+Ti+	16<t≤40	≥355	450~610	
				V≤0.15 Al≥0.020	40<t≤63	≥345	450~610	
				N≤0.015 Cr+Cu+				
				Mo≤0.60 C_{eq}≤0.39				
				~0.40				
≤0.30	≤0.08	≤0.30	≤0.30	Nb≤0.05 Ti≤0.03	≤35	≥355	490~610	9328-4
				V≤0.10	35<t≤50	≥345	490~610	
				Nb+Ti+ V≤0.12	50<t≤7	≥325	490~610	
				N≤0.020 Cr+Cu+Mo+				
				≤0.45 Al≥0.020				
						≥325	≥490	D 3533
						≥325	≥490	G 3116
			(≥0.20)	Al≥0.02		≥290	485~620	A 414 M
				N≤0.009 Al≤0.020		≥355	510~620	10120
				Ti≤0.03 Nb≤0.050				
				Al≥0.015		≥345	490~620	4978
						≥365	≥540	D 3533
						≥365	≥540	G 3116
			(≥0.20)	Al≥0.02		≥310	515~655	A 414 M
				N≤0.009 Al≥0.020		≥355	510~620	10120
				Nb≤0.050 Ti≤0.03				
						≥265	480~590	D 3540
						≥265	480~590	G 3118

Notes : (1) Thickness (2) Yield strength (3) Tensile strength

鋼板 · 鋼帯 (壓力容器用鋼) Plates, sheets and strip (for pressure vessels)

索引番号 Index No.	規格名 Std.	記号 Designation	化 学 成 分 (%) Chemical composition					
			鋼材의 두께([1]) t (mm)	C	Si	Mn	P	S
B 015(계속)			50<T≦100	≦0.30	0.15~0.30	0.85~1.20	≦0.035	≦0.040
			100<T≦200	≦0.31	0.15~0.30	0.85~1.20	≦0.035	≦0.040
	ASTM	Grade 70	≦12.5	≦0.27	0.15~0.40	0.85~1.20	≦0.035	≦0.035
			12.5<T≦50	≦0.28	0.15~0.40	0.85~1.20	≦0.035	≦0.035
			50<T≦100	≦0.30	0.15~0.40	0.85~1.20	≦0.035	≦0.035
			100<T≦200	≦0.31	0.15~0.40	0.85~1.20	≦0.035	≦0.035
			200<	≦0.31	0.15~0.40	0.85~1.20	≦0.035	≦0.035
	BS EN	P 355 GH		0.10~0.22	≦0.60	1.00~1.70	≦0.030	≦0.025
	DIN EN							
	NF EN							
	ISO	P 315		0.15~0.20	0.10~0.50	0.90~1.60	≦0.035	≦0.030
B 016	JIS	SPV 410		≦0.18	0.15~0.75	≦1.60	≦0.030	≦0.030
	BS EN	-						
	DIN EN	-						
	NF EN	-						
	ISO	P 420 TN		≦0.20	0.10~0.60	1.0~1.7	≦0.035	≦0.035
	BS EN	P 420 M		≦0.16	≦0.50	≦1.70	≦0.025	≦0.020
	DIN EN	(TMCP)						
	NF EN							

1N/㎟=1MPa

Index No. B 015~B 016

化学成分 (%) Chemical composition					引張試驗 Tensile requirements			規格番号 Std. No.
Cr	Mo	Ni	Cu	others	鋼材의 두께(1) t (㎜)	降伏点(2) (N/㎟)	引張强度(3) (N/㎟)	
						≧260	485~620	A 516 M
≦0.30	≦0.08	≦0.30	≦0.30	Nb≦0.010 Ti≦0.03	≦16	≧355	510~650	10028-2
				V≦0.02 Cr+Cu+Mo	16<t≦40	≧345	510~650	
				+Ni≦0.70 Al≧0.020	40<t≦60	≧335	510~650	
					60<t≦100	≧315	490~630	
					100<t≦150	≧295	480~630	
					150<	協定		
≦0.30	≦0.08	≦0.30	≦0.30	Cr+Cu+ Mo+Ni	3≦t≦16	≧315	490~610	9328-2
				≦0.70 Al≧0.020	16<t≦40	≧310	490~610	
					40<t≦60	≧305	490~610	
					60<t≦100	≧280	490~610	
					100<t≦150	≧255	470~600	
					6<t≦50	≧410	550~670	G 3115
					50<t≦75	≧390	550~670	
					75<t≦100	≧390	550~670	G 3115-1
					100<t≦150	≧370	550~670	
≦0.30	≦0.10	≦1.00	≦0.30	Nb≦0.05 Ti≦0.20	≦16	≧420	540~680	9328-4
				V≦0.20 Nb+Ti+	16<t≦35	≧410	540~680	
				V≦0.22 N≦0.020	35<t≦50	≧400	540~680	
				Al≧0.020	50<t≦70	≧380	540~680	
	≦0.20	≦0.50		Nb≦0.05 Ti≦0.05	≦16	≧420	500~660	10028-5
				V≦0.10 Nb+Ti+	16<t≦40	≧400	500~660	
				V≦0.15 Al≧0.020	40<t≦63	≧390	500~660	

Notes : (1) Thickness (2) Yield strength (3) Tensile strength

鋼板 · 鋼帯 (壓力容器用鋼) Plates, sheets and strip (for pressure vessels)

索引番号 Index No.	規格名 Std.	記号 Designation	化 学 成 分 (%) Chemical composition					
			鋼材의 두께(1) *t* (mm)	C	Si	Mn	P	S
B 016(계속)								
	BS EN	P 460 M		≦0.16	≦0.60	≦1.70	≦0.025	≦0.020
	DIN EN							
	NF EN							
B 017	KS	SPPV 450		≦0.18	0.15~0.75	≦1.60	≦0.030	≦0.030
	JIS	SPV 450		≦0.18	0.15~0.75	≦1.60	≦0.030	≦0.030
	ASTM	Class 2	≦40	≦0.24	0.15~0.50	0.70~1.35	≦0.035	≦0.035
			40<	≦0.24	0.15~0.50	1.00~1.60	≦0.035	≦0.035
	BS EN	P 460 N		≦0.20	≦0.60	1.00~1.70	≦0.030	≦0.025
	DIN EN							
	NF EN							
	BS EN	P 460 M		≦0.16	≦0.60	≦1.70	≦0.025	≦0.020
	DIN EN	(TMCP)						
	NF EN							

1N/㎟=1MPa

Index No. B 016~B 017

化学成分 (%) Chemical composition					引張試驗 Tensile requirements			規格番号 Std. No.
Cr	Mo	Ni	Cu	others	鋼材의 두께[1] t (㎜)	降伏点[2] (N/㎟)	引張强度[3] (N/㎟)	
				N≦0.020 Cr+Cu+				
				Mo≦0.60 C_{eq}≦0.43				
				~0.46				
	≦0.20	≦0.50		Nb≦0.05 Ti≦0.05	≦16	≧460	530~720	10028-5
				V≦0.10 Nb+Ti+	16<t≦40	≧440	530~720	
				V≦0.15 Al≧0.020	40<t≦63	≧430	530~720	
				N≦0.020 Cr+Cu+				
				Mo≦0.60 C_{eq}≦0.45				
				~0.47				
				C_{eq}≦0.44 또는 P_{CM}≦0.28	6<t≦50	≧450	570~700	D 3521
				C_{eq}≦0.46 또는 P_{CM}≦0.30	50<t≦75	≧430		
					75<t≦100	≧430		
					100<t≦150	≧410		
				C_{eq}≦0.44 또는 P_{CM}≦0.28	6<t≦50	≧450	570~700	G 3115
				C_{eq}≦0.46 또는 P_{CM}≦0.30	50<t≦75	≧430		
					75<t≦100	≧430		G 3115-1
					100<t≦150	≧410		
≦0.25	≦0.08	≦0.25	≦0.35		≦65	≧415	550~690	A 537 M
≦0.25	≦0.08	≦0.25	≦0.35		65<t≦100	≧380	515~655	
					100<t≦150	≧315	485~620	
≦030	≦0.10	≦0.80	≦0.70	Nb≦0.05 Ti≦0.03	≦16	≧460	570~720	10028-3
				V≦0.20 Nb+Ti+	16<t≦35	≧450	570~720	
				V≦0.22 Al≧0.020	35<t≦50	≧440	570~720	
				Cr+Mo+ Cu≦0.45	50<t≦70	≧420	570~720	
					70<t≦100	≧400	540~710	
					100<t≦150	≧380	520~690	
					150<	協定		
	≦0.20	≦0.50		Nb≦0.05 Ti≦0.05	≦16	≧460	530~720	10028-5
				V≦0.10 Nb+Ti+	16<t≦40	≧440	530~720	
				V≦0.15 Al≧0.020	40<t≦63	≧430	530~720	
				N≦0.020 Cr+Cu+				
				Mo≦0.60 C_{eq}≦0.45				

Notes : [1] Thickness [2] Yield strength [3] Tensile strength

鋼板 · 鋼帯 (壓力容器用鋼)　Plates, sheets and strip (for pressure vessels)

索引番号 Index No.	規格名 Std.	記号 Designation	化 学 成 分 (%) Chemical composition					
			鋼材의 두께([1]) t (mm)	C	Si	Mn	P	S
B 017(계속)								
	ISO	P 460 TN		≦0.20	0.10~0.60	1.0~1.7	≦0.035	≦0.035
B 018	KS	SPPV 490		≦0.18	0.15~0.75	≦1.60	≦0.030	≦0.030
	JIS	SPV 490		≦0.18	0.15~0.75	≦1.60	≦0.030	≦0.030
	BS EN	-						
	DIN EN	-						
	NF EN	-						
	BS EN	-						
	DIN EN	-						
	NF EN	-						
	ISO	P 500 TQ		≦0.20	≦0.55	0.70~1.70	≦0.030	≦0.030
B 019	KS	SCMV 1-1		≦0.21	≦0.40	0.55~0.80	≦0.030	≦0.030
		SCMV 1-2		≦0.21	≦0.40	0.55~0.80	≦0.030	≦0.030
	JIS	SCMV 1-1		≦0.21	≦0.40	0.55~0.80	≦0.030	≦0.030
		SCMV 1-2		≦0.21	≦0.40	0.55~0.80	≦0.030	≦0.030
	ASTM	Gr. 2-cl. 1		0.05~0.21	0.15~0.40	0.55~0.80	≦0.035	≦0.035
		Gr. 2-cl. 2		0.05~0.21	0.15~0.40	0.55~0.80	≦0.035	≦0.035
	BS EN	-						
	DIN EN	-						
	NF EN	-						

1N/㎟=1MPa

化 学 成 分 (%) Chemical composition					引 張 試 驗 Tensile requirements			規格番号 Std. No.
								Index No. B 017~~B 019
Cr	Mo	Ni	Cu	others	鋼材의 두께([1]) t (㎜)	降伏点([2]) (N/㎟)	引張强度([3]) (N/㎟)	
				~0.47				
≦0.30	≦0.10	≦1.00	≦0.30	Nb≦0.05 Ti≦0.20	≦16	≧460	570~720	9328-4
				V≦0.20 Nb+Ti+	16<t≦35	≧450		
				V≦0.22 Al≧0.02	35<T≦50	≧440		
				N≦0.020	50<t≦70	≧420		
				Ceq≦0.45 또는 P_{CM}≦0.28	6<t≦50	≧490	610~740	D 3521
				Ceq≦0.47 또는 P_{CM}≦0.30	50<t≦75	≧470		
				Ceq≦0.45 또는 P_{CM}≦0.28	6<t≦50	≧490	610~740	G 3115
				Ceq≦0.47 또는 P_{CM}≦0.30	50<t≦75	≧470		
≦2.0	≦1.0	≦2.0	≦1.50	Nb≦0.06 Ti≦0.20	3≦t≦50	≧500	620~770	9328-4
				V≦0.10 Al≧0.020	50<t≦70	≧480	620~770	
				B≦0.005 N≦0.020				
				Zr≦0.15				
0.50~0.80	0.45~0.60					≧225	380~550	D 3543
0.50~0.80	0.45~0.60					≧315	480~620	D 3543
0.50~0.80	0.45~0.60					≧225	380~550	G 4109
0.50~0.80	0.45~0.60					≧315	480~620	G 4109
0.50~0.80	0.45~0.60					≧230	380~550	A 387 M
0.50~0.80	0.45~0.60					≧310	485~620	A 387 M

Notes : ([1]) Thickness ([2]) Yield strength ([3]) Tensile strength

鋼板・鋼帯 (壓力容器用鋼) Plates, sheets and strip (for pressure vessels)								
索引番号 Index No.	規格名 Std.	記号 Designation	化 学 成 分 (%) Chemical composition					
			鋼材의 두께([1]) t (mm)	C	Si	Mn	P	S
B 019(계속)	ISO	-						
B 020	KS	SCMV 2-1		≦0.17	≦0.40	0.40~0.65	≦0.030	≦0.030
		SCMV 2-2		≦0.17	≦0.40	0.40~0.65	≦0.030	≦0.030
	JIS	SCMV 2-1		≦0.17	≦0.40	0.40~0.65	≦0.030	≦0.030
		SCMV 2-2		≦0.17	≦0.40	0.40~0.65	≦0.030	≦0.030
	ASTM	Gr. 12-cl.1		0.05~0.17	0.15~0.40	0.40~0.65	≦0.035	≦0.035
		Gr. 12-cl.2		0.05~0.17	0.15~0.40	0.40~0.65	≦0.035	≦0.035
	BS EN	13 CrMo 4-5		0.08~0.18	≦0.35	0.40~1.00	≦0.030	≦0.025
	DIN EN							
	NF EN							
	ISO	14 CrMo 45		0.08~0.18	≦0.35	0.40~1.00	≦0.035	≦0.030
B 021	KS	SCMV 3-1		≦0.17	0.50~0.80	0.40~0.65	≦0.030	≦0.030
		SCMV 3-2		≦0.17	0.50~0.80	0.40~0.65	≦0.030	≦0.030
	JIS	SCMV 3-1		≦0.17	0.50~0.80	0.40~0.65	≦0.030	≦0.030
		SCMV 3-2		≦0.17	0.50~0.80	0.40~0.65	≦0.030	≦0.030
	ASTM	Gr. 11-cl. 1		0.05~0.17	0.50~0.80	0.40~0.65	≦0.035	≦0.035
		Gr. 11-cl. 2		0.05~0.17	0.50~0.80	0.40~0.65	≦0.035	≦0.035
	BS EN	-						
	DIN EN	-						
	NF EN	-						
	ISO	-						
B 022	KS	SCMV 4-1		≦0.17	≦0.50	0.30~0.60	≦0.030	≦0.030
		SCMV 4-2		≦0.17	≦0.50	0.30~0.60	≦0.030	≦0.030

1N/㎟=1MPa

Index No. B 019~B 022								
化 学 成 分 (%) Chemical composition					引 張 試 験 Tensile requirements			規格番号 Std. No.
Cr	Mo	Ni	Cu	others	鋼材의 두께([1]) t (㎜)	降伏点([2]) (N/㎟)	引張強度([3]) (N/㎟)	
0.80~1.15	0.45~0.60					≧225	380~550	D 3543
0.80~1.15	0.45~0.60					≧275	450~590	D 3543
0.80~1.15	0.45~0.60					≧225	380~550	G 4109
0.80~1.15	0.45~0.60					≧275	450~590	G 4109
0.80~1.15	0.45~0.60					≧230	380~550	A 387 M
0.80~1.15	0.45~0.60					≧275	450~585	A 387 M
0.70~1.15	0.40~0.60	-	≦0.30		≦16	≧300	450~600	10028-2
					16<t≦60	≧295	450~600	
					60<t≦100	≧275	440~590	
					100<t≦150	≧255	430~580	
					150<	協定		
0.70~1.15	0.40~0.60	-	≦0.30		3≦t≦16	≧300	450~600	9328-2
					16<t≦40	≧300	450~600	
					40<t≦60	≧300	450~600	
					60<t≦100	≧275	440~590	
					100<t≦150	≧255	430~580	
1.00~1.50	0.45~0.65					≧235	410~590	D 3543
1.00~1.50	0.45~0.65					≧315	520~690	D 3543
1.00~1.50	0.45~0.65					≧235	410~590	G 4109
1.00~1.50	0.45~0.65					≧315	520~690	G 4109
1.00~1.50	0.45~0.65					≧240	415~585	A 387 M
1.00~1.50	0.45~0.65					≧310	515~690	A 387 M
2.00~2.50	0.90~1.10					≧205	410~590	D 3543
2.00~2.50	0.90~1.10					≧315	520~690	D 3543

Notes : ([1]) Thickness ([2]) Yield strength ([3]) Tensile strength

鋼板・鋼帯 (壓力容器用鋼) Plates, sheets and strip (for pressure vessels)								
索引番号 Index No.	規格名 Std.	記号 Designation	化学成分 (%) Chemical composition					
			鋼材의 두께([1]) t (mm)	C	Si	Mn	P	S
B 022(계속)	JIS	SCMV 4-1		≦0.17	≦0.50	0.30~0.60	≦0.030	≦0.030
		SCMV 4-2		≦0.17	≦0.50	0.30~0.60	≦0.030	≦0.030
	ASTM	Gr. 22-cl. 1		0.05~0.15	≦0.50	0.30~0.60	≦0.035	≦0.035
		Gr. 22-cl.2		0.05~0.15	≦0.50	0.30~0.60	≦0.035	≦0.035
		Gr. 22 L-cl.1		≦0.10	≦0.50	0.30~0.60	≦0.035	≦0.035
	BS EN	10CrMo 9-10		0.08~0.14	≦0.50	0.40~0.80	≦0.030	≦0.025
	DIN EN							
	NF EN							
	BS EN	11CrMo 9-10		0.08~0.15	≦0.50	0.40~0.80	≦0.030	≦0.025
	DIN EN							
	NF EN							
	ISO	13CrMo910T1		0.08~0.15	≦0.50	0.40~0.70	≦0.035	≦0.030
	ISO	13CrMo910T2		0.08~0.15	≦0.50	0.40~0.70	≦0.035	≦0.030
B 023	KS	SCMV 5-1		≦0.17	≦0.50	0.30~0.60	≦0.030	≦0.030
		SCMV 5-2		≦0.17	≦0.50	0.30~0.60	≦0.030	≦0.030
	JIS	SCMV 5-1		≦0.17	≦0.50	0.30~0.60	≦0.030	≦0.030
		SCMV 5-2		≦0.17	≦0.50	0.30~0.60	≦0.030	≦0.030
	ASTM	Gr. 21-cl.1		0.05~0.15	≦0.50	0.30~0.60	≦0.035	≦0.035
		Gr. 21-cl.2		0.05~0.15	≦0.50	0.30~0.60	≦0.035	≦0.035
		Gr. 21 L-cl.1		≦0.10	≦0.50	0.30~0.60	≦0.035	≦0.035
	BS EN	-						
	DIN EN	-						
	NF EN	-						
	ISO	-						

1N/㎟=1MPa

Index No. B 022～023

化学成分(%) Chemical composition					引張試験 Tensile requirements			規格番号 Std. No.
Cr	Mo	Ni	Cu	others	鋼材의 두께[1] t (㎜)	降伏点[2] (N/㎟)	引張強度[3] (N/㎟)	
2.00～2.50	0.90～1.10					≧205	410～590	G 4109
2.00～2.50	0.90～1.10					≧315	520～690	G 4109
2.00～2.50	0.90～1.10					≧205	415～585	A 387 M
2.00～2.50	0.90～1.10					≧310	515～690	A 387 M
2.00～2.50	0.90～1.10					≧205	415～585	A 387 M
2.00～2.50	0.90～1.10		≦0.30		≦16	≧310	480～630	10028-2
					16<t≦40	≧300	480～630	
					40<t≦60	≧290	480～630	
					60<t≦100	≧270	470～620	
					100<t≦150	≧250	460～610	
					150<	協定		
2.00～2.50	0.90～1.10		≦0.30		≦60	≧310	520～670	10028-2
					60<t≦100	≧310	520～670	
2.00～2.50	0.90～1.10		≦0.30		3≦t≦16	≧275	480～620	9328-2
					16<t≦40	≧265	480～620	
					40<t≦60	≧265	480～620	
					60<t≦100	≧260	470～620	
					100<t≦150	≧250	460～610	
					150<t≦300	≧240	450～600	
2.00～2.50	0.90～1.10		≦0.30			≧310	520～670	9328-2
2.75～3.25	0.90～1.10					≧205	410～590	D 3543
2.75～3.25	0.90～1.10					≧315	520～690	D 3543
2.75～3.25	0.90～1.10					≧205	410～590	G 4109
2.75～3.25	0.90～1.10					≧315	520～690	G 4109
2.75～3.25	0.90～1.10					≧205	415～585	A 387 M
2.75～3.25	0.90～1.10					≧310	515～690	A 387 M
2.75～3.25	0.90～1.10					≧205	415～585	A 387 M

Notes : (1) Thickness (2) Yield strength (3) Tensile strength

鋼板 · 鋼帯 (壓力容器用鋼) Plates, sheets and strip (for pressure vessels)

索引番号 Index No.	規格名 Std.	記号 Designation	化学成分 (%) Chemical composition 鋼材의 두께[1] t (mm)	C	Si	Mn	P	S
B 024	KS	SCMV 6-1		≦0.15	≦.50	0.30~0.60	≦0.030	≦0.030
		SCMV 6-2		≦0.15	≦0.50	0.30~0.60	≦0.030	≦0.030
	JIS	SCMV 6-1		≦0.15	≦0.50	0.30~0.60	≦0.030	≦0.030
		SCMV 6-2		≦0.15	≦0.50	0.30~0.60	≦0.030	≦0.030
	ASTM	Gr.5-cl.1		≦0.15	≦0.50	0.30~0.60	≦0.035	≦0.030
		Gr.5-cl.2		≦0.15	≦0.50	0.30~0.60	≦0.035	≦0.030
	BS EN	-						
	DIN EN	-						
	NF EN	-						
	ISO	-						
B 025	KS	SBV 1 A	≦25	≦0.20	0.15~0.30	0.95~1.30	≦0.035	≦0.040
			25<t≦50	≦0.23				
			50<t≦150	≦0.25				
	JIS	SBV 1 A	≦25	≦0.20	0.15~0.30	0.95~1.30	≦0.035	≦0.040
			25<t≦50	≦0.23				
			50<t≦150	≦0.25				
	ASTM	Grade A	≦25	≦0.20	0.15~0.40	0.95~1.30	≦0.035	≦0.035
			25<t≦50	≦0.23				
			50<	≦0.25				
	BS EN	-						
	DIN EN	-						
	NF EN	-						
	ISO	-						
B 026	KS	SBV 1 B	≦25	≦0.20	0.15~0.30	1.15~1.50	≦0.035	≦0.040
			25<t≦50	≦0.23				
			50<t≦150	≦0.25				
	JIS	SBV 1 B	≦25	≦0.20	0.15~0.30	1.15~1.50	≦0.035	≦0.040
			25<t≦50	≦0.23				
			50<t≦150	≦0.25				

1N/㎟=1MPa

Index No. B 024~026

化 学 成 分 (%) Chemical composition					引 張 試 験 Tensile requirements			規格番号 Std. No.
Cr	Mo	Ni	Cu	others	鋼材의 두께([1]) t (㎜)	降伏点([2]) (N/㎟)	引張強度([3]) (N/㎟)	
4.00~6.00	0.45~0.65					≧205	410~590	D 3543
4.00~6.00	0.45~0.65					≧315	520~690	D 3543
4.00~6.00	0.45~0.65					≧205	410~590	G 4109
4.00~6.00	0.45~0.65					≧315	520~690	G 4109
4.00~6.00	0.45~0.65					≧205	415~585	A 387 M
4.00~6.00	0.45~0.65					≧310	515~690	A 387 M
	0.45~0.60					≧315	520~660	D 3538
	0.45~0.60					≧315	520~660	G 3119
	0.45~0.60					≧310	515~655	A 302 M
	0.45~0.60					≧345	550~690	D 3538
	0.45~0.60					≧345	550~690	G 3119

Notes : ([1]) Thickness ([2]) Yield strength ([3]) Tensile strength

鋼板・鋼帯 (壓力容器用鋼) Plates, sheets and strip (for pressure vessels)

索引番号 Index No.	規格名 Std.	記号 Designation	化学成分 (%) Chemical composition					
			鋼材의 두께([1]) t (mm)	C	Si	Mn	P	S
B 026(계속)	ASTM	Grade B	≦25	≦0.20	0.15~0.40	1.15~1.50	≦0.035	≦0.035
			25<t≦50	≦0.23				
			50<	≦0.25				
	BS EN	-						
	DIN EN	-						
	NF EN	-						
	ISO	-						
B 027	KS	SBV 2	≦25	≦0.20	0.15~0.30	1.15~1.50	≦0.035	≦0.040
			25<t≦50	≦0.23				
			50<t≦150	≦0.25				
	JIS	SBV 2	≦25	≦0.20	0.15~0.30	1.15~1.50	≦0.035	≦0.040
			25<t≦50	≦0.23				
			50<t≦150	≦0.25				
	ASTM	Grade C	≦25	≦0.20	0.15~0.40	1.15~1.50	≦0.035	≦0.035
			25<t≦50	≦0.23				
			50<	≦0.25				
	BS EN	-						
	DIN EN	-						
	NF EN	-						
	ISO	-						
B 028	KS	SBV 3	≦25	≦0.20	0.15~0.30	1.15~1.50	≦0.035	≦0.040
			25<t≦50	≦0.23				
			50<t≦150	≦0.25				
	JIS	SBV 3	≦25	≦0.20	0.15~0.30	1.15~1.50	≦0.035	≦0.040
			25<t≦50	≦0.23				
			50<t≦150	≦0.25				
	ASTM	Grade D	≦25	≦0.20	0.15~0.40	1.15~1.50	≦0.035	≦0.035
			25<t≦50	≦0.23				
			50<	≦0.25				

1N/㎟=1MPa

Index No. B 026~028								
化学成分 (%) Chemical composition					引張試験 Tensile requirements			規格番号 Std. No.
Cr	Mo	Ni	Cu	others	鋼材의 두께([1]) t (㎜)	降伏点([2]) (N/㎟)	引張強度([3]) (N/㎟)	
	0.45~0.60					≧345	550~690	A 302 M
	0.45~0.60	0.40~0.70				≧345	550~690	D 3538
	0.45~0.60	0.40~0.70				≧345	550~690	G 3119
	0.45~0.60	0.40~0.70				≧345	550~690	A 302 M
	0.45~0.60	0.70~1.00				≧345	550~690	D 3538
	0.45~0.60	0.70~1.00				≧345	550~690	G 3119
	0.45~0.60	0.70~1.00				≧345	550~690	A 302 M

Notes : ([1]) Thickness ([2]) Yield strength ([3]) Tensile strength

鋼板・鋼帯 (壓力容器用鋼) Plates, sheets and strip (for pressure vessels)

索引番号 Index No.	規格名 Std.	記号 Designation	化 学 成 分 (%) Chemical composition					
			鋼材의 두께[1] t (mm)	C	Si	Mn	P	S
B 028(계속)	BS EN	-						
	DIN EN	-						
	NF EN	-						
	ISO	-						
B 029	KS	SQV 1 A		≦0.25	0.15~0.30	1.15~1.50	≦0.035	≦0.035
	JIS	SQV 1 A		≦0.25	0.15~0.30	1.15~1.50	≦0.035	≦0.035
	ASTM	Type A-cl.1		≦0.25	0.15~0.40	1.15~1.50	≦0.035	≦0.035
	BS EN	-						
	DIN EN	-						
	NF EN	-						
	ISO	-						
B 030	KS	SQV 2 A		≦0.25	0.15~0.30	1.15~1.50	≦0.035	≦0.035
	JIS	SQV 2 A		≦0.25	0.15~0.30	1.15~1.50	≦0.035	≦0.035
	ASTM	Type B-cl.1		≦0.25	0.15~0.40	1.15~1.50	≦0.035	≦0.035
	BS EN	-						
	DIN EN	-						
	NF EN	-						
	ISO	-						
B 031	KS	SQV 3 A		≦0.25	0.15~0.30	1.15~1.50	≦0.035	≦0.040
	JIS	SQV 3 A		≦0.25	0.15~0.30	1.15~1.50	≦0.035	≦0.040
	ASTM	Type C-cl.1		≦0.25	0.15~0.40	1.15~1.50	≦0.035	≦0.035
	BS EN	-						
	DIN EN	-						
	NF EN	-						
	ISO	-						
B 032	KS	SQV 1 B		≦0.25	0.15~0.30	1.15~1.50	≦0.035	≦0.040
	JIS	SQV 1 B		≦0.25	0.15~0.30	1.15~1.50	≦0.035	≦0.040
	ASTM	Type A-cl.2		≦0.25	0.15~0.40	1.15~1.50	≦0.035	≦0.035

1N/㎟=1MPa

Index No. B 028~032

化 学 成 分 (%) Chemical composition					引 張 試 驗 Tensile requirements			規格番号 Std. No.
Cr	Mo	Ni	Cu	others	鋼材의 두께[1] t (㎜)	降伏点[2] (N/㎟)	引張强度[3] (N/㎟)	
	0.45~0.60					≧345	550~690	D 3539
	0.45~0.60					≧345	550~690	G 3120
	0.45~0.60					≧345	550~690	A 533 M
	0.45~0.60	0.40~0.70				≧345	550~690	D 3539
	0.45~0.60	0.40~0.70				≧345	550~690	G 3120
	0.45~0.60	0.40~0.70				≧345	550~690	A 533 M
	0.45~0.60	0.70~1.00				≧345	550~690	D 3539
	0.45~0.60	0.70~1.00				≧345	550~690	G 3120
	0.45~0.60	0.70~1.00				≧345	550~690	A 533 M
	0.45~0.60					≧480	620~790	D 3539
	0.45~0.60					≧480	620~790	G 3120
	0.45~0.60					≧485	620~795	A 533 M

Notes : [1] Thickness [2] Yield strength [3] Tensile strength

鋼板 · 鋼帯 (壓力容器用鋼)　Plates, sheets and strip (for pressure vessels)

索引番号 Index No.	規格名 Std.	記号 Designation	化 学 成 分 (%) Chemical composition					
			鋼材의 두께(1) t (mm)	C	Si	Mn	P	S
B 032(계속)	BS EN	-						
	DIN EN	-						
	NF EN	-						
	ISO	-						
B 033	KS	SQV 2 B		≦0.25	0.15~0.30	115~1.50	≦0.035	≦0.040
	JIS	SQV 2 B		≦0.25	0.15~0.30	115~1.50	≦0.035	≦0.040
	ASTM	Type B-cl.2		≦0.25	0.15~0.40	115~1.50	≦0.035	≦0.035
	BS EN	-						
	DIN EN	-						
	NF EN	-						
	ISO	-						
B 034	KS	SQV 3 B		≦0.25	0.15~0.30	1.15~1.50	≦0.035	≦0.040
	JIS	SQV 3 B		≦0.25	0.15~0.30	1.15~1.50	≦0.035	≦0.040
	ASTM	Type C-cl.2		≦0.25	0.15~0.40	1.15~1.50	≦0.035	≦0.035
	BS EN	-						
	DIN EN	-						
	NF EN	-						
	ISO	-						
B 035	KS	SEV 245		≦0.20	0.15~0.60	1.15~1.50	≦0.035	≦0.035
	JIS	SEV 245		≦0.20	0.15~0.60	1.15~1.50	≦0.035	≦0.035
	ASTM	-						
	BS	-						
	DIN	-						
	NF	-						
	ISO	-						

1N/mm²=1MPa

Index No. B 032~035

化 学 成 分 (%) Chemical composition					引 張 試 驗 Tensile requirements			規格番号 Std. No.
Cr	Mo	Ni	Cu	others	鋼材의 두께([1]) t (mm)	降伏点([2]) (N/mm²)	引張强度([3]) (N/mm²)	
	0.45~0.60	0.40~0.70				≧480	620~790	D 3539
	0.45~0.60	0.40~0.70				≧480	620~790	G 3120
	0.45~0.60	0.40~0.70				≧485	620~795	A 533 M
	0.45~0.60	0.70~1.00				≧480	620~790	D 3539
	0.45~0.60	0.70~1.00				≧480	620~790	G 3120
	0.45~0.60	0.70~1.00				≧485	620~795	A 533 M
	≦0.35		≦0.35	Nb≦0.05 V≦0.10	≦50	≧370	510~650	D 3610
				C_{eq}≦0.53 (t≦75)	50<t≦100	≧355	510~650	
				C_{eq}≦0.60 (75<t≦150)	100<t≦125	≧345	500~640	
					125<t≦150	≧335	490~630	
	≦0.35		≦0.35	Nb≦0.05 V≦0.10	≦50	≧370	510~650	G 3124
				C_{eq}≦0.53 (t≦75)	50<t≦100	≧355	510~650	
				C_{eq}≦0.60 (75<t≦150)	100<t≦125	≧345	500~640	
					125<t≦150	≧335	490~630	

Notes : ([1]) Thickness ([2]) Yield strength ([3]) Tensile strength

鋼板·鋼帯 (壓力容器用鋼) Plates, sheets and strip (for pressure vessels)

索引番号 Index No.	規格名 Std.	記号 Designation	化学成分 (%) Chemical composition					
			鋼材의 두께([1]) t (mm)	C	Si	Mn	P	S
B 036	KS	SEV 295		≦0.19	0.15~0.60	0.80~1.60	≦0.035	≦0.035
	JIS	SEV 295		≦0.19	0.15~0.60	0.80~1.60	≦0.035	≦0.035
	ASTM	-						
	BS	-						
	DIN	-						
	NF	-						
	ISO	-						
B 037	KS	SEV 345		≦0.19	0.15~0.60	0.80~1.70	≦0.035	≦0.040
	JIS	SEV 345		≦0.19	0.15~0.60	0.80~1.70	≦0.035	≦0.040
	ASTM	-						
	BS	-						
	DIN	-						
	NF	-						
	ISO	-						
B 038	KS	SLA 1		≦0.15	0.15~0.30	0.70~1.50	≦0.030	≦0.025
	JIS	SLA 235		≦0.15	0.15~0.30	0.70~1.50	≦0.030	≦0.025
	ASTM	Grade A		≦0.14	0.15- 0.40	0.90~1.35	≦0.035	≦0.035

1N/㎟=1MPa

Index No. B 036～038

化 学 成 分 (%) Chemical composition					引 張 試 験 Tensile requirements			規格番号 Std. No.
Cr	Mo	Ni	Cu	others	鋼材의 두께(1) t (㎜)	降伏点(2) (N/㎟)	引張强度(3) (N/㎟)	
	0.10～0.40		≦0.35	Nb≦0.05 V≦0.10	≦50	≧420	540～690	D 3610
				C_{eq}≦0.56 (t≦75)	50<t≦100	≧400	540～690	
				C_{eq}≦0.61 (75<t≦150)	100<t≦125	≧390	530～680	
					125<t≦150	≧380	520～670	
	0.10～0.40		≦0.35	Nb≦0.05 V≦0.10	≦50	≧420	540～690	G 3124
				C_{eq}≦0.56 (t≦75)	50<t≦100	≧400	540～690	
				C_{eq}≦0.61 (75<t≦150)	100<t≦125	≧390	530～680	
					125<t≦150	≧380	520～670	
	0.15～0.50		≦0.35	Nb≦0.05 V≦0.10	≦50	≧430	590～740	D 3610
				C_{eq}≦0.60 (t≦75)	50<t≦100	≧430	590～740	
				C_{eq}≦0.62 (75<t≦150)	100<t≦125	≧420	580～730	
					125<t≦150	≧410	570～720	
	0.15～0.50		≦0.35	Nb≦0.05 V≦0.10	≦50	≧430	590～740	G 3124
				C_{eq}≦0.60 (t≦75)	50<t≦100	≧430	590～740	
				C_{eq}≦0.62 (75<t≦150)	100<t≦125	≧420	580～730	
					125<t≦150	≧410	570～720	
					≦40	≧235	400～510	D 3541
					40<t≦50	≧215		
					≦40	≧235	400～510	G 3126
					40<t≦50	≧215		
						≧275	400～540	A 662 M

Notes : (1) Thickness (2) Yield strength (3) Tensile strength

鋼板 · 鋼帯 (壓力容器用鋼) Plates, sheets and strip (for pressure vessels)

索引番号 Index No.	規格名 Std.	記号 Designation	化 学 成 分 (%) Chemical composition					
			鋼材의 두께([1]) t (mm)	C	Si	Mn	P	S
B 038(계속)	BS EN	P 275 NL 1		≦0.16	≦0.40	0.50～1.50	≦0.030	≦0.020
	DIN EN							
	NF EN							
	ISO	PL 285 TN		≦0.16	0.10～0.40	0.50～1.40	≦0.030	≦0.030
B 039	KS	SLA 1		≦0.16	0.15～0.55	0.80～1.60	≦0.030	≦0.025
	JIS	SLA 325		≦0.16	0.15～0.55	0.80～1.60	≦0.030	≦0.025
	ASTM	Grade C		≦0.20	0.15～0.50	1.00～1.60	≦0.035	≦0.035
	BS EN	-						
	DIN EN	-						
	NF EN	-						
	ISO	PL 315 TN		≦0.16	0.10～0.40	0.70～1.50	≦0.030	≦0.030
B 040	KS	SLA 1		≦0.18	0.15～0.55	0.80～1.60	≦0.030	≦0.025
	JIS	SLA 360		≦0.18	0.15～0.55	0.80～1.60	≦0.030	≦0.025
	ASTM	-						
	BS EN	P 355 NL 1		≦0.18	≦0.50	0.90～1.70	≦0.030	≦0.020
	DIN EN							
	NF EN							

1N/㎟=1MPa

Index No. B 038～040								
化 学 成 分 (%) Chemical composition					引 張 試 験 Tensile requirements			規格番号 Std. No.
Cr	Mo	Ni	Cu	others	鋼材의 두께(1) t (㎜)	降伏点(2) (N/㎟)	引張強度(3) (N/㎟)	
≦0.30	≦0.08	≦0.50	≦0.30	Nb≦0.05 Ti≦0.03	≦16	≧275	390～510	10028-3
				V≦0.05 Nb+Ti+	16<t≦35	≧275	390～510	
				V≦0.05 Al≧0.020	35<t≦50	≧265	390～510	
				N≦0.020 Cr+Mo+Cu	50<t≦70	≧255	390～510	
				≦0.45	70<t≦100	≧235	370～470	
					100<t≦150	≧225	350～470	
					150<	協定		
≦0.30	≦0.08	≦0.30	≦0.30	Nb≦0.05 Ti≦0.03	≦35	≧285	390～510	9328-4
				V≦0.05 Nb+Ti+	35<t≦50	≧275		
				V≦0.05 Al≧0.020	50<t≦70	≧265		
				N≦0.020				
						≧325	440～560	D 3541
						≧325	440～560	G 3126
						≧295	485～620	A 662 M
≦0.30	≦0.08	≦0.30	≦0.30	Nb≦0.05 Ti≦0.03	≦35	≧315	440～560	9328-4
				V≦0.05 Nb+Ti+	35<t≦50	≧305		
				V≦0.05 Al≧0.020	50<t≦70	≧295		
				N≦0.020 Cr+Mo+Cu				
				≦0.45				
						≧360	490～610	D 3541
						≧360	490～610	G 3126
≦0.30	≦0.08	≦0.50	≦0.30	Nb≦0.05 Ti≦0.03	≦35	≧355	490～630	10028-3
				V≦0.10 Nb+Ti+V	35<t≦50	≧345		
				≦0.12 Cr+Cu+Mo	50<t≦70	≧325		
				≦0.45 Al≧0.020	70<t≦100	≧315	470～610	
				N≦0.020	100≦t≦150	≧295	450～590	
					150<	協定		

Notes : (1) Thickness (2) Yield strength (3) Tensile strength

鋼板 · 鋼帯 (壓力容器用鋼) Plates, sheets and strip (for pressure vessels)

索引番号 Index No.	規格名 Std.	記号 Designation	化 学 成 分 (%) Chemical composition					
			鋼材의 두께(1) t (mm)	C	Si	Mn	P	S
B 040(계속)	BS EN	P 355 ML		≦0.14	≦0.50	≦1.60	≦0.025	≦0.020
	DIN EN							
	NF EN							
	ISO	PL 355 TN		≦0.18	0.10~0.50	0.90~1.7	≦0.030	≦0.030
B 041	JIS	SLA 410		≦0.18	0.15~0.55	0.80~1.60	≦0.030	≦0.025
	ASTM	-						
	BS EN	P 420 ML		≦0.16	≦0.50	≦1.70	≦0.025	≦0.020
	DIN EN							
	NF EN							
	BS EN	P 460 ML		≦0.16	≦0.60	≦1.70	≦0.020	≦0.020
	DIN EN							
	NF EN							
	ISO	PL 420 TN		≦0.20	0.10~0.60	1.0~1.7	≦0.030	≦0.030

1N/㎟=1MPa

Index No. B 040~B 041

化 学 成 分 (%) Chemical composition					引 張 試 驗 Tensile requirements			規格番号 Std. No.
Cr	Mo	Ni	Cu	others	鋼材의 두께[1] t (㎜)	降伏点[2] (N/㎟)	引張强度[3] (N/㎟)	
	≦0.20	≦0.50		Nb≦0.05 Ti≦0.05	≦16	≧355	450~610	10028-5
				V≦0.10 Nb+Ti+	16<t≦40	≧355	450~610	
				V≦0.15 Al≧0.020	40<t≦63	≧345	450~610	
				N≦0.015 Cr+Cu+				
				Mo≦0.60 C_{eq}≦0.39				
				~0.40				
≦0.30	≦0.08	≦0.30	≦0.30	Nb≦0.05 Ti≦0.03	≦35	≧355	490~610	9328-4
				V≦0.10 Nb+Ti+	35<t≦50	≧345		
				V≦0.12 Al≧0.020	50<t≦70	≧325		
				N≦0.020 Cr+Cu+				
				Mo≦0.45				
						≧410	520~640	G 3126
	≦0.20	≦0.50		Nb≦0.05 Ti≦0.05	≦16	≧420	500~660	10028-5
				V≦0.10 Nb+Ti+	16<t≦40	≧400	500~660	
				V≦0.15 Al≧0.020	40<t≦63	≧390	500~660	
				N≦0.020 Cr+Cu+				
				Mo≦0.60 C_{eq}≦0.43				
				~0.46				
	≦0.20	≦0.50		Nb≦0.05 Ti≦0.05	≦16	≧460	530~720	10028-5
				V≦0.10 Nb+Ti+	16<t≦40	≧440	530~720	
				V≦0.15 Al≧0.020	40<t≦63	≧430	530~720	
				N≦0.020 Cr+Cu+				
				Mo≦0.60 C_{eq}≦0.45				
				~0.47				
≦0.30	≦0.10	≦1.00	≦0.30	Nb≦0.05 Ti≦0.20	≦16	≧420	540~680	9328-4
				V≦0.20 Nb+Ti+	16<t≦35	≧410		
				V≦0.22 Al≧0.020	35<t≦50	≧400		
				N≦0.020 Cr+Cu+	50<t≦70	≧380		
				Mo≦0.45				

Notes : [1] Thickness [2] Yield strength [3] Tensile strength

鋼板 · 鋼帯 (壓力容器用鋼)　Plates, sheets and strip (for pressure vessels)

索引番号 Index No.	規格名 Std.	記号 Designation	化 学 成 分 (%) Chemical composition					
			鋼材의 두께[1] t (mm)	C	Si	Mn	P	S
B 042	KS	SL 2 N 255		≦0.17	≦0.30	≦0.70	≦0.025	≦0.025
	JIS	SL 2 N 255		≦0.17	≦0.30	≦0.70	≦0.025	≦0.025
	ASTM	Grade A	≦50	≦0.17	0.15~0.40	≦0.70	≦0.035	≦0.035
			50<t≦100	≦0.20	0.15~0.40	≦0.80	≦0.035	≦0.035
			100<	≦0.23	0.15~0.40	≦0.80	≦0.035	≦0.035
	BS EN	-						
	DIN EN	-						
	NF EN	-						
	ISO	-						
B 043	KS	SL 3 N 255		≦0.15	≦0.30	≦0.70	≦0.025	≦0.025
	JIS	SL 3 N 255		≦0.15	≦0.30	≦0.70	≦0.025	≦0.025
	ASTM	Grade D	≦50	≦0.17	0.15~0.40	≦0.70	≦0.035	≦0.035
			50<t≦100	≦0.20	0.15~0.40	≦0.80	≦0.035	≦0.035
	BS EN	-						
	DIN EN	-						
	NF EN	-						
	ISO	12 Ni 14 G 1		≦0.15	≦0.35	0.30~0.80	≦0.025	≦0.020
B 044	KS	SL 3 N 275		≦0.17	≦0.30	≦0.70	≦0.025	≦0.025
	JIS	SL 3 N 275		≦0.17	≦0.30	≦0.70	≦0.025	≦0.025
	ASTM	Grade E	≦50	≦0.20	0.15~0.40	≦0.70	≦0.035	≦0.035
			50<t≦100	≦0.23	0.15~0.40	≦0.80	≦0.035	≦0.035
	BS EN	12 Ni 14		≦0.15	≦0.35	0.30~0.80	≦0.020	≦0.010
	DIN EN							
	NF EN							
	ISO	12 Ni 14 G 2		≦0.15	≦0.35	0.30~0.80	≦0.025	≦0.020

1N/㎟=1MPa

Index No. B 042~B 044

化学成分 (%) Chemical composition					引張試驗 Tensile requirements			規格番号 Std. No.
Cr	Mo	Ni	Cu	others	鋼材의 두께[1] t (㎜)	降伏点[2] (N/㎟)	引張强度[3] (N/㎟)	
		2.10~2.50				≧255	450~590	D 3586
		2.10~2.50				≧255	450~590	G 3127
		2.10~2.50				≧255	450~585	A 203 M
		2.10~2.50				≧255	450~585	
		2.10~2.50				≧255	450~585	
		3.25~3.75				≧255	450~590	D 3586
		3.25~3.75				≧255	450~590	G 3127
		3.25~3.75				≧255	450~585	A 203 M
		3.25~3.75				≧255	450~585	
						≧255	450~585	
		3.25~3.75		V≦0.05	3<t≦30	≧285	450~600	9328-3
					30<t≦50	≧275	450~600	
		3.25~3.75				≧275	480~620	D 3586
		3.25~3.75				≧275	480~620	G 3127
		3.25~3.75				≧275	485~620	A 203 M
		3.25~3.75				≧275	485~620	
		3.25~3.75		V≦0.05	≦30	≧355	490~640	10028-4
					30<t≦50	≧345	490~640	
		3.25~3.75		V≦0.05	3<t≦30	≧355	470~620	9328-3
					30<t≦50	≧345		

Notes : [1] Thickness [2] Yield strength [3] Tensile strength

鋼板・鋼帯 (壓力容器用鋼)　Plates, sheets and strip (for pressure vessels)

索引番号 Index No.	規格名 Std.	記号 Designation	化 学 成 分 (%) Chemical composition					
			鋼材의 두께(1) t (mm)	C	Si	Mn	P	S
B 045	KS	SL 3 N 440		≦0.15	≦0.30	≦0.70	≦0.025	≦0.025
	JIS	SL 3 N 440		≦0.15	≦0.30	≦0.70	≦0.025	≦0.025
	ASTM	-						
	BS	-						
	DIN	-						
	NF	-						
	ISO	-						
B 046	KS	SL 5 N 590		≦0.13	≦0.30	≦1.50	≦0.025	≦0.025
	JIS	SL 5 N 590		≦0.13	≦0.30	≦1.50	≦0.025	≦0.025
	ASTM	-						
	BS	-						
	DIN	-						
	NF	-						
	ISO	-						
B 047	KS	SL 9 N 520		≦0.12	≦0.30	≦0.90	≦0.025	≦0.025
	JIS	SL 9 N 520		≦0.12	≦0.30	≦0.90	≦0.025	≦0.025
	ASTM	*		≦0.13	0.15～0.40	≦0.90	≦0.035	≦0.035
	BS EN	X 8 Ni 9		≦0.10	≦0.35	0.30～0.80	≦0.020	≦0.010
	DIN EN	(HT 640)						
	NF EN							
	ISO	X 8 Ni 9		≦0.10	≦0.35	0.30～0.80	≦0.025	≦0.020
B 048	KS	SL 9 N 590		≦0.12	≦0.30	≦0.90	≦0.025	≦0.025
	JIS	SL 9 N 590		≦0.12	≦0.30	≦0.90	≦0.025	≦0.025
	ASTM	Type 1		≦0.13	0.15～0.40	≦0.90	≦0.035	≦0.035
	ASTM	-		≦0.13	0.15～0.40	≦0.90	≦0.020	≦0.020
	BS EN	X 8 Ni 9		≦0.10	≦0.35	0.30～0.80	≦0.020	≦0.010
	DIN EN	(HT 680)						
	NF EN	X 7 Ni 9		≦0.10	≦0.35	0.30～0.80	≦0.015	≦0.005
	ISO	-						

1N/㎟=1MPa

Index No. B 045~B 048

化学成分 (%) Chemical composition					引張試験 Tensile requirements			規格番号 Std. No.
Cr	Mo	Ni	Cu	others	鋼材의 두께([1]) t (㎜)	降伏点([2]) (N/㎟)	引張强度([3]) (N/㎟)	
		3.25~3.75				≧440	540~690	D 3586
		3.25~3.75				≧440	540~690	G 3127
		4.75~6.00				≧590	690~830	D 3586
		4.75~6.00				≧590	690~830	G 3127
		8.50~9.50				≧520	690~830	D 3586
		8.50~9.50				≧520	690~830	G 3127
		8.50~9.50				≧515	690~825	A 353 M
	≦0.10	8.50~10.00		V≦0.05	≦30	≧490	640~840	10028-4
					30<t≦50	≧480	640~840	
	≦0.10	8.50~10.0		V≦0.05	3≦t≦30	≧490	640~840	9328-3
					30<t≦50	≧480	640~840	
		8.50~9.50				≧590	690~830	D 3586
		8.50~9.50				≧590	690~830	G 3127
		8.50~9.50				≧585	690~825	A 553 M
		8.50~9.50				≧585	690~825	A 844 M
	≦0.10	8.50~10.0		V≦0.05	≦30	≧585	680~820	10028-4
					30<t≦50	≧575	680~820	
	≦0.10	8.50~10.0		≦0.01	≦30	≧585	680~820	10028-4
					30<t≦50	≧575	680~820	

Notes : ([1]) Thickness ([2]) Yield strength ([3]) Tensile strength

박판(薄板)

Sheet and strip

■ 연강판(軟鋼板)

Mild steel ·· 114

■ 표면처리강판(表面處理用鋼板)

Surface coated steel sheet ·· 126

薄板 (熱間壓延軟鋼板) Sheet and strip (mild steel, hot-rolled)

索引番号 Index No.	規格名 Std.	記号 Designation	化 学 成 分 (%) Chemical composition						
			鋼材의 두께 (1) t(mm)	C	Si	Mn	P	S	Cr
C 001	KS	SPHC	1.2≦t≦14	≦0.15		≦0.60	≦0.050	≦0.050	
(一般用)									
	JIS	SPHC	1.2≦t≦14	≦0.15		≦0.60	≦0.050	≦0.050	
	ASTM	Type A		≦0.10		≦0.60	≦0.030	≦0.035	≦0.15
	ASTM	Type B		0.02~0.15		≦060	≦0.030	≦0.035	≦0.15
	ASTM	Type C		≦0.08		≦0.60	≦0.10	≦0.035	≦0.15
	BS	HR 15		≦0.20		≦0.90	≦0.060	≦0.050	
	BS	HS 15		≦0.20		≦0.90	≦0.060	≦0.050	
	BS	HS 4		≦0.12		≦0.60	≦0.050	≦0.050	
	DIN	St 22		≦0.10		≦0.45	≦0.035	≦0.035	
	DIN	USt 23		≦0.08		0.20~0.40	≦0.025	≦0.025	
	DIN	RRSt 23		≦0.10		≦0.45	≦0.030	≦0.030	
	DIN	St 24		≦0.08		≦0.45	≦0.025	≦0.025	
	NF	Fd 4		≦0.060	≦0.030	≦0.35	≦0.025	≦0.020	≦0.080
	NF	Fd 2		≦0.10	≦0.040	0.15~0.45	≦0.025	≦0.020	≦0.080
	ISO	HR 1*	0.8≦t≦12.5	≦0.12		≦0.60	≦0.045	≦0.045	
	ISO	HR 1	0.65≦t≦12	≦0.15		≦0.60	≦0.05	≦0.05	
C 002	KS	SPHD	1.2≦t≦14	≦0.10		≦0.50	≦0.040	≦0.040	
(Curling용)									
	JIS	SPHD	1.2≦t≦14	≦0.10		≦0.50	≦0.040	≦0.040	

*KS의 부속서에 규정

Index No. C 001~C 002

化 学 成 分 (%) Chemical composition				引 張 試 験 Tensile requirements				規格番号 Std. No.
Mo	Ni	Cu	others	鋼材의 두께(1) t (mm)	降伏点又? 耐力(2) (N/mm²)	引張强度(3) (N/mm²)	伸?(4) (%)	
				1.2≦t<1.6		≧270	≧27	D 3501
				1.6≦t≦3.2		≧270	≧29	
				3.2≦t		≧270	≧31	
				1.2≦t<1.6		≧270	≧27	G 3131
				1.6≦t≦3.2		≧270	≧29	
				3.2≦t		≧270	≧31	
≦0.06	≦0.20	≧0.20(6) ≦0.20(7)	V≦0.008 Nb≦0.008 Ti≦0.008					A 569
≦0.06	≦0.20							A 569
≦0.06	≦0.20							A 569
								1449 : 1.2
								1449 : 1.8
								1449 : 1.14
			N≦0.007					1614-1
			N≦0.007					1614-1
				A 1≧0.02				1614-1
				A 1≧0.02				1614-1
≦0.040	≦0.080	A 1 : 0.020~0.060						A 36-102
≦0.040	≦0.080	A 1 : 0.015~0.060						A 36-102
				t<3		≦440	≧24	3573
				3≦t		≦440	≧29(8)	
								6317
				1.2≦t<1.6		≧270	≧30	D 3501
				1.6≦t<2.0		≧270	≧32	
				2.0≦t<2.5		≧270	≧33	
				2.5≦t<3.2		≧270	≧35	
				3.2≦t<4.0		≧270	≧37	
				4.0≦t		≧270	≧39	
				1.2≦t<1.6		≧270	≧30	G 3131
				1.6≦t<2.0		≧270	≧32	
				2.0≦t<2.5		≧270	≧33	
				2.5≦t<3.2		≧270	≧35	
				3.2≦t<4.0		≧270	≧37	
				4.0≦t		≧270	≧39	

Notes : (1) Thickness (2) Yield strength (3) Tensile strength (4) Elongation (5) BS EN, DIN EN, NF EN
(6) Copper steel이 규정된 경우. (7) Copper steel이 규정되지 않은 경우.
(8) 두께가 6mm를 초과하는 재료의 연신율에 대해서는 제조자와 구입자의 협정에 따른다.

薄板 (熱開壓延軟鋼板)　Sheet and strip (mild steel, hot-rolled)

索引番号 Index No.	規格名 Std.	記号 Designation	化学成分 (%) Chemical composition						
			鋼材의 두께 (1) t(mm)	C	Si	Mn	P	S	Cr
C 002(계속)	ASTM	Tape A		≦0.08	A 1≧0.01	≦0.50	≦0.020	≦0.030	≦0.15
	ASTM	Tape B		0.02~0.08	A 1≧0.02	≦0.50	≦0.020	≦0.030	≦0.15
	BS	HR 4		≦0.12		≦0.60	≦0.050	≦0.050	
	BS	HR 14		≦0.15		≦0.60	≦0.050	≦0.050	
	BS	HS 4		≦0.12		≦0.60	≦0.050	≦0.050	
	BS	HS 14		≦0.15		≦0.60	≦0.050	≦0.050	
	EN(5)	DD 11	1.5≦t≦8	≦0.12		≦0.60	≦0.045	≦0.045	
	EN(5)	DD 12	1.5≦t≦8	≦0.10		≦0.45	≦0.035	≦0.035	
	EN(5)	DD 13	1.5≦t≦8	≦0.08		≦0.40	≦0.030	≦0.030	
	EN(5)	DD 14	1.5≦t≦8	≦0.08		≦0.35	≦0.025	≦0.025	
	ISO	HR 2*	0.8≦t≦12.5	≦0.10		≦0.45	≦0.035	≦0.035	
	ISO	HR 2	0.65≦t≦12	≦0.12		≦0.50	≦0.04	≦0.04	
C 003	KS	SPHE	1.2≦t≦6	≦0.10		≦0.50	≦0.030	≦0.035	
(Curling용)									
	JIS	SPHE	1.2≦t≦6	≦0.10		≦0.50	≦0.030	≦0.035	

*KS의 부속서에 규정

Index No. C 002~C 003

化学成分 (%) Chemical composition				引張試験 Tensile requirements				規格番号 Std. No.
Mo	Ni	Cu	others	鋼材의 두께(1) t (mm)	降伏点又? 耐力(2) (N/mm²)	引張強度(3) (N/mm²)	伸?(4) (%)	
≦0.06	≦0.20	≦0.20	V≦0.008 Nb≦0.008 Ti≦0.008					A 622
≦0.06	≦0.20	≦0.20						A 622
								1449 : 1.2
								1449 : 1.2
								1449 : 1.8
								1449 : 1.8
				1.6≦t<2.0	170~360	≦440	≧23	10111
				2≦t	170~340	≦440	≧24(6)	
				1.6≦t<2.0	170~340	≦420	≧25	10111
				2≦t	170~320	≦420	≧26(6)	
				1.6≦t<2.0	170~330	≦400	≧28	10111
				2≦t	170~310	≦400	≧29(6)	
				1.6≦t<2.0	170~310	≦380	≧31	10111
				2≦t	170~290	≦380	≧32(6)	
				t<3		≦420	≧26	3573
				3≦t		≦420	≧31(7)	
				t<3		≦430	≧26	6317
				3≦t		≦430	≧29(7)	
				1.2≦t<1.6		≧270	≧31	D 3501
				1.6≦t<2.0		≧270	≧33	
				2.0≦t<2.5		≧270	≧35	
				2.5≦t<3.2		≧270	≧37	
				3.2≦t<4.0		≧270	≧39	
				4.0≦t		≧270	≧41	
				1.2≦t<1.6		≧270	≧31	G 3131
				1.6≦t<2.0		≧270	≧33	
				2.0≦t<2.5		≧270	≧35	
				2.5≦t<3.2		≧270	≧37	
				3.2≦t<4.0		≧270	≧39	
				4.0≦t		≧270	≧41	

Notes : (1) Thickness (2) Yield strength (3) Tensile strength (4) Elongation (5) BS EN, DIN EN, NF EN
(6) 두께가 3mm이상 재료의 연신율은 표의 수치에서 4를 더한다.
(7) 두께가 6mm를 초과하는 재료의 연신율에 대해서는 제조자와 구입자의 협정에 따른다.

薄板 (熱開壓延軟鋼板) Sheet and strip (mild steel, hot-rolled)									
索引番号 Index No.	規格名 Std.	記号 Designation	化 学 成 分 (%) Chemical composition						
			鋼材의 두께 (1) t(mm)	C	Si	Mn	P	S	Cr
C 003(계속)	BS	HR 1		≦0.08		≦0.45	≦0.025	≦0.030	
	BS	HR 2		≦0.08		≦0.45	≦0.030	≦0.035	
	BS	HR 3		≦0.10		≦0.50	≦0.040	≦0.040	
	BS	HS 1		≦0.08		≦0.45	≦0.025	≦0.030	
	BS	HS 2		≦0.08		≦0.45	≦0.030	≦0.035	
	BS	HS 3		≦0.10		≦0.50	≦0.040	≦0.040	
	ISO	HR 3*	0.8≦t≦12.5	≦0.08		≦0.40	≦0.030	≦0.030	
	ISO	HR 4*	0.8≦t≦12.5	≦0.08		≦0.35	≦0.025	≦0.025	
	ISO	HR 3	0.65≦t≦12	≦0.10		≦0.45	≦0.03	≦0.03	
	ISO	HR 4	0.65≦t≦12	≦0.08		≦0.45	≦0.03	≦0.03	
C 004	KS	SPCC							
(Curling용)									
	JIS	SPCC							
	ASTM		t≦7.6	≦0.25/0.15(5)		≦0.90	≦0.025	≦0.025	
	ASTM	A		≦0.10		≦0.60	≦0.030	≦0.035	≦0.15
	ASTM	B		0.02~0.15		≦0.60	≦0.030	≦0.035	≦0.15
	ASTM	C		≦0.08		≦0.60	≦0.100	≦0.035	≦0.15
	BS	CR 34/20		≦0.15		≦1.20	≦0.050	≦0.050	
	BS	CR 37/23		≦0.20		≦1.20	≦0.050	≦0.050	
	BS	CS 15		≦0.20		≦0.90	≦0.060	≦0.050	

*KS의 부속서에 규정

Index No. C 003~C 004

化学成分 (%) Chemical composition				引張試験 Tensile requirements				規格番号 Std. No.
Mo	Ni	Cu	others	鋼材의 두께(1) t (㎜)	降伏点又? 耐力(2) (N/㎟)	引張强度(3) (N/㎟)	伸?(4) (%)	
					≧170	≧290	≧34	1449 : 1.2
					≧170	≧290	≧34	1449 : 1.2
								1449 : 1.2
					≧170	≧290	≧34	1449 : 1.8
					≧170	≧290	≧34	1449 : 1.8
								1449 : 1.8
				t<3		≦400	≧29	3573
				3≦t		≦400	≧34(7)	
				t<3		≦380	≧32	3573
				3≦t		≦380	≧37(7)	
				t<3		≦370	≧29	6317
				3≦t		≦370	≧33(7)	
				t<3		≦390	≧29	6317
				3≦t≦6		≦390	≧33(7)	
				0.25≦t≦0.40		(≧270)(9)	(≧32)(9)	D 3512
				0.40≦t<0.60		(≧270)(9)	(≧34)(9)	
				0.60≦t<1.0		(≧270)(9)	(≧36)(9)	
				1.0≦t<1.6		(≧270)(9)	(≧37)(9)	
				1.6≦t<2.5		(≧270)(9)	(≧38)(9)	
				2.5≦t		(≧270)(9)	(≧39)(9)	
				0.25≦t≦0.40		(≧270)(9)	(≧32)(9)	G 3141
				0.40≦t<0.60		(≧270)(9)	(≧34)(9)	
				0.60≦t<1.0		(≧270)(9)	(≧36)(9)	
				1.0≦t<1.6		(≧270)(9)	(≧37)(9)	
				1.6≦t<2.5		(≧270)(9)	(≧38)(9)	
				2.5≦t		(≧270)(9)	(≧39)(9)	
		≧0.20(7)						A 109
≦0.06	≦0.20	≧0.20(7) ≧0.20(8)	V≦0.008 Nb≦0.008 Ti≦0.008					A 366
≦0.06	≦0.20							A 366
≦0.06	≦0.20							A 366
					≧200	≧340	≧29	1449 : 1.5
					≧230	≧370	≧28	1449 : 1.5
								1449 : 1.9

Notes : (1) Thickness (2) Yield strength (3) Tensile strength (4) Elongation (5) Temper No. 1, 2, 3/Tempwr No. 3, 4
(7) Copper steel이 규정된 경우. (8) Copper steel이 규정되지 않은 경우.
(9) 원칙적으로 인장시험은 적용하지 않는다. 단, 주문자로부터 지정된 경우는 ( )내를 적용한다.

薄板 (熱開壓延軟鋼板) Sheet and strip (mild steel, hot-rolled)

索引番号 Index No.	規格名 Std.	記号 Designation	化学成分(%) Chemical composition						
			鋼材의 두께 (1) t(mm)	C	Si	Mn	P	S	Cr
C 004(계속)	BS	CS 34/20		≦0.15		≦1.20	≦0.050	≦0.050	
	BS	CS 37/23		≦0.20		≦1.20	≦0.050	≦0.050	
	BS	CS 4		≦0.12		≦0.60	≦0.050	≦0.050	
	DIN	St 37-2G		≦0.17			≦0.040	≦0.035	
	DIN	USt 37-2G		≦0.17			≦0.040	≦0.035	
	DIN	St 37-3G		≦0.17			≦0.040	≦0.035	
	EN(5)	Fe P 01	0.35≦t≦3	≦0.12		≦0.60	≦0.045	≦0.045	
	EN(5)	Fe P 03	0.35≦t≦3	≦0.10		≦0.45	≦0.035	≦0.035	
	EN(5)	Fe P 04	0.35≦t≦3	≦0.08		≦0.40	≦0.030	≦0.030	
	EN(5)	Fe P 05	0.35≦t≦3	≦0.06		≦0.35	≦0.025	≦0.025	
	EN(5)	Fe P 06	0.35≦t≦3	≦0.02		≦0.25	≦0.020	≦0.020	
	EN(5)	DC 01	t≦10	≦0.12		≦0.60	≦0.045	≦0.045	
	EN(5)	DC 03	t≦10	≦0.10		≦0.45	≦0.035	≦0.035	
	EN(5)	DC 04	t≦10	≦0.08		≦0.40	≦0.030	≦0.030	
	EN(5)	DC 05	t≦10	≦0.06		≦0.35	≦0.025	≦0.025	
	EN(5)	DC 06	t≦10	≦0.02		≦0.25	≦0.020	≦0.020	
	ISO	CR 1*	0.36≦t≦4	≦0.15		≦0.60	≦0.05	≦0.05	
C 005	KS	SPCD							
(Curling용)									
	JIS	SPCD							
	ASTM	A		≦0.08	Al≧0.01	≦0.50	≦0.020	≦0.030	≦0.15
	ASTM	B		0.02~0.08	Al≧0.01	≦0.50	≦0.020	≦0.030	≦0.15
	BS	CS 4		≦0.12		≦0.60	≦0.050	≦0.050	
	BS	CS 14		≦0.15		≦0.60	≦0.050	≦0.050	

*KS의 부속서에 규정

化 学 成 分 (%) Chemical composition				引 張 試 験 Tensile requirements				規格番号 Std. No.
Mo	Ni	Cu	others	鋼材의 두께(1) t (mm)	降伏点又? 耐力(2) (N/mm²)	引張强度(3) (N/mm²)	伸?(4) (%)	
					≧200	≧340	≧29	1449 : 1.11
					≧230	≧370	≧28	1449 : 1.11
						280~350	≧30	1449 : 1.15
			N≦0.010		≧215	360~510	≧20	1623-2
			N≦0.009		≧215	360~510	≧20	1623-2
					≧215	360~510	≧20	1623-2
					≧280	270~410	≧28(6)	10130
					≧240	270~370	≧34(6)	10130
					≧210	270~350	≧38(6)	10130
					≧180	270~330	≧40(6)	10130
			Ti≦0.3		≧180	270~350	≧38(6)	10130
					≧280	270~410	≧30(6)	10139
					≧240	270~370	≧36(6)	10139
					≧210	270~350	≧40(6)	10139
					≧180	270~330	≧42(6)	10139
			Ti≦0.3		≧180	270~350	≧40(6)	10139
					≧280	≦420	≧28(7)	3574
				0.25≦t≦0.40		≧270	≧34	D 3512
				0.40≦t<0.60		≧270	≧36	
				0.60≦t<1.0		≧270	≧38	
				1.0≦t<1.6		≧270	≧39	
				1.6≦t<2.5		≧270	≧40	
				2.5≦t		≧270	≧41	
				0.25≦t≦0.40		≧270	≧34	G 3141
				0.40≦t<0.60		≧270	≧36	
				0.60≦t<1.0		≧270	≧38	
				1.0≦t<1.6		≧270	≧39	
				1.6≦t<2.5		≧270	≧40	
				2.5≦t		≧270	≧41	
≦0.06	≦0.20	≦0.20	V≦0.008 Nb≦0.008 Ti≦0.008					A 620
≦0.06	≦0.20	≦0.20						A 620
								1449 : 1.9
								1449 : 1.9

Notes : (1) Thickness (2) Yield strength (3) Tensile strength (4) Elongation (5) BS EN, DIN EN, NF EN

(6) 두께가 0.5mm 초과 0.7mm 이하의 경우는 표의 수치에서 2를, 0.2mm 초과 0.5mm 이하일 경우는 4를, 0.2mm 이하의 경우는 6을 뺀다.

(7) 두께 0.6mm 이하의 연신율 값은 표의 수치에서 1을 뺀다.

薄板 (熱開壓延軟鋼板) Sheet and strip (mild steel, hot-rolled)

索引番号 Index No.	規格名 Std.	記号 Designation	化学成分 (%) Chemical composition						
			鋼材의 두께 ([1]) t(mm)	C	Si	Mn	P	S	Cr
C 005(계속)	ISO	CR 2†	0.36≦t≦4	≦0.12		≦0.50	≦0.04	≦0.04	
C 006	KS	SPCE							
(Curling용)									
	JIS	SPCE							
	BS	CS 1		≦0.08		≦0.45	≦0.025	≦0.030	
	BS	CS 2		≦0.08		≦0.45	≦0.030	≦0.035	
	BS	CS 3		≦0.10		≦0.50	≦0.040	≦0.040	
	ISO	CR 3†	0.36≦t≦4	≦0.10		≦0.45	≦0.03	≦0.03	
	ISO	CR 4†	0.36≦t≦4	≦0.08		≦0.45	≦0.03	≦0.03	
	ISO	CR 5	0.36≦t≦4	≦0.02		≦0.25	≦0.025	≦0.02	
C 007*	KS	SPA-C	0.6≦t≦2.3	≦0.12	0.25~0.75	0.25~0.50	0.70~0.150	≦0.040	0.30~1.25
(耐候性鋼)*	JIS	SPA-C	0.6≦t≦2.3	≦0.12	0.25~0.75	0.25~0.50	0.70~0.150	≦0.040	0.30~1.25
C 008	KS	SPP		≦0.08		≦0.50	≦0.040	≦0.040	
	JIS	SPP		≦0.08		≦0.50	≦0.040	≦0.040	

* 열연재는 A 006, A 008을 참조

† KS의 부속서에 규정

Index No. C 005~C 008

化 学 成 分 (%) Chemical composition				引 張 試 驗 Tensile requirements				規格番号 Std. No.
Mo	Ni	Cu	others	鋼材의 두께(1) t (㎜)	降伏点又? 耐力(2) (N/㎟)	引張强度(3) (N/㎟)	伸?(4) (%)	
					≦240	≦370	≧31(5)	3574
				0.25≦t≦0.40		≧270	≧36	D 3512
				0.40≦t<0.60		≧270	≧38	
				0.60≦t<1.0		≧270	≧40	
				1.0≦t<1.6		≧270	≧41	
				1.6≦t<2.5		≧270	≧42	
				2.5≦t		≧270	≧43	
				0.25≦t≦0.40		≧270	≧36	G 3141
				0.40≦t<0.60		≧270	≧38	
				0.60≦t<1.0		≧270	≧40	
				1.0≦t<1.6		≧270	≧41	
				1.6≦t<2.5		≧270	≧42	
				2.5≦t		≧270	≧43	
					≧140	≧270	≧36	1449 : 1.9
					≧140	≧270	≧36	1449 : 1.9
								1449 : 1.9
					≦230	≦350	≧35(5)	3574
					≦210	≦350	≧37(5)	3574
			Ti≦0.3		≦190	≦350	≧38(5)	3574
	≦0.65	0.25~0.60			≧315	≧450	≧26	D 3542
	≦0.65	0.25~0.60			≧315	≧450	≧26	G 3125
				0.40≦t<0.60			≧36	D 3518
				0.60≦t<1.0			≧38	
				1.0≦t<1.6			≧39	
				1.6≦t<2.0			≧40	
				0.40≦t<0.60			≧36	D 3518
				0.60≦t<1.0			≧38	
				1.0≦t<1.6			≧39	
				1.6≦t<2.0			≧40	

Notes : (1) Thickness (2) Yield strength (3) Tensile strength (4) Elongation
(5) 두께 0.6㎜ 이하의 연신율 값은 표의 수치에서 1을 뺀다.

薄板 (熱開壓延軟鋼板) Sheet and strip (mild steel, hot-rolled)

索引番号 Index No.	規格名 Std.	記号 Designation	化学成分 (%) Chemical composition						
			鋼材의 두께 (1) t(mm)	C	Si	Mn	P	S	Cr
C 008(계속)	ASTM	Type 1		≦0.08		≦0.40	≦0.020	≦0.030	
	ASTM	Type 2		≦0.05		≦0.50	≦0.020	≦0.030	
	ASTM	Type 3		≦0.02		≦0.35	≦0.020	≦0.030	
	EN(5)	DC 01 EK	t≦3	≦0.08					
	EN(5)	DC 04 EK	t≦3	≦0.08					
	EN(5)	DC 06 EK	t≦3	≦0.02					
	EN(5)	DC 03 ED	t≦3	(5)					
	EN(5)	DC 04 ED	t≦3	(5)					
	EN(5)	DC 06 ED	t≦3	≦0.02					
	ISO	VE 01*	0.36≦t≦3						
	ISO	VE 02*	0.36≦t≦3						
	ISO	VE 03*	0.36≦t≦3						
	ISO	VE 04*	0.36≦t≦3						
	ISO	VE 05*	0.36≦t≦3						

*KS의 부속서에 규정

Index No. C 008

化学成分 (%) Chemical composition				引張試験 Tensile requirements				規格番号 Std. No.
Mo	Ni	Cu	others	鋼材의 두께(1) t (mm)	降伏点又? 耐力(2) (N/mm²)	引張強度(3) (N/mm²)	伸?(4) (%)	
								A 424
								A 424
								A 424
					≦270	270~390	≧30(7)	10209
					≦220	270~350	≧36(7)	10209
			Ti≦0.30		≦190	270~350	≧38(7)	10209
					≦240	270~370	≧34(7)	10209
					≦210	270~350	≧38(7)	10209
			Ti≦0.30		≦190	270~350	≧38(7)	10209
						≦410	≧28(8)	5001
						≦370	≧31(8)	5001
						≦350	≧35(8)	5001
						≦350	≧37(8)	5001
						≦350	≧38(8)	5001

Notes : (1) Thickness (2) Yield strength (3) Tensile strength (4) Elongation (5) BS EN, DIN EN, NF EN
(6) 규격본문참조 (7) 두께가 0.5mm 초과 0.7mm 이하의 경우는 표의 수치에서 2를, 0.5mm 이하일 경우는 4를 뺀다.
(8) 두께 0.6mm 이하의 연신율 값은 표의 수치에서 1을 뺀다.

薄板 (溶融亜鉛鍍金鋼板) Sheet and strip (hot-dip zinc-coated)

索引番号 Index No.	規格名 Std.	記号 Designation	化 学 成 分 (%) Chemical composition						
			鋼材의 두께 [1] t(㎜)	C	Si	Mn	P	S	Cr
D 001	KS	SGHC	1.6≦t≦6.0						
(一般用)	KS	SGCC	0.25≦t≦3.2						
	KS	SGCH	0.11≦t≦1.0						
	JIS	SGHC	1.6≦t≦6.0						
	JIS	SGCC	0.25≦t≦3.2						
	JIS	SGCH	0.11≦t≦1.0						
	ASTM	CS Type A		≦0.10		≦0.60	≦0.030	≦0.035	≦0.15
		CS Type B		0.02~0.15		≦0.60	≦0.030	≦0.035	≦0.15
		CS Type C		≦0.08		≦0.60	≦0.100	≦0.035	≦0.15
		FS Type A		≦0.10		≦0.50	≦0.020	≦0.035	≦0.15
		FS Type B		0.02~0.10		≦0.50	≦0.020	≦0.030	≦0.15
	EN[5]	DX 51 D	t≦3.0						
	ISO	01*	0.25≦t≦5	≦0.15		≦0.60	≦0.05	≦0.05	
		02*	0.25≦t≦5	≦0.12		≦0.60	≦0.04	≦0.04	
D 002	KS	SGCD 1	0.40≦t≦2.3						
(Curling용)									
		SGCD 2	0.40≦t≦2.3						
		SGCD 3	0.60≦t≦2.3						
	JIS	SGCD 1	0.40≦t≦2.3						

*KS의 부속서에 규정

Index No. D 001~D 002

化学成分 (%) Chemical composition				引張試験 Tensile requirements				規格番号 Std. No.
Mo	Ni	Cu	others	鋼材의 두께[1] t (㎜)	降伏点 耐力[2] (N/㎟)	引張强度[3] (N/㎟)	伸?[4] (%)	
								D 3506
								D 3506
								D 3506
≦0.06	≦0.20	≦0.20	V≦0.008 Nb≦0.008 Ti≦0.30					G 3302
≦0.06	≦0.20	≦0.20						G 3302
≦0.06	≦0.20	≦0.20						G 3302
≦0.06	≦0.20	≦0.20						A 653
≦0.06	≦0.20	≦0.20						A 653
								A 653
								A 653
								A 653
						≦500	≦22[6]	10142
								3575
								3575
				0.40≦t<0.60		≧270	≧34	D 3506
				0.60≦t<1.0		≧270	≧36	
				1.0≦t<1.6		≧270	≧37	
				1.6≦t<2.5		≧270	≧38	
				0.40≦t<0.60		≧270	≧36	D 3506
				0.60≦t<1.0		≧270	≧38	
				1.0≦t<1.6		≧270	≧39	
				1.6≦t<2.5		≧270	≧40	
				0.40≦t<0.60		≧270	≧38	D 3506
				0.60≦t<1.0		≧270	≧40	
				1.0≦t<1.6		≧270	≧41	
				1.6≦t<2.5		≧270	≧42	
				0.40≦t<0.60		≧270	≧34	G 3302
				0.60≦t<1.0		≧270	≧36	
				1.0≦t<1.6		≧270	≧37	
				1.6≦t<2.5		≧270	≧38	

Notes : [1] Thickness [2] Yield strength [3] Tensile strength [4] Elongation [5] BS EN, DIN EN, NF EN
[6] 두께가 0.7mm 이하의 연신율 값은 표의 수치에서 2를 뺀다.

薄板 (溶融亜鉛鍍金鋼板) Sheet and strip (hot-dip zinc-coated)

索引番号 Index No.	規格名 Std.	記号 Designation	化 学 成 分 (%) Chemical composition						
			鋼材의 두께 (1) t(mm)	C	Si	Mn	P	S	Cr
D 002(계속)	JIS	SGCD 2	0.40≦t≦2.3						
		SGCD 3	0.60≦t≦2.3						
	ASTM	DDS		≦0.06		≦0.50	≦0.020	≦0.025	≦0.15
		EDDS		≦0.02		≦0.40	≦0.020	≦0.020	≦0.15
	EN(5)	DX 52 D	t≦3.0						
	EN(5)	DX 53 D	t≦3.0						
	EN(5)	DX 54 D	t≦3.0						
	ISO	03*	0.4≦t≦5	≦0.12		≦0.50	≦0.04	≦0.04	
	ISO	04*	0.4≦t≦5	≦0.10		≦0.45	≦0.03	≦0.03	
	ISO	05*	0.4≦t≦5	≦0.08		≦0.45	≦0.03	≦0.03	
	ISO	06	0.4≦t≦5	≦0.02		≦0.25	≦0.020	≦0.020	
D 003	KS	SGH 340	1.6≦t≦6.0						
(溝造用)		SGH 400	1.6≦t≦6.0						
		SGH 440	1.6≦t≦6.0						
		SGH 490	1.6≦t≦6.0						
		SGH 540	1.6≦t≦6.0						
		SGC 340	0.25≦t≦3.2						
		SGC 400	0.25≦t≦3.2						
		SGC 440	0.25≦t≦3.2						
		SGC 490	0.25≦t≦3.2						
		SGC 570	0.25≦t≦2.0						
	JIS	SGH 340	1.6≦t≦6.0						
		SGH 400	1.6≦t≦6.0						
		SGH 440	1.6≦t≦6.0						
		SGH 490	1.6≦t≦6.0						
		SGH 540	1.6≦t≦6.0						

*KS의 부속서에 규정

Index No. D 002~D 003

化学成分 (%) Chemical composition				引張試験 Tensile requirements				規格番号 Std. No.
Mo	Ni	Cu	others	鋼材의 두께(1) t (㎜)	降伏点 耐力(2)(N/㎟)	引張强度(3) (N/㎟)	伸?(4) (%)	
				0.40≦t<0.60		≧270	≧36	G 3302
				0.60≦t<1.0		≧270	≧38	
				1.0≦t<1.6		≧270	≧39	
				1.6≦t<2.5		≧270	≧40	
				0.40≦t<0.60		≧270	≧38	G 3302
				0.60≦t<1.0		≧270	≧40	
				1.0≦t<1.6		≧270	≧41	
				1.6≦t<2.5		≧270	≧42	
≦0.06	≦0.20	≦0.20	V≦0.008 Nb≦0.008 Ti≦0.30 Al≧0.01					A 653
≦0.06	≦0.20	≦0.20						A 653
					≦300	≦420	≧26(6)	10142
					≦260	≦380	≧30(6)	10142
					≦220	≦350	≧36(6)	10142
					≦300	≦430	≧24(7)	3575
					≦260	≦410	≧26(7)	3575
					≦220	≦410	≧29(7)	3575
					≦200	≦350	≧37(7)	3575
					≧245	≧340	≧20	D 3506
					≧295	≧400	≧18	D 3506
					≧335	≧440	≧18	D 3506
					≧365	≧490	≧16	D 3506
					≧400	≧540	≧16	D 3506
					≧245	≧340	≧20	D 3506
					≧295	≧400	≧18	D 3506
					≧335	≧440	≧18	D 3506
					≧365	≧490	≧16	D 3506
					≧560	≧570	-	D 3506
					≧245	≧340	≧20	G 3302
					≧295	≧400	≧18	G 3302
					≧335	≧440	≧18	G 3302
					≧365	≧490	≧16	G 3302
					≧400	≧540	≧16	G 3302

Notes : (1) Thickness (2) Yield strength (3) Tensile strength (4) Elongation (5) BS EN, DIN EN, NF EN
(6) 두께가 0.7㎜ 이하의 연신율 값은 표의 수치에서 2를 뺀다. (7) 두께 0.6㎜ 이하의 연신율 값은 표의 수치에서 2을 뺀다.

薄板 (溶融亜鉛鍍金鋼板) Sheet and strip (hot-dip zinc-coated)

索引番号 Index No.	規格名 Std.	記号 Designation	化学成分 (%) Chemical composition						
			鋼材의 두께 (*) t(mm)	C	Si	Mn	P	S	Cr
D 003(계속)	JIS	SGC 340	0.25≦t≦3.2						
		SGC 400	0.25≦t≦3.2						
		SGC 440	0.25≦t≦3.2						
		SGC 490	0.25≦t≦3.2						
		SGC 570	0.25≦t≦2.0						
	ASTM	SS 230		≦0.20			≦0.04	≦0.04	≦0.15
		SS 255		≦0.20			≦0.10	≦0.04	≦0.15
		SS 275		≦0.25			≦0.10	≦0.04	≦0.15
		SS 340 Cl 1		≦0.40			≦0.20	≦0.04	≦0.15
		SS 340 Cl 2		≦0.40			≦0.20	≦0.04	≦0.15
		SS 340 Cl 3		≦0.50			≦0.04	≦0.04	≦0.15
		SS 550		≦0.20			≦0.04	≦0.04	≦0.15
		HSLAS A 340		≦0.20		≦1.20		≦0.035	≦0.15
		HSLAS A 410		≦0.20		≦1.35		≦0.035	≦0.15
		HSLAS A 480		≦0.20		≦1.65		≦0.035	≦0.15
		HSLAS A 550		≦0.20		≦1.65		≦0.035	≦0.15
		HSLAS A 340		≦0.15		≦1.20		≦0.035	≦0.15
		HSLAS A 410		≦0.15		≦1.20		≦0.035	≦0.15
		HSLAS A 480		≦0.15		≦1.65		≦0.035	≦0.15
		HSLAS A 550		≦0.15		≦1.65		≦0.035	≦0.15
	EN(5)	S 220 GD	t≦3.0						
		S 250 GD	t≦3.0						
		S 280 GD	t≦3.0						
		S 320 GD	t≦3.0						
		S 350 GD	t≦3.0						
		S 550 GD	t≦3.0						
	ISO	220*	0.4≦t≦5	≦0.25		≦1.70	≦0.05	≦0.035	
		250*	0.4≦t≦5	≦0.25		≦1.70	≦0.10	≦0.035	
		280*	0.4≦t≦5	≦0.25		≦1.70	≦0.10	≦0.035	
		320*	0.4≦t≦5	≦0.25		≦1.70	≦0.05	≦0.035	
		350*	0.25≦t≦5	≦0.25		≦1.70	≦0.20	≦0.035	
		550*	0.25≦t≦5	≦0.25		≦1.70	≦0.05	≦0.035	

*KS의 부속서에 규정

化学成分 (%) Chemical composition				引張試験 Tensile requirements				規格番号 Std. No.
Mo	Ni	Cu	others	鋼材의 두께(1) t (㎜)	降伏点 耐力(2) (N/㎟)	引張強度(3) (N/㎟)	伸?(4) (%)	
					≧245	≧340	≧20	G 3302
					≧295	≧400	≧18	G 3302
					≧335	≧440	≧18	G 3302
					≧365	≧490	≧16	G 3302
					≧560	≧570	-	G 3302
≦0.06	≦0.20	≦0.20	V≦0.008 Nb≦0.008 Ti≦0.30		≧230	≧310	≧20	A 653
≦0.06	≦0.20	≦0.20			≧255	≧360	≧18	A 653
≦0.06	≦0.20	≦0.20			≧275	≧380	≧16	A 653
≦0.06	≦0.20	≦0.20			≧340	≧450	≧12	A 653
≦0.06	≦0.20	≦0.20			≧340	-	≧12	A 653
≦0.06	≦0.20	≦0.20			≧340	≧480	≧12	A 653
≦0.06	≦0.20	≦0.20			≧550	≧570	-	A 653
≦0.06	≦0.20	≦0.20			≧340	≧410	≧20	A 653
≦0.06	≦0.20	≦0.20			≧410	≧480	≧16	A 653
≦0.06	≦0.20	≦0.20			≧480	≧550	≧12	A 653
≦0.06	≦0.20	≦0.20			≧550	≧620	≧10	A 653
≦0.06	≦0.20	≦0.20			≧340	≧410	≧22	A 653
≦0.06	≦0.20	≦0.20			≧410	≧480	≧18	A 653
≦0.06	≦0.20	≦0.20			≧480	≧550	≧14	A 653
≦0.06	≦0.20	≦0.20			≧550	≧620	≧12	A 653
					≧220	≧300	≧20(6)	10147
					≧250	≧330	≧19(6)	10147
					≧280	≧360	≧18(6)	10147
					≧320	≧390	≧17(6)	10147
					≧350	≧420	≧16(6)	10147
					≧550	≧560	-	
					≧220	≧320	≧20(6)	10147
					≧250	≧350	≧18(6)	4998
					≧280	≧390	≧18(6)	4998
					≧320	≧430	≧16(6)	4998
					≧350	≧450	≧12(6)	4998
					≧550	≧560	-	4998

Notes : (1) Thickness (2) Yield strength (3) Tensile strength (4) Elongation

(5) 두께가 0.7㎜ 이하의 연신율 값은 표의 수치에서 2를 뺀다. (6) 두께 0.6㎜ 이하의 연신율 값은 표의 수치에서 2을 뺀다.

薄板 (溶融亜ー5%Al鉛鍍金鋼板) Sheet and strip (hot-dip Zn-5%Al coated)

索引番号 Index No.	規格名 Std.	記号 Designation	化学成分 (%) Chemical composition						
			鋼材의 두께[1] t(mm)	C	Si	Mn	P	S	Cr
D 004	KS	SZAHC	1.6≦t≦2.3						
(一般用)		SZACC	0.25≦t≦2.3						
		SZACH	0.25≦t≦1.0						
	JIS	SZAHC	1.6≦t≦2.3						
		SZACC	0.25≦t≦2.3						
		SZACH	0.25≦t≦1.0						
	ASTM	CS Type A		≦0.10		≦0.60	≦0.030	≦0.035	≦0.15
		CS Type B		0.02~0.15		≦0.60	≦0.030	≦0.035	≦0.15
		CS Type C		≦0.08		≦0.60	≦0.100	≦0.035	≦0.15
		FS Type A		≦0.10		≦0.50	≦0.02	≦0.035	≦0.15
		FS Type B		0.02~0.10		≦0.50	≦0.020	≦0.030	≦0.15
	EN[5]	DX 51 D	t≦3.0						
	ISO	01	t≦5	≦0.15		≦0.60	≦0.035	≦0.04	
		02	t≦5	≦0.15		≦0.60	≦0.035	≦0.04	
D 005	KS	SZACD 1	0.40≦t≦2.3						
(Curling용)									
		SZACD 2	0.40≦t≦2.3						
		SZACD 3	0.60≦t≦2.3						
	JIS	SZACD 1	0.40≦t≦2.3						

化 学 成 分 (%) Chemical composition				引 張 試 験 Tensile requirements				規格番号 Std. No.
Mo	Ni	Cu	others	鋼材의 두께(1) t (mm)	降伏点 耐力(2)(N/mm²)	引張强度(3) (N/mm²)	伸?(4) (%)	
								D 3771
								D 3771
								D 3771
								G 3317
								G 3317
								G 3317
≦0.06	≦0.20	≦0.20	V≦0.008 Nb≦0.008 Ti≦0.30					A 875
≦0.06	≦0.20	≦0.20						A 875
≦0.06	≦0.20	≦0.20						A 875
≦0.06	≦0.20	≦0.20						A 875
≦0.06	≦0.20	≦0.20						A 875
						≦500	≧22(6)	10214
								14788
								14788
				0.40≦t<0.60		≧270	≧34	D 3771
				0.60≦t<1.0		≧270	≧36	
				1.0≦t<1.6		≧270	≧37	
				1.6≦t<2.3		≧270	≧38	
				0.40≦t<0.60		≧270	≧36	D 3771
				0.60≦t<1.0		≧270	≧38	
				1.0≦t<1.6		≧270	≧39	
				1.6≦t<2.3		≧270	≧40	
				0.40≦t<0.60		≧270	≧38	D 3771
				0.60≦t<1.0		≧270	≧40	
				1.0≦t<1.6		≧270	≧41	
				1.6≦t<2.3		≧270	≧42	
				0.40≦t<0.60		≧270	≧34	G 3317
				0.60≦t<1.0		≧270	≧36	
				1.0≦t<1.6		≧270	≧37	
				1.6≦t<2.3		≧270	≧38	

Notes : (1) Thickness (2) Yield strength (3) Tensile strength (4) Elongation

薄板 (溶融亜一5%Al鉛鍍金鋼板) Sheet and strip (hot-dip Zn-5%Al coated)									
索引番号 Index No.	規格名 Std.	記号 Designation	化 学 成 分 (%) Chemical composition						
			鋼材의 두께 (1) t(mm)	C	Si	Mn	P	S	Cr
D 005(계속)	JIS	SZACD 2	0.40≦t≦2.3						
		SZACD 3	0.60≦t≦2.3						
	ASTM	DDS		≧0.06		≧0.50	≦0.020	≦0.025	≦0.15
		EDDS		≧0.02		≧0.40	≦0.020	≦0.020	≦0.15
	EN(5)	DX 52 D	t≦3.0						
	EN(5)	DX 53 D	t≦3.0						
	EN(5)	DX 54 D	t≦3.0						
	ISO	03	t≦5	≦0.10		≦0.50	≦0.025	≦0.035	
	ISO	04	t≦5	≦0.10		≦0.50	≦0.025	≦0.035	
	ISO	05	t≦5	≦0.02		≦0.25	≦0.02	≦0.02	
D 006	KS	SZAH 340	1.6≦t≦2.3						
(構造用)		SZAH 400	1.6≦t≦2.3						
		SZAH 440	1.6≦t≦2.3						
		SZAH 490	1.6≦t≦2.3						
		SZAH 540	1.6≦t≦2.3						
		SZAC 340	0.25≦t≦2.3						
		SZAC 400	0.25≦t≦2.3						
		SZAC 440	0.25≦t≦2.3						
		SZAC 490	0.25≦t≦2.3						
		SZAC 570	0.25≦t≦2.0						
	JIS	SZAH 340	1.6≦t≦2.3						
		SZAH 400	1.6≦t≦2.3						
		SZAH 440	1.6≦t≦2.3						
		SZAH 490	1.6≦t≦2.3						
		SZAH 540	1.6≦t≦2.3						
		SZAC 340	0.25≦t≦2.3						

Index No. D 005~D 006

化 学 成 分 (%) Chemical composition				引 張 試 験 Tensile requirements				規格番号 Std. No.
Mo	Ni	Cu	others	鋼材의 두께(1) t (㎜)	降伏点 耐力(2) (N/㎟)	引張强度(3) (N/㎟)	伸?(4) (%)	
				0.40≦t<0.60		≧270	≧36	G 3317
				0.60≦t<1.0		≧270	≧38	
				1.0≦t<1.6		≧270	≧39	
				1.6≦t<2.3		≧270	≧40	
				0.40≦t<0.60		≧270	≧38	G 3317
				0.60≦t<1.0		≧270	≧40	
				1.0≦t<1.6		≧270	≧41	
				1.6≦t≦2.3		≧270	≧42	
≦0.06	≦0.20	≦0.20	V≦0.008 Nb≦0.008					A 875
≦0.06	≦0.20	≦0.20	Ti≦0.30 Al≧0.01					A 875
					≦300	≦420	≧26(6)	10214
					≦260	≦380	≧30(6)	10214
					≦220	≦350	≧36(6)	10214
					≦300	≦430	≧24(6)	14788
					≦220	≦410	≧29(6)	14788
			Ti≦0.30		≦200	≦350	≧37(6)	14788
					≧245	≧340	≧20	D 3771
					≧295	≧400	≧18	D 3771
					≧335	≧440	≧18	D 3771
					≧365	≧490	≧16	D 3771
					≧400	≧540	≧16	D 3771
					≧245	≧340	≧20	D 3771
					≧295	≧400	≧18	D 3771
					≧335	≧440	≧18	D 3771
					≧365	≧490	≧16	D 3771
					≧560	≧570	-	D 3771
					≧245	≧340	≧20	G 3317
					≧295	≧400	≧18	G 3317
					≧335	≧440	≧18	G 3317
					≧365	≧490	≧16	G 3317
					≧400	≧540	≧16	G 3317
					≧245	≧340	≧20	G 3317

Notes : (1) Thickness (2) Yield strength (3) Tensile strength (4) Elongation
(5) BS EN, DIN EN, NF EN (6) 두께가 0.7㎜ 이하의 연신율 값은 표의 수치에서 2를 뺀다.

薄板 (溶融亜一5%Al鉛鍍金鋼板) Sheet and strip (hot-dip Zn-5%Al coated)									
索引番号 Index No.	規格名 Std.	記号 Designation	化学成分 (%) Chemical composition						
			鋼材의 두께 (1) t(mm)	C	Si	Mn	P	S	Cr
D 006(계속)	JIS	SZAC 400	0.25≦t≦2.3						
		SZAC 440	0.25≦t≦2.3						
		SZAC 490	0.25≦t≦2.3						
		SZAC 570	0.25≦t≦2.0						
	ASTM	SS 230		≦0.20			≦0.04	≦0.04	≦0.15
		SS 255		≦0.20			≦0.10	≦0.04	≦0.15
		SS 275		≦0.25			≦0.10	≦0.04	≦0.15
		SS 340 Cl 1		≦0.40			≦0.20	≦0.04	≦0.15
		SS 340 Cl 2		≦0.40			≦0.20	≦0.04	≦0.15
		SS 340 Cl 3		≦0.50			≦0.04	≦0.04	≦0.15
		SS 550		≦0.20			≦0.04	≦0.04	≦0.15
		HSLAS A 340		≦0.20		≦1.20		≦0.035	≦0.15
		HSLAS A 410		≦0.20		≦1.35		≦0.035	≦0.15
		HSLAS A 480		≦0.20		≦1.65		≦0.035	≦0.15
		HSLAS A 550		≦0.20		≦1.65		≦0.035	≦0.15
		HSLAS B 340		≦0.15		≦1.20		≦0.035	≦0.15
		HSLAS B 410		≦0.15		≦1.20		≦0.035	≦0.15
		HSLAS B 480		≦0.15		≦1.65		≦0.035	≦0.15
		HSLAS B 550		≦0.15		≦1.65		≦0.035	≦0.15
	EN(5)	S 220 GD	t≦3.0						
		S 250 GD	t≦3.0						
		S 280 GD	t≦3.0						
		S 320 GD	t≦3.0						
		S 350 GD	t≦3.0						
		S 550 GD	t≦3.0						
	ISO	220	t≦5	≦0.40		≦1.70	≦0.20	≦0.04	
		250	t≦5	≦0.40		≦1.70	≦0.20	≦0.04	
		280	t≦5	≦0.40		≦1.70	≦0.20	≦0.04	
		320	t≦5	≦0.40		≦1.70	≦0.20	≦0.04	
		350	t≦5	≦0.40		≦1.70	≦0.20	≦0.04	
		550	t≦5	≦0.40		≦1.70	≦0.20	≦0.04	

Index No. D 006

化学成分 (%) Chemical composition				引張試験 Tensile requirements				規格番号 Std. No.
Mo	Ni	Cu	others	鋼材의 두께(1) t (㎜)	降伏点 耐力(2) (N/㎟)	引張强度(3) (N/㎟)	伸?(4) (%)	
					≧295	≧400	≧18	G 3317
					≧335	≧440	≧18	G 3317
					≧365	≧490	≧16	G 3317
					≧560	≧570	-	G 3317
≦0.06	≦0.20	≦0.20	V≦0.008 Nb≦0.008 Ti≦0.30		≧230	≧310	≧20	A 875
≦0.06	≦0.20	≦0.20			≧255	≧360	≧18	A 875
≦0.06	≦0.20	≦0.20			≧275	≧380	≧16	A 875
≦0.06	≦0.20	≦0.20			≧340	≧450	≧12	A 875
≦0.06	≦0.20	≦0.20			≧340	-	≧12	A 875
≦0.06	≦0.20	≦0.20			≧340	≧480	≧12	A 875
≦0.06	≦0.20	≦0.20			≧550	≧570	-	A 875
≦0.06	≦0.20	≦0.20			≧340	≧410	≧20	A 875
≦0.06	≦0.20	≦0.20			≧410	≧480	≧16	A 875
≦0.06	≦0.20	≦0.20			≧480	≧550	≧12	A 875
≦0.06	≦0.20	≦0.20			≧550	≧620	≧10	A 875
≦0.06	≦0.20	≦0.20			≧340	≧410	≧22	A 875
≦0.06	≦0.20	≦0.20			≧410	≧480	≧18	A 875
≦0.06	≦0.20	≦0.20			≧480	≧550	≧14	A 875
≦0.06	≦0.20	≦0.20			≧550	≧620	≧12	A 875
					≧220	≧300	≧20(6)	10214
					≧250	≧330	≧19(6)	10214
					≧280	≧360	≧18(6)	10214
					≧320	≧390	≧17(6)	10214
					≧350	≧420	≧16(6)	10214
					≧550	≧560	-	10214
					≧220	≧310	≧20(6)	14788
					≧250	≧360	≧18(6)	14788
					≧280	≧380	≧18(6)	14788
					≧320	≧430	≧16(6)	14788
					≧350	≧450	≧12(6)	14788
					≧550	≧570	-	14788

Notes : (1) Thickness (2) Yield strength (3) Tensile strength (4) Elongation
(5) BS EN, DIN EN, NF EN (6) 두께가 0.6㎜ 이하의 연신율 값은 표의 수치에서 2를 뺀다.

薄板 (溶融알루미늄鍍金鋼板)　Sheet and strip (hot-dip Al-coated)

索引番号 Index No.	規格名 Std.	記号 Designation	化 学 成 分 (%) Chemical composition						
			鋼材의 두께 (1) t(㎜)	C	Si	Mn	P	S	Cr
D 007	KS	SA1C							
(一般用)	JIS	SA1C							
	ASTM	CS Type A		≦0.10		≦0.60	≦0.030	≦0.035	≦0.15
		CS Type B		0.02～0.15		≦0.60	≦0.030	≦0.035	≦0.15
		CS Type C		≦0.08		≦0.60	≦0.100	≦0.035	≦0.15
		FS		0.02～0.10		≦0.50	≦0.020	≦0.030	≦0.15
	ISO	01	0.4≦t≦3.0	≦0.15		≦0.60	≦0.05	≦0.05	
D 008	KS	SA1D							
(Curling용)									
		SA1E							
	JIS	SA1D							
		SA1E							
	ASTM	DDS		≦0.06		≦0.50	≦0.020	≦0.025	≦0.15
		EDDS		≦0.02		≦0.40	≦0.020	≦0.020	≦0.15
	ISO	02	0.4≦t≦3.0	≦0.12		≦0.50	≦0.04	≦0.04	
	ISO	03	0.4≦t≦3.0	≦0.10		≦0.45	≦0.03	≦0.03	
	ISO	04	0.4≦t≦3.0	≦0.08		≦0.45	≦0.03	≦0.03	
D 009	KS	SA 2C							
(耐候·構造用)	JIS	SA 2C							
	ASTM	SS 230		≦0.20		-	≦0.04	≦0.04	≦0.15
		SS255		≦0.20		-	≦0.10	≦0.04	≦0.15
		SS275		≦0.25		-	≦0.10	≦0.04	≦0.15
		SS 340 CI 1		≦0.40		-	≦0.20	≦0.04	≦0.15
		SS 340 CI 2		≦0.40		-	≦0.20	≦0.04	≦0.15

Index No. D 007~D 009

化学成分 (%) Chemical composition				引張試験 Tensile requirements				規格番号 Std. No.
Mo	Ni	Cu	others	鋼材의 두께(1) t (mm)	降伏点 耐力(2) (N/mm²)	引張強度(3) (N/mm²)	伸び(4) (%)	
								D 3544
								G 3314
≦0.06	≦0.20	≦0.20	V≦0.008 Nb≦0.008 Ti≦0.30					A 463
≦0.06	≦0.20	≦0.20						A 463
≦0.06	≦0.20	≦0.20						A 463
≦0.06	≦0.20	≦0.20						A 463
								5000
				0.40≦t<0.60		≧30		D 3544
				0.60≦t<1.0		≧32		
				1.0≦t		≧34		
				0.40≦t<0.60		≧34		D 3544
				0.60≦t<1.0		≧36		
				1.0≦t		≧38		
				0.40≦t<0.60		≧30		G 3314
				0.60≦t<1.0		≧32		
				1.0≦t		≧34		
				0.40≦t<0.60		≧34		G 3314
				0.60≦t<1.0		≧36		
				1.0≦t		≧38		
≦0.06	≦0.20	≦0.20	V≦0.008 Nb≦0.008 Ti≦0.30 Al≧0.01					A 463
≦0.06	≦0.20	≦0.20						A 463
						≦430	≧24(5)	5000
						≦410	≧26(5)	5000
						≦410	≧29(5)	5000
							-	D 3544
							-	G 3314
≦0.06	≦0.20	≦0.20	V≦0.008 Nb≦0.008 Ti≦0.30		≧230	≧310	≧20	A 463
≦0.06	≦0.20	≦0.20			≧255	≧360	≧18	A 463
≦0.06	≦0.20	≦0.20			≧275	≧380	≧16	A 463
≦0.06	≦0.20	≦0.20			≧340	≧450	≧12	A 463
≦0.06	≦0.20	≦0.20			≧340	-	≧12	A 463

Notes : (1) Thickness (2) Yield strength (3) Tensile strength (4) Elongation

(5) 두께가 0.6mm 이하의 연신율 값은 표의 수치에서 2를 뺀다.

薄板 (溶融亜—5%Al鉛鍍金鋼板) Sheet and strip (hot-dip zN-5%Al coated)								
索引番号 Index No.	規格名 Std.	記号 Designation	化学成分 (%) Chemical composition					
			鋼材의 두께 [1] t(㎜)	C	Si	Mn	P	S	Cr
D 009(계속)	ASTM	SS 340 Cl 3		≦0.50		-	≦0.04	≦0.04	≦0.15
		SS 550		≦0.20		-	≦0.04	≦0.04	≦0.15
		HSLAS A 340		≦0.20		≦1.20	-	≦0.035	≦0.15
		HSLAS A 410		≦0.20		≦1.35	-	≦0.035	≦0.15
		HSLAS A 480		≦0.20		≦1.65	-	≦0.035	≦0.15
		HSLAS A 550		≦0.20		≦1.65	-	≦0.035	≦0.15
		HSLAS B 340		≦0.15		≦1.20	-	≦0.035	≦0.15
		HSLAS B 410		≦0.15		≦1.20	-	≦0.035	≦0.15
		HSLAS B 480		≦0.15		≦1.65	-	≦0.035	≦0.15
		HSLAS B 550		≦0.15		≦1.65	-	≦0.035	≦0.15

Index No. D 009

化 学 成 分 (%) Chemical composition				引 張 試 験 Tensile requirements				規格番号 Std. No.
Mo	Ni	Cu	others	鋼材의 두께(1) t (㎜)	降伏点 耐力(2) (N/㎟)	引張強度(3) (N/㎟)	伸?(4) (%)	
≦0.06	≦0.20	≦0.20	V≦0.008 Nb≦0.008 Ti≦0.30		≧340	≧480	≧12	A 463
≦0.06	≦0.20	≦0.20			≧550	≧570	-	A 463
≦0.06	≦0.20	≦0.20			≧340	≧410	≧20	A 463
≦0.06	≦0.20	≦0.20			≧410	≧480	≧16	A 463
≦0.06	≦0.20	≦0.20			≧480	≧550	≧12	A 463
≦0.06	≦0.20	≦0.20			≧550	≧620	≧10	A 463
≦0.06	≦0.20	≦0.20			≧340	≧410	≧22	A 463
≦0.06	≦0.20	≦0.20			≧410	≧480	≧18	A 463
≦0.06	≦0.20	≦0.20			≧480	≧550	≧14	A 463
≦0.06	≦0.20	≦0.20			≧550	≧620	≧12	A 463

Notes : (1) Thickness (2) Yield strength (3) Tensile strength (4) Elongation

薄板 (溶融 55%Al一亜鉛鍍金鋼板) Sheet and strip (hot-dip 55%Al-Zn coated)

索引番号 Index No.	規格名 Std.	記号 Designation	化 学 成 分 (%) Chemical composition						
			鋼材의 두께 (1) t(mm)	C	Si	Mn	P	S	Cr
D 010	KS	SAZHC	1.6≦t≦2.3						
(一般用)	KS	SAZCC	0.25≦t≦2.3						
	JIS	SGLCH	1.6≦t≦2.3						
	JIS	SGLCC	0.25≦t≦2.3						
	ASTM	CS Type A		≦0.10		≦0.60	≦0.030	≦0.035	≦0.15
		CS Type B		0.02~0.15		≦0.60	≦0.030	≦0.035	≦0.15
		CS Type C		≦0.08		≦0.60	≦0.100	≦0.035	≦0.15
		FS		0.02~0.10		≦0.50	≦0.020	≦0.030	≦0.15
	EN(5)	DX 51 D	t≦3.0						
	ISO	01*	t≦5	≦0.15		≦0.60	≦0.035	≦0.04	
		02*	t≦5	≦0.15		≦0.60	≦0.035	≦0.04	
D 011	KS	SAZCD	0.4≦t≦1.6						
(Curling용)									
	JIS	SGLCD	0.4≦t≦1.6						
	ASTM	DS		≦0.06		≦0.50	≦0.020	≦0.025	≦0.15
	EN(5)	DX 52 D	t≦3.0						
	EN(5)	DX 53 D	t≦3.0						
	EN(5)	DX 54 D	t≦3.0						
D 012	KS	SAZ 400	1.6≦t≦2.3						
(構造用)		SAZ 440	1.6≦t≦2.3						
		SAZ 490	1.6≦t≦2.3						
		SAZ 570	0.25≦t≦2.0						
	JIS	SGLH 400	1.6≦t≦2.3						
		SGLH 440	1.6≦t≦2.3						
		SGLH 490	1.6≦t≦2.3						

*KS의 부속서에 규정

Index No. D 010~D 012

化学成分 (%) Chemical composition				引張試験 Tensile requirements				規格番号 Std. No.
Mo	Ni	Cu	others	鋼材의 두께([1]) *t* (㎜)	降伏点 耐力([2]) (N/㎟)	引張强度([3]) (N/㎟)	伸?([4]) (%)	
								D 3770
								D 3770
								G 3321
								G 3321
≦0.06	≦0.20	≦0.20	V≦0.008 Nb≦0.008 Ti≦0.30					A 792
≦0.06	≦0.20	≦0.20						A 792
≦0.06	≦0.20	≦0.20						A 792
≦0.06	≦0.20	≦0.20						A 792
						≦500	≧22([6])	10215
								9364
								9364
				0.40≦t≦0.60		≧270	≧27	D 3770
				0.60≦t≦1.0		≧270	≧31	
				1.0≦t≦1.6		≧270	≧32	
				1.6≦t≦2.3		≧270	≧33	
				0.40≦t≦0.60		≧270	≧27	G 3321
				0.60≦t≦1.0		≧270	≧31	
				1.0≦t≦1.6		≧270	≧32	
				1.6≦t≦2.3		≧270	≧33	
≦0.06	≦0.20	≦0.20	V≦0.008 Nb≦0.008 Ti≦0.30 Al≧0.01					A 792
					≦300	≦420	≧26([6])	10215
					≦260	≦380	≧30([6])	10215
					≦220	≦350	≧36([6])	10215
					≧295	≧400	≧18	D 3770
					([7])	≧440	([7])	D 3770
					≧365	≧490	≧16	D 3770
					≧560	≧570	-	D 3770
					≧295	≧400	≧18	G 3321
					([7])	≧440	([7])	G 3321
					≧365	≧490	≧16	G 3321

Notes : ([1]) Thickness ([2]) Yield strength ([3]) Tensile strength ([4]) Elongation ([5]) BS EN, DIN EN, NF EN
([6]) 두께가 0.7㎜ 이하의 연신율 값은 표의 수치에서 2를 뺀다. ([7]) 주문당사자간의 협정에 따른다.

薄板 (溶融 55%Al一亜鉛鍍金鋼板) Sheet and strip (hot-dip 55%Al-Zn coated)

索引番号 Index No.	規格名 Std.	記号 Designation	化 学 成 分 (%) Chemical composition						
			鋼材의 두께[1] t(mm)	C	Si	Mn	P	S	Cr
D 012(계속)	JIS	SGLH 540	1.6≦t≦2.3						
		SGLC 400	0.25≦t≦2.3						
		SGLC 440	0.25≦t≦2.3						
		SGLC 490	0.25≦t≦2.3						
		SGLC 570	0.25≦t≦2.0						
	ASTM	HTS		0.02~0.15		≦0.60	≧0.040	≦0.035	≦0.15
		SS 230		≦0.20		≦1.15	≦0.04	≦0.040	≦0.15
		SS 255		≦0.20		≦1.15	≦0.10	≦0.040	≦0.15
		SS 275		≦0.25		≦1.15	≦0.10	≦0.040	≦0.15
		SS 345 A		≦0.40		≦1.15	≦0.20	≦0.040	≦0.15
		SS 345 B		≦0.40		≦1.15	≦0.20	≦0.040	≦0.15
		SS 550		≦0.20		≦1.15	≦0.04	≦0.040	≦0.15
	EN[5]	S 250 GD	t≦3.0						
		S 280 GD	t≦3.0						
		S 320 GD	t≦3.0						
		S 350 GD	t≦3.0						
		S 550 GD	t≦3.0						
	ISO	220*	t≦5	≦0.40		≦1.70	≦0.20	≦0.04	
		250*	t≦5	≦0.40		≦1.70	≦0.20	≦0.04	
		280*	t≦5	≦0.40		≦1.70	≦0.20	≦0.04	
		320*	t≦5	≦0.40		≦1.70	≦0.20	≦0.04	
		350*	t≦5	≦0.40		≦1.70	≦0.20	≦0.04	
		550*	t≦5	≦0.40		≦1.70	≦0.20	≦0.04	

*KS의 부속서에 규정

Index No. D 012

化学成分 (%) Chemical composition				引張試験 Tensile requirements				規格番号 Std. No.
Mo	Ni	Cu	others	鋼材의 두께([1]) t (㎜)	降伏点 耐力([2]) (N/㎟)	引張强度([3]) (N/㎟)	伸?([4]) (%)	
					([7])	≧540	([7])	G 3321
				0.25≦t<0.40	≧295	≧400	≧16	G 3321
				0.40≦t<0.60	≧295	≧400	≧17	
				0.6≦t<2.3	≧295	≧400	≧18	
				0.25≦t<0.40	≧335	≧440	≧14	G 3321
				0.40≦t<0.60	≧335	≧440	≧15	
				0.60≦t<1.0	≧335	≧440	≧16	
				1.0≦t≦2.3	≧335	≧440	≧18	
				0.25≦t<0.40	≧365	≧490	≧12	G 3321
				0.40≦t<0.60	≧365	≧490	≧13	
				0.60≦t<1.0	≧365	≧490	≧14	
				1.0≦t≦2.3	≧365	≧490	≧16	
					≧560	≧570	-	G 3770
≦0.06	≦0.20	≦0.20	V≦0.008 Nb≦0.008 Ti≦0.30		-	-	-	A 792
≦0.06	≦0.20	≦0.20			≧230	≧310	≧20	A 792
≦0.06	≦0.20	≦0.20			≧255	≧360	≧18	A 792
≦0.06	≦0.20	≦0.20			≧275	≧380	≧16	A 792
≦0.06	≦0.20	≦0.20			≧345	≧450	≧12	A 792
≦0.06	≦0.20	≦0.20			≧345	-	≧12	A 792
≦0.06	≦0.20	≦0.20			≧550	≧570	-	A 792
					≧250	≧330	≧19([6])	10215
					≧280	≧360	≧18([6])	10215
					≧320	≧390	≧17([6])	10215
					≧350	≧420	≧16([6])	10215
					≧550	≧560	-	10215
					≧220	≧310	≧20([7])	9364
					≧250	≧360	≧18([7])	9364
					≧280	≧380	≧18([7])	9364
					≧320	≧430	≧16([7])	9364
					≧350	≧450	≧12([7])	9364
					≧550	≧570	-	9364

Notes : ([1]) Thickness ([2]) Yield strength ([3]) Tensile strength ([4]) Elongation ([5]) BS EN, DIN EN, NF EN
([6]) 두께가 0.7㎜ 이하의 연신율 값은 표의 수치에서 2를 뺀다. ([7]) 두께 0.6㎜ 이하의 연신율 값은 표의 수치에서 2을 뺀다.

薄板 (電気亜鉛鍍金鋼板)　Sheet and strip (Electrolytic zinc-coated)

索引番号 Index No.	規格名 Std.	記号 Designation	鋼材의 두께 (1) t(mm)	C	Si	Mn	P	S	others
			化 学 成 分 (%) Chemical composition						
D 013	KS	SEHC	1.6≦t≦4.5						
(一般用)		SECC	0.4≦t≦3.2						
	JIS	SEHC	1.6≦t≦4.5						
		SECC	0.4≦t≦3.2						
	ASTM								
	EN(5)	DC 01	0.35≦t≦3	≦0.12		≦0.60	≦0.045	≦0.045	
		DC 03	0.35≦t≦3	≦0.10		≦0.45	≦0.035	≦0.035	
		DC 04	0.35≦t≦3	≦0.08		≦0.40	≦0.030	≦0.030	
		DC 05	0.35≦t≦3	≦0.06		≦0.35	≦0.025	≦0.025	
		DC 06	0.35≦t≦3	≦0.02		≦0.25	≦0.020	≦0.020	Ti≦0.03
	ISO	HR 1*	0.36≦t	≦0.15		≦0.60	≦0.05	≦0.05	
		CR 1*	0.36≦t	≦0.15		≦0.60	≦0.05	≦0.05	
D 014	KS	SEHD	1.6≦t≦4.5						
(Curling용)	KS	SEHE	1.6≦t≦4.5						
	KS	SECD	0.4≦t≦3.2						
	KS	SECE	0.4≦t≦3.2						
	KS	SEFC 340	0.60≦t≦2.3						
	KS	SEFC 370	0.60≦t≦2.3						
	JIS	SEHD	1.6≦t≦4.5						
	JIS	SEHE	1.6≦t≦4.5						
	JIS	SECD	0.4≦t≦3.2						
	JIS	SECE	0.4≦t≦3.2						
	JIS	SEFC 340	0.60≦t≦2.3						
	JIS	SEFC 370	0.60≦t≦2.3						
	ISO	HR 2*	0.36≦t	≦0.12		≦0.50	≦0.04	≦0.04	
		HR 3*	0.36≦t	≦0.10		≦0.45	≦0.03	≦0.03	
		HR 4*	0.36≦t	≦0.08		≦0.45	≦0.03	≦0.03	
		CR 2*	0.36≦t	≦0.12		≦0.50	≦0.04	≦0.04	
		CR 3*	0.36≦t	≦0.10		≦0.45	≦0.03	≦0.03	
		CR 4*	0.36≦t	≦0.08		≦0.45	≦0.03	≦0.03	
		CR 5	0.36≦t	≦0.02		≦0.25	≦0.02	≦0.02	Ti≦0.3

*KS의 부속서에 규정

引 張 試 驗 (Tensile requirements)												規格番号 Std. No.
降伏点 耐力(2) (N/㎟)	引張强度(3) (N/㎟)	伸率(4) (%) 表示두께 (㎜)										
		0.40≦t <60	0.60≦t <1.0	1.0≦ t<1.6	1.6≦t <2.5	2.5≦t	1.6≦t <2.0	2.0≦t <2.5	2.5≦t <3.2	3.2≦t <4.0	4.0≦t ≦4.5	
	≧270						≧29	≧29	≧29	≧31	≧31	D 3528
	(≧270)(6)	(≧34)(6)	(≧36)(6)	(≧37)(6)	(≧38)(6)	(≧39)(6)						D 3528
	≧270						≧29	≧29	≧29	≧31	≧31	G 3313
	(≧270)(6)	(≧34)(6)	(≧36)(6)	(≧37)(6)	(≧38)(6)	(≧39)(6)						G 3313
												A 591
≦280	270~410	≧28(7)										10152
≦240	270~370	≧34(7)										10152
≦220	270~350	≧37(7)										10152
≦190	270~330	≧39(7)										10152
≦190	270~350	≧37(7)										10152
	≦410	t<3 : ≧23 3≦t≦6 : ≧26										5002
	≦410	≧28(8)										5002
	≧270						≧32	≧33	≧35	≧37	≧39	D 3528
	≧270						≧33	≧35	≧37	≧39	≧41	D 3528
	≧270	≧36	≧38	≧39	≧40	≧41						D 3528
	≧270	≧38	≧40	≧41	≧42	≧43						D 3528
≧175	≧340		≧34	≧35	≧35							D 3528
≧205	≧370		≧32	≧33	≧33							D 3528
	≧270						≧32	≧33	≧35	≧37	≧39	G 3313
	≧270						≧33	≧35	≧37	≧39	≧41	G 3313
	≧270	≧36	≧38	≧39	≧40	≧41						G 3313
	≧270	≧38	≧40	≧41	≧42	≧43						G 3313
≧175	≧340		≧34	≧35	≧35							G 3313
≧205	≧370		≧32	≧33	≧33							G 3313
	≦430	t<3 : ≧26 3≦t≦6 : ≧29										5002
	≦370	t<3 : ≧29 3≦t≦6 : ≧33										5002
	≦390	t<3 : ≧29 3≦t≦6 : ≧33										5002
	≦370	≧31(8)										5002
	≦350	≧35(8)										5002
	≦350	≧37(8)										5002
	≦350	≧38(8)										5002

Notes : (1) Thickness (2) Yield strength (3) Tensile strength (4) Elongation (5) BS EN, DIN EN, NF EN (6) 통상적으로 인장시험은 적용하지 않는다. 단, 주문자가 요구할 경우는 ( )내의 수치를 적용한다. (7) 두께가 0.5mm초과 0.7㎜ 이하일 경우는 표의 수치에서 2를, 0.5㎜ 이하의 경우는 4를 뺀다. (8) 두께 0.7㎜ 이하일 경우 표에서 1을 뺄 수도 있다.

薄板 (電気亜鉛鍍金鋼板) Sheet and strip (Electrolytic zinc-coated)										
索引番号 Index No.	規格名 Std.	記号 Designation	化学成分 (%) Chemical composition							
			鋼材의 두께 (1) t(mm)	C	Si	Mn	P	S	others
D 015	KS	SEFH 490	1.6≦t≦4.5						
(加工用)	KS	SEFH 540	1.6≦t≦4.5						
	KS	SEFH 590	1.6≦t≦4.5						
	KS	SEFH 540 Y	2.0≦t≦4.0						
	KS	SEFH 590 Y	2.0≦t≦4.0						
	KS	SEFC 340	0.6≦t≦2.3						
	KS	SEFC 370	0.6≦t≦2.3						
	KS	SEFC 390	0.6≦t≦2.3						
	KS	SEFC 440	0.6≦t≦2.3						
	KS	SEFC 490	0.6≦t≦2.3						
	KS	SEFC 540	0.6≦t≦2.3						
	KS	SEFC 590	0.6≦t≦2.3						
	KS	SEFC 490 Y	0.6≦t≦1.6						
	KS	SEFC 540 Y	0.6≦t≦1.6						
	KS	SEFC 590 Y	0.6≦t≦1.6						
	KS	SEFC 780 Y	0.8≦t≦1.4						
	KS	SEFC 980 Y	0.8≦t≦1.4						
	JIS	SEFH 490	1.6≦t≦4.5						
	JIS	SEFH 540	1.6≦t≦4.5						
	JIS	SEFH 590	1.6≦t≦4.5						
	JIS	SEFH 540 Y	2.0≦t≦4.0						
	JIS	SEFH 590 Y	2.0≦t≦4.0						
	JIS	SEFC 340	0.6≦t≦2.3						
	JIS	SEFC 370	0.6≦t≦2.3						
	JIS	SEFC 390	0.6≦t≦2.3						
	JIS	SEFC 440	0.6≦t≦2.3						
	JIS	SEFC 490	0.6≦t≦2.3						
	JIS	SEFC 540	0.6≦t≦2.3						
	JIS	SEFC 590	0.6≦t≦2.3						
	JIS	SEFC 490 Y	0.6≦t≦1.6						
	JIS	SEFC 540 Y	0.6≦t≦1.6						
	JIS	SEFC 590 Y	0.6≦t≦1.6						

Index No. D 015

降伏点 耐力(2) (N/㎟)	引張強度(3) (N/㎟)	引張試験 (Tensile requirements) 伸率(4) (%) 表示두께 (㎜)										規格番号 Std. No.
		0.40≦t <60	0.60≦t <1.0	1.0≦t <1.6	1.6≦t <2.5	2.5≦t	1.6≦t <2.0	2.0≦t <2.5	2.5≦t <3.2	3.2≦t <4.0	4.0≦t ≦4.5	
≧325	≧490						≧22	≧23	≧24	≧25	≧25	D 3528
≧355	≧540						≧21	≧22	≧23	≧24	≧24	D 3528
≧420	≧590						≧19	≧20	≧21	≧22	≧22	D 3528
≧295	≧540						-	≧24	≧25	≧26	≧26	D 3528
≧325	≧590						-	≧22	≧23	≧24	≧24	D 3528
≧175	≧340		≧34	≧35	≧35							D 3528
≧205	≧370		≧32	≧33	≧33							D 3528
≧235	≧390		≧30	≧31	≧31							D 3528
≧265	≧440		≧26	≧27	≧27							D 3528
≧295	≧490		≧23	≧24	≧24							D 3528
≧325	≧540		≧20	≧21	≧21							D 3528
≧355	≧590		≧17	≧18	≧18							D 3528
≧225	≧490		≧24	≧25	≧25							D 3528
≧245	≧540		≧21	≧22	≧22							D 3528
≧265	≧590		≧18	≧19	≧19							D 3528
≧365	≧780		≧13	≧14	≧14							D 3528
≧490	≧980		≧6	≧7	≧7							D 3528
≧325	≧490						≧22	≧23	≧24	≧25	≧25	G 3313
≧355	≧540						≧21	≧22	≧23	≧24	≧24	G 3313
≧420	≧590						≧19	≧20	≧21	≧22	≧22	G 3313
≧295	≧540						-	≧24	≧25	≧26	≧26	G 3313
≧325	≧590						-	≧22	≧23	≧24	≧24	G 3313
≧175	≧340		≧34	≧35	≧35							G 3313
≧205	≧370		≧32	≧33	≧33							G 3313
≧235	≧390		≧30	≧31	≧31							G 3313
≧265	≧440		≧26	≧27	≧27							G 3313
≧295	≧490		≧23	≧24	≧24							G 3313
≧325	≧540		≧20	≧21	≧21							G 3313
≧355	≧590		≧17	≧18	≧18							G 3313
≧225	≧490		≧24	≧25	≧25							G 3313
≧245	≧540		≧21	≧22	≧22							G 3313
≧265	≧590		≧18	≧19	≧19							G 3313

Notes : (1) Thickness (2) Yield strength (3) Tensile strength (4) Elongation

薄板 (電気亜鉛鍍金鋼板)　Sheet and strip (Electrolytic zinc-coated)

索引番号 Index No.	規格名 Std.	記号 Designation	化 学 成 分 (%) Chemical composition						
			鋼材의 두께 ([1]) t(㎜)	C	Si	Mn	P	S	others
D 015(계속)	JIS	SEFC 780 Y	0.8≦t≦1.4						
	JIS	SEFC 980 Y	0.8≦t≦1.4						
D 016	KS	SE 330	1.6≦t≦4.5						
(構造用)	KS	SE 400	1.6≦t≦4.5						
	KS	SE 490	1.6≦t≦4.5						
	KS	SE 540	1.6≦t≦4.5						
	KS	SEPH 310	1.6≦t≦4.5						
	KS	SEPH 370	1.6≦t≦4.5						
	KS	SEPH 400	1.6≦t≦4.5						
	KS	SEPH 440	1.6≦t≦4.5						
	KS	SEFC 340 H	0.6≦t≦1.6						
	JIS	SE 330	1.6≦t≦4.5						
	JIS	SE 400	1.6≦t≦4.5						
	JIS	SE 490	1.6≦t≦4.5						
	JIS	SE 540	1.6≦t≦4.5						
	JIS	SEPH 310	1.6≦t≦4.5						
	JIS	SEPH 370	1.6≦t≦4.5						
	JIS	SEPH 400	1.6≦t≦4.5						
	JIS	SEPH 440	1.6≦t≦4.5						
	JIS	SEPC 340	0.6≦t≦1.6						

Index No. D 015~D 016

引 張 試 験 (Tensile requirements)												規格番号 Std. No.
降伏点 耐力(2) (N/㎟)	引張強度(3) (N/㎟)	伸率(4) (%) 表示두께 (㎜)										
		0.40≦t <60	0.60≦t <1.0	1.0≦t <1.6	1.6≦t <2.5	2.5≦t	1.6≦t <2.0	2.0≦t <2.5	2.5≦t <3.2	3.2≦t <4.0	4.0≦t ≦4.5	
≧365	≧780		≧13	≧14	≧14							G 3313
≧490	≧980		≧6	≧7	≧7							G 3313
≧205	330~430						≧26	≧26	≧26	≧26	≧26	D 3528
≧245	400~510						≧21	≧21	≧21	≧21	≧21	D 3528
≧285	490~610						≧19	≧19	≧19	≧19	≧19	D 3528
≧400	≧540						≧16	≧16	≧16	≧16	≧16	D 3528
-	≧310						≧33	≧34	≧36	≧38	≧40	D 3528
≧225	≧370						≧32	≧33	≧35	≧36	≧37	D 3528
≧255	≧400						≧31	≧32	≧34	≧35	≧36	D 3528
≧305	≧440						≧29	≧30	≧32	≧33	≧34	D 3528
≧185	≧340		≧34	≧35	≧35							D 3528
≧205	330~430						≧26	≧26	≧26	≧26	≧26	G 3313
≧245	400~510						≧21	≧21	≧21	≧21	≧21	G 3313
≧285	490~610						≧19	≧19	≧19	≧19	≧19	G 3313
≧400	≧540						≧16	≧16	≧16	≧16	≧16	G 3313
-	≧310						≧33	≧34	≧36	≧38	≧40	G 3313
≧225	≧370						≧32	≧33	≧35	≧36	≧37	G 3313
≧255	≧400						≧31	≧32	≧34	≧35	≧36	G 3313
≧305	≧440						≧29	≧30	≧32	≧33	≧34	G 3313
≧185	≧340		≧34	≧35	≧35							G 3313

Notes : (1) Thickness (2) Yield strength (3) BS EN, DIN EN, NF EN (4) 목표

薄板 (주석도금강판 및 원판) Sheet and strip (tinplate and blackplate)

索引番号 Index No.	規格名 Std.	記号 Designation	化学成分 (%) Chemical composition						
			鋼材의 두께 (1) t(㎜)	C	Si	Mn	P	S	others
D 017	KS	SPB T-1	0.15≦t≦0.60						
(原板 1 回圧延)	KS	SPB T-2	0.15≦t≦0.60						
	KS	SPB T-2.5	0.15≦t≦0.60						
	KS	SPB T-3	0.15≦t≦0.60						
	KS	SPB T-4	0.15≦t≦0.60						
	KS	SPB T-5	0.15≦t≦0.60						
	KS	SPB T-6	0.15≦t≦0.60						
	JIS	SPB T-1	0.15≦t≦0.60						
	JIS	SPB T-2	0.15≦t≦0.60						
	JIS	SPB T-2.5	0.15≦t≦0.60						
	JIS	SPB T-3	0.15≦t≦0.60						
	JIS	SPB T-4	0.15≦t≦0.60						
	JIS	SPB T-5	0.15≦t≦0.60						
	JIS	SPB T-6	0.15≦t≦0.60						
	ASTM		t≦0.36						
	EN(3)	T 50	0.17≦t≦0.49						
		T 52	0.17≦t≦0.49						
		T 57	0.17≦t≦0.49						
		T 61	0.17≦t≦0.49						
		T 65	0.17≦t≦0.49						
	ISO	TH 50	0.17≦t≦0.49						
		TH 52	0.17≦t≦0.49						
		TH 55	0.17≦t≦0.49						
		TH 57	0.17≦t≦0.49						
		TH 61	0.17≦t≦0.49						
		TH 65	0.17≦t≦0.49						
D 018	KS	SPB DR-8	0.14≦t≦0.36						
(原板 2 回圧延)	KS	SPB DR-9	0.14≦t≦0.36						
	KS	SPB DR-9 M	0.14≦t≦0.36						
	KS	SPB DR 10	0.14≦t≦0.36						
	JIS	SPB DR-8	0.14≦t≦0.36						
	JIS	SPB DR-9	0.14≦t≦0.36						

Index No. D 017~D 018

引 張 試 験 Tensile requirements		T (Hardness value (HR 30 Tm)) 鋼材의 두께 (㎜) (1)			規格番号 Std. No.
降伏点 耐力(2)(N/㎟)	引張强度(3) (N/㎟)	t≦0.21	0.21<t≦0.28	0.28<t	
		49±3(4)			D 3516
		53±3(4)			D 3516
		55±3(4)			D 3516
		57±3(4)			D 3516
		61±3(4)			D 3516
		65±3(4)			D 3516
		70±3(4)			D 3516
		49±3(4)			G 3303
		53±3(4)			G 3303
		55±3(4)			G 3303
		57±3(4)			G 3303
		61±3(4)			G 3303
		65±3(4)			G 3303
		70±3(4)			G 3303
					A 625
		≦53	≦52	≦51	10205
		53±4	52±4	51±4	10205
		58±4	57±4	56±4	10205
		62±4	61±4	60±4	10205
		65±4	65±4	64±4	10205
		≦53	≦52	≦51	11951
		53±4	52±4	51±4	11951
		56±4	55±4	54±4	11951
		58±4	57±4	56±4	11951
		62±4	61±4	60±4	11951
		65±4	65±4	64±4	11951
550(参考)(4)		73(4)			D 3516
620(参考)(4)		76(4)			D 3516
660(参考)(4)		77(4)			D 3516
690(参考)(4)		80(4)			D 3516
550(参考)(4)		73(4)			G 3303
620(参考)(4)		76(4)			G 3303

Notes : (1) Thickness (2) Yield strength (3) BS EN, DIN EN, NF EN (4) 목표

薄板 (주석도금강판 및 원판) Sheet and strip (tinplate and blackplate)

索引番号 Index No.	規格名 Std.	記号 Designation	化 学 成 分 (%) Chemical composition						
			鋼材의 두께 (1) t(㎜)	C	Si	Mn	P	S	others
D 018(계속)	JIS	SPB DR-9 M	0.14≦t≦0.36						
	JIS	SPB DR 10	0.14≦t≦0.36						
	ASTM		0.14≦t≦0.29						
	EN(3)	DR 550	0.14≦t≦0.29						
		DR 620	0.14≦t≦0.29						
		DR 660	0.14≦t≦0.29						
	ISO	T 550+SE	0.14≦t≦0.29						
		T 580	0.14≦t≦0.29						
		T 620	0.14≦t≦0.29						
		T 660	0.14≦t≦0.29						
		T 690	0.14≦t≦0.29						
D 019	JIS	SPTE T-1	0.15≦t≦0.60						
(주석도금강판 1회압연)		SPTE T-2	0.15≦t≦0.60						
		SPTE T-2.5	0.15≦t≦0.60						
		SPTE T-3	0.15≦t≦0.60						
		SPTE T-4	0.15≦t≦0.60						
		SPTE T-5	0.15≦t≦0.60						
		SPTE T-6	0.15≦t≦0.60						
	ASTM		0.15≦t≦0.38						
	EN(3)	T 50	0.17≦t≦0.49						
		T 52	0.17≦t≦0.49						
		T 57	0.17≦t≦0.49						
		T 61	0.17≦t≦0.49						
		T 65	0.17≦t≦0.49						
	ISO	TH 50+SE	0.17≦t≦0.49						
		TH 52+SE	0.17≦t≦0.49						
		TH 55+SE	0.17≦t≦0.49						
		TH 57+SE	0.17≦t≦0.49						
		TH 61+SE	0.17≦t≦0.49						
		TH 65+SE	0.17≦t≦0.49						

Index No. D 018~D 019

引 張 試 驗 Tensile requirements		T (Hardness value (HR 30 Tm)) 鋼材의 두께 (㎜) (1)			規格番号 Std. No.
降伏点 耐力(2) (N/㎟)	引張强度(3) (N/㎟)	t≦0.21	0.21<t≦0.28	0.28<t	
660(参考)(4)			77(4)		G 3303
690(参考)(4)			80(4)		G 3303
					A 650
550	480~620		73±3		10205
620	550~690		76±3		10205
660	590~730		77±3		10205
550	480~620				11951
580	510~650				11951
620	550~690				11951
660	590~730				11951
690	620~760				11951
			49±3(4)		G 3303
			53±3(4)		G 3303
			55±3(4)		G 3303
			57±3(4)		G 3303
			61±3(4)		G 3303
			65±3(4)		G 3303
			70±3(4)		G 3303
					A 624
		≦53	≦52	≦51	10203
		53±4	52±4	51±4	10203
		58±4	57±4	56±4	10203
		62±4	61±4	60±4	10203
		65±4	65±4	64±4	10203
		≦53	≦52	≦51	11949
		53±4	52±4	51±4	11949
		56±4	55±4	54±4	11949
		58±4	57±4	56±4	11949
		62±4	61±4	60±4	11949
		65±4	65±4	64±4	11949

Notes : (1) Thickness (2) Yield strength (3) BS EN, DIN EN, NF EN (4) 목표

薄板 (tin free steel)　Sheet and strip (tin free steel)

索引番号 Index No.	規格名 Std.	記号 Designation	化学成分 (%) Chemical composition						
			鋼材의 두께 (1) t(㎜)	C	Si	Mn	P	S	others
D 020	JIS	SPTE DR-8	0.14≦t≦0.36						
(주석도금강판 2회압연)		SPTE DR-9	0.14≦t≦0.36						
		SPTE DR-9 M	0.14≦t≦0.36						
		SPTE DR 10	0.14≦t≦0.36						
	ASTM		0.13≦t≦0.30						
	EN(3)	DR 550	0.14≦t≦0.29						
		DR 620	0.14≦t≦0.29						
		DR 660	0.14≦t≦0.29						
	ISO	T 550+SE	0.14≦t≦0.29						
		T 580+SE	0.14≦t≦0.29						
		T 620+SE	0.14≦t≦0.29						
		T 660+SE	0.14≦t≦0.29						
		T 690+SE	0.14≦t≦0.29						
D 021	JIS	SPTFS T-1	0.15≦t≦0.60						
(1 回圧延)		SPTFS T-2	0.15≦t≦0.60						
		SPTFS T-2.5	0.15≦t≦0.60						
		SPTFS T-3	0.15≦t≦0.60						
		SPTFS T-4	0.15≦t≦0.60						
		SPTFS T-5	0.15≦t≦0.60						
		SPTFS T-6	0.15≦t≦0.60						
	ASTM		0.15≦t≦0.30						
	EN(3)	T 50	0.17≦t≦0.49						
		T 52	0.17≦t≦0.49						
		T 57	0.17≦t≦0.49						
		T 61	0.17≦t≦0.49						
		T 65	0.17≦t≦0.49						
	ISO	TH 50+CE	0.17≦t≦0.49						
		TH 52+CE	0.17≦t≦0.49						
		TH 55+CE	0.17≦t≦0.49						
		TH 57+CE	0.17≦t≦0.49						
		TH 61+CE	0.17≦t≦0.49						

Index No. D 020~D 021

引張試験 Tensile requirements		T (Hardness value (HR 30 Tm)) 鋼材의 두께 (㎜) ([1])			規格番号 Std. No.
降伏点耐力([2])(N/㎟)	引張強度([3])(N/㎟)	t≦0.21	0.21<t≦0.28	0.28<t	
550(参考) ([4])			73([4])		G 3303
620(参考) ([4])			76([4])		G 3303
660(参考) ([4])			77([4])		G 3303
690(参考) ([4])			80([4])		G 3303
					A 626
550	480~620		73±3		10203
620	550~690		76±3		10203
660	590~730		77±3		10203
550	480~620				11949
580	510~650				11949
620	550~690				11949
660	590~730				11949
690	620~760				11949
			49±3([4])		G 3315
			53±3([4])		G 3315
			55±3([4])		G 3315
			57±3([4])		G 3315
			61±3([4])		G 3315
			65±3([4])		G 3315
			70±3([4])		G 3315
					A 657
		≦53	≦52	≦51	10202
		53±4	52±4	51±4	10202
		58±4	57±4	56±4	10202
		62±4	61±4	60±4	10202
		65±4	65±4	64±4	10202
		≦53	≦52	≦51	11950
		53±4	52±4	51±4	11950
		56±4	55±4	54±4	11950
		58±4	57±4	56±4	11950
		62±4	61±4	60±4	11950

Notes : ([1]) Thickness ([2]) Yield strength ([3]) BS EN, DIN EN, NF EN ([4]) 목표

薄板 (tin free steel) Sheet and strip (tin free steel)

索引番号 Index No.	規格名 Std.	記号 Designation	化学成分 (%) Chemical composition						
			鋼材의 두께 (1) t(mm)	C	Si	Mn	P	S	others
D 021(계속)	ISO	TH 65+CSE	0.17≦t≦0.49						
D 022	JIS	SPTFS DR-8	0.14≦t≦0.36						
(2 回圧延)		SPTFS DR-9	0.14≦t≦0.36						
		SPTFS DR-9M	0.14≦t≦0.36						
		SPTFS DR 10	0.14≦t≦0.36						
	ASTM		0.13≦t≦0.30						
	EN(3)	DR 550	0.14≦t≦0.29						
		DR 620	0.14≦t≦0.29						
		DR 660	0.14≦t≦0.29						
	ISO	T 550+CE	0.14≦t≦0.29						
		T 580+CE	0.14≦t≦0.29						
		T 620+CE	0.14≦t≦0.29						
		T 660+CE	0.14≦t≦0.29						
		T 690+CE	0.14≦t≦0.29						

Index No. D 021~D 022

引張試験 Tensile requirements		T (Hardness value (HR 30 Tm)) 鋼材의 두께 (㎜) (1)			規格番号 Std. No.
降伏点 耐力(2) (N/㎟)	引張強度(3) (N/㎟)	t≦0.21	0.21<t≦0.28	0.28<t	
		65±4	65±4	65±4	11950
550(参考) (4)		73(4)			G 3315
620(参考) (4)		76(4)			G 3315
660(参考) (4)		77(4)			G 3315
690(参考) (4)		80(4)			G 3315
					A 657
550	480~620	73±3			10202
620	550~690	76±3			10202
660	590~730	77±3			10202
550	480~620				11950
580	510~650				11950
620	550~690				11950
660	590~730				11950
690	620~760				11950

Notes : (1) Thickness (2) Yield strength (3) BS EN, DIN EN, NF EN (4) 목표

강관(鋼管)

Steel pipes

■ 배관용강관(配管用鋼管)

Steel pipes for piping ········· 162

■ 열전달용강관(熱傳達用鋼管)

Steel tubes for heat transfer ········· 188

■ 구조용강관(構造用鋼管)

Steel pipes for structural purposes ········· 216

鋼管 (配管用鋼管) Steel pipes (for piping)

索引番号 Index No.	規格名 Std.	記号 Designation	化 学 成 分 (%) Chemical composition					
			鋼材의 두께([1]) t (mm)	C	Si	Mn	P	S
E 001	KS	SPP					≦0.040	≦0.040
	JIS	SGP					≦0.040	≦0.040
	ASTM	Type F(A)		≦0.30		≦1.20	≦0.05	≦0.045
	BS	*		≦0.20		≦1.20	≦0.045	≦0.045
	DIN	St 33						
E 002	KS	SPPS 38		≦0.25	≦0.35	0.30~0.90	≦0.040	≦0.040
	JIS	STPG 370		≦0.25	≦0.35	0.30~0.90	≦0.040	≦0.040
	ASTM	A		≦0.25		≦0.95	≦0.05	≦0.045
	ASTM	A		≦0.25		≦0.95	≦0.035	≦0.035
	BS	360		≦0.17	≦0.35	0.40~0.80	≦0.040	≦0.040
	DIN	USt 37.0		≦0.20			≦0.040	≦0.040
	DIN	St 37.0		≦0.17			≦0.040	≦0.040
	DIN	St 37.0		≦0.17			≦0.040	≦0.040
E 003	KS	SPPS 42		≦0.30	≦0.35	0.30~1.00	≦0.040	≦0.040
	JIS	STPG 410		≦0.30	≦0.35	0.30~1.00	≦0.040	≦0.040
	ASTM	B		≦0.30		≦1.20	≦0.05	≦0.045
	ASTM	B		≦0.30		≦1.20	≦0.035	≦0.035
	BS	430		≦0.21	≦0.35	0.45~1.20	≦0.040	≦0.040
	DIN	St 44.0		≦0.21			≦0.040	≦0.040
	DIN	St 44.0		≦0.21			≦0.04	≦0.04
E 004	KS	SPPH 38		≦0.25	0.10~0.35	0.30~1.10	≦0.035	≦0.035
	JIS	STS 370		≦0.25	0.10~0.35	0.30~1.10	≦0.035	≦0.035
	ASTM							
	BS							

Index No. E 001～E 004

化学成分 (%) Chemical composition					引張試験 Tensile requirements			規格番号 Std. No.
Cr	Mo	Ni	Cu	others	鋼材의 두께(1) t (mm)	降伏点(2) (N/mm²)	引張强度(3) (N/mm²)	
							≧290	D 3507
							≧290	G 3452
≦0.40	≦0.15	≦0.40	≦0.40	≦0.08		≧205	≧330	A 53
						≧195	320～460	1387
						≧175	290～540	1615
						≧215	≧370	D 3562
						≧215	≧370	G 3454
≦0.40	≦0.15	≦0.40	≦0.40	V≦0.08		≧205	≧330	A 53
						≧207	≧331	A 135
						≧235	360～500	3601
				N≦0.007	≦16	≧235	350～480	1626
				N≦0.009	≦16	≧235	350～480	1626
					16<t≦40	≦225	350～480	
				N≦0.009	≦16	≧235	350～480	1629
					16<t≦40	≧225	350～480	
					40<t≦65	≧215	350～480	
						≧245	≧410	D 3562
						≧245	≧410	G 3454
≦0.40	≦0.15	≦0.40	≦0.40	V≦0.08		≧240	≧415	A 53
						≧241	≧414	A 135
						≧275	430～570	3601
				N≦0.009	≦16	≧275	420～550	1626
					16<t≦40	≧265	420～550	
				N≦0.009	≦16	≧275	420～550	1629
					16<t≦40	≧265	420～550	
					40<t≦65	≧255	420～550	
						≧215	≧370	D 3564
						≧215	≧370	G 3455

Notes : (1) Thickness (2) Yield strength (3) Tensile strength

鋼管 (配管用鋼管) Steel pipes (for piping)

索引番号 Index No.	規格名 Std.	記号 Designation	化 学 成 分 (%) Chemical composition					
			鋼材의 두께(1) t (㎜)	C	Si	Mn	P	S
E 004(계속)	DIN	St 37.4		≦0.17	≦0.35	≦0.35	≦0.040	≦0.040
E 005	KS	SPPH 42		≦0.30	0.10~0.35	0.30~1.40	≦0.035	≦0.035
	JIS	STS 410		≦0.30	0.10~0.35	0.30~1.40	≦0.035	≦0.035
	ASTM							
	BS							
	DIN	St 44.4		≦0.20	≦0.35	≧0.40	≦0.040	≦0.040
E 006	KS	SPPH 49		≦0.33	0.10~0.35	0.30~1.50	≦0.035	≦0.035
	JIS	STS 480		≦0.33	0.10~0.35	0.30~1.50	≦0.035	≦0.035
	ASTM							
	BS							
	DIN	St 52.4		≦0.22	≦0.55	≦1.60	≦0.040	≦0.035
E 007	KS	SPHT 38		≦0.25	0.10~0.35	0.30~0.90	≦0.035	≦0.035
	JIS	STPT 370		≦0.25	0.10~0.35	0.30~0.90	≦0.035	≦0.035
	ASTM	A		≦0.25	≧0.10	0.27~0.93	≦0.035	≦0.035
	BS	360		≦0.17	≦0.35	0.30~0.80	≦0.035	≦0.035
	DIN	St 35.8		≦0.17	0.10~0.35	0.40~0.80	≦0.040	≦0.040
	DIN	St 37.8		≦0.17	0.10~0.35	0.40~0.80	≦0.040	≦0.040

Index No. E 004~E 007

化学成分 (%) Chemical composition					引張試験 Tensile requirements			規格番号 Std. No.
Cr	Mo	Ni	Cu	others	鋼材의 두께([1]) t (㎜)	降伏点([2]) (N/㎟)	引張强度([3]) (N/㎟)	
				Al≧0.02	≦16	≧235	350~480	1630
					16<t≦40	≧225	350~480	
					>40	≧215	350~480	
						≧245	≧410	D 3564
						≧245	≧410	G 3455
				Al≧0.02	≦16	≧275	420~550	1630
					16<t≦40	≧265	420~550	
					40<t≦65	≧255	420~550	
						≧275	≧480	D 3564
						≧275	≧480	G 3455
				Al≧0.02	≦16	≧355	550~650	1630
					16<t≦40	≧345	550~650	
					40<t≦65	≧335	550~650	
						≧215	≧370	D 3570
						≧215	≧370	G 3456
≦0.40	≦0.15	≦0.40	≦0.40	V≦0.08		≧205	≧330	A 106
				Al<0.06	≦16	≧235	360~500	3602-1
					16<t≦40	≧225	360~500	
					40<t≦65	≧215	360~500	
					≦16	≧235	360~480	17175
					16<t≦40	≧225	360~480	
					40<t≦65	≧215	360~480	
					≦16	≧235	360~480	17177

Notes : ([1]) Thickness ([2]) Yield strength ([3]) Tensile strength

鋼管 (配管用鋼管) Steel pipes (for piping)

索引番号 Index No.	規格名 Std.	記号 Designation	化 学 成 分 (%) Chemical composition					
			鋼材의 두께(1) t (mm)	C	Si	Mn	P	S
E 008	KS	SPHT 42		≦0.30	0.10~0.35	0.30~1.00	≦0.035	≦0.035
	JIS	STPT 410		≦0.30	0.10~0.35	0.30~1.00	≦0.035	≦0.035
	ASTM	B		≦0.30	≧0.10	0.29~1.06	≦0.035	≦0.035
	BS	430		≦0.21	≦0.35	0.40~1.20	≦0.035	≦0.035
	DIN	St 45.8		≦0.21	0.10~0.35	0.40~1.20	≦0.040	≦0.040
	DIN	St 42.8		≦0.21	0.10~0.35	0.40~1.20	≦0.040	≦0.040
E 009	KS	SPHT 49		≦0.33	0.10~0.35	0.30~1.00	≦0.035	≦0.035
	JIS	STPT 480		≦0.33	0.10~0.35	0.30~1.00	≦0.035	≦0.035
	ASTM	C		≦0.35	≧0.10	0.29~1.06	≦0.035	≦0.035
	BS	500Nb		≦0.22	0.15~0.35	1.00~1.50	≦0.035	≦0.030
	DIN							
E 010	KS	SPW 400		≦0.25			≦0.040	≦0.040
	JIS	STPY 400		≦0.25			≦0.040	≦0.040
	ASTM	B		≦0.30		≦1.00	≦0.035	≦0.035
	BS							
	DIN	St 44.0		≦0.21			≦0.040	≦0.040
E 011	KS	SPA 12		0.10~0.20	0.10~0.50	0.30~0.80	≦0.035	≦0.035
	JIS	STPA 12		0.10~0.20	0.10~0.50	0.30~0.80	≦0.035	≦0.035
	ASTM	P 1		0.10~0.20	0.10~0.50	0.30~0.80	≦0.025	≦0.025
	BS							
	DIN							

Index No. E 008~E 011

化学成分 (%) Chemical composition					引張試験 Tensile requirements			規格番号 Std. No.
Cr	Mo	Ni	Cu	others	鋼材의 두께(1) t (㎜)	降伏点(2) (N/㎟)	引張强度(3) (N/㎟)	
						≧245	≧410	D 3570
						≧245	≧410	G 3456
≦0.40	≦0.15	≦0.40	≦0.40	V≦0.08		≧240	≧415	A 106
				Al<0.6	≦16	≧275	430~570	3602-1
					16<t≦40	≧265	430~570	
					40<t≦65	≧255	430~570	
					≦16	≧255	410~530	17175
					16<t≦40	≧245	410~530	
					40<t≦60	≧235	410~530	
					≦16	≧255	410~530	17177
						≧275	≧480	D 3570
						≧275	≧480	G 3456
≦0.40	≦0.15	≦0.40	≦0.40	V≦0.08		≧275	≧485	A 106
				Al<0.06 Nb 0.015~0.1	≦16	≧355	500~650	3602-1
					16<t≦40	≧345	500~650	3602-1
					40<t≦65	≧335	500~650	3602-1
						≧225	≧400	D 3583
						≧225	≧400	G 3457
						≧240	≧415	A 139
				N≦0.009	t≦16	≧275	420~550	1626
					16<t≦40	≧265	420~550	
	0.45~0.65					≧205	≧380	D 3573
	0.45~0.65					≧205	≧380	G 3458
	0.44~0.65					≧205	≧380	A 335

Notes : (1) Thickness (2) Yield strength (3) Tensile strength

鋼管 (配管用鋼管) Steel pipes (for piping)

索引番号 Index No.	規格名 Std.	記号 Designation	化学成分 (%) Chemical composition					
			鋼材의 두께(1) t (mm)	C	Si	Mn	P	S
E 012	KS	SPA 20		0.10~0.20	0.10~0.50	0.30~0.60	≦0.035	≦0.035
	JIS	STPA 20		0.10~0.20	0.10~0.50	0.30~0.60	≦0.035	≦0.035
	ASTM	P2		0.10~0.20	0.10~0.30	0.30~0.61	≦0.025	≦0.025
	BS							
	DIN							
E 013	KS	SPA 22		≦0.15	≦0.50	0.30~0.60	≦0.035	≦0.035
	JIS	STPA 22		≦0.15	≦0.50	0.30~0.60	≦0.035	≦0.035
	ASTM	P 12		0.05~0.15	≦0.50	0.30~0.61	≦0.025	≦0.025
	BS	620-440		0.10~0.15	0.10~0.35	0.40~0.70	≦0.030	≦0.030
	DIN	13 CrMo 44		0.10~0.18	0.10~0.35	0.40~0.70	≦0.035	≦0.035
E 014	KS	SPA 23		≦0.15	0.50~1.00	0.30~0.60	≦0.030	≦0.030
	JIS	STPA 23		≦0.15	0.50~1.00	0.30~0.60	≦0.030	≦0.030
	ASTM	P 11		0.05~0.15	0.50~1.00	0.30~0.60	≦0.025	≦0.025
	BS	621		≦0.15	0.50~1.00	0.30~0.60	≦0.030	≦0.030
	DIN							
E 015	KS	SPA 24		≦0.15	≦0.50	0.30~0.60	≦0.030	≦0.030
	JIS	STPA 24		≦0.15	≦0.50	0.30~0.60	≦0.030	≦0.030
	ASTM	P 22		0.05~0.15	≦0.50	0.30~0.60	≦0.025	≦0.025
	BS	622		0.08~0.15	≦0.50	0.40~0.70	≦0.030	≦0.030
	DIN	10 CrMo 910		0.08~0.15	≦0.50	0.40~0.70	≦0.035	≦0.035
E 016	KS	SPA 25		≦0.15	≦0.50	0.30~0.60	≦0.030	≦0.030
	JIS	STPA 25		≦0.15	≦0.50	0.30~0.60	≦0.030	≦0.030
	ASTM	P5		≦0.15	≦0.50	0.30~0.60	≦0.025	≦0.025
	BS	625		≦0.15	≦0.50	0.30~0.60	≦0.030	≦0.030
	DIN							

Index No. E 012~E 016

化学成分 (%) Chemical composition					引張試験 Tensile requirements			規格番号 Std. No.
Cr	Mo	Ni	Cu	others	鋼材의 두께([1]) t (㎜)	降伏点([2]) (N/㎟)	引張強度([3]) (N/㎟)	
0.50~0.80	0.40~0.65					≧205	≧410	D 3573
0.50~0.80	0.40~0.65					≧205	≧410	G 3458
0.50~0.81	0.44~0.65					≦205	≧380	A 335
0.80~1.25	0.45~0.65					≧205	≧410	D 3573
0.80~1.25	0.45~0.65					≧205	≧410	G 3458
0.80~1.25	0.44~0.65					≧220	≧415	A 335
0.70~1.10	0.45~0.65			Al≦0.02		≧290	440~590	3604-1
0.70~1.10	0.45~0.65				≦16	≧290	440~590	17175
					16<t≦40	≧290	440~590	
					40<t≦60	≧280	440~590	
1.00~1.50	0.45~0.65					≧205	≧410	D 3573
1.00~1.50	0.45~0.65					≧205	≧410	G 3458
1.00~1.50	0.44~0.65					≧205	≧415	A 335
1.00~1.50	0.45~0.65			Al≦0.02		≧275	420~570	3604-1
1.90~2.60	0.87~1.13					≧205	≧410	D 3573
1.90~2.60	0.87~1.13					≧205	≧410	G 3458
1.90~2.60	0.87~1.13					≧205	≧415	A 335
2.00~2.50	0.90~1.20			Al≦0.02		≧275	490~620	3604-1
2.00~2.50	0.90~1.20				≦16	≧280	450~600	17175
					16<t≦40	≧280	450~600	
					40<t≦60	≧270	450~600	
4.00~6.00	0.45~0.65					≧205	≧410	D 3573
4.00~6.00	0.45~0.65					≧205	≧410	G 3458
4.00~6.00	0.45~0.65					≧205	≧415	A 335
4.00~6.00	0.45~0.65			Al≦0.02		≧170	450~600	3604-1

Notes : ([1]) Thickness ([2]) Yield strength ([3]) Tensile strength

鋼管 (配管用鋼管) Steel pipes (for piping)

索引番号 Index No.	規格名 Std.	記号 Designation	化 学 成 分 (%) Chemical composition					
			鋼材의 두께([1]) t (mm)	C	Si	Mn	P	S
E 017	KS	SPA 26		≦0.15	0.25～1.00	0.30～0.60	≦0.30	≦0.030
	JIS	STPA 26		≦0.15	0.25～1.00	0.30～0.60	≦0.30	≦0.030
	ASTM	P 9		≦0.15	0.25～1.00	0.30～0.60	≦0.025	≦0.025
	BS	629-470		≦0.15	0.25～1.00	0.30～0.60	≦0.030	≦0.030
	DIN							
E 018	KS	STS 304 TP		≦0.08	≦1.00	≦2.00	≦0.040	≦0.030
	JIS	SUS 304 TP		≦0.08	≦1.00	≦2.00	≦0.040	≦0.030
	ASTM	TP 304		≦0.08	≦0.75	≦2.00	≦0.040	≦0.030
		304		≦0.08	≦0.75	≦2.00	≦0.045	≦0.030
		TP 304		≦0.08	≦0.75	≦2.00	≦0.040	≦0.030
	BS	304 S 31		≦0.07	≦1.00	≦2.00	≦0.040	≦0.030
	DIN							
E 019	KS	STS 304 HTP		0.04～0.10	≦0.75	≦2.00	≦0.040	≦0.030
	JIS	SUS 304 HTP		0.04～0.10	≦0.75	≦2.00	≦0.040	≦0.030
	ASTM	TP 304 H		0.04～0.10	≦0.75	≦2.00	≦0.040	≦0.030
		304 H		0.04～0.10	≦0.75	≦2.00	≦0.045	≦0.030
		TP 304 H		0.04～0.10	≦0.75	≦2.00	≦0.040	≦0.030
	BS	304 S 51		0.04～0.10	≦1.00	≦2.00	≦0.040	≦0.030
	DIN							
E 020	KS	STS 304 LTP		≦0.030	≦1.00	≦2.00	≦0.040	≦0.030
	JIS	SUS 304 LTP		≦0.030	≦1.00	≦2.00	≦0.040	≦0.030
	ASTM	TP 304 L		≦0.035	≦0.75	≦2.00	≦0.040	≦0.030
		304 L		≦0.030	≦0.75	≦2.00	≦0.045	≦0.030
		TP 304 LN		≦0.035	≦0.75	≦2.00	≦0.040	≦0.030
	BS	304 S 11		≦0.03	≦1.00	≦2.00	≦0.040	≦0.030
	DIN							

Index No. E 017~E 020

化 学 成 分 (%) Chemical composition					引 張 試 験 Tensile requirements			規格番号 Std. No.
Cr	Mo	Ni	Cu	others	鋼材의 두께[1] t (㎜)	降伏点[2] (N/㎟)	引張強度[3] (N/㎟)	
8.00~10.00	0.90~1.10					≧205	≧410	D 3573
8.00~10.00	0.90~1.10					≧205	≧410	G 3458
8.00~10.00	0.90~1.10					≧205	≧415	A 335
8.00~10.00	0.90~1.10			Al≦0.02		≧185	470~620	3604-1
18.00~20.00		8.00~11.00				≧205	≧520	D 3576
18.00~20.00		8.00~11.00				≧205	≧520	G3459
18.00~20.00		8.00~11.00				≧205	≧515	A 312
18.00~20.00		8.00~11.00		N≦0.10		≧207	≧515	A 358
18.00~20.00		8.00~11.00				≧205	≧515	A 376
17.0~19.0		8.00~11.00				≧230	490~690	3605-1, 2
18.00~20.00		8.00~11.00				≧205	≧520	D 3576
18.00~20.00		8.00~11.00				≧205	≧520	G 3459
18.00~20.00		8.00~11.00				≧205	≧515	A 312
18.00~20.00		8.00~10.50				≧205	≧515	A 358
18.00~20.00		8.00~11.00				≧205	≧515	A 376
17.0~19.0		8.00~11.00				≧230	490~690	3605-1
18.00~20.00		9.00~13.00				≧175	≧480	D 3576
18.00~20.00		9.00~13.00				≧175	≧480	G 3459
18.0~20.0		8.00~13.0				≧170	≧485	A 312
18.00~20.00		8.00~12.00			N≦0.10	≧172	≧483	A 358
18.0~20.0		8.00~11.0			N 0.10~0.16	≧205	≧515	A 376
17.0~19.0		9.00~12.00				≧215	480~680	3605-1, 2

Notes : [1] Thickness [2] Yield strength [3] Tensile strength

鋼管 (配管用鋼管) Steel pipes (for piping)

索引番号 Index No.	規格名 Std.	記号 Designation	化 学 成 分 (%) Chemical composition					
			鋼材의 두께[1] t (mm)	C	Si	Mn	P	S
E 021	KS	STS 309 TP		≦0.15	≦1.00	≦2.00	≦0.040	≦0.030
	JIS	SUS 309 TP		≦0.15	≦1.00	≦2.00	≦0.040	≦0.030
	ASTM							
	BS							
	DIN							
E 022	KS	STS 309 STP		≦0.08	≦1.00	≦2.00	≦0.040	≦0.030
	JIS	SUS 309 STP		≦0.08	≦1.00	≦2.00	≦0.040	≦0.030
	ASTM	TP 309 S		≦0.08	≦0.75	≦2.00	≦0.045	≦0.030
		309 S		≦0.08	≦0.75	≦2.00	≦0.045	≦0.030
	BS							
	DIN							
E 023	KS	STS 310 TP		≦0.15	≦1.50	≦2.00	≦0.040	≦0.030
	JIS	SUS 310 TP		≦0.15	≦1.50	≦2.00	≦0.040	≦0.030
	ASTM							
	BS							
	DIN							
E 024	KS	STS 310 STP		≦0.08	≦1.50	≦2.00	≦0.040	≦0.030
	JIS	SUS 310 STP		≦0.08	≦1.50	≦2.00	≦0.040	≦0.030
	ASTM	TP 310 S		≦0.08	≦0.75	≦2.00	≦0.045	≦0.030
		310 S		≦0.08	≦1.50	≦2.00	≦0.045	≦0.030
	BS							
	DIN							
E 025	KS	STS 316 TP		≦0.08	≦1.00	≦2.00	≦0.040	≦0.030
	JIS	SUS 316 TP		≦0.08	≦1.00	≦2.00	≦0.040	≦0.030
	ASTM	TP 316		≦0.08	≦0.75	≦2.00	≦0.040	≦0.030
		316		≦0.08	≦0.75	≦2.00	≦0.045	≦0.030
		TP 316		≦0.08	≦0.75	≦2.00	≦0.040	≦0.030
	BS	316 S 31		≦0.07	≦1.00	≦2.00	≦0.040	≦0.030
		316 S 33		≦0.07	≦1.00	≦2.00	≦0.040	≦0.030
	DIN							

Index No. E 021~E 025

化学成分 (%) Chemical composition					引張試験 Tensile requirements			規格番号 Std. No.
Cr	Mo	Ni	Cu	others	鋼材의 두께[1] *t* (mm)	降伏点[2] (N/mm²)	引張强度[3] (N/mm²)	
22.00~24.00		12.00~15.00				≧205	≧520	D 3576
22.00~24.00		12.00~15.00				≧205	≧520	G 3459
22.00~24.00		12.00~15.00				≧205	≧520	D 3576
22.00~24.00		12.00~15.00				≧205	≧520	G 3459
22.00~24.00		12.00~15.00		Mo≦0.75		≧205	≧515	A 312
22.00~24.00		12.00~15.00				≧205	≧515	A 358
24.00~26.00		19.00~22.00				≧205	≧520	D 3576
24.00~26.00		19.00~22.00				≧205	≧520	G 3459
24.00~26.00		19.00~22.00				≧205	≧520	D 3576
24.00~26.00		19.00~22.00				≧205	≧520	G 3459
24.00~26.00		19.00~22.00		Mo≦0.75		≧205	≧515	A 312
24.00~26.00		19.00~22.00				≧205	≧515	A 358
16.00~18.00	2.00~3.00	10.00~14.00				≧205	≧520	D 3576
16.00~18.00	2.00~3.00	10.00~14.00				≧205	≧520	G 3459
16.0~18.0	2.00~3.00	11.0~14.0				≧205	≧515	A 312
16.00~18.00	2.00~3.00	10.00~14.00		N≦0.10		≧205	≧515	A 358
16.0~18.0	2.00~3.00	11.0~14.0				≧205	≧515	A 376
16.5~18.5	2.0~2.5	10.5~13.5				≧240	510~710	3605-1
16.5~18.5	2.5~3.0	11.0~14.0				≧240	510~710	3605-1

Notes : [1] Thickness [2] Yield strength [3] Tensile strength

鋼管 (配管用鋼管) Steel pipes (for piping)

索引番号 Index No.	規格名 Std.	記号 Designation	化学成分 (%) Chemical composition					
			鋼材의 두께(1) t (mm)	C	Si	Mn	P	S
E 026	KS	STS 316 HTP		0.04~0.10	≦0.75	≦2.00	≦0.030	≦0.030
	JIS	SUS 316 HTP		0.04~0.10	≦0.75	≦2.00	≦0.030	≦0.030
	ASTM	TP 316 H		0.04~0.10	≦0.75	≦2.00	≦0.040	≦0.030
		316 H		0.04~0.10	≦1.00	≦2.00	≦0.045	≦0.030
		TP 316 H		0.04~0.10	≦0.75	≦2.00	≦0.040	≦0.030
	BS	316 S 51		0.04~0.10	≦1.00	≦2.00	≦0.040	≦0.030
		316 S 52		0.04~0.10	≦1.00	≦2.00	≦0.040	≦0.030
E 027	KS	STS 316 LTP		≦0.030	≦1.00	≦2.00	≦0.040	≦0.030
	JIS	SUS 316 LTP		≦0.030	≦1.00	≦2.00	≦0.040	≦0.030
	ASTM	TP 316 L		≦0.035	≦0.75	≦2.00	≦0.040	≦0.030
		316 L		≦0.030	≦0.75	≦2.00	≦0.045	≦0.030
		TP 316 LN		≦0.035	≦0.75	≦2.00	≦0.040	≦0.030
	BS	316 S 11		≦0.03	≦1.00	≦2.00	≦0.040	≦0.030
		316 S 13		≦0.03	≦1.00	≦2.00	≦0.040	≦0.030
	DIN							
E 028	KS	STS 316 TiTP		≦0.08	≦1.00	≦2.00	≦0.040	≦0.030
	JIS	SUS 316 TiTP		≦0.08	≦1.00	≦2.00	≦0.040	≦0.030
	ASTM	S 31635		≦0.08	≦0.75	≦2.00	≦0.045	≦0.030
E 029	KS	STS 317 TP		≦0.08	≦1.00	≦2.00	≦0.040	≦0.030
	JIS	SUS 317 TP		≦0.08	≦1.00	≦2.00	≦0.040	≦0.030
	ASTM	TP 317		≦0.08	≦0.75	≦2.00	≦0.040	≦0.030
	BS							
	DIN							
E 030	KS	STS 317 LTP		≦0.030	≦1.00	≦2.00	≦0.040	≦0.030
	JIS	SUS 317 LTP		≦0.030	≦1.00	≦2.00	≦0.040	≦0.030
	ASTM	TP 317 L		≦0.035	≦0.75	≦2.00	≦0.040	≦0.030
	BS							
	DIN							

Index No. E 026~E 030

化学成分 (%) Chemical composition					引張試験 Tensile requirements			規格番号 Std. No.
Cr	Mo	Ni	Cu	others	鋼材의 두께[1] t (mm)	降伏点[2] (N/mm²)	引張强度[3] (N/mm²)	
16.00~18.00	2.00~3.00	11.00~14.00				≧205	≧520	D 3576
16.00~18.00	2.00~3.00	11.00~14.00				≧205	≧520	G 3459
16.0~18.0	2.00~3.00	11.0~14.0				≧205	≧515	A 312
16.00~18.00	2.00~3.00	10.00~14.00				≧207	≧517	A 358
16.0~18.0	2.00~3.00	11.0~14.0				≧205	≧515	A 376
16.50~18.50	2.0~2.50	10.50~13.50				≧240	510~710	3605-1
16.50~18.50	2.0~2.50	10.50~13.50		B0.0015~0.006		≧240	510~710	3605-1
16.00~18.00	2.00~3.00	12.00~16.00				≧175	≧480	D 3576
16.00~18.00	2.00~3.00	12.00~16.00				≧175	≧480	G 3459
16.0~18.0	2.00~3.00	10.0~15.0				≧170	≧485	A 312
16.00~18.00	2.00~3.00	10.00~14.00		N≦0.10		≧172	≧482	A 358
16.0~18.0	2.00~3.00	11.0~14.0		N 0.10~0.16		≧205	≧515	A 376
16.5~18.5	2.0~2.5	11.0~14.0				≧225	490~690	3605-1, 2
16.5~18.5	2.5~3.0	11.5~14.5				≧225	490~690	3605-1, 2
16.00~18.00	2.00~3.00	10.00~14.00		Ti≧5×C%		≧205	≧520	D 3576
16.00~18.00	2.00~3.00	10.00~14.00		Ti≧5×C%		≧205	≧520	G 3459
16.00~18.00	2.00~3.00	10.00~14.00		Ni≦0.10		≧205	≧515	A 358
				Ti (C+N)5~0.70				
18.00~20.00	3.00~4.00	11.00~15.00				≧205	≧520	D 3576
18.00~20.00	3.00~4.00	11.00~15.00				≧205	≧520	G 3459
18.00~20.00	3.00~4.00	11.00~14.00				≧205	≧515	A 312
18.00~20.00	3.00~4.00	11.00~15.00				≧175	≧480	D 3576
18.00~20.00	3.00~4.00	11.00~15.00				≧175	≧480	G 3459
18.00~20.00	3.00~4.00	11.0~15.0				≧205	≧515	A 312

Notes : [1] Thickness [2] Yield strength [3] Tensile strength

鋼管 (配管用鋼管) Steel pipes (for piping)

索引番号 Index No.	規格名 Std.	記号 Designation	化学成分 (%) Chemical composition					
			鋼材의 두께[1] t (mm)	C	Si	Mn	P	S
E 031	KS	STS 836 LTP		≦0.030	≦1.00	≦2.00	≦0.040	≦0.030
	JIS	SUS 836 LTP		≦0.030	≦1.00	≦2.00	≦0.040	≦0.030
	ASTM	N 08367		≦0.030	≦1.00	≦2.00	≦0.040	≦0.030
E 032	KS	STS 890 LTP		≦0.020	≦1.00	≦2.00	≦0.040	≦0.030
	JIS	SUS 890 LTP		≦0.020	≦1.00	≦2.00	≦0.040	≦0.030
	ASTM	N 08904		≦0.020	≦1.00	≦2.00	≦0.045	≦0.035
E 033	KS	STS 321 TP		≦0.08	≦1.00	≦2.00	≦0.040	≦0.030
	JIS	SUS 321 TP		≦0.08	≦1.00	≦2.00	≦0.040	≦0.030
	ASTM	TP 321		≦0.08	≦0.75	≦2.00	≦0.040	≦0.030
		321		≦0.08	≦0.75	≦2.00	≦0.045	≦0.030
		TP 321		≦0.08	≦0.75	≦2.00	≦0.040	≦0.030
	BS	321 S 31		≦0.08	≦1.00	≦2.00	≦0.040	≦0.030
	DIN							
E 034	KS	STS 321 HTP		0.04~0.10	≦0.75	≦2.00	≦0.030	≦0.030
	JIS	SUS 321 HTP		0.04~0.10	≦0.75	≦2.00	≦0.030	≦0.030
	ASTM	TP 321 H		0.04~0.10	≦0.75	≦2.00	≦0.040	≦0.030
		TP 321 H		0.04~0.10	≦0.75	≦2.00	≦0.040	≦0.030
	BS	321 S 51		0.04~0.10	≦1.00	≦2.00	≦0.040	≦0.030
	DIN							
E 035	KS	STS 347 TP		≦0.08	≦1.00	≦2.00	≦0.040	≦0.030
	JIS	SUS 347 TP		≦0.08	≦1.00	≦2.00	≦0.040	≦0.030
	ASTM	TP 347		≦0.08	≦0.75	≦2.00	≦0.040	≦0.030
		347		≦0.08	≦0.75	≦2.00	≦0.045	≦0.030
		TP 347		≦0.08	≦0.75	≦2.00	≦0.040	≦0.030
	BS	347 S 31		≦0.08	≦1.00	≦2.00	≦0.040	≦0.030
	DIN							

Index No. E 031~E 035

化学成分 (%) Chemical composition					引張試験 Tensile requirements			規格番号 Std. No.
Cr	Mo	Ni	Cu	others	鋼材의 두께([1]) t (mm)	降伏点([2]) (N/mm²)	引張强度([3]) (N/mm²)	
19.00~24.00	5.00~7.00	24.00~26.00		N≦0.25		≧205	≧520	D 3576
19.00~24.00	5.00~7.00	24.00~26.00		N≦0.25		≧205	≧520	G 3459
20.00~22.00	6.00~7.00	23.50~25.50	≦0.75	N 0.18~0.25		≧310	≧655	A 358
19.00~23.00	4.00~5.00	23.00~28.00	1.00~2.00			≧215	≧490	D 3576
19.00~23.00	4.00~5.00	23.00~28.00	1.00~2.00			≧215	≧490	G 3459
19.00~23.00	4.00~5.00	23.00~28.00	1.00~2.00	N≦0.10		≧220	≧490	A 358
17.00~19.00		9.00~13.00		Ti≧5×C%		≧205	≧520	D 3576
17.00~19.00		9.00~13.00		Ti≧5×C%		≧205	≧520	G 3459
17.0~20.0		9.00~13.00		Ti5×C~0.70		≧205	≧515	A 312
17.00~19.00		9.00~12.00		Ti5×(C+N)~0.70, N≦0.10		≧207	≧517	A 358
17.0~20.0		9.00~13.0		Ti5×C~0.60		≧205	≧515	A 376
17.0~19.0		9.00~12.00		Ti5×C~0.80		≧235	510~710	3605-1, 2
17.00~20.00		9.00~13.00		Ti 4×C%~0.60		≧205	≧520	D 3576
17.00~20.00		9.00~13.00		Ti 4×C%~0.60		≧205	≧520	G 3459
17.0~20.0		9.00~13.00		Ti 5×C%~0.60		≧205	≧515	A 312
17.0~20.0		9.00~13.00		Ti 4×C%~0.60		≧205	≧515	A 376
17.0~19.0		9.00~12.00		Ti 5×C~0.80		≧190	490~690	3605-1
17.00~19.00		9.00~13.00		Nb ≧10×C%		≧205	≧520	D 3576
17.00~19.00		9.00~13.00		Nb ≧10×C%		≧205	≧520	G 3459
17.0~20.0		9.00~13.00		Nb+Ta 10×C%~1.00		≧205	≧515	A 312
17.00~19.00		9.00~13.00		Cb+Ta 10×C%~1.10		≧207	≧517	A 358
17.0~20.0		9.00~13.00		Nb+Ta 10×C%~1.00		≧205	≧515	A 376
17.0~19.0		9.00~13.0		Nb 10×C%~1.00		≧240	510~710	3605-1

Notes : ([1]) Thickness ([2]) Yield strength ([3]) Tensile strength

鋼管 (配管用鋼管) Steel pipes (for piping)

索引番号 Index No.	規格名 Std.	記号 Designation	化 学 成 分 (%) Chemical composition					
			鋼材의 두께([1]) t (mm)	C	Si	Mn	P	S
E 036	KS	STS 347 HTP		0.04~0.10	≦1.00	≦2.00	≦0.030	≦0.030
	JIS	SUS 347 HTP		0.04~0.10	≦1.00	≦2.00	≦0.030	≦0.030
	ASTM	TP 347 H		0.04~0.10	≦0.75	≦2.00	≦0.040	≦0.030
		TP 347 H		0.04~0.10	≦0.75	≦2.00	≦0.040	≦0.030
	BS	347 S 51		0.04~0.10	≦1.00	≦2.00	≦0.040	≦0.030
	DIN							
E 037	KS	STS 329 J 1 TP		≦0.08	≦1.00	≦1.50	≦0.040	≦0.030
	JIS	SUS 329 J 1 TP		≦0.08	≦1.00	≦1.50	≦0.040	≦0.030
	ASTM							
	BS							
	DIN							
E 038	KS	STS 329 J 3 LTP		≦0.030	≦1.00	≦1.50	≦0.040	≦0.030
	JIS	SUS 329 J 3 LTP		≦0.030	≦1.00	≦1.50	≦0.040	≦0.030
E 039	KS	STS 329 J 4 LTP		≦0.030	≦1.00	≦1.50	≦0.040	≦0.030
	JIS	SUS 329 J 4 LTP		≦0.030	≦1.00	≦1.50	≦0.040	≦0.030
	ASTM	S 32950		≦0.030	≦0.60	≦2.00	≦0.035	≦0.010
E 040	KS	STS 405 TP		≦0.08	≦1.00	≦1.00	≦0.040	≦0.030
	JIS	STS 405 TP		≦0.08	≦1.00	≦1.00	≦0.040	≦0.030
	ASTM							
	BS							
	DIN							
E 041	KS	STS 409 LTP		≦0.030	≦1.00	≦1.00	≦0.040	≦0.030
	JIS	STS 409 LTP		≦0.030	≦1.00	≦1.00	≦0.040	≦0.030
	ASTM	S 40945		≦0.030	≦1.00	≦1.00	≦0.040	≦0.030

Index No. E 036~E 041

化学成分 (%) Chemical composition					引張試験 Tensile requirements			規格番号 Std. No.
Cr	Mo	Ni	Cu	others	鋼材의 두께(1) t (mm)	降伏点(2) (N/mm²)	引張強度(3) (N/mm²)	
17.00~20.00		9.00~13.00		Nb 8×C%~1.00		≧205	≦520	D 3576
17.00~20.00		9.00~13.00		Nb 8×C%~1.00		≧205	≦520	G 3459
17.00~20.00		9.00~13.00		Nb+Ta 8×C%~1.00		≧205	≦515	A 312
17.0~20.0		9.00~13.0		Nb+Ta 8×C%~1.00		≧205	≦515	A 376
17.0~19.0		9.00~13.00		Nb 10×C%~1.20		≧240	510~710	3605-1
23.00~28.00	1.00~3.00	3.00~6.00				≧390	≧590	D 3576
23.00~28.00	1.00~3.00	3.00~6.00				≧390	≧590	G 3459
21.00~24.00	2.50~3.50			N 0.08~0.20		≧450	≧620	D 3576
21.00~24.00	2.50~3.50			N 0.08~0.20		≧450	≧620	G 3459
24.00~26.00	2.50~3.50			N 0.08~0.30		≧450	≧620	D 3576
24.00~26.00	2.50~3.50			N 0.08~0.30		≧450	≧620	G 3459
26.00~29.00	1.00~2.50	3.50~5.20		N 0.15~0.35		≧485	≧690	A 358
11.50~14.50				Al 0.10~0.30		≧205	≧410	D 3576
11.50~14.50				Al 0.10~0.30		≧205	≧410	D 3576
10.50~11.75				Ti 6×C%~0.75		≧175	≧360	D 3576
10.50~11.75				Ti 6×C%~0.75		≧175	≧360	G 3459
10.50~11.70		≦0.50		N≦0.030		≧205	≧380	A 358
				Cb 0.18~0.40				
				Ti 0.05~0.20				

Notes : (1) Thickness (2) Yield strength (3) Tensile strength

鋼管 (配管用鋼管) Steel pipes (for piping)

索引番号 Index No.	規格名 Std.	記号 Designation	化学成分 (%) Chemical composition					
			鋼材의 두께[1] t (mm)	C	Si	Mn	P	S
E 042	KS	STS 430 TP		≦0.12	≦0.75	≦1.00	≦0.040	≦0.030
	JIS	SUS 430 TP		≦0.12	≦0.75	≦1.00	≦0.040	≦0.030
	ASTM	S 43000		≦0.12	≦1.00	≦1.00	≦0.040	≦0.030
E 043	KS	STS 430 LX TP		≦0.030	≦0.75	≦1.00	≦0.040	≦0.030
	JIS	SUS 430 LX TP		≦0.030	≦0.75	≦1.00	≦0.040	≦0.030
E 044	KS	STS 430 J 1 LTP		≦0.025	≦1.00	≦1.00	≦0.040	≦0.030
	JIS	SUS 430 J 1 LTP		≦0.025	≦1.00	≦1.00	≦0.040	≦0.030
E 045	KS	STS 436 LTP		≦0.025	≦1.00	≦1.00	≦0.040	≦0.030
	JIS	SUS 436 LTP		≦0.025	≦1.00	≦1.00	≦0.040	≦0.030
E 046	KS	STS 444 TP		≦0.025	≦1.00	≦1.00	≦0.040	≦0.030
	JIS	SUS 444 TP		≦0.025	≦1.00	≦1.00	≦0.040	≦0.030
	ASTM	S 44400		≦0.025	≦1.00	≦1.00	≦0.040	≦0.030
E 047	KS	SPLT 39		≦0.25	≦0.35	≦1.35	≦0.035	≦0.035
	JIS	STPL 380		≦0.25	≦0.35	≦1.35	≦0.035	≦0.035
	ASTM	1		≦0.30	-	0.40～1.06	≦0.025	≦0.025
	BS	430 LT		≦0.20	≦0.35	0.60～1.20	≦0.035	≦0.035
E 048	KS	SPLT 46		≦0.018	0.10～0.35	0.30～0.60	≦0.030	≦0.030
	JIS	STPL 46		≦0.018	0.10～0.35	0.30～0.60	≦0.030	≦0.030
	ASTM	3		≦0.19	0.18～0.37	0.31～0.64	≦0.025	≦0.025
	BS	503 LT		≦0.15	0.15～0.35	0.30～0.80	≦0.025	≦0.020

Index No. E 042~E 048

化 学 成 分 (%) Chemical composition					引 張 試 驗 Tensile requirements			規格番号 Std. No.
Cr	Mo	Ni	Cu	others	鋼材의 두께([1]) t (㎜)	降伏点([2]) (N/㎟)	引張强度([3]) (N/㎟)	
16.00~18.00						≧245	≧410	D 3576
16.00~18.00						≧245	≧410	G 3459
16.00~18.00		≦0.75				≧205	≧450	A 358
16.00~19.00				Ti 또는 Nb 0.10~1.00		≧175	≧360	D 3576
16.00~19.00				Ti 또는 Nb 0.10~1.00		≧175	≧360	G 3459
16.00~20.00			0.30~0.80	N ≦0.025		≧205	≧390	D 3576
16.00~20.00			0.30~0.80	N ≦0.025		≧205	≧390	G 3459
				Nb 8×(C+N)~0.80				
16.00~19.00	0.75~1.25			N ≦0.025		≧245	≧410	D 3576
16.00~19.00	0.75~1.25			N ≦0.025		≧245	≧410	G 3459
				Ti, Nb, Zr 8×(C+N)~0.80				
17.00~20.00	1.75~2.50			N ≦0.025		≧245	≧410	D 3576
				Ti, Nb, Zr 8×(C+N)~0.80				
17.00~20.00	1.75~2.50			N ≦0.025		≧245	≧410	G 3459
				Ti, Nb, Zr 8×(C+N)~0.80				
17.50~19.50	1.75~2.50	≦1.00		N ≦0.035		≧275	≧415	A 358
				Ti, Cb 4×(C+N) +0.20~0.80				
						≧205	≧380	D 3569
						≧205	≧380	G 3460
						≧205	≧380	A 333
				Al≧0.020	≦16	≧275	430~570	3603
					16<t≦40	≧265	430~570	
					40<t≦65	≧255	430~570	
		3.20~3.80				≧245	≧450	D 3569
		3.20~3.80				≧245	≧450	G 3460
		3.18~3.82				≧240	≧450	A 333
		3.25~3.75		Al≧0.020		≧245	440~590	3603

Notes : ([1]) Thickness ([2]) Yield strength ([3]) Tensile strength

鋼管 (配管用鋼管) Steel pipes (for piping)

索引番号 Index No.	規格名 Std.	記号 Designation	化 学 成 分 (%) Chemical composition					
			鋼材의 두께(1) t (mm)	C	Si	Mn	P	S
E 048(계속)	DIN	10 Ni 14		≦0.15	≦0.35	0.30～0.80	≦0.025	≦0.020
E 049	KS	SPLT 70		≦0.13	0.10～0.35	≦0.90	≦0.030	≦0.030
	JIS	STPL 690		≦0.13	0.10～0.35	≦0.90	≦0.030	≦0.030
	ASTM	8		≦0.13	0.13～0.32	≦0.90	≦0.025	≦0.025
	BS	509 LT		≦0.10	0.10～0.30	0.30～0.80	≦0.025	≦0.020
	DIN	X 8 NI 9		≦0.10	≦0.35	0.30～0.80	≦0.025	≦0.020
E 050	KS	STS 304 TPY		≦0.08	≦1.00	≦2.00	≦0.045	≦0.030
	JIS	SUS 304 TPY		≦0.08	≦1.00	≦2.00	≦0.045	≦0.030
	ASTM	304		≦0.08	≦0.75	≦2.00	≦0.045	≦0.030
		TP 304		≦0.08	≦0.75	≦2.00	≦0.045	≦0.030
	BS	304 S 31		≦0.07	≦1.00	≦2.00	≦0.040	≦0.030
	DIN							
E 051	KS	STS 304 LTPY		≦0.030	≦1.00	≦2.00	≦0.045	≦0.030
	JIS	SUS 304 LTPY		≦0.030	≦1.00	≦2.00	≦0.045	≦0.030
	ASTM	304 L		≦0.030	≦0.75	≦2.00	≦0.045	≦0.030
		TP 304 L		≦0.035	≦0.75	≦2.00	≦0.045	≦0.030
	BS	304 S 11		≦0.03	≦1.00	≦2.00	≦0.040	≦0.030
	DIN							
E 052	KS	STS 309 STPY		≦0.08	≦1.00	≦2.00	≦0.045	≦0.030
	JIS	SUS 309 STPY		≦0.08	≦1.00	≦2.00	≦0.045	≦0.030
	ASTM	309 S		≦0.08	≦0.75	≦2.00	≦0.045	≦0.030
	BS							
	DIN							
E 053	KS	STS 310 STPY		≦0.08	≦1.00	≦2.00	≦0.045	≦0.030
	JIS	SUS 310 STPY		≦0.08	≦1.00	≦2.00	≦0.045	≦0.030
	ASTM	310 S		≦0.08	≦1.50	≦2.00	≦0.045	≦0.030
	BS							
	DIN							

Index No. E 048~E 053

化学成分 (%) Chemical composition					引張試験 Tensile requirements			規格番号 Std. No.
Cr	Mo	Ni	Cu	others	鋼材의 두께([1]) t (㎜)	降伏点([2]) (N/㎟)	引張强度([3]) (N/㎟)	
		3.25~3.75		V≦0.05	≦25	≧345	470~640	17173 17174
					25<t≦40	≧355	470~640	
		8.50~9.50				≧520	≧690	D 3569
		8.50~9.50				≧520	≧690	G 3460
		8.40~9.60				≧515	≧690	A 333
		8.50~9.50		Al≧0.020		≧510	690~840	3603
	≦0.10	8.00~10.00		V≦0.05	≦25	≧490	640~840	17173 17174
					25<t≦40	≧480	640~840	
18.00~20.00		8.00~10.50				≧205	≧520	D 3588
18.00~20.00		8.00~10.50				≧205	≧520	G 3468
18.00~20.00		8.00~10.50		N≦0.10		≧205	≧515	A 358
18.00~20.00		8.00~11.00				≧205	≧515	A 409
17.0~19.0		8.0~11.0				≧230	490~690	3605-1, 2
18.00~20.00		9.00~13.00				≧175	≧480	D 3588
18.00~20.00		9.00~13.00				≧175	≧480	G 3468
18.00~20.00		8.00~12.00		N≦0.10		≧170	≧485	A 358
18.00~20.00		8.00~13.00				≧170	≧485	A 409
17.0~19.0		9.0~12.0				≧215	480~680	3605-1, 2
22.00~24.00		12.00~15.00				≧205	≧520	D 3588
22.00~24.00		12.00~15.00				≧205	≧520	G 3468
22.00~24.00		12.00~15.00				≧205	≧515	A 358
24.00~26.00		19.00~22.0				≧205	≧520	D 3588
24.00~26.00		19.00~22.0				≧205	≧520	G 3468
24.00~26.00		19.00~22.0				≧205	≧515	A 358

Notes : ([1]) Thickness ([2]) Yield strength ([3]) Tensile strength

鋼管 (配管用鋼管) Steel pipes (for piping)

索引番号 Index No.	規格名 Std.	記号 Designation	化学成分 (%) Chemical composition					
			鋼材의 두께([1]) t (mm)	C	Si	Mn	P	S
E 054	KS	STS 316 TPY		≦0.08	≦1.00	≦2.00	≦0.045	≦0.030
	JIS	SUS 316 TPY		≦0.08	≦1.00	≦2.00	≦0.045	≦0.030
	ASTM	316		≦0.08	≦0.75	≦2.00	≦0.045	≦0.030
		TP 316		≦0.08	≦0.75	≦2.00	≦0.045	≦0.030
	BS	316 S 33		≦0.07	≦1.00	≦2.00	≦0.040	≦0.030
	DIN							
E 055	KS	STS 316 LTPY		≦0.030	≦1.00	≦2.00	≦0.045	≦0.030
	JIS	SUS 316 LTPY		≦0.030	≦1.00	≦2.00	≦0.045	≦0.030
	ASTM	316 L		≦0.030	≦0.75	≦2.00	≦0.045	≦0.030
		TP 316 L		≦0.035	≦0.75	≦2.00	≦0.045	≦0.030
	BS	316 S 13		≦0.03	≦1.00	≦2.00	≦0.040	≦0.030
	DIN							
E 056	KS	STS 317 TPY		≦0.08	≦1.00	≦2.00	≦0.045	≦0.030
	JIS	SUS 317 TPY		≦0.08	≦1.00	≦2.00	≦0.045	≦0.030
	ASTM	317		≦0.08	≦0.75	≦2.00	≦0.045	≦0.030
	ASTM	TP 317		≦0.08	≦0.75	≦2.00	≦0.045	≦0.030
E 057	KS	STS 317 LTPY		≦0.030	≦1.00	≦2.00	≦0.045	≦0.030
	JIS	SUS 317 LTPY		≦0.030	≦1.00	≦2.00	≦0.045	≦0.030
	ASTM	317 L		≦0.030	≦0.75	≦2.00	≦0.045	≦0.030
	ASTM	S 31725		≦0.030	≦0.75	≦2.00	≦0.045	≦0.030
E 058	KS	STS 321 TPY		≦0.08	≦1.00	≦2.00	≦0.045	≦0.030
	JIS	SUS 321 TPY		≦0.08	≦1.00	≦2.00	≦0.045	≦0.030
	ASTM	321		≦0.08	≦0.075	≦2.00	≦0.045	≦0.030
	ASTM	TP 321		≦0.08	≦0.075	≦2.00	≦0.045	≦0.030
	BS	321 S 31		≦0.08	≦1.00	≦2.00	≦0.040	≦0.030
	DIN							

Index No. E 054~E 058

化 学 成 分 (%) Chemical composition					引 張 試 験 Tensile requirements			規格番号 Std. No.
Cr	Mo	Ni	Cu	others	鋼材의 두께(1) t (㎜)	降伏点(2) (N/㎟)	引張强度(3) (N/㎟)	
16.00~18.00	2.00~3.00	10.00~14.00				≧205	≧520	D 3588
16.00~18.00	2.00~3.00	10.00~14.00				≧205	≧520	G 3468
16.00~18.00	2.00~3.00	10.00~14.00		N≦0.10		≧205	≧515	A 358
16.00~18.00	2.00~3.00	10.00~14.00				≧205	≧515	A 409
16.5~18.5	2.5~3.0	11.00~14.00				≧240	510~710	3605-1, 2
16.00~18.00	2.00~3.00	12.00~15.00				≧175	≧480	D 3588
16.00~18.00	2.00~3.00	12.00~15.00				≧175	≧480	G 3468
16.00~18.00	2.00~3.00	10.00~14.00		N≦0.10		≧170	≧485	A 358
16.0~18.0	2.00~3.00	10.0~15.0				≧170	≧485	A 409
16.5~18.5	2.5~3.0	11.50~14.50				≧225	490~690	3605-1, 2
18.00~20.00	3.00~4.00	11.00~15.00				≧205	≧520	D 3588
18.00~20.00	3.00~4.00	11.00~15.00				≧205	≧520	G 3468
18.00~20.00	3.00~4.00	11.00~15.00		N≦0.10		≧205	≧515	A 358
18.0~20.0	3.0~4.0	11.0~14.0				≧205	≧515	A 409
18.00~20.00	3.00~4.00	11.00~15.00				≧175	≧480	D 3588
18.00~20.00	3.00~4.00	11.00~15.00				≧175	≧480	G 3468
18.00~20.00	3.00~4.00	11.00~15.00		N≦0.10		≧205	≧515	A 358
18.0~20.0	4.0~5.0	13.5~17.5	≦0.75	N≦0.10		≧205	≧515	A 409
17.00~19.00		9.00~13.00		Ti≦5×C%		≧205	≧520	D 3588
17.00~19.00		9.00~13.00		Ti≦5×C%		≧205	≧520	G 3468
17.00~19.00		9.00~12.00		Ti5(C+N)~0.70, N≦0.10		≧207	≧517	A 358
17.0~20.0		9.00~13.0		Ti 5×C%~1.0		≧205	≧515	A 409
17.0~19.0		9.0~12.0		Ti 5×C%~0.60		≧235	510~710	3605-1, 2

Notes : (1) Thickness (2) Yield strength (3) Tensile strength

鋼管 (配管用鋼管) Steel pipes (for piping)

索引番号 Index No.	規格名 Std.	記号 Designation	化 学 成 分 (%) Chemical composition					
			鋼材의 두께(1) t (mm)	C	Si	Mn	P	S
E 059	KS	STS 347 TPY		≦0.08	≦1.00	≦2.00	≦0.045	≦0.030
	JIS	SUS 347 TPY		≦0.08	≦1.00	≦2.00	≦0.045	≦0.030
	ASTM	347		≦0.08	≦0.75	≦2.00	≦0.045	≦0.030
	ASTM	TP 347		≦0.08	≦0.75	≦2.00	≦0.045	≦0.030
	BS	347 S 31		≦0.08	≦1.00	≦2.00	≦0.040	≦0.030
	DIN							
E 060	KS	STS 329 J1 TPY		≦0.08	≦1.00	≦1.50	≦0.040	≦0.030
	JIS	STS 329 J1 TPY		≦0.08	≦1.00	≦1.50	≦0.040	≦0.030
	ASTM	D 32900		≦0.08	≦0.75	≦1.00	≦0.040	≦0.030

Index No. E 059~E 060

化学成分 (%) Chemical composition					引張試験 Tensile requirements			規格番号 Std. No.
Cr	Mo	Ni	Cu	others	鋼材의 두께[1] t (mm)	降伏点[2] (N/mm²)	引張强度[3] (N/mm²)	
17.00~19.00		9.00~13.00		Nb≧10×C%		≧205	≧520	D 3588
17.00~19.00		9.00~13.00		Nb≧10×C%		≧205	≧520	G 3468
17.00~19.00		9.00~13.00		Cb 10×C%~1.0		≧205	≧515	A 358
17.0~20.0		9.00~13.0		Cb+Ta 10×C%~1.0		≧205	≧515	A 409
17.0~19.0		9.0~13.0		Nb 10×C%~1.00		≧240	510~710	3605-1
23.00~28.00	1.00~3.00	3.00~6.00						D 3588
23.00~28.00	1.00~3.00	3.00~6.00						G 3468
23.0~28.0	1.00~2.00	2.0~5.00						A 358

Notes : [1] Thickness [2] Yield strength [3] Tensile strength

鋼管 (熱伝達用鋼管) Steel tubes (for heat transfer)

索引番号 Index No.	規格名 Std.	記号 Designation	化 学 成 分 (%) Chemical composition					
			鋼材의 두께(1) t (mm)	C	Si	Mn	P	S
F 001	KS	STBH 340		≦0.18	≦0.35	0.30~0.60	≦0.035	≦0.035
	JIS	STB 340		≦0.18	≦0.35	0.30~0.60	≦0.035	≦0.035
	ASTM	A		0.06~0.18		0.27~0.63	≦0.035	≦0.035
	BS	360		≦0.17	0.10~0.35	0.40~0.80	≦0.035	≦0.035
	DIN	St 35.8		≦0.17	0.10~0.35	0.40~0.80	≦0.040	≦0.040
		St 37.8		≦0.17	0.10~0.35	0.40~0.80	≦0.040	≦0.040
F 002	KS	STBH 410		≦0.32	≦0.35	0.30~0.80	≦0.035	≦0.035
	JIS	STB 410		≦0.32	≦0.35	0.30~0.80	≦0.035	≦0.035
	ASTM	C		≦0.35		≦0.80	≦0.035	≦0.035
		A-1		≦0.27	≦0.10	≦0.93	≦0.035	≦0.035
	BS	440		0.12~0.18	0.10~0.35	0.90~1.20	≦0.035	≦0.035
	DIN	St 45.8		≦0.21	0.10~0.35	0.40~1.20	≦0.040	≦0.040
		St 42.8		≦0.21	0.10~0.35	0.40~1.20	≦0.040	≦0.040
F 003	KS	STBH 510		≦0.25	≦0.35	1.00~1.50	≦0.035	≦0.035
	JIS	STB 510		≦0.25	≦0.35	1.00~1.50	≦0.035	≦0.035
	ASTM	D		≦0.27	≧0.10	1.00~1.50	≦0.030	≦0.015
	BS							
	DIN							
F 004	KS	STHA 12		0.10~0.20	0.10~0.50	0.30~0.80	≦0.035	≦0.035
	JIS	STBA 12		0.10~0.20	0.10~0.50	0.30~0.80	≦0.035	≦0.035
	ASTM	T 1		0.10~0.20	0.10~0.50	0.30~0.80	≦0.025	≦0.025
		T 1		0.10~0.20	0.10~0.50	0.30~0.80	≦0.025	≦0.025

Index No. F 001~F 004

化学成分 (%) Chemical composition					引張試験 Tensile requirements			規格番号 Std. No.
Cr	Mo	Ni	Cu	others	鋼材의 두께[1] t (㎜)	降伏点[2] (N/㎟)	引張強度[3] (N/㎟)	
						≧175	≧340	D 3563
						≧175	≧340	G 3461
						≧180	≧325	A 178
						≧235	360~500	3059-2
					≦16	≧235	360~480	17175
					16<t≦40	≧225	360~480	
					40<t≦60	≧215	360~480	
					≦16	≧235	360~480	17177
						≧255	≧410	D 3563
						≧255	≧410	G 3461
						≧255	≧415	A 178
						≧255	≧415	A 210
						≧245	440~580	3059-2
					≦16	≧255	410~530	17175
					16<t≦40	≧245	410~530	
					40<t≦60	≧235	410~530	
					≦16	≧255	410~530	17177
						≧295	≧510	D 3563
						≧295	≧510	G 3461
						≧275	≧485	A 178
	0.45~0.65					≧205	≧380	D 3572
	0.45~0.65					≧205	≧380	G 3462
	0.44~0.65					≧205	≧380	A 209
	0.44~0.65					≧205	≧380	A 250

Notes : [1] Thickness [2] Yield strength [3] Tensile strength

鋼管 (熱伝達用鋼管) Steel tubes (for heat transfer)

索引番号 Index No.	規格名 Std.	記号 Designation	化 学 成 分 (%) Chemical composition					
			鋼材의 두께[1] t (mm)	C	Si	Mn	P	S
F 005	KS	STHA 13		0.15~0.25	0.10~0.50	0.30~0.80	≦0.035	≦0.035
	JIS	STBA 13		0.15~0.25	0.10~0.50	0.30~0.80	≦0.035	≦0.035
	ASTM	T1a		0.15~0.25	0.10~0.50	0.30~0.80	≦0.025	≦0.025
		T1a		0.15~0.25	0.10~0.50	0.30~0.80	≦0.025	≦0.025
	BS							
	DIN							
F 006	KS	STHA 20		0.10~0.20	0.10~0.50	0.30~0.60	≦0.035	≦0.035
	JIS	STBA 20		0.10~0.20	0.10~0.50	0.30~0.60	≦0.035	≦0.035
	ASTM	T2		0.10~0.20	0.10~0.30	0.30~0.61	≦0.025	≦0.025
	BS							
	DIN							
F 007	KS	STHA 22		≦0.15	≦0.50	0.30~0.60	≦0.035	≦0.035
	JIS	STBA 22		≦0.15	≦0.50	0.30~0.60	≦0.035	≦0.035
	ASTM	T 12		0.05~0.15	≦0.50	0.30~0.61	≦0.025	≦0.025
	BS	620		0.10~0.15	0.10~0.035	0.40~0.70	≦0.040	≦0.040
	DIN	13 CrMo 44		0.10~0.18	0.10~0.035	0.40~0.70	≦0.035	≦0.035
F 008	KS	STHA 23		≦0.15	0.50~1.00	0.30~0.60	≦0.030	≦0.030
	JIS	STBA 23		≦0.15	0.50~1.00	0.30~0.60	≦0.030	≦0.030
	ASTM	T 11		0.05~0.15	0.50~1.00	0.30~0.60	≦0.025	≦0.025
		T 11		0.05~0.15	0.50~1.00	0.30~0.60	≦0.030	≦0.030
	BS	621		0.10~0.15	0.50~1.00	0.30~0.60	≦0.040	≦0.040
	DIN							
F 009	KS	STHA 24		≦0.15	≦0.50	0.30~0.60	≦0.030	≦0.030
	JIS	STBA 24		≦0.15	≦0.50	0.30~0.60	≦0.030	≦0.030
	ASTM	T 22		0.05~0.15	≦0.50	0.30~0.60	≦0.025	≦0.025
		T 22		0.05~0.15	≦0.50	0.30~0.60	≦0.025	≦0.025

Index No. F 005~F 009

化学成分 (%) Chemical composition					引張試験 Tensile requirements			規格番号 Std. No.
Cr	Mo	Ni	Cu	others	鋼材의 두께([1]) t (㎜)	降伏点([2]) (N/㎟)	引張强度([3]) (N/㎟)	
	0.45~0.65					≧205	≧410	D 3572
	0.45~0.65					≧205	≧410	G 3462
	0.44~0.65					≧220	≧415	A 209
	0.44~0.65					≧220	≧415	A 250
0.50~0.80	0.40~0.65					≧205	≧410	D 3572
0.50~0.80	0.40~0.65					≧205	≧410	G 3462
0.50~0.81	0.44~0.65					≧205	≧415	A 213
0.80~1.25	0.45~0.65					≧205	≧410	D 3572
0.80~1.25	0.45~0.65					≧205	≧410	G 3462
0.80~1.25	0.44~0.65					≧205	≧415	A 213
0.70~1.10	0.45~0.65	≦0.30		Al≦0.020		≧180	460~610	3606
0.70~1.10	0.45~0.65				1≦16	≧290	440~590	17175
					16<t≦40	≧290	440~590	
					40<t≦60	≧280	440~590	
1.00~1.50	0.45~0.65					≧205	≧410	D 3572
1.00~1.50	0.45~0.65					≧205	≧410	G 3462
1.00~1.50	0.44~0.65					≧170	≧415	A 199
1.00~1.50	0.44~0.65					≧205	≧415	A 213
1.00~1.50	0.45~0.65	≦0.30		Al≦0.020		≧275	420~570	3606
1.90~2.60	0.87~1.13					≧205	≧410	D 3572
1.90~2.60	0.87~1.13					≧205	≧410	G 3462
1.90~2.60	0.87~1.13					≧170	≧415	A 199
1.90~2.60	0.87~1.13					≧205	≧415	A 213

Notes : ([1]) Thickness ([2]) Yield strength ([3]) Tensile strength

鋼管 (熱伝達用鋼管) Steel tubes (for heat transfer)

索引番号 Index No.	規格名 Std.	記号 Designation	化学成分 (%) Chemical composition					
			鋼材의 두께[1] t (mm)	C	Si	Mn	P	S
F 009(계속)	BS	622		0.08~0.15	≦0.50	0.40~0.70	≦0.040	≦0.040
	DIN	10 CrMo 910		0.08~0.15	≦0.50	0.40~0.70	≦0.035	≦0.035
F 010	KS	STHA 25		≦0.15	≦0.50	0.30~0.60	≦0.030	≦0.030
	JIS	STBA 25		≦0.15	≦0.50	0.30~0.60	≦0.030	≦0.030
	ASTM	T 5		≦0.15	≦0.50	0.30~0.60	≦0.025	≦0.025
		T 5		≦0.15	≦0.50	0.30~0.60	≦0.025	≦0.025
	BS	625		≦0.15	≦0.50	0.30~0.60	≦0.030	≦0.030
	DIN							
F 011	KS	STHA 26		≦0.15	0.25~1.00	0.30~0.60	≦0.030	≦0.030
	JIS	STBA 26		≦0.15	0.25~1.00	0.30~0.60	≦0.030	≦0.030
	ASTM	T 9		≦0.15	0.25~1.00	0.30~0.60	≦0.025	≦0.025
		T 9		≦0.15	0.25~1.00	0.30~0.60	≦0.025	≦0.025
	BS	629-470		≦0.15	0.25~1.00	0.30~0.60	≦0.030	≦0.030
	DIN							
F 012	KS	STS 430 TB		≦0.12	≦0.75	≦1.00	≦0.040	≦0.030
	JIS	SUS 430 TB		≦0.12	≦0.75	≦1.00	≦0.040	≦0.030
	ASTM	TP 430		≦0.12	≦0.75	≦1.00	≦0.040	≦0.030
	BS							
	DIN							
F 013	KS	STS 410 TB		≦0.15	≦1.00	≦1.00	≦0.040	≦0.030
	JIS	SUS 410 TB		≦0.15	≦1.00	≦1.00	≦0.040	≦0.030
	ASTM	TB 410		≦0.15	≦0.75	≦1.00	≦0.040	≦0.030
	BS							
	DIN							

Index No. F 009~F 013

化 学 成 分 (%) Chemical composition					引 張 試 験 Tensile requirements			規格番号 Std. No.
Cr	Mo	Ni	Cu	others	鋼材의 두께([1]) *t* (㎜)	降伏点([2]) (N/㎟)	引張强度([3]) (N/㎟)	
2.00~2.50	0.90~1.20	≦0.30		Al≦0.020		≧275	490~640	3606
						≧175	440~590	3059-2
2.00~2.50	0.90~1.20				≦16	≧280	450~600	17175
					16<t≦40	≧280	450~600	
					40<t≦60	≧270	450~600	
4.00~6.00	0.45~0.65					≧205	≧410	D 3572
4.00~6.00	0.45~0.65					≧205	≧410	G 3462
4.00~6.00	0.45~0.65					≧170	≧415	A 199
4.00~6.00	0.45~0.65					≧205	≧415	A 213
4.00~6.00	0.45~0.65	≦0.30		Al≦0.020		≧170	450~600	3606
8.00~10.00	0.90~1.10					≧205	≧410	D 3572
8.00~10.00	0.90~1.10					≧205	≧410	G 3462
8.00~10.00	0.90~1.10					≧170	≧415	A 199
8.00~10.00	0.90~1.10					≧205	≧415	A 213
8.00~10.00	0.90~1.10			Al≦0.020		≧185	470~620	3059-2
16.00~18.00						≧245	≧410	D 3577
16.00~18.00						≧245	≧410	G 3463
16.0~18.0		≦0.50				≧240	≧415	A 268
11.50~13.50						≧205	≧410	D 3577
11.50~13.50						≧205	≧410	G 3463
11.5~13.5		≦0.50				≧215	≧415	A 268

Notes : ([1]) Thickness ([2]) Yield strength ([3]) Tensile strength

鋼管 (熱伝達用鋼管) Steel tubes (for heat transfer)

索引番号 Index No.	規格名 Std.	記号 Designation	化 学 成 分 (%) Chemical composition					
			鋼材의 두께([1]) t (mm)	C	Si	Mn	P	S
F 014	KS	STS 304 TB		≦0.08	≦1.00	≦2.00	≦0.040	≦0.030
	JIS	SUS 304 TB		≦0.08	≦1.00	≦2.00	≦0.040	≦0.030
	ASTM	TP 304		≦0.08	≦0.75	≦2.00	≦0.040	≦0.030
		TP 304		≦0.08	≦0.75	≦2.00	≦0.040	≦0.030
	BS	304 S 31		≦0.07	≦1.00	≦2.00	≦0.040	≦0.030
	DIN							
F 015	KS	STS 304 HTB		0.04~0.10	≦0.75	≦2.00	≦0.040	≦0.030
	JIS	SUS 304 HTB		0.04~0.10	≦0.75	≦2.00	≦0.040	≦0.030
	ASTM	TP 304 H		0.04~0.10	≦0.75	≦2.00	≦0.040	≦0.030
		TP 304 H		0.04~0.10	≦0.75	≦2.00	≦0.040	≦0.030
	BS	304 S 51		0.04~0.10	≦1.00	≦2.00	≦0.040	≦0.030
	DIN							
F 016	KS	STS 304 LTB		≦0.030	≦1.00	≦2.00	≦0.040	≦0.030
	JIS	SUS 304 LTB		≦0.030	≦1.00	≦2.00	≦0.040	≦0.030
	ASTM	TP 304 L		≦0.035	≦0.75	≦2.00	≦0.040	≦0.030
		TP 304 L		≦0.035	≦0.75	≦2.00	≦0.040	≦0.030
	BS	304 S 11		≦0.03	≦1.00	≦2.00	≦0.040	≦0.030
F 017	KS	STS 309 TB		≦0.15	≦1.00	≦2.00	≦0.040	≦0.030
	JIS	SUS 309 TB		≦0.15	≦1.00	≦2.00	≦0.040	≦0.030
	ASTM							
	BS							
	DIN							
F 018	KS	STS 309 STB		≦0.08	≦1.00	≦2.00	≦0.040	≦0.030
	JIS	SUS 309 STB		≦0.08	≦1.00	≦2.00	≦0.040	≦0.030
	ASTM	TP 309 S		≦0.08	≦0.75	≦2.00	≦0.045	≦0.030
		TP 309 S		≦0.08	≦0.75	≦2.00	≦0.045	≦0.030
	BS							
	DIN							

Index No. F 014~F 018

化学成分 (%) Chemical composition					引張試験 Tensile requirements			規格番号 Std. No.
Cr	Mo	Ni	Cu	others	鋼材의 두께(1) t (mm)	降伏点(2) (N/mm²)	引張强度(3) (N/mm²)	
18.00~20.00		8.00~11.00				≧205	≧520	D 3577
18.00~20.00		8.00~11.00				≧205	≧520	G 3463
18.0~20.0		8.00~11.0				≧205	≧515	A 213
18.0~20.0		8.00~11.0				≧205	≧515	A 249
17.0~19.0		8.0~11.0				≧235	490~690	3606
18.00~20.00		8.00~11.00				≧205	≧520	D 3577
18.00~20.00		8.00~11.00				≧205	≧520	G 3463
18.0~20.0		8.00~11.0				≧205	≧515	A 213
18.0~20.0		8.00~11.0				≧205	≧515	A 249
17.0~19.0		8.00~11.00				≧230	490~690	3059-2
18.00~20.00		9.00~13.00				≧175	≧480	D 3577
18.00~20.00		9.00~13.00				≧175	≧480	G 3463
18.0~20.0		8.00~13.0				≧170	≧485	A 213
18.0~20.0		8.00~13.0				≧170	≧485	A 249
17.0~19.0		9.0~12.0				≧205	490~690	3606
22.00~24.00		12.00~15.00				≧205	≧520	D 3577
22.00~24.00		12.00~15.00				≧205	≧520	G 3463
22.00~24.00		12.00~15.00				≧205	≧520	D 3577
22.00~24.00		12.00~15.00				≧205	≧520	G 3463
22.0~24.0	≦0.75	12.0~15.0				≧205	≧515	A 213
22.0~24.0	≦0.75	12.0~15.0				≧205	≧515	A 249

Notes : (1) Thickness (2) Yield strength (3) Tensile strength

鋼管 (熱伝達用鋼管) Steel tubes (for heat transfer)

索引番号 Index No.	規格名 Std.	記号 Designation	化 学 成 分 (%) Chemical composition					
			鋼材의 두께[1] t (㎜)	C	Si	Mn	P	S
F 019	KS	STS 310 TB		≦0.15	≦1.50	≦2.00	≦0.040	≦0.030
	JIS	SUS 310 TB		≦0.15	≦1.50	≦2.00	≦0.040	≦0.030
	ASTM							
	BS							
	DIN							
F 020	KS	STS 310 STB		≦0.08	≦1.50	≦2.00	≦0.040	≦0.030
	JIS	SUS 310 STB		≦0.08	≦1.50	≦2.00	≦0.040	≦0.030
	ASTM	TP 310 S		≦0.08	≦0.75	≦2.00	≦0.045	≦0.030
		TP 310 S		≦0.08	≦0.75	≦2.00	≦0.045	≦0.030
	BS							
	DIN							
F 021	KS	STS 316 TB		≦0.08	≦1.00	≦2.00	≦0.040	≦0.030
	JIS	SUS 316 TB		≦0.08	≦1.00	≦2.00	≦0.040	≦0.030
	ASTM	TP 316		≦0.08	≦0.75	≦2.00	≦0.040	≦0.030
		TP 316		≦0.08	≦0.75	≦2.00	≦0.040	≦0.030
	BS	316 S 31		≦0.07	≦1.00	≦2.00	≦0.040	≦0.030
	DIN							
F 022	KS	STS 316 HTB		0.04～0.10	≦0.75	≦2.00	≦0.030	≦0.030
	JIS	SUS 316 HTB		0.04～0.10	≦0.75	≦2.00	≦0.030	≦0.030
	ASTM	TP 316 H		0.04～0.10	≦0.75	≦2.00	≦0.040	≦0.030
		TP 316 H		0.04～0.10	≦0.75	≦2.00	≦0.040	≦0.030
	BS	316 S 13		≦0.07	≦1.00	≦2.00	≦0.040	≦0.030
	DIN							
F 023	KS	STS 316 LTB		≦0.030	≦1.00	≦2.00	≦0.040	≦0.030
	JIS	SUS 316 LTB		≦0.030	≦1.00	≦2.00	≦0.040	≦0.030
	ASTM	TP 316 L		≦0.035	≦0.75	≦2.00	≦0.040	≦0.030
		TP 316 L		≦0.035	≦0.75	≦2.00	≦0.040	≦0.030
	BS	316 S 13		≦003	≦1.00	≦2.00	≦0.040	≦0.030
	DIN							

Index No. F 019~F 023

化学成分 (%) Chemical composition					引張試験 Tensile requirements			規格番号 Std. No.
Cr	Mo	Ni	Cu	others	鋼材의 두께(1) *t* (㎜)	降伏点(2) (N/㎟)	引張強度(3) (N/㎟)	
24.00~26.00		19.00~22.00				≧205	≧520	D 3577
24.00~26.00		19.00~22.00				≧205	≧520	G 3463
24.00~26.00		19.00~22.00				≧205	≧520	D 3577
24.00~26.00		19.00~22.00				≧205	≧520	G 3463
24.0~26.0	≦0.75	19.0~22.0				≧205	≧515	A 213
24.0~26.0	≦0.75	19.0~22.0				≧205	≧515	A 249
16.00~18.00	2.00~3.00	10.00~14.00				≧205	≧520	D 3577
16.00~18.00	2.00~3.00	10.00~14.00				≧205	≧520	G 3643
16.0~18.0	2.00~3.00	11.0~14.0				≧205	≧515	A 213
16.0~18.0	2.00~3.00	10.0~14.0				≧205	≧515	A 249
16.5~18.5	2.00~2.50	10.5~13.5				≧245	510~710	3606
16.00~18.00	2.00~3.00	11.00~14.00				≧205	≧520	D 3577
16.00~18.00	2.00~3.00	11.00~14.00				≧205	≧520	G 3463
16.0~18.0	2.00~3.00	11.0~14.0				≧205	≧515	A 213
16.0~18.0	2.00~3.00	10.0~14.0				≧205	≧515	A 249
16.50~18.50	2.50~3.00	11.0~14.0				≧245	510~710	3606
16.00~18.00	2.00~3.00	12.00~16.00				≧175	≧480	D 3577
16.00~18.00	2.00~3.00	12.00~16.00				≧175	≧480	G 3463
16.0~18.0	2.00~3.00	10.0~15.0				≧170	≧485	A 213
16.0~18.0	2.00~3.00	10.0~15.0				≧170	≧485	A 249
16.5~18.5	2.00~3.00	11.5~14.5				≧215	490~690	3606

Notes : (1) Thickness (2) Yield strength (3) Tensile strength

鋼管 (熱伝達用鋼管) Steel tubes (for heat transfer)

索引番号 Index No.	規格名 Std.	記号 Designation	化学成分 (%) Chemical composition					
			鋼材의 두께([1]) t (mm)	C	Si	Mn	P	S
F 024	KS	STS 316 TITB		≦0.08	≦1.00	≦2.00	≦0.040	≦0.030
	JIS	SUS 316 TITB		≦0.08	≦1.00	≦2.00	≦0.040	≦0.030
F 025	KS	STS 317 TB		≦0.08	≦1.00	≦2.00	≦0.040	≦0.030
	JIS	SUS 317 TB		≦0.08	≦1.00	≦2.00	≦0.040	≦0.030
	ASTM	TP 317		≦0.08	≦0.75	≦2.00	≦0.040	≦0.030
		TP 317		≦0.08	≦0.75	≦2.00	≦0.04	≦0.03
	BS							
	DIN							
F 026	KS	STS 317 LTB		≦0.030	≦1.00	≦2.00	≦0.040	≦0.030
	JIS	SUS 317 LTB		≦0.030	≦1.00	≦2.00	≦0.040	≦0.030
	ASTM	TP 317 L		≦0.035	≦0.75	≦2.00	≦0.040	≦0.030
		TP 317 L		≦0.035	≦0.75	≦2.00	≦0.04	≦0.03
	BS							
	DIN							
F 027	KS	STS 836 LTB		≦0.030	≦1.00	≦2.00	≦0.040	≦0.030
	JIS	SUS 836 LTB		≦0.030	≦1.00	≦2.00	≦0.040	≦0.030
F 028	KS	STS 890 LTB		≦0.020	≦1.00	≦2.00	≦0.040	≦0.030
	JIS	SUS 890 LTB		≦0.020	≦1.00	≦2.00	≦0.040	≦0.030
F 029	KS	STS 321 TB		≦0.08	≦1.00	≦2.00	≦0.040	≦0.030
	JIS	SUS 321 TB		≦0.08	≦1.00	≦2.00	≦0.040	≦0.030
	ASTM	TP 321		≦0.08	≦0.75	≦2.00	≦0.040	≦0.030
		TP 321		≦0.08	≦0.75	≦2.00	≦0.04	≦0.03
	BS	321 S 31		≦0.08	≦1.00	≦2.00	≦0.040	≦0.030
	DIN							
F 030	KS	STS 321 HTB		≦0.04~0.10	≦0.75	≦2.00	≦0.030	≦0.030
	JIS	SUS 321 HTB		≦0.04~0.10	≦0.75	≦2.00	≦0.030	≦0.030

Index No. F 024~F 030

化学成分 (%) Chemical composition					引張試験 Tensile requirements			規格番号 Std. No.
Cr	Mo	Ni	Cu	others	鋼材의 두께(1) t (mm)	降伏点(2) (N/mm²)	引張强度(3) (N/mm²)	
16.00~18.00	2.00~3.00	10.00~14.00		Ti≧5×C%		≧205	≧520	D 3577
16.00~18.00	2.00~3.00	10.00~14.00		Ti≧5×C%		≧205	≧520	G 3463
18.00~20.00	3.00~4.00	11.00~15.00				≧205	≧520	D 3577
18.00~20.00	3.00~4.00	11.00~15.00				≧205	≧520	G 3463
18.0~20.0	3.00~4.00	11.0~14.0				≧205	≧515	A 213
18.0~20.0	3.00~4.00	11.0~14.0				≧205	≧515	A 249
18.00~20.00	3.00~4.00	11.00~15.00				≧175	≧480	D 3577
18.00~20.00	3.00~4.00	11.00~15.00				≧175	≧480	G 3463
18.0~20.0	3.00~4.00	11.0~15.0				≧205	≧515	A 213
18.0~20.0	3.00~4.00	11.0~15.0				≧205	≧515	A 249
19.00~24.00	5.00~7.00	24.00~26.00		N≦0.25		≧205	≧520	D 3577
19.00~24.00	5.00~7.00	24.00~26.00		N≦0.25		≧205	≧520	G 3463
19.00~23.00	4.00~5.00	23.00~28.00		Cu 1.00~2.00		≧215	≧490	D 3577
19.00~23.00	4.00~5.00	23.00~28.00		Cu 1.00~2.00		≧215	≧490	G 3463
17.00~19.00		9.00~13.00		Ti≧5×C%		≧205	≧520	D 3577
17.00~19.00		9.00~13.00		Ti≧5×C%		≧205	≧520	G 3463
17.0~20.0		9.00~13.0		Ti 5×C%~0.60		≧205	≧515	A 213
17.0~20.0		9.00~13.0		Ti 5×C%~0.70		≧205	≧515	A 249
17.0~19.0		9.0~12.0		Ti 5×C%~0.80		≧235	510~710	3606
17.00~20.00		9.00~13.00		Ti 4×C%~0.60		≧205	≧520	D 3577
17.00~20.00		9.00~13.00		Ti 4×C%~0.60		≧205	≧520	G 3463

Notes : (1) Thickness (2) Yield strength (3) Tensile strength

鋼管 (熱伝達用鋼管) Steel tubes (for heat transfer)

索引番号 Index No.	規格名 Std.	記号 Designation	化 学 成 分 (%) Chemical composition					
			鋼材의 두께[1] t (mm)	C	Si	Mn	P	S
F 030(계속)	ASTM	TP 321 H		0.04~0.10	≦0.75	≦2.00	≦0.040	≦0.030
		TP 321 H		0.04~0.10	≦0.75	≦2.00	≦0.04	≦0.03
	BS	321 S 51		0.04~0.10	≦1.00	≦2.00	≦0.040	≦0.030
	DIN							
F 031	KS	STS 347 TB		≦0.08	≦1.00	≦2.00	≦0.040	≦0.030
	JIS	SUS 347 TB		≦0.08	≦1.00	≦2.00	≦0.040	≦0.030
	ASTM	TP 347		≦0.08	≦0.75	≦2.00	≦0.040	≦0.030
		TP 347		≦0.08	≦0.75	≦2.00	≦0.04	≦0.03
	BS							
	DIN							
F 032	KS	STS 347 HTB		0.040~0.10	≦1.00	≦2.00	≦0.030	≦0.030
	JIS	SUS 347 HTB		0.040~0.10	≦1.00	≦2.00	≦0.030	≦0.030
	ASTM	TP 347 H		0.04~0.10	≦0.75	≦2.00	≦0.040	≦0.030
		TP 347 H		0.04~0.10	≦0.75	≦2.00	≦0.04	≦0.03
	BS	347 S 51		0.04~0.10	≦1.00	≦2.00	≦0.040	≦0.030
	DIN							
F 033	KS	STSXM15J1TB		≦0.08	3.00~5.00	≦2.00	≦0.045	≦0.030
	JIS	SUSXM15J1TB		≦0.08	3.00~5.00	≦2.00	≦0.045	≦0.030
	ASTM							
	BS							
	DIN							
F 034	KS	STS 329 J1 TB		≦0.08	≦1.00	≦1.50	≦0.040	≦0.030
	JIS	STS 329 J1 TB		≦0.08	≦1.00	≦1.50	≦0.040	≦0.030
	ASTM	S 32900		≦0.08	≦0.75	≦1.00	≦0.040	≦0.030
	BS							
	DIN							

Index No. F 030~F 034

化学成分 (%) Chemical composition					引張試験 Tensile requirements			規格番号 Std. No.
Cr	Mo	Ni	Cu	others	鋼材의 두께([1]) t (mm)	降伏点([2]) (N/mm²)	引張強度([3]) (N/mm²)	
17.0~20.0		9.00~13.0		Ti 4×C%~0.60		≧205	≧515	A 213
17.0~20.0		9.00~13.0		Ti 4×C%~0.60		≧205	≧515	A 249
17.0~19.0		9.0~13.0		Ti 5×C%~0.80		≧235	510~710	3059-2
17.00~19.00		9.00~13.00		Nb≧10×C%		≧205	≧520	D 3577
17.00~19.00		9.00~13.00		Nb≧10×C%		≧205	≧520	G 3463
17.0~20.0		9.00~13.0		Cb+Ta 10×C%~1.00		≧205	≧515	A 213
17.0~20.0		9.00~13.0		Cb+Ta 10×C%~1.0		≧205	≧515	A 249
17.00~20.00		9.00~13.00		Nb+Ta 8×C%~1.00		≧205	≧520	D 3577
17.00~20.00		9.00~13.00		Nb+Ta 8×C%~1.00		≧205	≧520	G 3463
17.0~20.0		9.00~13.0		Cb+Ta 8×C%~1.0		≧205	≧515	A 213
17.0~20.0		9.00~13.0		Cb+Ta 8×C%~1.0		≧205	≧515	A 249
17.0~19.0		9.0~13.0		Nb 10×C%~1.20		≧240	510~710	3059-2
15.00~20.00		11.50~15.00				≧205	≧520	D 3577
15.00~20.00		11.50~15.00				≧205	≧520	G 3463
23.00~28.00	1.00~3.00	3.00~6.00				≧390	≧590	D 3577
23.00~28.00	1.00~3.00	3.00~6.00				≧390	≧590	G 3463
23.0~28.0	1.0~2.0	2.50~5.00				≧485	≧620	A 789

Notes : ([1]) Thickness ([2]) Yield strength ([3]) Tensile strength

鋼管 (熱伝達用鋼管) Steel tubes (for heat transfer)

索引番号 Index No.	規格名 Std.	記号 Designation	化 学 成 分 (%) Chemical composition					
			鋼材의 두께[1] t (mm)	C	Si	Mn	P	S
F 035	KS	STS 329 J3 LTB		≦0.030	≦1.00	≦1.50	≦0.040	≦0.030
	JIS	SUS 329 J3 LTB		≦0.030	≦1.00	≦1.50	≦0.040	≦0.030
	ASTM	S 31260		≦0.030	≦0.75	≦1.00	≦0.030	≦0.030
	BS							
	DIN							
F 036	KS	STS 329 J2 LTB		≦0.030	≦1.00	≦1.50	≦0.040	≦0.030
	JIS	SUS 329 J4 LTB		≦0.030	≦1.00	≦1.50	≦0.040	≦0.030
F 037	KS	STS 405 TB		≦0.08	≦1.00	≦1.00	≦0.040	≦0.030
	JIS	SUS 405 TB		≦0.08	≦1.00	≦1.00	≦0.040	≦0.030
	ASTM	TP 405		≦0.08	≦0.75	≦1.00	≦0.040	≦0.030
	BS							
	DIN							
F 038	KS	STS 409 TB		≦0.08	≦1.00	≦1.00	≦0.040	≦0.030
	IS	SUS 409 TB		≦0.08	≦1.00	≦1.00	≦0.040	≦0.030
	ASTM	TP 409		≦0.08	≦1.00	≦1.00	≦0.045	≦0.045
	BS							
	DIN							
F 039	KS	STS 409 LTB		≦0.030	≦1.00	≦1.00	≦0.040	≦0.030
	JIS	SUS 409 LTB		≦0.030	≦1.00	≦1.00	≦0.040	≦0.030
	ASTM	TP 409		≦0.08	≦1.00	≦1.00	≦0.045	≦0.045
F 040	KS	STS 410 TiTB		≦0.08	≦1.00	≦1.00	≦0.040	≦0.030
	JIS	SUS 410 TiTB		≦0.08	≦1.00	≦1.00	≦0.040	≦0.030
	ASTM							
	BS							
	DIN							

Index No. F 035~F 040

化 学 成 分 (%) Chemical composition					引 張 試 験 Tensile requirements			規格番号 Std. No.
Cr	Mo	Ni	Cu	others	鋼材의 두께([1]) t (㎜)	降伏点([2]) (N/㎟)	引張强度([3]) (N/㎟)	
21.00~24.00	2.50~3.50	4.50~6.50		N 0.08~0.20		≧450	≧620	D 3577
21.00~24.00	2.50~3.50	4.50~6.50		N 0.08~0.20		≧450	≧620	G 3463
24.00~26.00	2.50~3.50	5.50~7.50		N 0.10~0.30 Cu 0.20~0.80 W 0.10~0.50		≧450	≧690	A 789
24.00~26.00	2.50~3.50	5.50~7.50		N 0.08~0.30		≧450	≧620	D 3577
24.00~26.00	2.50~3.50	5.50~7.50		N 0.08~0.30		≧450	≧620	G 3463
11.50~14.50				Al 0.10~0.30		≧205	≧410	D 3577
11.50~14.50				Al 0.10~0.30		≧205	≧410	G 3463
11.5~13.5		≦0.50		Al 0.10~0.30		≧205	≧415	A 268
10.50~11.75				Ti 6×C%~0.75		≧205	≧410	D 3577
10.50~11.75				Ti 6×C%~0.75		≧205	≧410	G 3463
10.50~11.75		≦0.50		Ti 6×C%~0.75		≧205	≧380	A 268
10.50~11.75				Ti 6×C%~0.75		≧175	≧360	D 3577
10.50~11.75				Ti 6×C%~0.75		≧175	≧360	G 3463
10.50~11.75		≦0.50		Ti 6×C%~0.75		≧205	≧380	A 268
11.50~13.50				Ti 6×C%~0.75		≧205	≧410	D 3577
11.50~13.50				Ti 6×C%~0.75		≧205	≧410	G 3463

Notes : ([1]) Thickness ([2]) Yield strength ([3]) Tensile strength

鋼管 (熱伝達用鋼管) Steel tubes (for heat transfer)

索引番号 Index No.	規格名 Std.	記号 Designation	化 学 成 分 (%) Chemical composition					
			鋼材의 두께(1) t (mm)	C	Si	Mn	P	S
F 041	KS	STS 430 LXTB		≦0.030	≦0.75	≦1.00	≦0.040	≦0.030
	JIS	SUS 430 LXTB		≦0.030	≦0.75	≦1.00	≦0.040	≦0.030
	ASTM	TP 430 Ti		≦0.10	≦1.00	≦1.00	≦0.040	≦0.030
F 042	KS	STS 430 J1 LTB		≦0.025	≦1.00	≦1.00	≦0.040	≦0.030
	JIS	SUS 430 J1 LTB		≦0.025	≦1.00	≦1.00	≦0.040	≦0.030
	ASTM	TO 430		≦0.12	≦0.75	≦1.00	≦0.040	≦0.030
F 043	KS	STS 436 LTB		≦0.025	≦1.00	≦1.00	≦0.040	≦0.030
	JIS	SUS 436 LTB		≦0.025	≦1.00	≦1.00	≦0.040	≦0.030
F 044	KS	STS 444 TB		≦0.025	≦1.00	≦1.00	≦0.040	≦0.030
	JIS	SUS 444 TB		≦0.025	≦1.00	≦1.00	≦0.040	≦0.030
	ASTM	S 44400		≦0.025	≦1.00	≦1.00	≦0.040	≦0.030
	BS							
	DIN							
F 045	KS	STS XM 8 TB		≦0.08	≦1.00	≦1.00	≦0.040	≦0.030
	JIS	SUS XM 8 TB		≦0.08	≦1.00	≦1.00	≦0.040	≦0.030
	ASTM	TP 439		≦0.07	≦1.00	≦1.00	≦0.040	≦0.030
	BS							
	DIN							
F 046	KS	STS XM 27 TB		≦0.010	≦0.40	≦0.40	≦0.030	≦0.020
	JIS	SUS XM 27 TB		≦0.010	≦0.40	≦0.40	≦0.030	≦0.020
	ASTM	TPXM-27		≦0.01	≦0.40	≦0.40	≦0.020	≦0.020
	BS							
	DIN							

Index No. F 041~F 046

化学成分 (%) Chemical composition					引張試驗 Tensile requirements			規格番号 Std. No.
Cr	Mo	Ni	Cu	others	鋼材의 두께[1] t (㎜)	降伏点[2] (N/㎟)	引張强度[3] (N/㎟)	
16.00~19.00				Ti 또는 Nb 0.10~1.00		≧175	≧360	D 3577
16.00~19.00				Ti 또는 Nb 0.10~1.00		≧175	≧360	G 3463
16.00~19.50		≦0.75		Ti 5×C%~0.75		≧240	≧415	A 268
16.00~20.00				N <0.025		≧205	≧390	D 3577
				Nb 8×(C+N)~0.80				
16.00~20.00				N <0.025		≧205	≧390	G 3463
				Nb 8×(C+N)~0.80				
16.0~18.0		≦0.50				≧240	≧415	A 268
16.00~19.00	0.75~1.25			N ≦0.025		≧245	≧410	D 3577
				Ti, Nb, Zr 8×(C+N)~0.80				
16.00~19.00	0.75~1.25			N ≦0.025		≧245	≧410	G 3463
				Ti, Nb, Zr 8×(C+N)~0.80				
17.00~20.00	1.75~2.50			N≦0.025, Ti, 단독 또는 복합 (C%+N%)~0.80		≧245	≧410	D 3577
17.00~20.00	1.75~2.50			N≦0.025, Ti, Nb, Zr 단독 또는 복합 8(C%+N%)~0.80		≧245	≧410	G 3463
17.5~19.5	1.75~2.50	≦1.00		N≦0.035 Ti+Cb 0.20 +4(C+N)~0.80		≧240	≧415	A 268
17.00~19.00				Ti 12×C%~1.10		≧205	≧410	D 3577
17.00~19.00				Ti 12×C%~1.10		≧205	≧410	G 3463
17.00~19.00		≦0.50		Al≦0.15,N≦0.04 Ti0.20+4(C% +N%)~1.10		≧205	≧415	A 268
25.00~27.50	0.75~1.50			N≦0.015		≧245	≧410	D 3577
25.00~27.50	0.75~1.50			N≦0.015		≧245	≧410	G 3463
25.0~27.5	0.75~1.50	Ni+Cu ≦0.5	≦0.2	N≦0.015 Cb0.05~0.20		≧275	≧450	A 268

Notes : (1) Thickness (2) Yield strength (3) Tensile strength

鋼管 (熱伝達用鋼管) Steel tubes (for heat transfer)

索引番号 Index No.	規格名 Std.	記号 Designation	化 学 成 分 (%) Chemical composition					
			鋼材의 두께[1] t (mm)	C	Si	Mn	P	S
F 047	KS	STLT 39		≦0.25	≦0.35	≦1.35	≦0.035	≦0.035
	JIS	STBT 380		≦0.25	≦0.35	≦1.35	≦0.035	≦0.035
	ASTM	1		≦0.30		0.40~1.06	≦0.025	≦0.025
	BS	430 LT		≦0.20	≦0.35	0.60~1.20	≦0.035	≦0.035
F 048	KS	STLT 46		≦0.18	0.10~0.35	0.30~0.60	≦0.030	≦0.030
	JIS	STBT 450		≦0.18	0.10~0.35	0.30~0.60	≦0.030	≦0.030
	ASTM	3		≦0.19	0.18~0.37	0.31~0.64	≦0.025	≦0.025
	BS	503 LT		≦0.15	0.15~0.35	0.30~0.80	≦0.025	≦0.020
	DIN	10 Ni 14		≦0.15	≦0.35	0.30~0.80	≦0.025	≦0.020
F 049	KS	STLT 70		≦0.13	0.10~0.35	≦0.90	≦0.030	≦0.030
	JIS	STBL 690		≦0.13	0.10~0.35	≦0.90	≦0.030	≦0.030
	ASTM	8		≦0.13	0.13~0.032	≦0.90	≦0.025	≦0.025
	BS	509 LT		≦0.10	0.10~0.030	0.30~0.080	≦0.025	≦0.020
	DIN	X 8 Ni 9		≦0.10	≦0.35	0.30~0.080	≦0.025	≦0.020
F 050	KS	STF 410		≦0.30	0.10~0.35	0.30~1.00	≦0.035	≦0.035
	JIS	STF 410		≦0.30	0.10~0.35	0.30~1.00	≦0.035	≦0.035
	ASTM							
	BS							
	DIN							
F 051	KS	STFA 12		0.10~0.20	0.10~0.50	0.30~0.80	≦0.035	≦0.035
	JI	STFA 12		0.10~0.20	0.10~0.50	0.30~0.80	≦0.035	≦0.035
	ASTM	T 1		0.10~0.20	0.10~0.50	0.30~0.80	≦0.02	≦0.02
	BS							
	DIN							

Index No. F 047~F 051								
化 学 成 分 (%) Chemical composition					引 張 試 験 Tensile requirements			規格番号 Std. No.
Cr	Mo	Ni	Cu	others	鋼材의 두께([1]) t (㎜)	降伏点([2]) (N/㎟)	引張強度([3]) (N/㎟)	
						≧205	≧380	D 3571
						≧205	≧380	G 3464
						≧205	≧380	A 334
				Al≧0.020	≦16	≧275	430~570	3603
					16<t≦40	≧265	430~570	
					40<t≦65	≧255	430~570	
		3.20~3.80				≧245	≧450	D 3571
		3.20~3.80				≧245	≧450	G 3464
		3.18~3.82				≧240	≧450	A 334
		3.25~3.75		Al≧0.020		≧245	440~590	3603
		3.25~3.75		V≦0.05	≦25	≧345	470~640	17173 17174
					25<t≦40	≧335	470~640	
		8.50~9.50				≧520	≧690	D 3571
		8.50~9.50				≧520	≧690	G 3464
		8.40~9.60				≧520	≧690	A 334
		8.50~9.50		Al≧0.020		≧510	690~840	3603
	≦0.10	8.00~10.00		V≦0.05	≦25	≧490	640~840	17173 17174
					25<t≦40	≧480	640~840	
						≧245	≧410	D 3587
						≧245	≧410	G 3467
	0.45~0.65					≧205	≧380	D 3587
	0.45~0.65					≧205	≧380	G 3467
	0.44~0.65					≧207	≧379	A 161

Notes : ([1]) Thickness ([2]) Yield strength ([3]) Tensile strength

鋼管 (熱伝達用鋼管) Steel tubes (for heat transfer)

索引番号 Index No.	規格名 Std.	記号 Designation	化 学 成 分 (%) Chemical composition					
			鋼材의 두께[1] t (mm)	C	Si	Mn	P	S
F 052	KS	STFA 22		≦0.15	≦0.50	0.30～0.60	≦0.035	≦0.035
	JIS	STFA 22		≦0.15	≦0.50	0.30～0.60	≦0.035	≦0.035
	ASTM							
	BS							
	DIN							
F 053	KS	STFA 23		≦0.15	0.50～1.00	0.30～0.60	≦0.030	≦0.030
	JIS	STFA 23		≦0.15	0.50～1.00	0.30～0.60	≦0.030	≦0.030
	ASTM	T 11		0.05～0.15	0.50～1.00	0.30～0.60	≦0.025	≦0.025
	BS							
	DIN							
F 054	KS	STFA 24		≦0.15	≦0.50	0.30～0.60	≦0.030	≦0.030
	JIS	STFA 24		≦0.15	≦0.50	0.30～0.60	≦0.030	≦0.030
	ASTM	T 22		0.05～0.15	≦0.50	0.30～0.60	≦0.025	≦0.025
	BS							
	DIN							
F 055	KS	STFA 25		≦0.15	≦0.50	0.30～0.60	≦0.030	≦0.030
	JIS	STFA 25		≦0.15	≦0.50	0.30～0.60	≦0.030	≦0.030
	ASTM	T 5		≦0.15	≦0.50	0.30～0.60	≦0.025	≦0.025
	BS							
	DIN							
F 056	KS	STFA 26		≦0.15	0.25～1.00	0.30～0.60	≦0.030	≦0.030
	JIS	STFA 26		≦0.15	0.25～1.00	0.30～0.60	≦0.030	≦0.030
	ASTM	T 9		≦0.15	0.25～1.00	0.30～0.60	≦0.025	≦0.025
	BS							
	DIN							

Index No. F 052~F 056

化 学 成 分 (%) Chemical composition					引 張 試 験 Tensile requirements			規格番号 Std. No.
Cr	Mo	Ni	Cu	others	鋼材의 두께([1]) t (㎜)	降伏点([2]) (N/㎟)	引張强度([3]) (N/㎟)	
0.80~1.25	0.45~0.65					≧205	≧410	D 3587
0.80~1.25	0.45~0.65					≧205	≧410	G 3467
1.00~1.50	0.45~0.65					≧205	≧410	D 3587
1.00~1.50	0.45~0.65					≧205	≧410	G 3467
1.00~1.50	0.44~0.65					≧172	≧414	A 200
1.90~2.60	0.87~1.13					≧205	≧410	D 3587
1.90~2.60	0.87~1.13					≧205	≧410	G 3467
1.90~2.60	0.87~1.13					≧172	≧414	A 200
4.00~6.00	0.45~0.65					≧205	≧410	D 3587
4.00~6.00	0.45~0.65					≧205	≧410	G 3467
4.00~6.00	0.45~0.65					≧172	≧414	A 200
8.00~10.00	0.90~1.10					≧205	≧410	D 3587
8.00~10.00	0.90~1.10					≧205	≧410	G 3467
8.00~10.00	0.90~1.10					≧172	≧414	A 200

Notes : ([1]) Thickness ([2]) Yield strength ([3]) Tensile strength

鋼管 (熱伝達用鋼管) Steel tubes (for heat transfer)

索引番号 Index No.	規格名 Std.	記号 Designation	化学成分 (%) Chemical composition					
			鋼材의 두께([1]) t (mm)	C	Si	Mn	P	S
F 057	KS	NCF 800 TF		≦0.10	≦1.00	≦1.50	≦0.030	≦0.015
	JIS	NCF 800 TF		≦0.10	≦1.00	≦1.50	≦0.030	≦0.015
	ASTM							
	BS							
	DIN							
F 058	KS	NCF 800 HTF		0.05~0.10	≦1.00	≦1.50	≦0.030	≦0.015
	JIS	NCF 800 HTF		0.05~0.10	≦1.00	≦1.50	≦0.030	≦0.015
	ASTM							
	BS							
	DIN							
F 059	KS	STS 304 TF		≦0.08	≦1.00	≦2.00	≦0.040	≦0.030
	JIS	SUS 304 TF		≦0.08	≦1.00	≦2.00	≦0.040	≦0.030
	ASTM	TP 304		≦0.08	≦0.75	≦2.00	≦0.040	≦0.030
	BS							
	DIN							
F 060	KS	STS 304 HTF		0.04~0.10	≦0.75	≦2.00	≦0.040	≦0.030
	JIS	SUS 304 HTF		0.04~0.10	≦0.75	≦2.00	≦0.040	≦0.030
	ASTM	TP 304 H		0.04~0.10	≦0.75	≦2.00	≦0.040	≦0.030
	BS							
	DIN							
F 061	KS	STS 309 TF		≦0.15	≦1.00	≦2.00	≦0.040	≦0.030
	JIS	SUS 309 TF		≦0.15	≦1.00	≦2.00	≦0.040	≦0.030
	ASTM							
	BS							
	DIN							

Index No. F 057~F 061

化 学 成 分 (%) Chemical composition					引 張 試 験 Tensile requirements			規格番号 Std. No.
Cr	Mo	Ni	Cu	others	鋼材의 두께(1) t (㎜)	降伏点(2) (N/㎟)	引張强度(3) (N/㎟)	
19.00~23.00		30.00~35.00		Cu≦0.75,Al=0.15~0.60,Ti=0.15~0.60	冷間加工	≧205	≧520	D 3587
					熱間加工	≧175	≧450	
19.00~23.00		30.00~35.00		Cu≦0.75,Al=0.15~0.60,Ti=0.15~0.60	熱間加工	≧205	≧520	G 3467
					熱間加工	≧175	≧450	
19.00~23.00		30.00~35.00		Cu≦0.75,Al=0.15~0.60,Ti=0.15~0.60		≧175	≧450	D 3587
19.00~23.00		30.00~35.00		Cu≦0.75,Al=0.15~0.60,Ti=0.15~0.60		≧175	≧450	G 3467
18.00~20.00		8.00~11.00				≧205	≧520	D 3587
18.00~20.00		8.00~11.00				≧205	≧520	G 3467
18.0~20.0		8.00~11.0				≧205	≧515	A 271
18.00~20.00		8.00~11.00				≧205	≧520	D 3587
18.00~20.00		8.00~11.00				≧205	≧520	G 3467
18.0~20.0		8.00~11.0				≧205	≧515	A 271
22.00~24.00		12.00~15.00				≧205	≧520	D 3587
22.00~24.00		12.00~15.00				≧205	≧520	G 3467

Notes : (1) Thickness (2) Yield strength (3) Tensile strength

鋼管 (熱伝達用鋼管) Steel tubes (for heat transfer)

索引番号 Index No.	規格名 Std.	記号 Designation	化学成分 (%) Chemical composition					
			鋼材의 두께([1]) t (㎜)	C	Si	Mn	P	S
F 062	KS	STS 310 TF		≦0.15	≦1.50	≦2.00	≦0.040	≦0.030
	JIS	SUS 310 TF		≦0.15	≦1.50	≦2.00	≦0.040	≦0.030
	ASTM							
	BS							
	DIN							
F 063	KS	STS 316 TF		≦0.08	≦1.00	≦2.00	≦0.040	≦0.030
	JIS	SUS 316 TF		≦0.08	≦1.00	≦2.00	≦0.040	≦0.030
	ASTM	TP 316		≦0.08	≦0.75	≦2.00	≦0.040	≦0.030
	BS							
	DIN							
F 064	KS	STS 316 HTF		0.04~0.10	≦0.75	≦2.00	≦0.030	≦0.030
	JIS	SUS 316 HTF		0.04~0.10	≦0.75	≦2.00	≦0.030	≦0.030
	ASTM	TP 316 H		0.04~0.10	≦0.75	≦2.00	≦0.040	≦0.030
	BS							
	DIN							
F 065	KS	STS 321 TF		≦0.08	≦1.00	≦2.00	≦0.040	≦0.030
	JIS	SUS 321 TF		≦0.08	≦1.00	≦2.00	≦0.040	≦0.030
	ASTM	TP 321		≦0.08	≦0.75	≦2.00	≦0.040	≦0.030
	BS							
	DIN							
F 066	KS	STS 321 HTF		0.04~0.10	≦0.75	≦2.00	≦0.030	≦0.030
	JIS	SUS 321 HTF		0.04~0.10	≦0.75	≦2.00	≦0.030	≦0.030
	ASTM	TP 321 H		0.04~0.10	≦0.75	≦2.00	≦0.040	≦0.030
	BS							
	DIN							

Index No. F 062~F 066

化学成分 (%) Chemical composition					引張試験 Tensile requirements			規格番号 Std. No.
Cr	Mo	Ni	Cu	others	鋼材의 두께(1) t (㎜)	降伏点(2) (N/㎟)	引張强度(3) (N/㎟)	
24.00~26.00		19.00~22.00				≧205	≧520	D 3587
24.00~26.00		19.00~22.00				≧205	≧520	G 3467
16.00~18.00	2.00~3.00	10.00~14.00				≧205	≧520	D 3587
16.00~18.00	2.00~3.00	10.00~14.00				≧205	≧520	G 3467
16.0~18.0	2.00~3.00	11.0~14.0				≧205	≧515	A 271
16.00~18.00	2.00~3.00	11.00~14.00				≧205	≧520	D 3587
16.00~18.00	2.00~3.00	11.00~14.00				≧205	≧520	G 3467
16.0~18.0	2.00~3.00	11.0~14.0				≧205	≧515	A 271
17.00~19.00		9.00~13.00		Ti≧5×C%		≧205	≧520	D 3587
17.00~19.00		9.00~13.00		Ti≧5×C%		≧205	≧520	G 3467
17.0~20.0		9.00~13.0		Ti 5×C%~0.60		≧205	≧515	A 271
17.00~20.00		9.00~13.00		Ti 4×C%~0.60		≧205	≧520	D 3587
17.00~20.00		9.00~13.00		Ti 4×C%~0.60		≧205	≧520	G 3467
17.0~20.0		9.00~13.0		Ti 4×C%~0.60		≧205	≧515	A 271

Notes : (1) Thickness (2) Yield strength (3) Tensile strength

鋼管 (熱伝達用鋼管) Steel tubes (for heat transfer)

索引番号 Index No.	規格名 Std.	記号 Designation	化 学 成 分 (%) Chemical composition					
			鋼材의 두께(1) t (㎜)	C	Si	Mn	P	S
F 067	KS	STS 347 TF		≦0.08	≦1.00	≦2.00	≦0.040	≦0.030
	JIS	SUS 347 TF		≦0.08	≦1.00	≦2.00	≦0.040	≦0.030
	ASTM	TP 347		≦0.08	≦0.75	≦2.00	≦0.040	≦0.030
	BS							
	DIN							
F 068	KS	STS 347 HTF		0.04~0.10	≦0.75	≦2.00	≦0.030	≦0.030
	JIS	SUS 347 HTF		0.04~0.10	≦0.75	≦2.00	≦0.030	≦0.030
	ASTM	TP 347 H		0.04~0.10	≦0.75	≦2.00	≦0.040	≦0.030
	BS							
	DIN							

Index No. F 067~F 068

化学成分 (%) Chemical composition					引張試験 Tensile requirements			規格番号 Std. No.
Cr	Mo	Ni	Cu	others	鋼材의 두께[1] t (mm)	降伏点[2] (N/mm²)	引張強度[3] (N/mm²)	
17.00~19.00		9.00~13.00		Nb ≧10×C%		≧205	≧520	D 3587
17.00~19.00		9.00~13.00		Nb ≧10×C%		≧205	≧520	G 3467
17.0~20.0		9.00~13.0		Cb+Ta 10×C%~1.00		≧205	≧515	A 271
17.00~20.00		9.00~13.00		Nb 8×C%~1.00		≧205	≧520	D 3587
17.00~20.00		9.00~13.00		Nb 8×C%~1.00		≧205	≧520	G 3467
17.0~20.0		9.00~13.0		Cb+Ta 8×C%~1.0		≧205	≧515	A 271

Notes : [1] Thickness [2] Yield strength [3] Tensile strength

鋼管 (溝造用鋼管) Steel pipes (for structural purposes)

索引番号 Index No.	規格名 Std.	記号 Designation	化 学 成 分 (%) Chemical composition					
			鋼材의 두께[1] t (mm)	C	Si	Mn	P	S
G 001	KS	SCr 420 TK		0.18~0.23	0.15~0.35	0.60~0.85	≦0.030	≦0.030
	JIS	SCr 420 TK		0.18~0.23	0.15~0.35	0.60~0.85	≦0.030	≦0.030
	ASTM							
	BS							
	DIN							
G 002	KS	SCM 415 TK		0.13~0.18	0.15~0.35	0.60~0.85	≦0.030	≦0.030
	JIS	SCM 415 TK		0.13~0.18	0.15~0.35	0.60~0.85	≦0.030	≦0.030
	ASTM							
	BS							
	DIN							
G 003	KS	SCM 418 TK		0.16~0.21	0.15~0.35	0.60~0.85	≦0.030	≦0.030
	JIS	SCM 418 TK		0.16~0.21	0.15~0.35	0.60~0.85	≦0.030	≦0.030
	ASTM							
	BS							
	DIN							
G 004	KS	SCM 420 TK		0.18~0.23	0.15~0.35	0.60~0.85	≦0.030	≦0.030
	JIS	SCM 420 TK		0.18~0.23	0.15~0.35	0.60~0.85	≦0.030	≦0.030
	ASTM							
	BS	CFS 10		≦0.26	≦0.35	≦0.80	≦0.050	≦0.050
	DIN							
G 005	KS	SCM 430 TK		0.18~0.23	0.15~0.35	0.60~0.85	≦0.030	≦0.030
	JIS	SCM 430 TK		0.18~0.23	0.15~0.35	0.60~0.85	≦0.030	≦0.030
	ASTM							
	BS							
	DIN							

Index No. G 001~G 005

化学成分 (%) Chemical composition					引張試験 Tensile requirements			規格番号 Std. No.
Cr	Mo	Ni	Cu	others	熱処理(2)(3)	降伏点(4) (N/㎟)	引張強度(5) (N/㎟)	
0.90~1.20				(6)	QT		≧834(7)	D 3574
0.90~1.20				(6)	QT		≧834(7)	G 3441
0.90~1.20	0.15~0.30			(6)	QT		≧834(7)	D 3574
0.90~1.20	0.15~0.30			(6)	QT		≧834(7)	G 3441
0.90~1.20	0.15~0.30			(6)	QT		≧833(7)	D 3574
0.90~1.20	0.15~0.30			(6)	QT		≧833(7)	G 3441
0.90~1.20	0.15~0.30			(6)	QT		≧932(7)	D 3574
0.90~1.20	0.15~0.30			(6)	QT		≧932(7)	G 3441
0.80~1.20	0.15~0.30				CF/hard	≧575	≧720	6323-4
					CF/soft	≧470	≧670	
0.90~1.20	0.15~0.30			(6)		≧686(7)	≧834(7)	D 3574
0.90~1.20	0.15~0.30			(6)		≧686(7)	≧834(7)	G 3441

Notes : (1) Thickness (2) Heat treatment (3) QT(퀜칭-템퍼링), CF(냉간가공), AR(제조상태 그대로), SR(응력제거 어닐링), A(어닐링), AW(용접된 상태), N(노말라이징), MD(맨드렐 인발 튜브), SD(공심 인발 튜브) ST(고용화 열처리) (4) Yield strength (5) Tensile strength (6) 각 강종에서 불순물로서 Ni 0.25%, Cu 0.30%를 넘지 않아야 한다. (7) 참고치

鋼管 (溝造用鋼管) Steel pipes (for structural purposes)

索引番号 Index No.	規格名 Std.	記号 Designation	化 学 成 分 (%) Chemical composition					
			鋼材의 두께[1] t (mm)	C	Si	Mn	P	S
G 006	KS	SCM 435 TK		0.33~0.38	0.15~0.35	0.60~0.85	≦0.030	≦0.030
	JIS	SCM 435 TK		0.33~0.38	0.15~0.35	0.60~0.85	≦0.030	≦0.030
	ASTM							
	BS							
	DIN							
G 007	KS	SCM 440 TK		0.38~0.43	0.15~0.35	0.60~0.85	≦0.030	≦0.030
	JIS	SCM 440 TK		0.38~0.43	0.15~0.35	0.60~0.85	≦0.030	≦0.030
	ASTM							
	BS	CFS 11		≦0.45	≦0.35	≦1.00	≦0.050	≦0.050
	DIN							
G 008	KS	STK 290					≦0.050	≦0.050
	KS	STK 290					≦0.050	≦0.050
	ASTM	A		≦0.26			≦0.035	≦0.035
	BS	HFW 2		≦0.16		≦0.70	≦0.050	≦0.050
		ERW 1		≦0.13		≦0.60	≦0.050	≦0.050
	DIN							
	ISO	TS 1		≦0.16		0.30~0.70	≦0.050	≦0.050
G 009	KS	STK 400		≦0.25			≦0.040	≦0.040
	JIS	STK 400		≦0.25			≦0.040	≦0.040
	ASTM	*		≦0.26			≦0.035	≦0.035
	BS	HFW 4		≦0.25	≦0.35	≦1.20	≦0.050	≦0.050
		HFS 4		≦0.25	≦0.35	≦1.20	≦0.050	≦0.050
		SAW 4		≦0.25	≦0.35	≦1.20	≦0.050	≦0.050
	DIN	St 44-2		≦0.21			≦0.050	≦0.050
		St 44-2		≦0.21			≦0.050	≦0.050
	ISO	TS 9		≦0.21	≦0.35	0.40~1.20	≦0.045	≦0.045

Index No. G 006~G 009

化学成分 (%) Chemical composition					引張試験 Tensile requirements			規格番号 Std. No.
Cr	Mo	Ni	Cu	others	熱処理(2)(3)	降伏点(4) (N/㎟)	引張强度(5) (N/㎟)	
0.90~1.20	0.15~0.30			(6)	QT	≧785(7)	≧932(7)	D 3574
0.90~1.20	0.15~0.30			(6)	QT	≧785(7)	≧932(7)	G 3441
0.90~1.20	0.15~0.30			(6)	QT	≧834(7)	≧981(7)	D 3574
0.90~1.20	0.15~0.30			(6)	QT	≧834(7)	≧981(7)	G 3441
					CF/hard	≧575	≧720	6323-4
					CF/soft	-	≧670	
					AR		≧290	D 3566
					AR		≧290	G 3444
			指定時≧0.20		AR, SR, 또는 A	≧288	≧310	A500
					AR	≧195	≧320	6323-2
					AR	≧200	≧300	6323-5
					AR	≧195	320~440	2937
						≧235	≧400	D 3566
						≧235	≧400	G 3444
			指定時 ≧0.20			≧250	≧400	A 501
					AR	≧235	≧410	6323-2
					AR	≧235	≦410	6323-3
					AW	≧235	≧410	6323-7
				N≦0.009		≧275(8)	410~540	17120
				N≦0.009		≧275(8)	410~540	17121
					AR	≧235	410~530	2937

Notes : (1) Thickness (2) Heat treatment (3) QT(퀜칭-템퍼링), CF(냉간가공), AR(제조상태 그대로), SR(응력제거 어닐링), A(어닐링), AW(용접된 상태), N(노말라이징), MD(맨더랠 인발 튜브), SD(공심 인발 튜브) ST(고용화 열처리) (4) Yield strength (5) Tensile strength (6) 각 강종에서 불순물로서 Ni 0.25%, Cu 0.30%를 넘지 않아야 한다. (7) 참고치 (8) 두께≦16㎜≧275, 16㎜ <두께≦40㎜≧265

鋼管 (溝造用鋼管) Steel pipes (for structural purposes)

索引番号 Index No.	規格名 Std.	記号 Designation	化 学 成 分 (%) Chemical composition					
			鋼材의 두께(1) t (mm)	C	Si	Mn	P	S
G 010	KS	STK 500		≦0.24	≦0.35	0.30~1.30	≦0.040	≦0.040
	JIS	STK 500		≦0.24	≦0.35	0.30~1.30	≦0.040	≦0.040
	ASTM							
	BD							
	DIN							
G 011	KS	STK 490		≦0.18	≦0.55	≦1.50	≦0.040	≦0.040
	JIS	STK 490		≦0.18	≦0.55	≦1.50	≦0.040	≦0.040
	ASTM							
	BS	HFW 5		≦0.23	≦0.35	≦1.50	≦0.050	≦0.050
		HFS 5		≦0.23	≦0.50	≦1.50	≦0.050	≦0.050
		SAW 5		≦0.23	≦0.50	≦1.50	≦0.050	≦0.050
	DIN	St 52-3		≦0.22	≦0.55	≦1.60	≦0.040	≦0.040
		St 52-3		≦0.22	≦0.55	≦1.60	≦0.040	≦0.040
	ISO	TS 18		≦0.23	≦0.35	0.80~1.50	≦0.045	≦0.045
G 012	KS	STK 540		≦0.23	≦0.55	≦1.50	≦0.040	≦0.040
	JIS	STK 540		≦0.23	≦0.55	≦1.50	≦0.040	≦0.040
	ASTM							
	BS							
	DIN							
G 013	KS	STKM 11 A		≦0.12	≦0.35	≦0.60	≦0.040	≦0.040
	JIS	STKM 11 A		≦0.12	≦0.35	≦0.60	≦0.040	≦0.040
	ASTM	1008		≦0.10		≦0.50	≦0.035	≦0.035
	BS	ERW C1		≦0.13		≦0.60	≦0.050	≦0.050
		HFW 2		≦0.16		≦0.70	≦0.050	≦0.050
		ERW 1		≦0.13		≦0.60	≦0.0050	≦0.050
	DIN	St 34-2		≦0.15				

Index No. G 010~G 013

化学成分 (%) Chemical composition					引張試験 Tensile requirements			規格番号 Std. No.
Cr	Mo	Ni	Cu	others	熱処理([2])([3])	降伏点([4]) (N/㎟)	引張強度([5]) (N/㎟)	
					AR	≧355	≧500	D 3566
					AR	≧355	≧500	G 3444
					AR	≧315	≧490	D 3566
					AR	≧315	≧490	G 3444
					AR	≧340	≧490	6323-2
					AR	≧340	≧490	6323-3
					AW	≧340	≧490	6323-7
						≧355([7])	490~630	17120
						≧355([7])	490~630	17121
					AR	≧285	490~610	2937
						≧390	≧540	D 3566
						≧390	≧540	G 3444
					([6])		≧290	D 3517
					([6])		≧290	G 3445
					AW	≧207([8])	≧290([8])	A 513
					AW	≧200	≧300	1717
					AR	≧195	≧320	6323-2
					AR	≧200	≧300	6323-5
					N	≧205	310~410	2393-2

Notes : ([1]) Thickness ([2]) Heat treatment ([3]) QT(퀜칭-템퍼링), CF(냉간가공), AR(제조상태 그대로), SR(응력제거 어닐링), A(어닐링), AW(용접된 상태), N(노말라이징), MD(맨더랠 인발 튜브), SD(공심 인발 튜브) ST(고용화 열처리) ([4]) Yield strength ([5]) Tensile strength ([6]) 특별히 규정하지 않는다. ([7]) 두께≦16㎜≧355, 16㎜ <두께≦40㎜≧345 ([8]) 인장시험 요구가 있을 때

鋼管 (溝造用鋼管) Steel pipes (for structural purposes)

索引番号 Index No.	規格名 Std.	記号 Designation	化 学 成 分 (%) Chemical composition					
			鋼材의 두께([1]) t (mm)	C	Si	Mn	P	S
G 014	KS	STKM 12A		≦0.20	≦0.035	≦0.60	≦0.040	≦0.040
	JIS	STKM 12A		≦0.20	≦0.035	≦0.60	≦0.040	≦0.040
	ASTM							
	BS							
	DIN							
	ISO	R 33		≦0.16		≦0.70	≦0.050	≦0.050
		R 33		≦0.16		≦0.70	≦0.050	≦0.050
		R 33		≦0.16		≦0.70	≦0.050	≦0.050
G 015	KS	STKM 13A		≦0.25	≦0.35	0.30~0.90	≦0.040	≦0.040
	JIS	STKM 13A		≦0.25	≦0.35	0.30~0.90	≦0.040	≦0.040
	ASTM	1020		0.18~0.23		0.30~0.60	≦0.040	≦0.050
	BS	CFS C3		≦0.20	≦0.35	≦0.9	≦0.050	≦0.050
		ERW C3		≦0.20	≦0.35	≦0.90	≦0.050	≦0.050
		CEW C3		≦0.20	≦0.35	≦0.90	≦0.050	≦0.050
		HFW 3		≦0.20	≦0.35	≦0.90	≦0.050	≦0.050
		HFS 3		≦0.20	≦0.35	≦0.90	≦0.050	≦0.050
		CFS 3		≦0.20	≦0.35	≦0.90	≦0.050	≦0.050
		ERW 3		≦0.20	≦0.35	≦0.90	≦0.050	≦0.050
		CEW 3		≦0.20	≦0.35	≦0.90	≦0.050	≦0.050
	DIN							
	ISO	R 37		≦0.17	≦0.35	≦0.8	≦0.050	≦0.050
	ISO	R 37		≦0.17	≦0.35	≦0.8	≦0.050	≦0.050
	ISO	R 37		≦0.17	≦0.35	≦0.8	≦0.050	≦0.050
G 016	KS	STKM 12B		≦0.20	≦0.35	≦0.60	≦0.040	≦0.040
	JIS	STKM 12B		≦0.20	≦0.35	≦0.60	≦0.040	≦0.040
	ASTM							
	BS							
	DIN	St 44-2		≦0.21			≦0.050	≦0.050

Index No. G 014~G 016

化 学 成 分 (%) Chemical composition					引 張 試 験 Tensile requirements			規格番号 Std. No.
Cr	Mo	Ni	Cu	others	熱処理([2])([3])	降伏点([4]) (N/㎟)	引張強度([5]) (N/㎟)	
					([6])	≧175	≧340	D 3517
					([6])	≧175	≧340	G 3445
					N	≧195	≧320	3304
					N	≧195	≧320	3305
					N	≧195	≧320	3306
					([6])	≧215	≧370	D 3517
					([6])	≧215	≧370	G 3445
					N	≧234([7])	≧379([7])	A 519
					N	≧215	≧360	1717
					N	≧215	≧360	1717
					N	≧215	≧360	1717
					AR	≧215	≧360	6323-2
					AR	≧215	≧360	6323-3
					N	≧215	≧360	6323-4
					N	≧215	≧360	6323-5
					N	≧215	≧360	6323-6
					N	≧215	≧360	3304
					N	≧215	≧360	3305
					N	≧215	≧360	3306
					([6])	≧275	≧390	D 3517
					([6])	≧275	≧390	G 3445
					N	≧255	410~540	2393-2

Notes : ([1]) Thickness ([2]) Heat treatment ([3]) QT(퀜칭-템퍼링), CF(냉간가공), AR(제조상태 그대로), SR(응력제거 어닐링), A(어닐링), AW(용접된 상태), N(노말라이징), MD(맨더랠 인발 튜브), SD(공심 인발 튜브) ST(고용화 열처리) ([4]) Yield strength ([5]) Tensile strength ([6]) 특별히 규정하지 않는다. ([7]) 참고치

鋼管 (溝造用鋼管) Steel pipes (for structural purposes)

索引番号 Index No.	規格名 Std.	記号 Designation	化学成分 (%) Chemical composition					
			鋼材의 두께[1] t (mm)	C	Si	Mn	P	S
G 017	KS	STKM 12C		≦0.20	≦0.35	≦0.60	≦0.040	≦0.040
	JIS	STKM 12C		≦0.20	≦0.35	≦0.60	≦0.040	≦0.040
	ASTM							
	BS	CFS C3		≦0.20	≦0.35	≦0.9	≦0.050	≦0.050
		CEW C3		≦0.20	≦0.35	≦0.90	≦0.050	≦0.050
	DIN							
G 018	KS	STKM 13B		≦0.25	≦0.35	0.30～0.90	≦0.040	≦0.040
	JIS	STKM 13B		≦0.25	≦0.35	0.30～0.90	≦0.040	≦0.040
	ASTM							
	BS							
	DIN							
G 019	KS	STKM 14A		≦0.30	≦0.35	0.30～1.00	≦0.040	≦0.040
	JIS	STKM 14A		≦0.30	≦0.35	0.30～1.00	≦0.040	≦0.040
	ASTM							
	BS	CFS C4		≦0.25	≦0.035	0.6～1.0	≦0.050	≦0.050
	DIN	St 45		≦0.21	≦0.035	≧0.40	≦0.050	≦0.050
G 020	KS	STKM 15A		0.25～0.35	≦0.35	0.30～1.00	≦0.040	≦0.040
	JIS	STKM 15A		0.25～0.35	≦0.35	0.30～1.00	≦0.040	≦0.040
	ASTM							
	BS							
	DIN							
G 021	KS	STKM 18 A		≦0.18	≦0.55	≦1.50	≦0.040	≦0.040
	JIS	STKM 18 A		≦0.18	≦0.55	≦1.50	≦0.040	≦0.040
	ASTM							
	BS							
	DIN							

Index No. G 017~G 021

化学成分 (%) Chemical composition					引張試験 Tensile requirements			規格番号 Std. No.
Cr	Mo	Ni	Cu	others	熱処理(2)(3)	降伏点(4) (N/㎟)	引張强度(5) (N/㎟)	
					(6)	≧355	≧470	D 3517
					(6)	≧355	≧470	G 3445
					CF/hard	≧360	≧450	1717
					CF/hard	≧360	≧450	1717
					(6)	≧305	≧440	D 3517
					(6)	≧305	≧440	G 3445
					(6)	≧245	≧410	D 3517
					(6)	≧245	≧410	G 3445
					N	≧235	≧410	1717
					N	≧235	440~570	2391-2
					(6)	≧275	≧470	D 3517
					(6)	≧275	≧470	G 3445
					(6)	≧275	≧440	D 3517
					(6)	≧275	≧440	G 3445

Notes : (1) Thickness (2) Heat treatment (3) QT(퀜칭-템퍼링), CF(냉간가공), AR(제조상태 그대로), SR(응력제거 어닐링), A(어닐링), AW(용접된 상태), N(노말라이징), MD(맨더렐 인발 튜브), SD(공심 인발 튜브) ST(고용화 열처리) (4) Yield strength (5) Tensile strength (6) 특별히 규정하지 않는다.

鋼管 (構造用鋼管) Steel pipes (for structural purposes)

索引番号 Index No.	規格名 Std.	記号 Designation	化 学 成 分 (%) Chemical composition					
			鋼材의 두께[1] t (mm)	C	Si	Mn	P	S
G 022	KS	STKM 13 C		≦0.25	≦0.35	0.30~0.90	≦0.040	≦0.040
	JIS	STKM 13 C		≦0.25	≦0.35	0.30~0.90	≦0.040	≦0.040
	ASTM	1020		0.17~0.23		0.30~0.60	≦0.035	≦0.035
		1020		0.18~0.23		0.30~0.60	≦0.040	≦0.050
	BS	CFS C4		≦0.25	≦0.35	0.60~1.00	≦0.050	≦0.050
	DIN	St 45		≦0.21	≦0.35	≧0.40	≦0.050	≦0.050
G 023	KS	STKM 14 B		≦0.30	≦0.35	0.30~1.00	≦0.040	≦0.040
	JIS	STKM 14 B		≦0.30	≦0.35	0.30~1.0.0	≦0.040	≦0.040
	ASTM	1026		0.22~0.28		0.30~0.60	≦0.035	≦0.035
		1025		0.22~0.28		0.30~0.60	≦0.040	≦0.050
	BS							
	DIN							
G 024	KS	STKM 14 C		≦0.30	≦0.35	0.30~1.00	≦0.040	≦0.040
	JIS	STKM 14 C		≦0.30	≦0.35	0.30~1.00	≦0.040	≦0.040
	ASTM	1026		0.22~0.28		0.60~0.90	≦0.035	≦0.035
		1025		0.22~0.28		0.30~0.60	≦0.040	≦0.050
	BS							
	DIN							
G 025	KS	STKM 16 A		0.35~0.45	≦0.40	0.40~1.00	≦0.040	≦0.040
	JIS	STKM 16 A		0.35~0.45	≦0.40	0.40~1.00	≦0.040	≦0.040
	ASTM							
	BS							
	DIN							
G 026	KS	STKM 17 A		0.45~055	≦0.40	0.40~1.00	≦0.040	≦0.040
	JIS	STKM 17 A		0.45~0.55	≦0.40	0.40~1.00	≦0.040	≦0.040
	ASTM	1050		0.48~0.55		0.60~0.90	≦0.040	≦0.050
	BS	CFS 8		0.40~0.55	≦0.35	0.50~0.90	≦0.050	≦0.050
	DIN							

Index No. G 022~G 026

化 学 成 分 (%) Chemical composition					引 張 試 験 Tensile requirements			規格番号 Std. No.
Cr	Mo	Ni	Cu	others	熱処理([2])([3])	降伏点([4]) (N/㎟)	引張强度([5]) (N/㎟)	
					([6])	≧380	≧510	D 3517
					([6])	≧380	≧510	G 3445
					MD	≧414([7])	≧483([7])	A 513
					CF	≧414([8])	≧483([8])	A 519
					CF/Hard	≧414	≧520	1717
					CF/Hard		≧580	2391-2
					([6])	≧355	≧500	D 3517
					([6])	≧355	≧500	G 3445
					SD	≧379([7])	≧483([7])	A 513
					SR	≧379([8])	≧483([8])	A 519
					([6])	≧410	≧550	D 3517
					([6])	≧410	≧550	G 3445
					MD+SR	≧448([7])	≧517([7])	A 513
					CF	≧448([8])	≧517([8])	A 519
					([6])	≧325	≧510	D 3517
					([6])	≧325	≧510	G 3445
					([6])	≧345	≧550	D 3517
					([6])	≧345	≧550	G 3445
					N	≧345([8])	≧538([8])	A 519
					N	≧340	≧540	6323-4

Notes : ([1]) Thickness ([2]) Heat treatment ([3]) QT(퀜칭-템퍼링), CF(냉간가공), AR(제조상태 그대로), SR(응력제거 어닐링), A(어닐링), AW(용접된 상태), N(노말라이징), MD(맨더렐 인발 튜브), SD(공심 인발 튜브) ST(고용화 열처리)
([4]) Yield strength ([5]) Tensile strength ([6]) 특별히 규정하지 않는다. ([7]) 인장시험 요구가 있을 때 ([8]) 참고치

鋼管 (構造用鋼管) Steel pipes (for structural purposes)

索引番号 Index No.	規格名 Std.	記号 Designation	化 学 成 分 (%) Chemical composition					
			鋼材의 두께([1]) t (mm)	C	Si	Mn	P	S
G 027	KS	STKM 18 B		≦0.18	≦0.55	≦1.50	≦0.040	≦0.040
	JIS	STKM 18 B		≦0.18	≦0.55	≦1.50	≦0.040	≦0.040
	ASTM							
	GS	HFW 5		≦0.23	≦0.35	≦1.50	≦0.050	≦0.050
		HFS 5		≦0.23	≦0.50	≦1.50	≦0.050	≦0.050
		CFS 5		≦0.23	≦0.50	≦1.50	≦0.050	≦0.050
		ERW 5		≦0.23	≦0.50	≦1.50	≦0.050	≦0.050
		CEW 5		≦0.23	≦0.50	≦1.50	≦0.050	≦0.050
	DIN							
	ISO	R50		≦0.23	≦0.55	≦1.6	≦0.050	≦0.050
	ISO	R50		≦0.23	≦0.55	≦1.6	≦0.050	≦0.050
	ISO	R50		≦0.23	≦0.55	≦1.6	≦0.050	≦0.050
G 028	KS	STKM 18 C		≦0.18	≦0.55	≦1.50	≦0.040	≦0.040
	JIS	STKM 18 C		≦0.18	≦0.55	≦1.50	≦0.040	≦0.040
	ASTM							
	BS	CFS 5		≦0.23	≦0.50	≦1.50	≦0.050	≦0.050
		CEW 5		≦0.23	≦0.50	≦1.50	≦0.050	≦0.050
	DIN	St 52		≦0.22	≦0.55	≦1.60	≦0.050	≦0.050
		St 52-3		≦0.22	≦0.55	≦1.60	≦0.040	≦0.040
G 029	KS	STKM 15 C		0.25~0.35	≦0.35	0.30~1.00	≦0.040	≦0.040
	JIS	STKM 15 C		0.25~0.35	≦0.35	0.30~ 1.00	≦0.040	≦0.040
	ASTM							
	BS	CFS 6		0.30~0.40	≦0.35	0.50~0.90	≦0.050	≦0.050
	DIN							
G 030	KS	STKM 16 C		0.35~0.45	≦0.40	0.40~1.00	≦0.040	≦0.040
	JIS	STKM 16 C		0.35~0.45	≦0.40	0.40~1.00	≦0.040	≦0.040
	ASTM							
	BS							
	DIN							

Index No. G 027 ~ G 030

化 学 成 分 (%) Chemical composition					引 張 試 験 Tensile requirements			規格番号 Std. No.
Cr	Mo	Ni	Cu	others	熱処理(2)(3)	降伏点(4) (N/㎟)	引張強度(5) (N/㎟)	
					(6)	≧315	≧490	D 3517
					(6)	≧315	≧490	G 3445
					AR	≧340	≧490	6323-2
					AR	≧340	≧490	6323-3
					N	≧340	≧490	6323-4
					N	≧340	≧490	6323-5
					N	≧340	≧490	6323-6
					N	≧285	≧490	3304
					N	≧285	≧490	3305
					N	≧285	≧490	3306
					(6)	≧380	≧510	D 3517
					(6)	≧380	≧510	G 3445
					CF/soft	≧385	≧550	6323-4
					CF/soft	≧385	≧550	6323-6
					N	≧355	490~630	2391-2
					N	≧355	490~630	2391-2
					(6)	≧430	≧580	D 3517
					(6)	≧430	≧580	G 3445
					CF/hard	≧470	≧590	6323-4
					(6)	≦460	≧620	D 3517
					(6)	≦460	≧620	G 3445

Notes : (1) Thickness (2) Heat treatment (3) QT(퀜칭-템퍼링), CF(냉간가공), AR(제조상태 그대로), SR(응력제거 어닐링), A(어닐링), AW(용접된 상태), N(노말라이징), MD(맨더렐 인발 튜브), SD(공심 인발 튜브) ST(고용화 열처리)
(4) Yield strength (5) Tensile strength (6) 특별히 규정하지 않는다.

鋼管 (構造用鋼管) Steel pipes (for structural purposes)

索引F 号 Index No.	規格名 Std.	記号 Designation	化 学 成 分 (%) Chemical composition					
			鋼材의 두께[1] t (mm)	C	Si	Mn	P	S
G 031	KS	STKM 17 C		0.45～0.55	≦0.40	0.40～1.00	≦0.040	≦0.040
	JIS	STKM 17 C		0.45～0.55	≦0.40	0.40～1.00	≦0.040	≦0.040
	ASTM							
	BS	CFS 8		0.40～0.55	≦0.35	0.50～0.90	≦0.050	≦0.050
	DIN							
G 032	KS	STKM 19 A		≦0.25	≦0.55	≦1.50	≦0.040	≦0.040
	JIS	STKM 19 A		≦0.25	≦0.55	≦1.50	≦0.040	≦0.040
	ASTM							
	BS	CFS 5		≦0.23	≦0.50	≦1.50	≦0.050	≦0.050
		ERW 5		≦0.23	≦0.50	≦1.50	≦0.050	≦0.050
		CEW 5		≦0.23	≦0.50	≦1.50	≦0.050	≦0.050
	DIN	St 52		≦0.22	≦0.55	≦1.60	≦0.050	≦0.050
G 033	KS	STKM 19 C		≦0.25	≦0.55	≦1.50	≦0.040	≦0.040
	JIS	STKM 19 C		≦0.25	≦0.55	≦1.50	≦0.040	≦0.040
	ASTM							
	BS	CFS 5		≦0.23	≦0.50	≦1.50	≦0.050	≦0.050
		CEW 5		≦0.23	≦0.50	≦1.50	≦0.050	≦0.050
	DIN	St 52		≦0.22	≦0.55	≦1.60	≦0.050	≦0.050
G 034	KS	STKM 20 A		≦0.25	≦0.55	≦1.60	≦0.040	≦0.040
	JIS	STKM 20 A		≦0.25	≦0.55	≦1.60	≦0.040	≦0.040
	ASTM							
	BS							
	DIN							
G 035	KS	STS 430 TKA		≦0.12	≦0.75	≦1.00	≦0.040	≦0.030
	JIS	SUS 430 TKA		≦0.12	≦0.75	≦1.00	≦0.040	≦0.030
	ASTM	MT 430		≦0.12	≦1.00	≦1.00	≦0.040	≦0.030
	BS							
	DIN							

Index No. G 031~G 035

化学成分 (%) Chemical composition					引張試験 Tensile requirements			規格番号 Std. No.
Cr	Mo	Ni	Cu	others	熱処理([2])([3])	降伏点([4]) (N/㎟)	引張強度([5]) (N/㎟)	
					([6])	≧480	≧650	D 3517
					([6])	≧480	≧650	G 3445
					CF/soft	≧470	≧670	6323-4
					([6])	≧315	≧490	D 3517
					([6])	≧315	≧490	G 3445
					N	≧340	≧490	6323-4
					N	≧340	≧490	6323-5
					N	≧340	≧490	6323-6
					A		≧490	2391-2
					([6])	≧410	≧550	D 3517
					([6])	≧410	≧550	G 3445
					CF/soft	≧385	≧550	6323-4
					CF/soft	≧385	≧550	6323-6
					CF/soft		≧580	2391-2
				Nb+V ≦0.15	([6])	≧390	≧540	D 3517
					([6])	≧390	≧540	G 3445
16.00~18.00		([7])			A	≧245	≧410	D 3536
16.00~18.00		([7])			A	≧245	≧410	G 3446
16.0~18.0		≦0.50			A	≧241([8])	≧414([8])	A 511

Notes : ([1]) Thickness ([2]) Heat treatment ([3]) QT(퀜칭-템퍼링), CF(냉간가공), AR(제조상태 그대로), SR(응력제거 어닐링), A(어닐링), AW(용접된 상태), N(노말라이징), MD(맨더렐 인발 튜브), SD(공심 인발 튜브) ST(고용화 열처리) ([4]) Yield strength ([5]) Tensile strength ([6]) 특별히 규정하지 않는다. ([7]) Ni≦0.60%를 함유하여도 지장이 없다. ([8]) 인장시험의 요구가 있을 때

鋼管 (構造用鋼管) Steel pipes (for structural purposes)

索引番号 Index No.	規格名 Std.	記号 Designation	化 学 成 分 (%) Chemical composition					
			鋼材의 두께([1]) t (㎜)	C	Si	Mn	P	S
G 036	KS	STS 430 TKC		≦0.12	≦0.75	≦1.00	≦0.040	≦0.030
	JIS	SUS 430 TKC		≦0.12	≦0.75	≦1.00	≦0.040	≦0.030
	ASTM							
	BS							
	DIN							
G 037	KS	STS 420 J1 TKA		0.16~0.25	≦1.00	≦1.00	≦0.040	≦0.030
	JIS	SUS 420 J1 TKA		0.16~0.25	≦1.00	≦1.00	≦0.040	≦0.030
	ASTM							
	BS							
	DIN							
G 038	KS	STS 420 J2 TKA		0.26~0.40	≦1.00	≦1.00	≦0.040	≦0.030
	JIS	SUS 420 J2 TKA		0.26~0.40	≦1.00	≦1.00	≦0.040	≦0.030
	ASTM							
	BS							
	DIN							
G 039	KS	STS 410 TKA		≦0.15	≦1.00	≦1.00	≦0.040	≦0.030
	JIS	SUS 410 TKA		≦0.15	≦1.00	≦1.00	≦0.040	≦0.030
	ASTM	MT 410		≦0.15	≦1.00	≦1.00	≦0.040	≦0.030
	BS							
	DIN							
G 040	KS	STS 410 TKC		≦0.15	≦1.00	≦1.00	≦0.040	≦0.030
	JIS	SUS 410 TKC		≦0.15	≦1.00	≦1.00	≦0.040	≦0.030
	ASTM							
	BS							
	DIN							

Index No. G 036~G 040

化学成分 (%) Chemical composition					引張試験 Tensile requirements			規格番号 Std. No.
Cr	Mo	Ni	Cu	others	熱処理(2)(3)	降伏点(4) (N/㎟)	引張強度(5) (N/㎟)	
16.00~18.00	-	(7)			AR	≧245	≧410	D 3536
16.00~18.00	-	(7)			AR	≧245	≧410	G 3446
12.00~14.00	-	(7)			A	≧215	≧470	D 3536
12.00~14.00	-	(7)			A	≧215	≧470	G 3446
12.00~14.00	-	(6)			A	≧225	≧540	D 3536
12.00~14.00	-	(6)			A	≧225	≧540	G 3446
11.50~13.50		(6)			A	≧205	≧410	D 3536
11.50~13.50		(6)			A	≧205	≧410	G 3446
11.5~13.5		≦0.50			A	≧207(8)	≧414(8)	A 511
11.50~13.50	-	(6)			AR	≧205	≧410	D 3536
11.50~13.50	-	(6)			AR	≧205	≧410	G 3446

Notes : (1) Thickness (2) Heat treatment (3) QT(퀜칭-템퍼링), CF(냉간가공), AR(제조상태 그대로), SR(응력제거 어닐링), A(어닐링), AW(용접된 상태), N(노말라이징), MD(맨더랠 인발 튜브), SD(공심 인발 튜브) ST(고용화 열처리) (4) Yield strength (5) Tensile strength (6) 특별히 규정하지 않는다. (7) Ni≦0.60%를 함유하여도 지장이 없다. (8) 인장시험의 요구가 있을 때

鋼管 (構造用鋼管) Steel pipes (for structural purposes)

索引番号 Index No.	規格名 Std.	記号 Designation	化 学 成 分 (%) Chemical composition					
			鋼材의 두께[1] t (mm)	C	Si	Mn	P	S
G 041	KS	STS 304 TKA		≦0.08	≦1.00	≦2.00	≦0.040	≦0.030
	JIS	SUS 304 TKA		≦0.08	≦1.00	≦2.00	≦0.040	≦0.030
	ASTM	MT 304		≦0.08	≦1.00	≦2.00	≦0.040	≦0.030
	BS	LW 13		≦0.08	0.20~1.00	0.50~2.00	≦0.045	≦0.030
		LWCF 13		≦0.08	0.20~1.00	0.50~2.00	≦0.045	≦0.030
	DIN							
G 042	KS	STS 316 TKA		≦0.08	≦1.00	≦2.00	≦0.040	≦0.030
	JIS	SUS 316 TKA		≦0.08	≦1.00	≦2.00	≦0.040	≦0.030
	ASTM	MT 316		≦0.08	≦1.00	≦2.00	≦0.040	≦0.030
	BS	LW 17		≦0.07	0.20~1.00	0.50~2.00	≦0.045	≦0.030
		LWCF 17		≦0.07	0.20~1.00	0.50~2.00	≦0.045	≦0.030
	DIN							
G 043	KS	STS 321 TKA		≦0.08	≦1.00	≦2.00	≦0.040	≦0.030
	JIS	SUS 321 TKA		≦0.08	≦1.00	≦2.00	≦0.040	≦0.030
	ASTM	MT 321		≦0.08	≦1.00	≦2.00	≦0.040	≦0.030
	BS	LW 18		≦0.08	0.20~1.00	0.50~2.00	≦0.045	≦0.030
		LWCF 18		≦0.08	0.20~1.00	0.50~2.00	≦0.045	≦0.030
	DIN							
G 044	KS	STS 347 TKA		≦0.08	≦1.00	≦2.00	≦0.040	≦0.030
	JIS	SUS 347 TKA		≦0.08	≦1.00	≦2.00	≦0.040	≦0.030
	ASTM	MT 347		≦0.08	≦1.00	≦2.00	≦0.040	≦0.030
	BS							
	DIN							
G 045	KS	STS 304 TKC		≦0.08	≦1.00	≦2.00	≦0.040	≦0.030
	JIS	SUS 304 TKC		≦0.08	≦1.00	≦2.00	≦0.040	≦0.030
	ASTM							
	BS							
	DIN							

Index No. G 041~G 045

化学成分(%) Chemical composition					引張試験 Tensile requirements			規格番号 Std. No.
Cr	Mo	Ni	Cu	others	熱処理(2)(3)	降伏点(4) (N/mm²)	引張强度(5) (N/mm²)	
18.00~20.00		8.00~11.00			ST	≧205	≧520	D 3536
18.00~20.00		8.00~11.00			ST	≧205	≧520	G 3446
18.0~20.0		8.0~11.0			A	≧207	≧517	A 511
17.0~19.0		8.0~11.0			A	≧210	≧510	6323-8
17.0~19.0		8.0~11.0			A	≧210	≧510	6323-8
16.00~18.00	2.00~3.00	10.00~14.00			ST	≧205	≧520	D 3536
16.00~18.00	2.00~3.00	10.00~14.00			ST	≧205	≧520	G 3446
16.0~18.0	2.0~3.0	11.0~14.0			A	≧207(7)	≧517(7)	A 511
16.5~18.5	2.25~3.00	10.0~13.0			A	≧210	≧510	6323-8
16.5~18.5	2.25~3.00	10.0~13.0			A	≧210	≧510	6323-8
17.00~19.00		9.00~13.00		Ti≧5×C%	ST	≧205	≧520	D 3536
17.00~19.00		9.00~13.00		Ti≧5×C%	ST	≧205	≧520	G 3446
17.0~20.0		9.0~13.0		Ti 5×C% ~0.60	A	≧207(8)	≧517(8)	A 511
17.0~19.0		9.0~12.0		Ti 5×C% ~0.70	A	≧210	≧510	6323-8
17.0~19.0		9.0~12.0		Ti 5×C% ~0.70	A	≧210	≧510	6323-8
17.00~19.00		9.00~13.00		Nb≧10×C%	ST	≧205	≧520	D 3536
17.00~19.00		9.00~13.00		Nb≧10×C%	ST	≧205	≧520	G 3446
17.0~20.0		9.00~13.0		Cb+Ta 10×C%~1.00	A	≧207(8)	≧517(8)	A 511
18.00~20.00	-	8.00~11.00			AR	≧205	≧520	D 3536
18.00~20.00	-	8.00~11.00			AR	≧205	≧520	G 3446

Notes : (1) Thickness (2) Heat treatment (3) QT(퀜칭-템퍼링), CF(냉간가공), AR(제조상태 그대로), SR(응력제거 어닐링), A(어닐링), AW(용접된 상태), N(노말라이징), MD(맨더랠 인발 튜브), SD(공심 인발 튜브) ST(고용화 열처리)
(4) Yield strength (5) Tensile strength (6) Ni≦0.60%를 함유하여도 지장이 없다. (7) 인장시험의 요구가 있을 때
(8) 인장시험의 요구가 있을 때

鋼管 (構造用鋼管) Steel pipes (for structural purposes)

索引番号 Index No.	規格名 Std.	記号 Designation	化学成分 (%) Chemical composition					
			鋼材의 두께[1] t (mm)	C	Si	Mn	P	S
G 046	KS	STS 316 TKC		≦0.08	≦1.00	≦2.00	≦0.040	≦0.030
	JIS	SUS 316 TKC		≦0.08	≦1.00	≦2.00	≦0.040	≦0.030
	ASTM							
	BS							
	DIN							
G 047	KS	SPSR 400		≦0.25			≦0.040	≦0.040
	JIS	STKR 400		≦0.25			≦0.040	≦0.040
	ASTM							
	BS							
	EN	S 275 JR	16	≦0.21	-	≦1.50	≦0.045	≦0.045
G 048	KS	SPSR 490		≦0.18	≦0.55	≦1.50	≦0.040	≦0.040
	JIS	STKR 490		≦0.18	≦0.55	≦1.50	≦0.040	≦0.040
	ASTM							
	BS							
	EN	S 355 JO	16	≦0.20	≦0.55	≦1.60	≦0.040	≦0.040
G 049	KS	STAM30 GA		≦0.12	≦0.35	≦0.60	≦0.035	≦0.035
	JIS	STAM290 GA		≦0.12	≦0.35	≦0.60	≦0.035	≦0.035
	ASTM							
	BS							
	DIN							
G 050	KS	STAM 30 GB		≦0.12	≦0.35	≦0.60	≦0.035	≦0.035
	JIS	STAM 290 GB		≦0.12	≦0.35	≦0.60	≦0.035	≦0.035
	ASTM							
	BS	ERW C1		≦0.13	-	≦0.60	≦0.050	≦0.050
		ERW 1		≦0.13	-	≦0.60	≦0.050	≦0.050
	DIN							

Index No. G 046~G 050

化 学 成 分 (%) Chemical composition					引 張 試 験 Tensile requirements			規格番号 Std. No.
Cr	Mo	Ni	Cu	others	熱処理(2)(3)	降伏点(4) (N/㎟)	引張强度(5) (N/㎟)	
16.00~18.00	2.00~3.00	10.00~14.00			AR	≧205	≧520	D 3536
16.00~18.00	2.00~3.00	10.00~14.00			AR	≧205	≧520	G 3446
					AR	≧245	≧400	D 3568
					AR	≧245	≧400	G 3466
				N≦0.009		≧275	410~560	10025
					AR	≧325	≧490	D 3568
					AR	≧325	≧490	G 3466
				N≦0.009		≧355	490~630	10025
					(6)	≧175	≧290	D 3598
					(6)	≧175	≧290	G 3472
					(6)	≧175	≧290	D 3598
					(6)	≧175	≧290	G 3472
					AW	≧200	≧300	1717
					AW	≧200	≧300	6323-5

Notes : (1) Thickness (2) Heat treatment (3) QT(퀜칭-템퍼링), CF(냉간가공), AR(제조상태 그대로), SR(응력제거 어닐링), A(어닐링), AW(용접된 상태), N(노말라이징), MD(맨더렐 인발 튜브), SD(공심 인발 튜브) ST(고용화 열처리)
(4) Yield strength (5) Tensile strength (6) 특별히 규정하지 않는다.

鋼管 (構造用鋼管) Steel pipes (for structural purposes)

索引番号 Index No.	規格名 Std.	記号 Designation	化学成分 (%) Chemical composition					
			鋼材의 두께[1] t (mm)	C	Si	Mn	P	S
G 051	KS	STAM35 G		≦0.20	≦0.35	≦0.60	≦0.035	≦0.035
	JIS	STAM340 G		≦0.20	≦0.35	≦0.60	≦0.035	≦0.035
	ASTM							
	BS	ERW C3		≦0.20	≦0.35	≦0.90	≦0.050	≦0.050
		ERW 3		≦0.20	≦0.35	≦0.90	≦0.050	≦0.050
	DIN							
G 052	KS	STAM40 G		≦0.25	≦0.35	0.30～0.90	≦0.035	≦0.035
	JIS	STAM390 G		≦0.25	≦0.35	0.30～0.90	≦0.035	≦0.035
	ASTM							
	BS							
	DIN	St 44-2		≦0.21			≦0.050	≦0.050
G 053	KS	STAM45 G		≦0.25	≦0.35	0.30～0.90	≦0.035	≦0.035
	JIS	STAM440 G		≦0.25	≦0.35	0.30～0.90	≦0.035	≦0.035
	ASTM							
	BS							
	DIN							
G 054	KS	STAM45 H		≦0.25	≦0.35	0.30～0.90	≦0.035	≦0.035
	JIS	STAM440 H		≦0.25	≦0.35	0.30～0.90	≦0.035	≦0.035
	ASTM							
	BS							
	DIN							
G 055	KS	STAM48 G		≦0.25	≦0.35	0.30～0.90	≦0.035	≦0.035
	JIS	STAM470 G		≦0.25	≦0.35	0.30～0.90	≦0.035	≦0.035
	ASTM							
	BS							
	DIN							

Index No. G 051~G 055

化学成分 (%) Chemical composition					引張試験 Tensile requirements			規格番号 Std. No.
Cr	Mo	Ni	Cu	others	熱処理([2])([3])	降伏点([4]) (N/㎟)	引張强度([5]) (N/㎟)	
					([6])	≧195	≧340	D 3598
					([6])	≧195	≧340	G 3472
					N	≧215	≧360	1717
					N	≧215	≧360	6323-5
					([6])	≧235	≧390	D 3598
					([6])	≧235	≧390	G 3472
					N	≧255	410~540	2393-2
					([6])	≧305	≧440	D 3598
					([6])	≧305	≧440	G 3472
					([6])	≧355	≧440	D 3598
					([6])	≧355	≧440	G 3472
					([6])	≧325	≧470	D 3598
					([6])	≧325	≧470	G 3472

Notes : ([1]) Thickness ([2]) Heat treatment ([3]) QT(퀜칭-템퍼링), CF(냉간가공), AR(제조상태 그대로), SR(응력제거 어닐링), A(어닐링), AW(용접된 상태), N(노말라이징), MD(맨더랠 인발 튜브), SD(공심 인발 튜브) ST(고용화 열처리)
([4]) Yield strength ([5]) Tensile strength ([6]) 특별히 규정하지 않는다.

鋼管 (構造用鋼管) Steel pipes (for structural purposes)

索引番号 Index No.	規格名 Std.	記号 Designation	化 学 成 分 (%) Chemical composition					
			鋼材의 두께(1) t (mm)	C	Si	Mn	P	S
G 056	KS	STAM48 H		≦0.25	≦0.35	0.30~0.90	≦0.035	≦0.035
	JIS	STAM470 H		≦0.25	≦0.35	0.30~0.90	≦0.035	≦0.035
	ASTM							
	BS							
	DIN							
G 057	KS	STAM51 G		≦0.30	≦0.35	0.30~1.00	≦0.035	≦0.035
	JIS	STAM500 G		≦0.30	≦0.35	0.30~1.00	≦0.035	≦0.035
	ASTM	1026		0.22~0.28		0.60~0.90	≦0.035	≦0.035
	BS							
	DIN							
G 058	KS	STAM51 H		≦0.30	≦0.35	0.30~1.00	≦0.035	≦0.035
	JIS	STAM500 H		≦0.30	≦0.35	0.30~1.00	≦0.035	≦0.035
	ASTM							
	BS							
	DIN							
G 059	KS	STAM55 H		≦0.30	≦0.35	0.30~1.00	≦0.035	≦0.035
	JIS	STAM540 H		≦0.30	≦0.35	0.30~1.00	≦0.035	≦0.035
	ASTM							
	BS							
	DIN							
G 060	KS	STC 370		≦0.25	≦0.35	0.30~0.90	≦0.040	≦0.040
	JIS	STC 370		≦0.25	≦0.35	0.30~0.90	≦0.040	≦0.040
	ASTM							
	BS	HFW 3		≦0.20	≦0.35	≦0.90	≦0.050	≦0.050
	DIN							

Index No. G 056~G 060

化学成分 (%) Chemical composition					引張試驗 Tensile requirements			規格番号 Std. No.
Cr	Mo	Ni	Cu	others	熱処理(2)(3)	降伏点(4) (N/㎟)	引張强度(5) (N/㎟)	
					(6)	≧410	≧470	D 3598
					(6)	≧410	≧470	G 3472
					(6)	≧355	≧500	D 3598
					(6)	≧355	≧500	G 3472
					SD	≧379(7)	≧483(7)	A 513
					(6)	≧430	≧500	D 3598
					(6)	≧430	≧500	G 3472
					(6)	≧480	≧540	D 3598
					(6)	≧480	≧540	G 3472
					AR	≧215	≧370	D 3618
					AR	≧215	≧370	G 3473
					AR	≧215	≧360	6323-2

Notes : (1) Thickness (2) Heat treatment (3) QT(퀜칭-템퍼링), CF(냉간가공), AR(제조상태 그대로), SR(응력제거 어닐링), A(어닐링), AW(용접된 상태), N(노말라이징), MD(맨더렐 인발 튜브), SD(공심 인발 튜브) ST(고용화 열처리)
(4) Yield strength (5) Tensile strength (6) 특별히 규정하지 않는다. (7) 인장시험의 요구가 있을 때

鋼管 (構造用鋼管) Steel pipes (for structural purposes)

索引番号 Index No.	規格名 Std.	記号 Designation	化 学 成 分 (%) Chemical composition					
			鋼材의 두께(1) t (mm)	C	Si	Mn	P	S
G 061	KS	STC 440		≦0.25	≦0.35	0.30~0.90	≦0.040	≦0.040
	JIS	STC 440		≦0.25	≦0.35	0.30~0.90	≦0.040	≦0.040
	ASTM							
	BS	CEW 4		≦0.25	≦0.35	≦1.20	≦0.050	≦0.050
	DIN							
G 062	KS	STC 510 A		≦0.25	≦0.35	0.30~0.90	≦0.040	≦0.040
	JIS	STC 510 A		≦0.25	≦0.35	0.30~0.90	≦0.040	≦0.040
	ASTM							
	BS							
	DIN							
G 063	KS	STC 510 B		≦0.18	≦0.55	≦1.50	≦0.040	≦0.040
	JIS	STC 510 B		≦0.18	≦0.55	≦1.50	≦0.040	≦0.040
	ASTM							
	BS							
	DIN							
G 064	KS	STC 540		≦0.25	≦0.55	≦1.60	≦0.040	≦0.040
	JIS	STC 540		≦0.25	≦0.55	≦1.60	≦0.040	≦0.040
	ASTM							
	BS							
	DIN							
G 065	KS	STC 590 A		≦0.25	≦0.35	0.30~0.90	≦0.040	≦0.040
	JIS	STC 590 A		≦0.25	≦0.35	0.30~0.90	≦0.040	≦0.040
	ASTM							
	BS							
	DIN							

Index No. G 061~G 065

化学成分(%) Chemical composition					引張試験 Tensile requirements			規格番号 Std. No.
Cr	Mo	Ni	Cu	others	熱処理(2)(3)	降伏点(4) (N/㎟)	引張強度(5) (N/㎟)	
					CF 또는 SR	≧305	≧440	D 3618
					CF 또는 SR	≧305	≧440	G 3473
					CF/soft	≧315	≧450	6323-6
					CF 또는 SR	≧380	≧510	D 3618
					CF 또는 SR	≧380	≧510	G 3473
					SR	≧380	≧510	D 3618
					SR	≧380	≧510	G 3473
				Nb+V ≦0.15	AR	≧390	≧540	D 3618
				Nb+V ≦0.15	AR	≧390	≧540	G 3473
					CF 또는 SR	≧490	≧590	D3618
					CF 또는 SR	≧490	≧590	G3473

Notes : (1) Thickness (2) Heat treatment (3) QT(퀜칭-템퍼링), CF(냉간가공), AR(제조상태 그대로), SR(응력제거 어닐링), A(어닐링), AW(용접된 상태), N(노말라이징), MD(맨더랠 인발 튜브), SD(공심 인발 튜브) ST(고용화 열처리)
(4) Yield strength (5) Tensile strength

鋼管 (構造用鋼管) Steel pipes (for structural purposes)

索引番号 Index No.	規格名 Std.	記号 Designation	化 学 成 分 (%) Chemical composition					
			鋼材의 두께[1] t (mm)	C	Si	Mn	P	S
G 066	KS	STC 590 B		≦0.25	≦0.55	≦1.50	≦0.040	≦0.040
	JIS	STC 590 B		≦0.25	≦0.55	≦1.50	≦0.040	≦0.040
	ASTM							
	BS							
	DIN							
G 067	KS	STKT 540		≦0.23	≦0.55	≦1.50	≦0.040	≦0.040
	JIS	STKT 540		≦0.23	≦0.55	≦1.50	≦0.040	≦0.040
	ASTM							
	BS							
	DIN							
G 068	KS	STKT 590		≦0.12	≦0.40	≦2.00	≦0.030	≦0.030
	JIS	STKT 590		≦0.12	≦0.40	≦2.00	≦0.030	≦0.030
	ASTM							
	BS							
	DIN							

Index No. G 066~G 068

化学成分 (%) Chemical composition					引張試驗 Tensile requirements			規格番号 Std. No.
Cr	Mo	Ni	Cu	others	熱処理([2])([3])	降伏点([4]) (N/㎟)	引張强度([5]) (N/㎟)	
					SR	≧490	≧590	D3618
					SR	≧490	≧590	G3473
				([6])	AR	≧390	≧540	D3780
				([6])	AR	≧390	≧540	G3474
				Nb+V ≦0.15([6])	AR	≧440	590~740	D3780
				Nb+V ≦0.15([6])	AR	≧440	590~740	G3474

Notes : ([1]) Thickness ([2]) Heat treatment ([3]) QT(퀜칭-템퍼링), CF(냉간가공), AR(제조상태 그대로), SR(응력제거 어닐링), A(어닐링), AW(용접된 상태), N(노말라이징), MD(맨더랠 인발 튜브), SD(공심 인발 튜브) ST(고용화 열처리)
([4]) Yield strength ([5]) Tensile strength ([6]) 탄소당량 0.4%이하

기계구조용탄소강 · 합금강

(機械構造用炭素鋼 · 合金鋼)

Carbon and alloy steels for machine structural use

機械構造用炭素鋼・合金鋼 Carbon and alloy steels for machine structural use								
索引番号 Index No.	規格名 Std.	記号 Designation	化 学 成 分 (%) Chemical composition					
			C	Si	Mn	P	S	Ni
H 001	KS	SM 10 C	0.08~0.13	0.15~0.35	0.30~0.60	≦0.030	≦0.035	≦0.20
	JIS	S 10 C	0.08~0.13	0.15~0.35	0.30~0.60	≦0.030	≦0.035	≦0.20
	AISI	1010	0.08~0.13	協定	0.30~0.50	≦0.040	≦0.050	
	BS	040 A 10	0.08~0.13	0.10~0.40	0.30~0.50	≦0.050	≦0.050	≦0.40
	BS	045 A 10	0.08~0.13	0.10~0.40	0.30~0.60	≦0.050	≦0.050	≦0.40
	BS	045 M 10	0.07~0.13	0.10~0.40	0.30~0.60	≦0.050	≦0.050	≦0.40
	DIN EN	C 10 E	0.07~0.13	≦0.40	0.30~0.60	≦0.035	≦0.035	
	DIN EN	C 10 R	0.07~0.13	≦0.40	0.30~0.60	≦0.035	0.020~0.040	
	ISO	C 10	0.07~0.13	0.15~0.40	0.30~0.60	≦0.035	≦0.035	
H 002	KS	SM 12 C	0.10~0.15	0.15~0.35	0.30~0.60	≦0.030	≦0.035	≦0.20
	JIS	S 12 C	0.10~0.15	0.15~0.35	0.30~0.60	≦0.030	≦0.035	≦0.20
	AISI	1012	0.10~0.15	協定	0.30~0.60	≦0.040	≦0.050	
	BS	040 A 12	0.10~0.15	0.10~0.40	0.30~0.50	≦0.050	≦0.050	≦0.40
H 003	KS	SM 15 C	0.13~0.18	0.15~0.35	0.30~0.60	≦0.030	≦0.035	≦0.20
	JIS	S 15 C	0.13~0.18	0.15~0.35	0.30~0.60	≦0.030	≦0.035	≦0.20
	AISI	1015	0.13~0.18	協定	0.30~0.60	≦0.040	≦0.050	
	BS	055 M 15	≦0.20	0.10~0.40	≦0.80	≦0.050	≦0.050	≦0.40
	DIN EN	C 15 E	0.12~0.18	≦0.040	0.30~0.60	≦0.035	≦0.035	
	DIN EN	C 15 R	0.12~0.18	≦0.040	0.30~0.60	≦0.035	0.020~0.040	
	ISO	C 15 E 4	0.12~0.18	0.15~0.40	0.30~0.60	≦0.035	≦0.035	
	ISO	C 15 M 2	0.12~0.18	0.15~0.40	0.30~0.60	≦0.035	0.020~0.040	
H 004	KS	SM 17 C	0.15~0.20	0.15~0.35	0.30~0.60	≦0.030	≦0.035	≦0.20
	JIS	S 17 C	0.15~0.20	0.15~0.35	0.30~0.60	≦0.030	≦0.035	≦0.20
	AISI	1017	0.15~0.20	協定	0.30~0.60	≦0.040	≦0.050	
H 005	KS	SM 20 C	0.18~0.23	0.15~0.35	0.30~0.60	≦0.030	≦0.035	≦0.20
	JIS	S 20 C	0.18~0.23	0.15~0.35	0.30~0.60	≦0.030	≦0.035	≦0.20
	AISI	1020	0.18~0.23	協定	0.30~0.60	≦0.040	≦0.050	

Index No. H 001~H 005

化学成分 (%) Chemical composition				形状別規格番号 Std. No. by shapes				
Cr	Mo	Al	others	棒[1]	板[2]	帯[3]	線材[4]	others
≦0.20			Cu≦0.30 Ni+Cr≦0.35	D 3752	←	←	←	
≦0.20			Cu≦0.30 Ni+Cr≦0.35	G 4051	←	←	←	
				ISS 209[5]	ISS 212	ISS 214	ISS 217	
≦0.30	≦0.15			970-1			←	
≦0.30	≦0.15			970-1			←	
≦0.30	≦0.15			970-1			←	
				10084	←	←	←	
				10084	←	←	←	
				683-11	←	←	←	
≦0.20			Cu≦0.30 Ni+Cr≦0.35	D 3752	←	←	←	
≦0.20			Cu≦0.30 Ni+Cr≦0.35	G 4051	←	←	←	
				ISS 209[5]	ISS 212	ISS 214	ISS 217	
≦0.30	≦0.15			970-1			←	
≦0.20			Cu≦0.30 Ni+Cr≦0.35	D 3752	←	←	←	
≦0.20			Cu≦0.30 Ni+Cr≦0.35	G 4051	←	←	←	
				ISS 209[5]	ISS 212	ISS 214	ISS 217	
≦0.30	≦0.15			970-1			←	
				10084	←	←	←	
				10084	←	←	←	
				683-11	←	←	←	
				683-11	←	←	←	
≦0.20			Cu≦0.30 Ni+Cr≦0.35	D 3752	←	←	←	
≦0.20			Cu≦0.30 Ni+Cr≦0.35	G 4051	←	←	←	
				ISS 209[5]	ISS 212	ISS 214	ISS 217	
≦0.20			Cu≦0.30 Ni+Cr≦0.35	D 3752	←	←	←	
≦0.20			Cu≦0.30 Ni+Cr≦0.35	G 4051	←	←	←	
				ISS 209[5]	ISS 212	ISS 214	ISS 217	

Notes : (1) Bar (2) Plate (3) Strip (4) Wire rod (5) ISS(Iron & Steel Society Inc.) 발행 Products manual No.

機械構造用炭素鋼・合金鋼 Carbon and alloy steels for machine structural use

索引番号 Index No.	規格名 Std.	記号 Designation	化学成分 (%) Chemical composition					
			C	Si	Mn	P	S	Ni
H 006	KS	SM 22 C	0.20~0.25	0.15~0.35	0.30~0.60	≦0.030	≦0.035	≦0.20
	JIS	S 22 C	0.20~0.25	0.15~0.35	0.30~0.60	≦0.030	≦0.035	≦0.20
	AISI	1023	0.20~0.25	協定	0.30~0.60	≦0.040	≦0.050	
H 007	KS	SM 25 C	0.22~0.28	0.15~0.35	0.30~0.60	≦0.030	≦0.035	≦0.20
	JIS	S 25 C	0.22~0.28	0.15~0.35	0.30~0.60	≦0.030	≦0.035	≦0.20
	AISI	1025	0.22~0.28	協定	0.30~0.60	≦0.040	≦0.050	
	ISO	C 25	0.22~0.29	0.10~0.40	0.40~0.70	≦0.045	≦0.045	
	ISO	C 25 E 4	0.22~0.29	0.10~0.40	0.40~0.70	≦0.035	≦0.035	
	ISO	C 25 M 2	0.22~0.29	0.10~0.40	0.40~0.70	≦0.035	0.020~0.040	
	DIN EN	C 25	0.22~0.29	≦0.40	0.40~0.70	≦0.045	≦0.045	≦0.40
	NF EN	C 25 E	0.22~0.29	≦0.40	0.40~0.70	≦0.035	≦0.035	≦0.40
	BS EN	C 25 R	0.22~0.29	≦0.40	0.40~0.70	≦0.035	0.020~0.040	≦0.40
	EN							
H 008	KS	SM 28 C	0.25~0.31	0.15~0.35	0.60~0.90	≦0.030	≦0.035	≦0.20
	JIS	S 28 C	0.25~0.31	0.15~0.35	0.60~0.90	≦0.030	≦0.035	≦0.20
	AISI	1029	0.25~0.31	協定	0.60~0.90	≦0.040	≦0.050	
H 009	KS	SM 30 C	0.27~0.33	0.15~0.35	0.60~0.90	≦0.030	≦0.035	≦0.20
	JIS	S 30 C	0.27~0.33	0.15~0.35	0.60~0.90	≦0.030	≦0.035	≦0.20
	AISI	1030	0.28~0.34	協定	0.60~0.90	≦0.040	≦0.050	
	ISO	C 30	0.27~0.34	0.10~0.40	0.50~0.80	≦0.045	≦0.045	
	ISO	C 30 E 4	0.27~0.34	0.10~0.40	0.50~0.80	≦0.035	≦0.035	
	ISO	C 30 M 2	0.27~0.34	0.10~0.40	0.50~0.80	≦0.035	0.020~0.040	
	DIN EN	C 30	0.27~0.34	≦0.40	0.50~0.80	≦0.045	≦0.045	≦0.40
	NF EN	C 30 E	0.27~0.34	≦0.40	0.50~0.80	≦0.035	≦0.035	≦0.40
	BS EN	C 30 R	0.27~0.34	≦0.40	0.50~0.80	≦0.035	0.020~0.040	≦0.40
	EN							
H 010	KS	SM 33 C	0.30~0.36	0.15~0.35	0.60~0.90	≦0.030	≦0.035	≦0.20
	JIS	S 33 C	0.30~0.36	0.15~0.35	0.60~0.90	≦0.030	≦0.035	≦0.20

Index No. H 006~H 010

化学成分 (%) Chemical composition				形状別規格番号 Std. No. by shapes				
Cr	Mo	Al	others	棒[1]	板[2]	帯[3]	線材[4]	others
≦0.20			Cu≦0.30 Ni+Cr≦0.35	D 3752	←	←	←	
≦0.20			Cu≦0.30 Ni+Cr≦0.35	G 4051	←	←	←	
				ISS 209[5]	ISS 212	ISS 214	ISS 217	
≦0.20			Cu≦0.30 Ni+Cr≦0.35	D 3752	←	←	←	
≦0.20			Cu≦0.30 Ni+Cr≦0.35	G 4051	←	←	←	
				ISS 209[3]	ISS 212	ISS 214	ISS 217	
				683-1	←	←	←	
				683-1	←	←	←	
				683-1	←	←	←	
≦0.40	≦0.10		Cr+Mo+Ni≦0.63	10083-2			←	
≦0.40	≦0.10		Cr+Mo+Ni≦0.63	10083-1			←	
≦0.40	≦0.10		Cr+Mo+Ni≦0.63	10083-1			←	
≦0.20			Cu≦0.30 Ni+Cr≦0.35	D 3752	←	←	←	
≦0.20			Cu≦0.30 Ni+Cr≦0.35	G 4051	←	←	←	
				ISS 209[3]			ISS 217	
≦0.20			Cu≦0.30 Ni+Cr≦0.35	D 3752	←	←	←	
≦0.20			Cu≦0.30 Ni+Cr≦0.35	G 4051	←	←	←	
				ISS 209[3]	ISS 212	ISS 214	ISS 217	
				683-1	←	←	←	
				683-1	←	←	←	
				683-1	←	←	←	
≦0.40	≦0.10		Cr+Mo+Ni≦0.63	10083-2			←	
≦0.40	≦0.10		Cr+Mo+Ni≦0.63	10083-1			←	
≦0.40	≦0.10		Cr+Mo+Ni≦0.63	10083-1			←	
≦0.20			Cu≦0.30 Ni+Cr≦0.35	D 3752	←	←	←	
≦0.20			Cu≦0.30 Ni+Cr≦0.35	G 4051	←	←	←	

Notes : (1) Bar (2) Plate (3) Strip (4) Wire rod (5) ISS(Iron & Steel Society Inc.) 발행 Products manual No.

機械構造用炭素鋼・合金鋼 Carbon and alloy steels for machine structural use								
索引番号 Index No.	規格名 Std.	記号 Designation	化学成分 (%) Chemical composition					
			C	Si	Mn	P	S	Ni
H 011	KS	SM 35 C	0.32~0.38	0.15~0.35	0.60~0.90	≦0.030	≦0.035	≦0.20
	JIS	S 35 C	0.32~0.38	0.15~0.35	0.60~0.90	≦0.030	≦0.035	≦0.20
	AISI	1035	0.32~0.38	協定	0.60~0.90	≦0.040	≦0.050	
	ISO	C 35	0.32~0.39	0.10~0.40	0.50~0.80	≦0.045	≦0.045	
	ISO	C 35 E 4	0.32~0.39	0.10~0.40	0.50~0.80	≦0.035	≦0.035	
	ISO	C 35 M 2	0.32~0.39	0.10~0.40	0.50~0.80	≦0.035	0.020~0.040	
	DIN EN	C 35	0.32~0.39	≦0.40	0.50~0.80	≦0.045	≦0.045	≦0.40
	NF EN	C 35 E	0.32~0.39	≦0.40	0.50~0.80	≦0.035	≦0.035	≦0.40
	BS EN	C 35 R	0.32~0.39	≦0.40	0.50~0.80	≦0.035	0.020~0.040	≦0.40
	EN							
H 012	KS	SM 38 C	0.35~0.41	0.15~0.35	0.60~0.90	≦0.030	≦0.035	≦0.20
	JIS	S 38 C	0.35~0.41	0.15~0.35	0.60~0.90	≦0.030	≦0.035	≦0.20
	AISI	1038	0.35~0.44	協定	0.60~0.90	≦0.040	≦0.050	
H 013	KS	SM 40 C	0.37~0.43	0.15~0.35	0.60~0.90	≦0.030	≦0.035	≦0.20
	JIS	S 40 C	0.37~0.43	0.15~0.35	0.60~0.90	≦0.030	≦0.035	≦0.20
	AISI	1040	0.37~0.44	協定	0.60~0.90	≦0.040	≦0.050	
	ISO	C 40	0.37~0.44	0.10~0.40	0.50~0.80	≦0.045	≦0.045	
	ISO	C 40 E 4	0.37~0.44	0.10~0.40	0.50~0.80	≦0.035	≦0.035	
	ISO	C 40 M 2	0.37~0.44	0.10~0.40	0.50~0.80	≦0.035	0.020~0.040	
	DIN EN	C 40	0.37~0.44	≦0.40	0.50~0.80	≦0.045	≦0.045	≦0.40
	NF EN	C 40 E	0.37~0.44	≦0.40	0.50~0.80	≦0.035	≦0.035	≦0.40
	BS EN	C 40 R	0.37~0.44	≦0.40	0.50~0.80	≦0.035	0.020~0.040	≦0.40
	EN							
H 014	KS	SM 43 C	0.40~0.46	0.15~0.35	0.60~0.90	≦0.030	≦0.035	≦0.20
	JIS	S 43 C	0.40~0.46	0.15~0.35	0.60~0.90	≦0.030	≦0.035	≦0.20
	AISI	1042	0.40~0.47	協定	0.60~0.90	≦0.040	≦0.050	
H 015	KS	SM 45 C	0.42~0.48	0.15~0.35	0.60~0.90	≦0.030	≦0.035	≦0.20
	JIS	S 45 C	0.42~0.48	0.15~0.35	0.60~0.90	≦0.030	≦0.035	≦0.20
	AISI	1045	0.43~0.50	協定	0.60~0.90	≦0.040	≦0.050	

Index No. H 011~H 015

化学成分 (%) Chemical composition				形状別規格番号 Std. No. by shapes				
Cr	Mo	Al	others	棒[1]	板[2]	帯[3]	線材[4]	others
≦0.20			Cu≦0.30 Ni+Cr≦0.35	D 3752	←	←	←	
≦0.20			Cu≦0.30 Ni+Cr≦0.35	G 4051	←	←	←	
				ISS 209[5]	ISS 212	ISS 214	ISS 217	
				683-1	←	←	←	
				683-1	←	←	←	
				683-1	←	←	←	
≦0.40	≦0.10		Cr+Mo+Ni≦0.63	10083-2			←	
≦0.40	≦0.10		Cr+Mo+Ni≦0.63	10083-1			←	
≦0.40	≦0.10		Cr+Mo+Ni≦0.63	10083-1			←	
≦0.20			Cu≦0.30 Ni+Cr≦0.35	D 3752	←	←	←	
≦0.20			Cu≦0.30 Ni+Cr≦0.35	G 4051	←	←	←	
				ISS 209[5]	ISS 212	ISS 214	ISS 217	
≦0.20			Cu≦0.30 Ni+Cr≦0.35	D 3752	←	←	←	
≦0.20			Cu≦0.30 Ni+Cr≦0.35	G 4051	←	←	←	
				ISS 209[5]	ISS 212	ISS 214	ISS 217	
				683-1	←	←	←	
				683-1	←	←	←	
				683-1	←	←	←	
≦0.40	≦0.10		Cr+Mo+Ni≦0.63	10083-2			←	
≦0.40	≦0.10		Cr+Mo+Ni≦0.63	10083-1			←	
≦0.40	≦0.10		Cr+Mo+Ni≦0.63	10083-1			←	
≦0.20			Cu≦0.30 Ni+Cr≦0.35	D 3752	←	←	←	
≦0.20			Cu≦0.30 Ni+Cr≦0.35	G 4051	←	←	←	
				ISS 209[5]	ISS 212	ISS 214	ISS 217	
≦0.20			Cu≦0.30 Ni+Cr≦0.35	D 3752	←	←	←	
≦0.20			Cu≦0.30 Ni+Cr≦0.35	G 4051	←	←	←	
				ISS 209[5]	ISS 212	ISS 214	ISS 217	

Notes : (1) Bar (2) Plate (3) Strip (4) Wire rod (5) ISS(Iron & Steel Society Inc.) 발행 Products manual No.

機械構造用炭素鋼・合金鋼 Carbon and alloy steels for machine structural use								
索引番号 Index No.	規格名 Std.	記号 Designation	化学成分 (%) Chemical composition					
			C	Si	Mn	P	S	Ni
H 015(계속)	ISO	C 45	0.42~0.50	0.10~0.40	0.50~0.80	≦0.045	≦0.045	
	ISO	C 45 E 4	0.42~0.50	0.10~0.40	0.50~0.80	≦0.035	≦0.035	
	ISO	C 45 M 2	0.42~0.50	0.10~0.40	0.50~0.80	≦0.035	0.020~0.040	
	DIN EN	C 45	0.42~0.50	≦0.40	0.50~0.80	≦0.045	≦0.045	≦0.40
	NF EN	C 45 E	0.42~0.50	≦0.40	0.50~0.80	≦0.035	≦0.035	≦0.40
	BS EN	C 45 R	0.42~0.50	≦0.40	0.50~0.80	≦0.035	0.020~0.040	≦0.40
	EN							
H 016	KS	SM 48 C	0.45~0.51	0.15~0.35	0.60~0.90	≦0.030	≦0.035	≦0.20
	JIS	S 48 C	0.45~0.51	0.15~0.35	0.60~0.90	≦0.030	≦0.035	≦0.20
	AISI	1049	0.46~0.53	協定	0.60~0.90	≦0.040	≦0.050	
H 017	KS	SM 50 C	0.47~0.53	0.15~0.35	0.60~0.90	≦0.030	≦0.035	≦0.20
	JIS	S 50 C	0.47~0.53	0.15~0.35	0.60~0.90	≦0.030	≦0.035	≦0.20
	AISI	1049	0.46~0.53	協定	0.60~0.90	≦0.040	≦0.050	
	ISO	C 50	0.47~0.55	0.10~0.40	0.60~0.90	≦0.045	≦0.045	
	ISO	C 50 E 4	0.47~0.55	0.10~0.40	0.60~0.90	≦0.035	≦0.035	
	ISO	C 50 M 2	0.47~0.55	0.10~0.40	0.60~0.90	≦0.035	0.020~0.040	
	DIN EN	C 50	0.47~0.55	≦0.40	0.60~0.90	≦0.045	≦0.045	≦0.40
	NF EN	C 50 E	0.47~0.55	≦0.40	0.60~0.90	≦0.035	≦0.035	≦0.40
	BS EN	C 50 R	0.47~0.55	≦0.40	0.60~0.90	≦0.035	0.020~0.040	≦0.40
	EN							
H 018	KS	SM 53 C	0.50~0.56	0.15~0.35	0.60~0.90	≦0.030	≦0.035	≦0.20
	JIS	S 53 C	0.50~0.56	0.15~0.35	0.60~0.90	≦0.030	≦0.035	≦0.20
	AISI	1053	0.48~0.55	協定	0.70~1.00	≦0.040	≦0.050	
H 019	KS	SM 55 C	0.52~0.58	0.15~0.35	0.60~0.90	≦0.030	≦0.035	≦0.20
	JIS	S 55 C	0.52~0.58	0.15~0.35	0.60~0.90	≦0.030	≦0.035	≦0.20
	AISI	1055	0.50~0.60	協定	0.60~0.90	≦0.040	≦0.050	
	ISO	C 55	0.52~0.60	0.10~0.40	0.60~0.90	≦0.045	≦0.045	
	ISO	C 55 E 4	0.52~0.60	0.10~0.40	0.60~0.90	≦0.035	≦0.035	
	ISO	C 55 M 2	0.52~0.60	0.10~0.40	0.60~0.90	≦0.035	0.020~0.040	

Index No. H 015~H 019

化学成分(%) Chemical composition				形状別規格番号 Std. No. by shapes				
Cr	Mo	Al	others	棒(1)	板(2)	帯(3)	線材(4)	others
				683-1	←	←	←	
				683-1	←	←	←	
				683-1	←	←	←	
≦0.40	≦0.10		Cr+Mo+Ni≦0.63	10083-2			←	
≦0.40	≦0.10		Cr+Mo+Ni≦0.63	10083-1			←	
≦0.40	≦0.10		Cr+Mo+Ni≦0.63	10083-1			←	
≦0.20			Cu≦0.30 Ni+Cr≦0.35	D 3752	←	←	←	
≦0.20			Cu≦0.30 Ni+Cr≦0.35	G 4051	←	←	←	
				ISS 209(5)	ISS 212	ISS 214	ISS 217	
≦0.20			Cu≦0.30 Ni+Cr≦0.35	D 3752	←	←	←	
≦0.20			Cu≦0.30 Ni+Cr≦0.35	G 4051	←	←	←	
				ISS 209(5)	ISS 212	ISS 214	ISS 217	
				683-1	←	←	←	
				683-1	←	←	←	
				683-1	←	←	←	
≦0.40	≦0.10		Cr+Mo+Ni≦0.63	10083-2			←	
≦0.40	≦0.10		Cr+Mo+Ni≦0.63	10083-1			←	
≦0.40	≦0.10		Cr+Mo+Ni≦0.63	10083-1			←	
≦0.20			Cu≦0.30 Ni+Cr≦0.35	D 3752	←	←	←	
≦0.20			Cu≦0.30 Ni+Cr≦0.35	G 4051	←	←	←	
				ISS 209(5)			ISS 217	
≦0.20			Cu≦0.30 Ni+Cr≦0.35	D 3752	←	←	←	
≦0.20			Cu≦0.30 Ni+Cr≦0.35	G 4051	←	←	←	
				ISS 209(5)	ISS 212	ISS 214	ISS 217	
				683-1	←	←	←	
				683-1	←	←	←	
				683-1	←	←	←	

Notes : (1) Bar (2) Plate (3) Strip (4) Wire rod (5) ISS(Iron & Steel Society Inc.) 발행 Products manual No.

機械構造用炭素鋼・合金鋼 Carbon and alloy steels for machine structural use								
索引番号 Index No.	規格名 Std.	記号 Designation	化 学 成 分 (%) Chemical composition					
			C	Si	Mn	P	S	Ni
H 019(계속)	DIN EN	C 55	0.52~0.60	≦0.40	0.60~0.90	≦0.045	≦0.045	≦0.40
	NF EN	C 55 E	0.52~0.60	≦0.40	0.60~0.90	≦0.035	≦0.035	≦0.40
	BS EN	C 55 R	0.52~0.60	≦0.40	0.60~0.90	≦0.035	0.020~0.040	≦0.40
	EN							
H 020	KS	SM 58 C	0.55~0.61	0.15~0.35	0.60~0.90	≦0.030	≦0.035	≦0.20
	JIS	S 58 C	0.55~0.61	0.15~0.35	0.60~0.90	≦0.030	≦0.035	≦0.20
	AISI	1060	0.55~0.65	協定	0.60~0.90	≦0.040	≦0.050	
	ISO	C 60	0.57~0.65	0.10~0.40	0.60~0.90	≦0.045	≦0.045	
	ISO	C 60 E 4	0.57~0.65	0.10~0.40	0.60~0.90	≦0.035	≦0.035	
	ISO	C 60 M 2	0.57~0.65	0.10~0.40	0.60~0.90	≦0.035	0.020~0.040	
	DIN EN	C 60	0.57~0.65	≦0.40	0.60~0.90	≦0.045	≦0.045	≦0.40
	NF EN	C 60 E	0.57~0.65	≦0.40	0.60~0.90	≦0.035	≦0.035	≦0.40
	BS EN	C 60 R	0.57~0.65	≦0.40	0.60~0.90	≦0.035	0.020~0.040	≦0.40
	EN							
H 021	KS	SM 9 CK	0.07~0.12	0.10~0.35	0.30~0.60	≦0.025	≦0.025	≦0.20
	JIS	S 09 CK	0.07~0.12	0.10~0.35	0.30~0.60	≦0.025	≦0.025	≦0.20
	AISI	1010	0.08~0.13	協定	0.30~0.50	≦0.040	≦0.050	
	BS	045 M 10	0.07~0.13	0.10~0.40	0.30~0.60	≦0.050	≦0.050	≦0.40
	BS	045 A 10	0.08~0.13	0.10~0.40	0.30~0.60	≦0.050	≦0.050	≦0.40
	ISO	C 10	0.07~0.13	0.15~0.40	0.30~0.60	≦0.035	≦0.035	
	DIN EN	C 10 E	0.07~0.13	≦0.40	0.30~0.60	≦0.035	≦0.035	
	DIN EN	C 10 R	0.07~0.13	≦0.40	0.30~0.60	≦0.035	0.020 0.040	
H 022	KS	SM 15 CK	0.13~0.18	0.15~0.35	0.30~0.60	≦0.025	≦0.025	≦0.20
	JIS	S 15 CK	0.13~0.18	0.15~0.35	0.30~0.60	≦0.025	≦0.025	≦0.20
	AISI	1015	0.13~0.18	協定	0.30~0.60	≦0.040	≦0.050	
	DIN EN	C 15 E	0.12~0.18	≦0.40	0.30~0.60	≦0.035	≦0.035	
	DIN EN	C 15 R	0.12~0.18	≦0.40	0.30~0.60	≦0.035	0.020~0.040	
	ISO	C 15 E 4	0.12~0.18	0.15~0.40	0.30~0.60	≦0.035	≦0.035	
	ISO	C 15 M 2	0.12~0.18	0.15~0.40	0.30~0.60	≦0.035	0.020~0.040	

Index No. H 019~H 022

化学成分 (%) Chemical composition				形状別規格番号 Std. No. by shapes				
Cr	Mo	Al	others	棒([1])	板([2])	帯([3])	線材([4])	others
≦0.40	≦0.10		Cr+Mo+Ni≦0.63	10083-2			←	
≦0.40	≦0.10		Cr+Mo+Ni≦0.63	10083-1			←	
≦0.40	≦0.10		Cr+Mo+Ni≦0.63	10083-1			←	
≦0.20			Cu≦0.30 Ni+Cr≦0.35	D 3752	←	←	←	
≦0.20			Cu≦0.30 Ni+Cr≦0.35	G 4051	←	←	←	
				ISS 209([5])	ISS 212	ISS 214	ISS 217	
				683-1	←	←	←	
				683-1	←	←	←	
				683-1	←	←	←	
≦0.40	≦0.10		Cr+Mo+Ni≦0.63	10083-2			←	
≦0.40	≦0.10		Cr+Mo+Ni≦0.63	10083-1			←	
≦0.40	≦0.10		Cr+Mo+Ni≦0.63	10083-1			←	
≦0.20			Cu≦0.25 Ni+Cr≦0.30	D 3752	←	←	←	
≦0.20			Cu≦0.25 Ni+Cr≦0.30	G 4051	←	←	←	
				ISS 209([5])	ISS 212	ISS 214	ISS 217	
≦0.30	≦0.15			970-1			←	
≦0.30	≦0.15			970-1			←	
				683-11	←	←	←	
				10084	←	←	←	
				10084	←	←	←	
≦0.20			Cu≦0.25 Ni+Cr≦0.30	D 3752	←	←	←	
≦0.20			Cu≦0.25 Ni+Cr≦0.30	G 4051	←	←	←	
				ISS 209([5])	ISS 212	ISS 214	ISS 217	
				10084	←	←	←	
				10084	←	←	←	
				683-11	←	←	←	
				683-11	←	←	←	

Notes : ([1]) Bar ([2]) Plate ([3]) Strip ([4]) Wire rod ([5]) ISS(Iron & Steel Society Inc.) 발행 Products manual No.

機械構造用炭素鋼・合金鋼 Carbon and alloy steels for machine structural use

索引番号 Index No.	規格名 Std.	記号 Designation	化学成分 (%) Chemical composition					
			C	Si	Mn	P	S	Ni
H 023	KS	SM 20 CK	0.18~0.23	0.15~0.35	0.30~0.60	≦0.025	≦0.025	≦0.20
	JIS	S 20 CK	0.18~0.23	0.15~0.35	0.30~0.60	≦0.025	≦0.025	≦0.20
H 024	KS	SNC 236	0.32~0.40	0.15~0.35	0.50~0.80	≦0.030	≦0.030	1.00~1.50
	JIS	SNC 236	0.32~0.40	0.15~0.35	0.50~0.80	≦0.030	≦0.030	1.00~1.50
H 025	KS	SNC 415	0.12~0.18	0.15~0.35	0.35~0.65	≦0.030	≦0.030	2.00~2.50
	JIS	SNC 415	0.12~0.18	0.15~0.35	0.35~0.65	≦0.030	≦0.030	2.00~2.50
H 026	KS	SNC 631	0.27~0.35	0.15~0.35	0.35~0.65	≦0.030	≦0.030	2.50~3.00
	JIS	SNC 631	0.27~0.35	0.15~0.35	0.35~0.65	≦0.030	≦0.030	2.50~3.00
H 027	KS	SNC 815	0.12~0.18	0.15~0.35	0.35~0.65	≦0.030	≦0.030	3.00~3.50
	JIS	SNC 815	0.12~0.18	0.15~0.35	0.35~0.65	≦0.030	≦0.030	3.00~3.50
	BS	655 M 13	0.10~0.16	0.10~0.35	0.35~0.60	≦0.035	≦0.040	3.00~3.75
H 028	KS	SNC 836	0.32~0.40	0.15~0.35	0.35~0.65	≦0.030	≦0.030	3.00~3.50
	JIS	SNC 836	0.32~0.40	0.15~0.35	0.35~0.65	≦0.030	≦0.030	3.00~3.50
H 029	KS	SNCM 220	0.17~0.23	0.15~0.35	0.60~0.90	≦0.030	≦0.030	0.40~0.70
	JIS	SNCM 220	0.17~0.23	0.15~0.35	0.60~0.90	≦0.030	≦0.030	0.40~0.70
	AISI	8617	0.15~0.20	0.15~0.35	0.70~0.90	≦0.035	≦0.040	0.40~0.70
	AISI	8620	0.18~0.23	0.15~0.35	0.70~0.90	≦0.035	≦0.040	0.40~0.70
	BS	805 M 20	0.17~0.23	0.10~0.35	0.60~0.95	≦0.035	≦0.040	0.35~0.75
	BS	805 A 20	0.18~0.23	0.10~0.35	0.70~0.90	≦0.035	≦0.040	0.40~0.70
	DIN EN	20 NiCrMo 2-2	0.17~0.23	≦0.40	0.65~0.95	≦0.035	≦0.035	0.40~0.70
	DIN EN	20 NiCrMoS 2-2	0.17~0.23	≦0.40	0.65~0.95	≦0.035	0.020~0.040	0.40~0.70
	ISO	20 NiCrMo 2	0.17~0.23	0.15~0.40	0.65~0.95	≦0.035	≦0.035	0.40~0.70
	ISO	20 NiCrMoS 2	0.17~0.23	0.15~0.40	0.65~0.95	≦0.035	0.020~0.040	0.40~0.70
H 030	KS	SNCM 240	0.38~0.43	0.15~0.35	0.70~1.00	≦0.030	≦0.030	0.40~0.70
	JIS	SNCM 240	0.38~0.43	0.15~0.35	0.70~1.00	≦0.030	≦0.030	0.40~0.70
	AISI	8640	0.38~0.43	0.15~0.35	0.75~0.90	≦0.035	≦0.040	0.40~0.70

Index No. H 023~H 030

化学成分 (%) Chemical composition				形状別規格番号 Std. No. by shapes				
Cr	Mo	Al	others	棒[1]	板[2]	帶[3]	線材[4]	others
≦0.20			Cu≦0.25 Ni+Cr≦0.30	D 3752	←	←	←	
≦0.20			Cu≦0.25 Ni+Cr≦0.30	G 4051	←	←	←	
0.50~0.90			Cu≦0.30	D 3708	←	←	←	
0.50~0.90			Cu≦0.30	G 4102	←	←	←	
0.20~0.50			Cu≦0.30	D 3708	←	←	←	
0.20~0.50			Cu≦0.30	G 4102	←	←	←	
0.60~1.00			Cu≦0.30	D 3708	←	←	←	
0.60~1.00			Cu≦0.30	G 4102	←	←	←	
0.70~1.00			Cu≦0.30	D 3708	←	←	←	
0.70~0.10			Cu≦0.30	G 4102	←	←	←	
0.70~0.10	≦0.15			970-1			←	
0.60~1.00			Cu≦0.30	D 3708	←	←	←	
0.60~1.00			Cu≦0.30	G 4102	←	←	←	
0.40~0.65	0.15~0.30		Cu≦0.30	D 3709	←	←	←	
0.40~0.65	0.15~0.30		Cu≦0.30	G 4103	←	←	←	
0.40~0.60	0.15~0.25			ISS 209[5]	ISS 212	ISS 214	ISS 217	
0.40~0.60	0.15~0.25			ISS 209[5]	ISS 212	ISS 214	ISS 217	
0.35~0.65	0.15~0.25			970-1			←	
0.40~0.60	0.15~0.25			970-1			←	
0.35~0.70	0.15~0.25			10084			←	
0.35~0.70	0.15~0.25			10084			←	
0.30~0.65	0.15~0.25			683-11	←	←	←	
0.30~0.65	0.15~0.25			683-11	←	←	←	
0.40~0.65	0.15~0.30		Cu≦0.30	D 3709	←	←	←	
0.40~0.65	0.15~0.30		Cu≦0.30	G 4103	←	←	←	
0.40~0.60	0.15~0.25			ISS 209[5]	ISS 212		ISS 217	

Notes : (1) Bar (2) Plate (3) Strip (4) Wire rod (5) ISS(Iron & Steel Society Inc.) 발행 Products manual No.

機械構造用炭素鋼・合金鋼 Carbon and alloy steels for machine structural use

索引番号 Index No.	規格名 Std.	記号 Designation	化 学 成 分 (%) Chemical composition					
			C	Si	Mn	P	S	Ni
H 030(계속)	ISO	41 CrNiMo 2	0.37~0.44	0.10~0.40	0.70~1.00	≦0.035	≦0.035	0.40~0.70
	ISO	41 CrNiMoS 2	0.37~0.44	0.10~0.40	0.70~1.00	≦0.035	0.020~0.040	0.40~0.70
H 031	KS	SNCM 415	0.12~0.18	0.15~0.35	0.40~0.70	≦0.030	≦0.030	1.60~2.00
	JIS	SNCM 415	0.12~0.18	0.15~0.35	0.40~0.70	≦0.030	≦0.030	1.60~2.00
H 032	KS	SNCM 420	0.17~0.23	0.15~0.35	0.40~0.70	≦0.030	≦0.030	1.60~2.00
	JIS	SNCM 420	0.17~0.23	0.15~0.35	0.40~0.70	≦0.030	≦0.030	1.60~2.00
	AISI	4320	0.17~0.22	0.15~0.35	0.45~0.65	≦0.035	≦0.040	1.65~2.00
H 033	KS	SNCM 431	0.27~0.35	0.15~0.35	0.60~0.90	≦0.030	≦0.030	1.60~2.00
	JIS	SNCM 431	0.27~0.35	0.15~0.35	0.60~0.90	≦0.030	≦0.030	1.60~2.00
H 034	KS	SNCM 439	0.36~0.43	0.15~0.35	0.60~0.90	≦0.030	≦0.030	1.60~2.00
	JIS	SNCM 439	0.36~0.43	0.15~0.35	0.60~0.90	≦0.030	≦0.030	1.60~2.00
	AISI	4340	0.38~0.43	0.15~0.35	0.60~0.80	≦0.035	≦0.040	1.65~2.00
H 035	KS	SNCM 447	0.44~0.50	0.15~0.35	0.60~0.90	≦0.030	≦0.030	1.60~2.00
	JIS	SNCM 447	0.44~0.50	0.15~0.35	0.60~0.90	≦0.030	≦0.030	1.60~2.00
H 036	KS	SNCM 616	0.13~0.20	0.15~0.35	0.80~1.20	≦0.030	≦0.030	2.80~3.20
	JIS	SNCM 616	0.13~0.20	0.15~0.35	0.80~1.20	≦0.030	≦0.030	2.80~3.20
H 037	KS	SNCM 625	0.20~0.30	0.15~0.35	0.35~0.60	≦0.030	≦0.030	3.00~3.50
	JIS	SNCM 625	0.20~0.30	0.15~0.35	0.35~0.60	≦0.030	≦0.030	3.00~3.50
H 038	KS	SNCM 630	0.25~0.35	0.15~0.35	0.35~0.60	≦0.030	≦0.030	2.50~3.50
	JIS	SNCM 630	0.25~0.35	0.15~0.35	0.35~0.60	≦0.030	≦0.030	2.50~3.50
H 039	KS	SNCM 815	0.12~0.18	0.15~0.35	0.35~0.60	≦0.030	≦0.030	4.00~4.50
	JIS	SNCM 815	0.12~0.18	0.15~0.35	0.35~0.60	≦0.030	≦0.030	4.00~4.50

Index No. H 030~H 039

化学成分 (%) Chemical composition				形状別規格番号 Std. No. by shapes				
Cr	Mo	Al	others	棒(1)	板(2)	帯(3)	線材(4)	others
0.40~0.60	0.15~0.30			683-1	←	←	←	
0.40~0.60	0.15~0.30			683-1	←	←	←	
0.40~0.65	0.15~0.30		Cu≦0.30	D3709	←	←	←	
0.40~0.65	0.15~0.30		Cu≦0.30	G4103	←	←	←	
0.40~0.65	0.15~0.30		Cu≦0.30	D3709	←	←	←	
0.40~0.65	0.15~0.30		Cu≦0.30	G4103	←	←	←	
0.40~0.60	0.20~0.30			ISS 209(5)			ISS 217	
0.60~1.00	0.15~0.30		Cu≦0.30	D3709	←	←	←	
0.60~1.00	0.15~0.30		Cu≦0.30	G4103	←	←	←	
0.60~1.00	0.15~0.30		Cu≦0.30	D3709	←	←	←	
0.60~1.00	0.15~0.30		Cu≦0.30	G4103	←	←	←	
0.70~0.90	0.20~0.30			ISS 209(5)	ISS 212	ISS 214	ISS 217	
0.60~1.00	0.15~0.30		Cu≦0.30	D3709	←	←	←	
0.60~1.00	0.15~0.30		Cu≦0.30	G4103	←	←	←	
1.40~1.80	0.40~0.60		Cu≦0.30	D3709	←	←	←	
1.40~1.80	0.40~0.60		Cu≦0.30	G4103	←	←	←	
1.00~1.50	0.15~0.30		Cu≦0.30	D3709	←	←	←	
1.00~1.50	0.15~0.30		Cu≦0.30	G4103	←	←	←	
2.50~3.50	0.50~0.70		Cu≦0.30	D3709	←	←	←	
2.50~3.50	0.50~0.70		Cu≦0.30	G4103	←	←	←	
0.70~1.00	0.15~0.30		Cu≦0.30	D3709	←	←	←	
0.70~1.00	0.15~0.30		Cu≦0.30	G4103	←	←	←	

Notes : (1) Bar (2) Plate (3) Strip (4) Wire rod (5) ISS(Iron & Steel Society Inc.) 발행 Products manual No.

機械構造用炭素鋼・合金鋼 Carbon and alloy steels for machine structural use

索引番号 Index No.	規格名 Std.	記号 Designation	化学成分 (%) Chemical composition C	Si	Mn	P	S	Ni
H 040	KS	SCr 415	0.13～0.18	0.15～0.35	0.60～0.85	≦0.030	≦0.030	≦0.25
	JIS	SCr 415	0.13～0.18	0.15～0.35	0.60～0.85	≦0.030	≦0.030	≦0.25
H 041	KS	SCr 420	0.18～0.23	0.15～0.35	0.60～0.85	≦0.030	≦0.030	≦0.25
	JIS	SCr 420	0.18～0.23	0.15～0.35	0.60～0.85	≦0.030	≦0.030	≦0.25
	AISI	5120	0.17～0.22	0.15～0.35	0.70～0.90	≦0.035	≦0.040	
	ISO	20 Cr 4	0.17～0.23	0.15～0.40	0.60～0.90	≦0.035	≦0.035	
	ISO	20 CrS 4	0.17～0.23	0.15～0.40	0.60～0.90	≦0.035	0.020～0.040	
H 042	KS	SCr430	0.28～0.33	0.15～0.35	0.60～0.85	≦0.030	≦0.030	≦0.25
	JIS	SCr430	0.28～0.33	0.15～0.35	0.60～0.85	≦0.030	≦0.030	≦0.25
	AISI	5130	0.28～0.33	0.15～0.35	0.70～0.90	≦0.035	≦0.040	
H 043	KS	SCr435	0.33～0.38	0.15～0.35	0.60～0.85	≦0.030	≦0.030	≦0.25
	JIS	SCr435	0.33～0.38	0.15～0.35	0.60～0.85	≦0.030	≦0.030	≦0.25
	AISI	5132	0.30～0.35	0.15～0.35	0.60～0.80	≦0.035	≦0.040	
	ISO	34 Cr 4	0.30～0.37	0.10～0.40	0.60～0.90	≦0.035	≦0.035	
	ISO	34 CrS 4	0.30～0.37	0.10～0.40	0.60～0.90	≦0.035	0.020～0.040	
H 044	KS	SCr 440	0.38～0.43	0.15～0.35	0.60～0.85	≦0.030	≦0.030	≦0.25
	JIS	SCr 440	0.38～0.43	0.15～0.35	0.60～0.85	≦0.030	≦0.030	≦0.25
	AISI	5140	0.38～0.43	0.15～0.35	0.70～0.90	≦0.035	≦0.040	
	ISO	41 Cr4	0.38～0.45	0.10～0.40	0.60～0.90	≦0.035	≦0.035	
	ISO	41 CrS 4	0.38～0.45	0.10～0.40	0.60～0.90	≦0.035	0.020～0.040	
	EIN EN	41 Cr 4	0.38～0.45	≦0.40	0.60～0.90	≦0.035	≦0.035	
	NF EN	41 CrS 4	0.38～0.45	≦0.40	0.60～0.90	≦0.035	0.020～0.040	
	BS EN							
	EN							
H 045	KS	SCr 445	0.43～0.48	0.15～0.35	0.60～0.85	≦0.030	≦0.030	≦0.25
	JIS	SCr 445	0.43～0.48	0.15～0.35	0.60～0.85	≦0.030	≦0.030	≦0.25

Index No. H 040~H 045

化 学 成 分 (%) Chemical composition				形 状 別 規 格 番 号 Std. No. by shapes				
Cr	Mo	Al	others	棒([1])	板([2])	帯([3])	線材([4])	others
0.90~1.20			Cu≦0.30	D 3707	←	←	←	
0.90~1.20			Cu≦0.30	G 4104	←	←	←	
0.90~1.20			Cu≦0.30	D 3707	←	←	←	
0.90~1.20			Cu≦0.30	G 4104	←	←	←	
0.70~0.90				ISS 209([5])			ISS 217	
0.90~1.20				683-11	←	←	←	
0.90~1.20				683-11	←	←	←	
0.90~1.20			Cu≦0.30	D 3707	←	←	←	
0.90~1.20			Cu≦0.30	G 4104	←	←	←	
0.80~1.10				ISS 209([5])			ISS 217	
0.90~1.20			Cu≦0.30	D 3707	←	←	←	
0.90~1.20			Cu≦0.30	G 4104	←	←	←	
0.75~1.00				ISS 209([5])			ISS 217	
0.90~1.20				683-1	←	←	←	
0.90~1.20				683-1	←	←	←	
0.90~1.20			Cu≦0.30	D 3707	←	←	←	
0.90~1.20			Cu≦0.30	G 4104	←	←	←	
0.70~0.90				ISS 209([5])			ISS 217	
0.90~1.20				683-1	←	←	←	
0.90~1.20				683-1	←	←	←	
0.90~1.20				10083-1			←	
0.90~1.20				10083-1			←	
0.90~1.20			Cu≦0.30	D 3707	←	←	←	
0.90~1.20			Cu≦0.30	G 4104	←	←	←	

Notes : ([1]) Bar ([2]) Plate ([3]) Strip ([4]) Wire rod ([5]) ISS(Iron & Steel Society Inc.) 발행 Products manual No.

機械構造用炭素鋼・合金鋼 Carbon and alloy steels for machine structural use

索引番号 Index No.	規格名 Std.	記号 Designation	化 学 成 分 (%) Chemical composition					
			C	Si	Mn	P	S	Ni
H 046	KS	SCM 415	0.13~0.18	0.15~0.35	0.60~0.85	≦0.030	≦0.030	≦0.25
	JIS	SCM 415	0.13~0.18	0.15~0.35	0.60~0.85	≦0.030	≦0.030	≦0.25
H 047	KS	SCM 418	0.16~0.21	0.15~0.35	0.60~0.85	≦0.030	≦0.030	≦0.25
	JIS	SCM 418	0.16~0.21	0.15~0.35	0.60~0.85	≦0.030	≦0.030	≦0.25
	ISO	18 CrMo 4	0.15~0.21	0.15~0.40	0.60~0.90	≦0.035	≦0.035	
	ISO	18 CrMoS 4	0.15~0.21	0.15~0.40	0.60~0.90	≦0.035	0.020~0.040	
H 048	KS	SCM 420	0.18~0.23	0.15~0.35	0.60~0.85	≦0.030	≦0.030	≦0.25
	JIS	SCM 420	0.18~0.23	0.15~0.35	0.60~0.85	≦0.030	≦0.030	≦0.25
	BS	708 M 20	0.17~0.23	0.10~0.35	0.60~0.90	≦0.035	≦0.040	
H 049	KS	SCM 421	0.17~0.23	0.15~0.35	0.70~1.00	≦0.030	≦0.030	≦0.25
	JIS	SCM 421	0.17~0.23	0.15~0.35	0.70~1.00	≦0.030	≦0.030	≦0.25
	DIN EN	22 CrMoS 35	0.19~0.24	≦0.40	0.70~1.00	≦0.035	0.020~0.040	
H 050	KS	SCM 430	0.28~0.33	0.15~0.35	0.60~0.85	≦0.030	≦0.030	≦0.25
	JIS	SCM 430	0.28~0.33	0.15~0.35	0.60~0.85	≦0.030	≦0.030	≦0.25
	AISI	4130	0.28~0.33	0.15~0.35	0.40~0.60	≦0.035	≦0.040	
H 051	KS	SCM 432	0.27~0.37	0.15~0.35	0.30~0.60	≦0.030	≦0.030	≦0.25
	JIS	SCM 432	0.27~0.37	0.15~0.35	0.30~0.60	≦0.030	≦0.030	≦0.25
	AISI	4131	0.28~0.33	0.15~0.35	0.50~0.70	≦0.035	≦0.040	
H 052	KS	SCM 435	0.33~0.38	0.15~0.35	0.60~0.85	≦0.030	≦0.030	≦0.25
	JIS	SCM 435	0.33~0.38	0.15~0.35	0.60~0.85	≦0.030	≦0.030	≦0.25
	AISI	4137	0.35~0.40	0.15~0.35	0.70~0.90	≦0.035	≦0.040	
	ISO	34 CrMo 4	0.30~0.37	0.10~0.40	0.60~0.90	≦0.035	≦0.035	
	ISO	34 CrMoS 4	0.30~0.37	0.10~0.40	0.60~0.90	≦0.035	0.020~0.040	
H 053	KS	SCM 440	0.38~0.43	0.15~0.35	0.60~0.85	≦0.030	≦0.030	≦0.25
	JIS	SCM 440	0.38~0.43	0.15~0.35	0.60~0.85	≦0.030	≦0.030	≦0.25
	AISI	4140	0.38~0.43	0.15~0.35	0.75~1.00	≦0.035	≦0.040	

Index No. H 046~H 053

化学成分 (%) Chemical composition				形状别規格番号 Std. No. by shapes				
Cr	Mo	Al	others	棒[1]	板[2]	帯[3]	線材[4]	others
0.90~1.20	0.15~0.30		Cu≦0.30	D 3711	←	←	←	
0.90~1.20	0.15~0.30		Cu≦0.30	G 4105	←	←	←	
0.90~1.20	0.15~0.30		Cu≦0.30	D 3711	←	←	←	
0.90~1.20	0.15~0.30		Cu≦0.30	G 4105	←	←	←	
0.90~1.20	0.15~0.25			683-11	←	←	←	
0.90~1.20	0.15~0.25			683-11	←	←	←	
0.90~1.20	0.15~0.30		Cu≦0.30	D 3711	←	←	←	
0.90~1.20	0.15~0.30		Cu≦0.30	G 4105	←	←	←	
0.85~1.15	0.15~0.25			907-1			←	
0.90~1.20	0.15~0.30		Cu≦0.30	D 3711	←	←	←	
0.90~1.20	0.15~0.30		Cu≦0.30	G 4105	←	←	←	
0.70~1.00	0.40~0.50			10084	←	←	←	
0.90~1.20	0.15~0.30		Cu≦0.30	D 3711	←	←	←	
0.90~1.20	0.15~0.30		Cu≦0.30	G 4105	←	←	←	
0.80~1.10	0.15~0.25			ISS 209[5]	ISS 212	ISS 214	ISS 217	
1.00~1.50	0.15~0.30		Cu≦0.30	D 3711	←	←	←	
1.00~1.50	0.15~0.30		Cu≦0.30	G 4105	←	←	←	
0.90~1.20	0.15~0.25			ISS 209[5]			ISS 217	
0.90~1.20	0.15~0.30		Cu≦0.30	D 3711	←	←	←	
0.90~1.20	0.15~0.30		Cu≦0.30	G 4105	←	←	←	
0.80~1.10	0.15~0.25			683-1	←	←	←	
0.90~1.20	0.15~0.30			683-1	←	←	←	
0.90~1.20	0.15~0.30							
0.90~1.20	0.15~0.30		Cu≦0.30	D 3711	←	←	←	
0.90~1.20	0.15~0.30		Cu≦0.30	G 4105	←	←	←	
0.80~1.10	0.15~0.25			ISS 209[5]	ISS 212	ISS 214	ISS 217	

Notes : [1] Bar [2] Plate [3] Strip [4] Wire rod [5] ISS(Iron & Steel Society Inc.) 발행 Products manual No.

機械構造用炭素鋼・合金鋼 Carbon and alloy steels for machine structural use

索引番号 Index No.	規格名 Std.	記号 Designation	化学成分 (%) Chemical composition					
			C	Si	Mn	P	S	Ni
H 053(계속)	ISO	42 CrMo 4	0.38~0.45	0.10~0.40	0.60~0.90	≦0.035	≦0.035	
	ISO	42 CrMoS 4	0.38~0.45	0.10~0.40	0.60~0.90	≦0.035	0.020~0.040	
	DIN EN	42 CrMo 4	0.38~0.45	≦0.40	0.60~0.90	≦0.035	≦0.035	
	NF EN	42 CrMoS 4	0.38~0.45	≦0.40	0.60~0.90	≦0.035	0.020~0.040	
	BS EN							
	EN							
H 054	KS	SCM 445	0.43~0.48	0.15~0.35	0.60~0.85	≦0.030	≦0.030	≦0.25
	JIS	SCM 445	0.43~0.48	0.15~0.35	0.60~0.85	≦0.030	≦0.030	≦0.25
	AISI	4145	0.43~0.48	0.15~0.35	0.75~1.00	≦0.035	≦0.040	
H 055	KS	SCM 822	0.20~0.25	0.15~0.35	0.60~0.85	≦0.030	≦0.030	≦0.25
	JIS	SCM 822	0.20~0.25	0.15~0.35	0.60~0.85	≦0.030	≦0.030	≦0.25
H 056	KS	SMn 420	0.17~0.23	0.15~0.35	1.20~1.50	≦0.030	≦0.030	≦0.25
	JIS	SMn 420	0.17~0.23	0.15~0.35	1.20~1.50	≦0.030	≦0.030	≦0.25
	AISI	1522	0.18~0.24	協定	1.10~1.40	≦0.040	≦0.050	
	ISO	22 Mn 6	0.19~0.26	0.10~0.40	1.30~1.60	≦0.035		
H 057	KS	SMn 433	0.30~0.36	0.15~0.35	1.20~1.50	≦0.030	≦0.030	≦0.25
	JIS	SMn 433	0.30~0.36	0.15~0.35	1.20~1.50	≦0.030	≦0.030	≦0.25
H 058	KS	SMn 438	0.35~0.41	0.15~0.35	1.35~1.65	≦0.030	≦0.030	≦0.25
	JIS	SMn 438	0.35~0.41	0.15~0.35	1.35~1.65	≦0.030	≦0.030	≦0.25
	AISI	1541	0.36~0.44	協定	1.35~1.65	≦0.040	≦0.050	
	ISO	36 Mn 6	0.33~0.40	0.10~0.40	1.35~1.65	≦0.035	≦0.035	
H 059	KS	SMn 443	0.40~0.46	0.15~0.35	1.35~1.65	≦0.030	≦0.030	≦0.25
	JIS	SMn 443	0.40~0.46	0.15~0.35	1.35~1.65	≦0.030	≦0.030	≦0.25
	AISI	1541	0.36~0.44	協定	1.35~1.65	≦0.040	≦0.050	
	ISO	42 Mn 6	0.39~0.46	0.10~0.40	1.30~1.65	≦0.035	≦0.035	

Index No. H 053~H 059

化学成分 (%) Chemical composition				形状別規格番号 Std. No. by shapes				
Cr	Mo	Al	others	棒([1])	板([2])	帯([3])	線材([4])	others
0.90~1.20	0.15~0.30			683-1	←	←	←	
0.90~1.20	0.15~0.30			683-1	←	←	←	
0.90~1.20	0.15~0.30			10083-1			←	
0.90~1.20	0.15~0.30			10083-1			←	
0.90~1.20	0.15~0.30		Cu≦0.30	D 3711	←	←	←	
0.90~1.20	0.15~0.30		Cu≦0.30	G 4105	←	←	←	
0.80~1.10	0.15~0.25			ISS 209([5])	ISS 212		ISS 217	
0.90~1.20	0.35~0.45		Cu≦0.30	D 3711	←	←	←	
0.90~1.20	0.35~0.45		Cu≦0.30	G 4105	←	←	←	
≦0.35			Cu≦0.30	D 3724	←	←	←	
≦0.35			Cu≦0.30	G 4106	←	←	←	
				ISS 209([5])			ISS 217	
				683-1	←	←	←	
≦0.35			Cu≦0.30	D 3724	←	←	←	
≦0.35			Cu≦0.30	G 4106	←	←	←	
≦0.35			Cu≦0.30	D 3724	←	←	←	
≦0.35			Cu≦0.30	G 4106	←	←	←	
				ISS 209([5])			ISS 217	
				683-1	←	←	←	
≦0.35			Cu≦0.30	D 3724	←	←	←	
≦0.35			Cu≦0.30	G 4106	←	←	←	
				ISS 209([5])			ISS 217	
				683-1	←	←	←	

Notes : ([1]) Bar ([2]) Plate ([3]) Strip ([4]) Wire rod ([5]) ISS(Iron & Steel Society Inc.) 발행 Products manual No.

機械構造用炭素鋼・合金鋼 Carbon and alloy steels for machine structural use								
索引番号 Index No.	規格名 Std.	記号 Designation	化 学 成 分 (%) Chemical composition					
			C	Si	Mn	P	S	Ni
H 060	KS	SMnC 420	0.17~0.23	0.15~0.35	1.20~1.50	≦0.030	≦0.030	≦0.25
	JIS	SMnC 420	0.17~0.23	0.15~0.35	1.20~1.50	≦0.030	≦0.030	≦0.25
H 061	KS	SMnC 443	0.40~0.46	0.15~0.35	1.35~1.65	≦0.030	≦0.030	≦0.25
	JIS	SMnC 443	0.40~0.46	0.15~0.35	1.35~1.65	≦0.030	≦0.030	≦0.25
H 062	KS	SACM 1	0.40~0.50	0.15~0.50	≦0.60	≦0.030	≦0.030	≦0.25
	JIS	SACM 645	0.40~0.50	0.15~0.50	≦0.60	≦0.030	≦0.030	≦0.25
	ISO	41 CrAlMo 74	0.38~0.45	≦0.50	0.50~0.80	≦0.030	≦0.035	
H 063	KS	SMn 420 H	0.16~0.23	0.15~0.35	1.15~1.55	≦0.030	≦0.030	≦0.25
	JIS	SMn 420 H	0.16~0.23	0.15~0.35	1.15~1.55	≦0.030	≦0.030	≦0.25
	AISI	1522 H	0.17~0.25	0.15~0.35	1.00~1.50	≦0.040	≦0.050	
	ISO	22 Mn 6 H	0.19~0.26	0.10~0.40	1.30~1.65	≦0.035	≦0.035	
H 064	KS	SMn 433 H	0.29~0.36	0.15~0.35	1.15~1.55	≦0.030	≦0.030	≦0.25
	JIS	SMn 433 H	0.29~0.36	0.15~0.35	1.15~1.55	≦0.030	≦0.030	≦0.25
H 065	KS	SMn 438 H	0.34~0.41	0.15~0.35	1.30~1.70	≦0.030	≦0.030	≦0.25
	JIS	SMn 438 H	0.34~0.41	0.15~0.35	1.30~1.70	≦0.030	≦0.030	≦0.25
	AISI	1541 H	0.35~0.45	0.15~0.35	1.25~1.75	≦0.040	≦0.050	
	ISO	36 Mn 6 H	0.33~0.40	0.10~0.40	1.30~1.65	≦0.035	≦0.035	
H 066	KS	SMn 443 H	0.39~0.46	0.15~0.35	1.30~1.70	≦0.030	≦0.030	≦0.25
	JIS	SMn 443 H	0.39~0.46	0.15~0.35	1.30~1.70	≦0.030	≦0.030	≦0.25
	AISI	1541 H	0.35~0.45	協定	1.25~1.75	≦0.040	≦0.050	
	ISO	42 Mn 6 H	0.39~0.46	0.10~0.40	1.30~1.65	≦0.035	≦0.035	
H 067	KS	SMnC 420 H	0.16~0.23	0.15~0.35	1.15~1.55	≦0.030	≦0.030	≦0.25
	JIS	SMnC 420 H	0.16~0.23	0.15~0.35	1.15~1.55	≦0.030	≦0.030	≦0.25
H 068	KS	SMnC 443 H	0.39~0.46	0.15~0.35	1.30~1.70	≦0.030	≦0.030	≦0.25
	JIS	SMnC 443 H	0.39~0.46	0.15~0.35	1.30~1.70	≦0.030	≦0.030	≦0.25

Index No. H 060~H 068

化 学 成 分 (%) Chemical composition				形 状 別 規 格 番 号 Std. No. by shapes				
Cr	Mo	Al	others	棒[1]	板[2]	帯[3]	線材[4]	others
0.35~0.70			Cu≦0.30	D 3724	←	←	←	
0.35~0.70			Cu≦0.30	G 4106	←	←	←	
0.35~0.70			Cu≦0.30	D 3724	←	←	←	
0.35~0.70			Cu≦0.30	G 4106	←	←	←	
1.30~1.70	0.15~0.30	0.70~1.20	Cu≦0.30	D 3756	←	←	←	
1.30~1.70	0.15~0.30	0.70~1.20	Cu≦0.30	G 4202	←	←	←	
1.50~1.80	0.25~1.40	0.80~1.20		683-10	←	←	←	
≦0.35			Cu≦0.30	D 3754	←	←	←	
≦0.35			Cu≦0.30	G 4052	←	←	←	
				ISS 209[5]			ISS 217	
				683-1	←	←	←	
≦0.35			Cu≦0.30	D 3754			←	
≦0.35			Cu≦0.30	G 4052			←	
≦0.35			Cu≦0.30	D 3754			←	
≦0.35			Cu≦0.30	G 4052			←	
				ISS 209[5]			ISS 217	
				683-1	←	←	←	
≦0.35			Cu≦0.30	D 3754			←	
≦0.35			Cu≦0.30	G 4052			←	
				ISS 209[5]			ISS 217	
				683-1	←	←	←	
0.35~0.70			Cu≦0.30	D 3754			←	
0.35~0.70			Cu≦0.30	G 4052			←	
0.35~0.70			Cu≦0.30	D 3754			←	
0.35~0.70			Cu≦0.30	G 4052			←	

Notes : [1] Bar [2] Plate [3] Strip [4] Wire rod [5] ISS(Iron & Steel Society Inc.) 발행 Products manual No.

機械構造用炭素鋼・合金鋼 Carbon and alloy steels for machine structural use								
索引番号 Index No.	規格名 Std.	記号 Designation	化学成分 (%) Chemical composition					
			C	Si	Mn	P	S	Ni
H 069	KS	SCr 415 H	0.12~0.18	0.15~0.35	0.55~0.90	≦0.030	≦0.030	≦0.25
	JIS	SCr 415 H	0.12~0.18	0.15~0.35	0.55~0.90	≦0.030	≦0.030	≦0.25
H 070	KS	SCr 420 H	0.17~0.23	0.15~0.35	0.55~0.90	≦0.030	≦0.030	≦0.25
	JIS	SCr 420 H	0.17~0.23	0.15~0.35	0.55~0.90	≦0.030	≦0.030	≦0.25
	AISI	5120 H	0.17~0.23	0.15~0.35	0.60~1.00	≦0.035	≦0.040	
	ISO	20 Cr 4 H	0.17~0.23	0.15~0.40	0.60~0.90	≦0.035	≦0.035	
	ISO	20 CrS 4	0.17~0.23	0.15~0.40	0.60~0.90	≦0.035	0.020~0.035	
H 071	KS	SCr 430 H	0.27~0.34	0.15~0.35	0.55~0.90	≦0.030	≦0.030	≦0.25
	JIS	SCr 430 H	0.27~0.34	0.15~0.35	0.55~0.90	≦0.030	≦0.030	≦0.25
	AISI	5130 H	0.27~0.33	0.15~0.35	0.60~1.00	≦0.035	≦0.040	
	ISO	34 Cr 4	0.30~0.37	0.10~0.40	0.60~0.90	≦0.035	≦0.035	
	ISO	34 CrS 4	0.30~0.37	0.10~0.40	0.60~0.90	≦0.035	0.020~0040	
H 072	KS	SCr 435 H	0.32~0.39	0.15~0.35	0.55~0.90	≦0.030	≦0.030	≦0.25
	JIS	SCr 435 H	0.32~0.39	0.15~0.35	0.55~0.90	≦0.030	≦0.030	≦0.25
	AISI	5135 H	0.32~0.38	0.15~0.35	0.50~0.90	≦0.035	≦0.040	
	ISO	34 Cr 4 H	0.30~0.37	0.10~0.40	0.60~0.90	≦0.035	≦0.035	
	ISO	34 CrS 4 H	0.30~0.37	0.10~0.40	0.60~0.90	≦0.035		
H 073	KS	SCR 440 H	0.37~0.44	0.15~0.35	0.55~0.90	≦0.030	≦0.030	≦0.25
	JIS	SCR 440 H	0.37~0.44	0.15~0.35	0.55~0.90	≦0.030	≦0.030	≦0.25
	AISI	5140 H	0.37~0.44	0.15~0.35	0.60~1.00	≦0.035	≦0.040	
	ISO	41 Cr 4	0.38~0.45	0.10~0.40	0.60~0.90	≦0.035	≦0.035	
	ISO	41 CrS 4	0.38~0.45	0.10~0.40	0.60~0.90	≦0.035		
H 074	KS	SCM 415 H	0.12~0.18	0.15~0.35	0.55~0.90	≦0.030	≦0.030	≦0.25
	JIS	SCM 415 H	0.12~0.18	0.15~0.35	0.55~0.90	≦0.030	≦0.030	≦0.25
H 075	KS	SCM 418 H	0.15~0.21	0.15~0.35	0.55~0.90	≦0.030	≦0.030	≦0.25
	JIS	SCM 418 H	0.15~0.21	0.15~0.35	0.55~0.90	≦0.030	≦0.030	≦0.25
	ISO	18 CrMo 4	0.15~0.21	0.15~0.40	0.60~0.90	≦0.035	≦0.035	
	ISO	18 CrMoS 4	0.15~0.21	0.15~0.40	0.60~0.90	≦0.035	0.020~0.040	

Index No. H 069~H 075

化学成分 (%) Chemical composition				形状別規格番号 Std. No. by shapes				
Cr	Mo	Al	others	棒([1])	板([2])	帯([3])	線材([4])	others
0.85~1.25			Cu≦0.30	D 3754			←	
0.85~1.25			Cu≦0.30	G 4052			←	
0.85~1.25			Cu≦0.30	D 3754			←	
0.85~1.25			Cu≦0.30	G 4052			←	
0.60~1.00				ISS 209([5])			ISS 217	
0.90~1.20				683-11	←	←	←	
0.90~1.20				683-11	←	←	←	
0.85~1.25			Cu≦0.30	D 3754			←	
0.85~1.25			Cu≦0.30	G 4052			←	
0.75~1.20				ISS 209([5])			ISS 217	
0.90~1.20				683-1	←	←	←	
0.90~1.20				683-1	←	←	←	
0.85~1.25			Cu≦0.30	D 3754			←	
0.85~1.25			Cu≦0.30	G 4052			←	
0.70~1.15				ISS 209([5])			ISS 217	
0.90~1.20				683-1	←	←	←	
0.90~1.20				683-1	←	←	←	
0.85~1.25			Cu≦0.30	D 3754			←	
0.85~1.25			Cu≦0.30	G 4052			←	
0.60~1.00				ISS 209([5])			ISS 217	
0.90~1.20				683-1	←	←	←	
0.90~1.20				683-1	←	←	←	
0.85~1.25	0.15~0.35		Cu≦0.30	D 3754			←	
0.85~1.25	0.15~0.35		Cu≦0.30	G 4052			←	
0.85~1.25	0.15~0.35		Cu≦0.30	D 3754			←	
0.85~1.25	0.15~0.35		Cu≦0.30	G 4052			←	
0.90~1.20	0.15~0.25			683-11	←	←	←	
0.90~1.20	0.15~0.25			683-11	←	←	←	

Notes : ([1]) Bar ([2]) Plate ([3]) Strip ([4]) Wire rod ([5]) ISS(Iron & Steel Society Inc.) 발행 Products manual No.

機械構造用炭素鋼・合金鋼 Carbon and alloy steels for machine structural use

索引番号 Index No.	規格名 Std.	記号 Designation	化学成分 (%) Chemical composition					
			C	Si	Mn	P	S	Ni
H 076	KS	SCM 420 H	0.17~0.23	0.15~0.35	0.55~0.90	≦0.030	≦0.030	≦0.25
	JIS	SCM 420 H	0.17~0.23	0.15~0.35	0.55~0.90	≦0.030	≦0.030	≦0.25
	BS	708 H 20	0.17~0.23	0.10~0.35	0.60~0.90	≦0.035	≦0.040	≦0.40
H 077	KS	SCM 435 H	0.32~0.39	0.15~0.35	0.55~0.90	≦0.030	≦0.030	≦0.25
	JIS	SCM 435 H	0.32~0.39	0.15~0.35	0.55~0.90	≦0.030	≦0.030	≦0.25
	AISI	4135 H	0.32~0.38	0.15~0.35	0.60~1.00	≦0.035	≦0.040	
	ISO	34 CrMo 4	0.30~0.37	0.10~0.40	0.60~0.90	≦0.035	≦0.035	
	ISO	34 CrMoS 4	0.30~0.37	0.10~0.40	0.60~0.90	≦0.035	0.020~0.040	
H 078	KS	SCM 440 H	0.37~0.44	0.15~0.35	0.55~0.90	≦0.030	≦0.030	≦0.25
	JIS	SCM 440 H	0.37~0.44	0.15~0.35	0.55~0.90	≦0.030	≦0.030	≦0.25
	ISO	42 CrMo 4	0.38~0.45	0.10~0.40	0.60~0.90	≦0.035	≦0.035	
	ISO	42 CrMoS 4	0.38~0.45	0.10~0.40	0.60~0.90	≦0.035	0.020~0.040	
H 079	KS	SCM 445 H	0.42~0.49	0.15~0.35	0.55~0.90	≦0.030	≦0.030	≦0.25
	JIS	SCM 445 H	0.42~0.49	0.15~0.35	0.55~0.90	≦0.030	≦0.030	≦0.25
	AISI	4145 H	0.42~0.49	0.15~0.35	0.65~1.10	≦0.035	≦0.040	
H 080	KS	SCM 822 H	0.19~0.25	0.15~0.35	0.55~0.90	≦0.030	≦0.030	≦0.25
	JIS	SCM 822 H	0.19~0.25	0.15~0.35	0.55~0.90	≦0.030	≦0.030	≦0.25
H 081	KS	SNC 415 H	0.11~0.18	0.15~0.35	0.30~0.70	≦0.030	≦0.030	1.95~2.50
	JIS	SNC 415 H	0.11~0.18	0.15~0.35	0.30~0.70	≦0.030	≦0.030	1.95~2.50
H 082	KS	SNC 631 H	0.26~0.35	0.15~0.35	0.30~0.70	≦0.030	≦0.030	2.45~3.00
	JIS	SNC 631 H	0.26~0.35	0.15~0.35	0.30~0.70	≦0.030	≦0.030	2.45~3.00
H 083	KS	SNC 815 H	0.11~0.18	0.15~0.35	0.30~0.70	≦0.030	≦0.030	2.95~3.50
	JIS	SNC 815 H	0.11~0.18	0.15~0.35	0.30~0.70	≦0.030	≦0.030	2.95~3.50
	BS	655 H 13	0.10~0.16	0.10~0.35	0.35~0.60	≦0.035	≦0.040	3.00~3.75
	ISO	15 NiCr 13	0.12~0.18	0.15~0.40	0.35~0.65	≦0.035	≦0.035	3.00~3.50

Index No. H 076~H 083

化学成分 (%) Chemical composition				形状別規格番号 Std. No. by shapes				
Cr	Mo	Al	others	棒([1])	板([2])	帯([3])	線材([4])	others
0.85~1.25	0.15~0.35		Cu≦0.30	D 3754			←	
0.85~1.25	0.15~0.35		Cu≦0.30	G 4052			←	
0.85~1.15	0.15~0.25			970-1			←	
0.85~1.25	0.15~0.35		Cu≦0.30	D 3754			←	
0.85~1.25	0.15~0.35		Cu≦0.30	G 4052			←	
0.75~1.20	0.15~0.25			ISS 209([5])			ISS 217	
0.90~1.20	0.15~0.30			683-1	←	←	←	
0.90~1.20	0.15~0.30			683-1	←	←	←	
0.85~1.25	0.15~0.35		Cu≦0.30	D 3754			←	
0.85~1.25	0.15~0.35		Cu≦0.30	G 4052			←	
0.90~1.20	0.15~0.30			683-1	←	←	←	
0.90~1.20	0.15~0.30			683-1	←	←	←	
0.85~1.25	0.15~0.35		Cu≦0.30	D 3754			←	
0.85~1.25	0.15~0.35		Cu≦0.30	G 4052			←	
0.75~1.20	0.15~0.25			ISS 209([5])			ISS 217	
0.85~1.25	0.35~0.45		Cu≦0.30	D 3754			←	
0.85~1.25	0.35~0.45		Cu≦0.30	G 4052			←	
0.20~0.55			Cu≦0.30	D 3754			←	
0.20~0.55			Cu≦0.30	G 4052			←	
0.55~1.05			Cu≦0.30	D 3754			←	
0.55~1.05			Cu≦0.30	G 4052			←	
0.65~1.05			Cu≦0.30	D 3754			←	
0.65~1.05			Cu≦0.30	G 4052			←	
0.70~1.00				970-1			←	
0.60~0.90				683-11	←	←	←	

Notes : ([1]) Bar ([2]) Plate ([3]) Strip ([4]) Wire rod ([5]) ISS(Iron & Steel Society Inc.) 발행 Products manual No.

機械構造用炭素鋼・合金鋼 Carbon and alloy steels for machine structural use

索引番号 Index No.	規格名 Std.	記号 Designation	化学成分 (%) Chemical composition					
			C	Si	Mn	P	S	Ni
H 084	KS	SNCM 220H	0.17~0.23	0.15~0.35	0.60~0.95	≦0.030	≦0.030	0.35~0.75
	JIS	SNCM 220H	0.17~0.23	0.15~0.35	0.60~0.95	≦0.030	≦0.030	0.35~0.75
	AISI	8620 H	0.17~0.23	0.15~0.35	0.60~0.95	≦0.035	≦0.040	0.35~0.75
	BS	805 H 20	0.17~0.23	0.15~0.35	0.60~0.95	≦0.035	≦0.040	0.35~0.75
	ISO	20 NiCrMo 2	0.17~0.23	0.15~0.40	0.65~0.95	≦0.035	≦0.035	0.40~0.70
	ISO	20 NiCrMoS 2	0.17~0.23	0.15~0.40	0.65~0.95	≦0.035	0.020~0.040	0.40~0.70
H 085	KS	SNCM 420 H	0.17~0.23	0.15~0.35	0.40~0.70	≦0.030	≦0.030	1.55~2.00
	JIS	SNCM 420 H	0.17~0.23	0.15~0.35	0.40~0.70	≦0.030	≦0.030	1.55~2.00
	AISI	4320 H	0.17~0.23	0.15~0.35	0.40~0.70	≦0.035	≦0.040	1.55~2.00

化学成分 (%) Chemical composition				形状別規格番号 Std. No. by shapes				
Cr	Mo	Al	others	棒(1)	板(2)	帯(3)	線材(4)	others
0.35~0.65	0.15~0.30		Cu≦0.30	D 3754			←	
0.35~0.65	0.15~0.30		Cu≦0.30	G 4052			←	
0.35~0.65	0.15~0.25			ISS 209(5)			ISS 217	
0.35~0.65	0.15~0.25			683-11	←	←	←	
0.30~0.65	0.15~0.25			683-11	←	←	←	
0.30~0.65	0.15~0.25							
0.35~0.65	0.15~0.30		Cu≦0.30	D 3754			←	
0.35~0.65	0.15~0.30		Cu≦0.30	G 4052			←	
0.35~0.65	0.20~0.30			ISS 209(5)			ISS 217	

Notes : (1) Bar (2) Plate (3) Strip (4) Wire rod (5) ISS(Iron & Steel Society Inc.) 발행 Products manual No.

機械構造用炭素鋼・合金鋼 Carbon and alloy steels for machine structural use

索引番号 Index No.	規格名 Std.	記号 Designation	化 学 成 分 (%) Chemical composition					
			鋼材의 두께[1] t (㎜)	C	Si	Mn	P	S
H 086	KS	SNB 5	≦100	≧0.10	≦1.00	≦1.00	≦0.040	≦0.030
	JIS	SNB 5	≦100	≧0.10	≦1.00	≦1.00	≦0.040	≦0.030
	ASTM	B 5	≦100	≧0.10	≦1.00	≦1.00	≦0.040	≦0.030
H 087	KS	SNB 7	≦120	0.38~0.48	0.20~0.35	0.75~1.00	≦0.040	≦0.040
	JIS	SNB 7	≦120	0.38~0.48	0.20~0.35	0.75~1.00	≦0.040	≦0.040
	KS	SNB 16	≦180	0.36~0.44	0.20~0.35	0.45~0.70	≦0.040	≦0.040
	JIS	SNB 16	≦180	0.36~0.44	0.20~0.35	0.45~0.70	≦0.040	≦0.040
	ASTM	B7		0.37~0.49	0.15~0.35	0.65~1.10	≦0.035	≦0.040
	ASTM	B16		0.36~0.47	0.15~0.35	0.45~0.70	≦0.035	≦0.040
	DIN	42 CrMo 4		0.38~0.45	≦0.40	0.60~0.90	≦0.035	≦0.035
	DIN	40 CrMoV 47		0.36~0.44	0.15~0.35	0.35~0.85	≦0.030	≦0.035
H 088	KS	SNB 21-1	≦100	0.36~0.44	0.20~0.35	0.45~0.70	≦0.025	≦0.025
		SNB 21-2	≦100	0.36~0.44	0.20~0.35	0.45~0.70	≦0.025	≦0.025
		SNB 21-3	≦150	0.36~0.44	0.20~0.35	0.45~0.70	≦0.025	≦0.025
		SNB 21-4	≦150	0.36~0.44	0.20~0.35	0.45~0.70	≦0.025	≦0.025
		SNB 21-5	≦200	0.36~0.44	0.20~0.35	0.45~0.70	≦0.025	≦0.025
		SNB 22-1	≦38	0.39~0.46	0.20~0.35	0.65~1.10	≦0.025	≦0.025

Index No. H 086~H 088

化学成分 (%) Chemical composition					引張試験 Tensile requirements			規格番号 Std. No.
Cr	Mo	Ni	Cu	others	熱処理([1])	降伏点([2]) (N/㎟)	引張强度([3]) (N/㎟)	
4.00~6.00	0.40~0.65				≦100	≧550	≧690	D 3755
4.00~6.00	0.40~0.65				≦100	≧550	≧690	G 4107
4.00~6.00	0.40~0.65				≦100	≧550	≧690	A 193
0.80~1.10	0.15~0.25				≦63	≧725	≧860	D 3755
					63<t≦100	≧655	≧800	D 3755
					100<t≦120	≧520	≧690	D 3755
0.80~1.10	0.15~0.25				≦63	≧725	≧860	G 4107
					63<t≦100	≧655	≧800	G 4107
					100<t≦120	≧520	≧690	G 4107
0.80~1.15	0.50~0.65			V0.25~0.35	≦63	≧725	≧860	D 3755
					63<t≦100	≧655	≧760	D 3755
					100<t≦180	≧590	≧690	D 3755
0.80~1.15	0.50~0.65			V0.25~0.35	≦63	≧725	≧860	G 4107
					63<t≦100	≧655	≧760	G 4107
					100<t≦180	≧590	≧690	G 4107
0.75~1.20	0.15~0.25				≦64	≧720	≧860	A 193
					64<t≦100	≧655	≧795	A 193
					100<t≦180	≧515	≧690	A 193
0.80~1.15	0.50~0.65			V0.25~0.35	≦64	≧725	≧860	A 193
					64<t≦100	≧655	≧760	A 193
					100<t≦180	≧585	≧690	A 193
0.90~1.20	0.15~0.30							1654-4
0.90~1.20	0.60~0.75			V0.25~0.35				17240
0.80~1.15	0.50~0.65			V0.25~0.35	≦100	≧1030	≧1140	D 3723
0.80~1.15	0.50~0.65			V0.25~0.35	≦100	≧960	≧1070	D 3723
0.80~1.15	0.50~0.65			V0.25~0.35	≦150	≧890	≧1000	D 3723
0.80~1.15	0.50~0.65			V0.25~0.35	≦150	≧825	≧930	D 3723
0.80~1.15	0.50~0.65			V0.25~0.35	≦50	≧715	≧820	D 3723
					50<t≦150	≧685	≧790	D 3723
					150<t≦200	≧685	≧790	D 3723
0.75~1.20	0.15~0.25				≦38	≧1030	≧1140	D 3723

Notes : ([1]) Thickness ([2]) Yield strength ([3]) Tensile strength

機械構造用炭素鋼・合金鋼 Carbon and alloy steels for machine structural use

索引番号 Index No.	規格名 Std.	記号 Designation	化 学 成 分 (%) Chemical composition					
			鋼材의 두께[1] t (mm)	C	Si	Mn	P	S
H 088(계속)		SNB 22-2	≦75	0.39~0.46	0.20~0.35	0.65~1.10	≦0.025	≦0.025
		SNB 22-3	≦100	0.39~0.46	0.20~0.35	0.65~1.10	≦0.025	≦0.025
		SNB 22-4	≦100	0.39~0.46	0.20~0.35	0.65~1.10	≦0.025	≦0.025
		SNB 22-5	≦100	0.39~0.46	0.20~0.35	0.65~1.10	≦0.025	≦0.025
		SNB 23-1	≦200	0.37~0.44	0.20~0.35	0.60~0.95	≦0.025	≦0.025
		SNB 23-2	≦240	0.37~0.44	0.20~0.35	0.60~0.95	≦0.025	≦0.025
		SNB 23-3	≦240	0.37~0.44	0.20~0.35	0.60~0.95	≦0.025	≦0.025
		SNB 23-4	≦240	0.37~0.44	0.20~0.35	0.60~0.95	≦0.025	≦0.025
		SNB 23-5	≦240	0.37~0.44	0.20~0.35	0.60~0.95	≦0.025	≦0.025
	JIS	SNB 21-1	≦100	0.36~0.44	0.20~0.35	0.45~0.70	≦0.025	≦0.025
		SNB 21-2	≦100	0.36~0.44	0.20~0.35	0.45~0.70	≦0.025	≦0.025
		SNB 21-3	≦150	0.36~0.44	0.20~0.35	0.45~0.70	≦0.025	≦0.025
		SNB 21-4	≦150	0.36~0.44	0.20~0.35	0.45~0.70	≦0.025	≦0.025
		SNB 21-5	≦200	0.36~0.44	0.20~0.35	0.45~0.70	≦0.025	≦0.025
		SNB 22-1	≦38	0.39~0.46	0.20~0.35	0.65~1.10	≦0.025	≦0.025
		SNB 22-2	≦75	0.39~0.46	0.20~0.35	0.65~1.10	≦0.025	≦0.025
		SNB 22-3	≦100	0.39~0.46	0.20~0.35	0.65~1.10	≦0.025	≦0.025
		SNB 22-4	≦100	0.39~0.46	0.20~0.35	0.65~1.10	≦0.025	≦0.025
		SNB 22-5	≦100	0.39~0.46	0.20~0.35	0.65~1.10	≦0.025	≦0.025
		SNB 23-1	≦200	0.37~0.44	0.20~0.35	0.60~0.95	≦0.025	≦0.025
		SNB 23-2	≦240	0.37~0.44	0.20~0.35	0.60~0.95	≦0.025	≦0.025
		SNB 23-3	≦240	0.37~0.44	0.20~0.35	0.60~0.95	≦0.025	≦0.025
		SNB 23-4	≦240	0.37~0.44	0.20~0.35	0.60~0.95	≦0.025	≦0.025
		SNB 23-5	≦240	0.37~0.44	0.20~0.35	0.60~0.95	≦0.025	≦0.025
	ASTM	B 21-1		0.36~0.44	0.15~0.35	0.45~0.70	≦0.025	≦0.025

Index No. H 088

化学成分 (%) Chemical composition					引張試験 Tensile requirements			規格番号 Std. No.
Cr	Mo	Ni	Cu	others	熱処理([1])	降伏点([2]) (N/㎟)	引張強度([3]) (N/㎟)	
0.75～1.20	0.15～0.25				≦75	≧960	≧1070	D 3723
0.75～1.20	0.15～0.25				≦100	≧890	≧1000	D 3723
0.75～1.20	0.15～0.25				≦100	≧825	≧930	D 3723
0.75～1.20	0.15～0.25				≦50	≧715	≧820	D 3723
					50<t≦100	≧685	≧790	D 3723
0.65～0.95	0.20～0.30	1.55～2.00			≦200	≧1030	≧1140	D 3723
0.65～0.95	0.20～0.30	1.55～2.00			≦240	≧960	≧1070	D 3723
0.65～0.95	0.20～0.30	1.55～2.00			≦240	≧890	≧1000	D 3723
0.65～0.95	0.20～0.30	1.55～2.00			≦240	≧825	≧930	D 3723
0.65～0.95	0.20～0.30	1.55～2.00			≦150	≧715	≧820	D 3723
					150<t≦200	≧685	≧790	D 3723
					200<t≦240	≧685	≧790	D 3723
0.80～1.15	0.50～0.65			V0.25～0.35	≦100	≧1030	≧1140	G 4018
0.80～1.15	0.50～0.65			V0.25～0.35	≦100	≧960	≧1070	G 4018
0.80～1.15	0.50～0.65			V0.25～0.35	≦150	≧890	≧1000	G 4018
0.80～1.15	0.50～0.65			V0.25～0.35	≦150	≧825	≧930	G 4018
0.80～1.15	0.50～0.65			V0.25～0.35	≦50	≧715	≧820	G 4018
					50<t≦150	≧685	≧790	G 4018
					150<t≦200	≧685	≧790	G 4018
0.75～1.20	0.15～0.25				≦38	≧1030	≧1140	G 4018
0.75～1.20	0.15～0.25				≦75	≧960	≧1070	G 4018
0.75～1.20	0.15～0.25				≦100	≧890	≧1000	G 4018
0.75～1.20	0.15～0.25				≦100	≧825	≧930	G 4018
0.75～1.20	0.15～0.25				≦50	≧715	≧820	G 4018
					50<t≦100	≧685	≧790	G 4018
0.65～0.95	0.20～0.30	1.55～2.00			≦200	≧1030	≧1140	G 4018
0.65～0.95	0.20～0.30	1.55～2.00			≦240	≧960	≧1070	G 4018
0.65～0.95	0.20～0.30	1.55～2.00			≦240	≧890	≧1000	G 4018
0.65～0.95	0.20～0.30	1.55～2.00			≦240	≧825	≧930	G 4018
0.65～0.95	0.20～0.30	1.55～2.00			≦150	≧715	≧820	G 4018
					150<t≦200	≧685	≧790	G 4018
					200<t≦240	≧685	≧790	G 4018
0.80～1.15	0.50～0.65			V0.25～0.35	≦102	≧1034	≧1138	A 540

Notes : ([1]) Thickness ([2]) Yield strength ([3]) Tensile strength

機械構造用炭素鋼・合金鋼 Carbon and alloy steels for machine structural use								
索引番号 Index No.	規格名 Std.	記号 Designation	化 学 成 分 (%) Chemical composition					
			鋼材의 두께([1]) t (㎜)	C	Si	Mn	P	S
H 088(계속)		B 21-2		0.36~0.44	0.15~0.35	0.45~0.70	≦0.025	≦0.025
		B 21-3		0.36~0.44	0.15~0.35	0.45~0.70	≦0.025	≦0.025
		B 21-4		0.36~0.44	0.15~0.35	0.45~0.70	≦0.025	≦0.025
		B 21-5		0.36~0.44	0.15~0.35	0.45~0.70	≦0.025	≦0.025
	ASTM	B 22-1	≦38	0.39~0.46	0.15~0.35	0.65~1.10	≦0.025	≦0.025
		B 22-2	≦76	0.39~0.46	0.15~0.35	0.65~1.10	≦0.025	≦0.025
		B 22-3	≦102	0.39~0.46	0.15~0.35	0.65~1.10	≦0.025	≦0.025
		B 22-4	≦102	0.39~0.46	0.15~0.35	0.65~1.10	≦0.025	≦0.025
		B 22-5	≦102	0.39~0.46	0.15~0.35	0.65~1.10	≦0.025	≦0.025
	ASTM	B 23-1	≦203	0.37~0.44	0.15~0.35	0.60~0.95	≦0.025	≦0.025
		B 23-2	≦241	0.37~0.44	0.15~0.35	0.60~0.95	≦0.025	≦0.025
		B 23-3	≦241	0.37~0.44	0.15~0.35	0.60~0.95	≦0.025	≦0.025
		B 23-4	≦241	0.37~0.44	0.15~0.35	0.60~0.95	≦0.025	≦0.025
		B 23-5	≦241	0.37~0.44	0.15~0.35	0.60~0.95	≦0.025	≦0.025
	ASTM	B 24-1	≦203	0.37~0.44	0.15~0.35	0.70~0.90	≦0.025	≦0.025
		B 24-2	≦241	0.37~0.44	0.15~0.35	0.70~0.90	≦0.025	≦0.025
		B 24-3	≦241	0.37~0.44	0.15~0.35	0.70~0.90	≦0.025	≦0.025
		B 24-4	≦152	0.37~0.44	0.15~0.35	0.70~0.90	≦0.025	≦0.025
		B 24-5	≦241	0.37~0.44	0.15~0.35	0.70~0.90	≦0.025	≦0.025
	ASTM	B 24 V-1	≦279	0.37~0.44	0.15~0.35	0.60~0.95	≦0.025	≦0.025
		B 24 V-2	≦279	0.37~0.44	0.15~0.35	0.60~0.95	≦0.025	≦0.025
		B 24 V-3	≦279	0.37~0.44	0.15~0.35	0.60~0.95	≦0.025	≦0.025
	DIN	42 CrMo 4		0.38~0.45	≦0.40	0.60~0.90	≦0.035	≦0.035
	DIN	40 CrMoV 47		0.36~0.44	015~0.35	0.35~0.85	≦0.030	≦0.035

Index No. H 088

化 学 成 分 (%) Chemical composition					引 張 試 験 Tensile requirements			規格番号 Std. No.
Cr	Mo	Ni	Cu	others	熱処理([1])	降伏点([2]) (N/㎟)	引張強度([3]) (N/㎟)	
0.80~1.15	0.50~0.65			V0.25~0.35	≦102	≧965	≧1069	A 540
0.80~1.15	0.50~0.65			V0.25~0.35	≦152	≧896	≧1000	A 540
0.80~1.15	0.50~0.65			V0.25~0.35	≦152	≧827	≧931	A 540
0.80~1.15	0.50~0.65			V0.25~0.35	≦51	≧724	≧827	A 540
					51<t≦152	≧689	≧793	A 540
0.75~1.20	0.15~0.25				≦38	≧1034	≧1138	A 540
0.75~1.20	0.15~0.25				≦76	≧965	≧1069	A 540
0.75~1.20	0.15~0.25				≦102	≧896	≧1000	A 540
0.75~1.20	0.15~0.25				≦102	≧827	≧931	A 540
0.75~1.20	0.15~0.25				≦51	≧724	≧827	A 540
					51<t≦102	≧689	≧793	A 540
0.65~0.95	0.20~0.30	1.55~2.00			≦203	≧1034	≧1138	A 540
0.65~0.95	0.20~0.30	1.55~2.00			≦241	≧965	≧1069	A 540
0.65~0.95	0.20~0.30	1.55~2.00			≦241	≧896	≧1000	A 540
0.65~0.95	0.20~0.30	1.55~2.00			≦241	≧827	≧931	A 540
0.65~0.95	0.20~0.30	1.55~2.00			≦152	≧724	≧827	A 540
					152<t≦241	≧689	≧793	A 540
0.70~0.95	0.30~0.40	1.65~2.00			≦203	≧1034	≧1138	A 540
0.70~0.95	0.30~0.40	1.65~2.00			≦241	≧965	≧1069	A 540
0.70~0.95	0.30~0.40	1.65~2.00			≦241	≧896	≧1000	A 540
0.70~0.95	0.30~0.40	1.65~2.00			≦241	≧827	≧931	A 540
0.70~0.95	0.30~0.40	1.65~2.00			≦152	≧724	≧827	A 540
					152<t≦241	≧689	≧793	A 540
0.60~0.95	0.40~0.60	1.55~2.00		V0.04~0.10	≦279	≧1035	≧1140	A 540
0.60~0.95	0.40~0.60	1.55~2.00		V0.04~0.10	≦279	≧965	≧1070	A 540
0.60~0.95	0.40~0.60	1.55~2.00		V0.04~0.10	≦279	≧895	≧1000	A 540
0.90~1.20	0.15~0.30							1654-4
0.90~1.20	0.60~0.75			V0.25~0.35				17240

Notes : ([1]) Thickness ([2]) Yield strength ([3]) Tensile strength

특수용도강(特殊用途鋼)

Steels for special purposes

■ 스테인리스강 · 내열강

Stainless steels, heat-resisting steels ······ 284

■ 공구강(工具鋼)

Tool steels ······ 330

■ 스프링강

Spring steels ······ 354

■ 쾌삭강(快削鋼)

Free-cutting steels ······ 360

■ 베어링강

Bearing steels ······ 368

特殊用途鋼 (스테인리스강·내열강) Steels for special purposes (Stainless steels, heat-resisting steels)

索引番号 Index No.	規格名 Std.	記 号[1] Designation	化 学 成 分 (%) Chemical composition C	Si	Mn	P	S	Ni
I 001	KS	STS 201	≦0.15	≦1.00	5.50~7.50	≦0.060	≦0.030	3.50~5.50
	JIS	SUS 201	≦0.15	≦1.00	5.50~7.50	≦0.060	≦0.030	3.50~5.50
	ASTM	S 20100	≦0.15	≦0.75	5.50~7.50	≦0.060	≦0.030	3.50~5.50
	BS							
	DIN							
	NF	Z 12 CMN 17-07 Az	≦0.12	≦0.75	6.0~7.0	≦0.040	≦0.015	4.00~5.00
	ISO	L-No 12 X 12 CrMnNiN 17-7-5	≦0.15	≦1.0	5.5~7.5	≦0.060	≦0.030	3.5~5.5
	EN	1.4372	≦0.15	≦1.00	5.50~7.50	≦0.045	≦0.015	3.50~5.50
I 002	KS	STS 202	≦0.15	≦1.00	7.50~10.00	≦0.060	≦0.030	4.00~6.00
	JIS	SUS 202	≦0.15	≦1.00	7.50~10.00	≦0.060	≦0.030	4.00~6.00
	ASTM	S 20200	≦0.15	≦0.75	7.50~10.00	≦0.060	≦0.030	4.00~6.00
	BS	284 S 16	≦0.07	≦1.00	7.00~10.0	≦0.060	≦0.030	4.00~6.50
	DIN							
	NF							
	ISO							
	EN	1.4373	≦0.15	≦1.00	7.50~10.50	≦0.045	≦0.015	4.00~6.00
I 003	KS	STS 301	≦0.15	≦1.00	≦2.00	≦0.045	≦0.030	6.00~8.00
	JIS	SUS 301	≦0.15	≦1.00	≦2.00	≦0.045	≦0.030	6.00~8.00
	ASTM	S 30100	≦0.15	≦0.75	≦2.00	≦0.045	≦0.030	6.00~8.00
	BS	301 S 21	≦0.15	≦1.00	≦2.00	≦0.045	≦0.030	6.00~8.00
	DIN							
	NF	Z 11 CN 17.08	0.09~0.12	≦0.75	0.75~1.20	≦0.040	≦0.015	7.0~8.0
	ISO	L-No 5 X 5 CrNi 17-7	≦0.07	≦1.0	≦2.0	≦0.045	≦0.030	6.0~8.0
	EN	1.4319	0.05~0.15	≦2.00	≦2.00	≦0.045	≦0.015	6.00~9.50
I 004	KS	STS 301 L	≦0.030	≦1.00	≦2.00	≦0.045	≦0.030	6.00~8.00
	JIS	SUS 301 L	≦0.030	≦1.00	≦2.00	≦0.045	≦0.030	6.00~8.00
	ASTM							

Notes : NF에 대해서는 A35-578, A35-579 및 A35-583이외는 1995년 11월에 NF EN 10088-2(판·대) 및 NF EN 10088-3(봉·선재 등)에 따르지만 여기서는 구 NF를 기재한다.
BS 및 DIN에 대해서는 EN으로의 이행이 어느 시점에서 행해지는 불명확하지만 같은 모양의 처치가 채택된다고 생각된다.
여기에 기재된 EN의 화학성분은 EN 10088-1 stainless steel-part 1 : List of stainless steel : April 1995에 의해 기호는 강종번호(타 유럽각국 규격과 같은 주요성분에 대한 기호는 생략)만을 기재하였다.
ISO 683-13 : 1986, ISO 683-16 : 1976은 1997년에 폐지된 것으로 ISO는 현재 제정중에 있는 TR 15510 : 1997에 따른다.
ASTM은 A 167(1996), A 176(1996), A 194(1997), A 240(1997), A 276(1997), A 479(1997), A 666(1996), B691(1996)에 따른다.
JIS G 4304, 4305중의 201, 202는 1999년에 폐지되었다.

Note : (1) ASTM은 모두 UNS. No.로 표시

Index No. I 001~I 004

化学成分 (%) Chemical composition				形状別規格番号 No. of Std. according to shapes				
Cr	Mo	N	others	棒 bar	板 plate	帯 strip	線 wire	others
16.00~18.00		≦0.25		D 3706		←	D 3702 D 3703	
16.00~18.00		≦0.25		G 4303		←	G 4308 G 4309	
16.00~18.00		≦0.25		A 666	A 240 A 666	←		
16.0~17.0		0.15~0.25			A 35-573	A 35-573		
16.0~18.0		0.05~0.25						TR 15510
16.00~18.00		0.05~0.25			10088-2	←		
17.00~19.00		≦0.25		D 3706		←		
17.00~19.00		≦0.25		G 4303		←		
17.00~19.00		≦0.25		A 314 A 666	A 240 A 666	←		A 473
16.5~18.5		0.15~0.25			1449-2	←		
17.00~19.00		0.05~0.25			10088-2	←		
16.00~18.00				D 3706	D 3705 D 3698	← D 3534		
16.00~18.00				G 4303	G 4304 G 4305	← G 4313		
16.00~18.00				A 666	A 240 A 666		A 492 A 493	
16.00~18.00					1449-2 5770-4		2056	
16.5~17.5					A 35-573	A 35-573		
16.0~18.0								TR 15510
16.00~19.00	≦0.80	≦0.11		10088-3	10088-2	←		
16.00~18.00	-	≦0.20			D 3705 D 3698			
16.00~18.00	-	≦0.20			G 4304 G 4305			

特殊用途鋼 (스테인리스강·내열강)			Steels for special purposes (Stainless steels, heat-resisting steels)					
索引番号 Index No.	規格名 Std.	記 号([1]) Designation	化 学 成 分 (%) Chemical composition					
			C	Si	Mn	P	S	Ni
I 004(계속)	BS							
	DIN	X 2 CrNiN 187	≦0.030	≦1.0	≦2.0	≦0.045	≦0.030	6.0~9.0
	NF							
	ISO	L-No 4 X 2 CrNiN 18-7	≦0.030	≦1.00	≦2.00	≦0.045	≦0.015	6.00~8.00
	EN	1.4318	≦0.030	≦1.00	≦2.00	≦0.045	≦0.015	6.00~8.00
I 005	KS	STS 301 J 1	0.08~0.12	≦1.00	≦2.00	≦0.045	≦0.030	7.00~9.00
	JIS	SUS 301 J 1	0.08~0.12	≦1.00	≦2.00	≦0.045	≦0.030	7.00~9.00
	ASTM							
	BS							
	DIN	X 12 CrNi 177	≦0.12	≦1.5	≦2.0	≦0.045	≦0.030	6.00~9.00
	NF							
I 006	KS	STS 302	≦0.15	≦0.75	≦2.00	≦0.045	≦0.030	8.00~10.00
	JIS	SUS 302	≦0.15	≦0.75	≦2.00	≦0.045	≦0.030	8.00~10.00
	ASTM	S 30200	≦0.15	≦0.75	≦2.00	≦0.045	≦0.030	8.00~10.00
	BS	302 S 31	≦0.12	≦1.0	≦2.0	≦0.045	≦0.030	8.00~10.00
	DIN							
	NF	Z 12 CN 18.09	≦0.12	≦1.0	≦2.0	≦0.040	≦0.015	8.0~9.0
	ISO							
I 007	KS	STS 302 B	≦0.15	2.00~3.00	≦2.00	≦0.045	≦0.030	8.00~10.00
	JIS	SUS 302 B	≦0.15	2.00~3.00	≦2.00	≦0.045	≦0.030	8.00~10.00
	ASTM	S 30215	≦0.15	2.00~3.00	≦2.00	≦0.045	≦0.030	
	BS							
	DIN							
	NF							
I 008	KS	STS 303	≦0.15	≦1.00	≦2.00	≦0.20	≧0.15	8.00~10.00
	JIS	SUS 303	≦0.15	≦1.00	≦2.00	≦0.20	≧0.15	8.00~10.00
	ASTM	S 30300	≦0.15	≦1.00	≦2.00	≦0.20	≧0.15	8.00~10.00
	BS	303 S 31	≦0.12	≦1.0	≦2.0	≦0.060	0.15~0.35	8.0~10.00
	DIN	X 10 CrNiS 189	≦0.12	≦1.0	≦2.0	≦0.060	0.15~0.35	8.0~10.0

Index No. I 004~I 008

化学成分 (%) Chemical composition				形状別規格番号 No. of Std. according to shapes				
Cr	Mo	N	others	棒 bar	板 plate	帯 strip	線 wire	others
16.5~18.5		1.0~1.5						SEW
16.50~18.50		0.12~0.20						TR15510
16.50~18.50		0.10~0.20			10088-2	←		
16.00~18.00					D 3705 D 3698	←		
16.00~18.00					G 4304 G 4305	←		
16.00~18.00	≦0.8					17224	←	
17.00~19.00				D 3706 D 3692	D 3705 D 3698 D 3732	←	D 3702 D 3535	D 3694
17.00~19.00				G 4303 G 4318	G 4304 G 4305 G 4312	←	G 4308 G 4314	G 4317
17.00~19.00		≦0.10		A 276 A 479 A 666	A 240 A 666	←	A 313 他	
17.00~19.00					1449-2	←	2056	970-1
17.0~19.0				A 35-574	A 35-573	←		
17.00~19.00					D 3705 D 3698	←		
17.00~19.00					G 4304 F 4305	←		
17.00~19.00				A 276 A 314	A 167	←	(A 580)	
17.00~19.00	≦0.60(2)			D 3706 D 3692			D 3706 D 3703	
17.00~19.00	≦0.60(2)			G 4303 G 4318			G 4308 G 4309	
17.00~19.00	≦0.60(2)			A 314 A 582	A 895		A 581	A 194
17.0~19.0	≦1.00							970-1
17.0~19.0								

Notes : (1) ASTM은 모두 UNS. No.로 표시 (2) 제조자가 임의로 첨가할 수 있다.

特殊用途鋼 (스테인리스강·내열강)			Steels for special purposes (Stainless steels, heat-resisting steels)					
索引番号 Index No.	規格名 Std.	記 号[1] Designation	化 学 成 分 (%) Chemical composition					
			C	Si	Mn	P	S	Ni
I 008(계속)	NF	Z 8 CNF 18.09	≦0.08	≦0.75	≦2.0	≦0.040	0.15~0.35	8.0~10.0
	ISO	L-No 13 X 10 CrNiS 18-9	≦0.12	≦1.0	≦2.0	≦0.060	0.15~0.35	8.0~10.0
	EN	1.4305	≦0.10	≦1.00	≦2.00	≦0.045	0.15~0.35	8.00~10.00
I 009	KS	STS 303 Se	≦0.15	≦1.00	≦2.00	≦0.20	≦0.060	8.00~10.00
	JIS	SUS 303 Se	≦0.15	≦1.00	≦2.00	≦0.20	≦0.060	8.00~10.00
	ASTM	S 30323	≦0.15	≦1.00	≦2.00	≦0.20	≦0.060	8.00~10.00
	BS	303 S 42	≦0.12	≦1.0	≦2.0	≦0.060	≦0.060	8.0~10.0
	DIN							
	NF							
I 010	KS	STS 304	≦0.08	≦1.00	≦2.00	≦0.045	≦0.030	8.00~10.50
	JIS	SUS 304	≦0.08	≦1.00	≦2.00	≦0.045	≦0.030	8.00~10.50
	ASTM	S 30400	≦0.08	≦0.75	≦2.00	≦0.045	≦0.030	8.00~10.50
	BS	304 S 31	≦0.07	≦1.00	≦2.00	≦0.045	≦0.030	8.0~11.0
	DIN	X5 CrNi 1810	≦0.07	≦1.0	≦2.0	≦0.045	≦0.030	8.5~10.5
	NF	Z 7 CN 18.09	≦0.07	≦1.0	≦2.0	≦0.040	≦0.015	8.0~10.0
	ISO	L-No 6 X 5 CrNi 18-9	≦0.07	≦1.0	≦2.0	≦0.045	≦0.030	8.0~10.50
	EN	1.4301	≦0.07	≦1.00	≦2.00	≦0.045	≦0.015[2]	8.00~10.50
I 011	KS	STS 304 L	≦0.030	≦1.00	≦2.00	≦0.045	≦0.030	9.00~13.00
	JIS	SUS 304 L	≦0.030	≦1.00	≦2.00	≦0.045	≦0.030	9.00~13.00
	ASTM	S 30403	≦0.030	≦0.75	≦2.00	≦0.045	≦0.030	8.00~12.00
	BS	304 S 11	≦0.030	≦1.00	≦2.00	≦0.045	≦0.030	9.0~12.0
	DIN	X 2 CrNi 1911	≦0.030	≦1.0	≦2.0	≦0.045	≦0.030	10.0~12.5
	NF	Z 3 CN 18.10	≦0.030	≦1.0	≦2.0	≦0.040	≦0.015	9.0~11.0
	ISO	L-No 1 X 2 CrNi 18-9	≦0.030	≦1.00	≦2.00	≦0.045	≦0.015[2]	8.00~10.00
		L-No 2 X 2 CrNi 19-11	≦0.030	≦1.00	≦2.00	≦0.045	≦0.015[2]	10.00~12.00
	EN	1.4307	≦0.030	≦1.00	≦2.00	≦0.045	≦0.015[2]	8.00~10.00
		1.4306	≦0.030	≦1.00	≦2.00	≦0.045	≦0.015[2]	10.00~12.00

Index No. I 008~I 011

化学成分 (%) Chemical composition				形状別規格番号 No. of Std. according to shapes				
Cr	Mo	N	others	棒 bar	板 plate	帯 strip	線 wire	others
17.0~19.0	≦0.60		Cu≦1.20	A 35-574				
17.0~19.0								TR 15510
17.00~19.00		≦0.11	Cu≦1.00	10088-3	10088-2	←		
17.00~19.00			Se≧0.15	D 3706 D 3692			D 3706 D 3703	
17.00~19.00			Se≧0.15	G 4303 G 4318			G 4308 G 4309	
17.00~19.00			Se≧0.15	A 314 A 582	A 895		A 581	
17.00~19.00	≦1.00		Se 0.15~0.35					970-1
18.00~20.00				D 3706 D 3692 D 3731	D 3705 D 3698 D 3732	←	D 3706 D 3703	D 3694 D 3690
						D 3534	D 3535 D 3697	
18.00~20.00				G 4303 G 4318 G 4311	G 4304 G 4305 G 4312	←	G 4308 G 4309	G 4317 G 4320
						G 4313	G 4314 G 4315	
18.00~20.00		≦0.10		A 276 A 479 A 666	A 240 A 666	←	A 313 他	A 182 他
17.0~19.0					1449-2	←	3111-2	970-1
17.0~19.0					17441	17441		17440
17.0~19.0				A 35-574	A 35-573	←		
17.0~19.5								TR 15510 4955
17.00~19.50		≦0.11		10088-3	10088-2	←		
18.00~20.00				D 3706 D 3692	D 3705 D 3698	←	D 3702 D 3703	D 3694 D 3690
18.00~20.00				G 4303 G 4318	G 4304 G 4305	←	G 4308 G 4309	G 4317 G 4320
18.00~20.00		≦0.10		A 276 A 479 A 666	A 240 A 666	←	A 478 A 580	
17.0~19.0					1449-2	←		970-1
18.0~20.0				1654-5	17441	17441		1654-5 17440
17.0~19.0					A 35-573 A 36-209	A 35-573		
17.50~19.50		≦0.11						TR 15510
18.00~20.00		≦0.11						TR 15510
17.50~19.50		≦0.11		10088-3	10088-2	←		
18.00~20.00		≦0.11		10088-3	10088-2	←		

Notes : (1) ASTM은 모두 UNS. No.로 표시
(2) 봉, 선재, 형 및 반제품 0.030%이하, 절삭용으로는 0.015~0.030%가 추천, 허용된다.

特殊用途鋼 (스테인리스강·내열강) Steels for special purposes (Stainless steels, heat-resisting steels)

索引番号 Index No.	規格名 Std.	記 号[1] Designation	化 学 成 分 (%) Chemical composition					
			C	Si	Mn	P	S	Ni
I 012	KS	STS 304 N 1	≦0.08	≦1.00	≦2.50	≦0.045	≦0.030	7.00~10.50
	JIS	SUS 304 N 1	≦0.08	≦1.00	≦2.50	≦0.045	≦0.030	7.00~10.50
	ASTM	S 30451	≦0.08	≦0.75	≦2.00	≦0.045	≦0.030	8.00~10.50
	BS							
	DIN							
	ISO	L-No 10 X 5 CrNiN 18-8	≦0.07	≦1.00	≦2.50	≦0.045	≦0.030	7.0~10.50
	NF							
I 013	KS	STS 304 N 2	≦0.08	≦1.00	≦2.50	≦0.045	≦0.030	7.50~10.50
	JIS	SUS 304 N 2	≦0.08	≦1.00	≦2.50	≦0.045	≦0.030	7.50~10.50
	ASTM	S 30452	≦0.08	≦0.75	≦2.00	≦0.045	≦0.030	8.00~10.50
	BS							
	DIN							
I 014	KS	STS 304 LN	≦0.030	≦1.00	≦2.00	≦0.045	≦0.030	8.50~11.50
	JIS	SUS 304 LN	≦0.030	≦1.00	≦2.00	≦0.045	≦0.030	8.50~11.50
	ASTM	S 30453	≦0.030	≦0.75	≦2.00	≦0.045	≦0.030	8.00~12.00
	BS							
	DIN	X 2 CrNiN 1810	≦0.030	≦1.0	≦2.0	≦0.045	≦0.030	8.5~11.5
	NF	Z 3 CN 18.10 Az	≦0.030	≦0.75	≦2.0	≦0.040	≦0.015	9.0~11.0
	ISO	L-No 3 X 2 CrNiN 18-9	≦0.030	≦1.0	≦2.0	≦0.045	≦0.030	8.0~10.0
	EN	1.4311	≦0.030	≦1.00	≦2.00	≦0.045	≦0.015[2]	8.50~11.50
I 015	KS	STS 304 J 1	≦0.08	≦1.70	≦3.00	≦0.045	≦0.030	6.00~9.00
	JIS	SUS 304 J 1	≦0.08	≦1.70	≦3.00	≦0.045	≦0.030	6.00~9.00
	ASTM							
	BS							
	DIN							
	NF							
	ISO							

Index No. I 012~I 015

化学成分 (%) Chemical composition				形状別規格番号 No. of Std. according to shapes				
Cr	Mo	N	others	棒 bar	板 plate	帯 strip	線 wire	others
18.00~20.00		0.10~0.25		D 3706	D 3705 D 3698	←	D 3702 D 3703 D 3535	
18.00~20.00		0.10~0.25		G 4303	G 4304 G 4305	←	G 4308 G 4309 G 4314	
18.00~20.00		0.10~0.16		A 479 A 666	A 240 A 666	←		
17.0~19.50		0.10~0.16						TR 15510
18.00~20.00		0.15~0.30	Nb≦0.15	D 3706	D 3705 D 3698	←		
18.00~20.00		0.15~0.30	Nb≦0.15	G 4303	G 4304 G 4305	←		
18.00~20.00		0.16~0.30		A 276	A 240	←		
17.00~19.00		0.12~0.22		D 3706	D 3705 D 3698	←		
17.00~19.00		0.12~0.22		G 4303	G 4304 G 4305	←		
18.00~20.00		0.10~0.16		A 276 A 666	A 240 A 666			
17.0~19.0		0.12~0.22		1654-3	17441	17441	1654-3	17440
17.0~19.0		0.12~0.20			A 35-573 A 36-209	A 35-573		
17.0~19.5		0.12~0.22						TR 15510
17.00~19.50		0.12~0.22		10088-3	10088-2	←		
15.00~18.00	-	-	Cu 1.00~3.00		D 3705 D 3698	←		
15.00~18.00	-	-			G 4304 G 4305	←		

Notes : (1) ASTM은 모두 UNS. No.로 표시

(2) 봉, 선재, 형 및 반제품 0.030%이하, 절삭용으로는 0.015~0.030%가 추천, 허용된다.

特殊用途鋼 (스테인리스강·내열강)			Steels for special purposes (Stainless steels, heat-resisting steels)					
索引番号 Index No.	規格名 Std.	記　号(1) Designation	化 学 成 分 (%) Chemical composition					
			C	Si	Mn	P	S	Ni
I 016	KS	STS 304 J 2	≦0.08	≦1.70	3.00~5.00	≦0.045	≦0.030	6.00~9.00
	JIS	SUS 304 J 2	≦0.08	≦1.70	3.00~5.00	≦0.045	≦0.030	6.00~9.00
	ASTM							
	BS							
	DIN							
	NF							
	ISO							
I 017	KS	STS 304 J 3	≦0.08	≦1.00	≦2.00	≦0.045	≦0.030	8.00~10.50
	JIS	SUS 304 J 3	≦0.08	≦1.00	≦2.00	≦0.045	≦0.030	8.00~10.50
	ASTM							
	BS							
	DIN							
	NF							
	ISO							
I 018	KS	STS 305	≦0.12	≦1.00	≦2.00	≦0.045	≦0.030	10.50~13.00
	JIS	SUS 305	≦0.12	≦1.00	≦2.00	≦0.045	≦0.030	10.50~13.00
	ASTM	S 30500	≦0.12	≦0.75	≦2.00	≦0.045	≦0.030	10.50~13.00
	BS	305 S 19	≦0.10	≦1.00	≦2.00	≦0.045	≦0.030	11.0~13.0
	DIN	X 5 CrNi 1812	≦0.07	≦1.0	≦2.0	≦0.045	≦0.030	11.0~13.0
	NF							
	ISO	L-No 8 X 6 CrNi 18-12	≦0.08	≦1.0	≦2.0	≦0.045	≦0.030	10.5~13.0
	EN	1.4303	≦0.06	≦1.00	≦2.00	≦0.045	≦0.015(2)	11.00~13.00
I 019	KS	STS 305 J 1	≦0.08	≦1.00	≦2.00	≦0.045	≦0.030	11.00~13.50
	JIS	SUS 305 J 1	≦0.08	≦1.00	≦2.00	≦0.045	≦0.030	11.00~13.50
	ASTM							
	BS							
	DIN							
	NF							

Index No. I 016~I 019

化学成分 (%) Chemical composition				形状別規格番号 No. of Std. according to shapes				
Cr	Mo	N	others	棒 bar	板 plate	帯 strip	線 wire	others
15.00~18.00	-	-	Cu 1.00~3.00		D 3705 D 3698	←		
15.00~18.00	-	-	Cu 1.00~3.00		G 4304 G 4305	←		
17.00~19.00	-	-	Cu 1.00~3.00	D 3706			D 3702	
17.00~19.00	-	-	Cu 1.00~3.00	G 4303			G 4308	
17.00~19.00				D 3706 D 3692	D 3705 D 3698	←	D 3702 D 3703 D 3697	
17.00~19.00				G 4303 G 4318	G 4304 G 4305	←	G 4308 G 4309 G 4315	
17.00~19.00				A 276 A 493	A 240	←	A 313 他	
17.0~19.0					1449-2	←	3111-2	
17.0~19.0				1654-5			1654-5	17440
17.0~19.0		≦0.11						TR 15510
17.00~19.00		≦0.11		10088-3	10088-2	←		
16.50~19.00				D 3692			D 3702 D 3703 D 3697	
16.50~19.00				G 4318			G 4308 G 4309 G 4315	

Notes : (1) ASTM은 모두 UNS. No.로 표시

(2) 봉, 선재, 형 및 반제품 0.030%이하, 절삭용으로는 0.015~0.030%가 추천, 허용된다.

特殊用途鋼 (스테인리스강·내열강)			Steels for special purposes (Stainless steels, heat-resisting steels)					
索引番号 Index No.	規格名 Std.	記　号(1) Designation	化学成分 (%) Chemical composition					
			C	Si	Mn	P	S	Ni
I 020	KS	STS 309 S	≦0.08	≦1.00	≦2.00	≦0.045	≦0.030	12.00~15.00
	JIS	SUS 309 S	≦0.08	≦1.00	≦2.00	≦0.045	≦0.030	12.00~15.00
	ASTM	S 30908	≦0.08	≦0.75	≦2.00	≦0.045	≦0.030	12.00~15.00
	BS							
	DIN							
	NF							
	ISO	X 6 CrNi 23-14	≦0.08	≦1.0	≦2.0	≦0.045	≦0.030	12.0~15.0
I 021	KS	STS 310 S	≦0.08	≦1.50	≦2.00	≦0.045	≦0.030	19.00~22.00
	JIS	SUS 310 S	≦0.08	≦1.50	≦2.00	≦0.045	≦0.030	19.00~22.00
	ASTM	S 31008	≦0.08	≦1.50	≦2.00	≦0.045	≦0.30	19.00~22.00
	BS							
	DIN							
	NF							
	ISO	X 6 CrNi 25-21	≦0.08	≦1.5	≦2.0	≦0.045	≦0.030	19.0~22.0
I 022	KS	STS 316	≦0.08	≦1.00	≦2.00	≦0.045	≦0.030	10.00~14.00
	JIS	SUS 316	≦0.08	≦1.00	≦2.00	≦0.045	≦0.030	10.00~14.00
	ASTM	S 31600	≦0.08	≦0.75	≦2.00	≦0.045	≦0.030	10.00~14.00
	BS	316 S 31	≦0.07	≦1.00	≦2.00	≦0.045	≦0.030	10.5~13.5
	DIN	X 5 CrNiMo 17122	≦0.07	≦1.0	≦2.0	≦0.045	≦0.030	10.5~13.5
	NF	Z 7 CND 17.11-02	≦0.07	≦0.75	≦2.0	≦0.040	≦0.030	10.0~12.0
	ISO	L-No 26 X 5 CrNiMo 17-12-2	≦0.07	≦1.0	≦2.0	≦0.045	≦0.030	10.0~13.0
	EN	1.4401	≦0.07	≦1.00	≦2.00	≦0.045	≦0.015(2)	10.00~13.00
		1.4436	≦0.05	≦1.00	≦2.00	≦0.045	≦0.015(2)	10.50~13.00
I 023	KS	STS 316 L	≦0.030	≦1.00	≦2.00	≦0.045	≦0.030	12.00~15.00
	JIS	SUS 316 L	≦0.030	≦1.00	≦2.00	≦0.045	≦0.030	12.00~15.00
	ASTM	S 31603	≦0.030	≦0.75	≦2.00	≦0.045	≦0.030	10.00~14.00
	BS	316 S 11	≦0.030	≦1.00	≦2.00	≦0.045	≦0.030	11.0~14.0
	DIN	X 2 CrNiMo 17132	≦0.030	≦1.0	≦2.0	≦0.045	≦0.030	11.0~14.0
	NF	Z 3 CND 17.12-02	≦0.03	≦1.0	≦2.0	≦0.040	≦0.030	10.0~12.0

Index No. I 020~I 023

化学成分 (%) Chemical composition				形状別規格番号 No. of Std. according to shapes				
Cr	Mo	N	others	棒 bar	板 plate	帯 strip	線 wire	others
22.00~24.00				D 3706 D 3731	D 3705 D 3698 D 3732	←	D 3702 D 3703	
22.00~24.00				G 4303 G 4311	G 4304 G 4305 G 4312	←	G 4308 G 4309	
22.00~24.00				A 276 A 314	A 240	←	A 580	A 473
22.0~24.0								4955
24.00~26.00				D 3706 D 3731	D 3705 D 3698 D 3732	←	D 3702 D 3703	
24.00~26.00				G 4303 G 4311	G 4304 G 4305 G 4312	←	G 4308 G 4309	
24.00~26.00				A 276 A 479	A 240	←	A 580	A 473
24.0~26.0								4955
16.00~18.00	2.00~3.00			D 3706 D 3692 D 3731	D 3705 D 3698 D 3732	←	D 3702 D 3703 D 3535	D 3694 D 3690
16.00~18.00	2.00~3.00			G 4303 G 4318 G 4311	G 4304 G 4305 G 4312	←	G 4308 G 4309 G 4314	G 4317 G 4320
16.00~18.00	2.00~3.00	≦0.10		A 276 A 493 他	A 240 A 666 他	←	A 313 他	
16.5~18.5	2.0~2.5				1449-2	5770-2	3111-2 2056	970-1
16.5~18.5	2.0~2.5			1654-5	17441	17224	17224 1654-5	17440
16.0~18.0	2.0~2.5			A 35-577 A 35-574	A 35-573 A 36-209	A 35-573	A 35-577	
16.0~18.0	2.0~3.0	≦0.11						TR 15510
16.50~18.50	2.00~2.50	≦0.11		10088-3	10088-2	←		
16.50~18.50	2.50~3.00			10088-3	10088-2	←		
16.00~18.00	2.00~3.00			D 3706 D 3692 D 3731	D 3705 D 3698 D 3732	←	D 3702 D 3703	D 3694 D 3690
16.00~18.00	2.00~3.00			G 4303 G 4318 G 4311	G 4304 G 4305 G 4312	←	G 4308 G 4309	G 4317 G 4320
16.00~18.00	2.00~3.00	≦0.10		A 276 A 479 他	A 240 他	←	A 478 A 580	
16.5~18.5	2.0~2.5				1449-2	←		970-1
16.5~18.5	2.0~2.5				17441			17440
16.0~18.0	2.0~2.5			A 35-574				

Notes : (1) ASTM은 모두 UNS. No.로 표시

(2) 봉, 선재, 형 및 반제품 0.030%이하, 절삭용으로는 0.015~0.030%가 추천, 허용된다.

特殊用途鋼 (스테인리스강·내열강)			Steels for special purposes (Stainless steels, heat-resisting steels)					
索引番号 Index No.	規格名 Std.	記 号(1) Designation	化学成分 (%) Chemical composition					
			C	Si	Mn	P	S	Ni
I 023(계속)	ISO	L-No 19 X 2 CrNiMo 17-12-2	≦0.030	≦1.00	≦2.00	≦0.045	≦0.015(2)	10.00~13.00
		L-No 20 X 2 CrNiMo 17-12-3	≦0.030	≦1.00	≦2.00	≦0.045	≦0.015(2)	10.50~13.00
	EN	1.4404	≦0.030	≦1.00	≦2.00	≦0.045	≦0.015(2)	10.00~13.00
		1.4432	≦0.030	≦1.00	≦2.00	≦0.045	≦0.015(2)	10.50~13.00
		1.4435	≦0.030	≦1.00	≦2.00	≦0.045	≦0.015(2)	12.00~15.00
I 024	KS	STS 316 N	≦0.08	≦1.00	≦2.00	≦0.045	≦0.030	10.00~14.00
	JIS	SUS 316 N	≦0.08	≦1.00	≦2.00	≦0.045	≦0.030	10.00~14.00
	ASTM	S 31651	≦0.08	≦0.75	≦2.00	≦0.045	≦0.030	10.00~14.00
	BS							
	DIN							
	NF							
I 025	KS	STS 316 LN	≦0.030	≦1.00	≦2.00	≦0.045	≦0.030	10.50~14.50
	JIS	SUS 316 LN	≦0.030	≦1.00	≦2.00	≦0.045	≦0.030	10.50~14.50
	ASTM	S 31653	≦0.030	≦0.75	≦2.00	≦0.045	≦0.030	10.00~14.00
	BS							
	DIN	X 2 CrNiMoN 17122	≦0.030	≦1.0	≦2.0	≦0.045	≦0.030	10.0~12.0
	NF	Z 3 CND 17.11 Az	≦0.03	≦1.0	≦2.0	≦0.040	≦0.030	10.0~12.0
	ISO	L-No 22 X 2 CrNiMoN 17-11-2	≦0.030	≦1.0	≦2.0	≦0.045	≦0.030	10.0~12.5
		L-No 23 X 2 CrNiMoN 17-12-3	≦0.030	≦1.0	≦2.0	≦0.045	≦0.030	10.5~13.0
	EN	1.4406	≦0.030	≦1.00	≦2.00	≦0.045	≦0.015(2)	10.00~12.00
	EN	1.4429	≦0.030	≦1.00	≦2.00	≦0.045	≦0.015(2)	11.00~14.00
I 026	KS	STS 316 Ti	≦0.08	≦1.00	≦2.00	≦0.045	≦0.030	10.00~14.00
	JIS	SUS 316 Ti	≦0.08	≦1.00	≦2.00	≦0.045	≦0.030	10.00~14.00
	ASTM	S 31635	≦0.08	≦0.75	≦2.0	≦0.045	≦0.030	10.00~14.00
	BS							
	DIN	X 6 CrNiMo Ti 17122	≦0.08	≦1.0	≦2.0	≦0.045	≦0.030	10.5~13.5
	NF	Z 6 CNDT 1712	≦0.06	≦0.75	≦2.0	≦0.040	≦0.015	10.5~12.5
	ISO	L-No 28 X 6 CrNiMo Ti 17-12-2	≦0.08	≦1.0	≦2.0	≦0.045	≦0.030	10.5~13.5
	EN	1.4571	≦0.08	≦1.00	≦2.00	≦0.045	≦0.015(2)	10.50~13.50

Index No. I 023~I 026

化学成分 (%) Chemical composition				形状別規格番号 No. of Std. according to shapes				
Cr	Mo	N	others	棒 bar	板 plate	帯 strip	線 wire	others
16.50~18.50	2.00~2.50	≦0.11						TR 15510
16.50~18.50	2.50~3.00	≦0.11						TR 15510
16.50~18.50	2.00~2.50	≦0.11		10088-3	10088-2	←		
16.50~18.50	2.50~3.00	≦0.11						
17.00~19.00	2.50~3.00	≦0.11						
16.00~18.00	2.00~3.00	0.10~0.22		D 3706	D 3705 D 3698	←		
16.00~18.00	2.00~3.00	0.10~0.22		G 4303	G 4304 G 4305	←		
16.00~18.00	2.00~3.00	0.10~0.16		A 276 A 479 他	A 240 A 666	←		
16.50~18.50	2.00~3.00	0.12~0.22		D 3706	D 3705 D 3698	←		
16.50~18.50	2.00~3.00	0.12~0.22		G 4303	G 4304 G 4305	←		
16.00~18.00	2.00~3.00	0.10~0.16		A 276 A 479	A 240	←		
16.5~18.5	2.0~2.5	0.12~0.22		1654-5	17441		1654-5	17440
16.0~18.0	2.0~2.5	0.12~0.20			A 35-573 A 36-209	A 35-573		
16.0~18.0	2.0~3.0	0.12~0.22						TR 15510
16.50~18.50	2.5~3.0	0.12~0.22						
16.50~18.50	2.00~2.50	0.12~0.22		10088-3	10088-2	←		
16.50~18.50	2.50~3.00	0.12~0.22		10088-3	10088-2	←		
16.00~18.00	2.00~3.00	-	Ti≧5×C%	D 3706 D 3731	D 3705 D 3698 D 3732	←		
16.00~18.00	2.00~3.00	-	Ti≧5×C%	G 4303 G 4311	G 4304 G 4305 G 4312	←		
16.00~18.00	2.00~3.00	≦0.10	Ti 5×(C+N)%~0.70	A 479	A 240		A 478	
16.5~18.5	2.0~2.5	-	Ti 5×C%~0.80		17441	17441		17440
16.0~18.0	2.0~2.5	≦0.020	Ti 5×(C+N)%~0.70	A 35-574	A 35-573 A 36-209	A 35-573		
16.5~18.5	2.0~2.5	-	Ti 5×C%~0.60					TR 15510
16.50~18.50	2.0~2.50		Ti 5×C~0.70	10088-3	10088-2	Cu 1.00~2.50		

Notes : (1) ASTM은 모두 UNS. No.로 표시
(2) 봉, 선재, 형 및 반제품 0.030%이하, 절삭용으로는 0.015~0.030%가 추천, 허용된다.

特殊用途鋼 (스테인리스강·내열강)			Steels for special purposes (Stainless steels, heat-resisting steels)					
索引番号 Index No.	規格名 Std.	記 号[1] Designation	化 学 成 分 (%) Chemical composition					
			C	Si	Mn	P	S	Ni
I 027	KS	STS 316 J 1	≦0.08	≦1.00	≦2.00	≦0.045	≦0.030	10.00~14.00
	JIS	SUS 316 J 1	≦0.08	≦1.00	≦2.00	≦0.045	≦0.030	10.00~14.00
	ASTM							
	BS							
	DIN							
	NF							
I 028	KS	STS 316 J 1 L	≦0.030	≦1.00	≦2.00	≦0.045	≦0.030	12.00~16.00
	JIS	SUS 316 J 1 L	≦0.030	≦1.00	≦2.00	≦0.045	≦0.030	12.00~16.00
	ASTM							
	BS							
	DIN							
	NF							
I 029	KS	STS 317	≦0.08	≦1.00	≦2.00	≦0.045	≦0.030	11.00~15.00
	JIS	SUS 317	≦0.08	≦1.00	≦2.00	≦0.045	≦0.030	11.00~15.00
	ASTM	S 31700	≦0.08	≦0.75	≦2.00	≦0.045	≦0.030	11.00~15.00
	BS	317 S 16	≦0.06	≦1.00	≦2.00	≦0.045	≦0.030	12.0~15.0
	DIN							
	NF							
I 030	KS	STS 317 L	≦0.030	≦1.00	≦2.00	≦0.045	≦0.030	11.00~15.00
	JIS	SUS 317 L	≦0.030	≦1.00	≦2.00	≦0.045	≦0.030	11.00~15.00
	ASTM	S 31703	≦0.030	≦0.75	≦2.00	≦0.045	≦0.030	11.00~15.00
	BS	317 S 12	≦0.030	≦1.00	≦2.00	≦0.045	≦0.030	14.0~17.0
	DIN	X 2 CrNiMo 18164	≦0.030	≦1.0	≦2.0	≦0.045	≦0.030	14.0~17.0
	NF	Z 3 CND 19.15-04	≦0.03	≦0.75	≦2.0	≦0.035	≦0.010	14.0~16.0
	ISO	L-No 21 X 2 CrNiMo 19 14 4	≦0.030	≦1.0	≦2.0	≦0.045	≦0.030	12.0~16.0
	EN	1.4438	≦0.030	≦1.00	≦2.00	≦0.045	≦0.015[2]	13.00~16.00
I 031	KS	SUS 317 LN	≦0.03	≦1.00	≦2.00	≦0.045	≦0.030	11.00~15.00
	JIS	SUS 317 LN	≦0.03	≦1.00	≦2.00	≦0.045	≦0.030	11.00~15.00
	ASTM	S 31753	≦0.030	≦0.75	≦2.00	≦0.045	≦0.030	11.00~15.00
	BS							

Index No. I 027~I 031

化学成分 (%) Chemical composition				形状別規格番号 No. of Std. according to shapes				
Cr	Mo	N	others	棒 bar	板 plate	帯 strip	線 wire	others
17.00~19.00	1.20~2.75		Cu 1.00~2.50	D 3706	D 3705 D 3698	←		
17.00~19.00	1.20~2.75		Cu 1.00~2.50	G 4303	G 4304 G 4305	←		
17.00~19.00	1.20~2.75		Cu 1.00~2.50	D 3706	D 3705 D 3698	←		
17.00~19.00	1.20~2.75		Cu 1.00~2.50	G 4303	G 4304 G 4305	←		
18.00~20.00	3.00~4.00			D 3706 D 3731	D 3705 D 3698 D 3732	←	D 3702	
18.00~20.00	3.00~4.00			G 4303 G 4311	G 4304 G 4305 G 4312	←	G 4308	
18.00~20.00	3.00~4.00	≦0.10		A 276	A 240	←	(A 580)	
17.5~19.5	3.0~4.0				1449-2	←		970-4
18.00~20.00	3.00~4.00			D 3706	D 3705 D 3698	←	D 3702	
18.00~20.00	3.00~4.00			G 4303	G 4304 G 4305	←	G 4308	
18.00~20.00	3.00~4.00	≦0.10			A 240	←		
17.5~19.5	3.00~4.00				1449-2	←		970-4
17.5~19.5	3.0~4.0				17441			17440
17.5~19.5	3.0~4.0				A 35-573	←		
17.5~20.0	3.0~4.0							TR 15510
17.50~19.50	3.00~4.00	≦0.10		10088-3	10088-2	←		
18.00~20.00	3.00~4.00	0.10~0.22	-	D 3706	D 8705 D 3698			
18.00~20.00	3.00~4.00	0.10~0.22	-	G 4303	G 4304 G 4305	←		
18.00~20.00	3.00~4.00	0.10~0.22	-		A 240	←		

Notes : (1) ASTM은 모두 UNS. No.로 표시

(2) 봉, 선재, 형 및 반제품 0.030%이하, 절삭용으로는 0.015~0.030%가 추천, 허용된다.

特殊用途鋼 (스테인리스강·내열강)			Steels for special purposes (Stainless steels, heat-resisting steels)					
索引番号 Index No.	規格名 Std.	記 号(1) Designation	化学成分 (%) Chemical composition					
			C	Si	Mn	P	S	Ni
I 031(계속)	DIN							
	NF	Z 3 CND 1914 Az	≦0.030	≦0.75	≦2.0	≦0.035	≦0.010	13.0~15.0
	ISO	L-No 24 X 2 CrNiMoN 18-12-4	≦0.030	≦1.00	≦2.00	≦0.045	≦0.030	10.50~14.00
	EN	1.4434	≦0.030	≦1.00	≦2.00	≦0.045	≦0.015(2)	10.50~14.00
I 032	KS	STS 317 J 1	≦0.040	≦1.00	≦2.50	≦0.045	≦0.030	15.00~17.00
	JIS	SUS 317 J 1	≦0.040	≦1.00	≦2.50	≦0.045	≦0.030	15.00~17.00
	ASTM							
	BS							
	DIN							
	NF							
	EN	1.4439	≦0.030	≦1.00	≦2.00	≦0.045	≦0.015(2)	12.50~14.50
I 033	KS	STS 317 J 2	≦0.06	≦1.50	≦2.00	≦0.045	≦0.030	12.00~16.00
	JIS	SUS 317 J 2	≦0.06	≦1.50	≦2.00	≦0.045	≦0.030	12.00~16.00
	ASTM							
	BS							
	DIN							
	NF							
I 034	KS	SUS 317 J 3 L	≦0.030	≦1.00	≦2.00	≦0.045	≦0.030	11.00~13.00
	JIS	SUS 317 J 3 L	≦0.030	≦1.00	≦2.00	≦0.045	≦0.030	11.00~13.00
	ASTM							
	BS							
	DIN							
	NF							
I 035	KS	STS 836 L	≦0.030	≦1.00	≦2.00	≦0.045	≦0.030	24.00~26.00
	JIS	SUS 836 L	≦0.030	≦1.00	≦2.00	≦0.045	≦0.030	24.00~26.00
	ASTM	N 08367	≦0.030	≦1.00	≦2.00	≦0.045	≦0.030	23.50~25.50
	BS							
	DIN							
	NF							

Index No. I 031~I 035

化学成分 (%) Chemical composition				形状別規格番号 No. of Std. according to shapes				
Cr	Mo	N	others	棒 bar	板 plate	帯 strip	線 wire	others
18.0~20.0	3.0~4.0	0.12~0.20	-		A 35-573 A 36-209	A 35-573		
16.50~19.50	3.00~4.00	0.10~0.20						TR 15510
16.50~19.50	3.00~4.00	0.10~0.20			10088-2	←		
16.00~19.00	4.00~6.00			D 3706	D 3705 D 3698	←		
16.00~19.00	4.00~6.00			G 4303	G 4304 G 4305	←		
16.50~18.50	4.00~5.00	0.12~0.22		10088-3	10088-2	←		
23.00~26.00	0.50~1.20	0.25~0.40	-		D 3705 D 3698	←		
23.00~26.00	0.50~1.20	0.25~0.40	-		G 4304 G 4305	←		
20.50~22.50	2.00~3.00	0.18~0.30	-		D 3705 D 3698	←		
20.50~22.50	2.00~3.00	0.18~0.30	-		G 4304 G 4305	←		
19.00~24.00	5.00~7.00	≦0.25	-	D 3706	D 3705 D 3698	←		
19.00~24.00	5.00~7.00	≦0.25	-	G 4303	G 4304 G 4305	←		
20.0~22.0	6.00~7.00	0.18~0.25		B 691	B 688	←	B 691	

Notes : (1) Bar (2) Plate (3) Strip (4) Wire rod (5) ISS(Iron & Steel Society Inc.) 발행 Products manual No.

特殊用途鋼 (스테인리스강·내열강)		Steels for special purposes (Stainless steels, heat-resisting steels)					
索引番号 Index No.	規格名 Std.	記 号[1] Designation	化 学 成 分 (%) Chemical composition				
			C	Si	Mn	P	S	Ni
I 036	KS	STS 890 L	≦0.020	≦1.00	≦2.00	≦0.045	≦0.030	23.00~28.00
	JIS	SUS 890 L	≦0.020	≦1.00	≦2.00	≦0.045	≦0.030	23.00~28.00
	ASTM	N 08904	≦0.020	≦1.00	≦2.00	≦0.045	≦0.035	23.00~28.00
	BS	904 S 14	≦0.03	≦1.00	≦2.00	≦0.030	≦0.040	24.0~27.0
	DIN							
	NF	Z 2 NCDU 2520	≦0.020	≦0.40	≦2.0	≦0.045	≦0.010	24.0~26.0
	ISO	L-No 31 X 1 NiCrMoCu 25-20-5	≦0.020	≦0.75	≦2.0	≦0.035	≦0.015	23.5~26.0
	EN	1.4539	≦0.020	≦0.70	≦2.00	≦0.030	≦0.010	24.00~26.00
I 037	KS	STS 321	≦0.08	≦1.00	≦2.00	≦0.045	≦0.030	9.00~13.00
	JIS	SUS 321	≦0.08	≦1.00	≦2.00	≦0.045	≦0.030	9.00~13.00
	ASTM	S 32100	≦0.08	≦0.75	≦2.00	≦0.045	≦0.030	9.00~12.00
	BS	321 S 31	≦0.08	≦1.00	≦2.00	≦0.045	≦0.030	9.0~12.0
	DIN	X 6 CrNiTi 1810	≦0.08	≦1.0	≦2.0	≦0.045	≦0.030	9.0~12.0
	NF	Z 6 CNT 18.10	≦0.06	≦0.75	≦2.0	≦0.040	≦0.015	9.0~12.0
	ISO	L-No 15 X 6 CrNiTi 18-10	≦0.08	≦1.0	≦2.0	≦0.045	≦0.030	9.0~12.0
	EN	1.4541	≦0.08	≦1.00	≦2.00	≦0.045	≦0.015[2]	9.00~12.00
I 038	KS	STS 347	≦0.08	≦1.00	≦2.00	≦0.045	≦0.030	9.00~13.00
	JIS	SUS 347	≦0.08	≦1.00	≦2.00	≦0.045	≦0.030	9.00~13.00
	ASTM	S 34700	≦0.08	≦0.75	≦2.00	≦0.045	≦0.030	9.00~13.00
	BS	347 S 31	≦0.08	≦1.00	≦2.00	≦0.045	≦0.030	9.0~12.0
	DIN	X 6 CrNiNb 1810	≦0.08	≦1.0	≦2.0	≦0.045	≦0.030	9.0~12.0
	NF	Z 6 CNNb 18.10	≦0.06	≦0.75	≦2.0	≦0.040	≦0.015	9.0~11.0
	ISO	L-No 17 X 6 CrNiNb 18-10	≦0.08	≦1.0	≦2.0	≦0.045	≦0.030	9.0~12.0
	EN	1.4550	≦0.08	≦1.00	≦2.00	≦0.045	≦0.015	9.00~12.00
I 039	KS	STS 384	≦0.08	≦1.00	≦2.00	≦0.045	≦0.030	17.00~19.00
	JIS	SUS 384	≦0.08	≦1.00	≦2.00	≦0.045	≦0.030	17.00~19.00
	ASTM	S 38400	≦0.08	≦0.75	≦2.00	≦0.045	≦0.030	17.00~19.00
	BS							
	DIN							
	NF	Z 6 CN 18.16	≦0.08	≦1.0	≦2.0	≦0.040	≦0.030	17.0~19.0
	ISO	L-No 9 X 3 NiCr 18-16	≦0.04	≦1.0	≦2.0	≦0.045	≦0.030	17.0~19.0

化学成分 (%) Chemical composition				形状別規格番号 No. of Std. according to shapes				
Cr	Mo	N	others	棒 bar	板 plate	帯 strip	線 wire	others
19.00~23.00	4.00~5.00	-	Cu 1.00~2.00	D 3706	D 3705 D 3698	←		D 3577 管
19.00~23.00	4.00~5.00	-	Cu 1.00~2.00	G 4303	G 4304 G 4305	←		G 3463 管
19.00~23.00	4.00~5.00	-	Cu 1.00~2.00	B 649	B 625	←	B 649	B 425
19.5~22.0	4.0~5.0	≦0.06	Cu 1.00~2.00				2056	
19.0~21.0	4.0~5.0	-	Cu 1.0~2.0	A 35-574	A 35-573 A 36-209	A 35-573		
19.0~22.0	4.0~5.0	≦0.15	Cu 1.2~2.0					TR 15510
19.00~21.00	4.00~5.00	≦0.15	Cu 1.20~2.00	10088-3	10088-2	←		
17.00~19.00			Ti≧5×C%	D 3706 D 3692 D 3731	D 3705 D 3698 D 3732	←	D 3702 D 3703	D 3694 D 3690
17.00~19.00			Ti≧5×C%	G 4303 G 4318 G 4311	G 4304 G 4305 G 4312	←	G 4308 G 4309	G 4317 G 4320
17.00~19.00		≦0.10	Ti 5×(C+N)~0.70	A 276 A 479	A 240	←	A 493 A 580	
17.0~19.0			Ti 5×C%~0.80		1449-2	←		970-1
17.0~19.0			Ti≧5×C%~0.80	1654-5	17441	17441	1654-5	17440
17.0~19.0		≦0.050	Ti≧5×(C+N)%~0.80	A 35-574	A 35-573 A 36-209	←		A 35-578
17.0~19.0			Ti≧5×C%~0.70					TR 15510
17.00~19.00			Ti 5×C%~0.70	10088-3	10088-2	←		
17.00~19.00			Nb≧10×C%	D 3706 D 3692 D 3731	D 3705 D 3698 D 3732	←	D 3702 D 3703	D 3694 D 3690
17.00~19.00			Nb≧10×C%	G 4303 G 4318 G 4311	G 4304 G 4305 G 4312	←	G 4308 G 4309	G 4317 G 4320
17.00~19.00			Cb 10×C~1.00	A 276 A 479	A 240	←	A 493 A 580	
17.0~19.0			Nb 10×C~1.00		1449-2	←		970-1
17.0~19.0			Nb≧10×C%~1.00		17441	17441		17440
17.0~19.0			(Nb+Ta)≧10×C~1.0		A 35-573 A 36-209	A 35-573		
17.0~19.0			Nb 10×C%~1.0					TR 15510 4955
17.00~19.00			Nb 10×C%~1.00	10088-3	10088-2	←		
15.00~17.00							D 3703 D 3697	
15.00~17.00							G 4308 G 4315	
15.00~17.00							A 483	
15.0~17.0								
15.0~17.0								TR 15510

Notes : ([1]) ASTM은 모두 UNS. No.로 표시

([2]) 봉, 선재, 형 및 반제품 0.030%이하, 절삭용으로는 0.015~0.030%가 추천, 허용된다.

特殊用途鋼 (스테인리스강·내열강)			Steels for special purposes (Stainless steels, heat-resisting steels)					
索引番号 Index No.	規格名 Std.	記　号(1) Designation	化 学 成 分 (%) Chemical composition					
			C	Si	Mn	P	S	Ni
I 040	KS	STS XM 7	≦0.08	≦1.00	≦2.00	≦0.045	≦0.030	8.50~10.50
	JIS	SUS XM 7	≦0.08	≦1.00	≦2.00	≦0.045	≦0.030	8.50~10.50
	ASTM	S 30430	≦0.10	≦0.75	≦2.00	≦0.045	≦0.030	8.00~10.00
	BS	394 S 17	≦0.07	≦1.00	≦2.00	≦0.045	≦0.030	8.0~10.5
	DIN							
	NF	Z 3 CNU 18.10	≦0.04	≦1.0	≦2.0	≦0.040	≦0.030	8.5~10.5
I 041	KS	STS XM 15 J 1	≦0.08	3.00~5.00	≦2.00	≦0.045	≦0.030	11.50~15.00
	JIS	SUS XM 15 J 1	≦0.08	3.00~5.00	≦2.00	≦0.045	≦0.030	11.50~15.00
	ASTM	S 38100	≦0.08	1.50~2.50	≦2.00	≦0.030	≦0.030	17.50~18.50
	BS							
	DIN							
	NF	Z 15 CNS 20.12	≦0.20	1.5~2.5	≦2	≦0.040	≦0.030	11~13
I 042	KS	STS 329 J 1	≦0.08	≦1.00	≦1.50	≦0.040	≦0.030	3.00~6.00
	JIS	SUS 329 J 1	≦0.08	≦1.00	≦1.50	≦0.040	≦0.030	3.00~6.00
	ASTM	S 32900	≦0.10	≦0.75	≦1.00	≦0.040	≦0.030	2.00~5.00
	BS							
	DIN							
	NF							
I 043	KS	STS 329 J 3 L	≦0.030	≦1.00	≦2.00	≦0.040	≦0.030	4.50~6.50
	JIS	SUS 329 J 3 L	≦0.030	≦1.00	≦2.00	≦0.040	≦0.030	4.50~6.50
	ASTM	S 31803	≦0.030	≦1.00	≦2.00	≦0.030	≦0.020	4.50~6.50
	BS							
	DIN							
	NF							
	ISO	L-No 33 X 2 CrNiMoN 22-5-3	≦0.030	≦1.00	≦2.00	≦0.035	≦0.015	4.50~6.50
	EN	1.4462	≦0.030	≦1.00	≦2.00	≦0.035	≦0.015	4.50~6.50
I 044	KS	STS 329 J 4 L	≦0.030	≦1.00	≦1.50	≦0.040	≦0.030	5.50~7.50
	JIS	SUS 329 J 4 L	≦0.030	≦1.00	≦1.50	≦0.040	≦0.030	5.50~7.50
	ASTM	S 31260	≦0.030	≦0.75	≦1.00	≦0.030	≦0.030	5.50~7.50

Index No. I 040~I 044

化学成分 (%) Chemical composition				形状別規格番号 No. of Std. according to shapes				
Cr	Mo	N	others	棒 bar	板 plate	帯 strip	線 wire	others
17.00~19.00			Cu 3.00~4.00	D 3706			D 3702 D 3703 D 3697	
17.00~19.00			Cu 3.00~4.00	G 4303			G 4308 G 4309 G 4315	
17.00~19.00			Cu 3.00~4.00				A 493	
17.0~19.0			Cu 3.0~4.0				3111-2	
17.0~19.0			Cu 3.0~4.0	A 35-574				
15.00~20.00			(2)	D 3706 D 3731	D 3705 D 3698 D 3732	←		
15.00~20.00			(2)	G 4303 G 4311	G 4304 G 4305 G 4312	←		
17.00~19.00					A 240	←		
19~21					A 35-573 A 36-209	A 35-573		A 35-578
23.00~28.00	1.00~3.00		(2)	D 3706 D 3692	D 3705 D 3698	←		
23.00~28.00	1.00~3.00		(2)	G 4303 G 4318	G 4304 G 4305	←		
23.00~28.00	1.00~2.00				A 240			
21.00~24.00	2.50~3.50	0.08~0.20	(2)	D 3706	D 3705 D 3698	←		
21.00~24.00	2.50~3.50	0.08~0.20	(2)	G 4303	G 4304 G 4305	←		
21.00~23.00	2.50~3.50	0.08~0.20			A 240	←		A 182
21.00~23.00	2.50~3.50	0.10~0.22						TR 15510
21.00~23.00	2.50~3.50	0.10~0.22		10088-3	10088-2	←		
24.00~26.00	2.50~3.50	0.08~0.30	(3)	D 3706	D 3705 D 3698	←		
24.00~26.00	2.50~3.50	0.08~0.30	(3)	G 4303	G 4304 G 4305	←		
24.00~26.00	2.50~3.50	0.10~0.30	W 0.10~0.50 Cu 0.20~0.80		A 240	←		

Notes : (1) ASTM은 모두 UNS. No.로 표시 (2) 필요에 따라 첨가할 수 있다. (3) 필요에 따라 첨가할 수 있다.

特殊用途鋼 (스테인리스강·내열강)			Steels for special purposes (Stainless steels, heat-resisting steels)					
索引番号 Index No.	規格名 Std.	記 号[1] Designation	化 学 成 分 (%) Chemical composition					
			C	Si	Mn	P	S	Ni
I 044(계속)	BS							
	DIN							
	NF							
	ISO	L-No 34 X 2 CrNiMoCu 25-6-3	≦0.030	≦0.70	≦2.00	≦0.035	≦0.015	5.0~7.50
	EN	1.4507	≦0.030	≦0.70	≦2.00	≦0.035	≦0.015	5.0~7.50
I 045	KS	STS 405	≦0.08	≦1.00	≦1.00	≦0.040	≦0.030	
	JIS	SUS 405	≦0.08	≦1.00	≦1.00	≦0.040	≦0.030	
	ASTM	S 40500	≦0.08	≦1.00	≦1.00	≦0.040	≦0.030	≦0.60
	BS	405 S 17	≦0.08	≦1.00	≦1.00	≦0.040	≦0.030	≦1.00
	DIN	X 6 CrAl 13	≦0.08	≦1.0	≦1.0	≦0.045	≦0.030	
	NF	Z 8 CA 12	≦0.08	≦0.75	≦1.0	≦0.04	≦0.015	
	ISO	L-No 40 X 6 Cr 13	≦0.08	≦1.0	≦1.0	≦0.040	≦0.030	
	EN	1.4002	≦0.08	≦1.00	≦1.00	≦0.040	≦0.015[2]	
I 046	KS	STS 410 L	≦0.030	≦1.00	≦1.00	≦0.040	≦0.030	
	JIS	SUS 410 L	≦0.030	≦1.00	≦1.00	≦0.040	≦0.030	
	ASTM							
	BS							
	DIN							
	NF							
I 047	KS	STS 429	≦0.12	≦1.00	≦1.00	≦0.040	≦0.030	
	JIS	SUS 429	≦0.12	≦1.00	≦1.00	≦0.040	≦0.030	
	ASTM	S 42900	≦0.12	≦1.00	≦1.00	≦0.040	≦0.030	
	BS							
	DIN							
	NF							
I 048	KS	STS 430	≦0.12	≦0.75	≦1.00	≦0.040	≦0.030	
	JIS	SUS 430	≦0.12	≦0.75	≦1.00	≦0.040	≦0.030	
	ASTM	S 43000	≦0.12	≦1.00	≦1.00	≦0.040	≦0.030	≦0.75
	BS	430 S 17	≦0.08	≦1.00	≦1.00	≦0.040	≦0.030	≦1.00

Index No. I 044~I 048

化学成分 (%) Chemical composition				形状別規格番号 No. of Std. according to shapes				
Cr	Mo	N	others	棒 bar	板 plate	帯 strip	線 wire	others
24.00~26.00	2.5~4.00	0.15~0.30	Cu 1.00~2.50					
24.00~26.00	2.5~4.00	0.15~0.30	Cu 1.00~2.50					
11.50~14.50			Al 0.10~0.30	D 3706 D 3731	D 3705 D 3698 D 3732	←		
11.50~14.50			Al 0.10~0.30	G 4303 G 4311	G 4304 G 4305 G 4312	←		
11.50~14.50			Al 0.10~0.30	A 276 A 479	A 240	←		
12.0~14.0			Al 0.10~0.30		1449-2	←		
12.0~14.0			Al 0.10~0.30		17441	17441		17440
11.5~13.0			Al 0.10~0.30		A 35-573	A 35-573		
11.5~14.0			Al 0.10~0.30					TR 15510
12.00~14.00			Al 0.10~0.30		10088-2	←		
11.00~13.50				D 3706 D 3731	D 3705 D 3698 D 3732	←		
11.00~13.50				G 4303 G 4311	G 4304 G 4305 G 4312	←		
14.00~16.00					D 3705 D 3698	←		
14.00~16.00					G 4304 G 4305	←		
14.00~16.00				A 276	A 240	←	A 493	
16.00~18.00				D 3706 D 3731 D 3692	D 3705 D 3698 D 3732	←	D 3702 D 3703 D 3697	D 3694 D 3690
16.00~18.00				G 4303 G 4311 G 4318	G 4304 G 4305 G 4312	←	G 4308 G 4309 G 4315	G 4317 G 4320
16.00~18.00				A 276 A 479	A 240	←	A 493 A 580	
16.0~18.0					1449-2	←	3111-2	970-4

Notes : (1) ASTM은 모두 UNS. No.로 표시

(2) 봉, 선재, 형 및 반제품 0.030%이하, 절삭용으로는 0.015~0.030%가 추천, 허용된다.

特殊用途鋼 (스테인리스강·내열강)			Steels for special purposes (Stainless steels, heat-resisting steels)					
索引番号 Index No.	規格名 Std.	記　号(1) Designation	化 学 成 分 (%) Chemical composition					
			C	Si	Mn	P	S	Ni
I 048(계속)	DIN	X 6 Cr 17	≦0.08	≦1.0	≦1.0	≦0.045	≦0.030	
	NF	Z 8 C 17	≦0.08	≦0.75	≦1.0	≦0.04	≦0.015	≦0.50
	ISO	L-No 41 X 6 Cr 17	≦0.08	≦1.0	≦1.0	≦0.040	≦0.030	≦1.0
	EN	1.4016	≦0.08	≦1.00	≦1.00	≦0.040	≦0.015	
I 049	KS	STS 430 F	≦0.12	≦1.00	≦1.25	≦0.060	≧0.15	
	JIS	SUS 430 F	≦0.12	≦1.00	≦1.25	≦0.060	≧0.15	
	ASTM	S 43020	≦0.12	≦1.00	≦1.25	≦0.060	≧0.15	
	DIN	X 4 CrMoS 18	≦0.06	≦1.0	≦1.5	≦0.060	0.15~0.35	
	BS							
	NF	Z 8 CF 17	≦0.08	≦1.0	≦1.50	≦0.040	0.15~0.35	≦0.75
	ISO	L-No 42 X 7 CrS 17	≦0.09	≦1.5	≦1.5	≦0.040	0.15	
	EN	1.4105	≦0.08	≦1.50	≦1.50	≦0.040	0.15~0.35	
I 050	KS	STS 430 LX	≦0.030	≦0.75	≦1.00	≦0.040	≦0.030	
	JIS	SUS 430 LX	≦0.030	≦0.75	≦1.00	≦0.040	≦0.030	
	ASTM	S 43035	≦0.07	≦1.00	≦1.00	≦0.040	≦0.030	≦0.50
	BS							
	DIN	X 6 CrTi 17	≦0.08	≦1.0	≦1.0	≦0.045	≦0.030	
	DIN	X 6 CrNb 17	≦0.08	≦1.0	≦1.0	≦0.045	≦0.030	
	NF	Z 4 CT 17	≦0.04	≦0.75	≦0.80	≦0.030	≦0.015	
	NF	Z 4 CNb 17	≦0.04	≦0.75	≦0.80	≦0.030	≦0.015	
	ISO	L-No 44 X 3 CrTi 17	≦0.05	≦1.0	≦1.0	≦0.040	≦0.030	
	EN	1.4520	≦0.025	≦0.50	≦0.50	≦0.040	≦0.015	
		1.4510	≦0.05	≦1.00	≦1.00	≦0.040	≦0.015(2)	
		1.4511	≦0.05	≦1.00	≦1.00	≦0.040	≦0.015	
I 051	KS	STS 430 J 1 L	≦0.025	≦1.00	≦1.00	≦0.040	≦0.030	≦0.60
	JIS	SUS 430 J 1 L	≦0.025	≦1.00	≦1.00	≦0.040	≦0.030	≦0.60
	ASTM							
	BS							
	DIN							
	NF	Z 4 CNb 17	≦0.04	≦0.75	≦0.80	≦0.030	≦0.015	

Index No. I 048~I 051

化学成分 (%) Chemical composition				形状別規格番号 No. of Std. according to shapes				
Cr	Mo	N	others	棒 bar	板 plate	帯 strip	線 wire	others
15.5~17.5				1654-5	17441	17441	1654-5	17440
16.0~17.5				A 35-574	A 35-573 A 35-578	A 35-573	A 35-577	
16.0~18.0								TR 15510
16.00~18.00				10088-3	10088-2	←		
16.00~18.00	≦0.60			D 3706 G 3692			D 3702 D 3703	
16.00~18.00	≦0.60			G 4303 G 4318			G 4308 G 4309	
16.00~18.00	≦0.60			A 582			A 581	
16.5~18.5	0.2~0.6							17440
16.0~18.0	0.20~0.60							A 35-574
16.0~18.0	0.60							TR 15510
16.00~18.00	0.20~0.60			10088-3				
16.00~19.00			Ti 또는 Nb 0.10~1.00		D 3705 D 3698	←		
16.00~19.00			Ti 또는 Nb 0.10~1.00		G 4304 G 4305	←		
17.00~19.00		≦0.04	Ti 0.20+4(C+N)~1.10 Al≦0.15	A 479	A 240			
16.0~18.0			Ti 7×C%~1.20		17441	17441		17440
16.0~18.0			Nb 12×C%~1.20					17440
16.0~18.0			0.2+4(C+N)~0.75		A 35-573	←		
16.0~18.0			Nb 0.30~0.60		A 35-573	←		
16.0~19.0			{4×(C+N)+0.20}~0.75					4955
16.00~18.00		≦0.015	Ti 0.30~0.60		10088-2	←		
16.00~18.00			Ti 4×(C+N)+0.15~0.80		10088-2	←		
16.00~18.00			Nb 12×C~1.00		10088-2	←		
16.00~20.00	-	≦0.025	Ti, Nb, Zr 또는 그들의 조합 8×(C+N)%~0.80 Cu 0.10~0.80		D 3705 D 3698 D 3732	←		
16.00~20.00	-	≦0.025	Ti, Nb, Zr 또는 그들의 조합 8×(C+N)%~0.80 Cu 0.10~0.80		G 4304 G 4305 G 4312	←		
16.0~18.0			Nb 0.30~0.60		A 35-573			

Notes : (1) ASTM은 모두 UNS. No.로 표시

(2) 봉, 선재, 형 및 반제품 0.030%이하, 절삭용으로는 0.015~0.030%가 추천, 허용된다.

特殊用途鋼 (스테인리스강·내열강)			Steels for special purposes (Stainless steels, heat-resisting steels)					
索引番号 Index No.	規格名 Std.	記　号(1) Designation	化 学 成 分 (%) Chemical composition					
			C	Si	Mn	P	S	Ni
I 052	KS	STS 434	≦0.12	≦1.00	≦1.00	≦0.040	≦0.030	
	JIS	SUS 434	≦0.12	≦1.00	≦1.00	≦0.040	≦0.030	
	ASTM	S 43400	≦0.12	≦1.00	≦1.00	≦0.040	≦0.030	
	BS	434 S 17	≦0.08	≦1.00	≦1.00	≦0.040	≦0.030	≦1.00
	DIN	X 6 CrMo 171	≦0.08	≦1.0	≦1.0	≦0.045	≦0.030	
	NS	Z 8 CD 17.01	≦0.08	≦0.75	≦0.80	≦0.04	≦0.015	
	ISO	L-No 43 X 6 CrMo 17-1	≦0.08	≦1.0	≦1.0	≦0.040	≦0.030	
	EN	1.4113	≦0.08	≦1.00	≦1.00	≦0.040	≦0.015(3)	
I 053	KS	STS 436 L	≦0.025	≦1.00	≦1.00	≦0.040	≦0.030	
	JIS	SUS 436 L	≦0.025	≦1.00	≦1.00	≦0.040	≦0.030	
	ASTM	S 43600	≦0.12	≦1.00	≦1.00	≦0.040	≦0.030	
	BS							
	DIN							
	EN	1.4513	≦0.025	≦1.00	≦1.00	≦0.040	≦0.015	
I 054	KS	STS 436 J 1 L	≦0.025	≦1.00	≦1.00	≦0.040	≦0.030	≦0.60
	JIS	STS 436 J 1 L	≦0.025	≦1.00	≦1.00	≦0.040	≦0.030	≦0.60
	ASTM							
	BS							
	DIN							
	NF							
I 055	KS	STS 444	≦0.025	≦1.00	≦1.00	≦0.040	≦0.030	
	JIS	SUS 444	≦0.025	≦1.00	≦1.00	≦0.040	≦0.030	
	ASTM	S 44400	≦0.025	≦1.00	≦1.00	≦0.040	≦0.030	≦1.00
	BS							
	DIN							
	NF	Z 3 CDT 18-02	≦0.03	≦0.75	≦0.80	≦0.030	≦0.015	
	ISO	L-No 46 X 2 CrMoTi 18-2	≦0.025	≦1.0	≦1.0	≦0.040	≦0.015	
	EN	1.4521	≦0.025	≦1.00	≦1.00	≦0.040	≦0.015	

Index No. I 052~I 055

化学成分 (%) Chemical composition				形状別規格番号 No. of Std. according to shapes				
Cr	Mo	N	others	棒 bar	板 plate	帯 strip	線 wire	others
16.00~18.00	0.75~1.25			D 3706	D 3705 D 3698	←	D 3702 D 3697	
16.00~18.00	0.75~1.25			G 4303	G 4304 G 4305	←	G 4308 G 4315	
16.00~18.00	0.75~1.25				A 240	←		DS-56E(2)
16.0~18.0	0.90~1.30				1449-2	←		
16.0~18.0	0.9~1.3				17441	17441		17440
16.0~18.0	0.9~1.4			A 35-574	A 35-573	←		
16.0~18.0	0.90~1.30							TR 15510
16.00~18.00	0.90~1.40			10088-3	10088-2	←		
16.00~19.00	0.75~1.25	≦0.025	Ti, Nb, Zr 또는 그들의 조합 8×(C+N)%~0.80		D 3705 D 3698	←		
16.00~19.00	0.75~1.25	≦0.025	Ti, Nb, Zr 또는 그들의 조합 8×(C+N)%~0.80		G 4304 G 4305	←		
16.00~18.00	0.75~1.25		Cb 5×C~0.80		A 240			DS-56E(2)
16.00~18.00	1.00~1.50	≦0.015	Ti 0.30~0.60		10088-2	←		
17.00~20.00	0.40~0.80	≦0.025	Nb 8×(C+N)%~0.80		D 3705 D 3698 D 3732	←		
17.00~20.00	0.40~0.80	≦0.025	Nb 8×(C+N)%~0.80		G 4304 G 4305 G 4312	←		
17.00~20.00	1.75~2.50	≦0.025	Ti, Nb, Zr 또는 그들의 조합 8×(C+N)%~0.80		D 3705 D 3698	←		
17.00~20.00	1.75~2.50	≦0.025	Ti, Nb, Zr 또는 그들의 조합 8×(C+N)%~0.80		G 4304 G 4305	←		
17.50~19.50	1.75~2.50	≦0.035	Ti+Nb 0.20+4(C+N)~0.80	A 276 A 479	A 240	←		
17.5~20.0	2.0~2.5	≦0.025	Ti+Nb>0.2+4(C+N)		A 35-573	←		
17.0~20.0	1.80~2.50	≦0.025	Nb+Ti{4(C+N)+0.20}~0.80					TR 15510
17.00~20.00	1.80~2.50	≦0.030	Ti 4(C+N)+0.15~0.80		10088-2	←		

Notes : (1) ASTM은 모두 UNS. No.로 표시 (2) DS-56E는 UNS. No.의 등록서에, 제품규격에는 없다.
(3) 봉, 선재, 형 및 반제품 0.030%이하, 절삭용으로는 0.015~0.030%가 추천, 허용된다.

特殊用途鋼 (스테인리스강·내열강) Steels for special purposes (Stainless steels, heat-resisting steels)

索引番号 Index No.	規格名 Std.	記 号(1) Designation	化 学 成 分 (%) Chemical composition					
			C	Si	Mn	P	S	Ni
I 056	KS	STS 447 J 1	≦0.010	≦0.40	≦0.40	≦0.030	≦0.020	≦0.50
	JIS	SUS 447 J 1	≦0.010	≦0.40	≦0.40	≦0.030	≦0.020	≦0.50
	ASTM	S 44700	≦0.010	≦0.20	≦0.30	≦0.025	≦0.020	≦0.15
	BS							
	DIN							
I 057	KS	STS XM 27	≦0.010	≦0.40	≦0.40	≦0.030	≦0.020	≦0.50
	JIS	SUS XM 27	≦0.010	≦0.40	≦0.40	≦0.030	≦0.020	≦0.50
	ASTM	S 44627	≦0.010	≦0.40	≦0.40	≦0.020	≦0.020	≦0.50
	BS							
	DIN							
	NF	Z 1 CD 26.01	≦0.020	≦0.40	≦0.40	≦0.020	≦0.020	
I 058	KS	STS 403	≦0.15	≦0.50	≦1.00	≦0.040	≦0.030	(3)
	JIS	SUS 403	≦0.15	≦0.50	≦1.00	≦0.040	≦0.030	(3)
	ASTM	S 40300	≦0.15	≦0.50	≦1.00	≦0.040	≦0.030	
	BS							
	DIN							
	NF							
I 059	KS	STS 410	≦0.15	≦1.00	≦1.00	≦0.040	≦0.030	(3)
	JIS	SUS 410	≦0.15	≦1.00	≦1.00	≦0.040	≦0.030	(3)
	ASTM	S 41000	≦0.15	≦1.00	≦1.00	≦0.040	≦0.030	≦0.75
	BS	410 S 21	0.09~0.15	≦1.00	≦1.00	≦0.040	≦0.030	≦1.00
	DIN	X 10 Cr 13	0.08~0.12	≦1.0	≦1.0	≦0.045	≦0.030	
	NF	Z 13 C 13	0.10~0.15	≦0.75	≦1.0	≦0.04	≦0.015	
	ISO	L-No 48 X 12 Cr 13	0.08~0.15	≦1.00	≦1.50	≦0.040	≦0.030	≦0.75
	EN	1.4006	0.08~0.15	≦1.00	≦1.50	≦0.040	≦0.015(2)	≦0.75
I 060	KS	STS 410 F 2	≦0.15	≦1.00	≦1.00	≦0.040	≦0.030	≦0.60
	JIS	SUS 410 F 2	≦0.15	≦1.00	≦1.00	≦0.040	≦0.030	≦0.60
	ASTM							
	BS							

Index No. I 056~I 060

化学成分 (%) Chemical composition				形状別規格番号 No. of Std. according to shapes				
Cr	Mo	N	others	棒 bar	板 plate	帯 strip	線 wire	others
28.50~32.00	1.50~2.50	≦0.015	Cu≦0.20, Ni+Cu≦0.50 기타 필요에 따라 첨가할 수 있다.	D 3706	D 3705 D 3698	←		
28.50~32.00	1.50~2.50	≦0.015	Cu≦0.20, Ni+Cu≦0.50 기타 필요에 따라 첨가할 수 있다.	G 4303	G 4304 G 4305	←		
28.0~30.0	3.5~4.2	≦0.020	Cu≦0.15, C+N≦0.025	A 276 A 479	A 240	←	A 493 A 580	
25.00~27.50	0.75~1.50	≦0.015	Cu≦0.20, Ni+Cu≦0.50 기타 필요에 따라 첨가할 수 있다.	D 3706	D 3705 D 3698	←		
25.00~27.50	0.75~1.50	≦0.015	Cu≦0.20, Ni+Cu≦0.50 기타 필요에 따라 첨가할 수 있다.	G 4303	G 4304 G 4305	←		
25.00~27.50	0.75~1.50	≦0.015	Ni+Cu≦0.50, Cb 0.05~0.20 Cu≦0.20	A 276 A 479 A 493	A 240	←	A 493	
25~28		0.75~1.5	Ni+Cu<0.5					A 35-584
11.50~13.00				D 3706 D 3731 D 3692	D 3705 D 3698 D 3732	←	D 3702	
11.50~13.00				G 4303 G 4311 G 4318	G 4304 G 4305 G 4312	←	G 4308	
11.50~13.00				A 276 A 479	A 176	←	A 580	
11.50~13.50				D 3706 D 3731 D 3692	D 3705 D 3698 D 3732	←	D 3702 D 3703 D 3697	
11.50~13.50				G 4303 G 4311 G 4318	G 4304 G 4305 G 4312	←	G 4308 G 4309 G 4315	
11.50~13.50				A 276 A 479	A 240	←	A 493 A 580	
11.5~13.5					1449-2	←	3111-2	970-1
12.0~14.0				1654-5	17441	17441	1654-5	17440
12.0~13.5				A 35-577	A 35-573	←	A 35-577	
11.5~13.5								TR 15510
11.50~13.50				10088-3				
11.50~13.50	-	-	Pb 0.05~0.30	D 3706				
11.50~13.50	-	-	Pb 0.05~0.30	G 4303				

Notes : [1] ASTM은 모두 UNS. No.로 표시
[2] 봉, 선재, 형 및 반제품 0.030%이하, 절삭용으로는 0.015~0.030%가 추천, 허용된다.
[3] ≦0.60을 함유하여도 차이는 없다.

特殊用途鋼 (스테인리스강·내열강) Steels for special purposes (Stainless steels, heat-resisting steels)

索引番号 Index No.	規格名 Std.	記 号(1) Designation	化 学 成 分 (%) Chemical composition C	Si	Mn	P	S	Ni
I 060(계속)	DIN							
	NF							
I 061	KS	STS 410 S	≦0.08	≦1.00	≦1.00	≦0.040	≦0.030	
	JIS	SUS 410 S	≦0.08	≦1.00	≦1.00	≦0.040	≦0.030	
	ASTM	S 41008	≦0.08	≦1.00	≦1.00	≦0.040	≦0.030	≦0.60
	BS	403 S 17	≦0.08	≦1.00	≦1.00	≦0.040	≦0.030	≦1.00
	DIN	X 6 Cr 13	≦0.08	≦1.0	≦1.0	≦0.045	≦0.030	
	NF	Z 8 C 12	≦0.08	≦0.75	≦1.0	≦0.04	≦0.015	
	ISO	L-No 39 X 6 Cr 13	≦0.08	≦1.0	≦1.0	≦0.040	≦0.030	≦0.75
	EN	1.4000	≦0.08	≦1.00	≦1.00	≦0.040	≦0.015(2)	
I 062	KS	STS 410 J 1	0.08~0.18	≦0.60	≦1.00	≦0.040	≦0.030	(3)
	JIS	SUS 410 J 1	0.08~0.18	≦0.60	≦1.00	≦0.040	≦0.030	(3)
	ASTM	S 41025	≦0.15	≦1.00	≦1.00	≦0.040	≧0.030	≦0.60
	BS							
	DIN							
I 063	KS	STS 416	≦0.15	≦1.00	≦1.25	≦0.060	≧0.15	(3)
	JIS	SUS 416	≦0.15	≦1.00	≦1.25	≦0.060	≧0.15	(3)
	ASTM	S 41600	≦0.15	≦1.00	≦1.25	≦0.060	≧0.15	
	BS	416 S 21	0.09~0.15	≦1.00	≦1.50	≦0.040	0.15~0.30	≦1.00
	DIN							
	NF	Z 11 CF 13	0.08~0.13	≦1.0	≦1.50	≦0.040	0.15~0.25	≦0.75
	ISO	L-No 49 X 12 CrS 13	0.08~0.15	≦1.0	≦1.5	≦0.040	0.15	
	EN	1.4005	0.08~0.15	≦1.00	≦1.50	≦0.040	0.15~0.35	
I 064	KS	STS 420 J 1	0.16~0.25	≦1.00	≦1.00	≦0.040	≦0.030	(3)
	JIS	SUS 420 J 1	0.16~0.25	≦1.00	≦1.00	≦0.040	≦0.030	(3)
	ASTM	S 42000	>0.15	≦1.00	≦1.00	≦0.040	≦0.030	
	BS	420 S 29	0.14~0.20	≦1.0	≦1.0	≦0.040	≦0.030	≦1.00
	DIN	X 20 Cr 13	0.17~0.22	≦1.0	≦1.0	≦0.045	≦0.030	
	NF	Z 20 C 13	0.18~0.23	≦0.75	≦1.0	≦0.04	≦0.015	
	ISO	L-No 50 X 20 Cr 13	0.16~0.25	≦1.0	≦1.5	≦0.040	≦0.030	≦1.0
	EN	1.4021	0.16~0.25	≦1.00	≦1.50	≦0.040	≦0.015(2)	

Index No. I 060~I 064

化学成分 (%) Chemical composition				形状別規格番号 No. of Std. according to shapes				
Cr	Mo	N	others	棒 bar	板 plate	帯 strip	線 wire	others
11.50~13.50					D 3705 D 3698	←		
11.50~13.50					G 4304 G 4305	←		
11.50~13.50					A 240	←		
12.0~14.0					1449-2			
12.0~14.0					17441	←		17440
11.5~13.0					A 35-573	←		
11.5~14.0								TR 15510
12.00~14.00				10088-3	10088-2	←		
11.50~14.00	0.30~0.60			D 3706 D 3731				
11.50~14.00	0.30~0.60			G 4303 G 4311				
11.5~13.5	0.40~0.60							DS-56E(4)
12.00~14.00	≦0.60			D 3706 D 3692		D 3702 D 3703		
12.00~14.00	≦0.60			G 4303 G 4318		G 4308 G 4309		
12.00~14.00	≦0.60			A 582		A 581		
11.5~13.5	≦0.60							
12.0~13.5	≦0.60			A 35-574				
12.0~14.0	≦0.60							TR 15510
12.00~14.00	≦0.60			10088-3				
12.00~14.00				D 3706 D 3692	D 3705 D 3698	←	D 3702 D 3703	
12.00~14.00				G 4303 G 4318	G 4304 G 4305	←	G 4308 G 4309	
12.00~14.00				A 314 A 582			A 581	A 194
11.5~13.5								970-1
12.0~14.0					17441	←		17440
12.0~14.0					A 35-573	←		
12.0~14.0								TR 15510
12.00~14.00				10088-3	10088-2	←		

Notes : (1) ASTM은 모두 UNS. No.로 표시
(2) 봉, 선재, 형 및 반제품 0.030%이하, 절삭용으로는 0.015~0.030%가 추천, 허용된다.
(3) ≦0.60을 함유하여도 차이는 없다. (4) DS-56E는 UNS. No.의 등록서에, 제품규격에는 없다.

特殊用途鋼 (스테인리스강·내열강) Steels for special purposes (Stainless steels, heat-resisting steels)

索引番号 Index No.	規格名 Std.	記 号(1) Designation	化学成分 (%) Chemical composition C	Si	Mn	P	S	Ni
I 065	KS	STS 420 J 2	0.26~0.40	≦1.00	≦1.00	≦0.040	≦0.030	(3)
	JIS	SUS 420 J 2	0.26~0.40	≦1.00	≦1.00	≦0.040	≦0.030	(3)
	ASTM							
	BS	420 S 45	0.28~0.36	≦1.00	≦1.00	≦0.040	≦0.030	≦1.00
	DIN	X 30 Cr 13	0.28~0.35	≦1.0	≦1.0	≦0.045	≦0.030	
	NF	Z 33 C 13	0.28~0.38	≦0.75	≦1.0	≦0.04	≦0.015	
	ISO	L-No 51 X 30 Cr 13	0.26~0.35	≦1.0	≦1.5	≦0.040	≦0.030	
	EN	1.4028	0.26~0.35	≦1.00	≦1.50	≦0.040	≦0.015(2)	
I 066	KS	STS 420 F	0.26~0.40	≦1.00	≦1.25	≦0.060	≧0.15	(3)
	JIS	SUS 420 F	0.26~0.40	≦1.00	≦1.25	≦0.060	≧0.15	(3)
	ASTM	S 42020	>0.15	≦1.00	≦1.25	≦0.060	≧0.15	
	BS							
	DIN							
	NF	Z 30 CF 13	0.25~0.34	≦1.0	≦1.50	≦0.06	≧0.15	≦0.5
	EN	1.4029	0.25~0.32	≦1.00	≦1.50	≦0.040	0.15~0.25	
I 067	KS	STS 420 F 2	0.26~0.40	≦1.00	≦1.00	≦0.040	≦0.030	≦0.60
	JIS	SUS 420 F 2	0.26~0.40	≦1.00	≦1.00	≦0.040	≦0.030	≦0.60
	ASTM							
	BS							
	DIN							
I 068	KS	STS 429 J 1	0.25~0.40	≦1.00	≦1.00	≦0.040	≦0.030	15.00~17.00
	JIS	SUS 429 J 1	0.25~0.40	≦1.00	≦1.00	≦0.040	≦0.030	15.00~17.00
	ASTM							
	BS							
	DIN							
I 069	KS	STS 431	≦0.20	≦1.00	≦1.00	≦0.040	≦0.030	1.25~2.50
	JIS	SUS 431	≦0.20	≦1.00	≦1.00	≦0.040	≦0.030	1.25~2.50
	ASTM	S 43100	≦0.20	≦1.00	≦1.00	≦0.040	≦0.030	1.25~2.50
	BS	431 S 29	0.12~0.20	≦1.0	≦1.0	≦0.040	≦0.030	2.00~3.00
	DIN	X 20 CrNi 172	0.14~0.23	≦1.0	≦1.0	≦0.045	≦0.030	1.5~2.5
	NF	Z 15 CN 16-02	0.15~0.20	≦1.0	≦1.0	≦0.040	≦0.025	1.5~2.5
	ISO	L-No 57 X 17 CrNi 16-2	0.12~0.22	≦1.0	≦1.0	≦0.040	≦0.030	1.5~2.5
	EN	1.4057	0.12~0.22	≦1.00	≦1.50	≦0.040	≦0.015(2)	1.50~2.50

Index No. I 065~I 069

化学成分 (%) Chemical composition				形状別規格番号 No. of Std. according to shapes				
Cr	Mo	N	others	棒 bar	板 plate	帯 strip	線 wire	others
12.00~14.00				D 3706 D 3692	D 3705 D 3698	D 3705 D 3534	D 3702 D 3703	
12.00~14.00				G 4303 G 4318	G 4304 G 4305	G 4304 G 4313	G 4308 G 4309	
12.0~14.0					1449-2	5770-4	2056	
12.0~14.0					17441	17441		17440
12.5~14.0					A 35-573	←		
12.0~14.0								TR 15510
12.00~14.00				10088-3	10088-2			
12.00~14.00	≦0.60			D 3706 D 3692			D 3702 D 3703	
12.00~14.00	≦0.60			G 4303 G 4318			G 4308 G 4309	
12.00~14.00	≦0.60				A 895			
12.0~14.0	0.15~0.60			A 35-574				
12.00~13.50	≦0.60			10088-3				
12.00~14.00	-	-	Pb 0.05~0.30	D 3706 D 3692			D 3706	
12.00~14.00	-	-	Pb 0.05~0.30	G 4303 G 4318			G 4303	
					D 3705 D 3698	←		
					G 4304 G 4305	←		
15.00~17.00				D 3706 D 3731				
15.00~17.00				G 4303 G 4311				
15.00~17.00				A 276 A 493			A 493 A 580	
15.0~18.0								970-1
15.5~17.5								17440
15.5~17.0				A 35-574				
15.0~17.0								TR 15510
15.00~17.00				10088-3				

Notes : (1) ASTM은 모두 UNS. No.로 표시
(2) 봉, 선재, 형 및 반제품 0.030%이하, 절삭용으로는 0.015~0.030%가 추천, 허용된다.
(3) ≦0.60을 함유하여도 차이는 없다.

特殊用途鋼 (스테인리스강·내열강)			Steels for special purposes (Stainless steels, heat-resisting steels)					
索引番号 Index No.	規格名 Std.	記 号([1]) Designation	化 学 成 分 (%) Chemical composition					
			C	Si	Mn	P	S	Ni
I 070	KS	STS 440 A	0.60~0.75	≦1.00	≦1.00	≦0.040	≦0.040	([3])
	JIS	SUS 440 A	0.60~0.75	≦1.00	≦1.00	≦0.040	≦0.040	([3])
	ASTM	S 44002	0.60~0.75	≦1.00	≦1.00	≦0.040	≦0.030	
	BS							
	DIN							
	NF							
	EN	1.4109	0.65~0.75	≦0.70	≦1.00	≦0.040	≦0.015([2])	
I 071	KS	STS 440 B	0.75~0.95	≦1.00	≦1.00	≦0.040	≦0.030	([3])
	JIS	SUS 440 B	0.75~0.95	≦1.00	≦1.00	≦0.040	≦0.030	([3])
	ASTM	S 44003	0.75~0.95	≦1.00	≦1.00	≦0.040	≦0.030	
	BS							
	DIN							
	NF							
I 072	KS	STS 440 C	0.95~1.20	≦1.00	≦1.00	≦0.040	≦0.030	([3])
	JIS	SUS 440 C	0.95~1.20	≦1.00	≦1.00	≦0.040	≦0.030	([3])
	ASTM	S 44004	0.95~1.20	≦1.00	≦1.00	≦0.040	≦0.030	
	BS							
	DIN							
	NF	Z 100 CD 17	0.90~1.20	≦1.0	≦1.0	≦0.04	≦0.03	
	EN	1.4125	0.95~1.20	≦1.00	≦1.00	≦0.040	≦0.015([2])	
I 073	KS	STS 440 F	0.95~1.20	≦1.00	≦1.25	≦0.060	≧0.15	([3])
	JIS	SUS 440 F	0.95~1.20	≦1.00	≦1.25	≦0.060	≧0.15	([3])
	ASTM	S 44020	0.95~1.20	≦1.00	≦1.25	≦0.040	0.10~0.35	≦0.75
	BS							
	DIN							
	NF							
I 074	KS	STS 630	≦0.07	≦1.00	≦1.00	≦0.040	≦0.030	3.00~5.00
	JIS	SUS 630	≦0.07	≦1.00	≦1.00	≦0.040	≦0.030	3.00~5.00
	ASTM	S 17400	≦0.07	≦1.00	≦1.00	≦0.040	≦0.030	3.00~5.00
	BS							
	DIN							
	NF	Z 7 CNU 17.04	≦0.07	≦1.00	≦1.00	≦0.035	≦0.025	3.00~5.00

Index No. I 070~I 074

化学成分 (%) Chemical composition				形状別規格番号 No. of Std. according to shapes				
Cr	Mo	N	others	棒 bar	板 plate	帯 strip	線 wire	others
16.00~18.00	≦0.75			D 3706	D 3705 D 3698	←		
16.00~18.00	≦0.75			G 4303	G 4304 G 4305	←		
16.00~18.00	≦0.75			A 276			A 580	
14.00~16.00	0.40~0.80			10088-3				
16.00~18.00	≦0.75			D 3706				
16.00~18.00	≦0.75			G 4303				
16.00~18.00	≦0.75			A 276			A 580	
16.00~18.00	≦0.75			D 3706 D 3692			D 3702 D 3703	
16.00~18.00	≦0.75			G 4303 G 4318			G 4308 G 4309	
16.00~18.00	≦0.75			A 276 A 493			A 493 A 580	
16.0~18.0	0.35~0.75							A 35-565
16.00~18.00	0.40~0.80			10088-3				
16.00~18.00	≦0.75			D 3706				
16.00~18.00	≦0.75			G 4303				
16.00~18.00	0.40~0.60							DS-56E([4])
15.50~17.50			Cu 3.00~5.00 Nb 0.15~0.45	D 3706 D 3731	D 3705 D 3698 D 3732	←		
15.50~17.50			Cu 3.00~5.00 Nb 0.15~0.45	G 4303 G 4311	G 4304 G 4305 G 4312	←		
15.50~17.50			Cu 3.00~5.00 Nb 0.15~0.45	A 564			A 693	A 564
15.50~17.50			Cu 3.00~5.00 Nb 0.15~0.45		A 35-573			

Notes : ([1]) ASTM은 모두 UNS. No.로 표시
([2]) 봉, 선재, 형 및 반제품 0.030%이하, 절삭용으로는 0.015~0.030%가 추천, 허용된다.
([3]) ≦0.60을 함유하여도 차이는 없다. ([4]) DS-56E는 UNS. No.의 등록서에, 제품규격에는 없다.

特殊用途鋼 (스테인리스강·내열강) Steels for special purposes (Stainless steels, heat-resisting steels)

索引番号 Index No.	規格名 Std.	記 号(1) Designation	化 学 成 分 (%) Chemical composition C	Si	Mn	P	S	Ni
I 074(계속)	ISO	L-No 58 X 5 CrNiCuNb 16-4	≦0.07	≦0.700	≦1.50	≦0.040	≦0.030	3.00～5.00
	EN	1.4542	≦0.07	≦0.70	≦1.50	≦0.040	≦0.015(2)	3.00～5.00
I 075	KS	STS 631	≦0.09	≦1.00	≦1.00	≦0.040	≦0.030	6.5～7.75
	JIS	SUS 631	≦0.09	≦1.00	≦1.00	≦0.040	≦0.030	6.5～7.75
	ASTM	S 17700	≦0.09	≦1.00	≦1.00	≦0.040	≦0.030	6.50～7.75
	BS							
	DIN	X 7 CrNiAl 177	≦0.09	≦1.0	≦1.0	≦0.045	≦0.030	6.50～7.75
	NF	Z 9 CNA 17.07	≦0.09	≦1.00	≦1.00	≦0.035	≦0.025	6.50～7.75
	ISO	L-No 59 X 7 CrNiAl 17-7	≦0.09	≦0.70	≦1.00	≦0.040	≦0.015	6.50～7.80
	EN	1.4568	≦0.09	≦0.70	≦1.00	≦0.040	≦0.015	6.50～7.800
I 076	KS	STS 631 J 1	≦0.09	≦1.00	≦1.00	≦0.040	≦0.030	7.00～8.50
	JIS	SUS 631 J 1	≦0.09	≦1.00	≦1.00	≦0.040	≦0.030	7.00～8.50
	ASTM							
	BS							
	DIN							
	NF							
I 077	KS	STR 31	0.35～0.45	1.50～2.50	≦0.60	≦0.040	≦0.030	13.00～15.00
	JIS	SUH 31	0.35～0.45.	1.50～2.50	≦0.60	≦0.040	≦0.030	13.00～15.00
	ASTM							
	BS	331 S 42	0.37～0.47	1.00～2.00	0.50～1.00	≦0.040	≦0.030	13.0～15.0
	DIN							
	NF	Z 35 CNWS 14.14	0.30～0.40	1.0～2.0	≦1.0	≦0.040	≦0.030	13.0～15.0
I 078	KS	STR 35	0.48～0.58	≦0.35	8.00～10.00	≦0.040	≦0.030	3.25～4.50
	JIS	SUH 35	0.48～0.58	≦0.35	8.00～10.00	≦0.040	≦0.030	3.25～4.50
	ASTM							
	BS	349 S 52	0.48～0.58	≦0.25	8.0～10.0	≦0.040	≦0.035	3.25～4.50
	DIN							
	NF	Z 53 CMN 21.09 Az	0.48～0.58	≦0.25	8～10	≦0.040	≦0.035	3.25～4.5
	ISO	X 53 CrMnNiN 219	0.48～0.58	≦0.25	8.0～10.0	≦0.050	≦0.030	

Index No. I 074~I 078

化学成分 (%) Chemical composition				形状別規格番号 No. of Std. according to shapes				
Cr	Mo	N	others	棒 bar	板 plate	帯 strip	線 wire	others
15.0~17.0	≦0.60		Cu 3.00~5.00 Nb 5×C~0.45					
15.00~17.00	≦0.60		Cu 3.00~5.00 Nb 5×C~0.45	10088-3	10088-2	←		
16.00~18.00			Al 0.75~1.50	D 3706 D 3731	D 3705 D 3698 D 3732	D 3705, D 3698 D 3732, D 3534		
16.00~18.00			Al 0.75~1.50	G 4303 G 4311	G 4304 G 4305 G 4312	G 4304, G 4305 G 4312, G 4312		
16.00~18.00			Al 0.75~1.50	A 564			A 693	A 564
16.0~18.0			Al 0.75~1.50			17224	←	
16.00~18.00			Al 0.75~1.50	A 35-574	A 35-573	←		
16.0~18.0			Al 0.70~1.50					TR 15510
16.00~18.00			Al 0.70~1.50	10088-3	10088-2	←		
16.00~18.00			Al 0.75~1.50				D 3702 D 3535	
16.00~18.00			Al 0.75~1.50				G 4308 G 4314	
14.00~16.00			W 2.00~3.00	D 3731				
14.00~16.00			W 2.00~3.00	G 4311				
13.0~15.0	0.40~0.70		W 2.20~3.00					970-4
13.0~15.0	≦0.50		W 2.0~3.0					A 35-579
20.00~22.00		0.35~0.50		D 3731				
20.00~22.00		0.35~0.50		G 4311				
20.0~22.0		0.38~0.50	C+N≧0.90					970-4
20.0~22.0		0.38~0.50		A 35-579				
20.0~22.0		0.38~0.50						683-15

Notes : ([1]) ASTM은 모두 UNS. No.로 표시

([2]) 봉, 선재, 형 및 반제품 0.030%이하, 절삭용으로는 0.015~0.030%가 추천, 허용된다.

特殊用途鋼 (스테인리스강·내열강)			Steels for special purposes (Stainless steels, heat-resisting steels)					
索引番号 Index No.	規格名 Std.	記 号(1) Designation	化 学 成 分 (%) Chemical composition					
			C	Si	Mn	P	S	Ni
I 079	KS	STR 36	0.48~0.58	≦0.35	8.00~10.00	≦0.040	0.040~0.090	3.25~4.50
	JIS	SUH 36	0.48~0.58	≦0.35	8.00~10.00	≦0.040	0.040~0.090	3.25~4.50
	ASTM	S 63008	0.48~0.58	≦0.25	8.00~10.00	≦0.030	0.040~0.09	3.25~4.50
	BS	349 S 54	0.48~0.58	≦0.25	8.0~10.0	≦0.040	0.035~0.080	3.25~4.50
	DIN							
	NF	Z 55 CMN 21-09 Az	0.48~0.58	≦0.25	8.0~10.0	≦0.040	≦0.030	3.25~4.50
I 080	KS	STR 37	0.15~0.25	≦1.00	1.00~1.60	≦0.040	≦0.030	10.00~12.00
	JIS	SUH 37	0.15~0.25	≦1.00	1.00~1.60	≦0.040	≦0.030	10.00~12.00
	ASTM	S 63017	0.15~0.25	0.70~1.25	1.00~1.50	≦0.030	≦0.030	10.50~12.50
	BS	381 S 34	0.15~0.25	0.70~1.25	≦1.50	≦0.040	≦0.030	10.5~12.5
	DIN							
I 081	KS	STR 38	0.25~0.35	≦1.00	≦1.20	0.18~0.25	≦0.030	10.00~12.00
	JIS	SUH 38	0.25~0.35	≦1.00	≦1.20	0.18~0.25	≦0.030	10.00~12.00
	ASTM							
	BS							
	DIN							
I 082	KS	STR 309	≦0.20	≦1.00	≦2.00	≦0.040	≦0.030	12.00~15.00
	JIS	SUH 309	≦0.20	≦1.00	≦2.00	≦0.040	≦0.030	12.00~15.00
	ASTM	S 30900	≦0.20	≦1.00	≦2.00	≦0.045	≦0.030	12.00~15.00
	BS	309 S 35	≦0.15	≦1.00	≦2.00	≦0.045	≦0.030	13.0~16.0
	DIN							
	NF	Z 15 CN 23.13	≦0.15	≦0.75	≦2.00	≦0.035	≦0.015	12.0~14.0
I 083	KS	STR 310	≦0.25	≦1.50	≦2.00	≦0.040	≦0.030	19.00~22.00
	JIS	SUH 310	≦0.25	≦1.50	≦2.00	≦0.040	≦0.030	19.00~22.00
	ASTM	S 31000	≦0.25	≦1.50	≦2.00	≦0.045	≦0.030	19.00~22.00
	BS	310 S 24	≦0.15	≦1.00	≦2.00	≦0.045	≦0.030	19.0~22.0
	DIN							
	NF	Z 15 CNS 25.20	≦0.15	1.50~2.50	≦2.00	≦0.035	≦0.015	19.0~21.0

Index No. I 079~I 083

化学成分 (%) Chemical composition				形状別規格番号 No. of Std. according to shapes				
Cr	Mo	N	others	棒 bar	板 plate	帯 strip	線 wire	others
20.00~22.00		0.35~0.50		D 3731				
20.00~22.00		0.35~0.50		G 4311				
20.0~22.0		0.28~0.50						DS-56E(2)
20.0~22.0		0.38~0.50	C+N≧0.90					970-4
20.0~22.0		0.38~0.50						A 35-579
20.50~22.50		0.15~0.30		D 3731				
20.50~22.50		0.15~0.30		G 4311				
20.00~22.00		0.15~0.25						DS-56E(2)
20.0~22.0		0.15~0.30						970-4
19.00~21.00	1.80~2.50		B 0.001~0.010	D 3731				
19.00~21.00	1.80~2.50		B 0.001~0.010	G 4311				
22.00~24.00				D 3731	D 3732			
22.00~24.00				G 4311	G 4312			
22.00~24.00				A 276	A 167	←	A 580	
22.0~25.0					1449-2	←		
22.0~24.0					A 36-209			A 35-578
24.00~26.00				D 3731	D 3732			
24.00~26.00				G 4311	G 4312			
24.00~26.00				A 276	A 167	←	A 580	
23.0~26.0					1449-2	←		970-1
24.0~26.0								A 35-578

Notes : (1) ASTM은 모두 UNS. No.로 표시 (2) DS-56E는 UNS. No.의 등록서에, 제품규격에는 없다.

特殊用途鋼 (스테인리스강·내열강) Steels for special purposes (Stainless steels, heat-resisting steels)

索引番号 Index No.	規格名 Std.	記 号[1] Designation	化 学 成 分 (%) Chemical composition					
			C	Si	Mn	P	S	Ni
I 084	KS	STR 330	≦0.15	≦1.50	≦2.00	≦0.040	≦0.030	33.0~37.0
	JIS	SUH 330	≦0.15	≦1.50	≦2.00	≦0.040	≦0.030	33.0~37.0
	ASTM	N 08330	≦0.08	0.75~1.50	≦2.00	≦0.03	≦0.03	34.00~37.00
	BS							
	DIN							
	NF	Z 12 NCS 35.16	≦0.15	1~2	≦2	≦0.040	≦0.030	33~36
I 085	KS	STR 660	≦0.08	≦1.00	≦2.00	≦0.040	≦0.030	24.00~27.00
	JIS	SUH 660	≦0.08	≦1.00	≦2.00	≦0.040	≦0.030	24.00~27.00
	ASTM	S 66286	≦0.08	≦1.00	≦2.00	≦0.040	≦0.030	24.0~27.0
	BS							
	DIN							
	NF							
I 086	KS	STR 661	0.08~0.16	≦1.00	1.00~2.00	≦0.040	≦0.030	19.00~21.00
	JIS	SUH 661	0.08~0.16	≦1.00	1.00~2.00	≦0.040	≦0.030	19.00~21.00
	ASTM	R 30155	0.08~0.16	≦1.00	1.00~2.00	≦0.040	≦0.030	18.50~21.00
	BS							
	DIN							
	NF							
I 087	KS	STR 21	≦0.10	≦1.50	≦1.00	≦0.040	≦0.030	([3])
	JIS	SUH 21	≦0.10	≦1.50	≦1.00	≦0.040	≦0.030	([3])
	ASTM							
	BS							
	DIN							
	NF							
I 088	KS	STR 409	≦0.08	≦1.00	≦1.00	≦0.040	≦0.030	([3])
	JIS	SUH 409	≦0.08	≦1.00	≦1.00	≦0.040	≦0.030	([3])
	ASTM	S 40900	≦0.08	≦1.00	≦1.00	≦0.045	≦0.045	≦0.50
	BS	409 S 19	≦0.08	≦1.00	≦1.00	≦0.040	≦0.030	≦1.00
	DIN	X 6 CrTi 12	≦0.08	≦1.0	≦1.0	≦0.045	≦0.030	

化学成分 (%) Chemical composition				形状別規格番号 No. of Std. according to shapes				
Cr	Mo	N	others	棒 bar	板 plate	帯 strip	線 wire	others
14.00~17.00				D 3731	D 3732			
14.00~17.00				G 4311	G 4312			
17.00~20.00			Cu≦1.00, Pb≦0.005 Sn≦0.025					DS-56E([2])
14~17								A 35-578
13.50~16.00	1.00~1.50		V 0.10~0.50, B 0.001~0.010 Ti 1.90~2.35, Al≦0.35	D 3731	D 3732			
13.50~16.00	1.00~1.50		V 0.10~0.50, B 0.001~0.010 Ti 1.90~2.35, Al≦0.35	G 4311	G 4312			
13.50~16.00	1.00~1.50		V 0.10~0.50, B 0.001~0.010 Ti 1.90~2.35, Al≦0.35					DS-56E([2])
20.00~22.50	2.50~3.50	0.10~0.20	Nb 0.75~1.25, W 2.00~3.00 Co 18.50~21.00	D 3731	D 3732			
20.00~22.50	2.50~3.50	0.10~0.20	Nb 0.75~1.25, W 2.00~3.00 Co 18.50~21.00	G 4311	G 4312			
20.00~22.50	2.50~3.50	≦0.20	Nb 0.75~1.25, W 2.00~3.00 Co 18.50~21.00					DS-56E([2])
17.00~21.00			Al 2.00~4.00		D 3732			
17.00~21.00			Al 2.00~4.00		G 4312			
10.50~11.75			Ti 6×C%~0.75, Cu≦0.30		D 3732			
10.50~11.75			Ti 6×C%~0.75, Cu≦0.30		G 4312			
10.50~11.75			([4])		A 240	←		
10.5~12.5			Ti 6×C%~1.0		1449-2			
10.5~12.5			Ti 6×C%~1.0					17440

Notes : ([1]) ASTM은 모두 UNS. No.로 표시 ([2]) DS-56E는 UNS. No.의 등록서에, 제품규격에는 없다.
([3]) ≦0.60을 함유하여도 차이는 없다. ([4]) 40910 : Ti 6×(C+N)~0.5, Cb≦0.10,
40920 : Ti≧8×(C+N)에서 0.15~0.50, Cb≦0.10, 40930 : (Cb+Ti)0.08+8(C+N)~0.75, Ti≧0.05

特殊用途鋼 (스테인리스강·내열강)			Steels for special purposes (Stainless steels, heat-resisting steels)					
索引番号 Index No.	規格名 Std.	記 号(1) Designation	化学成分 (%) Chemical composition					
			C	Si	Mn	P	S	Ni
I 088(계속)	NF	Z 8 CNT 12	≦0.08	≦0.75	≦1.50	≦0.040	≦0.015	0.50~1.50
	ISO	L-No 37 X 6 CrTi 12	≦0.08	≦1.0	≦1.0	≦0.040	≦0.030	≦0.50
I 089	KS	STR 409 L	≦0.030	≦1.00	≦1.00	≦0.040	≦0.030	
	JIS	SUH 409 L	≦0.030	≦1.00	≦1.00	≦0.040	≦0.030	
	ASTM							
	BS							
	DIN							
	NF	Z 3 CT 12	≦0.03	≦0.75	≦0.80	≦0.040	≦0.015	
	ISO	L-No 36 X 2 CrTi 12	≦0.030	≦1.00	≦1.00	≦0.040	≦0.030	≦0.50
	EN	1.4512	≦0.030	≦1.00	≦1.00	≦0.040	≦0.015	
I 090	KS	STR 446	≦0.20	≦1.00	≦1.50	≦0.040	≦0.030	(2)
	JIS	AUH 446	≦0.20	≦1.00	≦1.50	≦0.040	≦0.030	(2)
	ASTM	S 44600	≦0.20	≦1.00	≦1.50	≦0.040	≦0.030	
	BS							
	DIN							
	NF	Z 12 C 25	≦0.12	≦0.75	≦0.75	≦0.035	≦0.015	
	ISO	X 15 CrN 26	≦0.20	≦1.0	≦1.0	≦0.040	≦0.030	
I 091	KS	STR 1	0.40~0.50	3.00~3.50	≦0.60	≦0.030	≦0.030	(2)
	JIS	SUH 1	0.40~0.50	3.00~3.50	≦0.60	≦0.030	≦0.030	(2)
	ASTM	S 65007	0.40~0.50	3.00~3.50	0.20~0.60	≦0.025	≦0.025	
	BS	401 S 45	0.40~0.50	3.00~3.75	0.30~0.75	≦0.040	≦0.030	≦0.50
	DIN							
	NF	Z 45 CS 9	0.40~0.50	2.75~3.75	≦0.80	≦0.040	≦0.030	
	ISO	X 45 CrSi 93	0.40~0.50	2.7~3.3	≦0.80	≦0.040	≦0.030	≦0.60
I 092	KS	STR 3	0.35~0.45	1.80~2.50	≦0.60	≦0.030	≦0.030	(2)
	JIS	SUH 3	0.35~0.45	1.80~2.50	≦0.60	≦0.030	≦0.030	(2)
	ASTM							
	BS							
	DIN							

Index No. I 088~I 092

化学成分 (%) Chemical composition				形状別規格番号 No. of Std. according to shapes				
Cr	Mo	N	others	棒 bar	板 plate	帯 strip	線 wire	others
10.5~12.5			Ti 0.5~0.25		A 35-573	←		A 35-578
10.5~12.5			Ti 6×(C+N)~0.65					TR 15510
10.50~11.75			Ti 6×C%~0.75		D 3732			
10.50~11.75			Ti 6×C%~0.75		G 4312			
10.5~12.5			Ti 6×(C+N)%~0.60		A 35-573			A 35-578
10.50~12.50			Ti 6×(C+N)%~0.65					TR 15510
10.50~12.50			Ti 6×(C+N)%~0.65		10088-2	←		
23.00~27.00		≦0.25		D 3731	D 3732			
23.00~27.00		≦0.25		G 4311	G 4312			
23.00~27.00		≦0.25		A 276 A 314	A 176	←	A 580	
23.0~26.0								A 35-578
24.0~28.0		0.15~0.25						4955
7.50~9.50				D 3731				
7.50~9.50				G 4311				
8.00~9.00								DS-56E(3)
7.5~9.5								970-4
7.5~9.5				A 35-579				
8.0~10.0								683-15
10.00~12.00				D 3731				
10.00~12.00				G 4311				

Notes : (1) ASTM은 모두 UNS. No.로 표시 (2) ≦0.60을 함유하여도 차이는 없다.
(3) DS-56E는 UNS. No.의 등록서에, 제품규격에는 없다.

特殊用途鋼 (스테인리스강·내열강)			Steels for special purposes (Stainless steels, heat-resisting steels)					
索引番号 Index No.	規格名 Std.	記 号[1] Designation	化学成分 (%) Chemical composition					
			C	Si	Mn	P	S	Ni
I 092(계속)	NF	Z 40 CSD 10	0.35~0.45	2~3	≦0.80	≦0.040	≦0.030	
I 093	KS	STR 4	0.75~0.85	1.75~2.25	0.20~0.60	≦0.030	≦0.030	1.15~1.65
	JIS	SUH 4	0.75~0.85	1.75~2.25	0.20~0.60	≦0.030	≦0.030	1.15~1.65
	ASTM							
	BS	443 S 65	0.75~0.85	1.75~2.25	0.30~0.75	≦0.040	≦0.030	1.20~1.70
	DIN							
	NF	Z 80 CNS 20.02	0.75~0.85	1.5~2.5	≦0.80	≦0.040	≦0.030	1~1.7
I 094	KS	STR 11	0.45~0.55	1.00~2.00	≦0.60	≦0.030	≦0.030	([2])
	JIS	SUH 11	0.45~0.55	1.00~2.00	≦0.60	≦0.030	≦0.030	([2])
	ASTM							
	BS							
	DIN							
	ISO	X 50 CrSi 182	0.45~0.55	1.0~2.0	≦0.60	≦0.030	≦0.030	≦0.60
I 095	KS	STR 600	0.15~0.20	≦0.50	0.50~1.00	≦0.040	≦0.030	([2])
	JIS	SUH 600	0.15~0.20	≦0.50	0.50~1.00	≦0.040	≦0.030	([2])
	ASTM							
	BS							
	DIN							
I 096	KS	STR 616	0.20~0.25	≦0.50	0.50~1.00	≦0.040	≦0.030	0.50~1.00
	JIS	SUH 616	0.20~0.25	≦0.50	0.50~1.00	≦0.040	≦0.030	0.50~1.00
	ASTM	S 42200	0.20~0.25	≦0.75	0.75~1.25	≦0.040	≦0.030	0.50~1.00
	BS							
	DIN							

Index No. I 092~I 096

化学成分 (%) Chemical composition				形状別規格番号 No. of Std. according to shapes				
Cr	Mo	N	others	棒 bar	板 plate	帯 strip	線 wire	others
9.5~11.5	0.70~1.30			A 35-579				
19.00~20.50				D 3731				
19.00~20.50				G 4311				
19.0~21.0								970-4
19~21				A 35-579				
7.50~9.50				D 3731				
7.50~9.50				G 4311				
7.5~9.5								683-15
10.00~13.00	0.30~0.90	0.05~0.10	V 0.10~0.40 Nb 0.20~0.60	D 3731				
10.00~13.00	0.30~0.90	0.05~0.10	V 0.10~0.40 Nb 0.20~0.60	G 4311				
11.00~13.00	0.75~1.25		W 0.75~1.25 V 0.20~0.30	D 3731				
11.00~13.00	0.75~1.25		W 0.75~1.25 V 0.20~0.30	G 4311				
11.50~13.50	0.75~1.25		W 0.75~1.25 V 0.15~0.30	A 565				

Notes : (1) ASTM은 모두 UNS. No.로 표시 (2) ≦0.60을 함유하여도 차이는 없다.

特殊用途鋼 (工具鋼) Steels for special purposes (Tool steels)

索引番号 Index No.	規格名 Std.	記 号 Designation	化 学 成 分 (%) Chemical composition					
			C	Si	Mn	P	S	Pb
J 001	KS	STC 1	1.30~1.50	≦0.35	≦0.50	≦0.030	≦0.030	
	JIS	SK 1	1.30~1.50	≦0.35	≦0.50	≦0.030	≦0.030	
	ASTM							
	BS							
	DIN							
	NF	C 140 E 3 U	1.30~1.50	0.10~0.30	0.10~0.40	≦0.025	≦0.025	
	ISO	TC 140	1.30~1.50	≦0.35	≦0.35	≦0.030	≦0.030	
J 002	KS	STC 2	1.10~1.30	≦0.35	≦0.50	≦0.030	≦0.030	
	JIS	SK 2	1.10~1.30	≦0.35	≦0.50	≦0.030	≦0.030	
	ASTM	W 1-11 1/2	1.15~1.25	0.10~0.40	0.10~0.40	≦0.030	≦0.030	
	BS							
	DIN							
	NF	C 120 E 3 U	1.10~1.29	0.10~0.30	0.10~0.40	≦0.025	≦0.025	
	ISO	TC 120	1.10~1.29	≦0.35	≦0.35	≦0.030	≦0.030	
J 003	KS	STC 3	1.00~1.10	≦0.35	≦0.50	≦0.030	≦0.030	
	JIS	SK 3	1.00~1.10	≦0.35	≦0.50	≦0.030	≦0.030	
	ASTM	W 1-10	1.00~1.10	0.10~0.40	0.10~0.40	≦0.030	≦0.030	
	BS							
	DIN	C 105 W 1	1.00~1.10	0.10~0.25	0.10~0.25	≦0.020	≦0.020	
	NF	C 105 E 2 U	0.95~1.09	0.10~0.30	0.10~0.40	≦0.020	≦0.020	
	ISO	TC 105	0.95~1.09	≦0.35	≦0.35	≦0.030	≦0.030	
J 004	KS	STC 4	0.90~1.00	≦0.35	≦0.50	≦0.030	≦0.030	
	JIS	SK 4	0.90~1.00	≦0.35	≦0.50	≦0.030	≦0.030	
	ASTM	W 1-9	0.90~1.00	0.10~0.40	0.10~0.40	≦0.030	≦0.030	
	BS							
	DIN							
	NF	C 90 E 2 U	0.85~0.94	0.10~0.40	0.10~0.30	≦0.020	≦0.020	
	ISO	TC 90	0.85~0.94	≦0.35	≦0.35	≦0.030	≦0.030	

Index No. J 001~J 004

化学成分 (%) Chemical composition							規格番号 Std. No.
Cr	Mo	V	B	W	Co	others	
≦0.30						Cu≦0.25. Ni≦0.25	D 3751
≦0.30						Cu≦0.25. Ni≦0.25	G 4401
≦0.20						Cu≦0.25. Ni≦0.25	A 35-590
≦0.20						Cu≦0.25. Ni≦0.25	4957
≦0.30						Cu≦0.25. Ni≦0.25	D 3751
≦0.30						Cu≦0.25. Ni≦0.25	G 4401
≦0.15(1)	≦0.10	≦0.10		≦0.15		Cu≦0.20. Ni≦0.20	A 686
≦0.20						Cu≦0.25. Ni≦0.25	A 35-590
≦0.20						Cu≦0.25. Ni≦0.25	4957
≦0.30						Cu≦0.25. Ni≦0.25	D 3751
≦0.30						Cu≦0.25. Ni≦0.25	G 4401
≦0.15(1)	≦0.10	≦0.10		≦0.15		Cu≦0.20. Ni≦0.20	A 686
							17350
≦0.20						Cu≦0.25. Ni≦0.25	A 35-590
≦0.20						Cu≦0.25. Ni≦0.25	4957
≦0.30						Cu≦0.25. Ni≦0.25	D 3751
≦0.30						Cu≦0.25. Ni≦0.25	G 4401
≦0.15(1)	≦0.10	≦0.10		≦0.15		Cu≦0.20. Ni≦0.20	A 686
≦0.20						Cu≦0.25. Ni≦0.25	A 35-590
≦0.20						Cu≦0.25. Ni≦0.25	4957

Notes : (1) Grade A가 Cr≦0.15, Grade C는 Cr≦0.30

特殊用途鋼 (工具鋼) Steels for special purposes (Tool steels)

索引番号 Index No.	規格名 Std.	記　号 Designation	化 学 成 分 (%) Chemical composition					
			C	Si	Mn	P	S	Pb
J 005	KS	STC 5	0.80～0.90	≦0.35	≦0.50	≦0.030	≦0.030	
	JIS	SK 5	0.80～0.90	≦0.35	≦0.50	≦0.030	≦0.030	
	ASTM	W 1-8	0.80～0.90	0.10～0.40	0.10～0.40	≦0.030	≦0.030	
	BS							
	DIN	C 80 W 1	0.75～0.85	0.10～0.25	0.10～0.25	≦0.020	≦0.020	
	NF	C 90 E 2 U	0.85～0.94	0.10～0.30	0.10～0.40	≦0.020	≦0.020	
	NF	C 80 E 2 U	0.75～0.84	0.10～0.30	0.10～0.40	≦0.020	≦0.020	
	ISO	TC 90	0.85～0.94	≦0.35	≦0.35	≦0.030	≦0.030	
	ISO	TC 80	0.75～0.84	≦0.35	≦0.35	≦0.030	≦0.030	
J 006	KS	STC 6	0.70～0.80	≦0.35	≦0.50	≦0.030	≦0.030	
	JIS	SK 6	0.70～0.80	≦0.35	≦0.50	≦0.030	≦0.030	
	ASTM							
	BS							
	DIN	C 80 W 1	0.75～0.85	0.10～0.25	0.10～0.25	≦0.020	≦0.020	
	NF	C 80 E 2 U	0.75～0.84	0.10～0.30	0.10～0.40	≦0.020	≦0.020	
	NF	C 70 E 2 U	0.65～0.74	0.10～0.30	0.10～0.40	≦0.020	≦0.020	
	ISO	TC 80	0.75～0.84	≦0.35	≦0.35	≦0.030	≦0.030	
	ISO	TC 70	0.65～0.74	≦0.35	≦0.35	≦0.030	≦0.030	
J 007	KS	STC 7	0.60～0.70	≦0.35	≦0.50	≦0.030	≦0.030	
	JIS	SK 7	0.60～0.70	≦0.35	≦0.50	≦0.030	≦0.030	
	ASTM							
	BS							
	DIN	C 70 W 2	0.65～0.74	0.10～0.30	0.10～0.35	≦0.030	≦0.030	
	NF	C 70 E 2 U	0.65～0.74	0.10～0.30	0.10～0.40	≦0.020	≦0.020	
	ISO							
J 008	KS	SKH 2	0.73～0.83	≦0.40	≦0.40	≦0.030	≦0.030	
	JIS	SKH 2	0.73～0.83	≦0.40	≦0.40	≦0.030	≦0.030	
	ASTM	T 1	0.65～0.80	0.20～0.40	0.10～0.40	≦0.03	≦0.03	
	BS	BT 1	0.70～0.80	≦0.40	≦0.40	≦0.035	≦0.035	
	DIN							

Index No. J 005~J 008

化学成分 (%) Chemical composition							規格番号 Std. No.
Cr	Mo	V	B	W	Co	others	
≦0.30						Cu≦0.25. Ni≦0.25	D 3751
≦0.30						Cu≦0.25. Ni≦0.25	G 4401
≦0.15([1])	≦0.10	≦0.10		≦0.15		Cu≦0.20. Ni≦0.20	A 686
							17350
≦0.20						Cu≦0.25. Ni≦0.25	A 35-590
≦0.20						Cu≦0.25. Ni≦0.25	A 35-590
≦0.20						Cu≦0.25. Ni≦0.25	4957
≦0.20						Cu≦0.25. Ni≦0.25	4957
≦0.30						Cu≦0.25. Ni≦0.25	D 3751
≦0.30						Cu≦0.25. Ni≦0.25	G 4401
							17350
≦0.20						Cu≦0.25. Ni≦0.25	A 35-590
≦0.20						Cu≦0.25. Ni≦0.25	A 35-590
≦0.20						Cu≦0.25. Ni≦0.25	4957
≦0.20						Cu≦0.25. Ni≦0.25	4957
≦0.30						Cu≦0.25. Ni≦0.25	D 3751
≦0.30						Cu≦0.25. Ni≦0.25	G 4401
							17350
≦0.20						Cu≦0.25. Ni≦0.25	A 35-590
3.80~4.50		0.80~1.20		17.00~19.00		Cu≦0.25. Ni≦0.25	D 3522
3.80~4.50		0.80~1.20		17.00~19.00		Cu≦0.25. Ni≦0.25	G 4403
3.75~4.50		0.90~1.30		17.25~18.75		Ni+Cu≦0.75	A 600
3.75~4.5	≦0.70	1.0~1.25		17.5~18.5	≦1.0	Cu≦0.20, Ni≦0.40, Sn≦0.05	4659

Notes : ([1]) Grade A가 Cr≦0.15, Grade C는 Cr≦0.30

特殊用途鋼 (工具鋼) Steels for special purposes (Tool steels)

索引番号 Index No.	規格名 Std.	記 号 Designation	化 学 成 分 (%) Chemical composition					
			C	Si	Mn	P	S	Pb
J 008(계속)	NF	HS 18-0-1	0.72~0.80	≦0.50	≦0.40	≦0.030	≦0.030	
	ISO	HS 18-0-1	0.73~0.83	≦0.50	≦0.40	≦0.030	≦0.030	
J 009	KS	SKH 3	0.73~0.83	≦0.40	≦0.40	≦0.030	≦0.030	
	JIS	SKH 3	0.73~0.83	≦0.40	≦0.40	≦0.030	≦0.030	
	ASTM	T 4	0.70~0.80	0.20~0.40	0.10~0.40	≦0.03	≦0.03	
	BS	BT 4	0.70~0.80	≦0.40	≦0.40	≦0.035	≦0.035	
	DIN	S 18-1-2-5	0.75~0.83	≦0.45	≦0.40	≦0.030	≦0.030	
	NF	HS 18-1-1-5	0.77~0.85	≦0.50	≦0.40	≦0.030	≦0.030	
	ISO	HS 18-1-1-5	0.75~0.85	≦0.50	≦0.40	≦0.030	≦0.030	
J 010	KS	SKH 4	0.73~0.83	≦0.40	≦0.40	≦0.030	≦0.030	
	JIS	SKH 4	0.73~0.83	≦0.40	≦0.40	≦0.030	≦0.030	
	ASTM	T 5	0.75~0.85	0.20~0.40	0.20~0.40	≦0.03	≦0.03	
	BS	BT 5	0.75~0.85	≦0.40	≦0.40	≦0.035	≦0.035	
	DIN							
	NF	HS 18-0-2-9	0.73~0.80	≦0.50	≦0.40	≦0.030	≦0.030	
	ISO	HS 18-0-1-10	0.75~0.85	≦0.50	≦0.40	≦0.030	≦0.030	
J 011	KS	SKH 10	1.45~1.60	≦0.40	≦0.40	≦0.030	≦0.030	
	JIS	SKH 10	1.45~1.60	≦0.40	≦0.40	≦0.030	≦0.030	
	ASTM	T 15	1.50~1.60	0.15~0.40	0.15~0.40	≦0.03	≦0.03	
	BS	BT 15	1.40~1.60	≦0.40	≦0.40	≦0.035	≦0.035	
	DIN	S 12-1-4-5	1.30~1.45	≦0.45	≦0.40	≦0.030	≦0.030	
	NF	HS 12-1-5-5	1.50~1.65	≦0.50	≦0.40	≦0.030	≦0.030	
	ISO	HS 12-1-5-5	1.45~1.60	≦0.50	≦0.40	≦0.030	≦0.030	
J 012	KS	SKH 51	0.80~0.90	≦0.40	≦0.40	≦0.030	≦0.030	
	JIS	SKH 51	0.80~0.90	≦0.40	≦0.40	≦0.030	≦0.030	
	ASTM	M 2	0.78~0.88	0.20~0.45	0.15~0.40	≦0.03	≦0.03	
	BS	BM 2	0.82~0.92	≦0.40	≦0.40	≦0.035	≦0.035	
	DIN	S 6-5-2	0.86~0.94	≦0.45	≦0.40	≦0.030	≦0.030	
	NF	HS 6-5-2	0.80~0.87	≦0.50	≦0.40	≦0.030	≦0.030	

化学成分(%) Chemical composition							規格番号 Std. No.
Cr	Mo	V	B	W	Co	others	
3.50~4.50	≦1	1.00~1.30		17.2~18.7	≦1		A 35-590
3.50~4.50	≦0.70	0.90~1.20		17.2~18.7	≦1.00		4957
3.80~4.50		0.80~1.20		17.00~19.00	4.50~5.50	Cu≦0.25, Ni≦0.25	D 3522
3.80~4.50		0.80~1.20		17.00~19.00	4.50~5.50	Cu≦0.25, Ni≦0.25	G 4403
3.75~4.50	0.40~1.00	0.80~1.20		17.50~19.00	4.25~5.75	Ni+Cu≦0.75	A 600
3.75~4.5	≦1.0	1.0~1.25		17.5~18.5	4.5~5.5	Cu≦0.20, Ni≦0.40, Sn≦0.05	4659
3.80~4.50	0.50~0.80	1.40~1.70		17.50~18.50	4.50~5.00		17350
3.50~4.50	0.70~1.00	1.10~1.60		17.2~18.7	4.50~5.20		A 35-590
3.50~4.50	0.70~1.00	1.10~1.60		17.2~18.7	4.70~5.20		4957
3.80~4.50		1.00~1.50		17.00~19.00	9.00~11.00	Cu≦0.25, Ni≦0.25	D 3522
3.80~4.50		1.00~1.50		17.00~19.00	9.00~11.00	Cu≦0.25, Ni≦0.25	G 4403
3.75~5.00	0.50~1.25	1.80~2.40		17.50~19.00	7.00~9.50	Ni+Cu≦0.75	A 600
3.75~4.5	≦1.0	1.75~2.05		18.5~19.5	9.0~10.0	Cu≦0.20, Ni≦0.40, Sn≦0.05	4659
3.50~4.50	≦1	1.30~1.80		17.2~18.7	9.00~9.50		A 35-590
3.50~4.50	≦0.70	1.30~1.80		17.2~18.7	9.50~10.5		4957
3.80~4.50		4.20~5.20		11.50~13.50	4.20~5.20	Cu≦0.25, Ni≦0.25	D 3522
3.80~4.50		4.20~5.20		11.50~13.50	4.20~5.20	Cu≦0.25, Ni≦0.25	G 4403
3.75~5.00	≦1.00	4.50~5.25		11.75~13.00	4.75~5.25	Ni+Cu≦0.75	A 600
4.25~5.0	≦1.0	4.75~5.25		12.0~13.0	4.5~5.5	Cu≦0.20, Ni≦0.40, Sn≦0.05	4659
3.80~4.50	0.70~1.00	3.50~4.00		11.50~12.50	4.50~5.00		17350
4.00~5.00	0.70~1.00	4.75~5.35		11.5~13.0	4.50~5.20		A 35-590
3.50~4.50	0.70~1.00	4.75~5.55		11.5~13.0	4.70~5.20		4957
3.80~4.50	4.50~5.50	1.60~2.20		5.50~6.70		Cu≦0.25, Ni≦0.25	D 3522
3.80~4.50	4.50~5.50	1.60~2.20		5.50~6.70		Cu≦0.25, Ni≦0.25	G 4403
3.75~4.50	4.50~5.50	1.75~2.20		5.50~6.75		Ni+Cu≦0.75	A 600
3.75~4.5	4.75~5.5	1.75~2.05		6.0~6.75	≦1.0	Cu≦0.20, Ni≦0.40, Sn≦0.05	4659
3.80~4.50	4.70~5.20	1.70~2.00		6.00~6.70			17350
3.50~4.50	4.60~5.30	1.70~2.20		5.70~6.70	≦1		A 35-590

特殊用途鋼 (工具鋼) Steels for special purposes (Tool steels)

索引番号 Index No.	規格名 Std.	記 号 Designation	化 学 成 分 (%) Chemical composition					
			C	Si	Mn	P	S	Pb
J 012(계속)	ISO	HS 6-5-2	0.82~0.92	≦0.50	≦0.40	≦0.030	≦0.030	
J 013	KS	SKH 52	1.00~1.10	≦0.40	≦0.40	≦0.030	≦0.030	
	JIS	SKH 52	1.00~1.10	≦0.40	≦0.40	≦0.030	≦0.030	
	ASTM	M 3-1	1.00~1.10	0.20~0.45	0.15~0.40	≦0.03	≦0.03	
	BS							
	DIN							
	NF							
	ISO							
J 014	KS	SKH 53	1.10~1.25	≦0.40	≦0.40	≦0.030	≦0.030	
	JIS	SKH 53	1.10~1.25	≦0.40	≦0.40	≦0.030	≦0.030	
	ASTM	M 3-2	1.15~1.25	0.20~0.45	0.15~0.40	≦0.03	≦0.03	
	BS							
	DIN	S 6-5-3	1.17~1.27	≦0.45	≦0.40	≦0.030	≦0.030	
	NF	HS 6-5-3	1.15~1.25	≦0.50	≦0.40	≦0.030	≦0.030	
	ISO	HS 6-5-3	1.15~1.30	≦0.50	≦0.40	≦0.030	≦0.030	
J 015	KS	SKH 54	1.25~1.40	≦0.40	≦0.40	≦0.030	≦0.030	
	JIS	SKH 54	1.25~1.40	≦0.40	≦0.40	≦0.030	≦0.030	
	ASTM	M 4	1.25~1.40	0.20~0.45	0.15~0.40	≦0.03	≦0.03	
	BS	BM 4	1.25~1.40	≦0.40	≦0.40	≦0.035	≦0.035	
	DIN							
	NF	HS 6-5-4	1.25~1.40	≦0.50	≦0.40	≦0.030	≦0.030	
	ISO							
J 016	KS	SKH 55	0.85~0.95	≦0.40	≦0.40	≦0.030	≦0.030	
	JIS	SKH 55	0.85~0.95	≦0.40	≦0.40	≦0.030	≦0.030	
	ASTM							
	BS	BM 35	0.85~0.95	≦0.40	≦0.40	≦0.035	≦0.035	
	DIN	S 6-5-2-5	0.88~0.96	≦0.45	≦0.40	≦0.030	≦0.030	
	NF	HS 6-5-2-5 HC	0.88~0.96	≦0.50	≦0.40	≦0.030	≦0.030	
	ISO	HS 6-5-2-5	0.85~0.95	≦0.50	≦0.40	≦0.030	≦0.030	

Index No. J 012~J 016

化学成分 (%) Chemical composition							規格番号 Std. No.
Cr	Mo	V	B	W	Co	others	
3.50~4.50	4.60~5.30	1.70~2.20		5.70~6.70	≦1.00		4957
3.80~4.50	4.80~6.20	2.30~2.80		5.50~6.70		Cu≦0.25, Ni≦0.25	D 3522
3.80~4.50	4.80~6.20	2.30~2.80		5.50~6.70		Cu≦0.25, Ni≦0.25	G 4403
3.75~4.50	4.75~6.50	2.25~2.75		5.50~6.75		Ni+Cu≦0.75	A 600
3.80~4.50	4.60~5.30	2.80~3.30		5.70~6.70		Cu≦0.25, Ni≦0.25	D 3522
3.80~4.50	4.60~5.30	2.80~3.30		5.70~6.70		Cu≦0.25, Ni≦0.25	G 4403
3.75~4.50	4.75~6.50	2.75~3.25		5.00~6.75		Ni+Cu≦0.75	A 600
3.80~4.50	4.70~5.20	2.70~3.20		6.00~6.70			17350
3.50~4.50	4.60~5.30	2.70~3.20		5.70~6.70	≦1		A 35-590
3.50~4.50	4.60~5.30	2.70~3.20		5.70~6.70	≦1.00		4957
3.80~4.50	4.50~5.50	3.90~4.50		5.30~6.50		Cu≦0.25, Ni≦0.25	D 3522
3.80~4.50	4.50~5.50	3.90~4.50		5.30~6.50		Cu≦0.25, Ni≦0.25	G 4403
3.75~4.75	4.25~5.50	3.75~4.50		5.25~6.50		Ni+Cu≦0.75	A 600
3.75~4.5	4.25~5.0	3.75~4.25		5.75~6.5	≦1.0	Cu≦0.20, Ni≦0.40, Sn≦0.05	4659
4.00~5.00	4.20~5.00	3.60~4.20		5.00~6.00	≦1		A 35-590
3.80~4.50	4.60~5.30	1.70~2.20		5.70~6.70	4.50~5.50	Cu≦0.25, Ni≦0.25	D 3522
3.80~4.50	4.60~5.30	1.70~2.20		5.70~6.70	4.50~5.50	Cu≦0.25, Ni≦0.25	G 4403
3.75~4.5	4.75~5.25	1.75~2.15		6.0~6.75	4.60~5.20	Cu≦0.20, Ni≦0.40, Sn≦0.05	465
3.80~4.50	4.70~5.20	1.70~2.00		6.00~6.70	4.50~5.00		17350
3.50~4.50	4.60~5.30	1.70~2.20		5.70~6.70	4.50~5.20		A 35-590
3.50~4.50	4.60~5.30	1.70~2.20		5.70~6.70	4.70~5.20		4957

特殊用途鋼 (工具鋼) Steels for special purposes (Tool steels)

索引番号 Index No.	規格名 Std.	記 号 Designation	化 学 成 分 (%) Chemical composition					
			C	Si	Mn	P	S	Pb
J 017	KS	SKH 56	0.85～0.95	≦0.40	≦0.40	≦0.030	≦0.030	
	JIS	SKH 56	0.85～0.95	≦0.40	≦0.40	≦0.030	≦0.030	
	ASTM	M 36	0.80～0.90	0.20～0.45	0.15～0.40	≦0.03	≦0.03	
	BS							
	DIN							
	NF							
	ISO							
J 018	KS	SKH 57	1.20～1.35	≦0.40	≦0.40	≦0.030	≦0.030	
	JIS	SKH 57	1.20～1.35	≦0.40	≦0.40	≦0.030	≦0.030	
	ASTM							
	BS	BT 42	1.25～1.40	≦0.40	≦0.40	≦0.035	≦0.035	
	DIN	S 10-4-3-10	1.20～1.35	≦0.45	≦0.40	≦0.030	≦0.030	
	NF	HS 10-4-3-10	1.20～1.35	≦0.50	≦0.40	≦0.030	≦0.030	
	ISO	HS 10-4-3-10	1.20～1.35	≦0.50	≦0.40	≦0.030	≦0.030	
J 019	KS	SKH 58	0.95～1.05	≦0.50	≦0.40	≦0.030	≦0.030	
	JIS	SKH 58	0.95～1.05	≦0.50	≦0.40	≦0.030	≦0.030	
	ASTM	M 7	0.97～1.05	0.20～0.55	0.15～0.40	≦0.03	≦0.03	
	BS							
	DIN							
	NF	HS 2-9-2	0.95～1.05	≦0.50	≦0.40	≦0.030	≦0.030	
	ISO	HS 2-9-2	0.95～1.05	≦0.50	≦0.40	≦0.030	≦0.030	
J 020	KS	SKH 59	1.00～1.15	≦0.50	≦0.40	≦0.030	≦0.030	
	JIS	SKH 59	1.00～1.15	≦0.50	≦0.40	≦0.030	≦0.030	
	ASTM	M 42	1.05～1.15	0.15～0.65	0.15～0.40	≦0.03	≦0.03	
	BS	BM 42	1.0～1.10	≦0.40	≦0.40	≦0.035	≦0.035	
	DIN	S 2-10-1-8	1.05～1.12	≦0.45	≦0.40	≦0.030	≦0.030	
	NF	HS 2-9-1-8	1.05～1.15	≦0.50	≦0.40	≦0.030	≦0.030	
	ISO	HS 2-9-1-8	1.05～1.20	≦0.50	≦0.40	≦0.030	≦0.030	

Index No. J 017~J 020

化 学 成 分 (%) Chemical composition							規格番号 Std. No.
Cr	Mo	V	B	W	Co	others	
3.80~4.50	4.60~5.30	1.70~2.20		5.70~6.70	7.00~9.00	Cu≦0.25, Ni≦0.25	D 3522
3.80~4.50	4.60~5.30	1.70~2.20		5.70~6.70	7.00~9.00	Cu≦0.25, Ni≦0.25	G 4403
3.75~4.50	4.50~5.50	1.75~2.25		5.50~6.50	7.75~8.75	Ni+Cu≦0.75	A 600
3.80~4.50	3.00~4.00	3.00~3.70		9.00~11.00	9.00~11.00	Cu≦0.25, Ni≦0.25	D 3522
3.80~4.50	3.00~4.00	3.00~3.70		9.00~11.00	9.00~11.00	Cu≦0.25, Ni≦0.25	G 4403
3.75~4.5	2.75~3.50	2.75~3.25		8.5~9.5	9.0~10.0	Cu≦0.20, Ni≦0.40, Sn≦0.05	4659
3.80~4.50	3.20~3.90	3.00~3.50		9.00~10.00	9.50~10.50		17350
3.50~4.50	3.20~3.90	3.00~3.50		9.00~10.00	9.50~10.50		A 35-590
3.50~4.50	3.20~3.90	3.00~3.50		9.00~10.0	9.50~10.5		4957
3.50~4.50	8.20~9.20	1.70~2.20		1.50~2.10		Cu≦0.25, Ni≦0.25	D 3522
3.50~4.50	8.20~9.20	1.70~2.20		1.50~2.10		Cu≦0.25, Ni≦0.25	G 4403
3.50~4.00	8.20~9.20	1.75~2.25		1.40~2.10		Ni+Cu≦0.75	A 600
3.50~4.50	8.20~9.20	1.70~2.20		1.50~2.10	≦1		A 35-590
3.50~4.50	8.20~9.20	1.70~2.20		1.50~2.10	≦1.00		4957
3.50~4.50	9.00~10.00	0.90~1.40		1.20~1.90	7.50~8.50	Cu≦0.25, Ni≦0.25	D 3522
3.50~4.50	9.00~10.00	0.90~1.4		1.20~1.90	7.50~8.50	Cu≦0.25, Ni≦0.25	G 4403
3.50~4.25	9.00~10.00	0.95~1.35		1.15~1.85	7.75~8.75	Ni+Cu≦0.75	A 600
3.5~4.25	9.0~10.0	1.0~1.3		1.0~2.0	7.5~8.5	Cu≦0.20, Ni≦0.40, Sn≦0.05	4659
3.60~4.40	9.00~10.00	1.00~1.30		1.20~1.80	7.50~8.50		17350
3.50~4.50	9.0~10.0	1.00~1.30		1.30~1.90	7.50~8.50		A 35-590
3.50~4.50	9.00~10.0	0.90~1.40		1.30~1.90	7.50~8.50		4957

特殊用途鋼 (工具鋼) Steels for special purposes (Tool steels)

索引番号 Index No.	規格名 Std.	記 号 Designation	化 学 成 分 (%) Chemical composition					
			C	Si	Mn	P	S	Pb
J 021	KS	STS 11	1.20~1.30	≦0.35	≦0.50	≦0.030	≦0.030	
	JIS	SKS 11	1.20~1.30	≦0.35	≦0.50	≦0.030	≦0.030	
	ASTM	F 2	1.20~1.40	0.10~0.50	0.10~0.50	≦0.030	≦0.030	
	BS							
	DIN							
	NF							
	ISO							
J 022	KS	STS 2	1.00~1.10	≦0.35	≦0.80	≦0.030	≦0.030	
	JIS	SKS 2	1.00~1.10	≦0.35	≦0.80	≦0.030	≦0.030	
	ASTM							
	BS							
	DIN	105 WCr 6	1.00~1.10	0.10~0.40	0.80~1.10	≦0.030	≦0.030	
	NF	105 WCr 5	1.00~1.15	0.10~0.40	0.70~1.00	≦0.025	≦0.025	
	ISO	105 WCr 1	1.00~1.15	0.10~0.40	0.70~1.00	≦0.030	≦0.030	
J 023	KS	STS 21	1.00~1.10	≦0.35	≦0.50	≦0.030	≦0.030	
	JIS	SKS 21	1.00~1.10	≦0.35	≦0.50	≦0.030	≦0.030	
	ASTM							
	BS							
	DIN							
	NF							
	ISO							
J 024	KS	STS 5	0.75~0.85	≦0.35	≦0.50	≦0.030	≦0.030	
	JIS	SKS 5	0.75~0.85	≦0.35	≦0.50	≦0.030	≦0.030	
	ASTM							
	BS							
	DIN							
	NF							
	ISO							

Index No. J 021~J 024

化学成分 (%) Chemical composition							規格番号 Std. No.
Cr	Mo	V	B	W	Co	others	
0.20~0.50		0.10~0.30		3.00~4.00		Cu≦0.25, Ni≦0.25	D 3753
0.20~0.50		0.10~0.30		3.00~4.00		Cu≦0.25, Ni≦0.25	G 4404
0.20~0.40				3.00~4.50		Ni+Cu≦0.75	A 681
0.50~1.00		(1)		1.00~1.50		Cu≦0.25, Ni≦0.25	D 3753
0.50~1.00		(1)		1.00~1.50		Cu≦0.25, Ni≦0.25	G 4404
0.90~1.10				1.00~1.30			17350
0.80~1.10				1.00~1.60			A 35-590
0.80~1.10				1.00~1.60			4957
0.20~0.50		0.10~0.25		0.50~1.00		Cu≦0.25, Ni≦0.25	D 3753
0.20~0.50		0.10~0.25		0.50~1.00		Cu≦0.25, Ni≦0.25	G 4404
0.20~0.50						Cu≦0.25, Ni 0.70~1.30	D 3753
0.20~0.50						Cu≦0.25, Ni 0.70~1.30	G 4404

Notes : (1)≦0.20을 첨가할 수 있다.

特殊用途鋼 (工具鋼) Steels for special purposes (Tool steels)

索引番号 Index No.	規格名 Std.	記 号 Designation	化 学 成 分 (%) Chemical composition C	Si	Mn	P	S	Pb
J 025	KS	STS 51	0.75~0.85	≦0.35	≦0.50	≦0.030	≦0.030	
	JIS	SKS 51	0.75~0.85	≦0.35	≦0.50	≦0.030	≦0.030	
	ASTM	L 6	0.65~0.75	0.10~0.50	0.25~0.80	≦0.030	≦0.030	
	BS							
	DIN							
	NF							
	ISO							
J 026	KS	STS 7	1.10~1.20	≦0.35	≦0.50	≦0.030	≦0.030	
	JIS	SKS 7	1.10~1.20	≦0.35	≦0.50	≦0.030	≦0.030	
	ASTM							
	BS							
	DIN							
	NF							
	ISO							
J 027	KS	STS 8	1.30~1.50	≦0.35	≦0.50	≦0.030	≦0.030	
	JIS	SKS 8	1.30~1.50	≦0.35	≦0.50	≦0.030	≦0.030	
	ASTM							
	BS							
	DIN							
	NF	Y_2 140 C	1.30~1.50	0.10~0.30	0.10~0.40	≦0.025	≦0.025	
	ISO							
J 028	KS	STS 4	0.45~0.55	≦0.35	≦0.50	≦0.030	≦0.030	
	JIS	SKS 4	0.45~0.55	≦0.35	≦0.50	≦0.030	≦0.030	
	ASTM							
	BS							
	DIN							
	NF							
	ISO							

化学成分 (%) Chemical composition							規格番号 Std. No.
Cr	Mo	V	B	W	Co	others	
0.20~0.50						Cu≦0.25, Ni 1.30~2.00	D 3753
0.20~0.50						Cu≦0.25, Ni 1.30~2.00	G 4404
0.60~1.20	≦0.50					Ni 1.25~2.00	A 681
0.20~0.50		(1)		2.00~2.50		Cu≦0.25, Ni≦0.25	D 3753
0.20~0.50		(1)		2.00~2.50		Cu≦0.25, Ni≦0.25	G 4404
0.20~0.50						Cu≦0.25, Ni≦0.25	D 3753
0.20~0.50						Cu≦0.25, Ni≦0.25	G 4404
0.20~0.50						Cu≦0.25, Ni≦0.25	A 35-590
0.50~1.00				0.50~1.00		Cu≦0.25, Ni≦0.25	D 3753
0.50~1.00				0.50~1.00		Cu≦0.25, Ni≦0.25	G 4404

Notes : (1)≦0.20을 첨가할 수 있다.

特殊用途鋼 (工具鋼) Steels for special purposes (Tool steels)

索引番号 Index No.	規格名 Std.	記 号 Designation	化 学 成 分 (%) Chemical composition					
			C	Si	Mn	P	S	Pb
J 029	KS	STS 41	0.35～0.45	≦0.35	≦0.50	≦0.030	≦0.030	
	JIS	SKS 41	0.35～0.45	≦0.35	≦0.50	≦0.030	≦0.030	
	ASTM							
	BS							
	DIN							
	NF							
	ISO							
J 030	KS	STS 43	1.00～1.10	≦0.25	≦0.30	≦0.030	≦0.030	
	JIS	SKS 43	1.00～1.10	≦0.25	≦0.30	≦0.030	≦0.030	
	ASTM	W 2-9 1/2	0.95～1.10	0.10～0.40	0.10～0.40	≦0.030	≦0.030	
	BS	BW 2	0.95～1.1	≦0.30	≦0.35	≦0.035	≦0.035	
	DIN							
	NF	100 V 2	0.95～1.10	0.10～0.30	0.10～0.35	≦0.025	≦0.025	
	ISO	TCV 105	0.95～1.10	≦0.35	≦0.35	≦0.030	≦0.030	
J 031	KS	STS 44	0.80～0.90	≦0.25	≦0.30	≦0.030	≦0.030	
	JIS	SKS 44	0.80～0.90	≦0.25	≦0.30	≦0.030	≦0.030	
	ASTM	W 2-8 1/2	0.85～0.95	0.10～0.40	0.10～0.40	≦0.030	≦0.030	
	BS							
	DIN							
	NF							
	ISO							
J 032	KS	STS 3	0.90～1.00	≦0.35	0.90～1.20	≦0.030	≦0.030	
	JIS	SKS 3	0.90～1.00	≦0.35	0.90～1.20	≦0.030	≦0.030	
	ASTM							
	BS							
	DIN							
	NF							
	ISO							

化学成分 (%) Chemical composition							規格番号 Std. No.
Cr	Mo	V	B	W	Co	others	
1.00~1.50				2.50~3.50		Cu≦0.25, Ni≦0.25	D 3753
1.00~1.50				2.50~3.50		Cu≦0.25, Ni≦0.25	G 4404
≦0.20		0.10~0.25				Cu≦0.25, Ni≦0.25	D 3753
≦0.20		0.10~0.25				Cu≦0.25, Ni≦0.25	G 4404
≦0.15[1]	≦0.10	0.15~0.35		≦0.15		Cu≦0.20, Ni≦0.20	A 686
≦0.15	≦0.10	0.15~0.35				Cu≦0.20, Ni≦0.20, Sn≦0.05	4659
		0.10~0.30				Cu≦0.25, Ni≦0.25	A 35-590
		0.10~0.30					4957
≦0.20		0.10~0.25				Cu≦0.25, Ni≦0.25	D 3753
≦0.20		0.10~0.25				Cu≦0.25, Ni≦0.25	G 4404
≦0.15[1]	≦0.10	0.10~0.35		≦0.15		Cu≦0.20, Ni≦0.20	A 686
0.50~1.00				0.50~1.00		Cu≦0.25, Ni≦0.25	D 3753
0.50~1.00				0.50~1.00		Cu≦0.25, Ni≦0.25	G 4404

Notes : (1) Grade A가 Cr≦0.15, Grade C는 Cr≦0.30

特殊用途鋼 (工具鋼) Steels for special purposes (Tool steels)

索引番号 Index No.	規格名 Std.	記 号 Designation	化 学 成 分 (%) Chemical composition					
			C	Si	Mn	P	S	Pb
J 033	KS	STS 31	0.95~1.05	≦0.35	0.90~1.20	≦0.030	≦0.030	
	JIS	SKS 31	0.95~1.05	≦0.35	0.90~1.20	≦0.030	≦0.030	
	ASTM							
	BS							
	DIN	105 WCr 6	1.00~1.10	0.10~0.40	0.80~1.10	≦0.030	≦0.030	
	NF	105 WCr 5	1.00~1.15	0.10~0.40	0.70~1.00	≦0.025	≦0.025	
	ISO	105 WCr 1	1.00~1.15	0.10~0.40	0.70~1.00	≦0.030	≦0.030	
J 034	KS	STS 93	1.00~1.10	≦0.50	0.80~1.10	≦0.030	≦0.030	
	JIS	SKS 93	1.00~1.10	≦0.50	0.80~1.10	≦0.030	≦0.030	
	ASTM							
	BS							
	DIN							
	NF							
	ISO							
J 035	KS	STS 94	0.90~1.00	≦0.50	0.80~1.10	≦0.030	≦0.030	
	JIS	SKS 94	0.90~1.00	≦0.50	0.80~1.10	≦0.030	≦0.030	
	ASTM							
	BS							
	DIN							
	NF							
	ISO							
J 036	KS	STS 95	0.80~0.90	≦0.50	0.80~1.10	≦0.030	≦0.030	
	JIS	SKS 95	0.80~0.90	≦0.50	0.80~1.10	≦0.030	≦0.030	
	ASTM							
	BS							
	DIN							
	NF							
	ISO							

Index No. J 033~J 036

化学成分 (%) Chemical composition							規格番号 Std. No.
Cr	Mo	V	B	W	Co	others	
0.80~1.20				1.00~1.50		Cu≦0.25, Ni≦0.25	D 3753
0.80~1.20				1.00~1.50		Cu≦0.25, Ni≦0.25	G 4404
0.90~1.10				1.00~1.30			17350
0.80~1.10				1.00~1.30			A 35-590
0.80~1.10				1.00~1.60			4957
0.20~0.60						Cu≦0.25, Ni≦0.25	D 3753
0.20~0.60						Cu≦0.25, Ni≦0.25	G 4404
0.20~0.60						Cu≦0.25, Ni≦0.25	D 3753
0.20~0.60						Cu≦0.25, Ni≦0.25	G 4404
0.20~0.60						Cu≦0.25, Ni≦0.25	D 3753
0.20~0.60						Cu≦0.25, Ni≦0.25	G 4404

特殊用途鋼 (工具鋼) Steels for special purposes (Tool steels)

索引番号 Index No.	規格名 Std.	記 号 Designation	化 学 成 分 (%) Chemical composition					
			C	Si	Mn	P	S	Pb
J 037	KS	STD 1	1.80~2.40	≦0.40	≦0.60	≦0.030	≦0.030	
	JIS	SKD 1	1.80~2.40	≦0.40	≦0.60	≦0.030	≦0.030	
	ASTM	D 3	2.00~2.35	0.10~0.60	0.20~0.60	≦0.030	≦0.030	
	BS	BD 3	1.90~2.30	≦0.60	≦0.60	≦0.035	≦0.035	
	DIN	X 210 Cr 12	1.90~2.20	0.10~0.40	0.15~0.45	≦0.030	≦0.030	
	NF	X 200 Cr 12	1.90~2.20	0.10~0.40	0.15~0.45	≦0.025	≦0.025	
	ISO	210 Cr 12	1.90~2.20	0.10~0.40	0.15~0.45	≦0.030	≦0.030	
J 038	KS	STD 11	1.40~1.60	≦0.40	≦0.60	≦0.030	≦0.030	
	JIS	SKD 11	1.40~1.60	≦0.40	≦0.60	≦0.030	≦0.030	
	ASTM	D 2	1.40~1.60	0.10~0.60	0.20~0.60	≦0.030	≦0.030	
	BS	BD 2	1.40~1.60	≦0.60	≦0.60	≦0.035	≦0.035	
	DIN							
	NF	X 160 CrMoV 12	1.45~1.70	0.10~0.40	0.15~0.45	≦0.025	≦0.025	
	ISO							
J 039	KS	STD 12	0.95~1.05	≦0.40	0.60~0.90	≦0.030	≦0.030	
	JIS	SKD 12	0.95~1.05	≦0.40	0.60~0.90	≦0.030	≦0.030	
	ASTM	A 2	0.95~1.05	0.10~0.50	0.40~1.00	≦0.030	≦0.030	
	BS	BA 2	0.95~1.05	≦0.40	0.30~0.70	≦0.035	≦0.035	
	DIN							
	NF	X 100 CrMoV 5	0.90~1.05	0.10~0.40	0.50~0.80	≦0.025	≦0.025	
	ISO	100 CrMoV 5	0.95~1.05	0.10~0.40	0.35~0.65	≦0.030	≦0.030	
J 040	KS	STD 4	0.25~0.35	≦0.40	≦0.60	≦0.030	≦0.030	
	JIS	SKD 4	0.25~0.35	≦0.40	≦0.60	≦0.030	≦0.030	
	ASTM							
	BS							
	DIN							
	NF	X 32 WCrV 5	0.28~0.35	0.10~0.40	0.15~0.45	≦0.025	≦0.025	
	ISO	30 WCrV 5	0.25~0.35	0.10~0.40	0.15~0.45	≦0.030	≦0.030	

Index No. J 037~J 040

化学成分 (%) Chemical composition							規格番号 Std. No.
Cr	Mo	V	B	W	Co	others	
12.00~15.00		(1)				Cu≦0.25(2)	D 3753
12.00~15.00		(1)				Cu≦0.25(2)	G 4404
11.00~13.50		≦1.00		≦1.00		Ni+Cu≦0.75	A 681
12.0~13.0		≦0.50				Cu≦0.20, Ni≦0.40, Sn≦0.05	4659
11.00~12.00							17350
11.00~13.00							A 35-590
11.00~13.00							4957
11.00~13.00	0.80~1.20	0.20~0.50				Cu≦0.25(2)	D 3753
11.00~13.00	0.80~1.20	0.20~0.50				Cu≦0.25(2)	G 4404
11.00~13.00	0.70~1.20	0.50~1.10			≦1.00	Ni+Cu≦0.75	A 681
11.5~12.5	0.70~1.20	0.25~1.00				Cu≦0.20, Ni≦0.40, Sn≦0.05	4659
11.00~13.00	0.70~1.10	0.70~1.00					A 35-590
4.50~5.50	0.80~1.20	0.20~0.50				Cu≦0.25(2)	D 3753
4.50~5.50	0.80~1.20	0.20~0.50				Cu≦0.25(2)	G 4404
4.75~5.50	0.90~1.40	0.15~0.50				Ni+Cu≦0.75	A 681
4.75~5.25	0.90~1.1	0.15~0.40				Cu≦0.20, Ni≦0.40	4659
4.80~5.50	0.90~1.30	0.15~0.35					A 35-590
4.50~5.50	0.90~1.40	0.25~0.45					4957
2.00~3.00		0.30~0.50		5.00~6.00		Cu≦0.25, Ni≦0.25	D 3753
2.00~3.00		0.30~0.50		5.00~6.00		Cu≦0.25, Ni≦0.25	G 4404
2.00~3.00		0.40~0.70		4.50~5.10			A 35-590
2.00~3.00		0.40~0.70		4.50~5.10			4957

Notes : (1)≦0.30을 첨가할 수 있다. (2) Ni≦0.5o을 함유하여도 차이는 없다.

特殊用途鋼 (工具鋼) Steels for special purposes (Tool steels)

索引番号 Index No.	規格名 Std.	記 号 Designation	化 学 成 分 (%) Chemical composition					
			C	Si	Mn	P	S	Pb
J 041	KS	STD 5	0.25~0.35	≦0.40	≦0.60	≦0.030	≦0.030	
	JIS	SKD 5	0.25~0.35	≦0.40	≦0.60	≦0.030	≦0.030	
	ASTM	H 21	0.26~0.36	0.15~0.50	0.15~0.40			
	BS	BH 21	0.25~0.35	≦0.40	≦0.40	≦0.035	≦0.035	
	DIN							
	NF	X 30 WCrV 9	0.25~0.32	0.10~0.40	0.15~0.45	≦0.025	≦0.025	
	ISO	30 WCrV 9	0.25~0.35	0.10~0.40	0.15~0.45	≦0.030	≦0.030	
J 042	KS	STD 6	0.32~0.42	0.80~1.20	≦0.50	≦0.030	≦0.030	
	JIS	SKD 6	0.32~0.42	0.80~1.20	≦0.50	≦0.030	≦0.030	
	ASTM	H 11	0.33~0.43	0.80~1.20	0.20~0.50	≦0.030	≦0.030	
	BS	BH 11	0.32~0.42	0.85~1.15	≦0.40	≦0.035	≦0.035	
	DIN	X 38 CrMoV 51	0.36~0.42	0.90~1.20	0.30~0.50	≦0.030	≦0.030	
	NF	X 38 CrMoV 5	0.34~0.42	0.80~1.20	0.20~0.50	≦0.025	≦0.025	
	ISO							
J 043	KS	STD 61	0.32~0.42	0.80~1.20	≦0.50	≦0.030	≦0.030	
	JIS	SKD 61	0.32~0.42	0.80~1.20	≦0.50	≦0.030	≦0.030	
	ASTM	H 13	0.32~0.45	0.80~1.20	0.20~0.50	≦0.030	≦0.030	
	BS	BH 13	0.32~0.42	0.85~1.15	≦0.40	≦0.035	≦0.035	
	DIN	X 40 CrMoV 51	0.37~0.43	0.90~1.20	0.30~0.50	≦0.030	≦0.030	
	NF	X 40 CrMoV 5	0.36~0.44	0.80~1.20	0.20~0.50	≦0.025	≦0.025	
	ISO	40 CrMoV 5	0.35~0.45	0.90~1.20	0.25~0.55	≦0.030	≦0.030	
J 044	KS	STD 62	0.32~0.42	0.80~1.20	≦0.50	≦0.030	≦0.030	
	JIS	SKD 62	0.32~0.42	0.80~1.20	≦0.50	≦0.030	≦0.030	
	ASTM	H 12	0.30~0.40	0.80~1.20	0.20~0.50	≦0.030	≦0.030	
	BS	BH 12	0.30~0.40	0.85~1.15	≦0.40	≦0.035	≦0.035	
	DIN							
	NF	X 35 CrWMoV 5	0.32~0.40	0.80~1.20	0.20~0.50	≦0.025	≦0.025	
	ISO							

Index No. J 041~J 044

化学成分 (%) Chemical composition							規格番号 Std. No.
Cr	Mo	V	B	W	Co	others	
2.00~3.00		0.30~0.50		9.00~10.00		Cu≦0.25, Ni≦0.25	D 3753
2.00~3.00		0.30~0.50		9.00~10.00		Cu≦0.25, Ni≦0.25	G 4404
2.00~3.75		0.30~0.60		8.50~10.00		Ni+Cu≦0.75	A 681
2.25~3.25	≦0.60	≦0.40		8.5~10.0		Cu≦0.20, Ni≦0.40, Sn≦0.05	4659
2.50~3.50		0.30~0.50		8.50~9.50			A 35-590
2.50~3.50		0.30~0.50		8.50~9.50			4957
4.50~5.50	1.00~1.50	0.30~0.50				Cu≦0.25, Ni≦0.25	D 3753
4.50~5.50	1.00~1.50	0.30~0.50				Cu≦0.25, Ni≦0.25	G 4404
4.75~5.50	1.10~1.60	0.30~0.60				Ni+Cu≦0.75	A 681
4.75~5.25	1.25~1.75	0.30~0.50				Cu≦0.20, Ni≦0.40, Sn≦0.05	4659
4.80~5.50	1.10~1.40	0.25~0.50					17350
4.80~5.50	1.20~1.50	0.30~0.50					A 35-590
4.50~5.50	1.00~1.50	0.80~1.20				Cu≦0.25, Ni≦0.25	D 3753
4.50~5.50	1.00~1.50	0.80~1.20				Cu≦0.25, Ni≦0.25	G 4404
4.75~5.50	1.10~1.75	0.80~1.20				Ni+Cu≦0.75	A 681
4.75~5.25	1.25~1.75	0.90~1.10				Cu≦0.20, Ni≦0.40, Sn≦0.05	4659
4.80~5.50	1.20~1.50	0.90~1.10					17350
4.80~5.50	1.20~1.50	0.85~1.15					A 35-590
4.50~5.50	1.20~1.70	0.85~1.15					4957
4.50~5.50	1.00~1.50	0.20~0.60		1.00~1.50		Cu≦0.25, Ni≦0.25	D 3753
4.50~5.50	1.00~1.50	0.20~0.60		1.00~1.50		Cu≦0.25, Ni≦0.25	G 4404
4.75~5.50	1.25~1.75	0.20~0.60		1.00~1.70		Ni+Cu≦0.75	A 681
4.75~5.25	1.25~1.75	≦0.50		1.25~1.75		Cu≦0.20, Ni≦0.40, Sn≦0.05	4659
4.80~5.50	1.20~1.50	0.30~0.50		1.10~1.60			A 35-590

特殊用途鋼 (工具鋼) Steels for special purposes (Tool steels)

索引番号 Index No.	規格名 Std.	記 号 Designation	化 学 成 分 (%) Chemical composition					
			C	Si	Mn	P	S	Pb
J 045	JIS	SKD 7	0.28～0.38	≦0.50	≦0.60	≦0.030	≦0.030	
	ASTM	H 10	0.35～0.45	0.80～1.20	0.25～0.70	≦0.030	≦0.030	
	BS	BH 10	0.30～0.40	0.75～1.10	≦0.40	≦0.035	≦0.035	
	DIN	X 32 CRMoV 33	0.28～0.35	0.10～0.40	0.15～0.45	≦0.030	≦0.030	
	NF	32 CrMoV 12-28	0.25～0.35	0.10～0.40	0.20～0.50	≦0.025	≦0.025	
	ISO	30 CrMoV 3	0.25～0.35	0.10～0.40	0.15～0.45	≦0.030	≦0.030	
J 046	JIS	SKD 8	0.35～0.45	≦0.50	≦0.60	≦0.030	≦0.030	
	ASTM	H 19	0.32～0.45	0.20～0.50	0.20～0.50	≦0.030	≦0.030	
	BS	BH 19	0.35～0.45	≦0.40	≦0.40	≦0.035	≦0.035	
	DIN							
	NF							
	ISO							
J 047	KS	STF 3	0.50～0.60	≦0.35	0.60～1.00	≦0.030	≦0.030	
	JIS	SKT 3	0.50～0.60	≦0.35	0.60～1.00	≦0.030	≦0.030	
	ASTM							
	BS							
	DIN							
	NF	55 CrNiMoV 4	0.50～0.60	0.10～0.40	0.60～1.00	≦0.025	≦0.025	
	ISO							
J 048	KS	STF 4	0.50～0.60	≦0.35	0.60～1.00	≦0.030	≦0.030	
	JIS	SKT 4	0.50～0.60	≦0.35	0.60～1.00	≦0.030	≦0.030	
	ASTM							
	BS	BH 224/5	0.49～0.57	≦0.35	0.70～1.00	≦0.030	≦0.025	
	DIN	55 NiCrMoV 6	0.50～0.60	0.10～0.40	0.65～0.95	≦0.030	≦0.030	
	NF	55 NiCrMoV 7	0.50～0.60	0.10～0.40	0.50～0.80	≦0.025	≦0.025	
	ISO	55 NiCrMoV 2	0.50～0.60	0.10～0.40	0.65～0.95	≦0.030	≦0.030	

Index No. J 045~J 048

化学成分 (%) Chemical composition							規格番号 Std. No.
Cr	Mo	V	B	W	Co	others	
2.50~3.50	2.50~3.00	0.40~0.70				Cu≦0.25, Ni≦0.25	G 4404
3.00~3.75	2.00~3.00	0.25~0.75				Ni+Cu≦0.75	A 681
2.8~3.2	2.65~2.95	0.30~0.50				Cu≦0.20, Ni≦0.40, Sn≦0.05	4659
2.70~3.20	2.60~3.00	0.40~0.70					17350
2.60~3.30	2.50~3.00	0.40~0.70					A 35-590
2.50~3.50	2.50~3.00	0.40~0.70					4957
4.00~4.70	0.30~0.50	1.70~2.20		3.80~4.50	3.80~4.50	Cu≦0.25, Ni≦0.25	G 4404
4.00~4.75	0.30~0.55	1.75~2.20		3.75~4.50	4.00~4.50	Ni+Cu≦0.75	A 681
4.0~4.5	≦0.45	2.0~2.4		4.0~4.5	4.0~4.5	Cu≦0.20, Ni≦0.40, Sn≦0.05	4659
0.90~1.20	0.30~0.50	[1]				Cu≦0.25, Ni 0.25~0.60	D 3753
0.90~1.20	0.30~0.50	[1]				Cu≦0.25, Ni 0.25~0.60	G 4404
0.85~1.15	0.30~0.50	0.05~0.15				Ni 0.45~0.75	A 35-590
0.70~1.00	0.20~0.50	[1]				Cu≦0.25, Ni 1.30~2.00	D 3753
0.70~1.00	0.20~0.50	[1]				Cu≦0.25, Ni 1.30~2.00	G 4404
0.70~1.10	0.25~0.40					Cu≦0.20, Sn≦0.05, Ni 1.25~1.80	4659
0.60~0.80	0.25~0.35	0.07~0.12				Ni 1.50~1.80	17350
0.70~1.00	0.30~0.50	0.05~0.15				Ni 1.50~2.00	A 35-590
0.95~1.25	0.30~0.50	0.05~0.25				Ni 1.50~2.00	4957

Notes : [1]≦0.20을 첨가할 수 있다.

特殊用途鋼 (스프링강) Steels for special purposes (Spring steels)

索引番号 Index No.	規格名 Std.	記 号 Designation	化 学 成 分 (%) Chemical composition					
			C	Si	Mn	P	S	Pb
K 001	KS	SPS 1	0.75~0.90	0.15~0.35	0.30~0.60	≦0.035	≦0.035	
	JIS	SUP 3	0.75~0.90	0.15~0.35	0.30~0.60	≦0.035	≦0.035	
	ASTM	1078	0.72~0.85	協定	0.30~0.60	≦0.040	≦0.050	
	BS							
	DIN							
	NF							
	ISO							
K 002	KS	SPS 3	0.56~0.64	1.50~1.80	0.70~1.00	≦0.035	≦0.035	
	JIS	SUP 6	0.56~0.64	1.50~1.80	0.70~1.00	≦0.035	≦0.035	
	ASTM							
	BS							
	DIN							
	NF	RH 388	0.55~0.65	1.5~2.0	0.7~1.0	≦0.050(1)	≦0.050(1)	
	ISO	59 Si 7	0.55~0.63	1.60~2.00	0.60~1.00	≦0.030	≦0.030	
K 003	KS	SPS 4	0.56~0.64	1.80~2.20	0.70~1.00	≦0.035	≦0.035	
	JIS	SUP 7	0.56~0.64	1.80~2.20	0.70~1.00	≦0.035	≦0.035	
	ASTM	9260	0.56~0.64	1.80~2.20	0.75~1.00	≦0.035	≦0.040	
	BS							
	DIN							
	NF							
	ISO	59 Si 7	0.55~0.63	1.60~2.00	0.60~1.00	≦0.030	≦0.030	
K 004	KS	SPS 5	0.52~0.60	0.15~0.35	0.65~0.95	≦0.035	≦0.035	
	JIS	SUP 9	0.52~0.60	0.15~0.35	0.65~0.95	≦0.035	≦0.035	
	ASTM	5155	0.51~0.59	0.15~0.35	0.70~0.90	≦0.035	≦0.040	
	BS							
	DIN	55 Cr 3	0.52~0.59	0.25~0.50	0.70~1.10	≦0.030	≦0.030	
	NF	55 C 3	0.52~0.59	0.10~0.40	0.70~1.00	≦0.035(1)	≦0.035(1)	
	ISO	55 Cr 3	0.52~0.59	0.15~0.40	0.70~1.00	≦0.030	≦0.030	

Index No. K 001~K 004

化 学 成 分 (%) Chemical composition							規格番号 Std. No.
Cr	Mo	V	B	W	Co	others	
						Cu≦0.30	D 3701
						Cu≦0.30	G 4801
							A 689 A 576
						Cu≦0.30	D 3701
						Cu≦0.30	G 4801
							A 35-571
							683-14
						Cu≦0.30	D 3701
						Cu≦0.30	G 4801
							A 689 A 322
							683-14
0.65~0.95						Cu≦0.30	D 3701
0.65~0.95						Cu≦0.30	G 4801
0.70~0.90							A 689 A 322
0.70~1.00							17221
0.60~0.90							A 35-571
0.70~1.00							683-14

Notes : ([1]) P≦0.030, S≦0.025를 협정할 수 있다.

特殊用途鋼 (스프링강) Steels for special purposes (Spring steels)

索引番号 Index No.	規格名 Std.	記 号 Designation	化 学 成 分 (%) Chemical composition					
			C	Si	Mn	P	S	Pb
K 005	KS	SPS 5 A	0.56~0.64	0.15~0.35	0.70~1.00	≦0.035	≦0.035	
	JIS	SUP 9 A	0.56~0.64	0.15~0.35	0.70~1.00	≦0.035	≦0.035	
	ASTM	5160	0.56~0.64	0.15~0.35	0.75~1.00	≦0.035	≦0.040	
	BS							
	DIN							
	NF							
	ISO							
K 006	KS	SPS 6	0.47~0.55	0.15~0.35	0.65~0.95	≦0.035	≦0.035	
	JIS	SUP 10	0.47~0.55	0.15~0.35	0.65~0.95	≦0.035	≦0.035	
	ASTM	6150	0.48~0.53	0.15~0.30	0.70~0.90	≦0.035	≦0.040	
	BS	735 A 51	0.48~0.54	0.20~0.35	0.70~1.0	≦0.035	≦0.035	
	BS	735 H 51	0.47~0.55	0.15~0.40	0.70~1.10	≦0.035	≦0.035	
	DIN	50 CrV 4	0.47~0.55	0.15~0.40	0.70~1.10	≦0.030	≦0.030	
	NF	50 CV 4	0.47~0.55	0.10~0.40	0.70~1.0	≦0.035(1)	≦0.035(1)	
	ISO	51 CrV 4	0.47~0.55	0.10~0.40	0.60~1.00	≦0.030	≦0.030	
K 007	KS	SPS 7	0.56~0.64	0.15~0.35	0.70~1.00	≦0.035	≦0.035	
	JIS	SUP 11 A	0.56~0.64	0.15~0.35	0.70~1.00	≦0.035	≦0.035	
	ASTM	51 B 60	0.56~0.64	0.15~0.35	0.75~1.00	≦0.035	≦0.040	
	BS							
	DIN							
	NF							
	ISO	60 CrB 3	0.56~0.64	0.15~0.40	0.70~1.00	≦0.030	≦0.030	
K 008	KS	SPS 8	0.51~0.59	1.20~1.60	0.60~0.90	≦0.035	≦0.035	
	JIS	SUP 12	0.51~0.59	1.20~1.60	0.60~0.90	≦0.035	≦0.035	
	SAE	9254(2)	0.51~0.59	1.20~1.60	0.60~0.80	≦0.035	≦0.040	
	BS	685 A 57	0.55~0.60	1.20~1.60	0.70~0.90	≦0.035	≦0.035	
	BS	685 H 57	0.54~0.62	1.20~1.60	0.50~0.80	≦0.035	≦0.035	
	DIN	54 SiCr 6	0.51~0.59	1.20~1.60	0.50~0.80	≦0.030	≦0.030	
	NF							
	ISO	55 SiCr 63	0.51~0.59	1.20~1.60	0.50~0.80	≦0.030	≦0.030	

Index No. K 005~K 008

化学成分 (%) Chemical composition							規格番号 Std. No.
Cr	Mo	V	B	W	Co	others	
0.70~1.00						Cu≦0.30	D 3701
0.70~1.00						Cu≦0.30	G 4801
0.70~0.90							A 689 A 322
0.80~1.10		0.15~0.25				Cu≦0.30	D 3701
0.80~1.10		0.15~0.25				Cu≦0.30	G 4801
0.80~1.10		≧0.15					A 689 A 322
0.90~1.20		0.10~0.20					970-2
0.90~1.20		0.10~0.25					970-2
0.90~1.20		0.10~0.20					17221
0.85~1.15		0.10~0.20					A 35-571
0.80~1.10		0.10~0.25					683-14
0.70~1.00			≧0.0005			Cu<0.30	D 3701
0.70~1.00			0.0005~0.003			Cu<0.30	G 4801
0.70~0.90							A 689 A 322
0.60~0.90			≧0.0008				683-14
0.60~0.90							D 3701
0.60~0.90							G 4801
0.60~0.80							J 1249
0.60~0.85							970-2
0.50~0.80							970-2
0.50~0.80							17221
0.55~0.85							683-14

Notes : ([1])P≦0.030, S≦0.025를 협정할 수 있다. ([2])선재에 적용

特殊用途鋼 (스프링강) Steels for special purposes (Spring steels)

索引番号 Index No.	規格名 Std.	記号 Designation	化学成分 (%) Chemical composition					
			C	Si	Mn	P	S	Pb
K 009	KS	SPS 9	0.56~0.64	0.15~0.35	0.70~1.00	≦0.035	≦0.035	
	JIS	SUP 13	0.56~0.64	0.15~0.35	0.70~1.00	≦0.035	≦0.035	
	ASTM	4161	0.56~0.64	0.15~0.35	0.75~1.00	≦0.035	≦0.040	
	BS	705 A 60	0.57~0.62	0.20~0.35	0.85~1.0	≦0.035	≦0.035	
	BS	705 H 60	0.55~0.64	0.15~0.40	0.65~1.10	≦0.035	≦0.035	
	DIN							
	NF							
	ISO	60 CrMo 33	0.56~0.64	0.15~0.40	0.70~1.00	≦0.030	≦0.030	

Index No. K 009

化学成分 (%) Chemical composition							規格番号 Std. No.
Cr	Mo	V	B	W	Co	others	
0.70~0.90	0.25~0.35						D 3701
0.70~0.90	0.25~0.35						G 4801
0.70~0.90	0.25~0.35						A 689 A 322
0.85~1.00	0.25~0.35						970-2
0.60~1.00	0.25~0.35						970-2
0.70~1.00	0.25~0.35						683-14

特殊用途鋼 (快削鋼) Steels for special purposes (Free-cutting steels)

索引番号 Index No.	規格名 Std.	記 号 Designation	化 学 成 分 (%) Chemical composition					
			C	Si	Mn	P	S	Pb
L 001	KS	SUM 11	0.08~0.13	協定	0.30~0.60	≦0.040	0.08~0.13	
	JIS	SUM 11	0.08~0.13	協定	0.30~0.60	≦0.040	0.08~0.13	
	ASTM	1110	0.08~0.13	協定	0.30~0.60	≦0.040	0.08~0.13	
	BS							
	DIN							
	NF							
	ISO							
L 002	KS	SUM 12	0.08~0.13	協定	0.60~0.90	≦0.040	0.08~0.13	
	JIS	SUM12	0.08~0.13	協定	0.60~0.90	≦0.040	0.08~0.13	
	ASTM	1109	0.08~0.13	協定	0.50~0.80	≦0.040	0.08~0.13	
	BS							
	DIN							
	NF							
	ISO							
L 003	KS	SUM 21	≦0.13	協定	0.70~1.00	0.07~0.12	0.16~0.23	
	JIS	SUM 21	≦0.13	協定	0.70~1.00	0.07~0.12	0.16~0.23	
	ASTM	1212	≦0.13	協定	0.70~1.00	0.07~0.12	0.16~0.23	
	BS							
	DIN							
	NF							
	ISO*	9 S 20	≦0.13	≦0.05	0.60~1.20(1)	≦0.11	0.15~0.25	
L 004	KS	SUM 22	≦0.13	協定	0.70~1.00	0.07~0.12	0.24~0.33	
	JIS	SUM 22	≦0.13	協定	0.70~1.00	0.07~0.12	0.24~0.33	
	ASTM	1213	≦0.13	協定	0.70~1.00	0.07~0.12	0.24~0.33	
	BS	220 M 07	≦0.15	協定	0.90~13.0	≦0.070(3)	0.20~0.30	
	BS	230 M 07	≦0.15	協定	0.90~13.0	≦0.070(3)	0.25~0.35	
	DIN	9 SMn 28	≦0.14	≦0.05	0.90~13.0	≦0.100	0.27~0.33	
	NFO	S 250	≦0.14	≦0.03	0.90~14.0	≦0.100	0.25~0.32	
	ISO*	11 SMn 28	≦0.14	≦0.05	0.90~13.0	≦0.11(4)	0.24~0.33	

*KS의 부속서에 규정

Index No. L 001~L 004

化学成分 (%) Chemical composition							規格番号 Std. No.
Cr	Mo	V	B	W	Co	others	
							D 3567
							G 4804
							A 576
							D 3567
							G 4804
							A 576
							D 3567
							G 4804
							A 576
						[2]	683-9
							D 3567
							G 4804
							A 576
							970-1
							970-1
							1651
							A 35-561
						[2]	683-9

Notes : (1)≥0.50을 협정할 수 있다. (2)절삭성 향상을 위해 Ca, Te 등을 첨가할 수 있다.
(3) 0.070이상을 협정할 수 있다. (4)0.06~0.11, ≦0.05를 협정할 수 있다.

特殊用途鋼 (快削鋼) Steels for special purposes (Free-cutting steels)								
索引番号 Index No.	規格名 Std.	記 号 Designation	化 学 成 分 (%) Chemical composition					
			C	Si	Mn	P	S	Pb
L 005	KS	SUM 22 L	≦0.13	協定	0.70~1.00	0.07~0.12	0.24~0.33	0.10~0.35
	JIS	SUM 22 L	≦0.13	協定	0.70~1.00	0.07~0.12	0.24~0.33	0.10~0.35
	ASTM	12 L 13	≦0.13	協定	0.70~1.00	0.07~0.12	0.24~0.33	0.15~0.35
	BS							
	DIN	9 SMnPb 28	≦0.14	≦0.05	0.90~1.30	≦0.100	0.27~0.33	0.15~0.35
	NF	S 250 Pb	≦0.14	≦0.03	0.90~1.40	≦0.100	0.25~0.32	0.20~0.35
	ISO*	11 SMnPb 28	≦0.14	≦0.05	0.90~1.30	≦0.11(1)	0.24~0.33	0.15~0.35
L 006	KS	SUM 23	≦0.09	協定	0.75~1.05	0.04~0.09	0.26~0.35	
	JIS	SUM 23	≦0.09	協定	0.75~1.05	0.04~0.09	0.26~0.35	
	ASTM	1215	≦0.09	協定	0.75~1.05	0.04~0.09	0.26~0.35	
	BS							
	DIN							
	NF							
	ISO							
L 007	KS	SUM 23 L	≦0.09	協定	0.75~1.05	0.04~0.09	0.26~0.35	0.10~0.35
	JIS	SUM 23 L	≦0.09	協定	0.75~1.05	0.04~0.09	0.26~0.35	0.10~0.35
	ASTM	12 L 15	≦0.09	協定	0.75~1.05	0.04~0.09	0.26~0.35	0.15~0.35
	BS							
	DIN							
	NF							
	ISO							
L 008	KS	SUM 24 L	≦0.15	協定	0.85~1.15	0.04~0.09	0.26~0.35	0.10~0.35
	JIS	SUM 24 L	≦0.15	協定	0.85~1.15	0.04~0.09	0.26~0.35	0.10~0.35
	ASTM	12 L 14	≦0.15	協定	0.85~1.15	0.04~0.09	0.26~0.35	0.15~0.35
	BS							
	DIN	9 SMnPb 28	≦0.14	≦0.05	0.90~1.30	≦0.100	0.27~0.33	0.15~0.35
	NF	S 250 Pb	≦0.14	≦0.03	0.90~1.40	≦0.100	0.25~0.32	0.20~0.35
	ISO*	11 SMnPb 28	≦0.14	≦0.05	0.90~1.30	≦0.11	0.24~0.33	0.15~0.35

*KS의 부속서에 규정

Index No. L 005~L 008

化学成分 (%) Chemical composition							規格番号 Std. No.
Cr	Mo	V	B	W	Co	others	
							D 3567
							G 4804
							A 576
							1651
							A 35-561
						(2)	683-9
							D 3567
							G 4804
							A 576
							D 3567
							G 4804
							A 576
							D 3567
							G 4804
							A 576
							1651
							A 35-561
						(2)	683-9

Notes : (1)0.06~0.11, ≦0.50을 협정할 수 있다. (2)절삭성 향상을 위해 Ca, Te 등을 첨가할 수 있다.

特殊用途鋼 (快削鋼) Steels for special purposes (Free-cutting steels)

索引番号 Index No.	規格名 Std.	記 号 Designation	化 学 成 分 (%) Chemical composition					
			C	Si	Mn	P	S	Pb
L 009	KS	SUM 25	≦0.15	協定	0.90~1.40	0.07~0.12	0.30~0.40	
	JIS	SUM 25	≦0.15	協定	0.90~1.40	0.07~0.12	0.30~0.40	
	ASTM							
	BS							
	DIN	9 SMn 36	≦0.15	≦0.05	1.10~1.50	≦0.100	0.34~0.40	
	NF	S 300	≦0.14	≦0.03	1.00~1.50	≦1.00	0.32~0.40	
	ISO	12 SMn 35	≦0.15	≦0.05	1.00~1.50	≦0.11	0.30~0.40	
L 010	KS	SUM 31	0.14~0.20	協定	1.00~1.30	≦0.040	0.08~0.13	
	JIS	SUM 31	0.14~0.20	協定	1.00~1.30	≦0.040	0.08~0.13	
	ASTM	1117	0.14~0.20	協定	1.00~1.30	≦0.040	0.08~0.13	
	BS							
	DIN	15 S 10	0.12~0.18	0.10~0.30	0.70~1.10	≦0.060	0.080~0.130	
	NF							
	ISO							
L 011	KS	SUM 31 L	0.14~0.20	協定	1.00~1.30	≦0.040	0.08~0.13	0.10~0.35
	JIS	SUM 31 L	0.14~0.20	協定	1.00~1.30	≦0.040	0.08~0.13	0.10~0.35
	ASTM	11 L 17	0.14~0.20	協定	1.00~1.30	≦0.040	0.08~0.13	0.15~0.35
	BS							
	DIN							
	NF							
	ISO							
L 012	KS	SUM 32	0.12~0.20	協定	0.60~1.10	≦0.040	0.10~0.20	
	JIS	SUM 32	0.12~0.20	協定	0.60~1.10	≦0.040	0.10~0.20	
	ASTM							
	BS							
	DIN							
	NF	13 MF 14	0.10~0.16	0.10~0.40(1)	0.80~1.10	≦0.040	0.10~0.15	
	ISO							

Index No. L 009~L 012

化学成分 (%) Chemical composition							規格番号 Std. No.
Cr	Mo	V	B	W	Co	others	
							D 3567
							G 4804
							1651
							A 35-561
						(2)	683-9
							D 3567
							G 4804
							A 576
							D 3567
							G 4804
							A 576
							D 3567
							G 4804
						(2)	A 35-562

Notes : (1)협정에 따라 하한치를 0.1미만으로 할 수 있지만 다른 탈산제 첨가시의 하한치는 0.05를 초과하는 것도 있다.
(2)협정에 따라 Bi, Pb, Se, Te 첨가제도 가능하다.

特殊用途鋼 (快削鋼) Steels for special purposes (Free-cutting steels)

索引番号 Index No.	規格名 Std.	記 号 Designation	化 学 成 分 (%) Chemical composition					
			C	Si	Mn	P	S	Pb
L 013	KS	SUM 41	0.32~0.39	協定	1.35~1.65	≦0.040	0.08~0.13	
	JIS	SUM 41	0.32~0.39	協定	1.35~1.65	≦0.040	0.08~0.13	
	ASTM	1137	0.32~0.39	協定	1.35~1.65	≦0.040	0.08~0.13	
	BS							
	DIN							
	NF	35 MF 6	0.33~0.39	0.10~0.40([1])	1.30~1.70	≦0.040	0.10~0.15	
	ISO							
L 014	KS	SUM 42	0.37~0.45	協定	1.35~1.65	≦0.040	0.08~0.13	
	JIS	SUM 42	0.37~0.45	協定	1.35~1.65	≦0.040	0.08~0.13	
	ASTM	1141	0.37~0.45	協定	1.35~1.65	≦0.040	0.08~0.13	
	BS							
	DIN							
	NF	45 MF 6.1	0.41~0.48	0.10~0.40([1])	1.30~1.70	≦0.040	0.10~0.15	
	ISO							
L 015	KS	SUM 43	0.40~0.48	協定	1.35~1.65	≦0.040	0.24~0.33	
	JIS	SUM 43	0.40~0.48	協定	1.35~1.65	≦0.040	0.24~0.33	
	ASTM	1144	0.40~0.48	協定	1.35~1.65	≦0.040	0.24~0.33	
	BS	226 M 44	0.40~0.48	≦0.25	1.30~1.70	≦0.060	0.22~0.30	
	DIN							
	NF	45 MF 6.3	0.41~0.48	0.10~0.40([2])	1.30~1.70	≦0.040	0.24~0.32	
	ISO*	44 SMn 28	0.40~0.48	0.15~0.40	1.30~1.70	≦0.06	0.24~0.33	([3])

*KS의 부속서에 규정

化 学 成 分 (%) Chemical composition							規格番号 Std. No.
Cr	Mo	V	B	W	Co	others	
							D 3567
							G 4804
							A 576
						(2)	A 35-562
							D 3567
							G 4804
							A 576
						(2)	A 35-562
							D 3567
							G 4804
							A 576
							970-1
						(2)	A 35-562
						(4)	683-9

Notes : (1)협정에 따라 하한치를 0.1미만으로 할 수 있지만 다른 탈산제 첨가시의 하한치는 0.05를 초과하는 것도 있다.
(2)협정에 따라 Bi, Pb, Se, Te 첨가제도 가능하다. (3)Pb첨가를 협정할 수 있다.
(4)피삭성 향상을 위하여 Ca, Te등을 첨가할 수 있다.

特殊用途鋼 (베어링강) Steels for special purposes (Bearing steels)								
索引番号 Index No.	規格名 Std.	記 号 Designation	化 学 成 分 (%) Chemical composition					
			C	Si	Mn	P	S	Pb
M 001	KS	STB 1	0.95~1.10	0.15~0.35	≦0.50	≦0.025	≦0.025	
	JIS	SUJ 1	0.95~1.10	0.15~0.35	≦0.50	≦0.025	≦0.025	
	ASTM	51100	0.98~1.10	0.15~0.35	0.25~0.45	≦0.025	≦0.025	
	BS							
	DIN							
	NF							
	ISO							
M 002	KS	STB 2	0.95~1.10	0.15~0.35	≦0.50	≦0.025	≦0.025	
	JIS	SUJ 2	0.95~1.10	0.15~0.35	≦0.50	≦0.025	≦0.025	
	ASTM	52100	0.98~1.10	0.15~0.35	0.25~0.45	≦0.025	≦0.025	
	BS							
	DIN	100 Cr 6	0.90~1.05	0.15~0.35	0.25~0.45	≦0.030	≦0.025	
	NF	100 Cr 6	0.95~1.10	0.15~0.35	0.25~0.45	≦0.025	≦0.015	
	ISO*	B 1	0.93~1.05	0.15~0.35	0.25~0.45	≦0.025	≦0.015	
M 003	KS	STB 3	0.95~1.10	0.40~0.70	0.90~1.15	≦0.025	≦0.025	
	JIS	SUJ 3	0.95~1.10	0.40~0.70	0.90~1.15	≦0.025	≦0.025	
	ASTM	Grade 1	0.90~1.05	0.45~0.75	0.95~1.25	≦0.025	≦0.025	
	BS							
	DIN							
	NF							
	ISO*	B 2	0.93~1.05	0.45~0.75	0.90~1.20	≦0.025	≦0.015	
M 004	KS	STB 4	0.95~1.10	0.15~0.35	≦0.50	≦0.025	≦0.025	
	JIS	SUJ 4	0.95~1.10	0.15~0.35	≦0.50	≦0.025	≦0.025	
	ASTM							
	BS							
	DIN							
	NF							
	ISO							

化学成分 (%) Chemical composition							規格番号 Std. No.
Cr	Mo	V	B	W	Co	others	
0.90~1.20	≦0.08					Ni≦0.25, Cu≦0.25(1)	D 3525
0.90~1.20	≦0.08					Ni≦0.25, Cu≦0.25(1)	G 4805
0.90~1.15	≦0.10					Ni≦0.25, Cu≦0.35	A 295
1.30~1.60	≦0.08					Ni≦0.25, Cu≦0.25(1)	D 3525
1.30~1.60	≦0.08					Ni≦0.25, Cu≦0.25(1)	G 4805
1.30~1.60	≦0.10					Ni≦0.25, Cu≦0.35	A 295
1.35~1.65						Ni≦0.30, Cu≦0.30	17230
1.35~1.60	≦0.10					Ni≦0.30, Cu≦0.35, Al≦0.050	A 35-565
1.35~1.60	≦0.10						683-17
0.90~1.20	≦0.08					Ni≦0.25, Cu≦0.25(1)	D 3525
0.90~1.20	≦0.08					Ni≦0.25, Cu≦0.25(1)	G 4805
0.90~1.20	≦0.10					Ni≦0.25, Cu≦0.35	A 485
0.90~1.20	≦0.10						683-17
1.30~1.60	0.10~0.25					Ni≦0.25, Cu≦0.25(1)	D 3525
1.30~1.60	0.10~0.25					Ni≦0.25, Cu≦0.25(1)	G 4805

Notes : (1)협정에 따라 다른 원소를 0.25이하 첨가하는 것도 좋다.

特殊用途鋼 (베어링강) Steels for special purposes (Bearing steels)

索引番号 Index No.	規格名 Std.	記 号 Designation	化 学 成 分 (%) Chemical composition					
			C	Si	Mn	P	S	Pb
M 005	KS	STB 5	0.95~1.10	0.40~0.70	0.90~1.15	≦0.025	≦0.025	
	JIS	SUJ 5	0.95~1.10	0.40~0.70	0.90~1.15	≦0.025	≦0.025	
	ASTM							
	BS							
	DIN							
	NF							
	ISO							

Index No. M 005							
化 学 成 分 (%) Chemical composition							規格番号 Std. No.
Cr	Mo	V	B	W	Co	others	
0.90~1.20	0.10~0.25					Ni≦0.25, Cu≦0.25([1])	D 3525
0.90~1.20	0.10~0.25					Ni≦0.25, Cu≦0.25([1])	G 4805

Notes : ([1])협정에 따라 다른 원소를 0.25이하 첨가하는 것도 좋다.

주단조품(铸鍛造品)

Steel casting and forgings

■ 단조품(鍛造品)

Steel forgings ························ 374

■ 주강품(铸鋼品)

Steel castings ························ 416

■ 주철품(铸鐵品)

Iron castings ························ 458

鑄鍛造品 (鍛鋼品) Steel castings and forgings (Steel forgings)

索引番号 Index No.	規格名 Std.	記号 Designation	化 学 成 分 (%) Chemical composition					
			鋼材의 두께[1] t (mm)	C	Si	Mn	P	S
N 001	KS	SF 340 A		≦0.60	0.15~0.50	0.30~1.20	≦0.030	≦0.035
	JIS	SF 340 A		≦0.60	0.15~0.50	0.30~1.20	≦0.030	≦0.035
	ASTM	Class A				≦1.35	≦0.050	≦0.050
	BS							
	DIN							
	NF	F 37		≦0.16	0.10~0.35	≧0.30	≦0.040	≦0.040
N 002	KS	SF 390 A		≦0.60	0.15~0.50	0.30~1.20	≦0.030	≦0.035
	JIS	SF 390 A		≦0.60	0.15~0.50	0.30~1.20	≦0.030	≦0.035
	ASTM	Class B				≦1.35	≦0.050	≦0.050
	BS			≦0.60	0.10~0.45	0.30~1.30	≦0.40	≦0.040
	DIN	StE 285		≦0.18	≦0.40	0.60~1.40	≦0.035	≦0.030
	NF	F 42		≦0.20	0.10~0.35	≧0.40	≦0.040	≦0.040
N 003	KS	SF 440 A		≦0.60	0.15~0.50	0.30~1.20	≦0.030	≦0.035
	JIS	SF 440 A		≦0.60	0.15~0.50	0.30~1.20	≦0.030	≦0.035
	ASTM	Class C				≦1.35	≦0.050	≦0.050
	BS			≦0.60	0.10~0.45	0.30~1.30	≦0.40	≦0.040
	DIN							
	NF	F 48		≦0.21	0.10~0.40	0.80~1.50	≦0.040	≦0.040
N 004	KS	SF 490 A		≦0.60	0.15~0.50	0.30~1.20	≦0.030	≦0.035
	JIS	SF 490 A		≦0.60	0.15~0.50	0.30~1.20	≦0.030	≦0.035
	ASTM			≦0.35	0.15~0.35	0.60~1.05	≦0.035	≦0.040

Index No. N 001~N 004

化学成分 (%) Chemical composition					引張試験 Tensile requirements			規格番号 Std. No.
Cr	Mo	Ni	Cu	others	鋼材의 두께([1]) (*t*)	降伏点([2]) (N/㎟)	引張强度([3]) (N/㎟)	
						≧175	340~440	D 3710
						≧175	340~440	G 3201
					≦508	-	≧325	A 668 / A 668 M
						≧195	360~450	A 36-612
						≧195	390~490	D 3710
						≧195	390~490	G 3201
					≦508	≧205	≧415	A 668 / A 668 M
					≧150	≧200	400~520	29
≦0.30	≦0.08	≦0.30	≦0.20	Nb≦0.03 Nb+V≦	≦24	≧285	390~510	17103
				0.05 Cr+Cu+	24<t≦50	≧285	390~510	
				Mo≦0.45 Al≦0.020	50<t≦100	≧265	390~510	
				N≦0.020	100<t≦150	≧245	370~510	
					150<t≦375	≧225	370~510	
					375<t≦600	≧205	370~510	
						≧225	410~490	A 36-612
						≧225	440~540	D 3710
						≧225	440~540	G 3201
					≦305	≧230	≧455	A 668 / A 668 M
					305<t≦508	≧230	≧455	
					≧150	≧215	430~550	29
					≧150	≧230	460~580	
						≧265	470~570	A 36-612
						≧245	490~590	D 3710
						≧245	490~590	G 3201
≦0.30	≦0.12	≦0.40	≦0.40	V≦0.05 Nb≦0.02		≧250	≧485	A 105 / A 105 M
				Cu+Ni+Cr+Mo ≦1.00				
				Cr+Mo≦0.32				

Notes : ([1]) Thickness ([2]) Yield strength ([3]) Tensile strength

鑄鍛造品 (鍛鋼品) Steel castings and forgings (Steel forgings)								
索引番号 Index No.	規格名 Std.	記号 Designation	化 学 成 分 (%) Chemical composition					
			鋼材의 두께(1) t (mm)	C	Si	Mn	P	S
N 004(계속)	BS			≦0.60	0.10~0.45	0.30~1.30	≦0.40	≦0.040
	DIN	StE 355		≦0.20	0.10~0.50	0.90~1.65	≦0.035	≦0.030
	NF	F 52		≦0.22	0.10~0.55	1.00~1.60	≦0.040	≦0.040
N 005	KS	SF 540 A		≦0.60	0.15~0.50	0.30~1.20	≦0.030	≦0.035
	JIS	SF 540 A		≦0.60	0.15~0.50	0.30~1.20	≦0.030	≦0.035
	ASTM	Class D				≦1.35	≦0.050	≦0.050
	BS			≦0.60	0.10~0.45	0.30~1.30	≦0.40	≦0.040
	DIN							
	NF							
N 006	KS	SF 540 B		≦0.60	0.15~0.50	0.30~1.20	≦0.030	≦0.035
	JIS	SF 540 B		≦0.60	0.15~0.50	0.30~1.20	≦0.030	≦0.035
	ASTM							
	BS			≦0.60	0.10~0.45	0.30~1.30	≦0.40	≦0.040
	DIN							
N 007	KS	SF 590 A		≦0.60	0.15~0.50	0.30~1.20	≦0.030	≦0.035
	JIS	SF 590 A		≦0.60	0.15~0.50	0.30~1.20	≦0.030	≦0.035
	ASTM	Class E				≦1.35	≦0.050	≦0.050
	BS			≦0.60	0.10~0.45	0.30~1.30	≦0.40	≦0.040

Index No. N 004~N 007

化学成分(%) Chemical composition					引張試験 Tensile requirements			規格番号 Std. No.
Cr	Mo	Ni	Cu	others	鋼材의 두께[1] (t)	降伏点[2] (N/㎟)	引張强度[3] (N/㎟)	
					≧150	≧245	490~610	29
≦0.30	≦0.08	≦0.30	≦0.20	V≦0.10 Nb+V≦0.12	t≦50	≧355	490~630	17103
					50<t≦100	≧335	490~630	
					100<t≦150	≧315	470~630	
					150<t≦375	≧295	470~630	
					375<t≦600	≧275	470~630	
						≧320	510~610	A 36-612
						≧275	540~640	D 3710
						≧275	540~640	G 3201
					≦203	≧260	≧515	A 668 / A 668 M
					203<t≦305	≧260	≧515	
					305<t≦508	≧260	≧515	
					≧150	≧260	520~640	29
					≧150	≧275	550~670	
					<100	≧335	540~690	D 3710
					<100	≧335	540~690	G 3201
					100≦t<250	≧315	540~690	
					250≦t<400	≧295	540~690	
					150≦t≦400	≧303	550~670	29
						≧295	590~690	D 3710
						≧295	590~690	G 3201
					≦203	≧305	≧585	A 668 / A 668 M
					203<t≦305	≧295	≧570	
					305<t≦508	≧295	≧570	
					≧150	≧290	580~700	29
					≧150	≧305	610~730	

Notes : (1) Thickness (2) Yield strength (3) Tensile strength

鑄鍛造品 (鍛鋼品) Steel castings and forgings (Steel forgings)

索引番号 Index No.	規格名 Std.	記号 Designation	化 学 成 分 (%) Chemical composition					
			鋼材의 두께[1] t (mm)	C	Si	Mn	P	S
N 007(계속)	NF	F 60		0.37~0.46	0.10~0.40	0.50~0.90	≦0.040	≦0.040
N 008	KS	SF 590 B		≦0.60	0.15~0.50	0.30~1.20	≦0.030	≦0.035
	JIS	SF 590 B		≦0.60	0.15~0.50	0.30~1.20	≦0.030	≦0.035
	ASTM	Class F				≦1.35	≦0.050	≦0.050
	BS			≦0.60	0.10~0.45	0.30~1.30	≦0.40	≦0.040
	DIN							
N 009	KS	SF 640 B		≦0.60	0.15~0.50	0.30~1.20	≦0.030	≦0.035
	JIS	SF 640 B		≦0.60	0.15~0.50	0.30~1.20	≦0.030	≦0.035
	NF	F 70		0.47~0.58	0.10~0.40	0.50~0.90	≦0.040	≦0.040
	BS			≦0.60	0.10~0.45	0.30~1.30	≦0.40	≦0.040
	DIN							
N 010	KS	SFVC 1		≦0.30	≦0.35	0.40~1.35	≦0.030	≦0.030
	JIS	SFVC 1		≦0.30	≦0.35	0.40~1.35	≦0.030	≦0.030
	ASTM	Grade 1		≦0.35	0.15~0.35	0.40~1.05	≦0.025	≦0.025
	ASTM	Class 60		≦0.35	0.10~0.35	≦1.10	≦0.05	≦0.05
	BS	221-410		≦0.20	0.10~0.40	0.80~1.20	≦0.030	≦0.025
	BS	224-410		≦0.20	0.10~0.40	0.80~1.20	≦0.030	≦0.025

Index No. N 007~N 010

化学成分(%) Chemical composition					引張試験 Tensile requirements			規格番号 Std. No.
Cr	Mo	Ni	Cu	others	鋼材의 두께[1] (*t*)	降伏点[2] (N/㎟)	引張强度[3] (N/㎟)	
						≧310	590~710	A 36-612
					<100	≧360	590~740	D 3710
					100≦t<250	≧335	590~740	
					250≦t<400	≧325	590~740	
					<100	≧360	590~740	G 3201
					100≦t<250	≧335	590~740	
					250≦t<400	≧325	590~740	
					≦102	≧380	≧620	A 668 / A 668 M
					102<t≦178	≧345	≧585	
					178<t≦254	≧345	≧585	
					254<t≦508	≧330	≧565	
					150≦t≦400	≧318	580~700	29
					150≦t≦400	≧335	610~730	
					<100	≧390	640~780	D 3710
					100≦t<250	≧360	640~780	
					250≦t<400	≧345	640~780	
					<100	≧390	640~780	G 3201
					100≦t<250	≧360	640~780	
					250≦t<400	≧345	640~780	
						≧360	690~830	A 36-612
					150≦t≦400	≧353	640~760	29
						≧205	410~560	D 4122
						≧205	410~560	G 3202
						≧205	415~585	A 266 / A 266 M
						≧205	≧415	A 181 / A 181 M
≦0.25	≦0.10	≦0.40	≦0.30	Almet≦0.010[4]	≦100	≧215	410~530	1503
≦0.25	≦0.10	≦0.40	≦0.30	Almet≧0.018	≦100	≧235	410~530	1503
					>100	≧220	410~530	

Notes : [1] Thickness [2] Yield strength [3] Tensile strength [4] Cr+Ni+Mo+Cu≦0.80

鑄鍛造品 (鍛鋼品) Steel castings and forgings (Steel forgings)

索引番号 Index No.	規格名 Std.	記号 Designation	化 学 成 分 (%) Chemical composition					
			鋼材의 두께([1]) t (mm)	C	Si	Mn	P	S
N 010(계속)	ISO	F 8		≦0.20	0.10~0.40	0.50~1.20	≦0.040	≦0.040
	DIN							
N 011	KS	SFVC 2 A		≦0.35	≦0.35	0.40~1.10	≦0.030	≦0.030
	JIS	SFVC 2 A		≦0.35	≦0.35	0.40~1.10	≦0.030	≦0.030
	ASTM			≦0.35	0.15~0.35	0.60~1.05	≦0.040	≦0.050
	ASTM	Grade 2		≦0.35	0.15~0.35	0.40~1.05	≦0.025	≦0.025
	ASTM	Class 70		≦0.35	0.10~0.35	≦1.10	≦0.05	≦0.05
	ASTM	Grade 1		≦0.35	0.15~0.40	0.40~1.05	≦0.025	≦0.025
	BS	221-490		≦0.25	0.10~0.40	0.90~1.70	≦0.030	≦0.025
	DIN							
	ISO	F 23		≦0.35	0.10~0.40	0.60~1.40	≦0.040	≦0.040
N 012	KS	SFV C 2 B		≦0.30	≦0.35	0.70~1.35	≦0.030	≦0.030
	JIS	SFV C 2 B		≦0.30	≦0.35	0.70~1.35	≦0.030	≦0.030
	ASTM	Grade 1 A		≦0.30	0.15~0.40	0.70~1.35	≦0.025	≦0.25
	ASTM	Grade 1 A		≦0.30	0.15~0.40	0.70~1.35	≦0.025	≦0.025
	ASTM	Grade 4		≦0.30	0.15~0.35	0.80~1.35	≦0.025	≦0.025
	BS	164-490		≦0.25	0.10~0.40	0.80~1.35	≦0.030	≦0.025
	DIN							
	NF	A 48 CP		≦0.20	≦0.35	0.80~1.50	≦0.035	0.030
	ISO	F 22		≦0.30	0.10~0.40	0.80~1.40	≦0.050	≦0.050
	ISO	F 22 Q		≦0.30	0.10~0.40	0.80~1.40	≦0.050	≦0.050

Index No. N 010~N 012

化学成分 (%) Chemical composition					引張試験 Tensile requirements			規格番号 Std. No.
Cr	Mo	Ni	Cu	others	鋼材의 두께(1) (t)	降伏点(2) (N/㎟)	引張强度(3) (N/㎟)	
				Almet≦0.010	≦63	≧215	410~530	2604-1
					63<t≦250	≧205	410~530	
						≧245	490~640	D 4122
						≧245	490~640	G 3202
≦0.30	≦0.12	≦0.40	≦0.40	V≦0.05 Nb≦0.02		≧250	≧485	A 105 / A 105 M
				Cu+Ni+Cr+ Mo≦1.00				
				Cr+Mo≦0.32				
						≧250	485~655	A 266 / A 266 M
						≧250	≧485	A 181 / A 181 M
≦0.25	≦0.10	≦0.40		V≦0.05	≦75	≧250	485~655	A 508 / A 508 M
≦0.25	≦0.10	≦0.40	≦0.30	Almet≦0.010(4)	≦100	≧265	490~610	1503
					>100	≧255	490~610	
					≦63	≧255	460~580	2604-1
					63<t≦250	≧235	460~580	
						≧245	490~640	D 4122
						≧245	490~640	G 3202
≦0.25	≦0.10	≦0.40		V≦0.05		≧250	485~655	A 508 / A 508 M
≦0.25	≦0.10	≦0.40		V≦0.05		≧250	480~660	A 541 / A 541 M
						≧250	485~655	A 266 / A 266 M
≦0.25	≦0.10	≦0.40	≦0.30	Al≧0.018	≦100	≧305	490~610	1503
					100<t≦150	≧280	490~610	
≦0.25	≦0.10	≦0.50		Nb≦0.04 V≦0.05	≦30	≧285	470~560	A 36-601
					30<t≦50	≧265	470~560	
					50<t≦80	≧265	470~560	
					>80	≧255	470~560	
				Almet≦0.010	≦63	≧255	460~580	2604-1
					63<t≦250	≧235	460~580	
				Almet≦0.010	≦100	≧295	530~650	2604-1

Notes : (1) Thickness (2) Yield strength (3) Tensile strength (4) Cr+Ni+Mo+Cu≦0.80

鑄鍛造品 (鍛鋼品) Steel castings and forgings (Steel forgings)

索引番号 Index No.	規格名 Std.	記号 Designation	化 学 成 分 (%) Chemical composition					
			鋼材의 두께(1) t (mm)	C	Si	Mn	P	S
N 013	KS	SFV Q 2 A		≦0.27	≦0.40	0.50~1.00	≦0.030	≦0.030
	JIS	SFV Q 2 A		≦0.27	≦0.40	0.50~1.00	≦0.030	≦0.030
	ASTM	Grade 2 Class 1		≦0.27	0.15~0.35	0.50~00.90	≦0.025	≦0.025
	ASTM	Grade 2 Class 1		≦0.27	0.15~0.40	0.50~1.00	≦0.025	≦0.025
	BS							
	DIN							
N 014	KS	SFV Q 2 B		≦0.27	≦0.40	0.50~1.00	≦0.030	≦0.030
	JIS	SFV Q 2 B		≦0.27	≦0.40	0.50~1.00	≦0.030	≦0.030
	ASTM	Grade 2 Class 2		≦0.27	0.15~0.35	0.50~0.90	≦0.025	≦0.025
	ASTM	Grade 2 Class 2		≦0.27	0.15~0.40	0.50~1.00	≦0.025	≦0.025
	BS							
	DIN							
N 015	KS	SFVQ 1 A		≦0.25	≦0.40	1.20~1.50	≦0.030	≦0.030
	JIS	SFVQ 1 A		≦0.25	≦0.40	1.20~1.50	≦0.030	≦0.030
	ASTM	Grade 3 Class 1		≦0.25	0.15~0.35	1.20~1.50	≦0.025	≦0.025
	ASTM	Grade 3 Class 1		≦0.25	0.15~0.40	1.20~1.50	≦0.025	≦0.025
	BS							
	DIN							
N 016	KS	SFVQ 1 B		≦0.25	≦0.40	1.20~1.50	≦0.030	≦0.030
	JIS	SFVQ 1 B		≦0.25	≦0.40	1.20~1.50	≦0.030	≦0.030
	ASTM	Grade 3 Class 2		≦0.25	0.15~0.35	1.20~1.50	≦0.025	≦0.025
	ASTM	Grade 3 Class 2		≦0.25	0.15~0.40	1.20~1.50	≦0.025	≦0.025
	BS							
	DIN							
N 017	KS	SFVQ 3		≦0.23	≦0.40	0.20~0.40	≦0.020	≦0.020
	JIS	SFVQ 3		≦0.23	≦0.40	0.20~0.40	≦0.020	≦0.020
	ASTM	Grade 4N Class 3		≦0.23	0.15~0.40	0.20~0.40	≦0.020	≦0.025
	ASTM	Grade 4N Class 3		≦0.23	≦0.30	0.20~0.40	≦0.025	≦0.025
	BS							

Index No. N 013~N 017

化学成分 (%) Chemical composition					引張試験 Tensile requirements			規格番号 Std. No.
Cr	Mo	Ni	Cu	others	鋼材의 두께[1] (t)	降伏点[2] (N/㎟)	引張强度[3] (N/㎟)	
0.25~0.45	0.55~0.70	0.50~1.00		V≦0.05		≧345	550~730	D 4124
0.25~0.45	0.55~0.70	0.50~1.00		V≦0.05		≧345	550~730	G 3204
0.25~0.45	0.55~0.70	0.50~1.00		V≦0.05		≧340	550~720	A 541 / A 541 M
0.25~0.45	0.55~0.70	0.50~1.00		V≦0.05		≧345	550~725	A 508 / A 508 M
0.25~0.45	0.55~0.70	0.50~1.00		V≦0.05		≧450	620~790	D 4124
0.25~0.45	0.55~0.70	0.50~1.00		V≦0.05		≧450	620~790	G 3204
0.25~0.45	0.55~0.70	0.50~1.00		V≦0.05	≦150	≧450	620~790	A 541 / A 541 M
0.25~0.45	0.55~0.70	0.50~1.00		V≦0.05		≧450	620~795	A 508 / A 508 M
≦0.25	0.45~0.60	0.40~1.00		V≦0.05		≧345	550~730	D 4124
≦0.25	0.45~0.60	0.40~1.00		V≦0.05		≧345	550~730	G 3204
≦0.25	0.45~0.60	0.40~1.00		V≦0.05		≧340	550~720	A 541 / A 541 M
≦0.25	0.45~0.60	0.40~1.00		V≦0.05		≧345	550~725	A 508 / A 508 M
≦0.25	0.45~0.60	0.40~1.00		V≦0.05		≧450	620~790	D 4124
≦0.25	0.45~0.60	0.40~1.00		V≦0.05		≧450	620~790	G 3204
≦0.25	0.45~0.60	0.40~1.00		V≦0.05		≧450	620~790	A 541 / A 541 M
≦0.25	0.45~0.60	0.40~1.00		V≦0.05		≧450	620~795	A 508 / A 508 M
1.50~2.00	0.40~0.60	2.75~3.90		V≦0.03		≧490	620~790	D 4124
1.50~2.00	0.40~0.60	2.75~3.90		V≦0.03		≧490	620~790	G 3204
1.50~2.00	0.40~0.60	2.8~3.9		V≦0.03		≧485	620~795	A 508 / A 508 M
1.25~2.00	0.40~0.60	2.8~3.9		V≦0.03		≧480	620~790	A 541 / A 541 M

Notes : ([1]) Thickness ([2]) Yield strength ([3]) Tensile strength

鑄鍛造品 (鍛鋼品) Steel castings and forgings (Steel forgings)

索引番号 Index No.	規格名 Std.	記号 Designation	化学成分 (%) Chemical composition					
			鋼材의 두께([1]) t (mm)	C	Si	Mn	P	S
N 017(계속)	DIN							
N 018	KS	SFVA F 1		≦0.30	≦0.35	0.60~0.90	≦0.030	≦0.030
	JIS	SFVA F 1		≦0.30	≦0.35	0.60~0.90	≦0.030	≦0.030
	ASTM	F 1		≦0.28	0.15~0.35	0.60~0.90	≦0.045	≦0.045
	ASTM	F 1		0.20~0.30	0.20~0.35	0.60~0.80	≦0.025	≦0.025
	BS							
	DIN							
	ISO	F 29		0.18~0.25	0.15~0.40	0.50~0.80	≦0.040	≦0.040
	ISO	F 28		0.12~0.20	0.15~0.40	0.50~0.80	≦0.040	≦0.040
N 019	KS	SFVA F 2		≦0.20	≦0.60	0.30~0.80	≦0.030	≦0.030
	JIS	SFVA F 2		≦0.20	≦0.60	0.30~0.80	≦0.030	≦0.030
	ASTM	F 2		0.05~0.21	0.10~0.60	0.30~0.80	≦0.040	≦0.040
	BS							
	DIN							
	NF	15 CD 2.05		≦0.18	0.15~0.30	0.50~0.90	≦0.020	≦0.015
N 020	KS	SFL 1		≦0.30	≦0.35	≦1.35	≦0.030	≦0.030
	JIS	SFL 1		≦0.30	≦0.35	≦1.35	≦0.030	≦0.030
	ASTM	LF 1		≦0.30	0.15~0.30	0.60~1.35	≦0.035	≦0.040
	BS							
	DIN	TStE 285		≦0.16	≦0.40	0.60~1.40	≦0.030	≦0.025
	NF	A 42 FP		≦0.18	≦0.30	≧0.60	≦0.030	≦0.020

化学成分 (%) Chemical composition					引張試験 Tensile requirements			規格番号 Std. No.
Cr	Mo	Ni	Cu	others	鋼材의 두께(1) (t)	降伏点(2) (N/㎟)	引張強度(3) (N/㎟)	
	0.45~0.65					≧275	480~660	D 4123
	0.45~0.65					≧275	480~660	G 3203
	0.44~0.65					≧275	≧485	A 182 / A 182 M
	0.40~0.60					≧275	485~660	A 336 / A 336 M
	0.45~0.65			Almet≦0.012		≧275	450~600	2604-1
	0.45~0.65			Almet≦0.012		≧275	450~600	2604-1
0.50~0.80	0.45~0.65					≧275	480~660	D 4123
0.50~0.80	0.45~0.65					≧275	480~660	G 3203
0.50~0.81	0.44~0.65					≧275	≧485	A 182 / A 182 M
0.40~0.60	0.40~0.60		≦0.25	V≦0.04	≦60	≧275	450~570	A 36-602
					60<t≦80	≧265	450~570	
					>80	≧255	450~570	
						≧225	440~590	D 4125
						≧225	440~590	G 3205
≦0.30	≦0.12	≦0.40	≦0.40	Nb≦0.02 V≦0.03		≧205	415~585	A 350 / A 350 M
≦0.30	≦0.08	≦0.030	≦0.20	V≦0.10 Nb+V≦0.12	≦50	≧285	390~510	17103
				Altotal≦0.020 N≦0.020	50<t≦100	≧265	390~510	
				Cr+Cu+Mo ≦0.45	100<t≦150	≧245	370~510	
					150<t≦375	≧225	370~510	
					375<t≦600	≧205	370~510	
		≦0.50			≦30	≧245	410~490	A 36-601
					30<t≦50	≧225	410~490	
					50<t≦80	≧225	410~490	
					>80	≧215	410~490	

Notes : (1) Thickness (2) Yield strength (3) Tensile strength

鑄鍛造品 (鍛鋼品) Steel castings and forgings (Steel forgings)

索引番号 Index No.	規格名 Std.	記号 Designation	化学成分 (%) Chemical composition					
			鋼材의 두께([1]) t (mm)	C	Si	Mn	P	S
N 020(계속)	ISO	F 13		≦0.23	0.10~0.40	0.60~1.40	≦0.040	≦0.040
N 021	KS	SFL 2		≦0.30	≦0.35	≦1.35	≦0.030	≦0.030
	JIS	SFL 2		≦0.30	≦0.35	≦1.35	≦0.030	≦0.030
	ASTM	LF 2		≦0.35	0.15~0.30	0.60~1.35	≦0.035	≦0.040
	BS							
	DIN							
	NF	A 48 FP		≦0.20	≦0.35	0.80~1.50	≦0.030	≦0.020
	ISO	F 18		≦0.25	0.10~0.40	0.90~1.70	≦0.040	≦0.040
N 022	KS	SFL 3		≦0.20	≦0.35	≦0.90	≦0.030	≦0.030
	JIS	SFL 3		≦0.20	≦0.35	≦0.90	≦0.030	≦0.030
	ASTM	LF 3		≦0.20	0.20~0.35	≦0.90	≦0.035	≦0.040
	BS	503-490		≦0.15	0.15~0.40	≦0.80	≦0.025	≦0.020
	DIN							
	ISO	F 44		≦0.20	0.15~0.40	≦0.80	≦0.040	≦0.040
N 023	KS	SFVA F 12		≦0.20	≦0.60	0.30~0.80	≦0.030	≦0.030
	JIS	SFVA F 12		≦0.20	≦0.60	0.30~0.80	≦0.030	≦0.030
	ASTM	F 12 Class 2		0.10~0.20	0.10~0.60	0.30~0.80	≦0.040	≦0.040
	ASTM	F 12		0.10~0.20	0.10~0.60	0.30~0.80	≦0.025	≦0.025
	BS	620-440		≦0.18	0.15~0.40	0.40~0.70	≦0.030	≦0.025
	DIN							
	ISO	F 32		≦0.20	0.15~0.40	0.40~0.70	≦0.040	≦0.040
	ISO	F 32 Q		≦0.20	0.15~0.40	0.40~0.70	≦0.040	≦0.040
	NF	15 CD 4.05		≦0.18	0.15~0.35	0.40~0.80	≦0.020	≦0.015

Index No. N 020~N 023

化学成分 (%) Chemical composition					引張試験 Tensile requirements			規格番号 Std. No.
Cr	Mo	Ni	Cu	others	鋼材의 두께([1]) (t)	降伏点([2]) (N/㎟)	引張強度([3]) (N/㎟)	
				Al≧0.015	≦63	≧275	460~580	2604-1
					63<t≦250	≧255	460~580	
						≧245	490~640	D 4125
						≧245	490~640	G 3205
≦0.30	≦0.12	≦0.40	≦0.40	Nb≦0.02 V≦0.05		≧250	485~655	A 350 / A 350 M
≦0.25	≦0.10	≦0.50		V≦0.05 Nb≦0.04	≦30	≧285	470~560	A 36-601
					30<t≦50	≧265	470~560	
					50<t≦80	≧265	470~560	
					>80	≧255	470~560	
				Al≧0.015	≦63	≧305	490~610	2604-1
					63<t≦250	≧280	490~610	
		3.25~3.75				≧255	490~640	D 4125
		3.25~3.75				≧255	490~640	G 3205
≦0.30	≦0.12	3.3~3.7	≦0.40	Nb≦0.02 V≦0.03		≧260	485~655	A 350 / A 350 M
≦0.25	≦0.10	3.25~3.75	≦0.30	Total Al≧0.018	≦100	≧300	490~640	1503
		3.25~3.75		Al≧0.015		≧275	490~640	2604-1
0.80~1.25	0.45~0.65					≧275	480~660	D 4123
0.80~1.25	0.45~0.65					≧275	480~660	G 3203
0.80~1.25	0.44~0.65					≧275	≧485	A 182 / A 182 M
0.80~1.10	0.45~0.65					≧275	485~660	A 336 / A 336 M
0.85~1.15	0.45~0.65	≦0.40	≦0.30	Almet≦0.020		≧275	440~590	1503
0.85~1.15	0.45~0.65			Almet≦0.020		≧255	410~560	2604-1
0.85~1.15	0.45~0.65			Almet≦0.020		≧375	540~690	2604-1
0.80~1.20	0.40~0.60		≦0.25	V≦0.04	≦60	≧295	470~610	A 36-602
					60<t≦80	≧285	470~610	
					>80	≧275	470~610	

Notes : ([1]) Thickness ([2]) Yield strength ([3]) Tensile strength

鑄鍛造品 (鍛鋼品) Steel castings and forgings (Steel forgings)

索引番号 Index No.	規格名 Std.	記号 Designation	化学成分 (%) Chemical composition 鋼材의 두께(1) t (mm)	C	Si	Mn	P	S
N 024	KS	SFVA F 11 A		≦0.20	0.50~1.00	0.30~0.80	≦0.030	≦0.030
	JIS	SFVA F 11 A		≦0.20	0.50~1.00	0.30~0.80	≦0.030	≦0.030
	ASTM	F 11 Class 2		0.10~0.20	0.50~1.00	0.30~0.80	≦0.040	≦0.040
	ASTM	F 11 Class 2		0.10~0.20	0.50~1.00	0.30~0.80	≦0.025	≦0.025
	BS	621-460		≦0.18	0.15~0.40	0.40~0.70	≦0.030	≦0.025
	DIN							
N 025	KS	SFVA F 11 B		≦0.20	0.50~1.00	0.30~0.80	≦0.030	≦0.030
	JIS	SFVA F 11 B		≦0.20	0.50~1.00	0.30~0.80	≦0.030	≦0.030
	ASTM	F 11 Class 3		0.10~0.20	0.50~1.00	0.30~0.80	≦0.025	≦0.025
	ASTM	F 11 Class 3		0.10~0.20	0.50~1.00	0.30~0.80	≦0.040	≦0.040
	BS	620-540		≦0.18	0.15~0.40	0.40~0.70	≦0.030	≦0.025
	DIN							
N 026	KS	SFVA F 22 A		≦0.15	≦0.50	0.30~0.60	≦0.030	≦0.030
	JIS	SFVA F 22 A		≦0.15	≦0.50	0.30~0.60	≦0.030	≦0.030
	ASTM	F 22 Class 1		0.05~0.15	≦0.50	0.30~0.60	≦0.040	≦0.040
	ASTM	F 22 Class 1		0.05~0.15	≦0.50	0.30~0.60	≦0.025	≦0.025
	BS	622-490		≦0.15	0.15~0.40	0.40~0.70	≦0.030	≦0.025
	DIN							
N 027	KS	SFVA F 22 B		≦0.15	≦0.50	0.30~0.60	≦0.030	≦0.030
	JIS	SFVA F 22 B		≦0.15	≦0.50	0.30~0.60	≦0.030	≦0.030
	ASTM	F 22 Class 3		0.05~0.15	≦0.50	0.30~0.60	≦0.040	≦0.040
	ASTM	F 22 Class 3		0.05~0.15	≦0.50	0.30~0.60	≦0.025	≦0.025
	BS	622-560		≦0.15	0.15~0.40	0.40~0.70	≦0.030	≦0.025
	DIN							
	ISO	F 34		≦0.15	0.15~0.40	0.40~0.70	≦0.040	≦0.040
	ISO	F 34 Q		≦0.15	0.15~0.40	0.40~0.70	≦0.400	≦0.040
	NF	10 CD 9.10		≦0.15	≦0.35	0.30~0.60	≦0.020	≦0.015

Index No. N 024~N 027

化 学 成 分 (%) Chemical composition					引 張 試 験 Tensile requirements			規格番号 Std. No.
Cr	Mo	Ni	Cu	others	鋼材의 두께[1] (t)	降伏点[2] (N/㎟)	引張強度[3] (N/㎟)	
1.00~1.50	0.45~0.65					≧275	480~660	D 4123
1.00~1.50	0.45~0.65					≧275	480~660	G 3203
1.00~1.50	0.44~0.65					≧275	≧485	A 182 / A 182 M
1.00~1.50	0.45~0.65					≧275	485~660	A 336 / A 336 M
1.10~1.40	0.45~0.65	≦0.40	≦0.30	Almet≦0.020		≧275	460~610	1503
1.00~1.50	0.45~0.65					≧315	520~690	D 4123
1.00~1.50	0.45~0.65					≧315	520~690	G 3203
1.00~1.50	0.45~0.65					≧310	515~690	A 336 / A 336 M
1.00~1.50	0.44~0.65					≧310	≧515	A 182 / A 182 M
1.10~1.40	0.45~0.65	≦0.40	≦0.30	Almet≦0.020	≦200	≧375	540~690	1503
2.00~2.50	0.90~1.10					≧205	410~590	D 4123
2.00~2.50	0.90~1.10					≧205	410~590	G 3203
2.00~2.50	0.87~1.13					≧205	≧415	A 182 / A 182 M
2.00~2.50	0.90~1.10					≧205	415~485	A 336 / A 336 M
2.00~2.50	0.90~1.20	≦0.40	≦0.30	Almet≦0.020		≧275	490~640	1503
2.00~2.50	0.90~1.10					≧315	520~690	D 4123
2.00~2.50	0.90~1.10					≧315	520~690	G 3203
2.00~2.50	0.87~1.13					≧310	≧515	A 182 / A 182 M
2.00~2.50	0.90~1.10					≧310	515~690	A 336 / A 336 M
2.00~2.50	0.90~1.20	≦0.40	≦0.30	Almet≦0.020		≧370	560~710	1503
2.00~2.50	0.90~1.20			Almet≦0.020		≧275	490~640	2604-1
2.00~2.50	0.90~1.20			Almet≦0.020		≧335	540~690	2604-1
2.0~2.50	0.90~1.10		≦0.25	V≦0.04	≦60	≧310	520~670	A 36-602
					60<t≦80	≧310		
					>80	≧310		

Notes : (1) Thickness (2) Yield strength (3) Tensile strength

鑄鍛造品 (鍛鋼品) Steel castings and forgings (Steel forgings)								
索引番号 Index No.	規格名 Std.	記号 Designation	化 学 成 分 (%) Chemical composition					
			鋼材의 두께([1]) t (mm)	C	Si	Mn	P	S
N 028	KS	SFVA F 21 A		≦0.15	≦0.50	0.30~0.60	≦0.030	≦0.030
	JIS	SFVA F 21 A		≦0.15	≦0.50	0.30~0.60	≦0.030	≦0.030
	ASTM	F 21 Class 1		0.05~0.15	≦0.50	0.30~0.60	≦0.025	≦0.025
	BS							
	DIN							
N 029	KS	SFVA F 21 B		≦0.15	≦0.50	0.30~0.60	≦0.030	≦0.030
	JIS	SFVA F 21 B		≦0.15	≦0.50	0.30~0.60	≦0.030	≦0.030
	ASTM	F 21		0.05~0.15	≦0.50	0.30~0.60	≦0.040	≦0.040
	ASTM	F 21 Class 3		0.05~0.15	≦0.50	0.30~0.60	≦0.025	≦0.025
	BS							
	DIN							
N 030	KS	SFVA F 5 A		≦0.15	≦0.50	0.30~0.60	≦0.030	≦0.030
	JIS	SFVA F 5 A		≦0.15	≦0.50	0.30~0.60	≦0.030	≦0.030
	ASTM	F 5		≦0.15	≦0.50	0.30~0.60	≦0.025	≦0.025
	BS							
	DIN							
	ISO	F 37		≦0.18	0.15~0.40	0.30~0.80	≦0.040	≦0.040
M 031	KS	SFVA F 5 B		≦0.15	≦0.50	0.30~0.60	≦0.030	≦0.030
	JIS	SFVA F 5 B		≦0.15	≦0.50	0.30~0.60	≦0.030	≦0.030
	ASTM	F 5		≦0.15	≦0.50	0.30~0.60	≦0.030	≦0.030
	BS	625-520		≦0.15	0.15~0.40	0.30~0.80	≦0.030	≦0.025
	DIN							
	NF	Z 10 CD 5.05 Class 1		≦0.15	≦0.50	0.30~0.60	≦0.020	≦0.015
N 032	KS	SFVA F 5 C		≦0.25	≦0.50	0.30~0.60	≦0.030	≦0.030
	JIS	SFVA F 5 C		≦0.25	≦0.50	0.30~0.60	≦0.030	≦0.030
	ASTM	F 5 A		≦0.25	≦0.50	≦0.60	≦0.025	≦0.025
	BS	625-590		≦0.18	0.15~0.40	0.30~0.80	≦0.030	≦0.025
	DIN							
	NF	Z 10 CD 5.05 Class 2		≦0.15	≦0.50	0.30~0.60	≦0.020	≦0.015

Index No. N 028~N 032

化学成分 (%) Chemical composition					引張試験 Tensile requirements			規格番号 Std. No.
Cr	Mo	Ni	Cu	others	鋼材의 두께([1]) (t)	降伏点([2]) (N/㎟)	引張强度([3]) (N/㎟)	
2.65~3.35	0.80~1.00					≧205	410~590	D 4123
2.65~3.35	0.80~1.00					≧205	410~590	G 3203
2.7~3.3	0.80~1.06					≧205	415~585	A 336 / A 336 M
2.65~3.35	0.80~1.00					≧315	520~690	D 4123
2.65~3.35	0.80~1.00					≧315	520~690	G 3203
2.7~3.3	0.80~1.06					≧310	≧515	A 182 / A 182 M
2.7~3.3	0.80~1.06					≧310	515~690	A 336 / A 336 M
4.00~6.00	0.45~0.65					≧245	410~590	D 4123
4.00~6.00	0.45~0.65					≧245	410~590	G 3203
4.0~6.0	0.45~0.65	≦0.50				≧250	415~585	A 336 / A 336 M
4.00~6.00	0.45~0.65			Almet≦0.020		≧205	410~510	2604-1
4.00~6.00	0.45~0.65					≧275	480~660	D 4123
4.00~6.00	0.45~0.65					≧275	480~660	G 3203
4.0~6.0	0.44~0.65	≦0.50				≧275	≧485	A 182 / A 182 M
4.00~6.00	0.45~0.65	≦0.40	≦0.30	Almet≦0.020		≧365	520~670	1503
4.0~6.0	0.45~0.65	≦0.30	≦0.25	V≦0.04		≧310	520~670	A 36-602
4.00~6.00	0.45~0.65					≧345	550~730	D 4123
4.00~6.00	0.45~0.65					≧345	550~730	G 3203
4.0~6.0	0.45~0.65	≦0.50				≧345	550~725	A 336 / A 336 M
4.00~6.00	0.45~0.65	≦0.40	≦0.30	Almet≦0.020		≧450	590~740	1503
4.0~6.0	0.45~0.65	≦0.30	≦0.25	≦0.04		≧450	590~740	A 35-602

Notes : ([1]) Thickness ([2]) Yield strength ([3]) Tensile strength

鑄鍛造品 (鍛鋼品) Steel castings and forgings (Steel forgings)

索引番号 Index No.	規格名 Std.	記号 Designation	化 学 成 分 (%) Chemical composition					
			鋼材의 두께([1]) t (mm)	C	Si	Mn	P	S
N 033	KS	SFVA F 5 D		≦0.25	≦0.50	0.30～0.60	≦0.030	≦0.030
	JIS	SFVA F 5 D		≦0.25	≦0.50	0.30～0.60	≦0.030	≦0.030
	ASTM	F 5 a		≦0.25	≦0.50	≦0.60	≦0.040	≦0.030
	BS	625-590		≦0.18	0.15～0.40	0.30～0.80	≦0.030	≦0.025
	DIN							
	NF	Z 10 CD 5.05 Class 2		≦0.15	≦0.50	0.30～0.60	≦0.020	≦0.015
N 034	KS	SFVA F 9		≦0.15	0.50～1.00	0.30～0.60	≦0.030	≦0.030
	JIS	SFVA F 9		≦0.15	0.50～1.00	0.30～0.60	≦0.030	≦0.030
	ASTM	F 9		≦0.15	0.50～1.00	0.30～0.60	≦0.030	≦0.030
	ASTM	F 9		≦0.15	0.50～1.00	0.30～0.60	≦0.025	≦0.025
	BS							
	DIN							
N 035	KS	SFVCM F 22 B		≦0.17	≦0.50	0.30～0.60	≦0.015	≦0.015
	JIS	SFVCM F 22 B		≦0.17	≦0.50	0.30～0.60	≦0.015	≦0.015
	ASTM	Grade 22 Class 3		0.11～0.15	≦0.50	0.30～0.60	≦0.015	≦0.015
	ASTM	Grade 22 Class 3		0.11～0.15	≦0.50	0.30～0.60	≦0.015	≦0.015
N 036	KS	SFVCM F 22 V		≦0.17	≦0.10	0.30～0.60	≦0.015	≦0.010
	JIS	SFVCM F 22 V		≦0.17	≦0.10	0.30～0.60	≦0.015	≦0.010
	ASTM	F 22 V		0.11～0.15	≦0.10	0.30～0.60	≦0.015	≦0.010
	ASTM	Grade 22 V		0.11～0.15	≦0.10	0.30～0.60	≦0.015	≦0.010
N 037	KS	SFVCM F 3 V		≦0.17	≦0.10	0.30～0.60	≦0.015	≦0.010
	JIS	SFVCM F 3 V		≦0.17	≦0.10	0.30～0.60	≦0.015	≦0.010
	ASTM	F 3 V		0.05～0.18	≦0.10	0.30～0.60	≦0.020	≦0.020

Index No. N 033~N 037

化 学 成 分 (%) Chemical composition					引 張 試 驗 Tensile requirements			規格番号 Std. No.
Cr	Mo	Ni	Cu	others	鋼材의 두께[1] (t)	降伏点[2] (N/㎟)	引張強度[3] (N/㎟)	
4.00~6.00	0.45~0.65					≧450	620~780	D 4123
4.00~6.00	0.45~0.65					≧450	620~780	G 3203
4.0~6.0	0.44~0.65	≦0.50				≧450	≧620	A 182/A 182 M
4.00~6.00	0.45~0.65	≦0.40	≦0.30	Almet≦0.020		≧450	590~740	1503
4.0~6.0	0.45~0.65	≦0.30	≦0.25	V≦0.04		≧390	590~740	A 36-602
8.00~10.00	0.90~1.10					≧380	590~760	D 4123
8.00~10.00	0.90~1.10					≧380	590~760	G 3203
8.0~10.0	0.90~1.10					≧380	≧585	A 182/A 182 M
8.0~10.0	0.90~1.10					≧380	585~760	A 336/A 336 M
2.00~2.50	0.90~1.10			V≦0.03		≧380	580~760	D 4129
2.00~2.50	0.90~1.10			V≦0.03		≧380	580~760	G 3206
2.00~2.50	0.90~1.10	≦0.25		V≦0.02		≧380	585~760	A 508/A 508 M
2.00~2.50	0.90~1.10	≦0.25	≦0.20	V≦0.02		≧380	585~760	A 541/A 541 M
2.00~2.50	0.90~1.10			V 0.25~0.35		≧415	580~760	D 4129
2.00~2.50	0.90~1.10			V 0.25~0.35		≧415	580~760	G 3206
2.00~2.50	0.90~1.10	≦0.25	≦0.20	V 0.25~0.35 Nb≦0.07		≧415	580~760	A 336/A 336 M
				Ti≦0.030 B≦0.0020				
				Ca≦0.015				
2.00~2.50	0.90~1.10	≦0.25	≦0.20	V 0.25~0.35 Nb≦0.07		≧415	585~760	A 541/A 541 M
				Ti≦0.030 B≦0.0020				
				Ca≦0.015				
2.75~3.25	0.90~1.10			V 0.20~0.30		≧415	580~760	D 4129
2.75~3.25	0.90~1.10			V 0.20~0.30		≧415	580~760	G 3206
2.8~3.2	0.90~1.10			V 0.20~0.30 Ti 0.015~0.035		≧415	585~760	A 182/A 182 M
				B 0.001~0.003				

Notes : [1] Thickness [2] Yield strength [3] Tensile strength

鑄鍛造品 (鍛鋼品) Steel castings and forgings (Steel forgings)								
索引番号 Index No.	規格名 Std.	記号 Designation	化 学 成 分 (%) Chemical composition					
			鋼材의 두께(1) t (㎜)	C	Si	Mn	P	S
N 037(계속)	ASTM	F 3 V		0.10~0.15	≦0.10	0.30~0.60	≦0.020	≦0.020
	ASTM	Grade 3 V		0.10~0.15	≦0.10	0.30~0.60	≦0.020	≦0.020
	ASTM	Grade 3 V		0.10~0.15	≦0.10	0.30~0.60	≦0.020	≦0.020
N 038	KS	STS F 304 L		≦0.030	≦1.00	≦2.00	≦0.040	≦0.030
	JIS	SUS F 304 L		≦0.030	≦1.00	≦2.00	≦0.040	≦0.030
	ASTM	F 304 L		≦0.035	≦1.00	≦2.00	≦0.040	≦0.030
	ASTM	F 304 L		≦0.035	≦1.00	≦2.00	≦0.040	≦0.030
	BS	304 S 11		≦0.03	≦1.00	≦2.00	≦0.040	≦0.025
	DIN							
	ISO	F 46		≦0.03	≦1.00	≦2.00	≦0.045	≦0.030
	NF	Z 2 CN 18-10		≦0.030	≦1.00	≦2.00	≦0.040	≦0.030
N 039	KS	STS F 316 L		≦0.030	≦1.00	≦2.00	≦0.040	≦0.030
	JIS	SUS F 316 L		≦0.030	≦1.00	≦2.00	≦0.040	≦0.030
	ASTM	F 316 L		≦0.035	≦1.00	≦2.00	≦0.040	≦0.030
	ASTM	F 316 L		≦0.035	≦1.00	≦2.00	≦0.040	≦0.030
	BS	316 S 11		≦0.03	≦1.00	≦2.00	≦0.040	≦0.025
	BS	316 S 13		≦0.03	≦1.00	≦2.00	≦0.040	≦0.025
	DIN							
	ISO	F 59		≦0.03	≦1.00	≦2.00	≦0.045	≦0.030
	NF	Z2CND17-12		≦0.030	≦1.0	≦2.0	≦0.040	≦0.030

Index No. N 037~N 039

化学成分 (%) Chemical composition					引張試験 Tensile requirements			規格番号 Std. No.
Cr	Mo	Ni	Cu	others	鋼材의 두께[1] (t)	降伏点[2] (N/㎟)	引張强度[3] (N/㎟)	
2.7~3.3	0.90~1.10			V0.20~0.30 Ti0.015~0.035		≧415	585~760	A 336/A 336 M
				B0.001~0.003				
2.7~3.3	0.90~1.10			V0.20~0.30 Ti0.015~0.035		≧415	585~760	A 508/A 508 M
				B0.001~0.003				
2.8~3.3	0.90~1.10			V0.20~0.30 Ti0.015~0.035		≧415	585~760	A 541/A 541 M
				B0.01~0.003				
18.00~20.00		9.00~13.00			<130	≧175	≧480	D 4115
					130≦t<200	≧175	≧450	
18.00~20.00		9.00~13.00			<130	≧175	≧480	G 3214
					130≦t<200	≧175	≧450	
18.0~20.0		8.0~13.0			≦130	≧170	≧485	A 182/A 182 M
					>130	>170	≧450	
18.0~20.0		8.0~13.0				≧170	≧450	A 336/A 336 M
17.00~19.00	≦0.70	9.00~12.00	≦0.50	B≦0.005 Ti≦0.10 Nb≦0.20		≧215	480~680	1503
17.00~19.00		8.00~12.00				≧175	440~640	2604-1
17~20	≦0.50	9~12			≦150	≧175	490~690	A 36-607
					>150	≧175	450~650	
16.00~18.00	2.00~3.00	12.00~15.00			<130	≧175	≧480	D 4115
					130≦t<200	≧175	≧450	
16.00~18.00	2.00~3.00	12.00~15.00			<130	≧175	≧480	G 3214
					130≦t<200	≧175	≧450	
16.00~18.00	2.00~3.00	10.00~15.00			≦130	≧170	≧485	A 182/A 182 M
					>130	≧170	≧450	
16.0~18.0	2.00~3.00	10.0~15.0				≧170	≧450	A 336/A 336 M
16.50~18.50	2.00~2.50	11.00~14.00	≦0.70	B≦0.005 Ti≦0.10 Nb≦0.20		≧225	490~690	1503
16.50~18.50	2.50~3.00	11.50~14.50	≦0.70	B≦0.005 Ti≦0.10 Nb≦0.20		≧225	490~690	1503
16.00~18.00	2.00~3.00	11.00~15.00				≧185	440~640	2604-1
16~18	2.00~2.50	10.5~13			≦150	≧175	490~690	A 36-607
					>150	≧175	450~650	

Notes : (1) Thickness (2) Yield strength (3) Tensile strength

鑄鍛造品 (鍛鋼品) Steel castings and forgings (Steel forgings)								
索引番号 Index No.	規格名 Std.	記号 Designation	化 学 成 分 (%) Chemical composition					
			鋼材의 두께[1] t (mm)	C	Si	Mn	P	S
N 039(계속)	NF	Z2CND18-13		≦0.030	≦1.0	≦2.0	≦0.040	≦0.030
N 040	KS	STS F 304		≦0.08	≦1.00	≦2.00	≦0.040	≦0.030
	JIS	SUS F 304		≦0.08	≦1.00	≦2.00	≦0.040	≦0.030
	ASTM	F 304		≦0.08	≦1.00	≦2.00	≦0.040	≦0.030
	ASTM	F 304		≦0.08	≦1.00	≦2.00	≦0.040	≦0.030
	BS	304 S 31		≦0.07	≦1.00	≦2.00	≦0.040	≦0.025
	DIN							
	ISO	F 47		≦0.07	≦1.00	≦2.00	≦0.045	≦0.030
	NF	Z 6 CN 18-09		≦0.08	≦1.0	≦2.0	≦0.040	≦0.030
N 041	KS	STS F 304 H		0.04～0.10	≦1.00	≦2.00	≦0.040	≦0.030
	JIS	SUS F 304 H		0.04～0.10	≦1.00	≦2.00	≦0.040	≦0.030
	ASTM	F 304 H		0.04～0.10	≦1.00	≦2.00	≦0.040	≦0.030
	ASTM	F 304 H		0.04～0.10	≦1.00	≦2.00	≦0.045	≦0.030
	BS	304 S 51		0.04～0.10	≦1.00	≦2.00	≦0.040	≦0.025
	DIN							
	ISO	F 48		0.04～0.09	≦1.00	≦2.00	≦0.045	≦0.030
N 042	KS	STS F 310		≦0.15	≦1.00	≦2.00	≦0.040	≦0.030
	JIS	SUS F 310		≦0.15	≦1.00	≦2.00	≦0.040	≦0.030
	ASTM	F 310		≦0.25	≦1.00	≦2.00	≦0.040	≦0.030

Index No. N 039~N 042

化学成分 (%) Chemical composition					引張試験 Tensile requirements			規格番号 Std. No.
Cr	Mo	Ni	Cu	others	鋼材의 두께[1] (t)	降伏点[2] (N/㎟)	引張强度[3] (N/㎟)	
16~19	2.25~2.75	11~14			≦150	≧175	490~730	A 36-607
					>150	≧175	450~690	
18.00~20.00		8.00~11.00			<130	≧205	≧520	D 4115
					130≦t<200	≧205	≧480	
18.00~20.00		8.00~11.00			<130	≧205	≧520	G 3214
					130≦t<200	≧205	≧480	
18.0~20.0		8.0~11.0			≦130	≧205	≧515	A 182/A 182 M
					>130	≧205	≧485	
18.0~20.0		8.0~11.0				≧205	≧485	A 336/A 336 M
17.00~19.00	≦0.70	8.00~11.00	≦0.50	B≦0.005 Ti≦0.10 Nb≦0.20		≧230	490~690	1503
17.0~19.00		8.00~12.00				≧195	490~690	2604-1
17~20	≦0.50	8~11			≦150	≧210	520~720	A 36-607
					>150	≧210	485~585	
18.00~20.00		8.00~11.00			<130	≧205	≧520	D 4115
					130≦t<200	≧205	≧480	
18.00~20.00		8.00~11.00			<130	≧205	≧520	G 3214
					130≦t<200	≧205	≧480	
18.0~20.0		8.0~11.0			≦130	≧205	≧515	A 182/A 182 M
					>130	≧205	≧485	
19.0~20.0		8.0~12.0				≧205	≧485	A 336/A 336 M
17.00~19.00	≦0.70	8.00~11.00	≦0.50	B≦0.005 Ti≦0.10 Nb≦0.20		≧230	490~690	1503
17.00~19.00		8.00~12.00				≧195	490~690	2604-1
24.00~26.00		19.00~22.00			<130	≧205	≧520	D 4115
					130≦t<200	≧205	≧480	
24.00~26.00		19.00~22.00			<130	≧205	≧520	G 3214
					130≦t<200	≧205	≧480	
24.0~26.0		19.0~22.0			≦130	≧205	≧515	A 182/A 182 M
					>130	≧205	≧485	

Notes : (1) Thickness (2) Yield strength (3) Tensile strength

鑄鍛造品 (鍛鋼品) Steel castings and forgings (Steel forgings)

索引番号 Index No.	規格名 Std.	記号 Designation	化 学 成 分 (%) Chemical composition					
			鋼材의 두께([1]) t (㎜)	C	Si	Mn	P	S
N 042(계속)	ASTM	F 310		≦0.15	≦1.00	≦2.00	≦0.040	≦0.030
	BS	310-S 31		≦0.15	≦1.50	≦2.00	≦0.040	≦0.025
	ISO	F 68		≦0.15	≦1.50	≦2.00	≦0.045	≦0.030
N 043	KS	STS F 316		≦0.08	≦1.00	≦2.00	≦0.040	≦0.030
	JIS	SUS F 316		≦0.08	≦1.00	≦2.00	≦0.040	≦0.030
	ASTM	F 316		≦0.08	≦1.00	≦2.00	≦0.040	≦0.030
	ASTM	F 316		≦0.08	≦1.00	≦2.00	≦0.040	≦0.030
	BS	316-S 31		≦0.07	≦1.00	≦2.00	≦0.040	≦0.025
	BS	316-S 33		≦0.07	≦1.00	≦2.00	≦0.040	≦0.025
	ISO	F 62		≦0.07	≦1.00	≦2.00	≦0.045	≦0.030
	NF	Z6CND18-11		≦0.070	≦1.0	≦2.0	≦0.040	≦0.030
	NF	Z6CND18-13		≦0.070	≦1.0	≦2.0	≦0.040	≦0.030
N 044	KS	STS F 316 H		0.04~0.10	≦1.00	≦2.00	≦0.040	≦0.030
	JIS	SUS F 316 H		0.04~0.10	≦1.00	≦2.00	≦0.040	≦0.030
	ASTM	F 316 H		0.04~0.10	≦1.00	≦2.00	≦0.045	≦0.030
	ASTM	F 316 H		0.04~0.10	≦1.00	≦2.00	≦0.045	≦0.030
	BS	316-S 51		0.04~0.10	≦1.00	≦2.00	≦0.040	≦0.025
	DIN							
	ISO	F 64		0.04~0.09	≦1.00	≦2.00	≦0.045	≦0.030

Index No. N 042～N 044

化 学 成 分 (%) Chemical composition					引 張 試 験 Tensile requirements			規格番号 Std. No.
Cr	Mo	Ni	Cu	others	鋼材의 두께(1) (t)	降伏点(2) (N/㎟)	引張强度(3) (N/㎟)	
24.0～26.0		19.0～22.0				≧240	≧515	A 336/A 336 M
24.00～26.00	≦0.70	19.00～22.00	≦0.50	B≦0.005 Ti≦0.10 Nb≦0.20		≧205	510～710	1503
24.00～26.00		19.00～23.00					490～690	2604-1
16.00～18.00	2.00～3.00	10.00～14.00			<130	≧205	≧520	D 4115
					130≦t<200	≧205	≧480	
16.00～18.00	2.00～3.00	10.00～14.00			<130	≧205	≧520	G 3214
					130≦t<200	≧205	≧480	
16.0～18.0	2.00～3.00	10.0～14.0			≦130	≧205	≧515	A 182/A 182 M
					>130	≧205	≧485	
16.0～18.0	2.00～3.00	10.0～14.0				≧205	≧485	A 336/A 336 M
16.50～18.50	2.00～2.50	10.50～13.50	≦0.70	B≦0.005 Ti≦0.10 Nb≦0.20		≧240	510～710	1503
16.50～18.50	2.50～3.00	11.00～14.00	≦0.70	B≦0.005 Ti≦0.10 Nb≦0.20		≧240	510～710	1503
16.00～18.00	2.00～3.00	10.00～14.00				≧205	490～690	2604-1
16～18	2.00～2.50	10～12.5			≦150	≧210	520～720	A 36-607
					>150	≧210	485～685	
16～19	2.25～2.75	11～14			≦150	≧210	520～720	A 36-607
					>150	≧210	485～685	
16.00～18.00	2.00～3.00	10.00～14.00			<130	≧205	≧520	D 4115
					130≦t<200	≧205	≧480	
16.00～18.00	2.00～3.00	10.00～14.00			<130	≧205	≧520	G 3214
					130≦t<200	≧205	≧480	
16.0～18.0	2.00～3.00	10.0～14.0			≦130	≧205	≧515	A 182/A 182 M
					>130	≧205	≧485	
16.0～18.0	2.00～3.00	10.0～14.0				≧205	≧485	A 336/A 336 M
16.50～18.50	2.00～2.50	10.50～13.50	≦0.70	B≦0.005 Ti≦0.10 Nb≦0.20		≧240	510～710	1503
16.00～17.50	2.00～3.00	10.00～14.00				≧205	490～690	2604-1

Notes : (1) Thickness (2) Yield strength (3) Tensile strength

鑄鍛造品 (鍛鋼品) Steel castings and forgings (Steel forgings)

索引番号 Index No.	規格名 Std.	記号 Designation	化 学 成 分 (%) Chemical composition					
			鋼材의 두께([1]) t (mm)	C	Si	Mn	P	S
N 045	KS	STS F 321		≦0.08	≦1.00	≦2.00	≦0.040	≦0.030
	JIS	SUS F 321		≦0.08	≦1.00	≦2.00	≦0.040	≦0.030
	ASTM	F 321		≦0.08	≦1.00	≦2.00	≦0.045	≦0.030
	ASTM	F 321		≦0.08	≦0.85	≦2.50	≦0.035	≦0.030
	BS	321-S 31		≦0.08	≦1.00	≦2.00	≦0.040	≦0.025
	DIN							
	ISO	F 53		≦0.08	≦1.00	≦2.00	≦0.045	≦0.030
	NF	Z6CNT18-10		≦0.08	≦1.0	≦2.0	≦0.040	≦0.030
N 046	KS	STS F 321 H		0.04~0.10	≦1.00	≦2.00	≦0.040	≦0.030
	JIS	SUS F 321 H		0.04~0.10	≦1.00	≦2.00	≦0.040	≦0.030
	ASTM	F 321 H		0.04~0.10	≦1.00	≦2.00	≦0.045	≦0.030
	ASTM	F 321 H		0.04~0.10	≦1.00	≦2.00	≦0.040	≦0.030
	BS	321 S 51-510		0.04~0.10	≦1.00	≦2.00	≦0.040	≦0.025
	DIN							
	ISO	F 54 B		0.04~0.10	≦1.00	≦2.00	≦0.045	≦0.030
N 047	KS	STS F 347		≦0.08	≦1.00	≦2.00	≦0.040	≦0.030
	JIS	SUS F 347		≦0.08	≦1.00	≦2.00	≦0.040	≦0.030
	ASTM	F 347		≦0.08	≦1.00	≦2.00	≦0.040	≦0.030
	ASTM	F 347		≦0.08	≦0.85	≦2.00	≦0.040	≦0.030
	BS	347-S 31		≦0.08	≦1.00	≦2.00	≦0.040	≦0.025
	DIN							

Index No. N 045～N 047

化 学 成 分 (%) Chemical composition					引 張 試 験 Tensile requirements			規格番号 Std. No.
Cr	Mo	Ni	Cu	others	鋼材의 두께[1] (t)	降伏点[2] (N/㎟)	引張强度[3] (N/㎟)	
17.00～19.00		9.00～12.00		Ti5×C%～0.60	<130	≧205	≧520	D 4115
					130≦t<200	≧205	≧480	
17.00～19.00		9.00～12.00		Ti5×C%～0.60	<130	≧205	≧520	G 3214
					130≦t<200	≧205	≧480	
≧17.0		9.0～12.0		Ti5×C% ～0.70%	≦130	≧205	≧515	A 182/A 182 M
					>130	≧205	≧485	
≧17.0		≧9.0		Ti 5×C%～0.60		≧205	≧485	A 336/A 336 M
17.00～19.00	≦0.70	9.00～12.00	≦0.50	B≦0.005 Ti5×C%～0.80		≧235	510～710	1503
17.00～19.00		9.00～13.00		Ti 5×C%～0.80		≧195	490～690	2604-1
17～20	≦0.50	9～12		Ti 5×C%～0.60	≦150	≧220	525～710	A 36-607
					>150	≧220	490～690	
≧17.00		9.00～12.00		Ti 4×C%～0.60	<130	≧205	≧520	D 4115
					130≦t<200	≧205	≧480	
≧17.00		9.00～12.00		Ti 4×C%～0.60	<130	≧205	≧520	G 3214
					130≦t<200	≧205	≧480	
≧17.0		9.0～12.0		Ti 4×C%～0.70	≦130	≧205	≧515	A 182/A 182 M
					>130	≧205	≧485	
≧17.0		9.0～12.0		Ti 4×C%～0.60		≧205	≧485	A 336/A 336 M
17.00～19.00	≦0.70	9.00～12.00	≦0.50	B≦0.005 Ti5×C%～0.80		≧235	510～710	1503
17.00～19.00		9.00～13.00		Ti 5×C%～0.80		≧195	510～710	2604-1
17.00～20.00		9.00～13.00		Nb 10×C%～1.00	<130	≧205	≧520	D 4115
					130≦t<200	≧205	≧480	
17.00～20.00		9.00～13.00		Nb 10×C%～1.00	<130	≧205	≧520	G 3214
					130≦t<200	≧205	≧480	
17.0～20.0		9.0～13.0		Nb+Ta 10×C%～1.10	≦130	≧205	≧515	A 182/A 182 M
					>130	≧205	≧485	
17.0～19.0		9.0～12.0		Nb+Ta 10×C%～1.00		≧205	≧485	A 336/A 336 M
17.00～19.00	≦0.70	9.00～12.00	≦0.50	B≦0.005 Nb10×C%～1.00		≧240	510～710	1503

Notes : [1] Thickness [2] Yield strength [3] Tensile strength

鑄鍛造品 (鍛鋼品) Steel castings and forgings (Steel forgings)

索引番号 Index No.	規格名 Std.	記号 Designation	化学成分 (%) Chemical composition					
			鋼材의 두께[1] t (mm)	C	Si	Mn	P	S
N 047(계속)	SIO	F 50		≦0.08	≦1.00	≦2.00	≦0.045	≦0.030
	NF	Z6CNNb18-10		≦0.08	≦1.0	≦2.0	≦0.040	≦0.030
N 048	KS	STS F 347 H		0.04~0.10	≦1.00	≦2.00	≦0.040	≦0.030
	JIS	SUS F 347 H		0.04~0.10	≦1.00	≦2.00	≦0.040	≦0.030
	ASTM	F 347 H		0.04~0.10	≦1.00	≦2.00	≦0.045	≦0.030
	ASTM	F 347 H		0.04~0.10	≦1.00	≦2.00	≦0.040	≦0.030
	BS	347-S 51		0.04~0.10	≦1.00	≦2.00	≦0.040	≦0.025
	DIN							
	ISO	F 51		0.04~0.10	≦1.00	≦2.00	≦0.045	≦0.030
N 049	KS	SFCM 590 S		≦0.48	0.15~0.35	0.30~0.85	≦0.030	≦0.030
	JIS	SFCM 590 S		≦0.48	0.15~0.35	0.30~0.85	≦0.030	≦0.030
	ASTM	Class G					≦0.040	≦0.040
N 050	KS	SFCM 640 S		≦0.48	0.15~0.35	0.30~0.85	≦0.030	≦0.030
	JIS	SFCM 640 S		≦0.48	0.15~0.35	0.30~0.85	≦0.030	≦0.030
	ASTM	Class H					≦0.040	≦0.040

Index No. N 047~N 050

化学成分 (%) Chemical composition					引張試験 Tensile requirements			規格番号 Std. No.
Cr	Mo	Ni	Cu	others	鋼材의 두께(1) (t)	降伏点(2) (N/㎟)	引張强度(3) (N/㎟)	
17.00~19.00		9.00~13.00		Nb 10×C%~1.00		≧205	490~690	2604-1
17~20	≦0.50	9~12		Nb+Ta 10×C%~1.0	≦150	≧220	525~710	A 36-607
					>150	≧220	490~690	
17.00~20.00		9.00~13.00		Nb 8×C%~1.00	<130	≧205	≧520	D 4115
					130≦t<200	≧205	≧480	
17.00~20.00		9.00~13.00		Nb 8×C%~1.00	<130	≧205	≧520	G 3214
					130≦t<200	≧205	≧480	
17.0~20.0		9.0~13.0		Nb 8×C%~1.10	≦130	≧205	≧515	A 182/A 182 M
					>130	≧205	≧485	
17.0~20.0		9.0~13.0		Nb+Ta 8×C%~1.00		≧205	≧485	A 336/A 336 M
17.00~19.00	≦0.70	9.00~12.00	≦0.50	B≦0.005 Nb10×C%~1.00		≧240	510~710	1503
17.00~19.00		9.00~13.00		Nb 10×C%~1.00		≧205	490~690	2604-1
0.90~1.50	0.15~0.30				<200	≧360	590~740	D 4114
					200≦t<400	≧360	590~740	
					400≦t<700	≧360	590~740	
0.90~1.50	0.15~0.30				<200	≧360	590~740	G 3221
					200≦t<400	≧360	590~740	
					400≦t<700	≧360	590~740	
					≦305	≧345	≧550	A 668/A 668 M
					305<t≦508	≧345	≧550	
0.90~1.50	0.15~0.30				<200	≧410	640~780	D 4114
					200≦t<400	≧410	640~780	
					400≦t<700	≧410	640~780	
0.90~1.50	0.15~0.30				<200	≧410	640~780	G 3221
					200≦t<400	≧410	640~780	
					400≦t<700	≧410	640~780	
					≦178	≧415	≧620	A 668/A 668 M
					178<t≦254	≧400	≧620	
					254<t≦508	≧400	≧620	

Notes : (1) Thickness (2) Yield strength (3) Tensile strength

鑄鍛造品 (鍛鋼品) Steel castings and forgings (Steel forgings)								
索引番号 Index No.	規格名 Std.	記号 Designation	化 学 成 分 (%) Chemical composition					
			鋼材의 두께(1) t (㎜)	C	Si	Mn	P	S
N 050(계속)	ASTM	Class J					≦0.040	≦0.040
N 051	KS	SFCM 690 S		≦0.48	0.15～0.35	0.30～0.85	≦0.030	≦0.030
	JIS	SFCM 690 S		≦0.48	0.15～0.35	0.30～0.85	≦0.030	≦0.030
	ASTM	Class K					≦0.040	≦0.040
	BS	771 M 40		0.36～0.44	0.10～0.35	0.60～1.00	≦0.040	≦0.040
N 052	KS	SFCM 740 S		≦0.48	0.15～0.35	0.30～0.85	≦0.030	≦0.030
	JIS	SFCM 740 S		≦0.48	0.15～0.35	0.30～0.85	≦0.030	≦0.030
	ASTM	Class K					≦0.040	≦0.040
	BS	771 M 40		0.36～0.44	0.10～0.35	0.60～1.00	≦0.040	≦0.040
N 053	KS	SFCM 780 S		≦0.48	0.15～0.35	0.30～0.85	≦0.030	≦0.030
	JIS	SFCM 780 S		≦0.48	0.15～0.35	0.30～0.85	≦0.030	≦0.030

Index No. N 050~N 053

化学成分 (%) Chemical composition					引張試験 Tensile requirements			規格番号 Std. No.
Cr	Mo	Ni	Cu	others	鋼材의 두께(1) (t)	降伏点(2) (N/㎟)	引張强度(3) (N/㎟)	
					≦178	≧485	≧655	A 668/ A 668 M
					178<t≦254	≧450	≧620	
					254<t≦508	≧450	≧620	
0.90~1.50	0.15~0.30				<200	≧460	690~830	D 4114
					200≦t<400	≧450	690~830	
					400≦t<700	≧450	690~830	
0.90~1.50	0.15~0.30				<200	≧460	690~830	G 3221
					200≦t<400	≧450	690~830	
					400≦t<700	≧450	690~830	
					≦178	≧550	≧725	A 668/A 668 M
					178<t≦254	≧515	≧690	
					254<t≦508	≧515	≧690	
0.90~1.50	0.25~0.40	≦0.40			≦500	≧500	700~850	4670
0.90~1.50	0.15~0.30				<200	≧510	740~880	D 4114
					200≦t<400	≧500	740~880	
					400≦t<700	≧490	740~880	
0.90~1.50	0.15~0.30				<200	≧510	740~880	G 3221
					200≦t<400	≧500	740~880	
					400≦t<700	≧490	740~880	
					≦178	≧550	≧725	A 668/A 668 M
					178<t≦254	≧515	≧690	
					254<t≦508	≧515	≧690	
0.90~1.50	0.25~0.40	≦0.40			≦250	≧550	750~900	4670
0.90~1.50	0.15~0.30				<200	≧560	780~930	D 4114
					200≦t<400	≧550	780~930	
					400≦t<700	≧540	780~930	
0.90~1.50	0.15~0.30				<200	≧560	780~930	G 3221
					200≦t<400	≧550	780~930	
					400≦t<700	≧540	780~930	

Notes : (1) Thickness (2) Yield strength (3) Tensile strength

鑄鍛造品 (鍛鋼品) Steel castings and forgings (Steel forgings)

索引番号 Index No.	規格名 Std.	記号 Designation	化 学 成 分 (%) Chemical composition					
			鋼材의 두께([1]) t (㎜)	C	Si	Mn	P	S
N 053(계속)	ASTM	Class L					≦0.040	≦0.040
	BS	771 M 40		0.36～0.44	0.10～0.35	0.60～1.00	≦0.040	≦0.040
N 054	KS	SFCM 830 S		≦0.48	0.15～0.35	0.30～0.85	≦0.030	≦0.030
	JIS	SFCM 830 S		≦0.48	0.15～0.35	0.30～0.85	≦0.030	≦0.030
	ASTM	Class L					≦0.040	≦0.040
	BS	771 M 40		0.36～0.44	0.10～0.35	0.60～1.00	≦0.040	≦0.040
N 055	KS	SFCM 880 S		≦0.48	0.15～0.35	0.30～0.85	≦0.030	≦0.030
	JIS	SFCM 880 S		≦0.48	0.15～0.35	0.30～0.85	≦0.030	≦0.030
	ASTM	Class L					≦0.040	≦0.040
N 056	KS	SFCM 930 S		≦0.48	0.15～0.35	0.30～0.85	≦0.030	≦0.030
	JIS	SFCM 930 S		≦0.48	0.15～0.35	0.30～0.85	≦0.030	≦0.030

Index No. N 053~N 056

化 学 成 分 (%) Chemical composition					引 張 試 験 Tensile requirements			規格番号 Std. No.
Cr	Mo	Ni	Cu	others	鋼材의 두께([1]) (t)	降伏点([2]) (N/㎟)	引張强度([3]) (N/㎟)	
					≦102	≧725	≧860	A 668/A 668 M
					102<t≦178	≧655	≧795	
					178<t≦254	≧585	≧760	
					254<t≦508	≧585	≧760	
0.90~1.50	0.25~0.40	≦0.40			≦250	≧550	750~900	4670
0.90~1.50	0.15~0.30				<200	≧610	830~980	D 4114
					200≦t<400	≧590	830~980	
					400≦t<700	≧580	830~980	
0.90~1.50	0.15~0.30				<200	≧610	830~980	G 3221
					200≦t<400	≧590	830~980	
					400≦t<700	≧580	830~980	
					≦102	≧725	≧860	A 668/A 668 M
					102<t≦178	≧655	≧795	
					178<t≦254	≧585	≧760	
					254<t≦508	≧585	≧760	
0.95~1.50	0.25~0.40	≦0.40			≦250	≧600	800~950	4670
0.95~1.50	0.15~0.30				<200	≧655	880~1030	D 4114
					200≦t<400	≧635	880~1030	
					400≦t<700	≧625	880~1030	
0.95~1.50	0.15~0.30				<200	≧655	880~1030	G 3221
					200≦t<400	≧635	880~1030	
					400≦t<700	≧625	880~1030	
					≦102	≧725	≧860	A 668/A 668 M
					102<t≦178	≧655	≧795	
					178<t≦254	≧585	≧760	
					254<t≦508	≧585	≧760	
0.90~1.50	0.15~0.30				<200	≧705	930~1080	D 4114
					200≦t<400	≧685	930~1080	
0.90~1.50	0.15~0.30				<200	≧705	930~1080	G 3221
					200≦t<400	≧685	930~1080	

Notes : ([1]) Thickness ([2]) Yield strength ([3]) Tensile strength

鑄鍛造品 (鍛鋼品) Steel castings and forgings (Steel forgings)

索引番号 Index No.	規格名 Std.	記号 Designation	化 学 成 分 (%) Chemical composition					
			鋼材의 두께[1] t (㎜)	C	Si	Mn	P	S
N 056(계속)	ASTM	Class M					≦0.040	≦0.040
N 057	KS	SFCM 980 S		≦0.48	0.15~0.35	0.30~0.85	≦0.030	≦0.030
	JIS	SFCM 980 S		≦0.48	0.15~0.35	0.30~0.85	≦0.030	≦0.030
	ASTM	Class M					≦0.040	≦0.040
N 058	KS	SFNCM 740 R		≦0.50	0.15~0.35	0.35~1.00	≦0.030	≦0.030
	JIS	SFNCM 740 R		≦0.50	0.15~0.35	0.35~1.00	≦0.030	≦0.030
	ASTM	Class 3 A		≦0.45	≦0.35	0.40~0.90	≦0.040	≦0.040
	ASTM	Class K					≦0.040	≦0.040
	BS							
	DIN							
	VDEh	23 CrNiMo 747		0.20~0.26	≦0.30	0.50~0.80	≦0.015	≦0.018

Index No. N 056~N 058

化学成分 (%) Chemical composition					引張試験 Tensile requirements			規格番号 Std. No.
Cr	Mo	Ni	Cu	others	鋼材의 두께[1] (t)	降伏点[2] (N/㎟)	引張强度[3] (N/㎟)	
					≦102	≧825	≧1000	A 668/A 668 M
					102<t≦178	≧790	≧965	
					178<t≦254	≧758	≧930	
					254<t≦508	≧758	≧930	
0.90~1.50	0.15~0.30				<200	≧755	980~1130	D 4114
0.90~1.50	0.15~0.30				<200	≧755	980~1130	G 3221
					≦102	≧825	≧1000	A 668/A 668 M
					102<t≦178	≧790	≧965	
					178<t≦254	≧758	≧930	
					254<t≦508	≧758	≧930	
0.40~3.50	0.15~0.70	0.40~3.50			<100	≧550	740~880	D 4117
					100≦t<200	≧540	740~880	
					200≦t<300	≧530	740~880	
					300≦t<400	≧530	740~880	
0.40~3.50	0.15~0.70	0.40~3.50			<100	≧550	740~880	G 3222
					100≦t<200	≧540	740~880	
					200≦t<300	≧530	740~880	
					300≦t<400	≧530	740~880	
≦1.50	≧0.15	1.00~3.00	≦0.35	V≦0.10	≦254	≧550	≧725	A 291
					254<t≦508	≧550	≧725	
					>508	≧550	≧725	
					≦178	≧550	≧725	A 668/A 668 M
					178<t≦254	≧515	≧690	
					254<t≦508	≧515	≧690	
1.7~2.0	0.60~0.80	0.90~1.2			≦1000	≧600	750~900	SEW 555

Notes : [1] Thickness [2] Yield strength [3] Tensile strength

鑄鍛造品 (鍛鋼品) Steel castings and forgings (Steel forgings)

索引番号 Index No.	規格名 Std.	記号 Designation	化学成分 (%) Chemical composition					
			鋼材의 두께[1] t (mm)	C	Si	Mn	P	S
N 059	KS	SFNCM 830 R		≦0.50	0.15~0.35	0.35~1.00	≦0.030	≦0.030
	JIS	SFNCM 830 R		≦0.50	0.15~0.35	0.35~1.00	≦0.030	≦0.030
	ASTM	Class 4		0.35~0.50	0.15~0.35	0.40~0.90	≦0.040	≦0.040
	ASTM	Class L					≦0.040	≦0.040
	BS	818 M 40		0.36~0.44	0.10~0.35	0.45~0.85	≦0.040	≦0.040
	DIN							
N 060	KS	SFNCM 880 R		≦0.50	0.15~0.35	0.35~1.00	≦0.030	≦0.030
	JIS	SFNCM 880 R		≦0.50	0.15~0.35	0.35~1.00	≦0.030	≦0.030
	ASTM	Class G		0.35~0.45	≦0.35	0.60~0.90	≦0.040	≦0.040
	ASTM	Class L					≦0.040	≦0.040
	BS	826 M 40		0.36~0.44	0.10~0.35	0.45~0.70	≦0.040	≦0.040
	DIN							

Index No. N 059~N 060

化学成分 (%) Chemical composition					引張試験 Tensile requirements			規格番号 Std. No.
Cr	Mo	Ni	Cu	others	鋼材의 두께(1) (t)	降伏点(2) (N/㎟)	引張强度(3) (N/㎟)	
0.40~3.50	0.15~0.70	0.40~3.50			<100	≧655	830~980	D 4117
					100≦t<200	≧635	830~980	
					200≦t<300	≧615	830~980	
					300≦t<400	≧610	830~980	
0.40~3.50	0.15~0.70	0.40~3.50			<100	≧655	830~980	G 3222
					100≦t<200	≧635	830~980	
					200≦t<300	≧615	830~980	
					300≦t<400	≧610	830~980	
≧0.60	0.20~0.60	≧1.65	≦0.35	V≦0.10	≦254	≧655	≧825	A 291
					254<t≦508	≧655	≧825	
					>508	≧620	≧795	
					≦102	≧725	≧860	A 668/A 668 M
					102<t≦178	≧655	≧795	
					178<t≦254	≧585	≧760	
					254<t≦508	≧585	≧760	
1.00~1.50	0.20~0.40	1.30~1.80			≦500	≧660	850~1000	4670
0.40~3.50	0.15~0.70	0.40~3.50			<100	≧705	880~1030	D 4117
					100≦t<200	≧685	880~1030	
					200≦t<300	≧665	880~1030	
					300≦t<400	≧655	880~1030	
0.40~3.50	0.15~0.70	0.40~3.50			<100	≧705	880~1030	G 3222
					100≦t<200	≧685	880~1030	
					200≦t<300	≧665	880~1030	
					300≦t<400	≧655	880~1030	
0.60~0.90	0.20~0.50	1.65~2.00	≦0.35	V≦0.10		≧690	≧860	A 290
					≦102	≧725	≧860	A 668/A 668 M
					102<t≦178	≧655	≧795	
					178<t≦254	≧585	≧760	
					254<t≦508	≧585	≧760	
0.50~0.80	0.45~0.65	2.30~2.80			≦1000	≧660	850~1000	4670
					≦500	≧720	900~1000	

Notes : (1) Thickness (2) Yield strength (3) Tensile strength

鑄鍛造品 (鍛鋼品) Steel castings and forgings (Steel forgings)

索引番号 Index No.	規格名 Std.	記号 Designation	化学成分 (%) Chemical composition					
			鋼材의 두께[1] t (mm)	C	Si	Mn	P	S
N 061	KS	SFNCM 930 R		≦0.50	0.15～0.35	0.35～1.00	≦0.030	≦0.030
	JIS	SFNCM 930 R		≦0.50	0.15～0.35	0.35～1.00	≦0.030	≦0.030
	ASTM	Class M					≦0.040	≦0.040
	BS	826 M 40		0.36～0.44	0.10～0.35	0.45～0.70	≦0.040	≦0.040
	BS	826 M 31		0.27～0.35	0.10～0.35	0.45～0.70	≦0.040	≦0.040
	BS	818 M 40		0.36～0.44	0.10～0.35	0.45～0.85	≦0.040	≦0.040
	DIN							
N 062	KS	SFNCM 980 R		≦0.50	0.15～0.35	0.35～1.00	≦0.030	≦0.030
	JIS	SFNCM 980 R		≦0.50	0.15～0.35	0.35～1.00	≦0.030	≦0.030
	ASTM	Class I		0.35～0.45	≦0.35	0.60～0.90	≦0.040	≦0.040
	ASTM	Class M					≦0.040	≦0.040
	BS	826 M 40		0.36～0.44	0.10～0.35	0.45～0.70	≦0.040	≦0.040
		826 M 31		0.27～0.35	0.10～0.35	0.45～0.70	≦0.040	≦0.040
		818 M 40		0.36～0.44	0.10～0.35	0.45～0.85	≦0.040	≦0.040
	DIN							

Index No. N 061~N 062

化 学 成 分 (%) Chemical composition					引 張 試 驗 Tensile requirements			規格番号 Std. No.
Cr	Mo	Ni	Cu	others	鋼材의 두께[1] (t)	降伏点[2] (N/㎟)	引張強度[3] (N/㎟)	
0.40~3.50	0.15~0.70	0.40~3.50			<100	≧755	930~1080	D 4117
					100≦t<200	≧735	930~1080	
					200≦t<300	≧715	930~1080	
					300≦t<400	≧705	930~1080	
0.40~3.50	0.15~0.70	0.40~3.50			<100	≧755	930~1080	G 3222
					100≦t<200	≧735	930~1080	
					200≦t<300	≧715	930~1080	
					300≦t<400	≧705	930~1080	
					≦102	≧825	≧1000	A 668/A 668 M
					102<t≦178	≧790	≧965	
					178<t≦254	≧758	≧930	
					254<t≦508	≧758	≧930	
0.50~0.80	0.45~0.65	2.30~2.80			≦500	≧780	950~1100	4670
0.50~0.80	0.45~0.65	2.30~2.80			≦500	≧720	900~1050	4670
1.00~1.50	0.20~0.40	1.30~1.80			≦500	≧720	900~1050	4670
0.40~3.50	0.15~0.70	0.40~3.50			<100	≧805	980~1130	D 4117
					100≦t<200	≧785		
					200≦t<300	≧765		
0.40~3.50	0.15~0.70	0.40~3.50			<100	≧805	980~1130	G 3222
					100≦t<200	≧785		
					200≦t<300	≧765		
0.60~0.90	0.20~0.50	1.65~2.00	≦0.35	V≦0.10		≧825	≧1000	A 290
					≦102	≧825	≧1000	
					102<t≦178	≧790	≧965	
					178<t≦254	≧758	≧930	
					254<T≦508	≧758	≧930	
0.50~0.80	0.45~0.65	2.30~2.80			≦250	≧840	1000~1150	4670
0.50~0.80	0.45~0.65	2.30~2.80			≦250	≧780	950~1100	4670
1.00~1.50	0.20~0.40	1.30~1.80			≦250	≧780	950~1100	4670

Notes : [1] Thickness [2] Yield strength [3] Tensile strength

鑄鍛造品 (鍛鋼品) Steel castings and forgings (Steel forgings)

索引番号 Index No.	規格名 Std.	記号 Designation	化 学 成 分 (%) Chemical composition					
			鋼材의 두께[1] t (mm)	C	Si	Mn	P	S
N 063	KS	SFNCM 1030 R		≦0.50	0.15~0.35	0.35~1.00	≦0.030	≦0.030
	JIS	SFNCM 1030 R		≦0.50	0.15~0.35	0.35~1.00	≦0.030	≦0.030
	ASTM							
	BS	826 M 40		0.36~0.44	0.10~0.35	0.45~0.70	≦0.040	≦0.040
	DIN							
N 064	KS	STS F 410-A		≦0.15	≦1.00	≦1.00	≦0.040	≦0.030
		STS F 410-B		≦0.15	≦1.00	≦1.00	≦0.040	≦0.030
		STS F 410-C		≦0.15	≦1.00	≦1.00	≦0.040	≦0.030
		STS F 410-D		≦0.15	≦1.00	≦1.00	≦0.040	≦0.030
	JIS	SUS F 410-A		≦0.15	≦1.00	≦1.00	≦0.040	≦0.030
		SUS F 410-B		≦0.15	≦1.00	≦1.00	≦0.040	≦0.030
		SUS F 410-C		≦0.15	≦1.00	≦1.00	≦0.040	≦0.030
		SUS F 410-D		≦0.15	≦1.00	≦1.00	≦0.040	≦0.030
	ASTM	F 6 a		≦0.15	≦1.00	≦1.00	≦0.040	≦0.030
	ASTM	F 6		≦0.12	≦1.00	≦1.00	≦0.025	≦0.025
	BS	410 S 21		0.09~0.15	≦0.80	≦1.00	≦0.040	≦0.025
N 065	KS	STS F 6 B		≦0.15	≦1.00	≦1.00	≦0.020	≦0.020
	JIS	SUS F 6 B		≦0.15	≦1.00	≦1.00	≦0.020	≦0.020
	ASTM	F 6 b		≦0.15	≦1.0	≦1.00	≦0.02	≦0.02
	BS							
	DIN							
N 066	KS	STS F 6 NM		≦0.05	≦0.60	0.50~1.00	≦0.030	≦0.030
	JIS	SUS F 6 NM		≦0.05	≦0.60	0.5~1.0	≦0.030	≦0.030
	ASTM	F 6 NM						
	BS							
	DIN							

Index No. N 063~N 066

化学成分 (%) Chemical composition					引張試験 Tensile requirements			規格番号 Std. No.
Cr	Mo	Ni	Cu	others	鋼材의 두께(1) (t)	降伏点(2) (N/㎟)	引張強度(3) (N/㎟)	
0.40~3.50	0.15~0.70	0.40~3.50			<100	≧855	1030~1180	D 4117
					100≦t<200	≧835	1030~1180	
0.40~3.50	0.15~0.70	0.40~3.50			<100	≧855	1030~1180	G 3222
					100≦t<200	≧835	1030~1180	
0.50~0.80	0.45~0.65	2.30~2.80			≦250	≧900	1050~1200	4670
11.50~13.50		≦0.50				≧275	≧480	D 4115
11.50~13.50		≦0.50				≧380	≧590	
11.50~13.50		≦0.50				≧585	≧760	
11.50~13.50		≦0.50				≧760	≧900	
11.50~13.50		≦0.50				≧275	≧480	G 3214
11.50~13.50		≦0.50				≧380	≧590	
11.50~13.50		≦0.50				≧585	≧760	
11.50~13.50		≦0.50				≧760	≧900	
11.5~13.5		≦0.50			Class 1	≧275	≧485	A 182/A 182 M
					Class 2	≧380	≧585	
					Class 3	≧585	≧760	
					Class 4	≧760	≧895	
11.5~13.5		≦0.50				≧380	585~760	A 336/A 336 M
11.50~13.50	≦0.30	≦1.00	≦0.30			≧395	590~740	1503
11.50~13.50	0.40~0.60	1.00~2.00	≦0.50			≧620	760~930	D 4115
11.50~13.50	0.40~0.60	1.00~2.00	≦0.50			≧620	760~930	G 3214
11.5~13.5	0.40~0.60	1.0~2.0	≦0.50			≧620	760~930	A 182/A 182 M
11.50~14.00	0.50~1.00	3.50~5.50				≧620	≧790	D 4115
11.50~14.00	0.50~1.00	3.50~5.50				≧620	≧790	G 3214
11.5~14.0	0.5~1.0	3.5~5.5				≧620	≧790	A 182/A 182 M

Notes : (1) Thickness (2) Yield strength (3) Tensile strength

鑄鍛造品 (鑄鋼品) Steel castings and forgings (Steel castings)

索引番号 Index No.	規格名 Std.	記号 Designation	化 学 成 分 (%) Chemical composition					
			鋼材의 두께(1) t (mm)	C	Si	Mn	P	S
O 001	KS	SC 360		≦0.20			≦0.040	≦0.040
	JIS	SC 360		≦0.20			≦0.040	≦0.040
	ASTM							
	BS							
	DIN	GS-38						
	NF	GE 230		≦0.20	≦0.60	≦1.20	≦0.035	≦0.030
	ISO	200-400					≦0.035	≦0.035
O 002	KS	SC 410		≦0.30			≦0.040	≦0.040
	JIS	SC 410		≦0.30			≦0.040	≦0.040
	ASTM	U-60-30		≦0.25	≦0.80	≦0.75	≦0.05	≦0.06
	ASTM	60-30		≦0.30	≦0.80	≦0.60	≦0.05	≦0.06
	BS	A1		≦0.25	≦0.60	≦0.90	≦0.050	≦0.050
	DIN							
	NF	GE 230		≦0.20	≦0.60	≦1.20	≦0.035	≦0.030
	ISO	200-400					≦0.035	≦0.035
O 003	KS	SC 450		≦0.35			≦0.040	≦0.040
	JIS	SC 450		≦0.35			≦0.040	≦0.040
	ASTM	65-35		≦0.30	≦0.80	≦0.70	≦0.05	≦0.06
	BS							
	DIN	GS-45						
	ISO	230-450					≦0.035	≦0.035
O 004	KS	SC 480		≦0.40			≦0.040	≦0.040
	JIS	SC 480		≦0.40			≦0.040	≦0.040
	ASTM	70-36		≦0.35	≦0.80	≦0.70	≦0.05	≦0.06
	BS	A2		≦0.035	≦0.60	≦1.0	≦0.050	≦0.050
	DIN	GS-52						
	NF	GE 280		≦0.25	≦0.60	≦1.20	≦0.035	≦0.030

Index No. O 001~O 004

化学成分(%) Chemical composition					引張試験 Tensile requirements			規格番号 Std. No.
Cr	Mo	Ni	Cu	others	鋼材의 두께([1]) t (㎜)	降伏点([2]) (N/㎟)	引張强度([3]) (N/㎟)	
						≧175	≧360	D 4101
						≧175	≧360	G 5101
						≧200	≧380	1681
					28~50	≧230	≧400	A 32-054
					50~100	≧210	≧400	
						≧200	400~550	3755
						≧205	≧410	D 4101
						≧205	≧410	G 5101
						≧205	≧415	A 27/A 27 M
						≧205	≧415	A 27/A 27 M
≦0.30	≦0.15	≦0.40	≦0.30	Cu+Ni+Cr+Mo≦0.80		≧230	≧430	3100
					28~50	≧230	≧400	A 32-054
					50~100	≧210	≧400	
						≧200	400~550	3755
						≧225	≧450	D 4101
						≧225	≧450	G 5101
						≧240	≧450	A 27/A 27 M
						≧230	≧450	1681
						≧230	450~600	3755
						≧245	≧480	D 4101
						≧245	≧480	G 5101
						≧250	≧485	A 27/A 27 M
						≧260	≧490	3100
						≧260	≧520	1681
					28~50	≧280	≧480	A 32-054
					50~100	≧260	≧480	

Notes : ([1]) Thickness ([2]) Yield strength ([3]) Tensile strength

鑄鍛造品 (鑄鋼品) Steel castings and forgings (Steel castings)

索引番号 Index No.	規格名 Std.	記号 Designation	化学成分 (%) Chemical composition					
			鋼材의 두께[1] t (mm)	C	Si	Mn	P	S
O 004(계속)	ISO	270-480					≦0.035	≦0.035
O 005	KS	SCW 410		≦0.22	≦0.80	≦1.50	≦0.040	≦0.040
	JIS	SCW 410		≦0.22	≦0.80	≦1.50	≦0.040	≦0.040
	ASTM	WCA		≦0.25	≦0.60	≦0.70	≦0.04	≦0.045
	ASTM	WCB		≦0.30	≦0.60	≦1.00	≦0.04	≦0.045
	BS							
	DIN							
	NF	GE 230		≦0.20	≦0.60	≦1.20	≦0.035	≦0.030
	ISO	200~400 W		≦0.25	≦0.60	≦1.00	≦0.035	≦0.035
O 006	KS	SCW 450		≦0.22	≦0.80	≦1.50	≦0.040	≦0.040
	JIS	SCW 450		≦0.22	≦0.80	≦1.50	≦0.040	≦0.040
	ASTM	WCB		≦0.30	≦0.60	≦1.00	≦0.04	≦0.045
	ISO	230-450 W		≦0.25	≦0.60	≦1.20	≦0.035	≦0.035
O 007	KS	SCW 480		≦0.22	≦0.80	≦1.50	≦0.040	≦0.040
	JIS	SCW 480		≦0.22	≦0.80	≦1.50	≦0.040	≦0.040
	ASTM	WCC		≦0.25	≦0.60	≦1.20	≦0.04	≦0.045
	BS							
	DIN							
	NF	GE 280		0.25	≦0.60	≦1.20	≦0.035	≦0.030
	ISO	270-480 W		≦0.25	≦0.60	≦1.20	≦0.035	≦0.035
O 008	KS	SCW 550		≦0.22	≦0.80	≦1.50	≦0.040	≦0.040
	JIS	SCW 550		≦0.22	≦0.80	≦1.50	≦0.040	≦0.040
	ASTM							
	BS	A 4		0.18~0.25	≦0.60	1.2~1.6	≦0.050	≦0.050

Index No. O 004~O 008

化 学 成 分 (%) Chemical composition					引 張 試 験 Tensile requirements			規格番号 Std. No.
Cr	Mo	Ni	Cu	others	鋼材의 두께(1) t (mm)	降伏点(2) (N/mm²)	引張强度(3) (N/mm²)	
						≧270	480~630	3755
				Ceq≦0.40		≧235	≧410	D 4106
				Ceq≦0.40		≧235	≧410	G 5102
≦0.50	≦0.20	≦0.50	≦0.30	Cu+Ni+Cr+ Mo+V≦1.00 V≦0.03		≧205	415~585	A 216/A 216 M
≦0.50	≦0.20	≦0.50	≦0.30	Cu+Ni+Cr+ Mo+V≦1.00 V≦0.03		≧250	485~655	A 216/A 216 M
					28~50	≧230	≧400	A 32-054
					50~100	≧210	≧400	
≦0.35	≦0.15	≦0.40	≦0.40	V≦0.05		≧200	400~550	3755
				Ni+Cr+Mo+ Cu+V≦1.00				
				Ceq≦0.43		≧255	≧450	D 4106
				Ceq≦0.43		≧255	≧450	G 5102
≦0.50	≦0.20	≦0.50	≦0.30	V≦0.03 Cu+Ni+Cr+		≧250	≧485~655	A 216/A 216 M
				Mo+V≦1.00				
≦0.35	≦0.15	≦0.40	≦0.40	V≦0.05 Ni+Cr+Mo +V+Cu≦1.00		≧230	450~600	3755
≦0.50		≦0.50		Ceq≦0.45		≧275	≧480	D 4106
≦0.50		≦0.50		Ceq≦0.45		≧275	≧480	G 5102
≦0.50	≦0.20	≦0.50	≦0.30	Cu+Ni+Cr+ Mo+V≦1.00 V≦0.03		≧275	485~655	A 216/A 216 M
					25~50	≧280	≧480	A 32-054
					50~100	≧260	≧480	
≦0.35	≦0.15	≦0.40	≦0.40	V≦0.05 Ni+Cr+Mo+		≧270	480~630	3755
				Cu+V≦1.00				
≦0.50	≦0.30	≦2.50		V≦0.20 Ceq≦0.44		≧355	≧550	D 4106
≦0.50	≦0.30	≦2.50		V≦0.20 Ceq≦0.44		≧355	≧550	G 5102
						≧320	540~690	3100

Notes : (1) Thickness (2) Yield strength (3) Tensile strength

鑄鍛造品 (鑄鋼品) Steel castings and forgings (Steel castings)

索引番号 Index No.	規格名 Std.	記号 Designation	化 学 成 分 (%) Chemical composition					
			鋼材의 두께(1) t (mm)	C	Si	Mn	P	S
O 008(계속)	DIN							
	ISO	340-550 W		≦0.25	≦0.60	≦1.50	≦0.035	≦0.035
O 009	KS	SCW 620		≦0.22	≦0.80	≦1.50	≦0.040	≦0.040
	JIS	SCW 620		≦0.22	≦0.80	≦1.50	≦0.040	≦0.040
	ASTM							
	BS							
	DIN							
O 010	KS	SCC 3 A		0.30～0.40	0.30～0.60	0.50～0.80	≦0.040	≦0.040
	JIS	SCC 3 A		0.30～0.40	0.30～0.60	0.50～0.80	≦0.040	≦0.040
	ASTM	80-40					≦0.05	≦0.06
	BS	A 3		≦0.43	≦0.60	≦1.0	≦0.050	≦0.050
	DIN							
O 011	KS	SCC 3 B		0.30～0.40	0.30～0.60	0.50～0.80	≦0.040	≦0.040
	JIS	SCC 3 B		0.30～0.40	0.30～0.60	0.50～0.80	≦0.040	≦0.040
	ASTM	90-60					≦0.05	≦0.06
	BS							
	DIN							
	NF	GE 370		≦0.45	≦0.60	≦1.20	≦0.035	≦0.030
O 012	KS	SCC 5 A		0.40～0.50	0.30～0.60	0.50～0.80	≦0.040	≦0.040
	JIS	SCC 5 A		0.40～0.50	0.30～0.60	0.50～0.80	≦0.040	≦0.040
	ASTM							
	BS							
	DIN							
	NF	F 60		0.37～0.46	0.10～0.40	0.50～0.90	≦0.040	≦0.040

Index No. O 008~O 012

化学成分 (%) Chemical composition					引張試験 Tensile requirements			規格番号 Std. No.
Cr	Mo	Ni	Cu	others	鋼材의 두께([1]) t (㎜)	降伏点([2]) (N/㎟)	引張强度([3]) (N/㎟)	
≦0.35	≦0.15	≦0.40	≦0.40	V≦0.05 Ni+Cr+Mo+		≧340	550~770	3755
				V+Cu≦1.00				
≦0.50	≦0.30	≦2.50		V≦0.20 Ceq≦0.50		≧430	≧620	D 4106
≦0.50	≦0.30	≦2.50		V≦0.20 Ceq≦0.50		≧430	≧620	G 5102
						≧265	≧520	D 4102
						≧265	≧520	G 5111
						≧275	≧550	A 148/A 148 M
						≧295	≧540	3100
						≧370	≧620	D 4102
						≧370	≧620	G 5111
						≧415	≧620	A 148/A 148 M
					28~50	≧370	≧650	A 32-054
					50~100	≧320	≧650	
						≧295	≧620	D 4102
						≧295	≧620	G 5111
						≧310	590~710	A 36-612

Notes : ([1]) Thickness ([2]) Yield strength ([3]) Tensile strength

鑄鍛造品 (鑄鋼品) Steel castings and forgings (Steel castings)

索引番号 Index No.	規格名 Std.	記号 Designation	化 学 成 分 (%) Chemical composition					
			鋼材의 두께[1] t (mm)	C	Si	Mn	P	S
O 013	KS	SCC 5B		0.40~0.50	0.30~0.60	0.50~0.80	≦0.040	≦0.040
	JIS	SCC 5B		0.40~0.50	0.30~0.60	0.50~0.80	≦0.040	≦0.040
	ASTM							
	BS							
	DIN							
O 014	KS	SCMn 1A		0.20~0.30	0.30~0.60	1.00~1.60	≦0.040	≦0.040
	JIS	SCMn 1A		0.20~0.30	0.30~0.60	1.00~1.60	≦0.040	≦0.040
	ASTM	80-40					≦0.05	≦0.06
	BS							
	DIN							
	NF	G 30 Mn 6		0.25~0.32	≦0.60	≦1.80	≦0.030	≦0.025
O 015	KS	SCMn 1B		0.20~0.30	0.30~0.60	1.00~1.60	≦0.040	≦0.040
	JIS	SCMn 1B		0.20~0.30	0.30~0.60	1.00~1.60	≦0.040	≦0.040
	ASTM	90-60					≦0.05	≦0.06
	BS							
	DIN							
	NF	G 30 Mn 6		0.25~0.32	≦0.60	≦1.80	≦0.030	≦0.025
O 016	KS	SCMn 2A		0.25~0.35	0.30~0.60	1.00~1.60	≦0.040	≦0.040
	JIS	SCMn 2A		0.25~0.35	0.30~0.60	1.00~1.60	≦0.040	≦0.040
	ASTM							
	BS	A 5		0.25~0.33	≦0.60	1.2~1.6	≦0.050	≦0.050
	DIN							
	NF	G 30 Mn 6		0.25~0.32	≦0.60	≦1.80	≦0.030	≦0.025

Index No. O 013~O 016

化 学 成 分 (%) Chemical composition					引 張 試 驗 Tensile requirements			規格番号 Std. No.
Cr	Mo	Ni	Cu	others	鋼材의 두께[1] t (㎜)	降伏点[2] (N/㎟)	引張强度[3] (N/㎟)	
						≧440	≧690	D 4102
						≧440	≧690	G 5111
						≧275	≧540	D 4102
						≧275	≧540	G 5111
						≧275	≧550	A 148/A 148 M
					28~50	≧350	≧580	A 32-054
					50~100	≧300	≧550	
					100~150	≧280	≧550	
					150~250	≧250	≧520	
						≧390	≧590	D 4102
						≧390	≧590	G 5111
						≧415	≧620	A 148/A 148 M
					28~50	≧450	≧600	A 32-054
					50~100	≧450	≧600	
					100~150	≧400	≧550	
					150~250	≧250	≧520	
						≧345	≧590	D 4102
						≧345	≧590	G 5111
						≧370	620~770	3100
					28~50	≧350	≧580	A 32-054
					50~100	≧300	≧550	

Notes : (1) Thickness (2) Yield strength (3) Tensile strength

鑄鍛造品 (鑄鋼品) Steel castings and forgings (Steel castings)

索引番号 Index No.	規格名 Std.	記号 Designation	化 学 成 分 (%) Chemical composition					
			鋼材의 두께[1] t (mm)	C	Si	Mn	P	S
O 016(계속)								
O 017	KS	SCMn 2B		0.25~0.35	0.30~0.60	1.00~1.60	≦0.040	≦0.040
	JIS	SCMn 2B		0.25~0.35	0.30~0.60	1.00~1.60	≦0.040	≦0.040
	ASTM	90-60					≦0.05	≦0.06
	BS	A 5		0.25~0.33	≦0.60	1.2~1.6	≦0.050	≦0.050
	DIN							
	NF	G 30 Mn 6		0.25~0.32	≦0.60	≦1.80	≦0.030	≦0.025
O 018	KS	SCMn 3A		0.30~0.40	0.30~0.60	1.00~1.60	≦0.040	≦0.040
	JIS	SCMn 3A		0.30~0.40	0.30~0.60	1.00~1.60	≦0.040	≦0.040
	ASTM	90-60					≦0.05	≦0.06
	BS							
	DIN							
O 019	KS	SCMn 3B		0.30~0.40	0.30~0.60	1.00~1.60	≦0.040	≦0.040
	JIS	SCMn 3B		0.30~0.40	0.30~0.60	1.00~1.60	≦0.040	≦0.040
	ASTM	105-85					≦0.05	≦0.06
	BS	A 6		0.25~0.33	≦0.60	1.2~1.6	≦0.050	≦0.050
	DIN							
O 020	KS	SCMn 5A		0.40~0.50	0.30~0.60	1.00~1.60	≦0.040	≦0.040
	JIS	SCMn 5A		0.40~0.50	0.30~0.60	1.00~1.60	≦0.040	≦0.040
	ASTM	105-85					≦0.05	≦0.06
	BS							
	DIN							

Index No. O 016~O 020

化 学 成 分 (%) Chemical composition					引 張 試 驗 Tensile requirements			規格番号 Std. No.
Cr	Mo	Ni	Cu	others	鋼材의 두께(1) t (㎜)	降伏点(2) (N/㎟)	引張强度(3) (N/㎟)	
					100~150	≧280	≧550	
					150~250	≧250	≧520	
						≧440	≧640	D 4102
						≧440	≧640	G 5111
						≧415	≧620	A 148/A 148 M
						≧370	620~770	3100
					28~50	≧450	≧600	A 32-054
					50~100	≧450	≧600	
					100~150	≧400	≧550	
					150~250	≧250	≧520	
						≧370	≧640	D 4102
						≧370	≧640	G 5111
						≧415	≧620	A 148/A 148 M
						≧490	≧690	D 4102
						≧490	≧690	G 5111
						≧585	≧725	A 148/A 148 M
						≧495	690~850	3100
						≧390	≧690	D 4102
						≧390	≧690	G 5111
						≧585	≧725	A 148/A 148 M

Notes : (1) Thickness (2) Yield strength (3) Tensile strength

鑄鍛造品 (鑄鋼品) Steel castings and forgings (Steel castings)

索引番号 Index No.	規格名 Std.	記号 Designation	化学成分 (%) Chemical composition					
			鋼材의 두께(1) t (mm)	C	Si	Mn	P	S
O 021	KS	SCMn 5B		0.40~0.50	0.30~0.60	1.00~1.60	≦0.040	≦0.040
	JIS	SCMn 5B		0.40~0.50	0.30~0.60	1.00~1.60	≦0.040	≦0.040
	ASTM	105-85					≦0.05	≦0.05
	BS							
	DIN							
O 022	KS	SCSiMn 2A		0.40~0.50	0.30~0.60	1.00~1.60	≦0.040	≦0.040
	JIS	SCSiMn 2A		0.40~0.50	0.30~0.60	1.00~1.60	≦0.040	≦0.040
	ASTM	90-60					≦0.05	≦0.06
	BS							
	DIN							
O 023	KS	SCSiMn 2B		0.25~0.35	0.50~0.80	0.90~1.20	≦0.040	≦0.040
	JIS	SCSiMn 2B		0.25~0.35	0.50~0.80	0.90~1.20	≦0.040	≦0.040
	ASTM	90-60					≦0.05	≦0.06
	BS							
	DIN							
O 024	KS	SCMnCr 2A		0.25~0.35	0.30~0.60	1.20~1.60	≦0.040	≦0.040
	JIS	SCMnCr 2A		0.25~0.35	0.30~0.60	1.20~1.60	≦0.040	≦0.040
	ASTM	90-60					≦0.05	≦0.06
	BS							
	DIN							
O 025	KS	SCMnCr 2B		0.25~0.35	0.30~0.60	1.20~1.60	≦0.040	≦0.040
	JIS	SCMnCr 2B		0.25~0.35	0.30~0.60	1.20~1.60	≦0.040	≦0.040
	ASTM	90-60					≦0.05	≦0.06
	BS							
	DIN							

Index No. O 021~O 025

化学成分 (%) Chemical composition					引張試驗 Tensile requirements			規格番号 Std. No.
Cr	Mo	Ni	Cu	others	鋼材의 두께(1) t (㎜)	降伏点(2) (N/㎟)	引張强度(3) (N/㎟)	
						≧540	≧740	D 4102
						≧540	≧740	G 5111
						≧585	≧725	A 148/A 148 M
						≧295	≧590	D 4102
						≧295	≧590	G 5111
						≧415	≧620	A 148/A 148 M
						≧440	≧640	D 4102
						≧440	≧640	G 5111
						≧415	≧620	A 148/A 148 M
0.40~0.80						≧370	≧590	D 4102
0.40~0.80						≧370	≧590	G 5111
						≧415	≧620	A 148/A 148 M
0.04~0.80						≧440	≧640	D 4102
						≧440	≧640	G 5111
						≧415	≧620	A 148/A 148 M

Notes : (1) Thickness (2) Yield strength (3) Tensile strength

鑄鍛造品 (鑄鋼品) Steel castings and forgings (Steel castings)

索引番号 Index No.	規格名 Std.	記号 Designation	化 学 成 分 (%) Chemical composition					
			鋼材의 두께([1]) t (mm)	C	Si	Mn	P	S
O 026	KS	SCMnCr 3A		0.30～0.40	0.30～0.60	1.20～1.60	≦0.040	≦0.040
	JIS	SCMnCr 3A		0.30～0.40	0.30～0.60	1.20～1.60	≦0.040	≦0.040
	ASTM	90-60					≦0.05	≦0.06
	BS							
	DIN							
O 027	KS	SCMnCr 3B		0.30～0.40	0.30～0.60	1.20～1.60	≦0.040	≦0.040
	JIS	SCMnCr 3B		0.30～0.40	0.30～0.60	1.20～1.60	≦0.040	≦0.040
	ASTM	105-85					≦0.05	≦0.06
	BS							
	DIN							
O 028	KS	SCMnCr 4A		0.35～0.45	0.30～0.60	1.20～1.60	≦0.040	≦0.040
	JIS	SCMnCr 4A		0.35～0.45	0.30～0.60	1.20～1.60	≦0.040	≦0.040
	ASTM	105-85					≦0.05	≦0.06
	BS							
	DIN							
O 029	KS	SCMnCr 4B		0.35～0.45	0.30～0.60	1.20～1.60	≦0.040	≦0.040
	JIS	SCMnCr 4B		0.35～0.45	0.30～0.60	1.20～1.60	≦0.040	≦0.040
	ASTM	105-85					≦0.05	≦0.06
	BS							
	DIN							
O 030	KS	SCMnM 3A		0.30～0.40	0.30～0.60	1.20～1.60	≦0.040	≦0.040
	JIS	SCMnM 3A		0.30～0.40	0.30～0.60	1.20～1.60	≦0.040	≦0.040
	ASTM	105-85					≦0.05	≦0.06
	BS							
	DIN							
	NF							

Index No. O 026~O 030

化 学 成 分 (%) Chemical composition					引 張 試 験 Tensile requirements			規格番号 Std. No.
Cr	Mo	Ni	Cu	others	鋼材의 두께[1] t (㎜)	降伏点[2] (N/㎟)	引張強度[3] (N/㎟)	
0.40~0.80						≧390	≧640	D 4102
0.40~0.80						≧390	≧640	G 5111
						≧415	≧620	A 148/A 148 M
0.40~0.80						≧490	≧690	D 4102
0.40~0.80						≧490	≧690	G 5111
						≧585	≧725	A 148/A 148 M
0.40~0.80						≧410	≧690	D 4102
0.40~0.80						≧410	≧690	G 5111
						≧585	≧725	A 148/A 148 M
0.40~0.80						≧540	≧740	D 4102
0.40~0.80						≧540	≧740	G 5111
						≧585	≧725	A 148/A 148 M
≦0.20	0.15~0.35					≧390	≧690	D 4102
						≧390	≧690	G 5111
						≧585	≧725	A 148/A 148 M

Notes : [1] Thickness [2] Yield strength [3] Tensile strength

鑄鍛造品 (鑄鋼品) Steel castings and forgings (Steel castings)

索引番号 Index No.	規格名 Std.	記号 Designation	化学成分 (%) Chemical composition					
			鋼材의 두께([1]) t (mm)	C	Si	Mn	P	S
O 031	KS	SCMnM 3B		0.30~0.40	0.30~0.60	1.20~1.60	≦0.040	≦0.040
	JIS	SCMnM 3B		0.30~0.40	0.30~0.60	1.20~1.60	≦0.040	≦0.040
	ASTM							
	BS							
	DIN							
	NF							
O 032	KS	SCCrM 1A		0.20~0.30	0.30~0.60	0.50~0.80	≦0.040	≦0.040
	JIS	SCCrM 1A		0.20~0.30	0.30~0.60	0.50~0.80	≦0.040	≦0.040
	ASTM							
	BS							
	DIN							
	NF	G 25 CrMo 4		0.22~0.28	≦0.60	≦1.00	≦0.030	≦0.020
O 033	KS	SCCrM 1B		0.20~0.30	0.30~0.60	0.50~0.80	≦0.040	≦0.040
	JIS	SCCrM 1B		0.20~0.30	0.30~0.60	0.50~0.80	≦0.040	≦0.040
	ASTM	105-85					≦0.05	≦0.06
	BS							
	DIN							
	NF	G 25 CrMo 4		0.22~0.28	≦0.60	≦1.00	≦0.030	≦0.020
O 034	KS	SCCrM 3A		0.30~0.40	0.30~0.60	0.50~0.80	≦0.040	≦0.040
	JIS	SCCrM 3A		0.30~0.40	0.30~0.60	0.50~0.80	≦0.040	≦0.040
	ASTM	105-85					≦0.05	≦0.06
	BS							
	DIN							
	NF	35 CD 4-M		≦0.38	≦0.60	≦1.00	≦0.035	≦0.040

Index No. O 031~O 034

化学成分 (%) Chemical composition					引張試験 Tensile requirements			規格番号 Std. No.
Cr	Mo	Ni	Cu	others	鋼材의 두께([1]) t (㎜)	降伏点([2]) (N/㎟)	引張强度([3]) (N/㎟)	
≦0.20	0.15~0.35					≧490	≧740	D 4102
≦0.20	0.15~0.35					≧490	≧740	G 5111
0.80~1.20	0.15~0.35					≧390	≧590	D 4102
0.80~1.20	0.15~0.35					≧390	≧590	G 5111
0.80~1.20	0.15~0.35				28~50	≧380	≧580	A 32-054
					50~100	≧300	≧580	
					100~150	≧250	≧550	
					150~250	≧250	≧550	
0.80~1.20	0.15~0.35					≧490	≧690	D 4102
0.80~1.20	0.15~0.35					≧490	≧690	G 5111
						≧585	≧725	A 148/A 148 M
0.80~1.20	0.15~0.35				28~50	≧550	≧750	A 32-054
					50~100	≧550	≧700	
					100~150	≧520	≧650	
					150~250	≧500	≧650	
0.80~1.20	0.15~0.35					≧440	≧690	D 4102
0.80~1.20	0.15~0.35					≧440	≧690	G 5111
						≧585	≧725	A 148/A 148 M
0.80~1.20	0.15~0.35					≧520	≧750	A 32-054

Notes : ([1]) Thickness ([2]) Yield strength ([3]) Tensile strength

鑄鍛造品 (鑄鋼品) Steel castings and forgings (Steel castings)

索引番号 Index No.	規格名 Std.	記号 Designation	化 学 成 分 (%) Chemical composition					
			鋼材의 두께([1]) t (mm)	C	Si	Mn	P	S
O 035	KS	SCCrM 3B		0.30～0.40	0.30～0.60	0.50～0.80	≦0.040	≦0.040
	JIS	SCCrM 3B		0.30～0.40	0.30～0.60	0.50～0.80	≦0.040	≦0.040
	ASTM	105-85					≦0.05	≦0.06
	BS							
	DIN							
	NF	G 35 CrMo 4		0.30～0.38	≦0.60	≦1.00	≦0.030	≦0.020
O 036	KS	SCMnCrM 2A		0.25～0.35	0.30～0.60	1.20～1.60	≦0.040	≦0.040
	JIS	SCMnCrM 2A		0.25～0.35	0.30～0.60	1.20～1.60	≦0.040	≦0.040
	ASTM	105-85					≦0.05	≦0.06
	BS							
	DIN							
O 037	KS	SCMnCrM 2B		0.25～0.35	0.30～0.60	1.20～1.60	≦0.040	≦0.040
	JIS	SCMnCrM 2B		0.25～0.35	0.30～0.60	1.20～1.60	≦0.040	≦0.040
	ASTM	105-85					≦0.05	≦0.06
	BS							
	DIN							
O 038	KS	SCMnCrM 3A		0.30～0.40	0.30～0.60	1.20～1.60	≦0.040	≦0.040
	JIS	SCMnCrM 3A		0.30～0.40	0.30～0.60	1.20～1.60	≦0.040	≦0.040
	ASTM	105-85					≦0.05	≦0.06
	BS							
	DIN							
O 039	KS	SCMnCrM 3B		0.30～0.40	0.30～0.60	1.20～1.60	≦0.040	≦0.040
	JIS	SCMnCrM 3B		0.30～0.40	0.30～0.60	1.20～1.60	≦0.040	≦0.040
	ASTM	115-95					≦0.05	≦0.06
	BS							
	DIN							

Index No. O 035~O 039

化学成分 (%) Chemical composition					引張試験 Tensile requirements			規格番号 Std. No.
Cr	Mo	Ni	Cu	others	鋼材의 두께([1]) t (㎜)	降伏点([2]) (N/㎟)	引張強度([3]) (N/㎟)	
0.80~1.20	0.15~0.35					≧540	≧740	D 4102
0.80~1.20	0.15~0.35					≧540	≧740	G 5111
						≧585	≧725	A 148/A 148 M
0.80~1.20	0.15~0.35				28~50	≧600	≧750	A 32-054
					50~100	≧540	≧700	
					100~150	≧480	≧620	
0.30~0.70	0.15~0.35					≧440	≧690	D 4102
0.30~0.70	0.15~0.35					≧440	≧690	G 5111
						≧585	≧725	A 148/A 148 M
0.30~0.70	0.15~0.35					≧540	≧740	D 4102
0.30~0.70	0.15~0.35					≧540	≧740	G 5111
						≧585	≧725	A 148/A 148 M
0.30~0.70	0.15~0.35					≧540	≧740	D 4102
0.30~0.70	0.15~0.35					≧540	≧740	G 5111
						≧585	≧725	A 148/A 148 M
0.30~0.70	0.15~0.35					≧635	≧830	D 4102
0.30~0.70	0.15~0.35					≧635	≧830	G 5111
						≧655	≧795	A 148/A 148 M

Notes : ([1]) Thickness ([2]) Yield strength ([3]) Tensile strength

鑄鍛造品 (鑄鋼品) Steel castings and forgings (Steel castings)

索引番号 Index No.	規格名 Std.	記号 Designation	化学成分 (%) Chemical composition					
			鋼材의 두께(1) t (㎜)	C	Si	Mn	P	S
O 040	KS	SCNCrM 2A		0.25～0.35	0.30～0.60	0.90～1.50	≦0.040	≦0.040
	JIS	SCNCrM 2A		0.25～0.35	0.30～0.60	0.90～1.50	≦0.040	≦0.040
	ASTM	115-95					≦0.05	≦0.06
	BS							
	DIN							
	NF	G 30 NiCrMo 8		≦0.33	≦0.60	≦1.00	≦0.030	≦0.020
O 041	KS	SCNCrM 2B		0.25～0.35	0.30～0.60	0.90～1.50	≦0.040	≦0.040
	JIS	SCNCrM 2B		0.25～0.35	0.30～0.60	0.90～1.50	≦0.040	≦0.040
	ASTM	130-115					≦0.05	≦0.06
	BS							
	DIN							
	NF	G 30 NiCrMo 8		≦0.33	≦0.60	≦1.00	≦0.030	≦0.020
O 042	KS	SCS 18		≦0.20	≦2.00	≦2.00	≦0.040	≦0.040
	JIS	SCS 18		≦0.20	≦2.00	≦2.00	≦0.040	≦0.040
	ASTM	CK-20		≦0.20	≦2.00	≦2.00	≦0.04	≦0.04
	ASTM	CK-20		0.04～0.20	≦1.75	≦1.50	≦0.040	≦0.040
	BS							
	DIN							
O 043	KS	SCS 23		≦0.07	≦2.00	≦2.00	≦0.040	≦0.040
	JIS	SCS 23		≦0.07	≦2.00	≦2.00	≦0.040	≦0.040
	ASTM	CN-7 M		≦0.07	≦1.50	≦1.50	≦0.04	≦0.04
	ASTM	CN-7 M		≦0.07	≦1.50	≦1.50	≦0.04	≦0.04
	ASTM	CN-7 M		≦0.07	≦1.50	≦1.50	≦0.040	≦0.040
	BS	332 C 11		≦0.07	≦1.5	≦1.5	≦0.040	≦0.040

Index No. O 040~O 043

化 学 成 分 (%) Chemical composition					引 張 試 験 Tensile requirements			規格番号 Std. No.
Cr	Mo	Ni	Cu	others	鋼材의 두께([1]) t (㎜)	降伏点([2]) (N/㎟)	引張强度([3]) (N/㎟)	
0.30~0.90	0.15~0.35	1.60~2.00				≧590	≧780	D 4102
0.30~0.90	0.15~0.35	1.60~2.00				≧590	≧780	G 5111
						≧655	≧795	A 148/A 148 M
0.80~1.20	0.30~0.60	1.70~2.30			28~50	≧550	≧750	A 32-054
					50~100	≧550	≧750	
					100~150	≧550	≧750	
					150~250	≧500	≧700	
0.30~0.90	0.15~0.35	1.60~2.00				≧685	≧880	D 4102
0.30~0.90	0.15~0.35	1.60~2.00				≧685	≧880	G 5111
						≧795	≧895	A 148/A 148 M
0.80~1.20	0.30~0.60	1.70~2.30			28~50	≧700	≧850	A 32-054
					50~100	≧700	≧850	
					100~150	≧650	≧850	
					150~250	≧650	≧820	
23.00~27.00		19.00~22.00				≧195	≧450	D 4103
23.00~27.00		19.00~22.00				≧195	≧450	G 5121
23.0~27.0		19.0~22.0				≧195	≧450	A 743/A 743 M
23.0~27.0	≦0.50	19.0~22.0				≧195	≧450	A 351/A 351 M
19.00~22.00	2.00~3.00	27.50~30.50	3.00~4.00			≧165	≧390	D 4103
19.00~22.00	2.00~3.00	27.50~30.50	3.00~4.00			≧165	≧390	G 5121
19.0~22.0	2.0~3.0	27.5~30.5	3.0~4.0			≧170	≧425	A 743/A 743 M
19.0~22.0	2.0~3.0	27.5~30.5	3.0~4.0			≧170	≧425	A 744/A 744 M
19.0~22.0	2.0~3.0	27.5~30.5	3.0~4.0			≧170	≧425	A 351/A 351 M
19.0~22.0	2.0~3.0	27.5~30.5	3.0~4.0			≧170	≧425	3100

Notes : ([1]) Thickness ([2]) Yield strength ([3]) Tensile strength

鑄鍛造品 (鑄鋼品) Steel castings and forgings (Steel castings)								
索引番号 Index No.	規格名 Std.	記号 Designation	化 学 成 分 (%) Chemical composition					
			鋼材의 두께([1]) t (mm)	C	Si	Mn	P	S
O 043(계속)	DIN							
	NF	Z 6 NCDU 25-20-04-M		≦0.08	≦1.2	≦1.5	≦0.04	≦0.03
O 044	KS	SCS 1		≦0.15	≦1.50	≦1.00	≦0.040	≦0.040
	JIS	SCS 1		≦0.15	≦1.50	≦1.00	≦0.040	≦0.040
	ASTM	CA-15		≦0.15	≦1.50	≦1.00	≦0.04	≦0.04
	BS	410 C 21		≦0.15	≦1.0	≦1.0	≦0.040	≦0.040
		420 C 28		≦0.20	≦1.0	≦1.0	≦0.040	≦0.040
	DIN	GX 12 Cr 12		≦0.15	≦1.0	≦1.0	≦0.035	≦0.025
O 045	KS	SCS 12		≦0.20	≦2.00	≦2.00	≦0.040	≦0.040
	JIS	SCS 12		≦0.20	≦2.00	≦2.00	≦0.040	≦0.040
	ASTM	CF-20		≦0.20	≦2.00	≦1.50	≦0.04	≦0.04
	BS							
	DIN							
O 046	KS	SCS 13 A		≦0.08	≦2.00	≦1.50	≦0.040	≦0.040
	JIS	SCS 13 A		≦0.08	≦2.00	≦1.50	≦0.040	≦0.040
	ASTM	CF-8		≦0.08	≦2.00	≦1.50	≦0.04	≦0.04
	ASTM	CF-8		≦0.08	≦2.00	≦1.50	≦0.04	≦0.04
	ASTM	CF-8		≦0.08	≦2.00	≦1.50	≦0.040	≦0.040
	BS	304 C 15		≦0.08	≦1.5	≦2.0	≦0.040	≦0.040
	DIN	GX5CrNi19-10		≦0.07	≦1.5	≦1.5	≦0.040	≦0.030
	NF	Z6CN18-10-M		≦0.08	≦1.5	≦1.5	≦0.04	≦0.03
O 047	KS	SCS 14 A		≦0.08	≦1.50	≦1.50	≦0.040	≦0.040
	JIS	SCS 14 A		≦0.08	≦1.50	≦1.50	≦0.040	≦0.040
	ASTM	CF-8 M		≦0.08	≦2.00	≦1.50	≦0.04	≦0.04
	ASTM	CF-8 M		≦0.08	≦2.00	≦1.50	≦0.04	≦0.04
	ASTM	CF-8 M		≦0.08	≦1.50	≦1.50	≦0.040	≦0.040
	BS	316 C 16		≦0.08	≦1.5	≦2.0	≦0.040	≦0.040

Index No. O 043~O 047

化学成分 (%) Chemical composition					引張試験 Tensile requirements			規格番号 Std. No.
Cr	Mo	Ni	Cu	others	鋼材의 두께([1]) t (mm)	降伏点([2]) (N/mm²)	引張强度([3]) (N/mm²)	
18~22	2.5~6	23~27	1.5~3.5			≧170	≧450	A 32-056
11.50~14.00	([4])	([5])			T 1	≧345	≧540	D 4103
					T 2	≧450	≧620	
11.50~14.00	([4])	([5])			T 1	≧345	≧540	G 5121
					T 2	≧450	≧620	
11.5~14.0	≦0.50	≦1.00				≧450	≧620	A 743/A 743 M
11.5~13.5		≦1.0	≦0.30			≧370	≧540	3100
11.5~13.5		≦1.0	≦0.30			≧450	≧620	
11.50~13.50	≦0.50	≦1.00			≦150	≧450	≧620	EN 10213-4
18.00~21.00		8.00~11.00				≧205	≧480	D 4103
18.00~21.00		8.00~11.00				≧205	≧480	G 5121
18.0~21.0		8.0~11.0				≧205	≧485	A 743/A 743 M
18.00~21.00		8.00~11.00				≧205	≧480	D 4103
18.00~21.00		8.00~11.00				≧205	≧480	G 5121
18.0~21.0		8.0~11.0				≧205	≧485	A 743/A 743 M
18.0~21.0		8.0~11.0				≧205	≧485	A 744/A 744 M
18.0~21.0	≦0.50	8.0~11.0				≧205	≧485	A 351/A 351 M
18.0~21.0		8.0~11.0				≧215	≧480	3100
18.0~21.0		8.0~11.0			≦150	≧175	≧440	EN 10213-4
17~21		8~12				≧200	≧450	A 32-056
18.00~21.00	2.00~3.00	9.00~12.00				≧205	≧480	D 4103
18.00~21.00	2.00~3.00	9.00~12.00				≧205	≧480	G 5121
18.0~21.0	2.0~3.0	9.0~12.0				≧205	≧485	A 743/A 743 M
18.0~21.0	2.0~3.0	9.0~12.0				≧205	≧485	A 744/A 744 M
18.0~21.0	2.0~3.0	9.0~12.0				≧205	≧485	A 351/A 351 M
17.0~21.0	2.0~3.0	≧9.0				≧240	≧480	3100

Notes : ([1]) Thickness ([2]) Yield strength ([3]) Tensile strength

([4]) ≦0.50%를 함유하여도 차이는 없다. ([5]) ≦1.00%를 첨가할 수도 있다.

鑄鍛造品 (鑄鋼品) Steel castings and forgings (Steel castings)

索引番号 Index No.	規格名 Std.	記号 Designation	化学成分 (%) Chemical composition					
			鋼材의 두께([1]) t (mm)	C	Si	Mn	P	S
O 047(계속)	DIN	GX5CrNiMo 19-11-2		≦0.07	≦1.5	≦1.5	≦0.040	≦0.030
	NF	Z6CND18-12-M		≦0.08	≦1.5	≦1.5	≦0.04	≦0.03
O 048	KS	SCS 16 A		≦0.03	≦1.50	≦1.50	≦0.040	≦0.040
	JIS	SCS 16 A		≦0.03	≦1.50	≦1.50	≦0.040	≦0.040
	ASTM	CF-3 M		≦0.03	≦1.50	≦1.50	≦0.04	≦0.04
	ASTM	CF-3 M		≦0.03	≦1.50	≦1.50	≦0.04	≦0.04
	ASTM	CF-3 M		≦0.03	≦1.50	≦1.50	≦0.040	≦0.040
	BS	316 C 12		≦0.03	≦1.5	≦2.0	≦0.040	≦0.040
	DIN							
	NF	Z2CND18-12-M		≦0.03	≦1.5	≦1.5	≦0.04	≦0.03
O 049	KS	SCS 17		≦0.20	≦2.00	≦2.00	≦0.040	≦0.040
	JIS	SCS 17		≦0.20	≦2.00	≦2.00	≦0.040	≦0.040
	ASTM	CH-20		≦0.20	≦2.00	≦1.50	≦0.04	≦0.04
	ASTM	CH-20		0.04~0.20	≦2.00	≦1.50	≦0.040	≦0.040
	BS							
	DIN							
O 050	KS	SCS 21		≦0.08	≦2.00	≦2.00	≦0.040	≦0.040
	JIS	SCS 21		≦0.08	≦2.00	≦2.00	≦0.040	≦0.040
	ASTM	CF-8C		≦0.08	≦2.00	≦1.50	≦0.04	≦0.04
	ASTM	CF-8C		≦0.08	≦2.00	≦1.50	≦0.04	≦0.04
	ASTM	CF-8C		≦0.08	≦2.00	≦1.50	≦0.040	≦0.040
	BS	347 C 17		≦0.08	≦1.5	≦2.0	≦0.040	≦0.040
	DIN	GX5CrNiNb 19-11		≦0.07	≦1.5	≦1.5	≦0.040	≦0.030
	NF	Z 6 CNNb 18-10 M		≦0.08	≦1.5	≦1.5	≦0.04	≦0.03
O 051	KS	SCS 2		0.16~0.24	≦1.50	≦1.00	≦0.040	≦0.040
	JIS	SCS 2		0.16~0.24	≦1.50	≦1.00	≦0.040	≦0.040
	ASTM							
	BS							
	DIN							

Index No. O 047~O 051

化学成分 (%) Chemical composition					引張試験 Tensile requirements			規格番号 Std. No.
Cr	Mo	Ni	Cu	others	鋼材의 두께(1) t (㎜)	降伏点(2) (N/㎟)	引張強度(3) (N/㎟)	
18.0~20.0	2.00~2.50	9.00~12.00			≦150	≧185	≧440	EN 10213-4
17~21	2~3	9~13				≧200	≧450	A 32-056
17.00~21.00	2.00~3.00	9.00~13.00				≧205	≧480	D 4103
17.00~21.00	2.00~3.00	9.00~13.00				≧205	≧480	G 5121
17.0~21.0	2.0~3.0	9.0~13.0				≧205	≧485	A 743/A 743 M
17.0~21.0	2.0~3.0	9.0~13.0				≧205	≧485	A 744/A 744 M
17.0~21.0	2.0~3.0	9.0~13.0				≧205	≧485	A 351/A 351 M
17.0~21.0	2.0~3.0	≧9.0				≧215	≧430	3100
17~21	2~3	9~13				≧180	≧400	A 32-056
22.00~26.00		12.00~15.00				≧205	≧480	D 4103
22.00~26.00		12.00~15.00				≧205	≧480	G 5121
22.0~26.0		12.0~15.0				≧205	≧485	A 743/A 743 M
22.0~26.0	≦0.50	12.0~15.0				≧205	≧485	A 351/A 351 M
18.00~21.00		9.00~12.00		Nb 10×C%~1.35		≧205	≧480	D 4103
18.00~21.00		9.00~12.00		Nb 10×C%~1.35		≧205	≧480	G 5121
18.0~21.0		9.0~12.0		Nb 8×C%~1.0		≧205	≧485	A 743/A 743 M
18.0~21.0		9.0~12.0		Nb 8×C%~1.0		≧205	≧485	A 744/A 744 M
18.0~21.0	≦0.50	9.0~12.0		Nb 8×C%~1.0		≧205	≧485	A 351/A 351 M
18.0~21.0		9.0~12.0		Nb 8×C%~1.0		≧215	≧480	3100
18.0~21.0		9.00~12.00		Nb 8×C%~1.00	≦150	≧175	≧440	EN 10213-4
17~21		8~11		Nb 8×C%~1.2		≧200	≧450	A 32-056
11.50~14.00	(4)	(5)				≧390	≧590	D 4103
11.50~14.00	(4)	(5)				≧390	≧590	G 5121

Notes : (1) Thickness (2) Yield strength (3) Tensile strength
(4) ≦0.50%를 함유하여도 차이는 없다. (5) ≦1.00%를 첨가할 수도 있다.

鑄鍛造品 (鑄鋼品) Steel castings and forgings (Steel castings)

索引番号 Index No.	規格名 Std.	記号 Designation	化 学 成 分 (%) Chemical composition					
			鋼材의 두께(1) t (㎜)	C	Si	Mn	P	S
O 052	KS	SCS 3		≦0.15	≦1.00	≦1.00	≦0.040	≦0.040
	JIS	SCS 3		≦0.15	≦1.00	≦1.00	≦0.040	≦0.040
	ASTM	CA-15 M		≦0.15	≦0.65	≦1.00	≦0.040	≦0.040
	BS							
	DIN							
O 053	KS	HRSC 2		≦0.40	≦2.00	≦1.00	≦0.040	≦0.040
	JIS	SCH 2		≦0.40	≦2.00	≦1.00	≦0.040	≦0.040
	ASTM	HC		≦0.50	≦2.00	≦1.00	≦0.04	≦0.04
	ASTM	HC 30		0.25～0.35	0.50～2.00	0.5～1.0	≦0.04	≦0.04
	BS							
	DIN							
	NF	Z 40 C 28-M		0.30～0.50	≦2.0	≦2.0	≦0.04	≦0.03
O 054	KS	HRSC 15		0.35～0.70	≦2.50	≦2.00	≦0.040	≦0.040
	JIS	SCH 15		0.35～0.70	≦2.50	≦2.00	≦0.040	≦0.040
	ASTM	HT		0.35～0.70	≦2.50	≦2.00	≦0.04	≦0.04
	ASTM	HT 50		0.40～0.60	0.50～2.00	≦1.50	≦0.04	≦0.04
	BS	330 C 12		≦0.75	≦3.0	≦2.0	≦0.050	≦0.050
	DIN							
	NF	Z40NC35.15-M		0.35～0.65	≦2.5	≦2.0	≦0.04	≦0.03
O 055	KS	HRSC 16		0.20～0.35	≦2.50	≦2.00	≦0.040	≦0.040
	JIS	SCH 16		0.20～0.35	≦2.50	≦2.00	≦0.040	≦0.040
	ASTM	HT 30		0.20～0.35	≦2.50	≦2.00	≦0.040	≦0.040
	BS							
	DIN							
O 056	KS	HRSC 19		0.20～0.50	≦2.00	≦2.00	≦0.040	≦0.040
	JIS	SCH 19		0.20～0.50	≦2.00	≦2.00	≦0.040	≦0.040
	ASTM	HN		0.20～0.50	≦2.00	≦2.00	≦0.04	≦0.04
	ASTM	HN 40		0.35～0.45	0.50～2.00	≦1.50	≦0.04	≦0.04
	BS							
	DIN							

Index No. O 052~O 056

化学成分 (%) Chemical composition					引張試験 Tensile requirements			規格番号 Std. No.
Cr	Mo	Ni	Cu	others	鋼材의 두께(1) t (mm)	降伏点(2) (N/mm²)	引張强度(3) (N/mm²)	
11.50~14.00	0.15~1.00	0.50~1.50				≧440	≧590	D 4103
11.50~14.00	0.15~1.00	0.50~1.50				≧440	≧590	G 5121
11.5~14.0	0.15~1.0	≦1.0				≧450	≧620	743/A 743 M
25.00~28.00	(4)	≦1.00(6)					≧340	D 4105
25.00~28.00	(4)	≦1.00(6)					≧340	G 5122
26.0~30.0	≦0.50	≦4.00				-	≧380	A 297/A 297 M
26~30	≦0.50	≦4.0				-	-	A 608
25~30		≦3					≧400	A 32-057
15.00~19.00	(4)	33.00~37.00					≧440	D 4105
15.00~19.00	(4)	33.00~37.00					≧440	G 5122
15.0~19.0	≦0.50	33.0~37.0				-	≧450	A 297/A 297 M
15~19	≦0.50	33~37				-	-	A 608
13.0~20.0	≦1.5	30.0~40.0					-	3100
14~20		33~40				≧200	≧400	A 32-057
13.00~17.00	(4)	33.00~37.00				≧195	≧440	D 4105
13.00~17.00	(4)	33.00~37.00				≧195	≧440	G 5122
13.0~17.0	≦0.50	33.0~37.0				≧195	≧450	A 351/A 351 M
19.00~23.00	(4)	23.00~27.00					≧390	D 4105
19.00~23.00	(4)	23.00~27.00					≧390	G 5122
19.0~23.0	≦0.50	23.0~27.0				-	≧435	A 297/A 297 M
19~23	≦0.50	23~27				-	-	A 608

Notes : (1) Thickness (2) Yield strength (3) Tensile strength

(4) ≦0.50%를 함유하여도 차이는 없다. (6)협정에 따라 ≦0.40%를 첨가할 수도 있다.

鑄鍛造品 (鑄鋼品) Steel castings and forgings (Steel castings)								
索引番号 Index No.	規格名 Std.	記号 Designation	化 学 成 分 (%) Chemical composition					
			鋼材의 두께(1) t (mm)	C	Si	Mn	P	S
O 057	KS	HRSC 20		0.35～0.75	≦2.50	≦2.00	≦0.040	≦0.040
	JIS	SCH 20		0.35～0.75	≦2.50	≦2.00	≦0.040	≦0.040
	ASTM	HU		0.35～0.75	≦2.50	≦2.00	≦0.04	≦0.04
	ASTM	HU 50		0.40～0.60	0.50～2.00	≦1.50	≦0.04	≦0.04
	BS	331 C 60		≦0.75	≦3.0	≦2.0	≦0.050	≦0.050
	DIN							
O 058	KS	HRSC 21		0.25～0.35	≦1.75	≦1.50	≦0.040	≦0.040
	JIS	SCH 21		0.25～0.35	≦1.75	≦1.50	≦0.040	≦0.040
	ASTM	HK 30		0.25～0.35	≦1.75	≦1.50	≦0.040	≦0.040
	ASTM	HK 30		0.25～0.35	0.50～2.00	≦1.50	≦0.04	≦0.04
	BS							
	DIN							
O 059	KS	HRSC 22		0.35～0.45	≦1.75	≦1.50	≦0.040(6)	≦0.040
	JIS	SCH 22		0.35～0.45	≦1.75	≦1.50	≦0.040(6)	≦0.040
	ASTM	HK 40		0.35～0.45	≦1.75	≦1.50	≦0.040	≦0.040
	ASTM	HK 40		0.35～0.45	0.50～2.00	≦1.50	≦0.04	≦0.04
	BS	310 C 45		≦0.5	≦3.0	≦2.0	≦0.050	≦0.050
	DIN							
O 060	KS	HRSC 23		0.20～0.60	≦2.00	≦2.00	≦0.040	≦0.040
	JIS	SCH 23		0.20～0.60	≦2.00	≦2.00	≦0.040	≦0.040
	ASTM	HL		0.20～0.60	≦2.00	≦2.00	≦0.04	≦0.04
	ASTM	HL 30		0.25～0.35	0.50～2.00	≦1.50	≦0.04	≦0.04
	ASTM	HL 40		0.35～0.45	0.50～2.00	≦1.50	≦0.04	≦0.04
	BS							
	DIN							
	NF	Z40CN30.20-M		0.30～0.60	≦2.0	≦2.0	≦0.04	≦0.03

Index No. O 057~O 060

化学成分 (%) Chemical composition					引張試驗 Tensile requirements			規格番号 Std. No.
Cr	Mo	Ni	Cu	others	鋼材의 두께(1) t (mm)	降伏点(2) (N/mm^2)	引張强度(3) (N/mm^2)	
17.00~21.00	(4)	37.00~41.00					≧390	D 4105
17.00~21.00	(4)	37.00~41.00					≧390	G 5122
17.0~21.0	≦0.50	37.0~41.0					≧450	A 297/A 297 M
17~21	≦0.50	37~41				-	-	A 608
15.0~25.0	≦1.5	36.0~46.0					-	3100
23.00~27.00	(4)	19.00~22.00		(5)		≧235	≧440	D 4105
23.00~27.00	(4)	19.00~22.00				≧235	≧440	G 5122
23.0~27.0	≦0.50	19.0~22.0				≧240	≧450	A 351/A 351 M
23~27	≦0.50	19~22				-	-	A 608
23.00~27.00(6)	(4)	19.00~22.00(6)		(5)		≧235	≧440	D 4105
23.00~27.00(6)	(4)	19.00~22.00(6)		(5)		≧235	≧440	G 5122
23.0~27.0	≦0.50	19.0~22.0				≧240	≧425	A 351/A 351 M
23~27	≦0.50	19~22				-	-	A 608
22.0~27.0	≦1.5	17.0~22.0				-	-	3100
28.00~32.00	(4)	18.00~22.00				≧245	≧450	D 4105
28.00~32.00	(4)	18.00~22.00				≧245	≧450	G 5122
28.0~32.0	≦0.50	18.0~22.0				≧240	≧450	A 297/A 297 M
28~32	≦0.50	18~22				-	-	A 608
28~32	≦0.50	18~22				-	-	A 608
28~32		18~22						A 32-057

Notes : (1) Thickness (2) Yield strength (3) Tensile strength (4) ≦0.50%를 함유하여도 차이는 없다.
(5) N≦0.20%를 첨가할 수도 있다. (6) 고압용 원심력 주강관의 경우는 Ni 20.00~23.00%, Cr 23.00~26.00% 및 P 0.030% 이하로 한다.

鑄鍛造品 (鑄鋼品) Steel castings and forgings (Steel castings)

索引番号 Index No.	規格名 Std.	記号 Designation	化学成分 (%) Chemical composition					
			鋼材의 두께(1) t (mm)	C	Si	Mn	P	S
O 061	KS	HRSC 24		0.35~0.75	≦2.00	≦2.00	≦0.040	≦0.040
	JIS	SCH 24		0.35~0.75	≦2.00	≦2.00	≦0.040	≦0.040
	ASTM	HP		0.35~0.75	≦2.50	≦2.00	≦0.04	≦0.04
	BS							
	DIN							
O 062	KS	HRSC 12		0.20~0.40	≦2.00	≦2.00	≦0.040	≦0.040
	JIS	SCH 12		0.20~0.40	≦2.00	≦2.00	≦0.040	≦0.040
	ASTM	HF		0.20~0.40	≦2.00	≦2.00	≦0.04	≦0.04
	ASTM	HF 30		0.25~0.35	0.50~2.00	≦1.50	≦0.04	≦0.04
	BS							
	DIN							
	NF	Z25CN20.10-M		0.20~0.40	≦2.0	≦2.0	≦0.04	≦0.03
O 063	KS	HRSC 13		0.20~0.50	≦2.00	≦2.00	≦0.040	≦0.040
	JIS	SCH 13		0.20~0.50	≦2.00	≦2.00	≦0.040	≦0.040
	ASTM	HH		0.20~0.50	≦2.00	≦2.00	≦0.04	≦0.04
	ASTM	Type I		0.20~0.45	≦1.75	≦2.50	≦0.05	≦0.05
	ASTM	Type II		0.20~0.45	≦1.75	≦2.50	≦0.05	≦0.05
	ASTM	HH 30		0.25~0.35	0.50~2.00	≦1.50	≦0.04	≦0.04
	BS	309 C 30		≦0.5	≦2.5	≦2.0	≦0.050	≦0.050
	DIN							
	NF	40CN25.12-M		0.30~0.50	≦2.0	≦2.0	≦0.04	≦0.03
O 064	KS	HRSC 17		0.20~0.50	≦2.00	≦2.00	≦0.040	≦0.040
	JIS	SCH 17		0.20~0.50	≦2.00	≦2.00	≦0.040	≦0.040
	ASTM	HE		0.20~0.50	≦2.00	≦2.00	≦0.04	≦0.04
	ASTM	HE 35		0.30~0.40	0.50~2.00	≦1.50	≦0.04	≦0.04
	BS	309 C 40		≦0.5	≦2.0	≦2.0	≦0.050	≦0.050
	DIN							

Index No. O 061~O 064

化学成分 (%) Chemical composition					引張試験 Tensile requirements			規格番号 Std. No.
Cr	Mo	Ni	Cu	others	鋼材의 두께([1]) t (mm)	降伏点([2]) (N/mm²)	引張强度([3]) (N/mm²)	
24.00~28.00	([4])	33.00~37.00				≧235	≧440	D 4105
24.00~28.00	([4])	33.00~37.00				≧235	≧440	G 5122
24~28	≦0.50	33~37				≧235	≧430	A 297/A 297 M
18.00~23.00	([4])	8.00~12.00				≧235	≧490	D 4105
18.00~23.00	([4])	8.00~12.00				≧235	≧490	G 5122
18.0~23.0	≦0.50	8.0~12.0				≧240	≧485	A 297/A 297 M
19~23	≦0.50	9~12				-	-	A 608
19~23		9~12				≧240	≧450	A 32-057
24.00~28.00	([4])	11.00~14.00		([5])		≧235	≧490	D 4105
24.00~28.00	([4])	11.00~14.00		([5])		≧235	≧490	G 5122
24.0~28.0	≦0.50	11.0~14.0				≧240	≧515	A 297/A 297 M
23.00~28.00		10.00~14.00		N≦0.20			≧550	A 447/A 447 M
23.00~28.00		10.00~14.00		N≦0.20			≧550	A 447/A 447 M
24~28	≦0.50	11~14				-	-	A 608
22.0~27.0	≦1.5	10.0~14.0				-	-	3100
23~26		12~14				≧240	≧500	A 32-057
26.00~30.00	([4])	8.00~11.00				≧275	≧540	D 4105
26.00~30.00	([4])	8.00~11.00				≧275	≧540	G 5122
26.0~30.0	≦0.50	8.0~11.0				≧275	≧585	A 297/A 297 M
26~30	≦0.50	8~11				-	-	A 608
25.0~30.0	≦1.5	8.0~12.0				-	-	3100

Notes : ([1]) Thickness ([2]) Yield strength ([3]) Tensile strength
([4]) ≦0.50%를 함유하여도 차이는 없다. ([5]) N≦0.20%를 첨가할 수도 있다.

鑄鍛造品 (鑄鋼品) Steel castings and forgings (Steel castings)

索引番号 Index No.	規格名 Std.	記号 Designation	化 学 成 分 (%) Chemical composition					
			鋼材의 두께(1) t (mm)	C	Si	Mn	P	S
O 065	KS	HRSC 18		0.20~0.50	≦2.00	≦2.00	≦0.040	≦0.040
	JIS	SCH 18		0.20~0.50	≦2.00	≦2.00	≦0.040	≦0.040
	ASTM	HI		0.20~0.50	≦2.00	≦2.00	≦0.04	≦0.04
	ASTM	HI 35		0.30~0.40	0.50~2.00	≦1.50	≦0.04	≦0.04
	BS							
	DIN							
O 066	KS	HRSC 11		≦0.40	≦2.00	≦1.00	≦0.040	≦0.040
	JIS	SCH 11		≦0.40	≦2.00	≦1.00	≦0.040	≦0.040
	ASTM	HD		≦0.50	≦2.00	≦1.50	≦0.04	≦0.04
	ASTM	HD 50		0.45~0.55	0.50~2.00	≦1.50	≦0.04	≦0.04
	BS							
	DIN							
	NF	Z 30 CN 26.05-M		0.20~0.50	≦2.0	≦2.0	≦0.04	≦0.03
O 067	KS	SCMnH 1		0.90~1.30	-	11.00~14.00	≦0.100	≦0.050
	JIS	SCMnH 1		0.90~1.30	-	11.00~14.00	≦0.100	≦0.050
	ASTM	A		1.05~1.35	≦1.00	≧11.0	≦0.07	
	ASTM	B-1		0.9~1.05	≦1.00	11.5~14.0	≦0.07	
	ASTM	B-2		1.05~1.2	≦1.00	11.5~14.0	≦0.07	
	ASTM	B-3		1.12~1.28	≦1.00	11.5~14.0	≦0.07	
	BS	BW 10		1.00~1.35	≦1.00	≧11.0	≦0.050	≦0.050
	DIN							
	NF	Z 120 M 12-M		1.1~1.4	≦1.0	11~14	≦0.08	≦0.030
O 068	KS	SCMnH 2		0.90~1.20	≦0.80	11.00~14.00	≦0.070	≦0.040
	JIS	SCMnH 2		0.90~1.20	≦0.80	11.00~14.00	≦0.070	≦0.040
	ASTM	A		1.05~1.35	≦1.00	≧11.0	≦0.07	
		B-1		0.9~1.05	≦1.00	11.5~14.0	≦0.07	
		B-2		1.05~1.2	≦1.00	11.5~14.0	≦0.07	
		B-3		1.12~1.28	≦1.00	11.5~14.0	≦0.07	

Index No. O 065~O 068

化学成分 (%) Chemical composition					引張試験 Tensile requirements			規格番号 Std. No.
Cr	Mo	Ni	Cu	others	鋼材의 두께(1) t (㎜)	降伏点(2) (N/㎟)	引張强度(3) (N/㎟)	
26.00~30.00	(4)	14.00~18.00				≧235	≧490	D 4105
26.00~30.00	(4)	14.00~18.00				≧235	≧490	G 5122
26.0~30.0	≦0.50	14.0~18.0				≧240	≧485	A 297/A 297 M
26~30	≦0.50	14~18				-	-	A 608
24.00~28.00	(4)	4.00~6.00					≧590	D 4105
24.00~28.00	(4)	4.00~6.00					≧590	G 5122
26.0~30.0	≦0.50	4.0~7.0				≧240	≧515	A 297/A 297 M
26~30	≦0.50	4~7				-	-	A 608
25~30		3~6				≧250	≧550	A 32-057
								D 4104
								G 5131
						-	-	A 128/A 128 M
						-	-	
						-	-	
						-	-	
						-	-	3100
				(5)				A 32-058
							≧740	D 4104
							≧740	G 5131
						-	-	A 128/A 128 M
						-	-	
						-	-	
						-	-	

Notes : (1) Thickness (2) Yield strength (3) Tensile strength

(4) ≦0.50%를 함유하여도 차이는 없다. (5) $\frac{Mn}{10} < C < \frac{Mn}{10}$

鑄鍛造品 (鑄鋼品) Steel castings and forgings (Steel castings)

索引番号 Index No.	規格名 Std.	記号 Designation	化学成分 (%) Chemical composition					
			鋼材의 두께([1]) t (㎜)	C	Si	Mn	P	S
O 069	KS	SCMnH 3		0.90~1.20	0.30~0.80	11.00~14.00	≦0.050	≦0.035
	JIS	SCMnH 3		0.90~1.20	0.30~0.80	11.00~14.00	≦0.050	≦0.035
	ASTM	A		1.05~1.35	≦1.00	≧11.0	≦0.07	
		B-1		0.9~1.05	≦1.00	11.5~14.0	≦0.07	
		B-2		1.05~1.2	≦1.00	11.5~14.0	≦0.07	
		B-3		1.12~1.28	≦1.00	11.5~14.0	≦0.07	
	BS							
	DIN							
O 070	KS	SCMnH 11		0.90~1.30	≦0.80	11.00~14.00	≦0.070	≦0.040
	JIS	SCMnH 11		0.90~1.30	≦0.80	11.00~14.00	≦0.070	≦0.040
	ASTM	C		1.05~1.35	≦1.00	11.5~14.0	≦0.07	
	BS							
	DIN							
O 071	KS	SCMnH 21		1.00~1.35	≦0.80	11.00~14.00	≦0.070	≦0.040
	JIS	SCMnH 21		1.00~1.35	≦0.80	11.00~14.00	≦0.070	≦0.040
	ASTM							
	BS							
	DIN							
O 072	KS	SCPH 1		≦0.25	≦0.60	≦0.70	≦0.040	≦0.040
	JIS	SCPH 1		≦0.25	≦0.60	≦0.70	≦0.040	≦0.040
	ASTM							
	BS	A 1		≦0.25	≦0.60	≦0.90	≦0.050	≦0.050
	DIN							
	NF	GP 240 GH		0.18~0.23	≦0.60	0.50~1.20	≦0.030	≦0.020
O 073	KS	SCPH 11		≦0.25	≦0.60	0.50~0.80	≦0.040	≦0.040
	JIS	SCPH 11		≦0.25	≦0.60	0.50~0.80	≦0.040	≦0.040
	ASTM	2		≦0.25	≦0.60	≦0.70	≦0.035	≦0.030
		WC1		≦0.25	≦0.60	0.50~0.80	≦0.04	≦0.045
	BS	B 1		≦0.20	0.20~0.60	0.40~1.0	≦0.040	≦0.040

Index No. O 069~O 073

化 学 成 分 (%) Chemical composition					引 張 試 驗 Tensile requirements			規格番号 Std. No.
Cr	Mo	Ni	Cu	others	鋼材의 두께[1] t (㎜)	降伏点[2] (N/㎟)	引張强度[3] (N/㎟)	
							≧740	D 4104
							≧740	G 5131
						-	-	A 128/A 128 M
						-	-	
						-	-	
						-	-	
1.50~2.50						≧390	≧740	D 4104
1.50~2.50						≧390	≧740	G 5131
1.5~2.5								A 128/A 128 M
2.00~3.00				V0.40~0.70		≧440	≧740	D 4104
2.00~3.00				V0.40~0.70		≧440	≧740	G 5131
≦0.25	≦0.25	≦0.50	≦0.50	Cu+Ni+Cr+Mo≦1.00		≧205	≧410	D 4107
≦0.25	≦0.25	≦0.50	≦0.50	Cu+Ni+Cr+Mo≦1.00		≧205	≧410	G 5151
≦0.30	≦0.15	≦0.40	≦0.30	Cu+Ni+Cr+Mo≦0.80		≧230	≧430	3100
					≦100	≧240	420~640	EN 10213-2
≦0.35	0.45~0.65	≦0.50	≦0.50	Cu+Ni+Cr+W ≦1.00 W≦0.1		≧245	≧450	D 4107
≦0.35	0.45~0.65	≦0.50	≦0.50	Cu+Ni+Cr+W ≦1.00 W≦0.1		≧245	≧450	G 5151
	0.45~0.65					≧240	≧450	A 356/A 356 M
	0.45~0.65					≧240	450~620	A 217/A 217 M
≦0.30	0.45~0.65	≦0.40	≦0.30			≧260	≧460	3100

Notes : (1) Thickness (2) Yield strength (3) Tensile strength

鑄鍛造品 (鑄鋼品) Steel castings and forgings (Steel castings)

索引番号 Index No.	規格名 Std.	記号 Designation	化 学 成 分 (%) Chemical composition					
			鋼材의 두께([1]) t (mm)	C	Si	Mn	P	S
O 073(계속)	DIN	G 20 Mo 5		0.15～0.23	≦0.60	0.50～1.00	≦0.025	≦0.020
	NF	G 20 Mo 5		0.15～0.23	≦0.60	0.50～1.00	≦0.025	≦0.020
O 074	KS	SCPH 2		≦0.30	≦0.60	≦1.00	≦0.040	≦0.040
	JISS	SCPH 2		≦0.30	≦0.60	≦1.00	≦0.040	≦0.040
	ASTM	1		≦0.35	≦0.60	≦0.70	≦0.035	≦0.030
	BS	A 2		≦0.35	≦0.60	≦1.0	≦0.050	≦0.050
	DIN							
	NF	GP 280 GH		0.18～0.25	≦0.60	0.80～1.20	≦0.030	≦0.030
O 075	KS	SCPH 21		≦0.20	≦0.60	0.50～0.80	≦0.040	≦0.040
	JIS	SCPH 21		≦0.20	≦0.60	0.50～0.80	≦0.040	≦0.040
	ASTM	6		≦0.20	≦0.60	0.50～0.80	≦0.035	≦0.030
		WC 6		0.05～0.20	≦0.60	0.50～0.80	≦0.04	≦0.045
	BS	B 2		≦0.20	≦0.60	0.50～0.80	≦0.040	≦0.040
	DIN	G 17 CrMo 5-5		0.15～0.20	≦0.60	0.50～1.00	≦0.020	≦0.020
	NF	G 17 CrMo 5-5		0.12～0.20	≦0.60	0.50～1.00	≦0.020	≦0.020
O 076	KS	SCPH 22		≦0.25	≦0.60	0.50～0.80	≦0.040	≦0.040
	JIS	SCPH 22		≦0.25	≦0.60	0.50～0.80	≦0.040	≦0.040
	ASTM							
	BS							
	DIN							
O 077	KS	SCPH 23		≦0.20	≦0.60	0.50～0.80	≦0.040	≦0.040
	JIS	SCPH 23		≦0.20	≦0.60	0.50～0.80	≦0.040	≦0.040
	ASTM	8		≦0.20	0.20～0.60	0.50～0.90	≦0.035	≦0.030
	BS							
	DIN	G 17 CrMoV5-10		0.15～0.20	≦0.60	0.50～0.90	≦0.020	≦0.015
	NF	G 17 CrMoV5-10		0.15～0.20	≦0.60	0.50～0.90	≦0.020	≦0.015

Index No. O 073~O 077

化 学 成 分 (%) Chemical composition					引 張 試 験 Tensile requirements			規格番号 Std. No.
Cr	Mo	Ni	Cu	others	鋼材의 두께(1) t (㎜)	降伏点(2) (N/㎟)	引張強度(3) (N/㎟)	
	0.40~0.60					≧245	440~590	EN 10213-2
	0.40~0.60				≦100	≧250	440~590	EN 10213-2
≦0.25	≦0.25	≦0.50	≦0.50	Cu+Ni+Cr+Mo≦1.00		≧245	≧480	D 4107
≦0.25	≦0.25	≦0.50	≦0.50	Cu+Ni+Cr+Mo≦1.00		≧245	≧480	G 5151
						≧250	≧485	A 356/A 356 M
						≧260	≧490	3100
						≧280	480~640	EN 10213-2
1.00~1.50	0.45~0.65	≦0.50	≦0.50	Cu+Ni+W≦1.00 W≦0.10		≧275	≧480	D 4107
1.00~1.50	0.45~0.65	≦0.50	≦0.50	Cu+Ni+W≦1.00 W≦0.10		≧275	≧480	G 5151
1.00~1.50	0.45~0.65					≧310	≧485	A 356/A 356 M
1.00~1.50	0.45~0.65					≧275	485~655	A 217/A 217 M
1.0~1.50	0.45~0.65	≦0.40	≦0.30			≧280	≧480	3100
1.00~1.50	0.45~0.65					≧315	490~690	EN 10213-2
1.00~1.50	0.45~0.65					≧315	490~690	EN 10213-2
1.00~1.50	0.90~1.20	≦0.50	≦0.50	Cu+Ni+W≦1.00 W≦0.10		≧345	≧550	D 4107
1.00~1.50	0.90~1.20	≦0.50	≦0.50	Cu+Ni+W≦1.00 W≦0.10		≧345	≧550	G 5151
1.00~1.50	0.90~1.20	≦0.50	≦0.50	V 0.15~0.25 Cu+Ni+W≦1.00, W≦0.10		≧345	≧550	D 4107
1.00~1.50	0.90~1.20	≦0.50	≦0.50	V 0.15~0.25 Cu+Ni+W≦1.00, W≦0.10		≧345	≧550	G 5151
1.00~1.50	0.90~1.20			V 0.05~0.15		≧345	≧550	A 356/A 356 M
1.20~1.50	0.90~1.10			V 0.20~0.30		≧440	590~780	EN 10213-2
1.20~1.50	0.90~1.10			V 0.20~0.30		≧440	590~780	EN 10213-2

Notes : (1) Thickness (2) Yield strength (3) Tensile strength

鑄鍛造品 (鑄鋼品) Steel castings and forgings (Steel castings)

索引番号 Index No.	規格名 Std.	記号 Designation	化学成分 (%) Chemical composition					
			鋼材의 두께(1) t (mm)	C	Si	Mn	P	S
O 078	KS	SCPH 32		≦0.20	≦0.60	0.50～0.80	≦0.040	≦0.040
	JIS	SCPH 32		≦0.20	≦0.60	0.50～0.80	≦0.040	≦0.040
	ASTM	WC 9		0.05～0.20	≦0.60	0.40～0.70	≦0.04	≦0.045
	BS	B 3		≦0.18	≦0.60	0.40～0.70	≦0.040	≦0.040
	DIN							
	NF	G 17 CrMo9-10		0.13～0.20	≦0.60	0.50～0.90	≦0.020	≦0.020
O 079	KS	SCPH 61		≦0.20	≦0.75	0.50～0.80	≦0.040	≦0.040
	JIS	SCPH 61		≦0.20	≦0.75	0.50～0.80	≦0.040	≦0.040
	ASTM	C 5		≦0.20	≦0.75	0.40～0.70	≦0.04	≦0.045
	BS	B 5		≦0.20	≦0.75	0.40～0.70	≦0.040	≦0.040
	DIN							
	NF	Z 15 CD 5.05-M		≦0.19	≦1.00	≦1.00	≦0.030	≦0.030
O 080	KS	SCPL 1		≦0.30	≦0.60	≦1.00	≦0.040	≦0.040
	JIS	SCPL 1		≦0.30	≦0.60	≦1.00	≦0.040	≦0.040
	ASTM	LCB		≦0.30	≦0.60	≦1.00	≦0.04	≦0.045
	BS	A 1		≦0.25	≦0.60	≦0.90	≦0.050	≦0.050
	BS	A 2		≦0.35	≦0.60	≦1.0	≦0.050	≦0.050
	DIN							
	NF	GP 280 GH		0.18～0.25	≦0.60	0.80～1.20	≦0.030	≦0.020
O 081	KS	SCPL 11		≦0.25	≦0.60	0.50～0.80	≦0.040	≦0.040
	JIS	SCPL 11		≦0.25	≦0.60	0.50～0.80	≦0.040	≦0.040
	ASTM	LC 1		≦0.25	≦0.60	0.50～0.80	≦0.04	≦0.045
	BS	B 1		≦0.20	0.20～0.60	0.40～1.0	≦0.040	≦0.040
	DIN							
	NF	G 20 Mo 5		0.15～0.25	≦0.60	0.50～1.00	≦0.025	≦0.020
O 082	KS	SCPL 21		≦0.25	≦0.60	0.50～0.80	≦0.040	≦0.040
	JIS	SCPL 21		≦0.25	≦0.60	0.50～0.80	≦0.040	≦0.040
	ASTM	LC 2		≦0.25	≦0.60	0.50～0.80	≦0.04	≦0.045
	BS							

Index No. O 078~O 082

化 学 成 分 (%) Chemical composition					引 張 試 験 Tensile requirements			規格番号 Std. No.
Cr	Mo	Ni	Cu	others	鋼材의 두께([1]) t (mm)	降伏点([2]) (N/mm²)	引張强度([3]) (N/mm²)	
2.00~2.75	0.90~1.20	≦0.50	≦0.50	W≦0.10 Cu+Ni+W ≦1.00		≧275	≧480	D 4107
2.00~2.75	0.90~1.20	≦0.50	≦0.50	W≦0.10 Cu+Ni+W ≦1.00		≧275	≧480	G 5151
2.00~2.75	0.90~1.20					≧275	485~655	A 217/A 217 M
2.0~2.75	0.90~1.20	≦0.40	≦0.30			≧325	≧540	3100
2.00~2.50	0.90~1.20				≦150	≧400	490~740	EN 10213-2
4.00~6.50	0.45~0.65	≦0.50	≦0.50	W≦0.10 Cu+Ni+W ≦1.00		≧410	≧620	D 4107
4.00~6.50	0.45~0.65	≦0.50	≦0.50	W≦0.10 Cu+Ni+W ≦1.00		≧410	≧620	G 5151
4.00~6.50	0.45~0.65					≧415	620~795	A 217/A 217 M
4.0~6.0	0.45~0.65	≦0.40	≦0.30			≧420	≧620	3100
4.00~6.00	0.40~0.70	≦0.30	≦0.30	V≦0.04 Cu+Ni+V ≦1		≧420	630~780	A 32-055
≦0.25		≦0.50	≦0.50	Cu+Ni+Cr ≦1.00		≧245	≧450	D 4111
≦0.25		≦0.50	≦0.50	Cu+Ni+Cr ≦1.00		≧245	≧450	G 5152
≦0.50	≦0.20	≦0.50	≦0.30	V≦0.03 Cu+Ni+Cr+ V+Mo≦1.00		≧240	450~620	A 352/A 352 M
≦0.30	≦0.15	≦0.40	≦0.30	Cu+Ni+Cr Mo≦0.80		≧230	≧430	3100
						≧260	≧490	3100
						≧280	480~640	EN 10213-2
≦0.35	0.45~0.65		≦0.50			≧245	≧450	D 4111
≦0.35	0.45~0.65		≦0.50			≧245	≧450	G 5152
	0.45~0.65					≧240	450~620	A 352/A 352 M
≦0.30	0.45~0.65	≦0.40	≦0.30	Cu+Ni+Cr ≦0.80		≧260	≧460	3100
	0.40~0.60					≧245	440~590	EN 10213-2
≦0.35		2.00~3.00	≦0.50			≧275	≧480	D 4111
≦0.35		2.00~3.00	≦0.50			≧275	≧480	G 5152
		2.00~3.00				≧275	485~655	A 352/A 352 M

Notes : ([1]) Thickness ([2]) Yield strength ([3]) Tensile strength

鑄鍛造品 (鑄鋼品) Steel castings and forgings (Steel castings)

索引番号 Index No.	規格名 Std.	記号 Designation	化 学 成 分 (%) Chemical composition					
			鋼材의 두께[1] t (㎜)	C	Si	Mn	P	S
O 082(계속)	DIN							
	NF	FC 2-M		≦0.25	≦0.50	≦0.80	≦0.040	≦0.035
O 083	KS	SCPL 31		≦0.15	≦0.60	0.50~0.80	≦0.040	≦0.040
	JIS	SCPL 31		≦0.15	≦0.60	0.50~0.80	≦0.040	≦0.040
	ASTM	LC 3		≦0.15	≦0.60	0.50~0.80	≦0.04	≦0.045
	BS	BL 2		≦0.12	≦0.60	≦0.80	≦0.030	≦0.030
	DIN							
	NF	FC 3-M		≦0.15	≦0.50	≦0.80	≦0.040	≦0.035
O 084	KS	SCW 410-CF		≦0.22	≦0.80	≦1.50	≦0.040	≦0.040
	JIS	SCW 410-CF		≦0.22	≦0.80	≦1.50	≦0.040	≦0.040
	ASTM							
	BS	A 1		≦0.25	≦0.60	≦0.90	≦0.050	≦0.050
	DIN							
O 085	KS	SCW 480-CF		≦0.22	≦0.80	≦1.50	≦0.040	≦0.040
	JIS	SCW 480-CF		≦0.22	≦0.80	≦1.50	≦0.040	≦0.040
	ASTM							
	BS							
	DIN							
O 086	KS	SCW 490-CF		≦0.20	≦0.80	≦1.50	≦0.040	≦0.040
	JIS	SCW 490-CF		≦0.20	≦0.80	≦1.50	≦0.040	≦0.040
	ASTM							
	BS	A 2		≦0.35	≦0.60	≦1.0	≦0.050	≦0.050
	DIN							
O 087	KS	SCW 520-CF		≦0.20	≦0.80	≦1.50	≦0.040	≦0.040
	JIS	SCW 520-CF		≦0.20	≦0.80	≦1.50	≦0.040	≦0.040
	ASTM							
	BS	A 4		0.18~0.25	≦0.60	1.2~1.6	≦0.050	≦0.050
	DIN							

Index No. O 082~O 087

化学成分 (%) Chemical composition					引張試験 Tensile requirements			規格番号 Std. No.
Cr	Mo	Ni	Cu	others	鋼材의 두께[1] t (mm)	降伏点[2] (N/mm²)	引張强度[3] (N/mm²)	
		2.5~4				≧230	450~600	A 32-053
≦0.35		3.00~4.00	≦0.50			≧275	≧480	D 4111
≦0.35		3.00~4.00	≦0.50			≧275	≧480	G 5152
		3.00~4.00				≧275	485~655	A 352/A 352 M
		3.00~4.00				≧280	≧460	3100
		3.5~4.5				≧230	450~600	A 32-053
				C_{eq}≦0.40		≧235	≧410	D 4108
				C_{eq}≦0.40		≧235	≧410	G 5201
≦0.30	≦0.15	≦0.40	≦0.30	Cu+Ni+Cr+Mo≦0.80		≧230	≧430	3100
				C_{eq}≦0.43		≧275	≧480	D 4108
				C_{eq}≦0.43		≧275	≧480	G 5201
				C_{eq}≦0.44		≧315	≧490	D 4108
				C_{eq}≦0.44		≧315	≧490	G 5201
						≧260	≧490	3100
≦0.50		≦0.50		C_{eq}≦0.45		≧355	≧520	D 4108
≦0.50		≦0.50		C_{eq}≦0.45		≧355	≧520	G 5201
						≧320	540~690	3100

Notes : (1) Thickness (2) Yield strength (3) Tensile strength

鑄鍛造品 (鑄鋼品) Steel castings and forgings (Steel castings)

索引番号 Index No.	規格名 Std.	記号 Designation	化 学 成 分 (%) Chemical composition					
			鋼材의 두께([1]) t (mm)	C	Si	Mn	P	S
O 088	KS	SCPH 11-CF		≦0.20	≦0.60	0.30~0.60	≦0.035	≦0.035
	JIS	SCPH 11-CF		≦0.20	≦0.60	0.30~0.60	≦0.035	≦0.035
	ASTM	CP 1		≦0.25	0.10~0.50	0.30~0.80	≦0.040	≦0.045
	BS	B 1		≦0.20	0.20~0.60	0.40~1.0	≦0.040	≦0.040
	DIN							
O 089	KS	SCPH 21-CF		≦0.15	≦0.60	0.30~0.60	≦0.030	≦0.030
	JIS	SCPH 21-CF		≦0.15	≦0.60	0.30~0.60	≦0.030	≦0.030
	ASTM	CP 11		0.05~0.20	≦0.60	0.30~0.80	≦0.040	≦0.045
	ASTM	CP 12		0.05~0.15	≦0.50	0.30~0.61	≦0.040	≦0.045
	BS	B 2		≦0.20	≦0.60	0.50~0.80	≦0.040	≦0.040
	DIN							
O 090	KS	SCPH 32-CF		≦0.15	≦0.60	0.30~0.60	≦0.030	≦0.030
	JIS	SCPH 32-CF		≦0.15	≦0.60	0.30~0.60	≦0.030	≦0.030
	ASTM	CP 22		0.05~0.15	≦0.60	0.30~0.70	≦0.040	≦0.045
	BS	B 3		≦0.18	≦0.60	0.40~0.70	≦0.040	≦0.040
	DIN							

Index No. O 088～O 090

化 学 成 分 (%) Chemical composition					引 張 試 験 Tensile requirements			規格番号 Std. No.
Cr	Mo	Ni	Cu	others	鋼材의 두께(1) t (㎜)	降伏点(2) (N/㎟)	引張強度(3) (N/㎟)	
≦0.35	0.45～0.65	≦0.50	≦0.50	Cu+Ni+Cr +W≦1.00 W≦0.10		≧205	≧380	D 4112
≦0.35	0.45～0.65	≦0.50	≦0.50	Cu+Ni+Cr +W≦1.00 W≦0.10		≧205	≧380	G 5202
	0.44～0.65					≧240	≧450	A 426
≦0.30	0.45～0.65	≦0.40	≦0.30	Cu+Ni+Cr ≦0.80		≧260	≧460	3100
1.00～1.50	0.045～0.65	≦0.50	≦0.50	Cu+Ni+W ≦1.00 W≦0.10		≧205	≧410	D 4112
1.00～1.50	0.045～0.65	≦0.50	≦0.50	Cu+Ni+W ≦1.00 W≦0.10		≧205	≧410	G 5202
1.00～1.50	0.044～0.65					≧275	≧485	A 426
0.80～1.25	0.044～0.65					≧205	≧415	A 426
1.0～1.5	0.045～0.65	≦0.40	≦0.30			≧260	≧460	3100
1.90～2.60	0.90～1.20	≦0.50	≦0.50	Cu+Ni+W ≦1.00 W≦0.10		≧205	≧410	D 4112
1.90～2.60	0.90～1.20	≦0.50	≦0.50	Cu+Ni+W ≦1.00 W≦0.10		≧205	≧410	G 5202
2.00～2.75	0.90～1.20					≧275	≧485	A 426
2.0～2.75	0.90～1.20	≦0.40	≦0.30			≧325	≧540	3100

Notes : (1) Thickness (2) Yield strength (3) Tensile strength

鑄鍛造品 (鑄鍛品) Steel castings and forgings (Iron castings)								
索引番号 Index No.	規格名 Std.	記号 Designation	化 学 成 分 (%) Chemical composition					
			鋼材의 두께([1]) t (mm)	C	Si	Mn	P	S
P 001	KS	GC 100						
	JIS	FC 100						
	ASTM	Class No. 20						
	BS	EN-GJL-100						
	DIN	EN-GJL-100						
	NF	EN-GJL-100						
	ISO	100						
P 002	KS	GC 150						
	JIS	FC 150						
	ASTM	Class No. 25						
	BS	EN-GJL-150						
	DIN	EN-GJL-150						
	NF	EN-GJL-150						
	ISO	150						
P 003	KS	GC 200						
	JIS	FC 200						
	ASTM	Class No. 30						
	BS	EN-GJL-200						
	DIN	EN-GJL-200						
	NF	EN-GJL-200						
	ISO	200						
P 004	KS	GC 250						
	JIS	FC 250						
	ASTM	Class No. 35						
	ASTM	Class No. 40						
	BS	EN-GJL-250						
	DIN	EN-GJL-250						
	NF	EN-GJL-250						
	ISO	250						

Index No. P 001~P 004

化学成分 (%) Chemical composition					引張試験 Tensile requirements			規格番号 Std. No.
Cr	Mo	Ni	Cu	others	鋼材의 두께([1]) t (㎜)	降伏点([2]) (N/㎟)	引張强度([3]) (N/㎟)	
					30		≧100	D 4301
					30		≧100	G 5501
							≧138	A 48
					30		≧100	EN 1561
					30		100~200	EN 1561
					30		100~200	EN 1561
							100~200	185
					30		≧150	D 4301
					30		≧150	G 5501
							≧172	A 48
					30		150~250	EN 1561
					30		150~250	EN 1561
					30		150~250	EN 1561
							150~250	185
					30		≧200	D 4301
					30		≧200	G 5501
							≧207	A 48
					30		200~300	EN 1561
					30		200~300	EN 1561
					30		200~300	EN 1561
							200~300	185
					30		≧250	D 4301
					30		≧250	G 5501
							≧241	A 48
							≧276	A 48
					30		250~350	EN 1561
					30		250~350	EN 1561
					30		250~350	EN 1561
							250~350	185

Notes : ([1]) Thickness ([2]) Yield strength ([3]) Tensile strength

鑄鍛造品 (鑄鍛品) Steel castings and forgings (Iron castings)								
索引番号 Index No.	規格名 Std.	記号 Designation	化学成分 (%) Chemical composition					
			鋼材의 두께(1) t (㎜)	C	Si	Mn	P	S
P 005	KS	GC 300						
	JIS	FC 300						
	ASTM	Class No. 45						
	BS	EN-GJL-300						
	DIN	EN-GJL-300						
	NF	EN-GJL-300						
	ISO	300						
P 006	KS	GC 350						
	JIS	FC 350						
	ASTM	Class No. 50						
	BS	EN-GJL-350						
	DIN	EN-GJL-350						
	NF	EN-GJL-350						
	ISO	350						
P 007	KS	GCD 350-22		≦2.5	≦2.7	≦0.4	≦0.08	≦0.02
	JIS	FCD 350-22		≦2.5	≦2.7	≦0.4	≦0.08	≦0.02
	ASTM							
	BS	EN-GJS-350-22						
	DIN	EN-GJS-350-22						
	NF	EN-GJS-350-22						
	ISO	350-22						
P 008	KS	GCD 400-18		≦2.5	≦2.7	≦0.4	≦0.08	≦0.02
	JIS	FCD 400-18		≦2.5	≦2.7	≦0.4	≦0.08	≦0.02
	ASTM	60-40-18						
	BS	EN-GJS-400-18						
	DIN	EN-GJS-400-18						
	NF	EN-GJS-400-18						
	ISO	400-18						

Index No. P 005~P 008

化 学 成 分 (%) Chemical composition					引 張 試 験 Tensile requirements			規格番号 Std. No.
Cr	Mo	Ni	Cu	others	鋼材의 두께(1) t (㎜)	降伏点(2) (N/㎟)	引張强度(3) (N/㎟)	
					30		≧300	D 4301
					30		≧300	G 5501
							≧310	A 48
					30		300~400	EN 1561
					30		300~400	EN 1561
					30		300~400	EN 1561
							300~400	185
					30		≧350	D 4301
					30		≧350	G 5501
							≧345	A 48
					30		350~450	EN 1561
					30		350~450	EN 1561
					30		350~450	EN 1561
							350~450	185
				Mg≦0.09		≧220	≧350	D 4302
				Mg≦0.09		≧220	≧350	G 5502
						≧220	≧350	EN 1563
						≧220	≧350	EN 1563
						≧220	≧350	EN 1563
						≧220	≧350	1083
				Mg≦0.09		≧250	≧400	D 4302
				Mg≦0.09		≧250	≧400	G 5502
						≧276	≧414	A 536
						≧250	≧400	EN 1563
						≧250	≧400	EN 1563
						≧250	≧400	EN 1563
						≧250	≧400	1083

Notes : (1) Thickness (2) Yield strength (3) Tensile strength

鑄鍛造品 (鑄鍛品) Steel castings and forgings (Iron castings)

索引番号 Index No.	規格名 Std.	記号 Designation	化 学 成 分 (%) Chemical composition					
			鋼材의 두께(1) t (mm)	C	Si	Mn	P	S
P 009	KS	GCD 400-15		≦2.5				≦0.02
	JIS	FCD 400-15		≦2.5				≦0.02
	ASTM	60-40-18						
	BS	EN-GJS-400-15						
	DIN	EN-GJS-400-15						
	NF	EN-GJS-400-15						
	ISO	400-15						
P 010	KS	GCD 450-10		≦2.5				≦0.02
	JIS	FCD 450-10		≦2.5				≦0.02
	ASTM	65-45-12						
	BS	EN-GJS-450-10						
	DIN	EN-GJS-450-10						
	NF	EN-GJS-450-10						
	ISO	450-10						
P 011	KS	GCD 500-7		≦2.5				≦0.02
	JIS	FCD 500-7		≦2.5				≦0.02
	ASTM							
	BS	EN-GJS-500-7						
	DIN	EN-GJS-500-7						
	NF	EN-GJS-500-7						
	ISO	500-7						
P 012	KS	GCD 600-3		≦2.5				≦0.02
	JIS	FCD 600-3		≦2.5				≦0.02
	ASTM	80-55-06						
	BS	EN-GJL-600-3						
	DIN	EN-GJL-600-3						
	NF	EN-GJL-600-3						
	ISO	600-3						

Index No. P 009~P 012								
化 学 成 分 (%) Chemical composition					引 張 試 験 Tensile requirements			規格番号 Std. No.
Cr	Mo	Ni	Cu	others	鋼材의 두께([1]) t (㎜)	降伏点([2]) (N/㎟)	引張强度([3]) (N/㎟)	
				Mg≦0.09		≧250	≧400	D 4302
						≧250	≧400	G 5502
						≧276	≧414	A 536
						≧250	≧400	EN 1563
						≧250	≧400	EN 1563
						≧250	≧400	EN 1563
						≧250	≧400	1083
				Mg≦0.09		≧280	≧450	D 4302
						≧280	≧450	G 5502
						≧310	≧448	A 536
						≧310	≧450	EN 1563
						≧310	≧450	EN 1563
						≧310	≧450	EN 1563
						≧310	≧450	1083
				Mg≦0.09		≧320	≧500	D 4302
						≧320	≧500	G 5502
						≧320	≧500	EN 1563
						≧320	≧500	EN 1563
						≧320	≧500	EN 1563
						≧320	≧500	1083
				Mg≦0.09		≧370	≧600	D 4302
						≧370	≧600	G 5502
						≧379	≧552	A 536
						≧370	≧600	EN 1563
						≧370	≧600	EN 1563
						≧370	≧600	EN 1563
						≧370	≧600	1083

Notes : ([1]) Thickness ([2]) Yield strength ([3]) Tensile strength

鑄鍛造品 (鑄鍛品) Steel castings and forgings (Iron castings)

索引番号 Index No.	規格名 Std.	記号 Designation	化 学 成 分 (%) Chemical composition					
			鋼材의 두께(1) t (mm)	C	Si	Mn	P	S
P 013	KS	GCD 700-2		≦2.5				≦0.002
	JIS	FCD 700-2		≦2.5				≦0.002
	ASTM	100-70-03						
	BS	EN-JS-700-2						
	DIN	EN-JS-700-2						
	NF	EN-JS-700-2						
	ISO	700-2						
P 014	KS	GCD 800-2						
	JIS	FCD 800-2						
	ASTM	Grade 100-70-03						
	ASTM	Grade 120-90-02						
	BS	EN-JS-800-2						
	DIN	EN-JS-800-2						
	NF	EN-JS-800-2						
	ISO	800-2						
P 015	KS	GCD 900 A						
	JIS	FCAD 900-8						
	ASTM							
	BS	EN-JS-800-8						
	DIN	EN-JS-800-8						
	NF	EN-JS-800-8						
P 016	KS	GCD 1000 A						
	JIS	FCAD 1000-5						
	ASTM							
	BS	EN-JS-1000-5						
	DIN	EN-JS-1000-5						
	NF	EN-JS-1000-5						

Index No. P 013~P 016

化学成分 (%) Chemical composition					引張試験 Tensile requirements			規格番号 Std. No.
Cr	Mo	Ni	Cu	others	鋼材의 두께[1] t (mm)	降伏点[2] (N/mm²)	引張强度[3] (N/mm²)	
				Mg≦0.09		≧420	≧700	D 4302
						≧420	≧700	G 5502
						≧483	≧689	A 536
						≧420	≧700	EN 1563
						≧420	≧700	EN 1563
						≧420	≧700	EN 1563
						≧420	≧700	1083
						≧480	≧800	D 4302
						≧480	≧800	G 5502
						≧483	≧689	A 536
						≧621	≧827	A 536
						≧480	≧800	EN 1563
						≧480	≧800	EN 1563
						≧480	≧800	EN 1563
						≧480	≧800	1083
						≧600	≧900	D 4318
						≧600	≧900	G 5503
						≧500	≧800	EN 1564
						≧500	≧800	EN 1564
						≧500	≧800	EN 1564
						≧700	≧1000	D 4318
						≧700	≧1000	G 5503
						≧700	≧1000	EN 1564
						≧700	≧1000	EN 1564
						≧700	≧1000	EN 1564

Notes : (1) Thickness (2) Yield strength (3) Tensile strength

鑄鍛造品 (鑄鍛品) Steel castings and forgings (Iron castings)								
索引番号 Index No.	規格名 Std.	記号 Designation	化 学 成 分 (%) Chemical composition					
			鋼材의 두께(1) t (mm)	C	Si	Mn	P	S
P 017	KS	GCD 1200 A						
	JIS	FCAD 1200-2						
	ASTM							
	BS	EN-GJS-1200-2						
	DIN	EN-GJS-1200-2						
	NF	EN-GJS-1200-2						
P 018	JIS	FCAD 1400-1						
	ASTM							
	BS	EN-GJS-1400-1						
	DIN	EN-GJS-1400-1						
	NF	EN-GJS-1400-1						
P 019	KS	FCA-NiMn 137		≦3.0	1.5~3.0	6.0~7.0		
	JIS	FCA-NiMn 137		≦3.0	1.5~3.0	6.0~7.0		
	ASTM							
	BS	S 6		≦3.0	1.5~2.8	6.0~7.0	≦0.08	
	DIN	GGL-NiMn 137		≦3.0	1.5~3.0	6.0~7.0		
	NF	L-NM 137		≦3.0	1.5~3.0	6.0~7.0		
	ISO	L-NiMn 137		≦3.0	1.5~3.0	6.0~7.0		
P 020	KS	FCA-NiCuCr 1562		≦3.0	1.0~2.8	0.5~1.5		
	JIS	FCA-NiCuCr 1562		≦3.0	1.0~2.8	0.5~1.5		
	ASTM	Type 1		≦3.00	1.00~2.80	0.5~1.5		≦0.12
	BS	F 1		≦3.0	1.0~2.8	0.5~1.5	≦0.2	
	DIN	GGL-NiCuCr 1562		≦3.0	1.0~2.8	0.5~1.5		
	ISO	L-NiCuCr 1562		≦3.0	1.0~2.8	0.5~1.5		
	NF	L-NUC 1562		≦3.0	1.0~2.8	0.5~1.5		
P 021	KS	FCA-NiCuCr 1563		≦3.0	1.0~2.8	0.5~1.5		
	JIS	FCA-NiCuCr 1563		≦3.0	1.0~2.8	0.5~1.5		
	ASTM	Type 1 b		≦3.00	1.00~2.80	0.5~1.5		≦0.12
	BS							

Index No. P 017~P 021

化学成分(%) Chemical composition					引張試験 Tensile requirements			規格番号 Std. No.
Cr	Mo	Ni	Cu	others	鋼材의 두께[1] t (㎜)	降伏点[2] (N/㎟)	引張強度[3] (N/㎟)	
						≧900	≧1200	D 4318
						≧900	≧1200	G 5503
						≧850	≧1200	EN 1564
						≧850	≧1200	EN 1564
						≧850	≧1200	EN 1564
						≧1100	≧1400	G 5503
						≧1100	≧1400	EN 1564
						≧1100	≧1400	EN 1564
						≧1100	≧1400	EN 1564
≦0.2		12.0~14.0	≦0.5				≧140	D 4319
≦0.2		12.0~14.0	≦0.5				≧140	G 5510
≦0.2		12~14	≦0.5			≧200	≧390	3468
≦0.2		12.0~14.0					≧140	1694
≦0.2		12.0~14.0	≦0.5				≧140	A 32-301
≦0.2		12.0~14.0	≦0.5				≧140	2892
1.0~2.5		13.5~17.5	5.5~7.5				≧170	D 4319
1.0~2.5		13.5~17.5	5.5~7.5				≧170	G 5510
1.5~2.5		13.50~17.50	5.50~7.50				≧170	A 436
1.0~2.5		13.5~17.5	5.5~7.5				≧170	3468
1.0~2.5		13.5~17.5	5.5~7.5				≧170	1694
1.0~2.5		13.5~17.5	5.5~7.5				≧170	2892
1.0~2.5		13.5~17.5	5.5~7.5				≧170	A 32-301
2.5~3.5		13.5~17.5	5.5~7.5				≧190	D 4319
2.5~3.5		13.5~17.5	5.5~7.5				≧190	G 5510
2.50~3.50		13.50~17.50	5.50~7.50				≧207	A 436

Notes : (1) Thickness (2) Yield strength (3) Tensile strength

鑄鍛造品 (鑄鍛品) Steel castings and forgings (Iron castings)

索引番号 Index No.	規格名 Std.	記号 Designation	化 学 成 分 (%) Chemical composition					
			鋼材의 두께(1) t (mm)	C	Si	Mn	P	S
P 021(계속)	DIN	GGL-NiCuCr 1563		≦3.0	1.0~2.8	0.5~1.5		
	NF	L-NUC 1563		≦3.0	1.0~2.8	0.5~1.5		
	ISO	L-NiCuCr 1563		≦3.0	1.0~2.8	0.5~1.5		
P 022	KS	FCA-NiCr 202		≦3.0	1.0~2.8	0.5~1.5		
	JIS	FCA-NiCr 202		≦3.0	1.0~2.8	0.5~1.5		
	ASTM	Type 2		≦3.0	1.0~2.8	0.5~1.5		≦0.12
	BS	F 2		≦3.0	1.5~2.8	0.5~1.5	≦0.2	
	DIN	GGL-NiCr 202		≦3.0	1.0~2.8	0.5~1.5		
	NF	L-NC 202		≦3.0	1.0~2.8	0.5~1.5		
	ISO	K-NiCr 202		≦3.0	1.0~2.8	0.5~1.5		
P 023	KS	FCA-NiCr 203		≦3.0	1.0~2.8	0.5~1.5		
	JIS	FCA-NiCr 203		≦3.0	1.0~2.8	0.5~1.5		
	ASTM	Type 2b		≦3.00	1.00~2.80	0.5~1.5		≦0.12
	BS							
	DIN	GGL-NiCr 203		≦3.0	1.0~2.8	0.5~1.5		
	NF	L-CN 203		≦3.0	1.0~2.8	0.5~1.5		
	ISO	L-NiCr 203		≦3.0	1.0~2.8	0.5~1.5		
P 024	KS	FCA-NiSiCr 2053		≦2.5	4.5~5.5	0.5~1.5		
	JIS	FCA-NiSiCr 2053		≦2.5	4.5~5.5	0.5~1.5		
	ASTM							
	BS							
	DIN	GGL-NiSiCr 2053		≦2.5	3.5~5.5	0.5~1.5		
	NF	L-NSC 2053		≦2.5	4.5~5.5	0.5~1.5		
	ISO	L-NiSiCr 2053		≦2.5	4.5~5.5	0.5~1.5		
P 025	KS	FCA-NiCr 303		≦2.5	1.0~2.0	0.5~1.5		
	JIS	FCA-NiCr 303		≦2.5	1.0~2.0	0.5~1.5		
	ASTM	Type 3		≦2.60	1.00~2.00	0.5~1.5		≦0.12
	BS	F 3		≦2.5	1.5~2.8	0.5~1.5	≦0.2	
	DIN	GGL-NiCr 303		≦2.5	1.0~2.0	0.5~0.8		

Index No. P 021~P 025

化学成分 (%) Chemical composition					引張試驗 Tensile requirements			規格番号 Std. No.
Cr	Mo	Ni	Cu	others	鋼材의 두께[1] t (㎜)	降伏点[2] (N/㎟)	引張强度[3] (N/㎟)	
2.5~3.5		13.5~17.5	5.5~7.5				≧190	1694
2.5~3.5		13.5~17.5	5.5~7.5				≧190	A 32-301
2.5~3.5		13.5~17.5	5.5~7.5				≧190	2892
1.0~2.5		18.0~22.0	≦0.5				≧170	D 4319
1.0~2.5		18.0~22.0	≦0.5				≧170	G 5510
1.5~2.5		18.00~22.00	≦0.50				≧172	A 436
1.5~2.5		18.0~22.0	≦0.5				≧170	3468
1.0~2.5		18.0~22.0					≧170	1694
1.0~2.5		18.0~22.0	≦0.5				≧170	A 32-301
1.0~2.5		18.0~22.0	≦0.5				≧170	2892
2.5~3.5		18.0~22.0	≦0.5				≧190	D 4319
2.5~3.5		18.0~22.0	≦0.5				≧190	G 5510
3.00~6.00		18.00~22.00	≦0.50				≧207	A 436
2.5~3.5		18.0~22.0					≧190	1694
2.5~3.5		18.0~22.0	≦0.5				≧190	A 32-301
2.5~3.5		18.0~22.0	≦0.5				≧190	2892
1.5~4.5		18.0~22.0	≦0.50				≧190	D 4319
1.5~4.5		18.0~22.0	≦0.50				≧190	G 5510
								3468
1.5~4.5		18.0~22.0					≧190	1694
1.5~4.5		18.0~22.0	≦0.5				≧190	A 32-301
1.5~4.5		18.0~22.0	≦0.5				≧190	2892
2.5~3.5		28.0~32.0	≦0.5				≧190	D 4319
2.5~3.5		28.0~32.0	≦0.5				≧190	G 5510
2.50~3.50		28.00~32.00	≦0.50				≧172	A 436
2.5~3.5		28~32	≦0.5				≧190	3468
2.5~3.5		28.0~32.0					≧190	1694

Notes : [1] Thickness [2] Yield strength [3] Tensile strength

鑄鍛造品 (鑄鍛品) Steel castings and forgings (Iron castings)								
索引番号 Index No.	規格名 Std.	記号 Designation	化 学 成 分 (%) Chemical composition					
			鋼材의 두께(1) t (mm)	C	Si	Mn	P	S
P 025(계속)	NF	L-NC 303		≦2.5	1.0~2.0	0.5~1.5		
	ISO	L-NiCr 303		≦2.5	1.0~2.0	0.5~1.5		
P 026	KS	FCA-NiSiCr 3055		≦2.5	5.0~6.0	0.5~1.5		
	JIS	FCA-NiSiCr 3055		≦2.5	5.0~6.0	0.5~1.5		
	ASTM	Type 4		≦2.60	5.00~6.00	0.5~1.5		≦0.12
	BS							
	DIN	GGL-NiSiCr 3055		≦2.5	5.0~6.0	0.5~1.5		
	NF	L-NSC 3055		≦2.5	5.0~6.0	0.5~1.5		
	ISO	L-NiSiCr 3055		≦2.5	5.0~6.0	0.5~1.5		
P 027	KS	FCA-Ni 35		≦2.4	1.0~2.0	0.5~1.5		
	JIS	FCA-Ni 35		≦2.4	1.0~2.0	0.5~1.5		
	ASTM	Type 5		≦2.40	1.00~2.00	0.5~1.5		≦0.12
	BS							
	DIN							
	NF	L-N 35		≦2.4	1.0~2.0	0.5~1.5		
	ISO	L-Ni 35		≦2.4	1.0~2.0	0.5~1.5		
P 028	KS	FCDA-NiMn 137		≦3.00	2.0~3.0	6.0~7.0		
	JIS	FCDA-NiMn 137		≦3.00	2.0~3.0	6.0~7.0		
	ASTM							
	BS	S 6		≦3.0	1.5~2.8	6.0~7.0	≦0.08	
	DIN	GGG-NiMn 137		≦3.0	2.0~3.0	6.0~7.0	≦0.08	
	NF	S-NM 137		≦3.0	2.0~3.0	6.0~7.0	≦0.080	
	ISO	S-NiMn 137		≦3.0	2.0~3.0	6.0~7.0	≦0.080	
P 029	KS	FCDA-NiCr 202		≦3.0	1.5~3.0	0.5~1.5		
	JIS	FCDA-NiCr 202		≦3.0	1.5~3.0	0.5~1.5		
	ASTM	D-2		≦3.00	1.50~3.00	0.7~1.25	≦0.080	
	BS	S 2		≦3.0	1.5~2.8	0.5~1.5	≦0.08	
	DIN	GGG-NiCr 202		≦3.0	1.5~3.0	0.5~1.5		
	NF	S-NC 202		≦3.0	1.5~3.0	0.7~1.25	≦0.080	
	ISO	S-NiCr 202		≦3.0	1.5~3.0	0.5~1.5	≦0.08	

Index No. P 025~P 029

化学成分 (%) Chemical composition					引張試験 Tensile requirements			規格番号 Std. No.
Cr	Mo	Ni	Cu	others	鋼材의 두께(1) t (mm)	降伏点(2) (N/mm^2)	引張強度(3) (N/mm^2)	
2.5~3.5		28.0~32.0	≦0.5				≧190	A 32-301
2.5~3.5		28.0~32.0	≦0.5				≧190	2892
4.5~5.5		29.0~32.0	≦0.5				≧170	D 4319
4.5~5.5		29.0~32.0	≦0.5				≧170	G 5510
4.50~5.50		29.00~32.00	≦0.5				≧172	A 436
								3468
4.5~5.5		29.0~32.0					≧170	1694
4.5~5.5		29.0~32.0	≦0.5				≧170	A 32-301
4.5~5.5		29.0~32.0	≦0.5				≧170	2892
≦0.2		34.0~36.0	≦0.5				≧120	D 4319
≦0.2		34.0~36.0	≦0.5				≧120	G 5510
≦0.10		34.00~36.00	≦0.50				≧138	A 436
								3468
								1694
		34.0~36.0	≦0.5				≧120	A 32-301
≦0.2		34.0~36.0	≦0.5				≧120	3892
≦0.2		12.0~14.0	≦0.5			≧210	≧390	D 4319
≦0.2		12.0~14.0	≦0.5			≧210	≧390	G 5510
≦0.2		12~14	≦0.5			≧200	≧390	3468
		12.0~14.0				≧210	≧390	1694
≦0.2		12.0~14.0	≦0.5			≧210	≧390	A 32-301
≦0.2		12.0~14.0	≦0.5			≧210	≧390	2892
1.0~2.5		18.0~22.0	≦0.5			≧210	≧370	D 4319
1.0~2.5		18.0~22.0	≦0.5			≧210	≧370	G 5510
1.75~2.75		18.00~22.00				≧207	≧400	A 439
1.5~2.5		18.0~22.0	≦0.5			≧210	≧370	3468
1.0~2.5		18.0~22.0				≧210	≧370	1694
1.0~2.5		18.0~22.0	≦0.5			≧210	≧370	A 32-301
1.0~2.5		18.0~22.0	≦0.5			≧210	≧370	2892

Notes : (1) Thickness (2) Yield strength (3) Tensile strength

鑄鍛造品 (鑄鍛品) Steel castings and forgings (Iron castings)

索引番号 Index No.	規格名 Std.	記号 Designation	化学成分 (%) Chemical composition 鋼材의 두께([1]) t (mm)	C	Si	Mn	P	S
P 030	KS	FCDA-NiCrNb 202		≦3.0	1.5~2.4	0.5~1.5	≦0.04	
	JIS	FCDA-NiCrNb 202		≦3.0	1.5~2.4	0.5~1.5	≦0.04	
	ASTM							
	BS	S 2 W		≦3.0	1.5~2.2	0.5~1.5		
	DIN	GGG-NiCrNb 202		≦3.0	1.5~2.4	0.5~1.5	≦0.04	
	NF							
	ISO							
P 031	KS	FCDA-NiCr 203		≦3.0	1.5~3.0	0.5~1.5		
	JIS	FCDA-NiCr 203		≦3.0	1.5~3.0	0.5~1.5		
	ASTM	D-2 B		≦3.00	1.50~3.00	0.70~1.25	≦0.08	
	BS	S 2 B		≦3.0	1.5~2.8	0.5~1.5	≦0.08	
	DIN	GGG-NiCr 203		≦3.0	1.5~3.0	0.5~1.5		
	NF	S-NC 203		≦3.0	1.5~3.0	0.7~1.25	≦0.080	
	ISO	S-NiCr 203		≦3.0	1.5~3.0	0.5~1.5	≦0.080	
P 032	KS	FCDA-NiSiCr 2052		≦3.0	4.5~5.5	0.5~1.5		
	JIS	FCDA-NiSiCr 2052		≦3.0	4.5~5.5	0.5~1.5		
	ASTM							
	BS							
	DIN	GGG-NiSiCr 2052		≦3.0	4.5~5.5	0.5~1.5		
	NF	S-NSC 2052		≦3.0	4.5~5.5	1.0~1.5	≦0.080	
	ISO	S-NiSiCr 2052		≦3.0	4.5~5.5	0.5~1.5	≦0.080	
P 033	KS	FCDA-Ni 22		≦3.0	1.0~3.0	1.5~2.5		
	JIS	FCDA-Ni 22		≦3.0	1.0~3.0	1.5~2.5		
	ASTM	D-2 C		≦2.90	1.00~3.00	1.80~2.40	≦0.08	
	BS	S 2 C		≦3.0	1.5~2.8	1.5~2.5	≦0.08	
	DIN	GGG-Ni 22		≦3.0	1.0~3.0	1.5~2.5		
	NF	S-N 22		≦3.0	1.0~3.0	1.8~2.4	≦0.080	
	ISO	S-Ni 22		≦3.0	1.0~3.0	1.5~2.5	≦0.08	

Index No. P 030~P 033

化 学 成 分 (%) Chemical composition					引 張 試 験 Tensile requirements			規格番号 Std. No.
Cr	Mo	Ni	Cu	others	鋼材의 두께(1) t (mm)	降伏点(2) (N/mm²)	引張强度(3) (N/mm²)	
1.0~2.5		18.0~22.0		Nb 0.1~0.2 Mg≦0.08		≧210	≧370	D 4319
1.0~2.5		18.0~22.0		Nb 0.1~0.2 Mg≦0.08		≧210	≧370	G 5510
1.5~2.2		18.0~22.0	≦0.5	Nb 0.12~0.20 Mg≦0.06		≧210	≧370	3468
1.0~2.5		18.0~22.0		Nb 0.1~0.2 Mg≦0.08		≧210	≧370	1694
2.5~3.5		18.0~22.0	≦0.5			≧210	≧390	D 4319
2.5~3.5		18.0~22.0	≦0.5			≧210	≧390	G 5510
2.75~4.00		18.00~22.00				≧207	≧400	A 439
2.5~3.5		18~22	≦0.5			≧210	≧370	3468
2.5~3.5		18.0~22.0				≧210	≧390	1694
2.5~3.5		18.0~22.0	≦0.5			≧210	≧390	A 32-301
2.5~3.5		18.0~22.0	≦0.5			≧210	≧390	2892
1.0~2.5		18.0~22.0	≦0.5			≧210	≧370	D 4319
1.0~2.5		18.0~22.0	≦0.5			≧210	≧370	G 5510
1.0~2.5		18.0~22.0				≧210	≧370	1694
1.0~2.5		18.0~22.0	≦0.5			≧210	≧370	A 32-301
1.0~2.5		18.0~22.0	≦0.5			≧210	≧370	2892
≦0.5		21.0~24.0	≦0.5			≧170	≧370	D 4319
≦0.5		21.0~24.0	≦0.5			≧170	≧370	G 5510
≦0.50		21.00~24.00				≧193	≧400	A 439
≦0.5		21~24	≦0.5			≧170	≧370	3468
		21.0~24.0				≧170	≧370	1694
≦0.5		21.0~24.0	≦0.5			≧170	≧370	A 32-301
≦0.5		21.0~24.0	≦0.5			≧170	≧370	2892

Notes : (1) Thickness (2) Yield strength (3) Tensile strength

鑄鍛造品 (鑄鍛品) Steel castings and forgings (Iron castings)								
索引番号 Index No.	規格名 Std.	記号 Designation	化 学 成 分 (%) Chemical composition					
			鋼材의 두께[1] t (㎜)	C	Si	Mn	P	S
P 034	KS	FCDA-NiMn 234		≦2.6	1.5~2.5	4.0~4.5		
	JIS	FCDA-NiMn 234		≦2.6	1.5~2.5	4.0~4.5		
	ASTM			2.2~2.7	1.5~2.50	3.75~4.5	≦0.08	
	BS	S 2 M		≦3.0	1.5~2.5	4.0~4.5	≦0.08	
	DIN	GGG-NiMn 234		≦2.6	1.5~2.5	4.0~4.5		
	NF	S-NM 234		≦2.6	1.5~2.5	4.0~4.5	≦0.080	
	ISO	S-NiMn 234		≦2.6	1.5~2.5	4.0~4.5	≦0.08	
P 035	KS	FCDA-NiCr 301		≦2.6	1.5~3.0	0.5~1.5		
	JIS	FCDA-NiCr 301		≦2.6	1.5~3.0	0.5~1.5		
	ASTM	D-3 A		≦2.6	1.00~2.80	≦1.00	≦0.08	
	BS							
	DIN	GGG-NiCr 301		≦2.6	1.5~3.0	0.5~1.5		
	NF	S-NC 301		≦2.6	1.5~3.0	≦1.0	≦0.080	
	ISO	S-NiCr 301		≦2.6	1.5~3.0	0.5~1.5	≦0.080	
P 036	KS	FCDA-NiCr 303		≦2.6	1.5~3.0	0.5~1.5		
	JIS	FCDA-NiCr 303		≦2.6	1.5~3.0	0.5~1.5		
	ASTM	D-3		≦2.60	1.00~2.80	≦1.00	≦0.08	
	BS	S 3		≦2.5	1.5~2.8	0.5~1.5	≦0.08	
	DIN	GGG-NiCr 303		≦2.6	1.5~3.0	0.5~1.5		
	NF	S-NC 303		≦2.6	1.5~3.0	≦1.0	≦0.080	
	ISO	S-NiCr 303		≦2.6	1.5~3.0	0.5~1.5	≦0.080	
P 037	KS	FCDA-NiSiCr 3052		≦2.6	4.0~6.0	0.5~1.5		
	JIS	FCDA-NiSiCr 3052		≦2.6	4.0~6.0	0.5~1.5		
	ASTM							
	BS							
	DIN	GGG-NiSiCr 3052		≦2.6	4.0~6.0	0.5~1.5		
	NF							
	ISO							

Index No. P 034~P 037

化学成分 (%) Chemical composition					引張試験 Tensile requirements			規格番号 Std. No.
Cr	Mo	Ni	Cu	others	鋼材의 두께(1) t (㎜)	降伏点(2) (N/㎟)	引張强度(3) (N/㎟)	
≦0.2		22.0~24.0	≦0.5			≧210	≧440	D 4319
≦0.2		22.0~24.0	≦0.5			≧210	≧440	G 5510
≦0.20		21.0~24.0			Class 1	≧205	≧450	A 571 M
					Class 2	≧217	≧415	
≦0.2		21~24	≦0.5			≧200	≧420	3468
		22.0~24.0				≧210	≧440	1694
		22.0~24.0	≦0.5			≧210	≧440	A 32-301
≦0.2		22.0~24.0	≦0.5			≧210	≧440	2892
1.0~1.5		28.0~32.0	≦0.5			≧210	≧370	D 4319
1.0~1.5		28.0~32.0				≧210	≧370	G 5510
1.00~1.50		28.00~32.00				≧207	≧379	A 439
1.0~1.5		28.0~32.0				≧210	≧370	1694
1.0~1.5		28.0~32.0	≦0.5			≧210	≧370	A 32-301
1.0~1.5		28.0~32.0	≦0.5			≧210	≧370	2892
2.5~3.5		28.0~32.0	≦0.5			≧210	≧370	D 4319
2.5~3.5		28.0~32.0	≦0.5			≧210	≧370	G 5510
2.50~3.50		28.00~32.00				≧207	≧379	A 439
2.5~3.5		28~32	≦0.5			≧210	≧370	3468
2.5~3.5		28.0~32.0				≧210	≧370	1694
2.5~3.5		28.0~32.0	≦0.5			≧210	≧370	A 32-301
2.5~3.5		28.0~32.0	≦0.5			≧210	≧370	2892
1.5~2.5		29.0~32.0	≦0.5			≧210	≧380	D 4319
1.5~2.5		29.0~32.0	≦0.5			≧210	≧380	G 5510
1.5~2.5		29.0~32.0				≧210	≧380	1694

Notes : (1) Thickness (2) Yield strength (3) Tensile strength

鑄鍛造品 (鑄鍛品) Steel castings and forgings (Iron castings)

索引番号 Index No.	規格名 Std.	記号 Designation	化 学 成 分 (%) Chemical composition					
			鋼材의 두께(1) t (mm)	C	Si	Mn	P	S
P 038	KS	FCDA-NiSiCr 3055		≦2.6	5.0~6.0	0.5~1.5		
	JIS	FCDA-NiSiCr 3055		≦2.6	5.0~6.0	0.5~1.5		
	ASTM	D-4		≦2.60	5.00~6.00	≦1.00	≦0.08	
	BS							
	DIN	GGG-NiSiCr 3055		≦2.6	4.0~6.0	0.5~1.5		
	NF	S-NSC 3055		≦2.6	5.0~6.0	≦1.0	≦0.080	
	ISO	S-NiSiCr 3055		≦2.6	5.0~6.0	0.5~1.5	≦0.080	
P 039	KS	FCDA-Ni 35		≦2.4	1.5~3.5	0.5~1.5		
	JIS	FCDA-Ni 35		≦2.4	1.5~3.5	0.5~1.5		
	ASTM	D-5		≦2.40	1.00~2.80	≦1.00	≦0.08	
	BS							
	DIN	GGG-Ni 35		≦2.4	1.5~3.0	0.5~1.5		
	NF	S-N 35		≦2.4	1.5~3.0	≦1.0	≦0.080	
	ISO	S-Ni 35		≦2.4	1.5~3.0	0.5~1.5	≦0.080	
P 040	KS	FCDA-NiCr 353		≦2.4	1.5~3.0	0.5~1.5		
	JIS	FCDA-NiCr 353		≦2.4	1.5~3.0	0.5~1.5		
	ASTM	D-5B		≦2.40	1.00~2.80	≦1.00	≦0.080	
	BS							
	DIN	GGG-NiCr 353		≦2.4	1.5~3.0	0.5~1.5		
	NF	S-NC 353		≦2.4	1.5~3.0	≦1.0	≦0.080	
	ISO	S-NiCr 353		≦2.4	1.5~3.0	0.5~1.5	≦0.080	
P 041	KS	FCDA-NiSiCr 3552		≦2.0	4.0~6.0	0.5~1.5		
	JIS	FCDA-NiSiCr 3552		≦2.0	4.0~6.0	0.5~1.5		
	ASTM	D-5 S		≦2.30	4.90~5.50	≦1.00	≦0.08	
	BS	S 5 S		≦2.2	4.8~5.4	≦1.0	≦0.08	
	DIN	GGG-NiSiCr 3552		≦2.0	4.0~6.0	0.5~1.5		
	NF							
	ISO							

Index No. P 038~P 041

化学成分 (%) Chemical composition					引張試験 Tensile requirements			規格番号 Std. No.
Cr	Mo	Ni	Cu	others	鋼材의 두께[1] t (mm)	降伏点[2] (N/mm²)	引張强度[3] (N/mm²)	
4.5~5.5		28.0~32.0	≦0.5			≧240	≧390	D 4319
4.5~5.5		28.0~32.0	≦0.5			≧240	≧390	G 5510
4.50~5.50		28.00~32.00					≧414	A 439
4.5~5.5		28.0~32.0				≧240	≧390	1694
4.5~5.5		28.0~32.0	≦0.5			≧240	≧390	A 32-301
4.5~5.5		28.0~32.0	≦0.5			≧240	≧390	2892
≦0.2		34.0~36.0	≦0.5			≧210	≧370	D 4319
≦0.2		34.0~36.0	≦0.5			≧210	≧370	G 5510
≦0.10		34.00~36.00				≧207	≧379	A 439
		34.0~36.0				≧210	≧370	1694
		34.0~36.0	≦0.5			≧210	≧370	A 32-301
≦0.2		34.0~36.0	≦0.5			≧210	≧370	2892
2.0~3.0		34.0~36.0	≦0.5			≧210	≧370	D 4319
2.0~3.0		34.0~36.0	≦0.5			≧210	≧370	G 5510
2.00~3.00		34.00~36.00				≧207	≧379	A 439
2.0~3.0		34.0~36.0				≧210	≧370	1694
2.0~3.0		34.0~36.0	≦0.5			≧210	≧370	A 32-301
2.0~3.0		34.0~36.0	≦0.5			≧210	≧370	2892
1.5~2.5		34.0~36.0	≦0.5			≧200	≧370	D 4319
1.5~2.5		34.0~36.0	≦0.5			≧200	≧370	G 5510
1.75~2.25		34.00~36.00				≧207	≧449	A 439
1.5~2.5		34.0~36.0	≦0.5			≧210	≧370	3468
1.5~2.5		34.0~36.0				≧200	≧370	1694

Notes : [1] Thickness [2] Yield strength [3] Tensile strength

鑄鍛造品 (鑄鍛品) Steel castings and forgings (Iron castings)

索引番号 Index No.	規格名 Std.	記号 Designation	化 学 成 分 (%) Chemical composition					
			鋼材의 두께([1]) t (mm)	C	Si	Mn	P	S
P 042	KS	BMC 270						
	JIS	FCMB 270						
	ASTM	*						
	BS	EN-GJMB-300-6						
	DIN	EN-GJMB-300-6						
	NF	EN-GJMB-300-6						
P 043	KS	BMC 310						
	JIS	FCMB 310						
	ASTM							
	BS	EN-GJMB-300-6						
	DIN	EN-GJMB-300-6						
	NF	EN-GJMB-300-6						
P 044	KS	BMC 340						
	JIS	FCMB 340						
	ASTM	22010						
	BS	EN-GJMB-350-10						
	DIN	EN-GJMB-350-10						
	NF	EN-GJMB-350-10						
P 045	KS	BMC 360						
	JIS	FCMB 360						
	ASTM							
	BS	EN-GJMB-350-10						
	DIN	EN-GJMB-350-10						
	NF	EN-GJMB-350-10						
P 046	KS	WMC 330						
	JIS	FCMW 330						

Index No. P 042~P 046								
化 学 成 分 (%) Chemical composition					引 張 試 験 Tensile requirements			規格番号 Std. No.
Cr	Mo	Ni	Cu	others	鋼材의 두께([1]) t (㎜)	降伏点([2]) (N/㎟)	引張强度([3]) (N/㎟)	
						≧165	≧270	D 4303
						≧165	≧270	G 5702
						≧200	≧275	A 197 M
						≧200	≧300	EN 1562
						≧200	≧300	EN 1562
						≧200	≧300	EN 1562
						≧185	≧310	D 4303
						≧185	≧310	G 5702
						≧200	≧300	EN 1562
						≧200	≧300	EN 1562
						≧200	≧300	EN 1562
						≧205	≧340	D 4303
						≧205	≧340	G 5702
						≧220	≧340	A 47 M
						≧200	≧350	EN 1562
						≧200	≧350	EN 1562
						≧200	≧350	EN 1562
						≧215	≧360	D 4303
						≧215	≧360	G 5702
						≧200	≧350	EN 1562
						≧200	≧350	EN 1562
						≧200	≧350	EN 1562
					<5		≧310	D 4305
					5≦t<9	≧165	≧330	
					≧9	≧195	≧350	
					<5		≧310	G 5703
					5≦t<9	≧165	≧330	

Notes : ([1]) Thickness ([2]) Yield strength ([3]) Tensile strength

鑄鍛造品 (鑄鍛品) Steel castings and forgings (Iron castings)

索引番号 Index No.	規格名 Std.	記号 Designation	化 学 成 分 (%) Chemical composition					
			鋼材의 두께([1]) t (㎜)	C	Si	Mn	P	S
P 046(계속)	JIS							
	ASTM							
	BS	EN-GJMW-350-4						
	DIN	EN-GJMW-350-4						
	NF	EN-GJMW-350-4						
P 047	KS	WMC 370						
	JIS	FCMW 370						
	ASTM							
	BS	EN-GJMW-360-12						
	DIN	EN-GJMW-360-12						
	NF	EN-GJMW-360-12						

Index No. P 046~P 047

化学成分 (%) Chemical composition					引張試験 Tensile requirements			規格番号 Std. No.
Cr	Mo	Ni	Cu	others	鋼材의 두께([1]) t (mm)	降伏点([2]) (N/mm²)	引張强度([3]) (N/mm²)	
					≧9	≧195	≧350	
					6		≧270	EN 1562
					9		≧310	
					12		≧310	
					15		≧310	
					6		≧270	EN 1562
					9		≧310	
					12		≧310	
					15		≧310	
					6		≧270	EN 1562
					9		≧310	
					12		≧310	
					15		≧310	
					<5		≧350	D 4305
					5≦t<9	≧185	≧370	
					≧9	≧215	≧390	
					<5		≧350	G 5703
					5≦t<9	≧185	≧370	
					≧9	≧215	≧390	
					6	-	≧280	EN 1562
					9	≧200	≧320	
					12	≧220	≧360	
					15	≧230	≧370	
					6	-	≧280	EN 1562
					9	≧200	≧320	
					12	≧220	≧360	
					15	≧230	≧370	
					6	-	≧280	EN 1562
					9	≧170	≧320	
					12	≧200	≧360	

Notes : ([1]) Thickness ([2]) Yield strength ([3]) Tensile strength

鑄鍛造品 (鑄鍛品) Steel castings and forgings (Iron castings)

索引番号 Index No.	規格名 Std.	記号 Designation	化 学 成 分 (%) Chemical composition					
			鋼材의 두께([1]) t (mm)	C	Si	Mn	P	S
P 047(계속)	NF							
P 048	KS	WMC 440						
	JIS	FCMWP 440						
	ASTM							
	BS	EN-GJMW-450-7						
	DIN	EN-GJMW-450-7						
	NF	EN-GJMW-450-7						
P 049	KS	WMC 490						
	JIS	FCMWP 490						
	ASTM							
	BS							
	DIN							
	NF							
P 050	KS	WMC 540						
	JIS	FCMWP 540						
	ASTM							
	BS	EN-GJMW-540-4						

Index No. P 047~P 050

化学成分 (%) Chemical composition					引張試験 Tensile requirements			規格番号 Std. No.
Cr	Mo	Ni	Cu	others	鋼材의 두께[1] t (mm)	降伏点[2] (N/mm²)	引張强度[3] (N/mm²)	
					15	≧210	≧370	
						≧265	≧440	D 4305
						≧265	≧440	G 5703
					6	-	≧330	EN 1562
					9	≧230	≧400	
					12	≧260	≧450	
					15	≧280	≧480	
					6	-	≧330	EN 1562
					9	≧230	≧400	
					12	≧260	≧450	
					15	≧280	≧480	
					6	-	≧330	EN 1562
					9	≧230	≧400	
					12	≧260	≧450	
					15	≧280	≧480	
						≧305	≧490	D 4305
						≧305	≧490	G 5703
						≧345	≧540	D 4305
						≧345	≧540	G 5703
					6	-	-	EN 1562
					9	≧310	≧490	
					12	≧340	≧550	
					15	≧350	≧570	

Notes : (1) Thickness (2) Yield strength (3) Tensile strength

鑄鍛造品 (鑄鍛品) Steel castings and forgings (Iron castings)

索引番号 Index No.	規格名 Std.	記号 Designation	化 学 成 分 (%) Chemical composition					
			鋼材의 두께[1] t (mm)	C	Si	Mn	P	S
P 050(계속)	DIN	EN-GJMW-540-4						
	NF	EN-GJMW-540-4						
P 051	KS	PMC 440						
	JIS	FCMP 440						
	ASTM	310 M 8						
	ASTM	280 M 10						
	BS							
	DIN							
	NF							
P 052	KS	PMC 490						
	JIS	FCMP 490						
	ASTM	340 M 5						
	ASTM	310 M 6						
	BS	JS-GJMB-500-5						
	DIN	EN-GJMB-500-5						
P 053	KS	PMC 540						
	JIS	FCMP 540						
	ASTM	410 M 4						
	ASTM	340 M 5						
	BS	EN-GJMB-550-4						

Index No. P 050~P 053

化学成分 (%) Chemical composition					引張試驗 Tensile requirements			規格番号 Std. No.
Cr	Mo	Ni	Cu	others	鋼材의 두께([1]) t (㎜)	降伏点([2]) (N/㎟)	引張强度([3]) (N/㎟)	
					6	-	-	EN 1562
					9	≧310	≧490	
					12	≧340	≧550	
					15	≧350	≧570	
					6	-	-	EN 1562
					9	≧310	≧490	
					12	≧340	≧550	
					15	≧350	≧570	
						≧265	≧440	D 4304
						≧265	≧440	G 5704
						≧310	≧450	A 220 M
						≧280	≧400	A 220 M
						≧305	≧490	D 4304
						≧305	≧490	G 5704
						≧340	≧480	A 220 M
						≧310	≧450	A 220 M
					12	≧300	≧500	EN 1562
					15	≧300	≧500	
					12	≧300	≧500	EN 1562
					15	≧300	≧500	
						≧345	≧540	D 4304
						≧345	≧540	G 5704
						≧410	≧550	A 220 M
						≧340	≧480	A 220 M
					12	≧340	≧550	EN 1562
					15	≧340	≧550	

Notes : ([1]) Thickness ([2]) Yield strength ([3]) Tensile strength

鑄鍛造品 (鑄鍛品) Steel castings and forgings (Iron castings)

索引番号 Index No.	規格名 Std.	記号 Designation	化 学 成 分 (%) Chemical composition					
			鋼材의 두께(1) t (mm)	C	Si	Mn	P	S
P 053(계속)	DIN	EN-GJMB-550-4						
	NF	EN-GJMB-550-4						
P 054	KS	PMC 590						
	JIS	FCMP 590						
	ASTM	480 M 3						
	ASTM	410 M 4						
	BS	EN-GJMB-600-3						
	DIN	EN-GJMB-600-3						
	NF	EN-GJMB-600-3						
P 055	KS	PMC 690						
	JIS	PCMP 690						
	ASTM	620 M 1						
	ASTM	550 M 2						
	BS	EN-GJMB-700-2						
	DIN	EN-GJMB-700-2						
	NF	EN-GJMB-700-2						

化 学 成 分 (%) Chemical composition					引 張 試 験 Tensile requirements			規格番号 Std. No.
Cr	Mo	Ni	Cu	others	鋼材의 두께[1] t (㎜)	降伏点[2] (N/㎟)	引張强度[3] (N/㎟)	
					12	≧340	≧550	EN 1562
					15	≧340	≧550	
					12	≧340	≧550	EN 1562
					15	≧340	≧550	
						≧390	≧590	D 4304
						≧390	≧590	G 5704
						≧480	≧590	A 220 M
						≧410	≧550	A 220 M
					12	≧390	≧600	EN 1562
					15	≧390	≧600	
					12	≧390	≧600	EN 1562
					15	≧390	≧600	
					12	≧390	≧600	EN 1562
					15	≧390	≧600	
						≧510	≧690	D 4304
						≧510	≧690	G 5704
						≧620	≧720	A 220 M
						≧550	≧650	A 220 M
					12	≧530	≧700	EN 1562
					15	≧530	≧700	
					12	≧530	≧700	EN 1562
					15	≧530	≧700	
					12	≧530	≧700	EN 1562
					15	≧530	≧700	

Notes : (1) Thickness (2) Yield strength (3) Tensile strength

신동품(伸銅品)

Copper and copper alloys

伸鋼品 Copper and copper alloys

索引番号 Index No.	規格名 Std.	記号 Designation	化学成分 (%) Chemical composition					
			Cu	Pb	Fe	Sn	Zn	Mn
Q 001	KS	C 1020 P	≧99.96					
	JIS	C 1020 P	≧99.96					
	KS	C 1020 R	≧99.96					
	JIS	C 1020 R	≧99.96					
	ASTM	C 12200	≧99.95					
	BS	C 103	≧99.95					
	DIN	OF-Cu	≧99.95					
	ISO	Cu-OF	≧99.95(含 Ag)					
Q 002	KS	C 1100 P	≧99.90					
	JIS	C 1100 P	≧99.90					
	KS	C 1100 R	≧99.90					
	JIS	C 1100 R	≧99.90					
	KS	C 1100 PP	≧99.90					
	JIS	C 1100 PP	≧99.90					
	ASTM	C 11000	≧99.90					
	BS	C 101	≧99.90					
	BS	C 102	≧99.90					
	DIN	ECu 57	≧99.90					
	ISO	Cu-ETP	≧99.90(含 Ag)					
Q 003	KS	C 1201 P	≧99.90					
	JIS	C 1201 P	≧99.90					
	KS	C 1201 R	≧99.90					
	JIS	C 1201 R	≧99.90					
	ASTM	C 12000	≧99.90					
	BS	C 106	≧99.85					
	DIN	SW-Cu	≧99.90					
	ISO	Cu-DLP	≧99.90(含 Ag)					
Q 004	KS	C 1220 P	≧99.90					
	JIS	C 1220 P	≧99.90					
	KS	C 1220 R	≧99.90					
	JIS	C 1220 R	≧99.90					

Index No. Q 001~Q 004

化学成分 (%) Chemical composition		形状別規格番号 Std, No. by shapes				
Ni	others	板([1])	条([2])	棒([3])	線([4])	管([5])
		D 5201				
		H 3100				
			D 5201			
			H 3100			
		B 152	←			
		BS EN 1652 BS EN 1653	←			
		1787 *	←			
		1337 *	←			
		D 5201				
		H 3100				
			D 5201			
			H 3100			
		D 5201				
		H 3100				
		B 152	←			
		BS EN 1652 BS EN 1653	←			
		BS EN 1652 BS EN 1653	←			
	O 0.005~0.040	1787 *	←			
		1337 *	←			
	P 0.004~0.015	D 5201				
	P 0.004~0.015	H 3100				
	P 0.004~0.015		D 5201			
	P 0.004~0.015		H 3100			
	P 0.004~0.012	B 152	←			
	P 0.013~0.050	BS EN 1652 BS EN 1653	←			
	P 0.005~0.014	1787 *	←			
	P 0.005~0.012	1337 *	←			
	P 0.015~0.040	D 5201				
	P 0.015~0.040	H 3100				
	P 0.015~0.040		D 5201			
	P 0.015~0.040		H 3100			

Notes : (1) Plate (2) Strip (3) Bar (4) Wire (5) Pipes ☆ 화학성분만을 규정하고 있는 규격.

伸 鋼 品 Copper and copper alloys

索引番号 Index No.	規格名 Std.	記号 Designation	化 学 成 分 (%) Chemical composition					
			Cu	Pb	Fe	Sn	Zn	Mn
Q 004(계속)	KS	C 1221 P	≧99.75					
	JIS	C 1221 P	≧99.75					
	KS	C 1221 R	≧99.75					
	JIS	C 1221 R	≧99.75					
	KS	C 1221 PP	≧99.75					
	JIS	C 1221 PP	≧99.75					
	ASTM	C 12200	≧99.90					
	BS	C 106	≧99.85					
	DIN	SF-Cu	≧99.90					
	ISO	Cu-DHP	≧99.85(含 Ag)					
Q 005	KS	C 1401 PP	≧99.30					
	JIS	C 1401 PP	≧99.30					
	ASTM	-						
	BS	-						
	DIN	-						
	ISO	-						
Q 006	KS	C 2051 R	98.0~99.0	≦0.05	≦0.05		残部	
	JIS	C 2051 R	98.0~99.0	≦0.05	≦0.05		残部	
	ASTM	-						
	BS	-						
	DIN	-						
	ISO	-						
Q 007	KS	C 2100 P	94.0~96.0	≦0.05	≦0.05		残部	
	JIS	C 2100 P	94.0~96.0	≦0.05	≦0.05		残部	
	SK	C 2100 R	94.0~96.0	≦0.05	≦0.05		残部	
	JIS	C 2100 R	94.0~96.0	≦0.05	≦0.05		残部	
	ASTM	C 2100	94.0~96.0	≦0.03	≦0.05		残部	
	BS	-						
	DIN	CuZn 5	94.0~96.0	≦0.05	≦0.05	≦0.05	残部	
	ISO	CuZn 5	94.0~96.0	≦0.05	≦0.1		残部	

Index No. Q 004~Q 007

化学成分 (%) Chemical composition		形状別規格番号 Std, No. by shapes				
Ni	others	板(1)	条(2)	棒(3)	線(4)	管(5)
	P 0.004~0.040	D 5201				
	P 0.004~0.040	H 3100				
	P 0.004~0.040		D 5201			
	P 0.004~0.040		H 3100			
	P 0.004~0.040	D 5201				
	P 0.004~0.040	H 3100				
	P 0.015~0.040	B 152	←			
	P 0.013~0.050	BS EN 1652 BS EN 1653	←			
	P 0.015~0.040	1787 *	←			
	P 0.013~0.050	1337 *	←			
0.10~0.20		D 5201				
0.10~0.20		H 3100				
			D 5201			
			H 3100			
		D 5201				
		H 3100				
			D 5201			
			H 3100			
		B 36	←			
≦0.2		17660	←			
		426-1 *	←			

Notes : (1) Plate (2) Strip (3) Bar (4) Wire (5) Pipes ☆ 화학성분만을 규정하고 있는 규격.

伸 鋼 品 Copper and copper alloys

索引番号 Index No.	規格名 Std.	記号 Designation	化学成分 (%) Chemical composition					
			Cu	Pb	Fe	Sn	Zn	Mn
Q 008	KS	C 2200 P	89.0~91.0	≦0.05	≦0.05		残部	
	JIS	C 2200 P	89.0~91.0	≦0.05	≦0.05		残部	
	KS	C 2200 R	89.0~91.0	≦0.05	≦0.05		残部	
	JIS	C 2200 R	89.0~91.0	≦0.05	≦0.05		残部	
	ASTM	C 22000	89.0~91.0	≦0.05	≦0.05		残部	
	BS	CZ 101	89.0~91.0	≦0.05	≦0.10		残部	
	DIN	CuZn 10	89.0~91.0	≦0.05	≦0.05	≦0.05	残部	
	ISO	CuZn 10	89.0~91.0	≦0.05	≦0.1		残部	
Q 009	KS	C 2300 P	84.0~86.0	≦0.05	≦0.05		残部	
	JIS	C 2300 P	84.0~86.0	≦0.05	≦0.05		残部	
	KS	C 2300 R	84.0~86.0	≦0.05	≦0.05		残部	
	JIS	C 2300 R	84.0~86.0	≦0.05	≦0.05		残部	
	ASTM	C 23000	84.0~86.0	≦0.05	≦0.05		残部	
	BS	CZ 102	84.0~86.0	≦0.05	≦0.10		残部	
	DIN	CuZn 15	84.0~86.0	≦0.05	≦0.05	≦0.05	残部	
	ISO	CuZn 15	84.0~86.0	≦0.05	≦0.1		残部	
Q 010	KS	C 2400 P	78.5~81.5	≦0.05	≦0.05		残部	
	JIS	C 2400 P	78.5~81.5	≦0.05	≦0.05		残部	
	KS	C 2400 R	78.5~81.5	≦0.05	≦0.05		残部	
	JIS	C 2400 R	78.5~81.5	≦0.05	≦0.05		残部	
	ASTM	C 24000	78.5~81.5	≦0.05	≦0.05		残部	
	BS	CZ 103	79.0~81.0	≦0.05	≦0.10		残部	
	DIN	CuZn 20	79.0~81.0	≦0.05	≦0.05	≦0.05	残部	
	ISO	CuZn 20	78.5~81.5	≦0.05	≦0.1		残部	
Q 011	KS	C 2600 P	68.5~71.5	≦0.05	≦0.05		残部	
	JIS	C 2600 P	68.5~71.5	≦0.05	≦0.05		残部	
	KS	C 2600 R	68.5~71.5	≦0.05	≦0.05		残部	
	JIS	C 2600 R	68.5~71.5	≦0.05	≦0.05		残部	
	ASTM	C 26000	68.5~71.5	≦0.07	≦0.05		残部	
	BS	CZ 106	68.5~71.5	≦0.05	≦0.05		残部	

Index No. Q 008~Q 011

化学成分 (%) Chemical composition		形状別規格番号 Std, No. by shapes				
Ni	others	板(1)	条(2)	棒(3)	線(4)	管(5)
		D 5201				
		H 3100				
			D 5201			
			H 3100			
		B 36	←			
		BS EN 1652 BS EN 1653	←			
≦0.2		17660 *	←			
		426-1*	←			
		D 5201				
		H 3100				
			D 5201			
			H 3100			
		B 36	←			
		BS EN 1652 BS EN 1653	←			
≦0.2		17660 *	←			
		426-1*	←			
		D 5201				
		H 3100				
			D 5201			
			H 3100			
		B 36	←			
		BS EN 1652 BS EN 1653	←			
≦0.2		17660 *	←			
		426-1*	←			
		D 5201				
		H 3100				
			D 5201			
			H 3100			
		B 36	←			
		BS EN 1652 BS EN 1653	←			

Notes : (1) Plate (2) Strip (3) Bar (4) Wire (5) Pipes * 화학성분만을 규정하고 있는 규격.

伸鋼品 Copper and copper alloys

索引番号 Index No.	規格名 Std.	記号 Designation	化学成分(%) Chemical composition					
			Cu	Pb	Fe	Sn	Zn	Mn
Q 011(계속)	DIN	CuZn 30	69.0~71.0	≦0.05	≦0.05	≦0.05	残部	
	ISO	CuZn 30	68.5~71.5	≦0.05	≦0.1		残部	
Q 012	KS	C 2680 P	64.0~68.0	≦0.05	≦0.05		残部	
	JIS	C 2680 P	64.0~68.0	≦0.05	≦0.05		残部	
	KS	C 2680 R	64.0~68.0	≦0.05	≦0.05		残部	
	JIS	C 2680 R	64.0~68.0	≦0.05	≦0.05		残部	
	ASTM	C 26800	64.0~68.5	≦0.15	≦0.05		残部	
	BS	CZ 107	64.0~67.0	≦0.10	≦0.10		残部	
	DIN	CuZn 36	63.5~65.0	≦0.05	≦0.05	≦0.05	残部	
	ISO	CuZn 35	64.0~67.0	≦0.1	≦0.1		残部	
Q 013	KS	C 2720 P	62.0~64.0	≦0.07	≦0.07		残部	
	JIS	C 2720 P	62.0~64.0	≦0.07	≦0.07		残部	
	KS	C 2720 R	62.0~64.0	≦0.07	≦0.07		残部	
	JIS	C 2720 R	62.0~64.0	≦0.07	≦0.07		残部	
	ASTM	C 27200	62.0~65.0	≦0.07	≦0.07		残部	
	BS	CZ 108	62.0~65.0	≦0.30	≦0.20		残部	
	DIN	CuZn 37	62.0~64.0	≦0.1	≦0.1	≦0.1	残部	
	ISO	CuZn 37	65.5~68.5	≦0.3	≦0.2		残部	
Q 014	KS	C 2801 P	59.0~62.0	≦0.10	≦0.07		残部	
	JIS	C 2801 P	59.0~62.0	≦0.10	≦0.07		残部	
	KS	C 2801 R	59.0~62.0	≦0.10	≦0.07		残部	
	JIS	C 2801 R	59.0~62.0	≦0.10	≦0.07		残部	
	ASTM	C 28000	59.0~63.0	≦0.30	≦0.07		残部	
	BS							
	DIN	CuZn 40	59.5~61.5	≦0.3	≦0.2	≦0.2	残部	
	ISO	CuZn 40	59.0~62.0	≦0.3	≦0.2		残部	

Index No. Q 011~Q 014

化学成分 (%) Chemical composition		形状別規格番号 Std, No. by shapes				
Ni	others	板(1)	条(2)	棒(3)	線(4)	管(5)
≦0.2		17660 *	←			
		426-1*	←			
		D 5201				
		H 3100				
			D 5201			
			H 3100			
		B 36	←			
		BS EN 1652 BS EN 1653	←			
≦0.2		17660 *	←			
		426-1*	←			
		D 5201				
		H 3100				
			D 5201			
			H 3100			
		B 36	←			
		BS EN 1652 BS EN 1653	←			
≦0.3		17660 *	←			
		426-1*	←			
		D 5201				
		H 3100				
			D 5201			
			H 3100			
		B 135	←			
≦0.3		17660 *	←			
		426-1*	←			

Notes : (1) Plate (2) Strip (3) Bar (4) Wire (5) Pipes ☆ 화학성분만을 규정하고 있는 규격.

伸鋼品 Copper and copper alloys

索引番号 Index No.	規格名 Std.	記号 Designation	化学成分 (%) Chemical composition					
			Cu	Pb	Fe	Sn	Zn	Mn
Q 015	KS	C 3560 P	61.0~64.0	2.0~3.0	≦0.10		残部	
	JIS	C 3560 P	61.0~64.0	2.0~3.0	≦0.10		残部	
	KS	C 3560 R	61.0~64.0	2.0~3.0	≦0.10		残部	
	JIS	C 3560 R	61.0~64.0	2.0~3.0	≦0.10		残部	
	KS	C 3561 P	57.0~61.0	2.0~3.0	≦0.10		残部	
	JIS	C 3561 P	57.0~61.0	2.0~3.0	≦0.10		残部	
	KS	C 3561 R	57.0~61.0	2.0~3.0	≦0.10		残部	
	JIS	C 3561 R	57.0~61.0	2.0~3.0	≦0.10		残部	
	ASTM	C 35600	60.0~63.0	2.0~3.0	≦0.10		残部	
	BS	CZ 119	61.0~64.0	1.0~2.5			残部	
	DIN	CuZn 36 Pb 1.5	62.0~64.0	0.7~2.5	≦0.2	≦0.1	残部	
	ISO	CuZn 36 Pb 3	60.0~63.0	2.5~3.7	≦0.35		残部	
Q 016	KS	C 3710 P	58.0~62.0	0.6~1.2	≦0.10		残部	
	JIS	C 3710 P	58.0~62.0	0.6~1.2	≦0.10		残部	
	KS	C 3710 R	58.0~62.0	0.6~1.2	≦0.10		残部	
	JIS	C 3710 R	58.0~62.0	0.6~1.2	≦0.10		残部	
	ASTM	-					残部	
	BS	CZ 123	59.0~62.0	0.3~0.8			残部	
	DIN	CuZn 39 Pb 0.5	59.5~61.5	0.3~1.0	≦0.3	≦0.2	残部	
	ISO	CuZn 39 Pb 1	58.0~61.0	0.75~1.5	≦0.2		残部	
Q 017	KS	C 3713 P	58.0~62.0	1.0~2.0	≦0.10		残部	
	JIS	C 3713 P	58.0~62.0	1.0~2.0	≦0.10		残部	
	KS	C 3713 R	58.0~62.0	1.0~2.0	≦0.10		残部	
	JIS	C 3713 R	58.0~62.0	1.0~2.0	≦0.10		残部	
	ASTM	-					残部	
	BS	CZ 120	58.0~60.0	1.5~2.5			残部	
	DIN	CuZn 38 Pb 1.5	59.5~61.5	1.0~2.0	≦0.3	≦0.2	残部	
	ISO	CuZn 38 Pb 2	58.0~61.0	1.5~2.5	≦0.2		残部	

Index No. Q 015~Q 017

化学成分(%) Chemical composition		形状別規格番号 Std, No. by shapes				
Ni	others	板(1)	条(2)	棒(3)	線(4)	管(5)
		D 5201				
		H 3100				
			D 5201			
			H 3100			
		D 5201				
		H 3100				
			D 5201			
			H 3100			
		B 121	←			
		BS EN 1652	←			
≦0.3		17660 *	←			
		426-2 *	←			
		D 5201				
		H 3100				
			D 5201			
			H 3100			
		BS EN 1652	←			
≦0.3		17660 *	←			
		426-2 *	←			
		D 5201				
		H 3100				
			D 5201			
			H 3100			
		BS EN 1652	←			
≦0.3		17660 *	←			
		426-2 *	←			

Notes : (1) Plate (2) Strip (3) Bar (4) Wire (5) Pipes * 화학성분만을 규정하고 있는 규격.

伸鋼品 Copper and copper alloys

索引番号 Index No.	規格名 Std.	記号 Designation	化学成分 (%) Chemical composition					
			Cu	Pb	Fe	Sn	Zn	Mn
Q 018	KS	C 4250 P	87.0~90.0	≦0.05	≦0.05	1.5~3.0	残部	
	JIS	C 4250 P	87.0~90.0	≦0.05	≦0.05	1.5~3.0	残部	
	KS	C 4250 R	87.0~90.0	≦0.05	≦0.05	1.5~3.0	残部	
	JIS	C 4250 R	87.0~90.0	≦0.05	≦0.05	1.5~3.0	残部	
	ASTM	C 42500	87.0~90.0	≦0.05	≦0.05	1.5~3.0	残部	
	BS	-						
	DIN	-						
	ISO	-						
Q 019	KS	C 4430 P	70.0~73.0	≦0.05	≦0.05	0.9~1.2	残部	
	JIS	C 4430 P	70.0~73.0	≦0.05	≦0.05	0.9~1.2	残部	
	KS	C 4430 R	70.0~73.0	≦0.05	≦0.05	0.9~1.2	残部	
	JIS	C 4430 R	70.0~73.0	≦0.05	≦0.05	0.9~1.2	残部	
	ASTM	C 44300	70.0~73.0	≦0.07	≦0.06	0.8~1.2	残部	
	BS	-					残部	
	DIN	CuZn 28 Sn 1	70.0~73.0	≦0.05	≦0.07	0.9~1.3	残部	
	ISO	CuZn 28 Sn 1	70.0~73.0	≦0.05	≦0.07	0.9~1.3	残部	
Q 020	KS	C 4621 P	61.0~64.0	≦0.20	≦0.10	0.7~1.5	残部	
	JIS	C 4621 P	61.0~64.0	≦0.20	≦0.10	0.7~1.5	残部	
	ASTM	-						
	BS	CZ 112	61.0~63.5			1.0~1.4	残部	
	DIN	-						
	ISO	-						
Q 021	KS	C 4640 P	59.0~62.0	≦0.20	≦0.10	0.50~1.0	残部	
	JIS	C 4640 P	59.0~62.0	≦0.20	≦0.10	0.50~1.0	残部	
	ASTM	C 46400	59.0~62.0	≦0.20	≦0.10	0.50~1.0	残部	
	BS	-						
	DIN	CuZn 38 Sn 1	59.0~62.0	≦0.2	≦0.1	0.5~1.0	残部	
	ISO	CuZn 38 Sn 1	59.0~62.0	≦0.20	≦0.10	0.5~1.2	残部	

Index No. Q 018~Q 021

化学成分 (%) Chemical composition		形状別規格番号 Std, No. by shapes				
Ni	others	板[1]	条[2]	棒[3]	線[4]	管[5]
	P≦0.35	D 5201				
	P≦0.35	H 3100				
	P≦0.35		D 5201			
	P≦0.35		H 3100			
	P≦0.35	B 591	←			
	As 0.02~0.06	D 5201				
	As 0.02~0.06	H 3100				
	As 0.02~0.06		D 5201			
	As 0.02~0.06		H 3100			
	As 0.02~0.06	B 171	←			
	As 0.02~0.06	17660 *	←			
	As 0.02~0.06	426-1 *	←			
		D 5201				
		H 3100				
		BS EN 1652 BS EN 1653				
		D 5201				
		H 3100				
		B 171				
		17660 *				
		426-1 *				

Notes : [1] Plate [2] Strip [3] Bar [4] Wire [5] Pipes ☆ 화학성분만을 규정하고 있는 규격.

伸 鋼 品 Copper and copper alloys

索引番号 Index No.	規格名 Std.	記号 Designation	化 学 成 分 (%) Chemical composition					
			Cu	Pb	Fe	Sn	Zn	Mn
Q 022	KS	C 6140 P	88.0~92.5	≦0.01	1.5~3.5		≦0.20	≦1.0
	JIS	C 6140 P	88.0~92.5	≦0.01	1.5~3.5		≦0.20	≦1.0
	ASTM	C 61400	88.0~92.5	≦0.01	1.5~3.5		≦0.20	≦1.0
	BS	CA 106						
	DIN	-						
	ISO	CuAl 8 Fe 3	残部	≦0.05	1.5~3.5		≦0.5	≦1.0
Q 023	KS	C 6161 P	83.0~90.0		2.0~4.0			0.50~2.0
	JIS	C 6161 P	83.0~90.0		2.0~4.0			0.50~2.0
	ASTM	-						
	BS	CA 103						
	DIN	CuAl 8 Fe 3	残部	≦0.05	1.5~3.5			≦1.0
	ISO	CuAl 10 Fe 3	残部	≦0.05	2.0~4.0		≦0.5	≦3.5
Q 024	KS	C 6280 P	78.0~85.0		1.5~3.5			0.50~2.0
	JIS	C 6280 P	78.0~85.0		1.5~3.5			0.50~2.0
	ASTM	-						
	BS	CA 105	78.0~85.0		1.5~3.5			0.5~2.0
	DIN	CuAl 10 Ni 5 Fe 4	残部	≦0.05	2.0~5.0			≦1.5
	ISO	CuAl 10 Ni 5 Fe 4	残部	≦0.05	2.0~5.0		≦0.5	≦1.5
Q 025	KS	C 6301 P	77.0~84.0		3.5~6.0			0.50~2.0
	JIS	C 6301 P	77.0~84.0		3.5~6.0			0.50~2.0
	ASTM	C 63000	78.0~85.0		2.0~4.0	≦0.20	≦0.30	≦1.5
	BS	CA 104	残部		4.0~6.0	≦0.10	≦0.40	≦0.50
	DIN	CuAl 10 Ni 5 Fe 4	残部		2.0~5.0		≦0.5	≦1.5
	ISO	CuAl 10 Ni 5 Fe 4	残部		2.0~50		≦0.5	≦1.5
Q 026	KS	C 7060 P		≦0.05	1.0~1.8		≦0.50	0.20~1.0
	JIS	C 7060 P		≦0.05	1.0~1.8		≦0.50	0.20~1.0
	ASTM	C 70600	≧86.5	≦0.05	1.0~1.8		≦1.0	≦1.0
	BS	CN 102	残部	≦0.01	1.00~2.00			0.50~1.00
	DIN	CuNi 10 Fe 1 Mn	残部	≦0.03	1.0~2.0		≦0.5	0.5~1.0

Index No. Q 022~Q 026						
化 学 成 分 (%) Chemical composition		形 状 別 規 格 番 号 Std, No. by shapes				
Ni	others	板([1])	条([2])	棒([3])	線([4])	管([5])
	Al 6.0~8.0, P≦0.015	D 5201				
	Al 6.0~8.0, P≦0.015	H 3100				
	Al 6.0~8.0, P≦0.015	B 169	←			
		BS EN 1652 BS EN 1653	←			
≦1.0	Al 6.5~8.5	428 *	←			
0.50~2.0	Al 7.0~10.0 Cu+Al+Fe+Ni+Mn≧99.5	D 5201				
		H 3100				
		2872				
≦1.0	Al 6.5~8.5	17665 *	←			
≦1.0	Al 8.5~11.0	428 *	←			
4.0~7.0	Al 8.0~11.0 Cu+Al+Fe+Ni+Mn≧99.5	D 5201				
4.0~7.0	Al 8.0~11.0 Cu+Al+Fe+Ni+Mn≧99.5	H 3100				
4.0~7.0	Al 8.0~11.0	2872				
4.0~6.0	Al 8.5~11.0	17665 *	←			
4.0~6.0	Al 8.5~11.0	428 *	←			
3.5~6.0	Al 8.5~10.5 Cu+Al+Fe+Ni+Mn≧99.5	D 5201				
3.5~6.0	Al 8.5~10.5 Cu+Al+Fe+Ni+Mn≧99.5	H 3100				
4.0~5.5	Al 9.0~11.0, Si≦0.25	B 171				
4.0~6.0	Al 8.5~11.0	BS EN 1652 BS EN 1653				
4.0~6.0	Al 8.5~11.0	17665 *	←			
4.0~6.0	Al 8.5~11.0	428 *	←			
9.0~11.0	Cu+Ni+Fe+Mn≧99.5	D 5201				
9.0~11.0		H 3100				
9.0~11.0		B 171				
10.0~11.0		BS EN 1652 BS EN 1653	←			
9.0~11.0		17664 *				

Notes : ([1]) Plate ([2]) Strip ([3]) Bar ([4]) Wire ([5]) Pipes * 화학성분만을 규정하고 있는 규격.

伸 鋼 品 Copper and copper alloys

索引番号 Index No.	規格名 Std.	記号 Designation	化 学 成 分 (%) Chemical composition					
			Cu	Pb	Fe	Sn	Zn	Mn
Q 026(계속)	ISO	CuNi 10 Fe 1 Mn	残部	≦0.02	1.0~2.0		≦0.5	0.5~1.0
Q 027	KS	C 7150 P		≦0.05	0.40~0.7		≦0.50	0.20~1.0
	JIS	C 7150 P		≦0.05	0.40~0.7		≦0.50	0.20~1.0
	ASTM	C 71500	≧65.0	≦0.05	0.40~1.0		≦1.0	≦1.0
	BS	CN 107	残部	≦0.01	0.40~1.00			0.50~1.50
	DIN	CuNi 30 Mn 1 Fe	残部	≦0.03	0.4~1.0		≦0.5	0.5~1.5
	ISO	CuNi 30 Mn 1 Fe	残部	≦0.02	0.4~1.0		≦0.5	0.5~1.5
Q 028	KS	C 6711 P	61.0~65.0	0.10~1.0		0.7~1.5	残部	0.05~1.0
	JIS	C 6711 P	61.0~65.0	0.10~1.0		0.7~1.5	残部	0.05~1.0
	ASTM	-						
	BS	-						
	DIN	CuZn 38 Sn 1	59.0~62.0	≦0.2	≦0.1	0.5~1.0	残部	
	ISO	CuZn 37 Sn 1 Pb 1	59.0~62.0	0.4~1.0	≦0.10	0.5~1.0	残部	
Q 029	KS	C 6712 P	58.0~62.0	0.10~1.0			残部	0.05~1.0
	JIS	C 6712 P	58.0~62.0	0.10~1.0			残部	0.05~1.0
	ASTM	-						
	BS	CZ 123	59.0~62.0	0.3~0.8			残部	
	DIN	CuZn 39 Pb 0.5	59.5~61.5	0.3~1.0	≦0.3	≦0.2	残部	
	ISO	CuZn 40 Pb	59.0~61.0	0.25~0.75	≦0.2		残部	
Q 030	KS	C 5111 P				3.5~4.5		
	JIS	C 5111 P				3.5~4.5		
	KS	C 5111 R				3.5~4.5		
	JIS	C 5111 R				3.5~4.5		
	ASTM	C 51000	残部	≦0.05	≦0.10	4.2~5.8	≦0.30	
	BS	PB 102	残部	≦0.02		4.5~6.0		
	DIN	CuSn 4	残部	≦0.05	≦0.1	3.5~4.5	≦0.3	
	ISO	CuSn 4	残部	≦0.05	≦0.1	3.5~4.5	≦0.3	

Index No. Q 026~Q 030

化学成分 (%) Chemical composition		形状別規格番号 Std, No. by shapes				
Ni	others	板(1)	条(2)	棒(3)	線(4)	管(5)
9.0~11.0		429 *	←			
29.0~33.0	Cu+Ni+Fe+Mn≧99.5	D 5201				
29.0~33.0	Cu+Ni+Fe+Mn≧99.5	H 3100				
29.0~33.0		B 171				
30.0~32.0		BS EN 1652 BS EN 1653				
30.0~32.0		17664 *	←			
29.0~32.0		429 *	←			
	Fe+Al+Si≦1.0	D 5201				
	Fe+Al+Si≦1.0	H 3100				
≦0.2		17660 *				
		426-1 *				
	Fe+Al+Si≦1.0	D 5201				
		H 3100				
		BS EN 1652	←			
≦0.3		17660 *	←			
		426-2 *	←			
	P 0.03~0.35 Cu+Sn+P≧99.5	D 5506				
	P 0.03~0.35 Cu+Sn+P≧99.5	H 3110				
	P 0.03~0.35 Cu+Sn+P≧99.5		D 5506			
	P 0.03~0.35 Cu+Sn+P≧99.5		H 3110			
	P 0.03~0.35	B 103	←			
	P 0.02~0.40	BS EN 1652 BS EN 1654	←			
≦0.3	P 0.01~0.35	17662 *	←			
≦0.3	P 0.01~0.4	427 *	←			

Notes : (1) Plate (2) Strip (3) Bar (4) Wire (5) Pipes ☆ 화학성분만을 규정하고 있는 규격.

伸鋼品 Copper and copper alloys

索引番号 Index No.	規格名 Std.	記号 Designation	化学成分 (%) Chemical composition					
			Cu	Pb	Fe	Sn	Zn	Mn
Q 031	KS	C 5102 P				4.5~5.5		
	JIS	C 5102 P				4.5~5.5		
	KS	C 5102 R				4.5~5.5		
	JIS	C 5102 R				4.5~5.5		
	ASTM	C 51000	残部	≦0.05	≦0.10	4.2~5.8	≦0.30	
	BS	PB 102						
	DIN	-						
	ISO	CuSn 5	残部	≦0.05	≦0.1	4.5~5.5	≦0.3	
Q 032	KS	C 5191 P				5.5~7.0		
	JIS	C 5191 P				5.5~7.0		
	KS	C 5191 R				5.5~7.0		
	JIS	C 5191 R				5.5~7.0		
	ASTM	-						
	BS	PB 103	残部	≦0.02		6.0~7.5		
	DIN	CuSn 6	残部	≦0.05	≦0.1	5.5~7.0	≦0.3	
	ISO	CuSn 6	残部	≦0.05	≦0.1	5.5~7.5	≦0.3	
Q 033	KS	C 5212 P				7.0~9.0		
	JIS	C 5212 P				7.0~9.0		
	KS	C 5212 R				7.0~9.0		
	JIS	C 5212 R				7.0~9.0		
	ASTM	C 52100	残部	≦0.05	≦0.10	7.0~9.0	≦0.20	
	BS	PB 104	残部	≦0.02		7.5~9.0		
	DIN	CuSn 8	残部	≦0.05	≦0.1	7.5~8.5	≦0.3	
	ISO	CuSn 8	残部	≦0.05	≦0.1	7.5~9.0	≦0.3	
Q 034	KS	C 7351 P	70.0~75.0	≦0.10	≦0.25		残部	0~0.50
	JIS	C 7351 P	70.0~75.0	≦0.10	≦0.25		残部	0~0.50
	KS	C 7351 R	70.0~75.0	≦0.10	≦0.25		残部	0~0.50
	JIS	C 7351 R	70.0~75.0	≦0.10	≦0.25		残部	0~0.50
	ASTM	C 73500	70.5~73.5	≦0.10	≦0.25		残部	≦0.50
	BS	-						

Index No. Q 031~Q 034

化学成分 (%) Chemical composition		形状別規格番号 Std, No. by shapes				
Ni	others	板(1)	条(2)	棒(3)	線(4)	管(5)
	P 0.03~0.35 Cu+Sn+P≧99.5	D 5506				
	P 0.03~0.35 Cu+Sn+P≧99.5	H 3110				
	P 0.03~0.35 Cu+Sn+P≧99.5		D 5506			
	P 0.03~0.35 Cu+Sn+P≧99.5		H 3110			
	P 0.03~0.35	B 103	←			
		BS EN 1652 BS EN 1654	←			
≦0.3	P 0.01~0.4	427 *	←			
	P 0.03~0.035 Cu+Sn+P≧99.5	D 5506				
	P 0.03~0.035 Cu+Sn+P≧99.5	H 3110				
	P 0.03~0.035 Cu+Sn+P≧99.5		D 5506			
	P 0.03~0.035 Cu+Sn+P≧99.5		H 3110			
	P 0.02~0.40	BS EN 1652 BS EN 1654	←			
≦0.3	P 0.01~0.35	17662 *	←			
≦0.3	P 0.01~0.4	427 *	←			
	P 0.03~0.35 Cu+Sn+P≧99.5	D 5506				
	P 0.03~0.35 Cu+Sn+P≧99.5	H 3110				
	P 0.03~0.35 Cu+Sn+P≧99.5		D 5506			
	P 0.03~0.35 Cu+Sn+P≧99.5		H 3110			
	P 0.03~0.35	B 103	←			
	P 0.02~0.40	BS EN 1652 BS EN 1654	←			
≦0.3	P 0.01~0.35	17662 *	←			
≦0.3	P 0.01~0.4	427 *	←			
16.5~19.5		D 5506				
16.5~19.5		H 3110				
16.5~19.5			D 5506			
16.5~19.5			H 3110			
16.5~19.5		B 122	←			

Notes : (1) Plate (2) Strip (3) Bar (4) Wire (5) Pipes ☆ 화학성분만을 규정하고 있는 규격.

伸 鋼 品 Copper and copper alloys

索引番号 Index No.	規格名 Std.	記号 Designation	化 学 成 分 (%) Chemical composition					
			Cu	Pb	Fe	Sn	Zn	Mn
Q 034(계속)	DIN	-						
	ISO	-						
Q 035	KS	C 7451 P	63.0~67.0	≦0.10	≦0.25		残部	0~0.50
	JIS	C 7451 P	63.0~67.0	≦0.10	≦0.25		残部	0~0.50
	KS	C 7451 R	63.0~67.0	≦0.10	≦0.25		残部	0~0.50
	JIS	C 7451 R	63.0~67.0	≦0.10	≦0.25		残部	0~0.50
	ASTM	C 74500	63.5~66.5	≦0.10	≦0.25		残部	≦0.50
	BS	NS 103	60.0~65.0	≦0.04	≦0.25		残部	0.05~0.30
	DIN	CuNi 12 Zn 24	63.0~66.0	≦0.03	≦0.3	≦0.03	残部	≦0.5
	ISO	CuNi 10 Zn 27	61.0~65.0	≦0.05	≦0.3		残部	≦0.5
Q 036	KS	C 7521 P	62.0~66.0	≦0.10	≦0.25		残部	0~0.50
	JIS	C 7521 P	62.0~66.0	≦0.10	≦0.25		残部	0~0.50
	KS	C 7521 R	62.0~66.0	≦0.10	≦0.25		残部	≦0.50
	JIS	C 7521 R	62.0~66.0	≦0.10	≦0.25		残部	≦0.50
	ASTM	C 75200	63.0~66.5	≦0.10	≦0.25		残部	≦0.50
	BS	NS 106	60.0~65.0	≦0.03	≦0.30		残部	0.05~0.50
	DIN	CuNi 18 Zn 20	60.0~63.0	≦0.03	≦0.3	≦0.03	残部	≦0.5
	ISO	CuNi 18 Zn 20	60.0~64.0	≦0.05	≦0.3		残部	≦0.5
Q 037	KS	C 7541 P	60.0~64.0	≦0.10	≦0.25		残部	0~0.50
	JIS	C 7541 P	60.0~64.0	≦0.10	≦0.25		残部	0~0.50
	KS	C 7541 R	60.0~64.0	≦0.10	≦0.25		残部	0~0.50
	JIS	C 7541 R	60.0~64.0	≦0.10	≦0.25		残部	0~0.50
	ASTM	-						
	BS	NS 105	60.0~65.0	≦0.04	≦0.30		残部	0.05~0.50
	DIN	CuNi 12 Zn 24	63.0~66.0	≦0.03	≦0.3	≦0.03	残部	≦0.5
	ISO	CuNi 15 Zn 21	62.0~66.0	≦0.05	≦0.3		残部	≦0.5

Index No. Q 034~Q 037

化学成分 (%) Chemical composition		形状別規格番号 Std, No. by shapes				
Ni	others	板(1)	条(2)	棒(3)	線(4)	管(5)
8.5~11.5		D 5506				
8.5~11.5		H 3110				
8.5~11.5			D 5506			
8.5~11.5			H 3110			
9.0~11.0		B 122	←			
9.0~11.0		BS EN 1652 BS EN 1654	←			
11.0~13.0		17663 *	←			
9.0~11.0		430 *	←			
16.5~19.5		D 5506				
16.5~19.5		H 3110				
16.5~19.5			D 5506			
16.5~19.5			H 3110			
16.5~19.5		B 122	←			
17.0~19.0		BS EN 1652 BS EN 1654	←			
17.0~19.0		17663 *	←			
17.0~19.0		430 *	←			
12.5~15.5		D 5506				
12.5~15.5		H 3110				
12.5~15.5			D 5506			
12.5~15.5			H 3110			
14.0~16.0		BS EN 1652 BS EN 1654	←			
11.0~13.0		17663 *	←			
14.0~16.0		430 *	←			

Notes : (1) Plate (2) Strip (3) Bar (4) Wire (5) Pipes * 화학성분만을 규정하고 있는 규격.

伸 鋼 品 Copper and copper alloys

索引番号 Index No.	規格名 Std.	記号 Designation	化 学 成 分 (%) Chemical composition					
			Cu	Pb	Fe	Sn	Zn	Mn
Q 038	KS	C 1700 P						
	JIS	C 1700 P						
	KS	C 1700 R						
	JIS	C 1700 R						
	ASTM	C 17000	残部					
	BS	-						
	DIN	CuBe 1.7	残部					
	ISO	CuBe 1.7	残部					
Q 039	KS	C 1720 P						
	JIS	C 1720 P						
	KS	C 1720 R						
	JIS	C 1720 R						
	ASTM	C 17200	残部					
	BS	-						
	DIN	CuBe 2	残部					
	ISO	CuBe 2	残部					
Q 040	KS	C 5210 P		≦0.05	≦0.10	7.0~9.0	≦0.20	
	JIS	C 5210 P		≦0.05	≦0.10	7.0~9.0	≦0.20	
	KS	C 5210 R		≦0.05	≦0.10	7.0~9.0	≦0.20	
	JIS	C 5210 R		≦0.05	≦0.10	7.0~9.0	≦0.20	
	ASTM	C 52100	残部	≦0.05	≦0.10	7.0~9.0	≦0.20	
	BS	PB 104	残部	≦0.02				
	DIN	CuSn 8	残部	≦0.05	≦0.1	7.5~8.5	≦0.3	
	ISO	CuSn 8	残部	≦0.05	≦0.1	7.5~9.0	≦0.3	
Q 041	KS	C 7701 P	54.0~58.0	≦0.10	≦0.25		残部	0~0.50
	JIS	C 7701 P	54.0~58.0	≦0.10	≦0.25		残部	0~0.50
	KS	C 7701 R	54.0~58.0	≦0.10	≦0.25		残部	0~0.50
	JIS	C 7701 R	54.0~58.0	≦0.10	≦0.25		残部	0~0.50
	ASTM	C 77000	53.5~56.5	≦0.10	≦0.25		残部	≦0.50
	BS	NS 107	54.0~56.0	≦0.03	≦0.30		残部	0.05~0.35

Index No. Q 038~Q 041

化学成分 (%) Chemical composition		形状別規格番号 Std, No. by shapes				
Ni	others	板(1)	条(2)	棒(3)	線(4)	管(5)
	Be 1.60~1.79, Cu+Be+fe+Ni+Co ≧99.5, Ni+Co≧0.20, Ni+Co+Fe≦0.6	D 5202				
	Be 1.60~1.79, Cu+Be+fe+Ni+Co ≧99.5, Ni+Co≧0.20, Ni+Co+Fe≦0.6	H 3130				
	Be 1.60~1.79, Ni+Co+Fe≦0.6 Cu+Be+Ni+Co+Fe≧99.5, Ni+Co≦0.20		D 5202			
	Be 1.60~1.79, Ni+Co+Fe≦0.6 Cu+Be+Ni+Co+Fe≧99.5, Ni+Co≦0.20		H 3130			
	Be 1.60~1.79, Ni+Co+Fe≦0.6	B 194	←			
	Be 1.6~1.8, Ni+Co≧0.2 Ni+Co+Fe≦0.6	17666 *	←			
	Be 1.6~1.80, Co+Ni≧0.20 Co+Ni+Fe≦0.60	1187 *	←			
	Be 1.80~2.00, Cu+Be+fe+Ni+Co ≧99.5, Ni+Co≧0.20, Ni+Co+Fe≦0.6	D 5202				
	Be 1.80~2.00, Cu+Be+fe+Ni+Co ≧99.5, Ni+Co≧0.20, Ni+Co+Fe≦0.6	H 3130				
	Be 1.80~2.00, Ni+Co+Fe≦0.6, Ni+Co≦0.20 Ni+Co≦0.20, Co+Be+Ni+Co+Fe≧99.5		D 5202			
	Be 1.80~2.00, Ni+Co+Fe≦0.6, Ni+Co≦0.20 Ni+Co≦0.20, Co+Be+Ni+Co+Fe≧99.5		H3130			
	Be 1.80~2.00, Ni+Co≧0.20 Ni+Co+Fe≦0.6	B 194	←			
	Be 1.8~2.1, Ni+Co≧0.2 Ni+Co+Fe≦0.6	17666 *	←			
	Be 1.8~2.1, Co+Ni 0.20~0.60 Co+Ni+Fe 0.20~0.60	1187 *	←			
	P 0.03~0.35 Cu+Sn+P≧99.7	D 5202				
	P 0.03~0.35 Cu+Sn+P≧99.7	H 3130				
	P 0.03~0.35 Cu+Sn+P≧99.7		D 5202			
	P 0.03~0.35 Cu+Sn+P≧99.7		H 3130			
	P 0.03~0.35	B 103	←			
	P 0.02~0.40	BS EN 1652 BS EN 1654	←			
≦0.3	P 0.01~0.35	17662 *	←			
≦0.3	P 0.01~0.4	427 *	←			
16.5~19.5		D 5202				
16.5~19.5		H 3130				
16.5~19.5			D 5202			
16.5~19.5			H 3130			
16.5~19.5		B 122	←			
17.0~19.0		BS EN 1652 BS EN 1654	←			

Notes : (1) Plate (2) Strip (3) Bar (4) Wire (5) Pipes ☆ 화학성분만을 규정하고 있는 규격.

伸鋼品 Copper and copper alloys								
索引番号 Index No.	規格名 Std.	記号 Designation	化学成分 (%) Chemical composition					
			Cu	Pb	Fe	Sn	Zn	Mn
Q 041(계속)	DIN	CuNi 18 Zn 27	53.5~56.5	≦0.03	≦0.3	≦0.03	残部	≦0.5
	ISO	CuNi 18 Zn 27	53.0~56.0	≦0.05	≦0.3		残部	≦0.5
Q 042	KS	C 1020 B	≧99.96					
	JIS	C 1020 B	≧99.96					
	ASTM	C 10200	≧99.95					
	BS	C 103	≧99.95(含 Ag)	≦0.005				
	DIN	OF-Cu	≧99.95					
	ISO	Cu-OF	≧99.95(含 Ag)					
Q 043	KS	C 1100 B	≧99.90					
	JIS	C 1100 B	≧99.90					
	ASTM	C 11000	≧99.90					
	BS	C 101	≧99.90(含 Ag)	≦0.005				
	BS	C 102	≧99.90(含 Ag)	≦0.005				
	DIN	ECu 57	≧99.90					
	ISO	Cu-ETP	≧99.90(含 Ag)					
Q 044	KS	C 1201 B	≧99.90					
	JIS	C 1201 B	≧99.90					
	ASTM	C 12000	≧99.90					
	BS	C 106	≧99.85(含 Ag)	≦0.010	≦0.030	≦0.01		
	DIN	SW-Cu	≧99.90					
	ISO	Cu-DLP	≧99.90(含 Ag)					
Q 045	KS	C 1220 B	≧99.90					
	JIS	C 1220 B	≧99.90					
	ASTM	C 12000	≧99.90					
	BS	C 106	≧99.85(含 Ag)	≦0.010	≦0.030	≦0.01		
	DIN	SF-Cu	≧99.90					
	ISO	Cu-DHP	≧99.85(含 Ag)					

化学成分 (%) Chemical composition		形状別規格番号 Std, No. by shapes				
Ni	others	板([1])	条([2])	棒([3])	線([4])	管([5])
≦17.0~19.0		17663 *	←			
17.0~19.0		430 *	←			
				D 5101		
				H 3250		
				B 133		
				BS EN 12163		
				1787 *		
				1337 *		
				D 5101		
				H 3250		
				B 133		
				BS EN 12163		
				BS EN 12163		
	O 0.005~0.040			1787 *		
				1337 *		
	P 0.004~0.015			D 5101		
	P 0.004~0.015			H 3250		
	P 0.004~0.012			B 133		
≦0.10				BS EN 12163		
	P 0.005~0.014			1787 *		
	P 0.005~0.012			1337 *		
	P 0.015~0.040			D 5101		
	P 0.015~0.040			H 3250		
	P 0.015~0.040			B 133		
≦0.10	P 0.013~0.050			BS EN 12163		
	P 0.015~0.040			1787 *		
	P 0.013~0.050			1337 *		

Notes : ([1]) Plate ([2]) Strip ([3]) Bar ([4]) Wire ([5]) Pipes ☆ 화학성분만을 규정하고 있는 규격.

伸鋼品 Copper and copper alloys

索引番号 Index No.	規格名 Std.	記号 Designation	化学成分 (%) Chemical composition					
			Cu	Pb	Fe	Sn	Zn	Mn
Q 046	KS	C 2600 B	68.5~71.5	≦0.05	≦0.05		残部	
	JIS	C 2600 B	68.5~71.5	≦0.05	≦0.05		残部	
	ASTM	C 26000	68.5~71.5	≦0.05	≦0.05		残部	
	BS	CZ 106	68.5~71.5	≦0.05	≦0.05		残部	
	DIN	CuZn 30	69.0~71.0	≦0.05	≦0.05	≦0.05	残部	
	ISO	CuZn 30	68.5~71.5	≦0.05	≦0.1			
Q 047	KS	C 2700 B	63.0~67.0	≦0.05	≦0.05		残部	
	JIS	C 2700 B	63.0~67.0	≦0.05	≦0.05		残部	
	ASTM	–						
	BS	–						
	DIN	CuZn 36	63.5~65.0	≦0.05	≦0.05	≦0.05	残部	
	ISO	CuZn 35	64.0~67.0	≦0.1	≦0.1		残部	
Q 048	KS	C 2800 B	59.0~63.0	≦0.10	≦0.07		残部	
	JIS	C 2800 B	59.0~63.0	≦0.10	≦0.07		残部	
	ASTM	–						
	BS	CZ 109	59.0~62.0	≦0.10			残部	
	DIN	CuZn 40	59.5~61.5	≦0.3	≦0.3	≦0.2	残部	
	ISO	CuZn 40	59.0~62.0	≦0.3	≦0.2		残部	
Q 049	KS	C 3601 B	59.0~63.0	1.8~3.7	≦0.30		残部	
	JIS	C 3601 B	59.0~63.0	1.8~3.7	≦0.30		残部	
	ASTM	C 36000	60.0~63.0	2.5~3.7	≦0.35		残部	
	BS	CZ 124	60.0~63.0	2.5~3.7	≦0.35		残部	
	DIN	CuZn 36 Pb 3	60.0~62.0	2.5~3.5	≦0.3	≦0.2	残部	
	ISO	CuZn 36 Pb 3	60.0~63.0	2.5~3.7	≦0.35		残部	
Q 050	KS	C 3602 B	59.0~63.0	1.8~3.7	≦0.50		残部	
	JIS	C 3602 B	59.0~63.0	1.8~3.7	≦0.50		残部	
	ASTM	C 36000	60.0~63.0	2.5~3.7	≦0.35		残部	
	BS	CZ 124	60.0~63.0	2.5~3.7	≦0.35		残部	
	DIN	CuZn 36 Pb 3	60.0~62.0	2.5~3.5	≦0.3	≦0.2	残部	

Index No. Q 046~Q 050

化学成分 (%) Chemical composition		形状別規格番号 Std, No. by shapes				
Ni	others	板(1)	条(2)	棒(3)	線(4)	管(5)
				D 5101		
				H 3250		
				B 36		
				BS EN 12163		
≦0.2				17660☆		
				426-1☆		
				D 5101		
				H 3250		
≦0.2				17660☆		
				426-1☆		
				D 5101		
				H 3250		
				BS EN 12163		
≦0.3				17660☆		
				426-1☆		
	Fe+Sn≦0.50			D 5101		
	Fe+Sn≦0.50			H3250		
	Cu+Pb+Zn+Fe≦0.50			B 16		
				BS EN 12164		
≦0.3				17660☆		
				426-2☆		
	Fe+Sn≦1.2			D 5101		
	Fe+Sn≦1.2			H 3250		
	Cu+Pb+Fe+Zn≦0.05			B 16		
				BS EN 12164		
≦0.3				17660☆		

Notes : (1) Plate (2) Strip (3) Bar (4) Wire (5) Pipes ☆ 화학성분만을 규정하고 있는 규격.

伸鋼品 Copper and copper alloys

索引番号 Index No.	規格名 Std.	記号 Designation	化学成分 (%) Chemical composition					
			Cu	Pb	Fe	Sn	Zn	Mn
Q 050(계속)	ISO	CuZn 37 Pb 2	60.0~63.0	1.5~2.5	≦0.20		残部	
Q 051	KS	3603 B	57.0~61.0	1.8~3.7	≦0.35		残部	
	JIS	3603 B	57.0~61.0	1.8~3.7	≦0.35		残部	
	ASTM	C 36000	60.0~63.0	2.5~3.7	≦0.35		残部	
	BS	CZ 121	56.0~59.0	2.0~3.5			残部	
	DIN	CuZn 39 Pb 3	57.0~59.0	2.5~3.5	≦0.5	≦0.4	残部	
	ISO	CuZn 38 Pb 2	58.0~61.0	1.5~2.5	≦0.20		残部	
Q 052	KS	C 3604 B	57.0~61.0	1.8~3.7	≦0.50		残部	
	JIS	C 3604 B	57.0~61.0	1.8~3.7	≦0.50		残部	
	ASTM	C 36000	60.0~63.0	2.5~3.7	≦0.35		残部	
	BS	CZ 121	56.0~59.0	2.0~3.5			残部	
	DIN	CuZn 39 Pb 3	57.0~59.0	2.5~3.5	≦0.5	≦0.4	残部	
	ISO	CuZn 39 Pb 3	56.0~59.0	2.5~3.5	≦0.35		残部	
Q 053	KS	C 3605 B	56.0~60.0	3.5~4.5	≦0.50		残部	
	JIS	C 3605 B	56.0~60.0	3.5~4.5	≦0.50		残部	
	ASTM	-						
	BS	-						
	DIN	-						
	ISO	CuZn 38 Pb 4	56.0~59.0	3.5~4.5	≦0.35		残部	
Q 054	KS	C 3712 B	58.0~62.0	0.25~1.2			残部	
	JIS	C 3712 B	58.0~62.0	0.25~1.2			残部	
	ASTM	-						
	BS	CZ 123	59.0~62.0	0.30~0.80			残部	
	DIN	CuZn 39 Pb 0.5	59.5~61.5	0.3~1.0	≦0.3	≦0.2	残部	
	ISO	CuZn 40 Pb	58.0~61.0	0.25~0.75	≦0.2		残部	

化学成分 (%) Chemical composition		形状別規格番号 Std, No. by shapes				
Ni	others	板([1])	条([2])	棒([3])	線([4])	管([5])
				426-2☆		
	Fe+Sn≦0.6			D 5101		
	Fe+Sn≦0.6			H 3250		
	Cu+Pb+Fe+Zn≦0.50			B 16		
				BS EN 12164		
≦0.5				17660☆		
				426-2☆		
	Fe+Sn≦1.5			D 5101		
	Fe+Sn≦1.5			H 3250		
	Cu+Pb+Fe+Zn≦0.50			B 16		
				BS EN 12164		
≦0.5				17660☆		
				426-2☆		
	Fe+Sn≦1.2			D 5101		
	Fe+Sn≦1.2			H 3250		
				426-2☆		
	Fe+Sn≦0.8			D 1501		
	Fe+Sn≦0.8			H 3250		
≦0.3				BS EN 12167		
				17660☆		
				426-2☆		

Notes : ([1]) Plate ([2]) Strip ([3]) Bar ([4]) Wire ([5]) Pipes ☆ 화학성분만을 규정하고 있는 규격.

伸鋼品 Copper and copper alloys

索引番号 Index No.	規格名 Std.	記号 Designation	化学成分 (%) Chemical composition					
			Cu	Pb	Fe	Sn	Zn	Mn
Q 055	KS	C 3771 B	57.0~61.0	1.0~2.5			残部	
	JIS	C 3771 B	57.0~61.0	1.0~2.5			残部	
	ASTM	C 37700	58.0~61.0	1.50~2.5	≦0.30		残部	
	BS	CZ 122	56.5~60.0	1.0~2.5	≦0.3		残部	
	DIN	CuZn 39 Pb 2	58.5~60.0	1.5~2.5	≦0.4	≦0.2	残部	
	ISO	CuZn 39 Pb 2	58.0~61.0	0.75~1.5	≦0.20		残部	
	ISO	CuZn 38 Pb 2	58.0~61.0	1.5~2.5	≦0.20		残部	
Q 056	KS	C 4622 B	61.0~64.0	≦0.30	≦0.20	0.7~1.5	残部	
	JIS	C 4622 B	61.0~64.0	≦0.30	≦0.20	0.7~1.5	残部	
	ASTM	C 46200	62.0~65.0	≦0.20	≦0.10	0.5~1.0	残部	
	BS	CZ 122	56.5~60.0	1.0~2.5	≦0.3		残部	
	DIN	CuZn 38 Sn 1	59.0~62.0	≦0.2	≦0.1	0.5~1.0	残部	
	ISO	CuZn 38 Sn 1	59.0~62.0	≦0.20	≦0.10	0.5~1.2	残部	
Q 057	KS	C 4641 B	59.0~62.0	≦0.50	≦0.20	0.50~1.0	残部	
	JIS	C 4641 B	59.0~62.0	≦0.50	≦0.20	0.50~1.0	残部	
	ASTM	C 46400	59.0~62.0	≦0.20	≦0.10	0.50~1.0	残部	
	BS	-						
	DIN	CuZn 38 Sn 1	59.0~62.0	≦0.2	≦0.1	0.5~1.0	残部	
	ISO	CuZn 38 Sn 1	59.0~62.0	≦0.20	≦0.10	0.5~1.2	残部	
Q 058	KS	C 6161 B	83.0~90.0		2.0~4.0			0.50~2.0
	JIS	C 6161 B	83.0~90.0		2.0~4.0			0.50~2.0
	ASTM	-						
	BS	CA 103	残部	≦0.05	Fe+Ni 4.0	≦0.10	≦0.40	
	DIN	CuAl 10 Fe 3 Mn2	残部	≦0.05	2.0~4.0		≦0.5	1.5~3.5
	ISO	CuAl 10 Fe 3	残部	≦0.05	2.0~4.0		≦0.5	≦3.5
Q 059	KS	C 6191 B	81.0~88.0		3.0~5.0			0.50~2.0
	JIS	C 6191 B	81.0~88.0		3.0~5.0			0.50~0.2
	ASTM	C 61900	83.6~88.5		3.0~4.5			
	BS	CA 104	残部	≦0.05	4.0~6.0	≦0.10	≦0.40	≦0.50

Index No. Q 055~Q 059

化学成分 (%) Chemical composition		形状別規格番号 Std, No. by shapes				
Ni	others	板[1]	条[2]	棒[3]	線[4]	管[5]
	Fe+Sn≦1.0			D 5101		
	Fe+Sn≦1.0			H 3250		
				B 124		
				BS EN 12167		
≦0.3				17660☆		
				426-2☆		
				426-2☆		
				D 5101		
				H 3250		
				B 21		
				BS EN 12164		
≦0.2				17660☆		
				426-1☆		
				D 5101		
				H 3250		
				B 21		
≦0.2				17660☆		
				426-1☆		
	Al 7.0~10.0 Cu+Al+Fe+Mn+Ni≧99.5			D 5101		
0.50~2.0	Al 7.0~10.0 Cu+Al+Fe+Mn+Ni≧99.5			H 3250		
	Al 8.8~10.0, Si≦0.10			2872		
≦0.10	Al 8.5~11.0			17665☆		
≦0.10	Al 8.5~11.0			428☆		
	Al 8.0~11.0 Cu+Al+Fe+Mn+Ni≧99.5			D 5101		
0.50~2.0	Al 8.0~11.0 Cu+Al+Fe+Mn+Ni≧99.5			H 3250		
				B150		
4.0~6.0	Al 8.5~11.0			2872		

Notes : (1) Plate (2) Strip (3) Bar (4) Wire (5) Pipes ☆ 화학성분만을 규정하고 있는 규격.

伸 鋼 品 Copper and copper alloys

索引番号 Index No.	規格名 Std.	記号 Designation	化 学 成 分 (%) Chemical composition					
			Cu	Pb	Fe	Sn	Zn	Mn
Q 059(계속)	DIN	CuAl 10 Fe 3 Mn 2	殘部	≦0.05	2.0~4.0		≦0.5	1.5~3.5
	ISO	CuAl 10 Fe 3	殘部	≦0.05	2.0~4.0		≦0.5	≦3.5
Q 060	KS	C 6241 B	80.0~87.0		3.0~5.0			0.50~2.0
	JIS	C 6241 B	80.0~87.0		3.0~5.0			0.50~2.0
	ASTM	C 62400	82.8~88.0		2.0~4.5	≦0.20		≦0.30
	BS	-						
	DIN	CuAl 10 Fe 3 Mn 2	殘部	≦0.05	2.0~4.0		≦0.5	1.5~3.5
	ISO	CuAl 10 Fe 3	殘部	≦0.05	2.0~4.0		≦0.5	≦3.5
Q 061	KS	C 6782 B	56.0~60.5	≦0.50	0.10~1.0		殘部	0.50~2.5
	JIS	C 6782 B	56.0~60.5	≦0.50	0.10~1.0		殘部	0.50~2.5
	KS	C 6783 B	55.0~59.0	≦0.50	0.20~1.5		殘部	1.0~3.0
	JIS	C 6783 B	55.0~59.0	≦0.50	0.20~1.5		殘部	1.0~3.0
	ASTM	-						
	BS	CZ 114	56.0~60.0	0.5~1.5	0.25~1.2	0.2~1.0	殘部	0.30~2.0
	DIN	CuZn 40 Al 1	57.5~60.0	≦0.8	≦1.0	≦0.4	殘部	0.8~1.8
	ISO	-						
Q 062	KS	C 1100 W	≧99.90					
	JIS	C 1100 W	≧99.90					
	ASTM	-						
	BS	C 101	≧99.90(含 Ag)	≦0.005				
	BS	C 102	≧99.90	≦0.005				
	DIN	ECu 58	≧99.90					
	DIN	ECu 57	≧99.90					
	ISO	Cu-ETP	≧99.90(含 Ag)					
Q 063	KS	C 1201 W	≦99.90					
	JIS	C 1201 W	≦99.90					
	ASTM	-						
	BS	C 106	≧99.85	≦0.010	≦0.030	≦0.01		
	DIN	SW-Cu	≧99.90					

Index No. Q 059~Q 063

化学成分 (%) Chemical composition		形状別規格番号 Std, No. by shapes				
Ni	others	板(1)	条(2)	棒(3)	線(4)	管(5)
≦1.0	Al 8.5~11.0			17665 ☆		
≦1.0	Al 8.5~11.0			428 ☆		
0.50~2.0	Al 9.0~12.0 Cu+Al+Fe+Mn+Ni≧99.5			D 5101		
	Al 9.0~12.0 Cu+Al+Fe+Mn+Ni≧99.5			H 3250		
	Al 10.0~11.5			B 150		
≦1.0	Al 8.5~11.0			17665 ☆		
≦1.0	Al 8.5~11.0			428 ☆		
	Al 0.20~2.0			D 5101		
	Al 0.20~2.0			H 3250		
	Al 0.20~2.0			D 5101		
	Al 0.20~2.0			H 3250		
				BS EN 12163		
≦1.0	Al 0.4~1.3			17660 ☆		
				D 5103		
				H 3260		
				BS EN 12166		
				BS EN 12166		
	O 0.005~0.040			1787☆		
	O 0.005~0.040			1787☆		
				1337☆		
	P 0.004~0.015			D 5103		
	P 0.004~0.015			H 3260		
≦0.10	P 0.013~0.050			BS EN 12166		
	P 0.005~0.014			1787☆		

Notes : (1) Plate (2) Strip (3) Bar (4) Wire (5) Pipes ☆ 화학성분만을 규정하고 있는 규격.

伸 鋼 品 Copper and copper alloys

索引番号 Index No.	規格名 Std.	記号 Designation	化 学 成 分 (%) Chemical composition					
			Cu	Pb	Fe	Sn	Zn	Mn
Q 063(계속)	ISO	Cu-DLP	≧99.90(含 Ag)					
Q 064	KS	C 1220 W	≧99.90					
	JIS	C 1220 W	≧99.90					
	ASTM	-						
	BS	C 106	≧99.85(含 Ag)	≦0.010	≦0.030	≦0.01		
	DIN	SF-Cu	≧99.90					
	ISO	Cu-DHP	≧99.85(含 Ag)					
Q 065	KS	C 2100 W	94.0~96.0	≦0.05	≦0.05		殘部	
	JIS	C 2100 W	94.0~96.0	≦0.05	≦0.05		殘部	
	ASTM	C 21000	94.0~96.0	≦0.05	≦0.05		殘部	
	BS	-						
	DIN	CuZn 5	94.0~96.0	≦0.05	≦0.05	≦0.05	殘部	
	ISO	CuZn 5	94.0~96.0	≦0.05	≦0.1		殘部	
Q 066	KS	C 2200 W	89.0~91.0	≦0.05	≦0.05		殘部	
	JIS	C 2200 W	89.0~91.0	≦0.05	≦0.05		殘部	
	ASTM	C 22000	89.0~91.0	≦0.05	≦0.05		殘部	
	BS	CZ 101	89.0~91.0	≦0.10	≦0.10		殘部	
	DIN	-						
	ISO	CuZn 10	89.0~91.0	≦0.05	≦0.1		殘部	
Q 067	KS	C 2300 W	84.0~86.0	≦0.05	≦0.05		殘部	
	JIS	C 2300 W	84.0~86.0	≦0.05	≦0.05		殘部	
	ASTM	C 23000	84.0~86.0	≦0.05	≦0.05		殘部	
	BS	CZ 102	84.0~86.0	≦0.10	≦0.10		殘部	
	DIN	CuZn 15	84.0~86.0	≦0.05	≦0.05	≦0.05	殘部	
	ISO	CuZn 15	84.0~86.0	≦0.05	≦0.1		殘部	

Index No. Q 063~Q 067

化学成分 (%) Chemical composition		形状別規格番号 Std, No. by shapes				
Ni	others	板([1])	条([2])	棒([3])	線([4])	管([5])
	P 0.005~0.012			1337☆		
	P 0.015~0.040			D 5103		
	P 0.015~0.040			H 3260		
≦0.10	P 0.013~0.050			BS EN 12166		
	P 0.015~0.040			1787 ☆		
	P 0.013~0.050			1337 ☆		
				D 5103		
				H 3260		
				B 134		
≦0.2				17660 ☆		
				426-1 ☆		
				D 5103		
				H 3260		
				B 134		
				BS EN 12166		
				426-1 ☆		
				D 5103		
				H 3260		
				B 134		
				BS EN 12166		
≦0.2				17660 ☆		
				426-1 ☆		

Notes : ([1]) Plate ([2]) Strip ([3]) Bar ([4]) Wire ([5]) Pipes ☆ 화학성분만을 규정하고 있는 규격.

伸鋼品 Copper and copper alloys

索引番号 Index No.	規格名 Std.	記号 Designation	化学成分 (%) Chemical composition					
			Cu	Pb	Fe	Sn	Zn	Mn
Q 068	KS	C 2400 W	78.5~81.5	≦0.05	≦0.05		殘部	
	JIS	C 2400 W	78.5~81.5	≦0.05	≦0.05		殘部	
	ASTM	C 24000	78.5~81.5	≦0.05	≦0.05		殘部	
	BS	CZ 103	79.0~81.0	≦0.10	≦0.10		殘部	
	DIN	CuZn 20	79.0~81.0	≦0.05	≦0.05	≦0.05	殘部	
	ISO	CuZn 20	78.5~81.5	≦0.05	≦0.1		殘部	
Q 069	KS	C 2600 W	68.5~71.5	≦0.05	≦0.05		殘部	
	JIS	C 2600 W	68.5~71.5	≦0.05	≦0.05		殘部	
	ASTM	C 26000	68.5~71.5	≦0.07	≦0.07		殘部	
	BS	CZ 106	68.5~71.5	≦0.05	≦0.05		殘部	
	DIN	CuZn 30	68.5~71.5	≦0.05	≦0.05	≦0.05	殘部	
	ISO	CuZn 30	68.5~71.5	≦0.05	≦0.1		殘部	
Q 070	KS	C 2700 W	63.0~67.0	≦0.05	≦0.05		殘部	
	JIS	C 2700 W	63.0~67.0	≦0.05	≦0.05		殘部	
	ASTM	C 27000	63.0~68.5	≦0.10	≦0.07		殘部	
	BS	CZ 107	64.0~67.0	≦0.10	≦0.10		殘部	
	DIN	CuzN 36	63.5~65.0	≦0.05	≦0.05	≦0.05	殘部	
	ISO	CuZn 35	64.0~67.0	≦0.1	≦0.1		殘部	
Q 071	KS	C 2720 W	62.0~64.0	≦0.07	≦0.07		殘部	
	JIS	C 2720 W	62.0~64.0	≦0.07	≦0.07		殘部	
	ASTM	C 27000	63.0~68.5	≦0.10	≦0.07		殘部	
	BS	-						
	DIN	CuZn 37	62.0~64.0	≦0.1	≦0.1	≦0.1	殘部	≦0.1
	ISO	-						
Q 072	KS	C 2800 W	59.0~63.0	≦0.10	≦0.07		殘部	
	JIS	C 2800 W	59.0~63.0	≦0.10	≦0.07		殘部	
	ASTM	-						
	BS	-						
	DIN	CuZn 40	59.5~61.5	≦0.3	≦0.2	≦0.2	殘部	

Index No. Q 068~Q 072

化学成分 (%) Chemical composition		形状別規格番号 Std, No. by shapes				
Ni	others	板(1)	条(2)	棒(3)	線(4)	管(5)
					D 5103	
					H 3260	
					B 134	
					BS EN 12166	
≦0.2					17660 ☆	
					426-1 ☆	
					D 5103	
					H 3260	
					B 134	
					BS EN 12166	
≦0.2					17660 ☆	
					426-1 ☆	
					D 5103	
					H 3260	
					B 134	
					BS EN 12166	
≦0.2					17660 ☆	
					426-1 ☆	
					D 5103	
					H 3260	
					B 134	
≦0.3					17660 ☆	
					D 5103	
					H 3260	
≦0.3					17660 ☆	

Notes : (1) Plate (2) Strip (3) Bar (4) Wire (5) Pipes ☆ 화학성분만을 규정하고 있는 규격.

伸鋼品 Copper and copper alloys

索引番号 Index No.	規格名 Std.	記号 Designation	化学成分(%) Chemical composition					
			Cu	Pb	Fe	Sn	Zn	Mn
Q 072(계속)	ISO	CuZn 40	59.0~62.0	≦0.3	≦0.2		殘部	
Q 073	KS	C 3501 W	60.0~64.0	0.7~1.7	≦0.20		殘部	
	JIS	C 3501 W	60.0~64.0	0.7~1.7	≦0.20		殘部	
	ASTM	-						
	BS	CZ 119	61.0~64.0	1.0~2.5			殘部	
	DIN	CuZn 36 Pb 1.5	62.0~64.0	0.7~2.5	≦0.2	≦0.1	殘部	
	ISO	CuZn 37 Pb 1	60.0~63.0	0.75~1.5	≦0.2		殘部	
Q 074	KS	C 3601 W	59.0~63.0	1.8~3.7	≦0.30		殘部	
	JIS	C 3601 W	59.0~63.0	1.8~3.7	≦0.30		殘部	
	ASTM	-						
	BS	-						
	DIN	CuZn 36 Pb 3	60.0~62.0	2.5~3.5	≦0.3	≦0.2	殘部	≦0.1
	ISO	CuZn 36 Pb 3	60.0~63.0	2.5~3.7	≦0.35		殘部	
Q 075	KS	C 3602 W	59.0~63.0	1.8~3.7	≦0.50		殘部	
	JIS	C 3602 W	59.0~63.0	1.8~3.7	≦0.50		殘部	
	ASTM	-						
	BS	-						
	DIN	-						
	ISO	-						
Q 076	KS	C 3603 W	57.0~61.0	1.8~3.7	≦0.35		殘部	
	JIS	C 3603 W	57.0~61.0	1.8~3.7	≦0.35		殘部	
	ASTM	-						
	BS	-						
	DIN	-						
	ISO	-						
Q 077	KS	C 3604 W	57.0~61.0	1.8~3.7	≦0.50		殘部	
	JIS	C 3604 W	57.0~61.0	1.8~3.7	≦0.50		殘部	
	ASTM	-						

化 学 成 分 (%) Chemical composition		形 状 別 規 格 番 号 Std, No. by shapes				
Ni	others	板(1)	条(2)	棒(3)	線(4)	管(5)
					426-1 ☆	
	Fe+Sn≦0.40				D 5103	
	Fe+Sn≦0.40				H 3260	
					BS EN 12166	
≦0.3					17660 ☆	
					426-2 ☆	
	Fe+Sn≦0.50				D 5103	
	Fe+Sn≦0.50				H 3260	
≦0.3					17660 ☆	
					426-2 ☆	
	Fe+Sn≦1.2				D 5103	
	Fe+Sn≦1.2				H 3260	
	Fe+Sn≦0.6				D 5103	
	Fe+Sn≦0.6				H 3260	
	Fe+Sn≦1.2				D 5103	
	Fe+Sn≦1.2				H 3260	

Notes : (1) Plate (2) Strip (3) Bar (4) Wire (5) Pipes ☆ 화학성분만을 규정하고 있는 규격.

伸鋼品 Copper and copper alloys

索引番号 Index No.	規格名 Std.	記号 Designation	化学成分 (%) Chemical composition					
			Cu	Pb	Fe	Sn	Zn	Mn
Q 077(계속)	BS	-						
	DIN	CuZn 39 Pb 3	57.0~59.0	2.5~3.5	≦0.5	≦0.4	殘部	≦0.3
	ISO	CuZn 39 Pb 3	56.0~59.0	2.5~3.5	≦0.35		殘部	
Q 078	KS	C 1720 B						
	JIS	C 1720 B						
	KS	C 1720 W						
	JIS	C 1720 W						
	ASTM	C 17200						
	BS	CB 101	殘部					
	DIN	CuBe 2	殘部					
	ISO	CuBe 2	殘部					
Q 079	KS	C 5101 B				3.5~4.5		
	JIS	C 5111 B				3.5~4.5		
	KS	C 5101 W				3.5~4.5		
	JIS	C 5111 W				3.5~4.5		
	ASTM	C 51000		≦0.05	≦0.10	4.2~5.8	≦0.30	
	BS	PB 101	殘部	≦0.02		3.0~4.5		
	DIN	CuSn 4	殘部	≦0.05	≦0.1	3.5~4.5	≦0.3	
	ISO	CuSn 4	殘部	≦0.05	≦0.1	3.5~4.5	≦0.3	
Q 080	KS	C 5102 B				4.5~5.5		
	JIS	C 5102 B				4.5~5.5		
	KS	C 5102 W				4.5~5.5		
	JIS	C 5102 W				4.5~5.5		
	ASTM	C 51000	殘部	≦0.05	≦0.10	4.2~5.8	≦0.30	
	BS	PB 102						
	DIN	-						
	ISO	CuSn 5	殘部	≦0.05	≦0.1	4.5~5.5	≦0.3	

Index No. Q 077～Q 080

化学成分 (%) Chemical composition		形状別規格番号 Std, No. by shapes				
Ni	others	板[1]	条[2]	棒[3]	線[4]	管[5]
≦0.5					17660 ☆	
					426-2 ☆	
	Be 1.80～2.00, Ni+Co≧0.20, Ni+Co+Fe ≦0.6, Cu+Be+Fe+Ni+Co≧99.5%			D 5102		
	Be 1.80～2.00, Ni+Co≧0.20, Ni+Co+Fe ≦0.6, Cu+Be+Fe+Ni+Co≧99.5%			H 3270		
	Be 1.80～2.00, Ni+Co≧0.20, Ni+Co+Fe ≦0.6, Cu+Be+Fe+Ni+Co≧99.5%				D 5102	
	Be 1.80～2.00, Ni+Co≧0.20, Ni+Co+Fe ≦0.6, Cu+Be+Fe+Ni+Co≧99.5%				H 3270	
	Be 1.80～2.00, Ni+Co≧0.20, Ni+Co+Fe≦0.6, Cu+Be≧99.5%			B 196	B 197	
	Ni+Co 0.05～0.40				BS EN 12166	
	Be 1.8～2.1, Ni+Co≧0.2 Ni+Co+Fe≦0.6			17666 ☆	←	
	Be 1.80～2.1, Ni+Co≧0.20 Co+Ni+Fe≦0.60			1187 ☆	←	
	P 0.03～0.35 Cu+Sn+P≧99.5			D 5102		
	P 0.03～0.35 Cu+Sn+P≧99.5			H 3270		
	P 0.03～0.35 Cu+Sn+P≧99.5				D 5102	
	P 0.03～0.35 Cu+Sn+P≧99.5				H 3270	
	P 0.02～0.40			B 139	B 159	
					BS EN 12166	
≦0.3					17662 ☆	
≦0.3	P 0.01～0.4			→	427 ☆	
	P 0.03～0.35 Cu+Sn+P≧99.5			D 5102		
	P 0.03～0.35 Cu+Sn+P≧99.5			H 3270		
	P 0.03～0.35 Cu+Sn+P≧99.5				D 5102	
	P 0.03～0.35 Cu+Sn+P≧99.5				H 3270	
	P 0.03～0.35			B 139	B 159	
				BS EN 12166		
≦0.3	P 0.01～0.4			427 ☆		

Notes : (1) Plate (2) Strip (3) Bar (4) Wire (5) Pipes ☆ 화학성분만을 규정하고 있는 규격.

伸鋼品 Copper and copper alloys

索引番号 Index No.	規格名 Std.	記号 Designation	化学成分 (%) Chemical composition					
			Cu	Pb	Fe	Sn	Zn	Mn
Q 081	KS	C 5191 B				5.5~7.0		
	JIS	C 5191 B				5.5~7.0		
	KS	C 5191 W				5.5~7.0		
	JIS	C 5191 W				5.5~7.0		
	ASTM	-						
	BS	PB 103	殘部	≦0.02		6.0~7.5		
	DIN	CuSn 6	殘部	≦0.05	≦0.1	5.5~7.0	≦0.3	
	ISO	CuSn 6	殘部	≦0.05	≦0.1	5.5~7.5	≦0.3	
Q 082	KS	C 5212 B				7.0~9.0		
	JIS	C 5212 B				7.0~9.0		
	KS	C 5212 W				7.0~9.0		
	JIS	C 5212 W				7.0~9.0		
	ASTM	C 52100		≦0.05	≦0.10	7.0~9.0	≦0.20	
	BS	-						
	DIN	CuSn 8	殘部	≦0.05	≦0.1	7.5~8.5	≦0.3	
	ISO	CuSn 8	殘部	≦0.05	≦0.1	7.5~9.0	≦0.3	
Q 083	KS	C 5341 B		0.8~1.5		3.5~5.8		
	JIS	C 5341 B		0.8~1.5		3.5~5.8		
	ASTM	C 53400		0.8~1.2	≦0.10	3.5~5.8	≦0.30	
	BS	-						
	DIN	-						
	ISO	-						
Q 084	KS	C 5441 B		3.5~4.5		3.0~4.5	1.5~4.5	
	JIS	C 5441 B		3.5~4.5		3.0~4.5	1.5~4.5	
	ASTM	C 54400		3.5~4.5	≦0.10	3.5~4.5	1.5~4.5	
	BS	-						
	DIN	-						
	ISO	CuSn4Pb4Zn3	殘部	3.5~4.5	≦0.10	3.5~4.5	1.5~4.5	

Index No. Q 081~Q 084

化学成分 (%) Chemical composition		形状別規格番号 Std, No. by shapes				
Ni	others	板(1)	条(2)	棒(3)	線(4)	管(5)
	P 0.03~0.35 Cu+Sn+P≧99.5			D 5102		
	P 0.03~0.35 Cu+Sn+P≧99.5			H 3270		
	P 0.03~0.35 Cu+Sn+P≧99.5				D 5102	
	P 0.03~0.35 Cu+Sn+P≧99.5				H 3270	
	P 0.02~0.40				BS EB 12166	
≦0.3	P 0.01~0.35			17662 ☆	←	
≦0.3	P 0.01~0.4			427 ☆	←	
	P 0.03~0.35, Cu+Sn+P≧99.5			D 5102		
	P 0.03~0.35, Cu+Sn+P≧99.5			H 3270		
	P 0.03~0.35, Cu+Sn+P≧99.5				D 5102	
	P 0.03~0.35, Cu+Sn+P≧99.5				H 3270	
	P 0.03~0.35 Cu+Sn+P≧99.5			B 139	B 159	
≦0.3	P 0.01~0.35			17662 ☆	←	
≦0.3	P 0.01~0.4			427 ☆	←	
	P 0.03~0.35 Cu+Sn+Pb+P≧99.5			D 5102		
	P 0.03~0.35 Cu+Sn+Pb+P≧99.5			H 3270		
	P 0.03~0.35 Cu+Sn+Pb+P≧99.5			B 139		
	P 0.01~0.50 Cu+Sn+Pb+Zn+P≧99.5			D 5102		
	P 0.01~0.50 Cu+Sn+Pb+Zn+P≧99.5			H 3270		
	P 0.01~0.50 Cu+Sn+P≧99.5			B 139		
	P 0.01~0.50			427 ☆		

Notes : (1) Plate (2) Strip (3) Bar (4) Wire (5) Pipes ☆ 화학성분만을 규정하고 있는 규격.

伸鋼品 Copper and copper alloys

索引番号 Index No.	規格名 Std.	記号 Designation	化学成分 (%) Chemical composition Cu	Pb	Fe	Sn	Zn	Mn
Q 085	KS	C 7451 W	63.0~67.0	≦0.10	≦0.25		殘部	0~0.50
	JIS	C 7451 W	63.0~67.0	≦0.10	≦0.25		殘部	0~0.50
	ASTM	C 74500	63.5~66.5	≦0.05	≦0.25		殘部	≦0.50
	BS	NS 103	60.0~65.0	≦0.04	≦0.25		殘部	0.05~0.30
	DIN	CuNi 12 Zn 24	63.0~66.0	≦0.05	≦0.3	≦0.03	殘部	≦0.5
	ISO	CuNi 10 Zn 27	61.0~65.0	≦0.05	≦0.3		殘部	≦0.5
Q 086	KS	C 7521 B	62.0~66.0	≦0.10	≦0.25		殘部	0~0.50
	JIS	C 7521 B	62.0~66.0	≦0.10	≦0.25		殘部	0~0.50
	KS	C 7521 W	62.0~66.0	≦0.10	≦0.25		殘部	0~0.50
	JIS	C 7521 W	62.0~66.0	≦0.10	≦0.25		殘部	0~0.50
	ASTM	C 75200	63.0~66.5	≦0.05	≦0.25		殘部	≦0.50
	BS	NS 106	60.0~65.0	≦0.03	≦0.30		殘部	0.05~0.50
	DIN	CuNi 18 Zn 20	60.0~63.0	≦0.03	≦0.3	≦0.03	殘部	≦0.5
	ISO	CuNi 18 Zn 20	60.0~64.0	≦0.05	≦0.3		殘部	≦0.5
Q 087	KS	C 7541 B	60.0~64.0	≦0.10	≦0.25		殘部	0~0.50
	JIS	C 7541 B	60.0~64.0	≦0.10	≦0.25		殘部	0~0.50
	KS	C 7541 W	60.0~64.0	≦0.10	≦0.25		殘部	0~0.50
	JIS	C 7541 W	60.0~64.0	≦0.10	≦0.25		殘部	0~0.50
	ASTM	-						
	BS	NS 105	60.0~65.0	≦0.04	≦0.30		殘部	0.05~0.50
	DIN	CuNi 12 Zn 24	63.0~66.0	≦0.05	≦0.3	≦0.03	殘部	≦0.5
	ISO	CuNi 15 Zn 21	62.0~66.0	≦0.05	≦0.3		殘部	≦0.5
Q 088	KS	C 7701 B	54.0~58.0	≦0.10	≦0.25		殘部	0~0.50
	JIS	C 7701 B	54.0~58.0	≦0.10	≦0.25		殘部	0~0.50
	KS	C 7701 W	54.0~58.0	≦0.10	≦0.25		殘部	0~0.50
	JIS	C 7701 W	54.0~58.0	≦0.10	≦0.25		殘部	0~0.50
	ASTM	C 77000	53.5~56.5	≦0.05	≦0.25		殘部	≦0.50
	BS	NS 107	54.0~56.0	≦0.03	≦0.30		殘部	0.05~0.35
	DIN	CuNi 18 Zn 27	53.5~56.5	≦0.03	≦0.3	≦0.03	殘部	≦0.5
	ISO	CuNi 18 Zn 27	53.0~56.0	≦0.05	≦0.3		殘部	≦0.5

Index No. Q 085~Q 088

化 学 成 分 (%) Chemical composition		形 状 別 規 格 番 号 Std, No. by shapes				
Ni	others	板(1)	条(2)	棒(3)	線(4)	管(5)
8.5~11.5					D 5102	
8.5~11.5					H 3270	
9.0~11.0					B 206	
9.0~11.0					BS EN 12166	
11.0~13.0					17663 ☆	
9.0~11.0					430 ☆	
16.5~19.5				D 5102		
16.5~19.5				H 3270		
16.5~19.5					D 5102	
16.5~19.5					H 3270	
16.5~19.5				B 151	B 206	
17.0~19.0					BS EN 12166	
17.0~19.0				17663 ☆	←	
17.0~19.0				430☆	←	
12.5~15.5				D 5102		
12.5~15.5				H 3270		
12.5~15.5					D 5102	
12.5~15.5					H 3270	
14.0~16.0					BS EN 12166	
11.0~13.0				17663 ☆	←	
14.0~16.0				430 ☆	←	
16.5~19.5				D 5102		
16.5~19.5				H 3270		
16.5~19.5					D 5102	
16.5~19.5					H 3270	
16.5~19.5				B 151	B 206	
17.0~19.0					BS EN 12166	
17.0~19.0					17663 ☆	
17.0~19.0				430 ☆	←	

Notes : (1) Plate (2) Strip (3) Bar (4) Wire (5) Pipes ☆ 화학성분만을 규정하고 있는 규격.

伸鋼品 Copper and copper alloys

索引番号 Index No.	規格名 Std.	記号 Designation	化学成分 (%) Chemical composition					
			Cu	Pb	Fe	Sn	Zn	Mn
Q 089	KS	C 7941 B	60.0~64.0	0.8~1.8	≦0.25		殘部	0~0.50
	JIS	C 7941 B	60.0~64.0	0.8~1.8	≦0.25		殘部	0~0.50
	ASTM	-						
	DIN	CuNi18Zn19Pb1	59.0~63.0	0.3~1.5	≦0.3		殘部	≦0.7
	ISO	CuNi18Zn19Pb1	59.0~63.0	0.5~1.5	≦0.3		殘部	≦0.7
Q 090	KS	C 1020 T	≧99.96					
	JIS	C 1020 T	≧99.96					
	ASTM	C 10200	≧99.95					
	BS	C 103	≧99.95(含 Ag)					
	DIN	OF-Cu	≧99.95					
	ISO	Cu-OF	≧99.95(含 Ag)					
Q 091	KS	C 1100 T	≧99.90					
	JIS	C 1100 T	≧99.90					
	ASTM	C 11000	≧99.90					
	BS	C 101	≧99.90(含 Ag)					
	BS	C 102	≧99.90(含 Ag)					
	DIN	E-Cu 57	≧99.90(含 Ag)					
	ISO	Cu-ETP	≧99.90(含 Ag)					
Q 092	KS	C 1021 T	≧99.90					
	JIS	C 1021 T	≧99.90					
	ASTM	C 12000	≧99.90					
	BS	C 106	≧99.85(含 Ag)					
	DIN	SW-Cu	≧99.90					
	ISO	Cu-DLP	≧99.90(含 Ag)					
Q 093	KS	C 1220 T	≧99.90					
	JIS	C 1220 T	≧99.90					
	ASTM	C 12200	≧99.90					
	BS	C 106	≧99.85	≦0.010	≦0.030	≦0.01		
	DIN	SF-Cu	≧99.90					

Index No. Q 089~Q 093

化 学 成 分 (%) Chemical composition		形 状 別 規 格 番 号 Std, No. by shapes				
Ni	others	板(1)	条(2)	棒(3)	線(4)	管(5)
16.5~19.5				D 5102		
16.5~19.5				H 3270		
17.0~19.0				17663 ☆		
17.0~19.0				430 ☆		
						D 5301
						H 3300
						B 75
						2871
						1787 ☆
						1337 ☆
						D 5301
						H 3300
						B 188
						2871
						2871
	O 0.005~0.040					1787 ☆
						1337 ☆
	P 0.004~0.015					D 5301
	P 0.004~0.015					H 3300
	P 0.004~0.012					B 75
	P 0.013~0.050					2871
	P 0.005~0.014					1787 ☆
	P 0.005~0.012					1337 ☆
	P 0.015~0.040					D 5301
	P 0.015~0.040					H 3300
	P 0.015~0.040					B 75
≦0.10	P 0.013~0.050					2871
	P 0.015~0.040					1787 ☆

Notes : (1) Plate (2) Strip (3) Bar (4) Wire (5) Pipes ☆ 화학성분만을 규정하고 있는 규격.

伸 鋼 品 Copper and copper alloys								
索引番号 Index No.	規格名 Std.	記号 Designation	化 学 成 分 (%) Chemical composition					
			Cu	Pb	Fe	Sn	Zn	Mn
Q 093(계속)	ISO ☆	Cu-DHP	≧99.85(含 Ag)					
Q 094	KS	C 2200 T	89.0~91.0	≦0.05	≦0.05		殘部	
	JIS	C 2200 T	89.0~91.0	≦0.05	≦0.05		殘部	
	ASTM	C 22000	89.0~91.0	≦0.05	≦0.05		殘部	
	BS	-						
	DIN	CuZn 10	89.0~91.0	≦0.05	≦0.05	≦0.05	殘部	
	ISO	CuZn 10	89.0~91.0	≦0.05	≦0.1		殘部	
Q 095	KS	C 2300 T	84.0~86.0	≦0.05	≦0.05		殘部	
	JIS	C 2300 T	84.0~86.0	≦0.05	≦0.05		殘部	
	ASTM	C 23000	84.0~86.0	≦0.06	≦0.05		殘部	
	BS	-						
	DIN	CuZn 15	84.0~86.0	≦0.05	≦0.05	≦0.05	殘部	
	ISO	CuZn 15	84.0~86.0	≦0.05	≦0.1		殘部	
Q 096	KS	C 2600 T	68.5~71.5	≦0.05	≦0.05		殘部	
	JIS	C 2600 T	68.5~71.5	≦0.05	≦0.05		殘部	
	ASTM	C 26000	68.5~71.5	≦0.07	≦0.05		殘部	
	BS	CZ 126	69.0~71.0	≦0.07	≦0.06		殘部	
	DIN	CuZn 30	69.0~71.0	≦0.05	≦0.05	≦0.05	殘部	
	ISO	CuZn 30	68.5~71.5	≦0.05	≦0.1		殘部	
Q 097	KS	C 2700 T	63.0~67.0	≦0.05	≦0.05		殘部	
	JIS	C 2700 T	63.0~67.0	≦0.05	≦0.05		殘部	
	ASTM	C 27000	63.0~68.5	≦0.10	≦0.07		殘部	
	BS	-						
	DIN	CuZn 36	63.5~65.0	≦0.05	≦0.05	≦0.05	殘部	
	ISO	-						

Index No. Q 093~Q 097

化 学 成 分 (%) Chemical composition		形 状 別 規 格 番 号 Std, No. by shapes				
Ni	others	板(1)	条(2)	棒(3)	線(4)	管(5)
	P 0.013~0.050					1337 ☆
						D 5301
						H 3300
						B 135
≦0.2						17660 ☆
						426-1 ☆
						D 5301
						H 3300
						B 135
≦0.2						17660 ☆
						426-1 ☆
						D 5301
						H 3300
						B 135
	As 0.02~0.06					2871
≦0.2						17660 ☆
						426-1 ☆
						D 5301
						H 3300
						B 135
≦0.2						17660 ☆

Notes : (1) Plate (2) Strip (3) Bar (4) Wire (5) Pipes ☆ 화학성분만을 규정하고 있는 규격.

伸 鋼 品 Copper and copper alloys

索引番号 Index No.	規格名 Std.	記号 Designation	化 学 成 分 (%) Chemical composition					
			Cu	Pb	Fe	Sn	Zn	Mn
Q 098	KS	C 2800 T	59.0~63.0	≦0.10	≦0.07		殘部	
	JIS	C 2800 T	59.0~63.0	≦0.10	≦0.07		殘部	
	ASTM	C 28000	59.0~63.0	≦0.30	≦0.07		殘部	
	BS	CZ 119	61.0~64.0	1.0~2.5			殘部	
	DIN	CuZn 40	59.5~61.5	≦0.3	≦0.2	≦0.2	殘部	
	ISO	CuZn 40	59.0~62.0	≦0.3	≦0.2		殘部	
Q 099	KS	C 4430 T	70.0~73.0	≦0.05	≦0.05	0.9~1.2	殘部	
	JIS	C 4430 T	70.0~73.0	≦0.05	≦0.05	0.9~1.2	殘部	
	ASTM	C 44300	70.0~73.0	≦0.07	≦0.06	0.9~1.2	殘部	
	BS	CZ 111	70.0~73.0	≦0.07	≦0.06	1.0~1.5	殘部	
	DIN	CuZn 28 Sn 1	70.0~72.5	≦0.07	≦0.07	0.9~1.3	殘部	≦0.1
	ISO*	CuZn 28 Sn 1	70.0~73.0	≦0.05	≦0.07	0.9~1.3	殘部	
Q 100	KS	C 6870 T	76.0~79.0	≦0.05	≦0.05		殘部	
	JIS	C 6870 T	76.0~79.0	≦0.05	≦0.05		殘部	
	ASTM	C 68700	76.0~79.0	≦0.07	≦0.06		殘部	
	BS	CZ 110	76.0~78.0	≦0.07	≦0.06		殘部	
	DIN	CuZn 20 Al 2	76.0~79.0	≦0.07	≦0.07		殘部	≦0.1
	ISO*	CuZn 20 Al 2	76.0~79.0	≦0.05	≦0.07		殘部	
Q 101	KS	C 6871 T	76.0~79.0	≦0.05	≦0.05		殘部	
	JIS	C 6871 T	76.0~79.0	≦0.05	≦0.05		殘部	
	ASTM	C 68700	76.0~79.0	≦0.07	≦0.06		殘部	
	BS	CZ 110	76.0~78.0	≦0.07	≦0.06		殘部	
	DIN	CuZn 20 Al 2	76.0~79.0	≦0.07	≦0.07		殘部	≦0.1
	ISO	-						
Q 102	KS	C 6872 T	76.0~79.0	≦0.05	≦0.05		殘部	
	JIS	C 6872 T	76.0~79.0	≦0.05	≦0.05		殘部	
	ASTM	C 68700	76.0~79.0	≦0.07	≦0.06		殘部	
	BS	CZ 110	76.0~78.0	≦0.07	≦0.06		殘部	
	DIN	CuZn 20 Al 2	76.0~79.0	≦0.07	≦0.07		殘部	≦0.1
	ISO	-						

Index No. Q 098~Q 102						
化学成分(%) Chemical composition		形状別規格番号 Std, No. by shapes				
Ni	others	板(1)	条(2)	棒(3)	線(4)	管(5)
						D 5301
						H 3300
						B 135
						2871
≦0.3						17660 ☆
						426-1 ☆
	As 0.02~0.06					D 5301
	As 0.02~0.06					H 3300
	As 0.02~0.10					B 111
	As 0.02~0.06					2871
≦0.1	As 0.020~0.035					17660 ☆
	As 0.02~0.06(P, Sb도 동일)					426-1 ☆
	Al 1.8~2.5 As 0.02~0.06					D 5301
	Al 1.8~2.5 As 0.02~0.06					H 3300
	Al 1.8~2.5 As 0.02~0.06					B 111
	As 0.02~0.06 Al 1.80~2.30					2871
≦0.1	Al 1.8~2.3 As 0.020~0.035					17660 ☆
	Al 1.8~2.3, P≦0.010 As 0.02~0.06(Sb도 동일)					426-1 ☆
	Al 1.8~2.5, As 0.02~0.06 Si 0.20~0.50					D 5301
	Al 1.8~2.5, As 0.02~0.06 Si 0.20~0.50					H 3300
	Al 1.8~2.5 As 0.02~0.06					B 111
	As 0.02~0.06 Al 1.80~2.30					2871
≦0.1	Al 1.8~2.3 As 0.020~0.035					17660 ☆
0.20~1.0	Al 1.8~2.5, As 0.02~0.06					D 5301
0.20~1.0	Al 1.8~2.5, As 0.02~0.06					H 3300
	Al 1.8~2.5 As 0.02~0.06					B 111
	As 0.02~0.06 Al 1.80~2.30					2871
≦0.1	Al 1.8~2.3 As 0.020~0.035					17660 ☆

Notes : (1) Plate (2) Strip (3) Bar (4) Wire (5) Pipes ☆ 화학성분만을 규정하고 있는 규격.

伸 鋼 品 Copper and copper alloys

索引番号 Index No.	規格名 Std.	記号 Designation	化 学 成 分 (%) Chemical composition					
			Cu	Pb	Fe	Sn	Zn	Mn
Q 103	KS	C 7060 T		≦0.05	1.0～1.8		≦0.50	0.20～1.0
	JIS	C 7060 T		≦0.05	1.0～1.8		≦0.50	0.20～1.0
	ASTM	C 70600	殘部	≦0.05	1.0～1.8		≦1.0	≦1.0
	BS	CN 102	殘部	≦0.01	1.00～2.00			0.50～1.00
	DIN	CuNi 10 Fe 1 Mn	殘部	≦0.03	1.0～2.0		≦0.5	0.5～1.0
	ISO*	CuNi 10 Fe 1 Mn	殘部	≦0.02	1.0～2.0	≦0.03	≦0.5	0.5～1.0
Q 104	KS	C 7100 T		≦0.05	0.50～1.0		≦0.50	0.20～1.0
	JIS	C 7100 T		≦0.05	0.50～1.0		≦0.50	0.20～1.0
	ASTM	C 71000	殘部	≦0.05	0.50～1.0		≦1.0	≦1.0
	BS	-						
	DIN	-						
	ISO	-						
Q 105	KS	C 7150 T		≦0.05	0.40～1.0		≦0.50	0.20～1.0
	JIS	C 7150 T		≦0.05	0.40～1.0		≦0.50	0.20～1.0
	ASTM	C 71500	殘部	≦0.05	0.40～1.0		≦1.0	≦1.0
	BS	CN 106	69.0～71.0	≦0.01	≦0.30			0.05～0.50
	DIN	CuNi 30 Mn 1 Fe	殘部	≦0.03	0.4～1.0		≦0.5	0.5～1.5
	ISO	CuNi 30 Mn 1 Fe	殘部	≦0.02	0.4～1.0	≦0.03	≦0.5	0.5～1.5
Q 106	KS	C 7164 T		≦0.05	1.7～2.3		≦0.50	1.5～2.5
	JIS	C 7164 T		≦0.05	1.7～2.3		≦0.50	1.5～2.5
	ASTM	C 71640		≦0.05	1.7～2.3		≦1.0	1.5～2.5
	BS	CN 108						
	DIN	-						
	ISO*	CuNi 30 Fe 2 Mn 2	殘部	≦0.02	1.5～2.5	≦0.03	≦0.5	1.5～2.5
Q 107	KS	C 1020 T	≧99.96					
	ASTM	-						
	BS	-						
	DIN	-						
	ISO	-						

Index No. Q 103~Q 107

化学成分 (%) Chemical composition		形状別規格番号 Std, No. by shapes				
Ni	others	板(1)	条(2)	棒(3)	線(4)	管(5)
9.0~11.0	Cu+Ni+Fe+Mn≧99.5					D 5301
9.0~11.0	Cu+Ni+Fe+Mn≧99.5					H 3300
9.0~11.0						B 111
10.0~11.0	S≦0.05, C≦0.05					2871
9.0~11.0	S≦0.05, C≦0.05					17664 ☆
9.0~11.0	C≦0.05, S≦0.05					429 ☆
19.0~23.0	Cu+Ni+Fe+Mn≧99.5					D 5301
19.0~23.0	Cu+Ni+Fe+Mn≧99.5					H 3300
19.0~23.0						B 111
29.0~33.0	Cu+Ni+Fe+Mn≧99.5					D 5301
29.0~33.0	Cu+Ni+Fe+Mn≧99.5					H 3300
29.0~33.0						B 111
29.0~31.0						2871
30.0~32.0	S≦0.05, C≦0.05					17664 ☆
29.0~32.0	C≦0.06, S≦0.06					429 ☆
29.0~32.0	Cu+Ni+Fe+Mn≧99.5					D 5301
29.0~32.0	Cu+Ni+Fe+Mn≧99.5					H 3300
29.0~32.0						B 111
						2871
29.0~32.0	C≦0.06, S≦0.06					429 ☆
						D 5578
						H 3401

Notes : (1) Plate (2) Strip (3) Bar (4) Wire (5) Pipes ☆ 화학성분만을 규정하고 있는 규격.

伸 鋼 品 Copper and copper alloys

索引番号 Index No.	規格名 Std.	記号 Designation	化 学 成 分 (%) Chemical composition					
			Cu	Pb	Fe	Sn	Zn	Mn
Q 108	KS	C 1220 T	≧99.90					
	JIS	C 1220 T	≧99.90					
	ANSI	122	≧99.90					
	BS	-						
	DIN	SF-Cu	≧99.90					
	ISO*	Cu-DHP	≧99.90					
Q 109	KS	C 1011 P	≧99.98					
	JIS	C 1011 P	≧99.98					
	KS	C 1011 R	≧99.98					
	JIS	C 1011 R	≧99.98					
	KS	C 1011 B	≧99.98					
	JIS	C 1011 B	≧99.98					
	KS	C 1011 W	≧99.98					
	JIS	C 1011 W	≧99.98					
	KS	C 1011 T	≧99.98					
	JIS	C 1011 T	≧99.98					
	ASTM	C 10100	≧99.99					
	BS	-						
	DIN	-						
	ISO	-						

化 学 成 分 (%) Chemical composition		形 状 別 規 格 番 号 Std, No. by shapes				
Ni	others	板([1])	条([2])	棒([3])	線([4])	管([5])
	P 0.015~0.040					D 5578
	P 0.015~0.040					H 3401
	P 0.015~0.040					B 16.22
	P 0.015~0.040					2856 ☆
	P 0.013~P 0.050					1337
		D 5401				
		H 3510				
			D 5401			
			H 3510			
				D 5401		
				H 3510		
					D 5401	
					H 3510	
						D 5401
						H 3510
		F 68	←	←	←	←

Notes : ([1]) Plate ([2]) Strip ([3]) Bar ([4]) Wire ([5]) Pipes ☆ 화학성분만을 규정하고 있는 규격.

알루미늄 및 그 합금(合金)의 전신재(展伸材)

Aluminum and aluminum alloys

알루미늄 및 그 합금의 전신재 Aluminium and aluminum alloys

索引番号 Index No.	規格名 Std.	記号 Designation	化学成分(%) Chemical composition					
			Si	Fe	Cu	Mn	Mg	Cr
R 001	KS	A 1085 P	≦0.10	≦0.12	≦0.03	≦0.02	≦0.02	
	JIS	A 1085 P	≦0.10	≦0.12	≦0.03	≦0.02	≦0.02	
	AA							
	ASTM							
	BS							
	DIN							
R 002	KS	A 1080 P	≦0.15	≦0.15	≦0.03	≦0.02	≦0.02	
	JIS	A 1080 P	≦0.15	≦0.15	≦0.03	≦0.02	≦0.02	
	AA							
	ASTM							
	BS	EN AW-1080 A	≦0.15	≦0.15	≦0.03	≦0.02	≦0.02	
	DIN	EN AW-1080 A	≦0.15	≦0.15	≦0.03	≦0.02	≦0.02	
	NF	EN AW-1080 A	≦0.15	≦0.15	≦0.03	≦0.02	≦0.02	
R 003	KS	A 1070 P	≦0.20	≦0.25	≦0.04	≦0.03	≦0.03	
	JIS	A 1070 P	≦0.20	≦0.25	≦0.04	≦0.03	≦0.03	
	AA							
	ASTM							
	BS	EN AW-1070 A	≦0.20	≦0.25	≦0.03	≦0.03	≦0.03	
	DIN	EN AW-1070 A	≦0.20	≦0.25	≦0.03	≦0.03	≦0.03	
	NF	EN AW-1070 A	≦0.20	≦0.25	≦0.03	≦0.03	≦0.03	
R 004	KS	A 1050 P	≦0.25	≦0.40	≦0.05	≦0.05	≦0.05	
	JIS	A 1050 P	≦0.25	≦0.40	≦0.05	≦0.05	≦0.05	
	AA							
	ASTM							
	BS							
	DIN							
	NF							
	ISO							

Index No. R 001~R 004											
化学成分 (%) Chemical composition						形状別規格番号 Std, No. by shapes					
Zn	Ti		others 各([1])	others 合計([2])	Al	板([3])	条([4])	棒([5])	線([6])	管([7])	形材([8])
≦0.03	≦0.02	V≦0.05	≦0.01		≧99.85	D 6701	←				
≦0.03	≦0.02	V≦0.05	≦0.01		≧99.85	H 4000	←				
≦0.03	≦0.03	V≦0.05	≦0.02		≧99.80	D 6701	←				
≦0.03	≦0.03	V≦0.05	≦0.02		≧99.80	H 4000	←				
≦0.06	≦0.02	Ga≦0.03	≦0.02		≧99.80	BS EN 573-3☆ BS EN 485-2☆☆	←				
≦0.06	≦0.02	Ga≦0.03	≦0.02		≧99.80	DIN EN 573-3☆ DIN EN 485-2☆☆	←				
≦0.06	≦0.02	Ga≦0.03	≦0.02		≧99.80	NF EN 573-3☆ NF EN 485-2☆☆	←				
≦0.04	≦0.03	V≦0.05	≦0.03		≧99.70	D 6701	←				
≦0.04	≦0.03	V≦0.05	≦0.03		≧99.70	H 4000	←				
≦0.07	≦0.03		≦0.03		≧99.70	BS EN 573-3☆ BS EN 485-2☆☆	←				
≦0.07	≦0.03		≦0.03		≧99.70	DIN EN 573-3☆ DIN EN 485-2☆☆	←				
≦0.07	≦0.03		≦0.03		≧99.70	NF EN 573-3☆ NF EN 485-2☆☆	←				
≦0.05	≦0.03	V≦0.05	≦0.03		≧99.50	D 6701	←				
≦0.05	≦0.03	V≦0.05	≦0.03		≧99.50	H 4000	←				

Notes : ([1]) Individual ([2]) Total ([3]) Plate ([4]) Strip ([5]) Bar ([6]) Wire ([7]) Pipe ([8]) Shapes

☆ 화학성분만을 규정하고 있는 규격 ☆☆기계적 성질만을 규정하는 규격

알루미늄 및 그 합금의 전신재 Aluminium and aluminum alloys

索引番号 Index No.	規格名 Std.	記号 Designation	化学成分 (%) Chemical composition					
			Si	Fe	Cu	Mn	Mg	Cr
R 005	KS	A 1100 P			0.05~0.20	≦0.05		
	JIS	A 1100 P			0.05~0.20	≦0.05		
	AA	1100			0.05~0.20	≦0.05		
	ASTM	1100			0.05~0.20	≦0.05		
	BS							
	DIN							
	NF							
	ISO	Al 99.0 Cu			0.05~0.20	≦0.05		
R 006	KS	A 1200 P			≦0.05	≦0.05		
	JIS	A 1200 P			≦0.05	≦0.05		
	AA							
	ASTM							
	BS	EN AW-1200			≦0.05	≦0.05		
	DIN	EN AW-1200			≦0.05	≦0.05		
	NF	EN AW-1200			≦0.05	≦0.05		
	ISO	Al 99.0			≦0.05	≦0.05		
R 007	KS	A 1 N 00 P			0.05~0.20	≦0.05	≦0.10	
	AA	A 1 N 00 P			0.05~0.20	≦0.05	≦0.10	
	ASTM							
	DIN							
R 008	KS	A 1 N 30 P			≦0.10	≦0.05	≦0.05	
	JIS	A 1 N 30 P			≦0.10	≦0.05	≦0.05	
	AA							
	ASTM							
	BS							
	DIN							
R 009	KS	A 2014 P	0.50~1.2	≦0.7	3.9~5.0	0.40~1.2	0.20~0.8	≦0.10
	JIS	A 2014 P	0.50~1.2	≦0.7	3.9~5.0	0.40~1.2	0.20~0.8	≦0.10
	AA	2014	0.50~1.2	≦0.7	3.9~5.0	0.40~1.2	0.20~0.8	≦0.10
	ASTM	2014	0.50~1.2	≦0.7	3.9~5.0	0.40~1.2	0.20~0.8	≦0.10

Index No. R 005~R 009

化学成分 (%) Chemical composition						形状別規格番号 Std, No. by shapes					
Zn	Ti		others 各(1)	others 合計(2)	Al	板(3)	条(4)	棒(5)	線(6)	管(7)	形材(8)
≦0.10		Si+Fe≦0.95	≦0.05	≦0.15	≧99.00	D 6701	←				
≦0.10		Si+Fe≦0.95	≦0.05	≦0.15	≧99.00	H 4000	←				
≦0.10		Si+Fe≦0.95	≦0.05	≦0.15	≧99.00	(9)					
≦0.10		Si+Fe≦0.95	≦0.05	≦0.15	≧99.00	B 209					
≦0.10		Si+Fe≦0.95	≦0.05	≦0.15	≧99.00	6361 209☆	←				
≦0.10	≦0.05	Si+Fe≦1.00	≦0.05	≦0.15	≧99.00	D 6701	←				
≦0.10	≦0.05	Si+Fe≦1.00	≦0.05	≦0.15	≧99.00	H 4000	←				
≦0.10	≦0.05	Si+Fe≦1.00	≦0.05	≦0.15	≧99.00	BS EN 573-3☆ BS EN 485-2☆☆	←				
≦0.10	≦0.05	Si+Fe≦1.00	≦0.05	≦0.15	≧99.00	DIN EN 573-3☆ DIN EN 485-2☆☆	←				
≦0.10	≦0.05	Si+Fe≦1.00	≦0.05	≦0.15	≧99.00	NF EN 573-3☆ NF EN 485-2☆☆	←				
≦0.10	≦0.05	Si+Fe≦1.0	≦0.05	≦0.15	≧99.00	209-1☆ 6361-2☆☆	←				
≦0.10	≦0.10	Si+Fe≦1.0	≦0.05	≦0.15	≧99.00	D 6701	←				
≦0.10	≦0.10	Si+Fe≦1.0	≦0.05	≦0.15	≧99.00	H 4000	←				
≦0.05		Si+Fe≦0.7	≦0.03		≧99.30	D 6701	←				
≦0.05		Si+Fe≦0.7	≦0.03		≧99.30	H 4000	←				
≦0.25	≦0.15	Zr+Ti≦0.20	≦0.05	≦0.15	殘部	D 6701	←				
≦0.25	≦0.15	Zr+Ti≦0.20	≦0.05	≦0.15	殘部	H 4000	←				
≦0.25	≦0.15		≦0.05	≦0.15	殘部	*					
≦0.25	≦0.15		≦0.05	≦0.15	殘部	B 209					

Notes : (1) Individual (2) Total (3) Plate (4) Strip (5) Bar (6) Wire (7) Pipe (8) Shapes (9) AA에 대해서는 특히 규격번호가 없기 때문에 (Aluminium standards and data 인용), 이하 해당하는 형상에 * 을 첨부 ☆ 화학성분만을 규정하고 있는 규격 ☆☆기계적 성질만을 규정하는 규격

알루미늄 및 그 합금의 전신재 Aluminium and aluminum alloys

索引番号 Index No.	規格名 Std.	記号 Designation	化学成分 (%) Chemical composition Si	Fe	Cu	Mn	Mg	Cr
R 009(계속)	BS	EN AW-2014	0.50~1.2	≦0.7	3.9~5.0	0.40~1.2	0.20~0.8	≦0.10
	DIN	EN AW-2014	0.50~1.2	≦0.7	3.9~5.0	0.40~1.2	0.20~0.8	≦0.10
	NF	EN AW-2014	0.50~1.2	≦0.7	3.9~5.0	0.40~1.2	0.20~0.8	≦0.10
	ISO	Al-Cu 4 SiMg	0.50~1.2	≦0.7	3.9~5.0	0.40~1.2	0.20~0.8	≦0.10
R 010	KS	A 2017 P	0.20~0.8	≦0.7	3.5~4.5	0.40~1.0	0.40~0.8	≦0.10
	JIS	A 2017 P	0.20~0.8	≦0.7	3.5~4.5	0.40~1.0	0.40~0.8	≦0.10
	AA							
	ASTM							
	BS							
	DIN							
	NF							
	ISO							
R 011	KS	A 2219 P	≦0.20	≦0.30	5.8~6.8	0.20~0.40	≦0.02	
	JIS	A 2219 P	≦0.20	≦0.30	5.8~6.8	0.20~0.40	≦0.02	
	AA	2219	≦0.20	≦0.30	5.8~6.8	0.20~0.40	≦0.02	
	ASTM	2219	≦0.20	≦0.30	5.8~6.8	0.20~0.40	≦0.02	
	BS							
	DIN							
	ISO	Al-Cu 6 Mn	≦0.20	≦0.30	5.8~6.8	0.20~0.40	≦0.02	
R 012	KS	A 2024 P	≦0.50	≦0.50	3.8~4.9	0.30~0.9	1.2~1.8	≦0.10
	JIS	A 2024 P	≦0.50	≦0.50	3.8~4.9	0.30~0.9	1.2~1.8	≦0.10
	AA	2024	≦0.50	≦0.50	3.8~4.9	0.30~0.9	1.2~1.8	≦0.10
	ASTM	2024	≦0.50	≦0.50	3.8~4.9	0.30~0.9	1.2~1.8	≦0.10
	BS	EN AW-2024	≦0.50	≦0.50	3.8~4.9	0.30~0.9	1.2~1.8	≦0.10
	DIN	EN AW-2024	≦0.50	≦0.50	3.8~4.9	0.30~0.9	1.2~1.8	≦0.10
	NF	EN AW-2024	≦0.50	≦0.50	3.8~4.9	0.30~0.9	1.2~1.8	≦0.10
	ISO	AlCu 4 Mg 1	≦0.50	≦0.50	3.8~4.9	0.30~0.9	1.2~1.8	≦0.10

Index No. R 009~R 012

化学成分 (%) Chemical composition						形状別規格番号 Std, No. by shapes					
Zn	Ti		others 各[1]	others 合計[2]	Al	板[3]	条[4]	棒[5]	線[6]	管[7]	形材[8]
≦0.25	≦0.15	Zr+Ti≦0.20	≦0.05	≦0.15	殘部	BS EN 573-3☆ BS EN 485-2☆☆	←				
≦0.25	≦0.15	Zr+Ti≦0.20	≦0.05	≦0.15	殘部	DIN EN 573-3☆ DIN EN 485-2☆☆	←				
≦0.25	≦0.15	Zr+Ti≦0.20	≦0.05	≦0.15	殘部	NF EN 573-3☆ NF EN 485-2☆☆	←				
≦0.25	≦0.15		≦0.05	≦0.15	殘部	209-1☆ 6361-2☆☆	←				
≦0.25	≦0.15	Zr+Ti≦0.20	≦0.05	≦0.15	殘部	D 6701	←				
≦0.25	≦0.15	Zr+Ti≦0.20	≦0.05	≦0.15	殘部	H 4000	←				
≦0.10	0.02~0.10	V 0.05~0.15 Zr 0.10~0.25	≦0.05	≦0.15	殘部	D 6701	←				
≦0.10	0.02~0.10	V 0.05~0.15 Zr 0.10~0.25	≦0.05	≦0.15	殘部	H 4000	←				
≦0.10	0.02~0.10	V 0.05~0.15 Zr 0.10~0.25	≦0.05	≦0.15	殘部	*					
≦0.10	0.02~0.10	V 0.05~0.15 Zr 0.10~0.25	≦0.05	≦0.15	殘部	B 209					
≦0.10	0.02~0.10	V 0.05~0.15 Zr 0.10~0.25	≦0.05	≦0.15	殘部	6361 209☆	←				
≦0.25	≦0.15	Zr+Ti≦0.20	≦0.05	≦0.15	殘部	D 6701	←				
≦0.25	≦0.15	Zr+Ti≦0.20	≦0.05	≦0.15	殘部	H 4000	←				
≦0.25	≦0.15		≦0.05	≦0.15	殘部	*					
≦0.25	≦0.15		≦0.05	≦0.15	殘部	B 209					
≦0.25	≦0.15	Zr+Ti≦0.20	≦0.05	≦0.15	殘部	BS EN 573-3☆ BS EN 485-2☆☆	←				
≦0.25	≦0.15	Zr+Ti≦0.20	≦0.05	≦0.15	殘部	DIN EN 573-3☆ DIN EN 485-2☆☆	←				
≦0.25	≦0.15	Zr+Ti≦0.20	≦0.05	≦0.15	殘部	NF EN 573-3☆ NF EN 485-2☆☆	←				
≦0.25	≦0.15		≦0.05	≦0.15	殘部	209-1☆ 6361-2☆☆	←				

Notes : (1) Individual (2) Total (3) Plate (4) Strip (5) Bar (6) Wire (7) Pipe (8) Shapes

☆ 화학성분만을 규정하고 있는 규격 ☆☆기계적 성질만을 규정하는 규격

알루미늄 및 그 합금의 전신재 Aluminium and aluminum alloys

索引番号 Index No.	規格名 Std.	記号 Designation	化学成分 (%) Chemical composition					
			Si	Fe	Cu	Mn	Mg	Cr
R 013	KS	A 3003 P	≦0.6	≦0.7	0.05~0.20	1.0~1.5		
	JIS	A 3003 P	≦0.6	≦0.7	0.05~0.20	1.0~1.5		
	AA	3003	≦0.6	≦0.7	0.05~0.20	1.0~1.5		
	ASTM	3003	≦0.6	≦0.7	0.05~0.20	1.0~1.5		
	BS	EN AW-3003	≦0.6	≦0.7	0.05~0.20	1.0~1.5		
	DIN	EN AW-3003	≦0.6	≦0.7	0.05~0.20	1.0~1.5		
	NF	EN AW-3003	≦0.6	≦0.7	0.05~0.20	1.0~1.5		
	ISO	AlMn 1 Cu	≦0.6	≦0.7	0.05~0.20	1.0~1.5		
R 014	KS	A 3203 P	≦0.6	≦0.7	≦0.05	1.0~1.5		
	JIS	A 3203 P	≦0.6	≦0.7	≦0.05	1.0~1.5		
	AA							
	ASTM							
	BS							
	DIN							
R 015	KS	A 3004 P	≦0.30	≦0.7	≦0.25	1.0~1.5	0.8~1.3	
	JIS	A 3004 P	≦0.30	≦0.7	≦0.25	1.0~1.5	0.8~1.3	
	AA	3004	≦0.30	≦0.7	≦0.25	1.0~1.5	0.8~1.3	
	ASTM	3004	≦0.30	≦0.7	≦0.25	1.0~1.5	0.8~1.3	
	BS	EN AW-3004	≦0.30	≦0.7	≦0.25	1.0~1.5	0.8~1.3	
	DIN	EN AW-3004	≦0.30	≦0.7	≦0.25	1.0~1.5	0.8~1.3	
	NF	EN AW-3004	≦0.30	≦0.7	≦0.25	1.0~1.5	0.8~1.3	
R 016	KS	A 3104 P	≦0.6	≦0.8	0.05~0.25	0.8~1.4	0.8~1.3	
	JIS	A 3104 P	≦0.6	≦0.8	0.05~0.25	0.8~1.4	0.8~1.3	
	AA							
	ASTM							
	BS							
	DIN							

Index No. R 013~R 016

化学成分 (%) Chemical composition						形状別規格番号 Std, No. by shapes					
Zn	Ti		others 各[1]	others 合計[2]	Al	板[3]	条[4]	棒[5]	線[6]	管[7]	形材[8]
≦0.10			≦0.05	≦0.15	殘部	D 6701	←				
≦0.10			≦0.05	≦0.15	殘部	H 4000	←				
≦0.10			≦0.05	≦0.15	殘部	*					
≦0.10			≦0.05	≦0.15	殘部	B 209					
≦0.10			≦0.05	≦0.15	殘部	BS EN 573-3☆ BS EN 485-2☆☆	←				
≦0.10			≦0.05	≦0.15	殘部	DIN EN 573-3☆ DIN EN 485-2☆☆	←				
≦0.10			≦0.05	≦0.15	殘部	NF EN 573-3☆ NF EN 485-2☆☆	←				
≦0.10			≦0.05	≦0.15	殘部	209-1☆ 6361-2☆☆	←				
≦0.10			≦0.05	≦0.15	殘部	D 6701	←				
≦0.10			≦0.05	≦0.15	殘部	H 4000	←				
≦0.25			≦0.05	≦0.15	殘部	D 6701	←				
≦0.25			≦0.05	≦0.15	殘部	H 4000	←				
≦0.25			≦0.05	≦0.15	殘部	*					
≦0.25			≦0.05	≦0.15	殘部	B 209					
≦0.25			≦0.05	≦0.15	殘部	BS EN 573-3☆ BS EN 485-2☆☆	←				
≦0.25			≦0.05	≦0.15	殘部	DIN EN 573-3☆ DIN EN 485-2☆☆	←				
≦0.25			≦0.05	≦0.15	殘部	NF EN 573-3☆ NF EN 485-2☆☆	←				
≦0.25	≦0.10	Ga≦0.05 V≦0.05	≦0.05	≦0.15	殘部	D 6701	←				
≦0.25	≦0.10	Ga≦0.05 V≦0.05	≦0.05	≦0.15	殘部	H 4000	←				

Notes : (1) Individual (2) Total (3) Plate (4) Strip (5) Bar (6) Wire (7) Pipe (8) Shapes

☆ 화학성분만을 규정하고 있는 규격 ☆☆기계적 성질만을 규정하는 규격

알루미늄 및 그 합금의 전신재 Aluminium and aluminum alloys

索引番号 Index No.	規格名 Std.	記号 Designation	化学成分 (%) Chemical composition					
			Si	Fe	Cu	Mn	Mg	Cr
R 017	KS	A 3005 P	≦0.6	≦0.7	≦0.30	1.0~1.5	0.20~0.6	≦0.10
	JIS	A 3005 P	≦0.6	≦0.7	≦0.30	1.0~1.5	0.20~0.6	≦0.10
	AA	3005	≦0.6	≦0.7	≦0.30	1.0~1.5	0.20~0.6	≦0.10
	ASTM	3005	≦0.6	≦0.7	≦0.30	1.0~1.5	0.20~0.6	≦0.10
	BS	EN AW-3005	≦0.6	≦0.7	≦0.30	1.0~1.5	0.20~0.6	≦0.10
	DIN	EN AW-3005	≦0.6	≦0.7	≦0.30	1.0~1.5	0.20~0.6	≦0.10
	NF	EN AW-3005	≦0.6	≦0.7	≦0.30	1.0~1.5	0.20~0.6	≦0.10
R 018	KS	A 3105 P	≦0.6	≦0.7	≦0.30	0.30~0.8	0.20~0.8	≦0.20
	JIS	A 3105 P	≦0.6	≦0.7	≦0.30	0.30~0.8	0.20~0.8	≦0.20
	AA	3105	≦0.6	≦0.7	≦0.30	0.30~0.8	0.20~0.8	≦0.20
	ASTM	3105	≦0.6	≦0.7	≦0.30	0.30~0.8	0.20~0.8	≦0.20
	BS	EN AW-3105	≦0.6	≦0.7	≦0.30	0.30~0.8	0.20~0.8	≦0.20
	DIN	EN AW-3105	≦0.6	≦0.7	≦0.30	0.30~0.8	0.20~0.8	≦0.20
	NF	EN AW-3105	≦0.6	≦0.7	≦0.30	0.30~0.8	0.20~0.8	≦0.20
R 019	KS	A 5005 P	≦0.30	≦0.7	≦0.20	≦0.20	0.50~1.1	≦0.10
	JIS	A 5005 P	≦0.30	≦0.7	≦0.20	≦0.20	0.50~1.1	≦0.10
	AA	5005	≦0.30	≦0.7	≦0.20	≦0.20	0.50~1.1	≦0.10
	ASTM	5005	≦0.30	≦0.7	≦0.20	≦0.20	0.50~1.1	≦0.10
	BS	5005	≦0.30	≦0.7	≦0.20	≦0.20	0.50~1.1	≦0.10
	DIN	EN AW-5005	≦0.30	≦0.7	≦0.20	≦0.20	0.50~1.1	≦0.10
	NF	EN AW-5005	≦0.30	≦0.7	≦0.20	≦0.20	0.50~1.1	≦0.10
	ISO	EN AW-5005	≦0.30	≦0.7	≦0.20	≦0.20	0.50~1.1	≦0.10
R 020	KS	A 5052 P	≦0.25	≦0.40	≦0.10	≦0.10	2.2~2.8	0.15~0.35
	JIS	A 5052 P	≦0.25	≦0.40	≦0.10	≦0.10	2.2~2.8	0.15~0.35
	AA	5052	≦0.25	≦0.40	≦0.10	≦0.10	2.2~2.8	0.15~0.35
	ASTM	5052	≦0.25	≦0.40	≦0.10	≦0.10	2.2~2.8	0.15~0.35
	BS	EN AW-5052	≦0.25	≦0.40	≦0.10	≦0.10	2.2~2.8	0.15~0.35
	DIN	EN AW-5052	≦0.25	≦0.40	≦0.10	≦0.10	2.2~2.8	0.15~0.35
	NF	EN AW-5052	≦0.25	≦0.40	≦0.10	≦0.10	2.2~2.8	0.15~0.35
	ISO	Al-Ng 2.5	≦0.25	≦0.40	≦0.10	≦0.10	2.2~2.8	0.15~0.35

化 学 成 分 (%) Chemical composition						形 状 別 規 格 番 号 Std, No. by shapes					
Zn	Ti		others 各(1)	others 合計(2)	Al	板(3)	条(4)	棒(5)	線(6)	管(7)	形材(8)
≦0.25	≦0.10		≦0.05	≦0.15	殘部	D 6701	←				
≦0.25	≦0.10		≦0.05	≦0.15	殘部	H 4000	←				
≦0.25	≦0.10		≦0.05	≦0.15	殘部	*					
≦0.25	≦0.10		≦0.05	≦0.15	殘部	B 209					
≦0.25	≦0.10		≦0.05	≦0.15	殘部	BS EN 573-3☆ BS EN 485-2☆☆	←				
≦0.25	≦0.10		≦0.05	≦0.15	殘部	DIN EN 573-3☆ DIN EN 485-2☆☆	←				
≦0.25	≦0.10		≦0.05	≦0.15	殘部	NF EN 573-3☆ NF EN 485-2☆☆	←				
≦0.40	≦0.10		≦0.05	≦0.15	殘部	D 6701	←				
≦0.40	≦0.10		≦0.05	≦0.15	殘部	H 4000	←				
≦0.40	≦0.10		≦0.05	≦0.15	殘部	*					
≦0.40	≦0.10		≦0.05	≦0.15	殘部	B 209					
≦0.40	≦0.10		≦0.05	≦0.15	殘部	BS EN 573-3☆ BS EN 485-2☆☆	←				
≦0.40	≦0.10		≦0.05	≦0.15	殘部	DIN EN 573-3☆ DIN EN 485-2☆☆	←				
≦0.40	≦0.10		≦0.05	≦0.15	殘部	NF EN 573-3☆ NF EN 485-2☆☆	←				
≦0.25			≦0.05	≦0.15	殘部	D 6701	←				
≦0.25			≦0.05	≦0.15	殘部	H 4000	←				
≦0.25			≦0.05	≦0.15	殘部	*					
≦0.25			≦0.05	≦0.15	殘部	B 209					
≦0.25			≦0.05	≦0.15	殘部	BS EN 573-3☆ BS EN 485-2☆☆	←				
≦0.25			≦0.05	≦0.15	殘部	DIN EN 573-3☆ DIN EN 485-2☆☆	←				
≦0.25			≦0.05	≦0.15	殘部	NF EN 573-3☆ NF EN 485-2☆☆	←				
≦0.25			≦0.05	≦0.15	殘部	209-1☆ 6361-2☆☆	←				
≦0.10			≦0.05	≦0.15	殘部	D 6701	←				
≦0.10			≦0.05	≦0.15	殘部	H 4000	←				
≦0.10			≦0.05	≦0.15	殘部	*					
≦0.10			≦0.05	≦0.15	殘部	B 209					
≦0.10			≦0.05	≦0.15	殘部	BS EN 573-3☆ BS EN 485-2☆☆	←				
≦0.10			≦0.05	≦0.15	殘部	DIN EN 573-3☆ DIN EN 485-2☆☆	←				
≦0.10			≦0.05	≦0.15	殘部	NF EN 573-3☆ NF EN 485-2☆☆	←				
≦0.10			≦0.05	≦0.15	殘部	209-1☆ 6361-2☆☆	←				

Notes : (1) Individual (2) Total (3) Plate (4) Strip (5) Bar (6) Wire (7) Pipe (8) Shapes

☆ 화학성분만을 규정하고 있는 규격 ☆☆기계적 성질만을 규정하는 규격

알루미늄 및 그 합금의 전신재 Aluminium and aluminum alloys

索引番号 Index No.	規格名 Std.	記号 Designation	化学成分 (%) Chemical composition					
			Si	Fe	Cu	Mn	Mg	Cr
R 021	KS	A 5652 P			≦0.04	≦0.01	2.2~2.8	0.15~0.35
	JIS	A 5652 P			≦0.04	≦0.01	2.2~2.8	0.15~0.35
	AA	5652			≦0.04	≦0.01	2.2~2.8	0.15~0.35
	ASTM	5652			≦0.04	≦0.01	2.2~2.8	0.15~0.35
	BS							
	DIN							
R 022	KS	A 5154 P	≦0.25	≦0.40	≦0.10	≦0.10	3.1~3.9	0.15~0.35
	JIS	A 5154 P	≦0.25	≦0.40	≦0.10	≦0.10	3.1~3.9	0.15~0.35
	AA	5154	≦0.25	≦0.40	≦0.10	≦0.10	3.1~3.9	0.15~0.35
	ASTM	5154	≦0.25	≦0.40	≦0.10	≦0.10	3.1~3.9	0.15~0.35
	BS	EN AW-5154A	≦0.50	≦0.50	≦0.10	≦0.50	3.1~3.9	≦0.25
	DIN	EN AW-5154A	≦0.50	≦0.50	≦0.10	≦0.50	3.1~3.9	≦0.25
	NF	EN AW-5154A	≦0.50	≦0.50	≦0.10	≦0.50	3.1~3.9	≦0.25
R 023	KS	A 5254 P			≦0.05	≦0.01	3.1~3.9	0.15~0.35
	JIS	A 5254 P			≦0.05	≦0.01	3.1~3.9	0.15~0.35
	AA	5254			≦0.05	≦0.01	3.1~3.9	0.15~0.35
	ASTM	5254			≦0.05	≦0.01	3.1~3.9	0.15~0.35
	BS							
	DIN							
R 024	KS	A 5454 P	≦0.25	≦0.40	≦0.10	0.50~1.0	2.4~3.0	0.05~0.20
	JIS	A 5454 P	≦0.25	≦0.40	≦0.10	0.50~1.0	2.4~3.0	0.05~0.20
	AA	5454	≦0.25	≦0.40	≦0.10	0.50~1.0	2.4~3.0	0.05~0.20
	ASTM	5454	≦0.25	≦0.40	≦0.10	0.50~1.0	2.4~3.0	0.05~0.20
	BS	EN AW-5454	≦0.25	≦0.40	≦0.10	0.50~1.0	2.4~3.0	0.05~0.20
	DIN	EN AW-5454	≦0.25	≦0.40	≦0.10	0.50~1.0	2.4~3.0	0.05~0.20
	NF	EN AW-5454	≦0.25	≦0.40	≦0.10	0.50~1.0	2.4~3.0	0.05~0.20
	ISO	Al-Mg 3 Mn	≦0.25	≦0.40	≦0.10	0.50~1.0	2.4~3.0	0.05~0.20
R 025	KS	A 5082 P	≦0.20	≦0.35	≦0.15	≦0.15	4.0~5.0	≦0.15
	JIS	A 5082 P	≦0.20	≦0.35	≦0.15	≦0.15	4.0~5.0	≦0.15
	AA							
	ASTM							

化学成分 (%) Chemical composition						形状別規格番号 Std, No. by shapes					
Zn	Ti		others 各[1]	others 合計[2]	Al	板[3]	条[4]	棒[5]	線[6]	管[7]	形材[8]
≦0.10		Si+Fe≦0.40	≦0.05	≦0.15	殘部	D 6701	←				
≦0.10		Si+Fe≦0.40	≦0.05	≦0.15	殘部	H 4000	←				
≦0.10		Si+Fe≦0.40	≦0.05	≦0.15	殘部	*					
≦0.10		Si+Fe≦0.40	≦0.05	≦0.15	殘部	B 209					
≦0.20	≦0.20		≦0.05	≦0.15	殘部	D 6701	←				
≦0.20	≦0.20		≦0.05	≦0.15	殘部	H 4000	←				
≦0.20	≦0.20		≦0.05	≦0.15	殘部	*					
≦0.20	≦0.20		≦0.05	≦0.15	殘部	B 209					
≦0.20	≦0.20	Mn+Cr 0.10~0.50	≦0.05	≦0.15	殘部	BS EN 573-3☆ BS EN 485-2☆☆	←				
≦0.20	≦0.20	Mn+Cr 0.10~0.50	≦0.05	≦0.15	殘部	DIN EN 573-3☆ DIN EN 485-2☆☆	←				
≦0.20	≦0.20	Mn+Cr 0.10~0.50	≦0.05	≦0.15	殘部	NF EN 573-3☆ NF EN 485-2☆☆	←				
≦0.20	≦0.05	Si+Fe≦0.45	≦0.05	≦0.15	殘部	D 6701	←				
≦0.20	≦0.05	Si+Fe≦0.45	≦0.05	≦0.15	殘部	H 4000	←				
≦0.20	≦0.05	Si+Fe≦0.45	≦0.05	≦0.15	殘部	*					
≦0.20	≦0.05	Si+Fe≦0.45	≦0.05	≦0.15	殘部	B 209					
≦0.25	≦0.20		≦0.05	≦0.15	殘部	D 6701	←				
≦0.25	≦0.20		≦0.05	≦0.15	殘部	H 4000	←				
≦0.25	≦0.20		≦0.05	≦0.15	殘部	*					
≦0.25	≦0.20		≦0.05	≦0.15	殘部	B 209					
≦0.25	≦0.20		≦0.05	≦0.15	殘部	BS EN 573-3☆ BS EN 485-2☆☆	←				
≦0.25	≦0.20		≦0.05	≦0.15	殘部	DIN EN 573-3☆ DIN EN 485-2☆☆	←				
≦0.25	≦0.20		≦0.05	≦0.15	殘部	NF EN 573-3☆ NF EN 485-2☆☆	←				
≦0.25	≦0.20		≦0.05	≦0.15	殘部	209-1☆ 6361-2☆☆	←				
≦0.25	≦0.10		≦0.05	≦0.15	殘部	D 6701	←				
≦0.25	≦0.10		≦0.05	≦0.15	殘部	H 4000	←				

Notes : (1) Individual (2) Total (3) Plate (4) Strip (5) Bar (6) Wire (7) Pipe (8) Shapes

☆ 화학성분만을 규정하고 있는 규격 ☆☆기계적 성질만을 규정하는 규격

알루미늄 및 그 합금의 전신재 Aluminium and aluminum alloys

索引番号 Index No.	規格名 Std.	記号 Designation	化学成分 (%) Chemical composition					
			Si	Fe	Cu	Mn	Mg	Cr
R 025(계속)	BS							
	DIN							
R 026	KS	A 5182 P	≦0.20	≦0.35	≦0.15	0.20~0.50	4.0~5.0	≦0.10
	JIS	A 5182 P	≦0.20	≦0.35	≦0.15	0.20~0.50	4.0~5.0	≦0.10
	AA							
	ASTM							
	BS	EN AW-5182	≦0.20	≦0.35	≦0.15	0.20~0.50	4.0~5.0	≦0.10
	DIN	EN AW-5182	≦0.20	≦0.35	≦0.15	0.20~0.50	4.0~5.0	≦0.10
	NF	EN AW-5182	≦0.20	≦0.35	≦0.15	0.20~0.50	4.0~5.0	≦0.10
R 027	KS	A 5083 P	≦0.40	≦0.40	≦0.10	0.40~1.0	4.0~4.9	0.05~0.25
	JIS	A 5083 P	≦0.40	≦0.40	≦0.10	0.40~1.0	4.0~4.9	0.05~0.25
	AA	5083	≦0.40	≦0.40	≦0.10	0.40~1.0	4.0~4.9	0.05~0.25
	ASTM	5083	≦0.40	≦0.40	≦0.10	0.40~1.0	4.0~4.9	0.05~0.25
	BS	EN AW-5083	≦0.40	≦0.40	≦0.10	0.40~1.0	4.0~4.9	0.05~0.25
	DIN	EN AW-5083	≦0.40	≦0.40	≦0.10	0.40~1.0	4.0~4.9	0.05~0.25
	NF	EN AW-5083	≦0.40	≦0.40	≦0.10	0.40~1.0	4.0~4.9	0.05~0.25
	ISO	Al-Mg 4.5 Mn 0.7	≦0.40	≦0.40	≦0.10	0.40~1.0	4.0~4.9	0.05~0.25
R 028	KS	A 5086 P	≦0.40	≦0.50	≦0.10	0.20~0.7	3.5~4.5	0.05~0.25
	JIS	A 5086 P	≦0.40	≦0.50	≦0.10	0.20~0.7	3.5~4.5	0.05~0.25
	AA	5086	≦0.40	≦0.50	≦0.10	0.20~0.7	3.5~4.5	0.05~0.25
	ASTM	5086	≦0.40	≦0.50	≦0.10	0.20~0.7	3.5~4.5	0.05~0.25
	BS	EN AW-5086	≦0.40	≦0.50	≦0.10	0.20~0.7	3.5~4.5	0.05~0.25
	DIN	EN AW-5086	≦0.40	≦0.50	≦0.10	0.20~0.7	3.5~4.5	0.05~0.25
	NF	EN AW-5086	≦0.40	≦0.50	≦0.10	0.20~0.7	3.5~4.5	0.05~0.25
R 029	KS	A 5 N 01 P	≦0.15	≦0.25	≦0.20	≦0.20	0.20~0.6	
	JIS	A 5 N 01 P	≦0.15	≦0.25	≦0.20	≦0.20	0.20~0.6	
	AA							
	ASTM							
	BS							
	DIN							

Index No. R 025~R 029

化学成分 (%) Chemical composition						形状別規格番号 Std, No. by shapes					
Zn	Ti		others 各(1)	others 合計(2)	Al	板(3)	条(4)	棒(5)	線(6)	管(7)	形材(8)
≦0.25	≦0.10		≦0.05	≦0.15	殘部	D 6701	←				
≦0.25	≦0.10		≦0.05	≦0.15	殘部	H 4000	←				
≦0.25	≦0.10		≦0.05	≦0.15	殘部	BS EN 573-3☆ BS EN 485-2☆☆	←				
≦0.25	≦0.10		≦0.05	≦0.15	殘部	DIN EN 573-3☆ DIN EN 485-2☆☆	←				
≦0.25	≦0.10		≦0.05	≦0.15	殘部	NF EN 573-3☆ NF EN 485-2☆☆	←				
≦0.25	≦0.15		≦0.05	≦0.15	殘部	D 6701	←				
≦0.25	≦0.15		≦0.05	≦0.15	殘部	H 4000	←				
≦0.25	≦0.15		≦0.05	≦0.15	殘部	*					
≦0.25	≦0.15		≦0.05	≦0.15	殘部	B 209					
≦0.25	≦0.15		≦0.05	≦0.15	殘部	BS EN 573-3☆ BS EN 485-2☆☆	←				
≦0.25	≦0.15		≦0.05	≦0.15	殘部	DIN EN 573-3☆ DIN EN 485-2☆☆	←				
≦0.25	≦0.15		≦0.05	≦0.15	殘部	NF EN 573-3☆ NF EN 485-2☆☆	←				
≦0.25	≦0.15		≦0.05	≦0.15	殘部	209-1☆ 6361-2☆☆	←				
≦0.25	≦0.15		≦0.05	≦0.15	殘部	D 6701	←				
≦0.25	≦0.15		≦0.05	≦0.15	殘部	H 4000	←				
≦0.25	≦0.15		≦0.05	≦0.15	殘部	*					
≦0.25	≦0.15		≦0.05	≦0.15	殘部	B 209					
≦0.25	≦0.15		≦0.05	≦0.15	殘部	BS EN 573-3☆ BS EN 485-2☆☆	←				
≦0.25	≦0.15		≦0.05	≦0.15	殘部	DIN EN 573-3☆ DIN EN 485-2☆☆	←				
≦0.25	≦0.15		≦0.05	≦0.15	殘部	NF EN 573-3☆ NF EN 485-2☆☆	←				
≦0.03			≦0.05	≦0.10	殘部	D 6701	←				
≦0.03			≦0.05	≦0.10	殘部	H 4000	←				

Notes : (1) Individual (2) Total (3) Plate (4) Strip (5) Bar (6) Wire (7) Pipe (8) Shapes

☆ 화학성분만을 규정하고 있는 규격 ☆☆기계적 성질만을 규정하는 규격

알루미늄 및 그 합금의 전신재 Aluminium and aluminum alloys

索引番号 Index No.	規格名 Std.	記号 Designation	化学成分 (%) Chemical composition					
			Si	Fe	Cu	Mn	Mg	Cr
R 030	KS	A 6061 P	0.40~0.8	≦0.7	0.15~0.40	≦0.15	0.8~1.2	0.04~0.35
	JIS	A 6061 P	0.40~0.8	≦0.7	0.15~0.40	≦0.15	0.8~1.2	0.04~0.35
	AA	6061	0.40~0.8	≦0.7	0.15~0.40	≦0.15	0.8~1.2	0.04~0.35
	ASTM	6061	0.40~0.8	≦0.7	0.15~0.40	≦0.15	0.8~1.2	0.04~0.35
	BS	EN AW-6061	0.40~0.8	≦0.7	0.15~0.40	≦0.15	0.8~1.2	0.04~0.35
	DIN	EN AW-6061	0.40~0.8	≦0.7	0.15~0.40	≦0.15	0.8~1.2	0.04~0.35
	NF	EN AW-6061	0.40~0.8	≦0.7	0.15~0.40	≦0.15	0.8~1.2	0.04~0.35
R 031	KS	A 7 N 01 P	≦0.30	≦0.35	≦0.20	0.20~0.7	1.0~2.0	≦0.30
	JIS	A 7 N 01 P	≦0.30	≦0.35	≦0.20	0.20~0.7	1.0~2.0	≦0.30
	AA							
	ASTM							
	BS							
	DIN							
R 032	KS	A 7075 P	≦0.40	≦0.50	1.2~2.0	≦0.30	2.1~2.9	0.18~0.28
	JIS	A 7075 P	≦0.40	≦0.50	1.2~2.0	≦0.30	2.1~2.9	0.18~0.28
	AA	7075	≦0.40	≦0.50	1.2~2.0	≦0.30	2.1~2.9	0.18~0.28
	ASTM	7075	≦0.40	≦0.50	1.2~2.0	≦0.30	2.1~2.9	0.18~0.28
	BS	EN AW-7075	≦0.40	≦0.50	1.2~2.0	≦0.30	2.1~2.9	0.18~0.28
	DIN	EN AW-7075	≦0.40	≦0.50	1.2~2.0	≦0.30	2.1~2.9	0.18~0.28
	NF	EN AW-7075	≦0.40	≦0.50	1.2~2.0	≦0.30	2.1~2.9	0.18~0.28
	ISO	Al-Zn 5.5 MgCu	≦0.40	≦0.50	1.2~2.0	≦0.30	2.1~2.9	0.18~0.28
R 033	JIS	A 8021 P	≦0.15	1.2~1.7	≦0.05			
	AA							
	ASTM							
	BS							
	DIN							
R 034	JIS	A 8079 P	0.05~0.30	0.7~1.3	≦0.05			
	AA							
	ASTM							

化 学 成 分 (%) Chemical composition						形 状 別 規 格 番 号 Std, No. by shapes					
Zn	Ti		others 各(1)	others 合計(2)	Al	板(3)	条(4)	棒(5)	線(6)	管(7)	形材(8)
≦0.25	≦0.15		≦0.05	≦0.15	殘部	D 6701	←				
≦0.25	≦0.15		≦0.05	≦0.15	殘部	H 4000	←				
≦0.25	≦0.15		≦0.05	≦0.15	殘部	*					
≦0.25	≦0.15		≦0.05	≦0.15	殘部	B 209					
≦0.25	≦0.15		≦0.05	≦0.15	殘部	BS EN 573-3☆ BS EN 485-2☆☆	←				
≦0.25	≦0.15		≦0.05	≦0.15	殘部	DIN EN 573-3☆ DIN EN 485-2☆☆	←				
≦0.25	≦0.15		≦0.05	≦0.15	殘部	NF EN 573-3☆ NF EN 485-2☆☆	←				
4.0~5.0	≦0.20	V≦0.10 Zr≦0.25	≦0.05	≦0.15	殘部	D 6701					
4.0~5.0	≦0.20	V≦0.10 Zr≦0.25	≦0.05	≦0.15	殘部	H 4000					
5.1~6.1	≦0.20	Zr+Ti≦0.25	≦0.05	≦0.15	殘部	D 6701					
5.1~6.1	≦0.20	Zr+Ti≦0.25	≦0.05	≦0.15	殘部	H 4000					
5.1~6.1	≦0.20		≦0.05	≦0.15	殘部	*					
5.1~6.1	≦0.20		≦0.05	≦0.15	殘部	B 209					
5.1~6.1	≦0.20	Zr+Ti≦0.25	≦0.05	≦0.15	殘部	BS EN 573-3☆ BS EN 485-2☆☆	←				
5.1~6.1	≦0.20	Zr+Ti≦0.25	≦0.05	≦0.15	殘部	DIN EN 573-3☆ DIN EN 485-2☆☆	←				
5.1~6.1	≦0.20	Zr+Ti≦0.25	≦0.05	≦0.15	殘部	NF EN 573-3☆ NF EN 485-2☆☆	←				
5.1~6.1	≦0.20	Zr+Ti≦0.25	≦0.05	≦0.15	殘部	209-1☆ 6361-2☆☆					
			≦0.05	≦0.15	殘部	H 4000	←				
≦0.10			≦0.05	≦0.15	殘部	H 4000	←				

Notes : (1) Individual (2) Total (3) Plate (4) Strip (5) Bar (6) Wire (7) Pipe (8) Shapes

☆ 화학성분만을 규정하고 있는 규격 ☆☆기계적 성질만을 규정하는 규격

알루미늄 및 그 합금의 전신재 Aluminium and aluminum alloys

索引番号 Index No.	規格名 Std.	記号 Designation	化学成分 (%) Chemical composition					
			Si	Fe	Cu	Mn	Mg	Cr
R 034(계속)	BS							
	DIN							
R 035	JIS	KA 1050 AP	≦0.25	≦0.40	≦0.05	≦0.05	≦0.05	
	AA							
	ASTM							
	BS	EN AW-1050 A	≦0.25	≦0.40	≦0.05	≦0.05	≦0.05	
	DIN	EN AW-1050 A	≦0.25	≦0.40	≦0.05	≦0.05	≦0.05	
	NF	EN AW-1050 A	≦0.25	≦0.40	≦0.05	≦0.05	≦0.05	
	ISO	Al 99.5	≦0.25	≦0.40	≦0.05	≦0.05	≦0.05	
R 036	JIS	KA 2014 AP	0.50~0.9	≦0.50	3.9~5.0	0.40~1.2	0.20~0.8	≦0.10
	AA							
	ASTM							
	BS							
	DIN							
	NF							
	ISO	AlCu 4 SiMg(A)	0.50~0.9	≦0.50	3.9~5.0	0.40~1.2	0.20~0.8	≦0.10
R 037	JIS	KA 2017 AP	0.20~0.8	≦0.7	3.5~4.5	0.40~1.0	0.40~1.0	≦0.10
	AA							
	ASTM							
	BS	EN AW-2017 A	0.20~0.8	≦0.7	3.5~4.5	0.40~1.0	0.40~1.0	≦0.10
	DIN	EN AW-2017 A	0.20~0.8	≦0.7	3.5~4.5	0.40~1.0	0.40~1.0	≦0.10
	NF	EN AW-2017 A	0.20~0.8	≦0.7	3.5~4.5	0.40~1.0	0.40~1.0	≦0.10
	ISO	AlCu 4 MgSi(A)	0.20~0.8	≦0.7	3.5~4.5	0.40~1.0	0.40~1.0	≦0.10
R 038	JIS	KA 3103 P	≦0.50	≦0.7	≦0.10	0.9~1.5	≦0.30	≦0.10
	AA							
	ASTM							
	BS	EN AW-3103	≦0.50	≦0.7	≦0.10	0.9~1.5	≦0.30	≦0.10
	DIN	EN AW-3103	≦0.50	≦0.7	≦0.10	0.9~1.5	≦0.30	≦0.10

化学成分(%) Chemical composition						形状別規格番号 Std, No. by shapes					
Zn	Ti		others 各(1)	others 合計(2)	Al	板(3)	条(4)	棒(5)	線(6)	管(7)	形材(8)
≦0.07	≦0.05		≦0.03		≧99.50	H 4000	←				
≦0.07	≦0.05		≦0.03		≧99.50	BS EN 573-3☆ BS EN 485-2☆☆	←				
≦0.07	≦0.05		≦0.03		≧99.50	DIN EN 573-3☆ DIN EN 485-2☆☆	←				
≦0.07	≦0.05		≦0.03		≧99.50	NF EN 573-3☆ NF EN 485-2☆☆	←				
≦0.07	≦0.05		≦0.03		≧99.50	209-1☆ 6361-2☆☆	←				
≦0.25	≦0.15	Zr+Ti≦0.20 Ni≦0.10	≦0.05	≦0.15	殘部	H 4000	←				
≦0.25	≦0.15	Zr+Ti≦0.20 Ni≦0.10	≦0.05	≦0.15	殘部	209-1☆ 6361-2☆☆	←				
≦0.25		Zr+Ti≦0.25	≦0.05	≦0.15	殘部	H 4000	←				
≦0.25		Zr+Ti≦0.25	≦0.05	≦0.15	殘部	BS EN 573-3☆ BS EN 485-2☆☆	←				
≦0.25		Zr+Ti≦0.25	≦0.05	≦0.15	殘部	DIN EN 573-3☆ DIN EN 485-2☆☆	←				
≦0.25		Zr+Ti≦0.25	≦0.05	≦0.15	殘部	NF EN 573-3☆ NF EN 485-2☆☆	←				
≦0.25		Zr+Ti≦0.25	≦0.05	≦0.15	殘部	209-1☆ 6361-2☆☆	←				
≦0.20		Zr+Ti≦0.10	≦0.05	≦0.15	殘部	H 4000	←				
≦0.20		Zr+Ti≦0.10	≦0.05	≦0.15	殘部	BS EN 573-3☆ BS EN 485-2☆☆	←				
≦0.20		Zr+Ti≦0.10	≦0.05	≦0.15	殘部	DIN EN 573-3☆ DIN EN 485-2☆☆	←				

Notes : (1) Individual (2) Total (3) Plate (4) Strip (5) Bar (6) Wire (7) Pipe (8) Shapes

☆ 화학성분만을 규정하고 있는 규격 ☆☆기계적 성질만을 규정하는 규격

알루미늄 및 그 합금의 전신재 Aluminium and aluminum alloys								
索引番号 Index No.	規格名 Std.	記号 Designation	化 学 成 分 (%) Chemical composition					
			Si	Fe	Cu	Mn	Mg	Cr
R 038(계속)	NF	EN AW-3103	≦0.50	≦0.7	≦0.10	0.9~1.5	≦0.30	≦0.10
	ISO	AlMn 1	≦0.50	≦0.7	≦0.10	0.9~1.5	≦0.30	≦0.10
R 039	JIS	KA 5754 P	≦0.40	≦0.40	≦0.10	≦0.50	2.6~3.6	≦0.30
	AA							
	ASTM							
	BS	EN AW-5754	≦0.40	≦0.40	≦0.10	≦0.50	2.6~3.6	≦0.30
	DIN	EN AW-5754	≦0.40	≦0.40	≦0.10	≦0.50	2.6~3.6	≦0.30
	NF	EN AW-5754	≦0.40	≦0.40	≦0.10	≦0.50	2.6~3.6	≦0.30
	ISO	AlMg 3	≦0.40	≦0.40	≦0.10	≦0.50	2.6~3.6	≦0.30
R 040	JIS	KA 6082 P	0.7~1.3	≦0.50	≦0.10	0.40~1.0	0.6~1.2	≦0.25
	AA							
	ASTM							
	BS	EN AW-6082	0.7~1.3	≦0.50	≦0.10	0.40~1.0	0.6~1.2	≦0.25
	DIN	EN AW-6082	0.7~1.3	≦0.50	≦0.10	0.40~1.0	0.6~1.2	≦0.25
	NF	EN AW-6082	0.7~1.3	≦0.50	≦0.10	0.40~1.0	0.6~1.2	≦0.25
	ISO	AlSi 2 MgMn	0.7~1.3	≦0.50	≦0.10	0.40~1.0	0.6~1.2	≦0.25
R 041	JIS	KA 7178 P	≦0.40	≦0.50	1.6~2.4	≦0.30	2.4~3.1	0.18~0.28
	AA							
	ASTM							
	BS							
	DIN							
	NF							
	ISO	AlZn 7 MgCu	≦0.40	≦0.50	1.6~2.4	≦0.30	2.4~3.1	0.18~0.28
R 042	JIS	KA 7475 P	≦0.10	≦0.12	1.2~1.9	≦0.06	1.9~2.6	0.18~0.25
	AA							
	ASTM							
	BS							
	DIN							
	NF							

Index No. R 038~R 042

化 学 成 分 (%) Chemical composition						形 状 別 規 格 番 号 Std, No. by shapes					
Zn	Ti		others 各(1)	others 合計(2)	Al	板(3)	条(4)	棒(5)	線(6)	管(7)	形材(8)
≦0.20		Zr+Ti≦0.10	≦0.05	≦0.15	殘部	NF EN 573-3☆ NF EN 485-2☆☆	←				
≦0.20		Zr+Ti≦0.10	≦0.05	≦0.15	殘部	209-1☆ 6361-2☆☆	←				
≦0.20	≦0.15	Mn+Cr≦0.10~0.6	≦0.05	≦0.15	殘部	H 4000	←				
≦0.20	≦0.15	Mn+Cr≦0.10~0.6	≦0.05	≦0.15	殘部	BS EN 573-3☆ BS EN 485-2☆☆	←				
≦0.20	≦0.15	Mn+Cr≦0.10~0.6	≦0.05	≦0.15	殘部	DIN EN 573-3☆ DIN EN 485-2☆☆	←				
≦0.20	≦0.15	Mn+Cr≦0.10~0.6	≦0.05	≦0.15	殘部	NF EN 573-3☆ NF EN 485-2☆☆	←				
≦0.20	≦0.15	Mn+Cr≦0.10~0.6	≦0.05	≦0.15	殘部	209-1☆ 6361-2☆☆	←				
≦0.20	≦0.10		≦0.05	≦0.15	殘部	H 4000	←				
≦0.20	≦0.10		≦0.05	≦0.15	殘部	BS EN 573-3☆ BS EN 485-2☆☆	←				
≦0.20	≦0.10		≦0.05	≦0.15	殘部	DIN EN 573-3☆ DIN EN 485-2☆☆	←				
≦0.20	≦0.10		≦0.05	≦0.15	殘部	NF EN 573-3☆ NF EN 485-2☆☆	←				
≦0.20	≦0.10		≦0.05	≦0.15	殘部	209-1☆ 6361-2☆☆	←				
6.3~7.3	≦0.20		≦0.05	≦0.15	殘部	H 4000	←				
6.3~7.3	≦0.20		≦0.05	≦0.15	殘部	209-1☆ 6361-2☆☆	←				
5.2~6.2	≦0.06		≦0.05	≦0.15	殘部	H 4000	←				

Notes : (1) Individual (2) Total (3) Plate (4) Strip (5) Bar (6) Wire (7) Pipe (8) Shapes

☆ 화학성분만을 규정하고 있는 규격 ☆☆기계적 성질만을 규정하는 규격

알루미늄 및 그 합금의 전신재 Aluminium and aluminum alloys

索引番号 Index No.	規格名 Std.	記号 Designation	化学成分 (%) Chemical composition					
			Si	Fe	Cu	Mn	Mg	Cr
R 042(계속)	ISO	AlZn 5.5 MgCu(A)	≦0.10	≦0.12	1.2~1.9	≦0.06	1.9~2.6	0.18~0.25
R 043	JIS	KA 7010 P	≦0.12	≦0.15	1.5~2.0	≦0.10	2.1~2.6	≦0.05
	AA							
	ASTM							
	BS							
	DIN							
	NF							
	ISO	AlZn 6 MgCu	≦0.12	≦0.15	1.5~2.0	≦0.10	2.1~2.6	≦0.05
R 044	JIS	AlZn 6 MgCuMnP	≦0.5	≦0.5	1.4~2.0	0.2~0.6	1.8~2.8	0.1~0.25
	AA							
	ASTM							
	BS							
	DIN							
	NF							
	ISO	AlZn 6 MgCuMnP	≦0.5	≦0.5	1.4~2.0	0.2~0.8	1.8~2.8	0.1~0.25
R 045	KS	A 1070 BE	≦0.20	≦0.25	≦0.04	≦0.03	≦0.03	
	JIS	A 1070 BE	≦0.20	≦0.25	≦0.04	≦0.03	≦0.03	
	AA							
	ASTM							
	BS							
	DIN							
R 046	KS	A 1050 BE	≦0.25	≦0.40	≦0.05	≦0.05	≦0.05	
	JIS	A 1050 BE	≦0.25	≦0.40	≦0.05	≦0.05	≦0.05	
	AA							
	ASTM							
	BS							
	DIN							
	NF							
	ISO							

Index No. R 042~R 046

化学成分 (%) Chemical composition						形状別規格番号 Std, No. by shapes					
Zn	Ti		others 各(1)	others 合計(2)	Al	板(3)	条(4)	棒(5)	線(6)	管(7)	形材(8)
5.2~6.2	≦0.06		≦0.05	≦0.15	殘部	209-1☆ 6361-2☆☆	←				
5.7~6.7	≦0.06	Zr 0.10~0.16 Ni≦0.05	≦0.05	≦0.15	殘部	H 4000	←				
5.7~6.7	≦0.06	Zr 0.10~0.16 Ni≦0.05	≦0.05	≦0.15	殘部	209-1☆ 6361-2☆☆	←				
5.7~7.0	≦0.05	Ni≦0.1	≦0.05	≦0.15	殘部	H 4000	←				
5.7~7.0	≦0.05	Ni≦0.1	≦0.05	≦0.15	殘部	209-1☆ 6361-2☆☆	←				
≦0.04	≦0.03	V≦0.05	≦0.03		≧99.70			D 6763	←		
≦0.04	≦0.03	V≦0.05	≦0.03		≧99.70			H 4040	←		
≦0.05	≦0.03	V≦0.05	≦0.03		≧99.50			D 6763	←		
≦0.05	≦0.03	V≦0.05	≦0.03		≧99.50			H 4040	←		

Notes : (1) Individual (2) Total (3) Plate (4) Strip (5) Bar (6) Wire (7) Pipe (8) Shapes

☆ 화학성분만을 규정하고 있는 규격 ☆☆기계적 성질만을 규정하는 규격

알루미늄 및 그 합금의 전신재 Aluminium and aluminum alloys

索引番号 Index No.	規格名 Std.	記号 Designation	化学成分 (%) Chemical composition					
			Si	Fe	Cu	Mn	Mg	Cr
R 047	KS	A 1100 BE			0.05~0.20	≦0.05		
	JIS	A 1100 BE			0.05~0.20	≦0.05		
	AA	1100			0.05~0.20	≦0.05		
	ASTM	1100			0.05~0.20	≦0.05		
	BS							
	DIN							
	ISO	Al 99.0 Cu			0.05~0.25	≦0.05		
R 048	KS	A 1200 BE			≦0.05	≦0.05		
	JIS	A 1200 BE			≦0.05	≦0.05		
	AA							
	ASTM							
	BS	EN AW-1200			≦0.05	≦0.05		
	DIN	EN AW-1200			≦0.05	≦0.05		
	NF	EN AW-1200			≦0.05	≦0.05		
	ISO	Al 99.0			≦0.05	≦0.05		
R 049	KS	A 2014 BE	0.50~1.2	≦0.7	3.9~5.0	0.40~1.2	0.20~0.8	≦0.10
	JIS	A 2014 BE	0.50~1.2	≦0.7	3.9~5.0	0.40~1.2	0.20~0.8	≦0.10
	AA	2014	0.50~1.2	≦0.7	3.9~5.0	0.40~1.2	0.20~0.8	≦0.10
	ASTM	2014	0.50~1.2	≦0.7	3.9~5.0	0.40~1.2	0.20~0.8	≦0.10
	BS	EN AW-2014	0.50~1.2	≦0.7	3.9~5.0	0.40~1.2	0.20~0.8	≦0.10
	DIN	EN AW-2014	0.50~1.2	≦0.7	3.9~5.0	0.40~1.2	0.20~0.8	≦0.10
	NF	EN AW-2014	0.50~1.2	≦0.7	3.9~5.0	0.40~1.2	0.20~0.8	≦0.10
	ISO	Al-Cu 4 SiMg	0.50~1.2	≦0.7	3.9~5.0	0.40~1.2	0.20~0.8	≦0.10
R 050	KS	A 2017 BE	0.20~0.8	≦0.7	3.5~4.5	0.40~1.0	0.40~0.8	≦0.10
	JIS	A 2017 BE	0.20~0.8	≦0.7	3.5~4.5	0.40~1.0	0.40~0.8	≦0.10
	AA							
	ASTM							
	BS							
	DIN							
	NF							

Index No. R 047~R 050

化学成分(%) Chemical composition						形状別規格番号 Std, No. by shapes					
Zn	Ti		others 各(1)	others 合計(2)	Al	板(3)	条(4)	棒(5)	線(6)	管(7)	形材(8)
≦0.10		Si+Fe≦0.95	≦0.05	≦0.15	≧99.00			D 6763	←		
≦0.10		Si+Fe≦0.95	≦0.05	≦0.15	≧99.00			H 4040	←		
≦0.10		Si+Fe≦0.95	≦0.05	≦0.15	≧99.00			*	←		
≦0.10		Si+Fe≦0.95	≦0.05	≦0.15	≧99.00			B 221	←	←	
≦0.10		Si+Fe≦0.95	≦0.05	≦0.15	≧99.00			209-1☆ 6362-2☆☆			
≦0.10	≦0.05	Si+Fe≦1.00	≦0.05	≦0.15	≧99.00			D 6763	←		
≦0.10	≦0.05	Si+Fe≦1.00	≦0.05	≦0.15	≧99.00			H 4040	←		
≦0.10	≦0.05	Si+Fe≦1.00	≦0.05	≦0.15	≧99.00			BS EN 573-3☆ BS EN 755-2☆☆		←	←
≦0.10	≦0.05	Si+Fe≦1.00	≦0.05	≦0.15	≧99.00			DIN EN 573-3☆ DIN EN 755-2☆☆		←	←
≦0.10	≦0.05	Si+Fe≦1.00	≦0.05	≦0.15	≧99.00			NF EN 573-3☆ NF EN 755-2☆☆		←	←
≦0.10	≦0.05	Si+Fe≦1.0	≦0.05	≦0.15	≧99.00			209-1☆ 6362-2☆☆		←	
≦0.25	≦0.15	Zr+Ti≦0.20	≦0.05	≦0.15	殘部			D 6763	←		
≦0.25	≦0.15	Zr+Ti≦0.20	≦0.05	≦0.15	殘部			H 4040	←		
≦0.25	≦0.15	Zr+Ti≦0.20(9)	≦0.05	≦0.15	殘部			*	←		
≦0.25	≦0.15	Zr+Ti≦0.20(9)	≦0.05	≦0.15	殘部			B 221	←	←	
≦0.25	≦0.15	Zr+Ti≦0.20(9)	≦0.05	≦0.15	殘部			BS EN 573-3☆ BS EN 755-2☆☆		←	←
≦0.25	≦0.15	Zr+Ti≦0.20(9)	≦0.05	≦0.15	殘部			DIN EN 573-3☆ DIN EN 755-2☆☆		←	←
≦0.25	≦0.15	Zr+Ti≦0.20(9)	≦0.05	≦0.15	殘部			NF EN 573-3☆ NF EN 755-2☆☆		←	←
≦0.25	≦0.15	Zr+Ti≦0.20(9)	≦0.05	≦0.15	殘部			209-1☆ 6362-2☆☆		←	←
≦0.25	≦0.15	Zr+Ti≦0.20	≦0.05	≦0.15	殘部			D 6763			
≦0.25	≦0.15	Zr+Ti≦0.20	≦0.05	≦0.15	殘部			H 4040			

Notes : (1) Individual (2) Total (3) Plate (4) Strip (5) Bar (6) Wire (7) Pipe (8) Shapes

☆ 화학성분만을 규정하고 있는 규격 ☆☆기계적 성질만을 규정하는 규격

알루미늄 및 그 합금의 전신재 Aluminium and aluminum alloys

索引番号 Index No.	規格名 Std.	記号 Designation	化学成分 (%) Chemical composition					
			Si	Fe	Cu	Mn	Mg	Cr
R 050(계속)	ISO							
R 051	KS	A 2024 BE	≦0.50	≦0.50	3.8~4.9	0.30~0.9	1.2~1.8	≦0.10
	JIS	A 2024 BE	≦0.50	≦0.50	3.8~4.9	0.30~0.9	1.2~1.8	≦0.10
	AA	2024	≦0.50	≦0.50	3.8~4.9	0.30~0.9	1.2~1.8	≦0.10
	ASTM	2024	≦0.50	≦0.50	3.8~4.9	0.30~0.9	1.2~1.8	≦0.10
	BS	EN AW-2024	≦0.50	≦0.50	3.8~4.9	0.30~0.9	1.2~1.8	≦0.10
	DIN	EN AW-2024	≦0.50	≦0.50	3.8~4.9	0.30~0.9	1.2~1.8	≦0.10
	NF	EN AW-2024	≦0.50	≦0.50	3.8~4.9	0.30~0.9	1.2~1.8	≦0.10
	ISO	Al-Cu 4 Mg 1	≦0.50	≦0.50	3.8~4.9	0.30~0.9	1.2~1.8	≦0.10
R 052	KS	A 3003 BE	≦0.6	≦0.7	0.05~0.20	1.0~1.5		
	JIS	A 3003 BE	≦0.6	≦0.7	0.05~0.20	1.0~1.5		
	AA	3003	≦0.6	≦0.7	0.05~0.20	1.0~1.5		
	ASTM	3003	≦0.6	≦0.7	0.05~0.20	1.0~1.5		
	BS	EN AW-3003	≦0.6	≦0.7	0.05~0.20	1.0~1.5		
	DIN	EN AW-3003	≦0.6	≦0.7	0.05~0.20	1.0~1.5		
	NF	EN AW-3003	≦0.6	≦0.7	0.05~0.20	1.0~1.5		
R 053	KS	A 5052 BE	≦0.25	≦0.40	≦0.10	≦0.10	2.2~2.8	0.15~0.35
	JIS	A 5052 BE	≦0.25	≦0.40	≦0.10	≦0.10	2.2~2.8	0.15~0.35
	AA							
	ASTM	5052	≦0.25	≦0.40	≦0.10	≦0.10	2.2~2.8	0.15~0.35
	BS	EN AW-5052	≦0.25	≦0.40	≦0.10	≦0.10	2.2~2.8	0.15~0.35
	DIN	EN AW-5052	≦0.25	≦0.40	≦0.10	≦0.10	2.2~2.8	0.15~0.35
	NF	EN AW-5052	≦0.25	≦0.40	≦0.10	≦0.10	2.2~2.8	0.15~0.35
R 054	KS	A 5056 BE	≦0.30	≦0.40	≦0.10	0.05~0.20	4.5~5.6	0.05~0.20
	JIS	A 5056 BE	≦0.30	≦0.40	≦0.10	0.05~0.20	4.5~5.8	0.05~0.20
	AA							
	ASTM							
	BS							
	DIN							

Index No. R 050~R 054

化学成分 (%) Chemical composition						形状別規格番号 Std, No. by shapes					
Zn	Ti		others 各(1)	others 合計(2)	Al	板(3)	条(4)	棒(5)	線(6)	管(7)	形材(8)
≦0.25	≦0.15	Zr+Ti≦0.20	≦0.05	≦0.15	殘部			D 6763	←		
≦0.25	≦0.15	Zr+Ti≦0.20	≦0.05	≦0.15	殘部			H 4040	←		
≦0.25	≦0.15	Zr+Ti≦0.20(9)	≦0.05	≦0.15	殘部			*	←		
≦0.25	≦0.15	Zr+Ti≦0.20(9)	≦0.05	≦0.15	殘部			B 221	←	←	
≦0.25	≦0.15	Zr+Ti≦0.20(9)	≦0.05	≦0.15	殘部			BS EN 573-3☆ BS EN 755-2☆☆		←	←
≦0.25	≦0.15	Zr+Ti≦0.20(9)	≦0.05	≦0.15	殘部			DIN EN 573-3☆ DIN EN 755-2☆☆		←	←
≦0.25	≦0.15	Zr+Ti≦0.20(9)	≦0.05	≦0.15	殘部			NF EN 573-3☆ NF EN 755-2☆☆		←	←
≦0.25	≦0.15	Zr+Ti≦0.20(9)	≦0.05	≦0.15	殘部			209-1☆ 6362-2☆☆		←	←
≦0.10			≦0.05	≦0.15	殘部			D 6763	←		
≦0.10			≦0.05	≦0.15	殘部			H 4040	←		
≦0.10			≦0.05	≦0.15	殘部			*	←		
≦0.10			≦0.05	≦0.15	殘部			B 221	←	←	
≦0.10			≦0.05	≦0.15	殘部			BS EN 573-3☆ BS EN 755-2☆☆		←	←
≦0.10			≦0.05	≦0.15	殘部			DIN EN 573-3☆ DIN EN 755-2☆☆		←	←
≦0.10			≦0.05	≦0.15	殘部			NF EN 573-3☆ NF EN 755-2☆☆		←	←
≦0.10			≦0.05	≦0.15	殘部			D 6763	←		
≦0.10			≦0.05	≦0.15	殘部			H 4040	←		
≦0.10			≦0.05	≦0.15	殘部			B 221	←	←	
≦0.10			≦0.05	≦0.15	殘部			BS EN 573-3☆ BS EN 755-2☆☆		←	←
≦0.10			≦0.05	≦0.15	殘部			DIN EN 573-3☆ DIN EN 755-2☆☆		←	←
≦0.10			≦0.05	≦0.15	殘部			NF EN 573-3☆ NF EN 755-2☆☆		←	←
≦0.10			≦0.05	≦0.15	殘部			D 6763	←		
≦0.10			≦0.05	≦0.15	殘部			H 4040	←		

Notes : (1) Individual (2) Total (3) Plate (4) Strip (5) Bar (6) Wire (7) Pipe (8) Shapes

☆ 화학성분만을 규정하고 있는 규격 ☆☆기계적 성질만을 규정하는 규격

알루미늄 및 그 합금의 전신재 Aluminium and aluminum alloys

索引番号 Index No.	規格名 Std.	記号 Designation	化学成分 (%) Chemical composition					
			Si	Fe	Cu	Mn	Mg	Cr
R 055	KS	A 5083 BE	≦0.40	≦0.40	≦0.10	0.40~1.0	4.0~4.9	0.05~0.25
	JIS	A 5083 BE	≦0.40	≦0.40	≦0.10	0.40~1.0	4.0~4.9	0.05~0.25
	AA	5083	≦0.40	≦0.40	≦0.10	0.40~1.0	4.0~4.9	0.05~0.25
	ASTM	5083	≦0.40	≦0.40	≦0.10	0.40~1.0	4.0~4.9	0.05~0.25
	BS	EN AW-5083	≦0.40	≦0.40	≦0.10	0.40~1.0	4.0~4.9	0.05~0.25
	DIN	EN AW-5083	≦0.40	≦0.40	≦0.10	0.40~1.0	4.0~4.9	0.05~0.25
	NF	EN AW-5083	≦0.40	≦0.40	≦0.10	0.40~1.0	4.0~4.9	0.05~0.25
	ISO	Al-Mg 4.5 Mn 0.7	≦0.40	≦0.40	≦0.10	0.40~1.0	4.0~4.9	0.05~0.25
R 056	KS	A 6061 BE	0.40~0.8	≦0.7	0.15~0.40	≦0.15	0.8~1.2	0.04~0.35
	JIS	A 6061 BE	0.40~0.8	≦0.7	0.15~0.40	≦0.15	0.8~1.2	0.04~0.35
	AA	6061	0.40~0.8	≦0.7	0.15~0.40	≦0.15	0.8~1.2	0.04~0.35
	ASTM	6061	0.40~0.8	≦0.7	0.15~0.40	≦0.15	0.8~1.2	0.04~0.35
	BS	EN AW-6061	0.40~0.8	≦0.7	0.15~0.40	≦0.15	0.8~1.2	0.04~0.35
	DIN	EN AW-6061	0.40~0.8	≦0.7	0.15~0.40	≦0.15	0.8~1.2	0.04~0.35
	NF	EN AW-6061	0.40~0.8	≦0.7	0.15~0.40	≦0.15	0.8~1.2	0.04~0.35
	ISO	Al-Mg 1 SiCu	0.40~0.8	≦0.7	0.15~0.40	≦0.15	0.8~1.2	0.04~0.35
R 057	KS	A 6063 BE	0.20~0.6	≦0.35	≦0.10	≦0.10	0.45~0.9	≦0.10
	JIS	A 6063 BE	0.20~0.6	≦0.35	≦0.10	≦0.10	0.45~0.9	≦0.10
	AA	6063	0.20~0.6	≦0.35	≦0.10	≦0.10	0.45~0.9	≦0.10
	ASTM	6063	0.20~0.6	≦0.35	≦0.10	≦0.10	0.45~0.9	≦0.10
	BS	EN AW-6063	0.20~0.6	≦0.35	≦0.10	≦0.10	0.45~0.9	≦0.10
	DIN	EN AW-6063	0.20~0.6	≦0.35	≦0.10	≦0.10	0.45~0.9	≦0.10
	NF	EN AW-6063	0.20~0.6	≦0.35	≦0.10	≦0.10	0.45~0.9	≦0.10
	ISO	Al-Mg 0.7 Si	0.20~0.6	≦0.35	≦0.10	≦0.10	0.45~0.9	≦0.10
R 058	KS	A 7 N 01 BE	≦0.30	≦0.35	≦0.20	0.20~0.7	1.0~2.0	≦0.30
	JIS	A 7 N 01 BE	≦0.30	≦0.35	≦0.20	0.20~0.7	1.0~2.0	≦0.30
	AA							
	ASTM							
	BS							
	DIN							

Index No. R 055~R 058

化 学 成 分 (%) Chemical composition						形 状 別 規 格 番 号 Std, No. by shapes					
Zn	Ti		others 各(1)	others 合計(2)	Al	板(3)	条(4)	棒(5)	線(6)	管(7)	形材(8)
≦0.25	≦0.15		≦0.05	≦0.15	殘部			D 6763	←		
≦0.25	≦0.15		≦0.05	≦0.15	殘部			H 4040	←		
≦0.25	≦0.15		≦0.05	≦0.15	殘部			*			
≦0.25	≦0.15		≦0.05	≦0.15	殘部			B 221	←	←	
≦0.25	≦0.15		≦0.05	≦0.15	殘部			BS EN 573-3☆ BS EN 755-2☆☆		←	←
≦0.25	≦0.15		≦0.05	≦0.15	殘部			DIN EN 573-3☆ DIN EN 755-2☆☆		←	←
≦0.25	≦0.15		≦0.05	≦0.15	殘部			NF EN 573-3☆ NF EN 755-2☆☆		←	←
≦0.25	≦0.15		≦0.05	≦0.15	殘部			209-1☆ 6362-2☆☆		←	←
≦0.25	≦0.15		≦0.05	≦0.15	殘部			D 6763	←		
≦0.25	≦0.15		≦0.05	≦0.15	殘部			H 4040	←		
≦0.25	≦0.15		≦0.05	≦0.15	殘部			*			
≦0.25	≦0.15		≦0.05	≦0.15	殘部			B 221	←	←	
≦0.25	≦0.15		≦0.05	≦0.15	殘部			BS EN 573-3☆ BS EN 755-2☆☆		←	←
≦0.25	≦0.15		≦0.05	≦0.15	殘部			DIN EN 573-3☆ DIN EN 755-2☆☆		←	←
≦0.25	≦0.15		≦0.05	≦0.15	殘部			NF EN 573-3☆ NF EN 755-2☆☆		←	←
≦0.25	≦0.15		≦0.05	≦0.15	殘部			209-1☆ 6362-2☆☆		←	←
≦0.10	≦0.10		≦0.05	≦0.15	殘部			D 6763	←		
≦0.10	≦0.10		≦0.05	≦0.15	殘部			H 4040	←		
≦0.10	≦0.10		≦0.05	≦0.15	殘部			*			
≦0.10	≦0.10		≦0.05	≦0.15	殘部			B 221	←	←	
≦0.10	≦0.10		≦0.05	≦0.15	殘部			BS EN 573-3☆ BS EN 755-2☆☆		←	←
≦0.10	≦0.10		≦0.05	≦0.15	殘部			DIN EN 573-3☆ DIN EN 755-2☆☆		←	←
≦0.10	≦0.10		≦0.05	≦0.15	殘部			NF EN 573-3☆ NF EN 755-2☆☆		←	←
≦0.10	≦0.10		≦0.05	≦0.15	殘部			209-1☆ 6362-2☆☆		←	←
0.4~5.0	≦0.20	V≦0.10 Zr≦0.25	≦0.05	≦0.15	殘部			D 6763	←		
0.4~5.0	≦0.20	V≦0.10 Zr≦0.25	≦0.05	≦0.15	殘部			H 4040	←		

Notes : (1) Individual (2) Total (3) Plate (4) Strip (5) Bar (6) Wire (7) Pipe (8) Shapes

☆ 화학성분만을 규정하고 있는 규격 ☆☆기계적 성질만을 규정하는 규격

알루미늄 및 그 합금의 전신재 Aluminium and aluminum alloys

索引番号 Index No.	規格名 Std.	記号 Designation	化 学 成 分 (%) Chemical composition					
			Si	Fe	Cu	Mn	Mg	Cr
R 059	KS	A 7003 BE	≦0.30	≦0.35	≦0.20	≦0.30	0.50~1.0	≦0.20
	JIS	A 7003 BE	≦0.30	≦0.35	≦0.20	≦0.30	0.50~1.0	≦0.20
	AA							
	ASTM							
	BS							
	DIN							
R 060	KS	A 7075 BE	≦0.40	≦0.50	1.2~2.0	≦0.30	2.1~2.9	0.18~0.28
	JIS	A 7075 BE	≦0.40	≦0.50	1.2~2.0	≦0.30	2.1~2.9	0.18~0.28
	AA	7075	≦0.40	≦0.50	1.2~2.0	≦0.30	2.1~2.9	0.18~0.28
	ASTM	7075	≦0.40	≦0.50	1.2~2.0	≦0.30	2.1~2.9	0.18~0.28
	BS	EN AW-7075	≦0.40	≦0.50	1.2~2.0	≦0.30	2.1~2.9	0.18~0.28
	DIN	EN AW-7075	≦0.40	≦0.50	1.2~2.0	≦0.30	2.1~2.9	0.18~0.28
	NF	EN AW-7075	≦0.40	≦0.50	1.2~2.0	≦0.30	2.1~2.9	0.18~0.28
	ISO	Al-Zn 5.5 MgCu	≦0.40	≦0.50	1.2~2.0	≦0.30	2.1~2.9	0.18~0.28
R 061	KS	JIS 1050 ABE	≦0.25	≦0.40	≦0.05	≦0.05	≦0.05	
	AA							
	ASTM							
	BS	EN AW-1050 A	≦0.25	≦0.40	≦0.05	≦0.05	≦0.05	
	DIN	EN AW-1050 A	≦0.25	≦0.40	≦0.05	≦0.05	≦0.05	
	NF	EN AW-1050 A	≦0.25	≦0.40	≦0.05	≦0.05	≦0.05	
	ISO	Al 99.5	≦0.25	≦0.40	≦0.05	≦0.05	≦0.05	
R 062	KS	JIS 2017 ABE	0.20~0.8	≦0.7	3.5~4.5	0.40~1.0	0.40~1.0	≦0.10
	AA							
	ASTM							
	BS	EN AW-2017 A	0.20~0.8	≦0.7	3.5~4.5	0.40~1.0	0.40~1.0	≦0.10
	DIN	EN AW-2017 A	0.20~0.8	≦0.7	3.5~4.5	0.40~1.0	0.40~1.0	≦0.10
	NF	EN AW-2017 A	0.20~0.8	≦0.7	3.5~4.5	0.40~1.0	0.40~1.0	≦0.10
	ISO	AlCu 4 MgSi(A)	0.20~0.8	≦0.7	3.5~4.5	0.40~1.0	0.40~1.0	≦0.10

Index No. R 059~R 062

化学成分 (%) Chemical composition						形状別規格番号 Std, No. by shapes					
Zn	Ti		others		Al	板([3])	条([4])	棒([5])	線([6])	管([7])	形材([8])
			各([1])	合計([2])							
5.0~6.5	≦0.20	Zr 0.05~0.25	≦0.05	≦0.15	殘部			D 6763			
5.0~6.5	≦0.20	Zr 0.05~0.25	≦0.05	≦0.15	殘部			H 4040			
5.1~6.1	≦0.20	Zr+Ti≦0.25	≦0.05	≦0.15	殘部			D 6763	←		
5.1~6.1	≦0.20	Zr+Ti≦0.25	≦0.05	≦0.15	殘部			H 4040	←		
5.1~6.1	≦0.20	Zr+Ti≦0.25([9])	≦0.05	≦0.15	殘部			*			
5.1~6.1	≦0.20	Zr+Ti≦0.25([9])	≦0.05	≦0.15	殘部			B 221	←	←	
5.1~6.1	≦0.20	Zr+Ti≦0.25([9])	≦0.05	≦0.15	殘部			BS EN 573-3☆ BS EN 755-2☆☆		←	←
5.1~6.1	≦0.20	Zr+Ti≦0.25([9])	≦0.05	≦0.15	殘部			DIN EN 573-3☆ DIN EN 755-2☆☆		←	←
5.1~6.1	≦0.20	Zr+Ti≦0.25([9])	≦0.05	≦0.15	殘部			NF EN 573-3☆ NF EN 755-2☆☆		←	←
5.1~6.1	≦0.20	Zr+Ti≦0.25([9])	≦0.05	≦0.15	殘部			209-1☆ 6362-2☆☆		←	←
≦0.07	≦0.05		≦0.03		≧99.50			H 4040			
≦0.07	≦0.05		≦0.03		≧99.50			BS EN 573-3☆ BS EN 755-2☆☆		←	←
≦0.07	≦0.05		≦0.03		≧99.50			DIN EN 573-3☆ DIN EN 755-2☆☆		←	←
≦0.07	≦0.05		≦0.03		≧99.50			NF EN 573-3☆ NF EN 755-2☆☆		←	←
≦0.07	≦0.05		≦0.03		≧99.50			209-1☆ 6362-2☆☆		←	
≦0.25		Zr+Ti≦0.25	≦0.05	≦0.15	殘部			H 4040			
≦0.25		Zr+Ti≦0.25	≦0.05	≦0.15	殘部			BS EN 573-3☆ BS EN 755-2☆☆		←	←
≦0.25		Zr+Ti≦0.25	≦0.05	≦0.15	殘部			DIN EN 573-3☆ DIN EN 755-2☆☆		←	←
≦0.25		Zr+Ti≦0.25	≦0.05	≦0.15	殘部			NF EN 573-3☆ NF EN 755-2☆☆		←	←
≦0.25		Zr+Ti≦0.25	≦0.05	≦0.15	殘部			209-1☆ 6362-2☆☆		←	←

Notes : ([1]) Individual ([2]) Total ([3]) Plate ([4]) Strip ([5]) Bar ([6]) Wire ([7]) Pipe ([8]) Shapes ([9]) 당사자간의 협정에 따름

☆ 화학성분만을 규정하고 있는 규격 ☆☆기계적 성질만을 규정하는 규격

알루미늄 및 그 합금의 전신재 Aluminium and aluminum alloys

索引番号 Index No.	規格名 Std.	記号 Designation	化学成分 (%) Chemical composition					
			Si	Fe	Cu	Mn	Mg	Cr
R 063	JIS	KA 2014 ABE	0.50~0.9	≦0.50	3.9~5.0	0.40~1.2	0.20~0.8	≦0.10
	AA							
	ASTM							
	BS	EN AW-2014 A	0.50~0.9	≦0.50	3.9~5.0	0.40~1.2	0.20~0.8	≦0.10
	DIN	EN AW-2014 A	0.50~0.9	≦0.50	3.9~5.0	0.40~1.2	0.20~0.8	≦0.10
	NF	EN AW-2014 A	0.50~0.9	≦0.50	3.9~5.0	0.40~1.2	0.20~0.8	≦0.10
	ISO	AlCu 4 SiMg(A)	0.50~0.9	≦0.50	3.9~5.0	0.40~1.2	0.20~0.8	≦0.10
R 064	JIS	KA 2030 BE	≦0.8	≦0.7	3.3~4.5	0.20~1.0	0.50~1.3	≦0.10
	AA							
	ASTM							
	BS	EN AW-2030 A	≦0.8	≦0.7	3.3~4.5	0.20~1.0	0.50~1.3	≦0.10
	DIN	EN AW-2030 A	≦0.8	≦0.7	3.3~4.5	0.20~1.0	0.50~1.3	≦0.10
	NF	EN AW-2030 A	≦0.8	≦0.7	3.3~4.5	0.20~1.0	0.50~1.3	≦0.10
	ISO	AlCu 4 PbMg (A)	≦0.8	≦0.7	3.3~4.5	0.20~1.0	0.50~1.3	≦0.10
R 065	JIS	KA 5454 BE	≦0.25	≦0.40	≦0.10	0.50~1.0	2.4~3.0	0.05~0.20
	AA	5454	≦0.25	≦0.40	≦0.10	0.50~1.0	2.4~3.0	0.05~0.20
	ASTM	5454	≦0.25	≦0.40	≦0.10	0.50~1.0	2.4~3.0	0.05~0.20
	BS	EN AW-5454	≦0.25	≦0.40	≦0.10	0.50~1.0	2.4~3.0	0.05~0.20
	DIN	EN AW-5454	≦0.25	≦0.40	≦0.10	0.50~1.0	2.4~3.0	0.05~0.20
	NF	EN AW-5454	≦0.25	≦0.40	≦0.10	0.50~1.0	2.4~3.0	0.05~0.20
	ISO	AlMg 3 Mn	≦0.25	≦0.40	≦0.10	0.50~1.0	2.4~3.0	0.05~0.20
R 066	JIS	KA 6060 BE	0.30~0.6	0.10~0.30	≦0.10	≦1.0	0.35~0.6	≦0.05
	AA							
	ASTM	6060	0.30~0.6	0.10~0.30	≦0.10	≦1.0	0.35~0.6	≦0.05
	BS	EN AW-6060	0.30~0.6	0.10~0.30	≦0.10	≦1.0	0.35~0.6	≦0.05
	DIN	EN AW-6060	0.30~0.6	0.10~0.30	≦0.10	≦1.0	0.35~0.6	≦0.05
	NF	EN AW-6060	0.30~0.6	0.10~0.30	≦0.10	≦1.0	0.35~0.6	≦0.05
	ISO	AlMgSi	0.30~0.6	0.10~0.30	≦0.10	≦1.0	0.35~0.6	≦0.05

化学成分 (%) Chemical composition						形状別規格番号 Std, No. by shapes					
Zn	Ti		others 各(1)	others 合計(2)	Al	板(3)	条(4)	棒(5)	線(6)	管(7)	形材(8)
≦0.25	≦0.15	Zr+Ti≦0.25 Ni≦0.10	≦0.05	≦0.15	殘部			H 4040			
≦0.25	≦0.15	Zr+Ti≦0.25 Ni≦0.10	≦0.05	≦0.15	殘部			BS EN 573-3☆ BS EN 755-2☆☆		←	←
≦0.25	≦0.15	Zr+Ti≦0.25 Ni≦0.10	≦0.05	≦0.15	殘部			DIN EN 573-3☆ DIN EN 755-2☆☆		←	←
≦0.25	≦0.15	Zr+Ti≦0.25 Ni≦0.10	≦0.05	≦0.15	殘部			NF EN 573-3☆ NF EN 755-2☆☆		←	←
≦0.25	≦0.15	Zr+Ti≦0.25 Ni≦0.10	≦0.05	≦0.15	殘部			209-1☆ 6362-2☆☆			
≦0.50	≦0.20	Pb 0.8~1.5 Bi≦0.20	≦0.10	≦0.30	殘部			H 4040			
≦0.50	≦0.20	Pb 0.8~1.5 Bi≦0.20	≦0.10	≦0.30	殘部			BS EN 573-3☆ BS EN 755-2☆☆		←	←
≦0.50	≦0.20	Pb 0.8~1.5 Bi≦0.20	≦0.10	≦0.30	殘部			DIN EN 573-3☆ DIN EN 755-2☆☆		←	←
≦0.50	≦0.20	Pb 0.8~1.5 Bi≦0.20	≦0.10	≦0.30	殘部			NF EN 573-3☆ NF EN 755-2☆☆		←	←
≦0.50	≦0.20	Pb 0.8~1.5 Bi≦0.20	≦0.10	≦0.30	殘部			209-1☆ 6362-2☆☆		←	←
≦0.25	≦0.20		≦0.05	≦0.15	殘部			H 4040			
≦0.25	≦0.20		≦0.05	≦0.15	殘部			*	←	←	←
≦0.25	≦0.20		≦0.05	≦0.15	殘部			B 221	←	←	←
≦0.25	≦0.20		≦0.05	≦0.15	殘部			BS EN B 573-3☆ BS EN 755-2☆☆	←	←	←
≦0.25	≦0.20		≦0.05	≦0.15	殘部			DIN EN 573-3☆ DIN EN 755-2☆☆		←	←
≦0.25	≦0.20		≦0.05	≦0.15	殘部			NF EN 573-3☆ NF EN 755-2☆☆		←	←
≦0.25	≦0.20		≦0.05	≦0.15	殘部			209-1☆ 6362-2☆☆		←	←
≦0.15	≦0.10		≦0.05	≦0.15	殘部			H 4040			
≦0.15	≦0.10		≦0.05	≦0.15	殘部			B 221		←	←
≦0.15	≦0.10		≦0.05	≦0.15	殘部			BS EN B 573-3☆ BS EN 755-2☆☆		←	←
≦0.15	≦0.10		≦0.05	≦0.15	殘部			DIN EN 573-3☆ DIN EN 755-2☆☆		←	←
≦0.15	≦0.10		≦0.05	≦0.15	殘部			NF EN 573-3☆ NF EN 755-2☆☆		←	←
≦0.15	≦0.10		≦0.05	≦0.15	殘部			209-1☆ 6362-2☆☆		←	←

Notes : (1) Individual (2) Total (3) Plate (4) Strip (5) Bar (6) Wire (7) Pipe (8) Shapes

☆ 화학성분만을 규정하고 있는 규격 ☆☆기계적 성질만을 규정하는 규격

알루미늄 및 그 합금의 전신재 Aluminium and aluminum alloys

索引番号 Index No.	規格名 Std.	記号 Designation	化学成分 (%) Chemical composition					
			Si	Fe	Cu	Mn	Mg	Cr
R 067	JIS	KA 6005 ABE	0.50~0.9	≦0.35	≦0.30	≦0.50	0.40~0.7	≦0.30
	AA							
	ASTM							
	BS	EN AW-6005 A	0.50~0.9	≦0.35	≦0.30	≦0.50	0.40~0.7	≦0.30
	DIN	EN AW-6005 A	0.50~0.9	≦0.35	≦0.30	≦0.50	0.40~0.7	≦0.30
	NF	EN AW-6005 A	0.50~0.9	≦0.35	≦0.30	≦0.50	0.40~0.7	≦0.30
	ISO	AlSiMg (A)	0.50~0.9	≦0.35	≦0.30	≦0.50	0.40~0.7	≦0.30
R 068	JIS	KA 6082 BE	0.7~1.3	≦0.50	≦0.10	0.40~1.0	0.6~1.2	≦0.25
	AA							
	ASTM							
	BS	EN AW-6082	0.7~1.3	≦0.50	≦0.10	0.40~1.0	0.6~1.2	≦0.25
	DIN	EN AW-6082	0.7~1.3	≦0.50	≦0.10	0.40~1.0	0.6~1.2	≦0.25
	NF	EN AW-6082	0.7~1.3	≦0.50	≦0.10	0.40~1.0	0.6~1.2	≦0.25
	ISO	AlSi 1 MgMn	0.7~1.3	≦0.50	≦0.10	0.40~1.0	0.6~1.2	≦0.25
R 069	JIS	AlZn 4 Mg 1.5 Mn	≦0.3	≦0.40	≦0.1	0.2~0.6	1.3~1.8	0.08~0.2
	AA							
	ASTM							
	BS							
	DIN							
	NF							
	ISO	AlZn 4 Mg 1.5 Mn	≦0.3	≦0.40	≦0.1	0.2~0.6	1.3~1.8	0.08~0.2
R 070	JIS	KA 7020 BE	≦0.35	≦0.40	≦0.20	0.05~0.50	1.0~1.4	0.10~0.35
	AA							
	ASTM							
	BS	EN AW-7020	≦0.35	≦0.40	≦0.20	0.05~0.50	1.0~1.4	0.10~0.35
	DIN	EN AW-7020	≦0.35	≦0.40	≦0.20	0.05~0.50	1.0~1.4	0.10~0.35
	NF	EN AW-7020	≦0.35	≦0.40	≦0.20	0.05~0.50	1.0~1.4	0.10~0.35
	ISO	AlZn 4.5 Mg 1	≦0.35	≦0.40	≦0.20	0.05~0.50	1.0~1.4	0.10~0.35

Index No. R 067～R 070

化学成分 (%) Chemical composition						形状別規格番号 Std, No. by shapes					
Zn	Ti		others 各(1)	others 合計(2)	Al	板(3)	条(4)	棒(5)	線(6)	管(7)	形材(8)
≦0.20	≦0.10	Mn+Cr 0.12～0.50	≦0.05	≦0.15	殘部			H 4040			
≦0.20	≦0.10	Mn+Cr 0.12～0.50	≦0.05	≦0.15	殘部			BS EN 573-3☆ BS EN 755-2☆☆		←	←
≦0.20	≦0.10	Mn+Cr 0.12～0.50	≦0.05	≦0.15	殘部			DIN EN 573-3☆ DIN EN 755-2☆☆		←	←
≦0.20	≦0.10	Mn+Cr 0.12～0.50	≦0.05	≦0.15	殘部			NF EN 573-3☆ NF EN 755-2☆☆		←	←
≦0.20	≦0.10	Mn+Cr 0.12～0.50	≦0.05	≦0.15	殘部			209-1☆ 6362-2☆☆		←	←
≦0.20	≦0.10		≦0.05	≦0.15	殘部			H 4040			
≦0.20	≦0.10		≦0.05	≦0.15	殘部			BS EN 573-3☆ BS EN 755-2☆☆		←	←
≦0.20	≦0.10		≦0.05	≦0.15	殘部			DIN EN 573-3☆ DIN EN 755-2☆☆		←	←
≦0.20	≦0.10		≦0.05	≦0.15	殘部			NF EN 573-3☆ NF EN 755-2☆☆		←	←
≦0.20	≦0.10		≦0.05	≦0.15	殘部			209-1☆ 6362-2☆☆		←	←
3.4～4.0	≦0.10	Zr 0.15～0.22	≦0.05	≦0.15	殘部			H 4040			
3.4～4.0	≦0.10	Zr 0.15～0.22	≦0.05	≦0.15	殘部			209-1☆ 6362-2☆☆			←
4.0～5.0		Zr 0.08～0.20 Zr+Ti 0.08～0.25	≦0.05	≦0.15	殘部			H 4040			
4.0～5.0		Zr 0.08～0.20 Zr+Ti 0.08～0.25	≦0.05	≦0.15	殘部			BS EN 573-3☆ BS EN 755-2☆☆		←	←
4.0～5.0		Zr 0.08～0.20 Zr+Ti 0.08～0.25	≦0.05	≦0.15	殘部			DIN EN 573-3☆ DIN EN 755-2☆☆		←	←
4.0～5.0		Zr 0.08～0.20 Zr+Ti 0.08～0.25	≦0.05	≦0.15	殘部			NF EN 573-3☆ NF EN 755-2☆☆		←	←
4.0～5.0		Zr 0.08～0.20 Zr+Ti 0.08～0.25	≦0.05	≦0.15	殘部			209-1☆ 6362-2☆☆		←	←

Notes : (1) Individual (2) Total (3) Plate (4) Strip (5) Bar (6) Wire (7) Pipe (8) Shapes

☆ 화학성분만을 규정하고 있는 규격 ☆☆기계적 성질만을 규정하는 규격

알루미늄 및 그 합금의 전신재 Aluminium and aluminum alloys

索引番号 Index No.	規格名 Std.	記号 Designation	化学成分(%) Chemical composition					
			Si	Fe	Cu	Mn	Mg	Cr
R 071	JIS	KA 7050 BE	≦0.12	≦0.15	2.0~2.6	≦0.10	1.9~2.6	≦0.04
	AA							
	ASTM							
	BS							
	DIN							
	NF							
	ISO	AlZn 6 CuMgZr	≦0.12	≦0.15	2.0~2.6	≦0.10	1.9~2.6	≦0.04
R 072	JIS	AlZn 6 CuMgMnBE	≦0.5	≦0.5	1.4~2.0	0.2~0.6	1.8~2.8	0.1~0.25
	AA							
	ASTM							
	BS							
	DIN							
	NF							
	ISO	AlZn 6 MgCuMn	≦0.5	≦0.5	1.4~2.0	0.2~0.6	1.8~2.8	0.1~0.25
R 073	KS	A 1070 BD	≦0.20	≦0.25	≦0.04	≦0.03	≦0.03	
	JIS	A 1070 BD	≦0.20	≦0.25	≦0.04	≦0.03	≦0.03	
	KS	A 1070 W	≦0.20	≦0.25	≦0.04	≦0.03	≦0.03	
	JIS	A 1070 W	≦0.20	≦0.25	≦0.04	≦0.03	≦0.03	
	AA							
	ASTM							
	BS							
	DIN							
R 074	KS	A 1050 BD	≦0.25	≦0.40	≦0.05	≦0.05	≦0.05	
	JIS	A 1050 BD	≦0.25	≦0.40	≦0.05	≦0.05	≦0.05	
	KS	A 1050 W	≦0.25	≦0.40	≦0.05	≦0.05	≦0.05	
	JIS	A 1050 W	≦0.25	≦0.40	≦0.05	≦0.05	≦0.05	
	AA							
	ASTM							
	BS							
	DIN							
	NF							

Index No. R 071~R 074

化学成分 (%) Chemical composition						形状別規格番号 Std, No. by shapes					
Zn	Ti		others 各([1])	others 合計([2])	Al	板([3])	条([4])	棒([5])	線([6])	管([7])	形材([8])
5.7~6.7	≦0.06	Zr 0.08~0.15	≦0.05	≦0.15	殘部			H 4040			
5.7~6.7	≦0.06	Zr 0.08~0.15	≦0.05	≦0.15	殘部			209-1☆ 6362-2☆☆		←	
5.0~7.0	≦0.05	Ni≦0.1	≦0.05	≦0.1	殘部			H 4040			
5.0~7.0	≦0.05	Ni≦0.1	≦0.05	≦0.1	殘部			209-1☆ 6362-2☆☆		←	←
≦0.04	≦0.03		≦0.03		≧99.70			D 6763	←		
≦0.04	≦0.03		≦0.03		≧99.70			H 4040	←		
≦0.04	≦0.03		≦0.03		≧99.70			D 6763	←		
≦0.04	≦0.03		≦0.03		≧99.70			H 4040	←		
≦0.05	≦0.03		≦0.03		≧99.50			D 6763	←		
≦0.05	≦0.03		≦0.03		≧99.50			H 4040	←		
≦0.05	≦0.03		≦0.03		≧99.50			D 6763	←		
≦0.05	≦0.03		≦0.03		≧99.50			H 4040	←		

Notes : ([1]) Individual ([2]) Total ([3]) Plate ([4]) Strip ([5]) Bar ([6]) Wire ([7]) Pipe ([8]) Shapes

☆ 화학성분만을 규정하고 있는 규격 ☆☆기계적 성질만을 규정하는 규격

알루미늄 및 그 합금의 전신재 Aluminium and aluminum alloys

索引番号 Index No.	規格名 Std.	記号 Designation	化学成分(%) Chemical composition					
			Si	Fe	Cu	Mn	Mg	Cr
R 075	KS	A 1100 BD			0.05~0.20	≦0.05		
	JIS	A 1100 BD			0.05~0.20	≦0.05		
	KS	A 1100 W			0.05~0.20	≦0.05		
	JIS	A 1100 W			0.05~0.20	≦0.05		
	AA	1100			0.05~0.20	≦0.05		
	ASTM	1100			0.05~0.20	≦0.05		
	BS							
	DIN							
	ISO	Al 99.0 Cu			0.05~0.20	≦0.05		
R 076	KS	A 1200 BD			≦0.05	≦0.05		
	JIS	A 1200 BD			≦0.05	≦0.05		
	KS	A 1200 W			≦0.05	≦0.05		
	JIS	A 1200 W			≦0.05	≦0.05		
	AA							
	ASTM							
	BS	EN AW-1200			≦0.05	≦0.05		
	DIN	EN AW-1200			≦0.05	≦0.05		
	NF	EN AW-1200			≦0.05	≦0.05		
	ISO	Al 99.0			≦0.05	≦0.05		
R 077	KS	A 2011 BD	≦0.40	≦0.7	5.0~6.0			
	JIS	A 2011 BD	≦0.40	≦0.7	5.0~6.0			
	KS	A 2011 W	≦0.40	≦0.7	5.0~6.0			
	JIS	A 2011 W	≦0.40	≦0.7	5.0~6.0			
	AA	2011	≦0.40	≦0.7	5.0~6.0			
	ASTM	2011	≦0.40	≦0.7	5.0~6.0			
	BS	EN AW-2011	≦0.40	≦0.7	5.0~6.0			
	DIN	EN AW-2011	≦0.40	≦0.7	5.0~6.0			
	NF	EN AW-2011	≦0.40	≦0.7	5.0~6.0			
	ISO	AlCu 6 BiPb	≦0.40	≦0.7	5.0~6.0			

化学成分 (%) Chemical composition						形状別規格番号 Std, No. by shapes					
Zn	Ti		others 各([1])	others 合計([2])	Al	板([3])	条([4])	棒([5])	線([6])	管([7])	形材([8])
≦0.10		Si+Fe≦0.95	≦0.05	≦0.15	≧99.00			D 6763	←		
≦0.10		Si+Fe≦0.95	≦0.05	≦0.15	≧99.00			H 4040	←		
≦0.10		Si+Fe≦0.95	≦0.05	≦0.15	≧99.00			D 6763	←		
≦0.10		Si+Fe≦0.95	≦0.05	≦0.15	≧99.00			H 4040	←		
≦0.10		Si+Fe≦0.95	≦0.05	≦0.15	≧99.00			*	←		
≦0.10		Si+Fe≦0.95	≦0.05	≦0.15	≧99.00			B 211	←		
≦0.10		Si+Fe≦0.95	≦0.05	≦0.15	≧99.0			209-1☆ 6363-2☆☆		←	
≦0.10	≦0.05	Si+Fe≦1.00	≦0.05	≦0.15	≧99.00			D 6763	←		
≦0.10	≦0.05	Si+Fe≦1.00	≦0.05	≦0.15	≧99.00			H 4040	←		
≦0.10	≦0.05	Si+Fe≦1.00	≦0.05	≦0.15	≧99.00			D 6763	←		
≦0.10	≦0.05	Si+Fe≦1.00	≦0.05	≦0.15	≧99.00			H 4040	←		
≦0.10	≦0.05	Si+Fe≦1.00	≦0.05	≦0.15	≧99.00			BS EN 573-3☆ BS EN 755-2☆☆		←	
≦0.10	≦0.05	Si+Fe≦1.00	≦0.05	≦0.15	≧99.00			DIN EN 573-3☆ DIN EN 755-2☆☆		←	
≦0.10	≦0.05	Si+Fe≦1.00	≦0.05	≦0.15	≧99.00			NF EN 573-3☆ NF EN 755-2☆☆		←	
≦0.10	≦0.05	Si+Fe≦1.00	≦0.05	≦0.15	≧99.00			209-1☆ 6363-2☆☆		←	
≦0.30		Bi 0.20~0.6 Pb 0.20~0.6	≦0.05	≦0.15	殘部			D 6763	←		
≦0.30		Bi 0.20~0.6 Pb 0.20~0.6	≦0.05	≦0.15	殘部			H 4040	←		
≦0.30		Bi 0.20~0.6 Pb 0.20~0.6	≦0.05	≦0.15	殘部			D 6763	←		
≦0.30		Bi 0.20~0.6 Pb 0.20~0.6	≦0.05	≦0.15	殘部			H 4040	←		
≦0.30		Bi 0.20~0.6 Pb 0.20~0.6	≦0.05	≦0.15	殘部			*	←		
≦0.30		Bi 0.20~0.6 Pb 0.20~0.6	≦0.05	≦0.15	殘部			B 211	←		
≦0.30		Bi 0.20~0.6 Pb 0.20~0.6	≦0.05	≦0.15	殘部			BS EN 573-3☆ BS EN 754-2☆☆		←	
≦0.30		Bi 0.20~0.6 Pb 0.20~0.6	≦0.05	≦0.15	殘部			DIN EN 573-3☆ DIN EN 754-2☆☆		←	
≦0.30		Bi 0.20~0.6 Pb 0.20~0.6	≦0.05	≦0.15	殘部			NF EN 573-3☆ NF EN 754-2☆☆		←	
≦0.30		Bi 0.20~0.6 Pb 0.20~0.6	≦0.05	≦0.15	殘部			209-1☆ 6363-2☆☆		←	

Notes : ([1]) Individual ([2]) Total ([3]) Plate ([4]) Strip ([5]) Bar ([6]) Wire ([7]) Pipe ([8]) Shapes

☆ 화학성분만을 규정하고 있는 규격 ☆☆기계적 성질만을 규정하는 규격

알루미늄 및 그 합금의 전신재 Aluminium and aluminum alloys

索引番号 Index No.	規格名 Std.	記号 Designation	化学成分 (%) Chemical composition					
			Si	Fe	Cu	Mn	Mg	Cr
R 078	KS	A 2014 BD	0.50~1.2	≦0.7	3.9~5.0	0.40~1.2	0.20~0.8	≦0.10
	JIS	A 2014 BD	0.50~1.2	≦0.7	3.9~5.0	0.40~1.2	0.20~0.8	≦0.10
	AA	2014	0.50~1.2	≦0.7	3.9~5.0	0.40~1.2	0.20~0.8	≦0.10
	ASTM	2014	0.50~1.2	≦0.7	3.9~5.0	0.40~1.2	0.20~0.8	≦0.10
	BS	EN AW-2014	0.50~1.2	≦0.7	3.9~5.0	0.40~1.2	0.20~0.8	≦0.10
	DIN	EN AW-2014	0.50~1.2	≦0.7	3.9~5.0	0.40~1.2	0.20~0.8	≦0.10
	NF	EN AW-2014	0.50~1.2	≦0.7	3.9~5.0	0.40~1.2	0.20~0.8	≦0.10
	ISO	AlCu 4 SiMg	0.50~1.2	≦0.7	3.9~5.0	0.40~1.2	0.20~0.8	≦0.10
R 079	KS	A 2017 BD	0.20~0.8	≦0.7	3.5~4.5	0.40~1.0	0.40~0.8	≦0.10
	JIS	A 2017 BD	0.20~0.8	≦0.7	3.5~4.5	0.40~1.0	0.40~0.8	≦0.10
	KS	A 2017 W	0.20~0.8	≦0.7	3.5~4.5	0.40~1.0	0.40~0.8	≦0.10
	JIS	A 2017 W	0.20~0.8	≦0.7	3.5~4.5	0.40~1.0	0.40~0.8	≦0.10
	AA	2017	0.20~0.8	≦0.7	3.5~4.5	0.40~1.0	0.40~0.8	≦0.10
	ASTM	2017	0.20~0.8	≦0.7	3.5~4.5	0.40~1.0	0.40~0.8	≦0.10
	DIN							
	BS							
	NF							
R 080	KS	A 2117 W	≦0.8	≦0.7	2.2~3.0	≦0.20	0.20~0.50	≦0.10
	JIS	A 2117 W	≦0.8	≦0.7	2.2~3.0	≦0.20	0.20~0.50	≦0.10
	AA	2117	≦0.8	≦0.7	2.2~3.0	≦0.20	0.20~0.50	≦0.10
	ASTM	2117	≦0.8	≦0.7	2.2~3.0	≦0.20	0.20~0.50	≦0.10
	BS							
	DIN							
R 081	KS	A 2024 BD	≦0.50	≦0.50	3.8~4.9	0.30~0.9	1.2~1.8	≦0.10
	JIS	A 2024 BD	≦0.50	≦0.50	3.8~4.9	0.30~0.9	1.2~1.8	≦0.10
	KS	A 2024 W	≦0.50	≦0.50	3.8~4.9	0.30~0.9	1.2~1.8	≦0.10
	JIS	A 2024 W	≦0.50	≦0.50	3.8~4.9	0.30~0.9	1.2~1.8	≦0.10
	AA	2024	≦0.50	≦0.50	3.8~4.9	0.30~0.9	1.2~1.8	≦0.10
	ASTM	2024	≦0.50	≦0.50	3.8~4.9	0.30~0.9	1.2~1.8	≦0.10
	BS	EN AW-2024	≦0.50	≦0.50	3.8~4.9	0.30~0.9	1.2~1.8	≦0.10
	DIN	EN AW-2024	≦0.50	≦0.50	3.8~4.9	0.30~0.9	1.2~1.8	≦0.10

Index No. R 078~R 081

化学成分 (%) Chemical composition						形状別規格番号 Std, No. by shapes					
Zn	Ti		others 各(1)	others 合計(2)	Al	板(3)	条(4)	棒(5)	線(6)	管(7)	形材(8)
≦0.25	≦0.15	Zr+Ti≦0.20	≦0.05	≦0.15	殘部			D 6763			
≦0.25	≦0.15	Zr+Ti≦0.20	≦0.05	≦0.15	殘部			H 4040			
≦0.25	≦0.15		≦0.05	≦0.15	殘部			*	←		
≦0.25	≦0.15		≦0.05	≦0.15	殘部			B 211	←		
≦0.25	≦0.15	Zr+Ti≦0.20(9)	≦0.05	≦0.15	殘部			BS EN 573-3☆ BS EN 754-2☆☆		←	
≦0.25	≦0.15	Zr+Ti≦0.20(9)	≦0.05	≦0.15	殘部			DIN EN 573-3☆ DIN EN 754-2☆☆		←	
≦0.25	≦0.15	Zr+Ti≦0.20(9)	≦0.05	≦0.15	殘部			NF EN 573-3☆ NF EN 754-2☆☆		←	
≦0.25	≦0.15	Zr+Ti≦0.20(9)	≦0.05	≦0.15	殘部			209-1☆ 6363-2☆☆		←	
≦0.25	≦0.15	Zr+Ti≦0.20	≦0.05	≦0.15	殘部			D 6763	←		
≦0.25	≦0.15	Zr+Ti≦0.20	≦0.05	≦0.15	殘部			H 4040	←		
≦0.25	≦0.15	Zr+Ti≦0.20	≦0.05	≦0.15	殘部			D 6763	←		
≦0.25	≦0.15	Zr+Ti≦0.20	≦0.05	≦0.15	殘部			H 4040	←		
≦0.25	≦0.15		≦0.05	≦0.15	殘部			*	←		
≦0.25	≦0.15		≦0.05	≦0.15	殘部			B 211	←		
≦0.25			≦0.05	≦0.15	殘部			D 6763	←		
≦0.25			≦0.05	≦0.15	殘部			H 4040	←		
≦0.25			≦0.05	≦0.15	殘部			*	←		
≦0.25			≦0.05	≦0.15	殘部			B 316	←		
≦0.25	≦0.15	Zr+Ti≦0.20	≦0.05	≦0.15	殘部			D 6763	←		
≦0.25	≦0.15	Zr+Ti≦0.20	≦0.05	≦0.15	殘部			H 4040	←		
≦0.25	≦0.15	Zr+Ti≦0.20	≦0.05	≦0.15	殘部			D 6763	←		
≦0.25	≦0.15	Zr+Ti≦0.20	≦0.05	≦0.15	殘部			H 4040	←		
≦0.25	≦0.15		≦0.05	≦0.15	殘部			*	←		
≦0.25	≦0.15		≦0.05	≦0.15	殘部			B 211	←		
≦0.25	≦0.15	Zr+Ti≦0.20(9)	≦0.05	≦0.15	殘部			BS EN 573-3☆ BS EN 754-2☆☆		←	
≦0.25	≦0.15	Zr+Ti≦0.20(9)	≦0.05	≦0.15	殘部			DIN EN 573-3☆ DIN EN 754-2☆☆		←	

Notes : (1) Individual (2) Total (3) Plate (4) Strip (5) Bar (6) Wire (7) Pipe (8) Shapes (9) 당사자간의 협정에 따름
☆ 화학성분만을 규정하고 있는 규격 ☆☆기계적 성질만을 규정하는 규격

알루미늄 및 그 합금의 전신재 Aluminium and aluminum alloys

索引番号 Index No.	規格名 Std.	記号 Designation	化学成分 (%) Chemical composition					
			Si	Fe	Cu	Mn	Mg	Cr
R 081(계속)	NF	EN AW-2024	≦0.50	≦0.50	3.8~4.9	0.30~0.9	1.2~1.8	≦0.10
	ISO	AlCu 4 Mg 1	≦0.50	≦0.50	3.8~4.9	0.30~0.9	1.2~1.8	≦0.10
R 082	KS	A 3003 BD	≦0.6	≦0.7	0.05~0.20	1.0~1.5		
	JIS	A 3003 BD	≦0.6	≦0.7	0.05~0.20	1.0~1.5		
	KS	A 3003 W	≦0.6	≦0.7	0.05~0.20	1.0~1.5		
	JIS	A 3003 W	≦0.6	≦0.7	0.05~0.20	1.0~1.5		
	AA	3003	≦0.6	≦0.7	0.05~0.20	1.0~1.5		
	ASTM	3003	≦0.6	≦0.7	0.05~0.20	1.0~1.5		
	BS	EN AW-3003	≦0.6	≦0.7	0.05~0.20	1.0~1.5		
	DIN	EN AW-3003	≦0.6	≦0.7	0.05~0.20	1.0~1.5		
	NF	EN AW-3003	≦0.6	≦0.7	0.05~0.20	1.0~1.5		
	ISO	AlMn 1 Cu	≦0.6	≦0.7	0.05~0.20	1.0~1.5		
R 083	KS	A 5052 BD	≦0.25	≦0.40	≦0.10	≦0.10	2.2~2.8	0.15~0.35
	JIS	A 5052 BD	≦0.25	≦0.40	≦0.10	≦0.10	2.2~2.8	0.15~0.35
	KS	A 5052 W	≦0.25	≦0.40	≦0.10	≦0.10	2.2~2.8	0.15~0.35
	JIS	A 5052 W	≦0.25	≦0.40	≦0.10	≦0.10	2.2~2.8	0.15~0.35
	AA	5052	≦0.25	≦0.40	≦0.10	≦0.10	2.2~2.8	0.15~0.35
	ASTM	5052	≦0.25	≦0.40	≦0.10	≦0.10	2.2~2.8	0.15~0.35
	BS	EN AW-5052	≦0.25	≦0.40	≦0.10	≦0.10	2.2~2.8	0.15~0.35
	DIN	EN AW-5052	≦0.25	≦0.40	≦0.10	≦0.10	2.2~2.8	0.15~0.35
	NF	EN AW-5052	≦0.25	≦0.40	≦0.10	≦0.10	2.2~2.8	0.15~0.35
	ISO	AlMg 2.5	≦0.25	≦0.40	≦0.10	≦0.10	2.2~2.8	0.15~0.35
R 084	KS	A 5 N 02 BD	≦0.40	≦0.40	≦0.10	0.30~1.0	3.0~4.0	≦0.50
	JIS	A 5 N 02 BD	≦0.40	≦0.40	≦0.10	0.30~1.0	3.0~4.0	≦0.50
	KS	A 5 N 02 W	≦0.40	≦0.40	≦0.10	0.30~1.0	3.0~4.0	≦0.50
	JIS	A 5 N 02 W	≦0.40	≦0.40	≦0.10	0.30~1.0	3.0~4.0	≦0.50
	AA							
	ASTM							
	BS							
	NF							

Index No. R 081~R 084

化学成分 (%) Chemical composition						形状別規格番号 Std, No. by shapes					
Zn	Ti		others 各(1)	others 合計(2)	Al	板(3)	条(4)	棒(5)	線(6)	管(7)	形材(8)
≦0.25	≦0.15	Zr+Ti≦0.20(9)	≦0.05	≦0.15	殘部			NF EN 573-3☆ NF EN 754-2☆☆		←	
≦0.25	≦0.15	Zr+Ti≦0.20(9)	≦0.05	≦0.15	殘部			209-1☆ 6363-2☆☆		←	
≦0.10			≦0.05	≦0.15	殘部			D 6763	←		
≦0.10			≦0.05	≦0.15	殘部			H 4040	←		
≦0.10			≦0.05	≦0.15	殘部			D 6763	←		
≦0.10			≦0.05	≦0.15	殘部			H 4040	←		
≦0.10			≦0.05	≦0.15	殘部			*	←		
≦0.10			≦0.05	≦0.15	殘部			B 211	←		
≦0.10			≦0.05	≦0.15	殘部			BS EN 573-3☆ BS EN 755-2☆☆		←	
≦0.10			≦0.05	≦0.15	殘部			DIN EN 573-3☆ DIN EN 754-2☆☆		←	
≦0.10			≦0.05	≦0.15	殘部			NF EN 573-3☆ NF EN 754-2☆☆		←	
≦0.10			≦0.05	≦0.15	殘部			209-1☆ 6363-2☆☆		←	
≦0.10			≦0.05	≦0.15	殘部			D 6763	←		
≦0.10			≦0.05	≦0.15	殘部			H 4040	←		
≦0.10			≦0.05	≦0.15	殘部			D 6763	←		
≦0.10			≦0.05	≦0.15	殘部			H 4040	←		
≦0.10			≦0.05	≦0.15	殘部			*	←		
≦0.10			≦0.05	≦0.15	殘部			B 211 B 316	←		
≦0.10			≦0.05	≦0.15	殘部			BS EN 573-3☆ BS EN 754-2☆☆		←	
≦0.10			≦0.05	≦0.15	殘部			DIN EN 573-3☆ DIN EN 754-2☆☆		←	
≦0.10			≦0.05	≦0.15	殘部			NF EN 573-3☆ NF EN 754-2☆☆		←	
≦0.10			≦0.05	≦0.15	殘部			209-1☆ 6363-2☆☆		←	
≦0.10	≦0.20		≦0.05	≦0.15	殘部			D 6763	←		
≦0.10	≦0.20		≦0.05	≦0.15	殘部			H 4040	←		
≦0.10	≦0.20		≦0.05	≦0.15	殘部			D 6763	←		
≦0.10	≦0.20		≦0.05	≦0.15	殘部			H 4040	←		

Notes : (1) Individual (2) Total (3) Plate (4) Strip (5) Bar (6) Wire (7) Pipe (8) Shapes (9) 당사자간의 협정에 따름
☆ 화학성분만을 규정하고 있는 규격 ☆☆기계적 성질만을 규정하는 규격

알루미늄 및 그 합금의 전신재 Aluminium and aluminum alloys

索引番号 Index No.	規格名 Std.	記号 Designation	化学成分 (%) Chemical composition					
			Si	Fe	Cu	Mn	Mg	Cr
R 085	KS	A 5056 BD	≦0.30	≦0.40	≦0.10	0.05~0.20	4.5~5.6	0.05~0.20
	JIS	A 5056 BD	≦0.30	≦0.40	≦0.10	0.05~0.20	4.5~5.6	0.05~0.20
	KS	A 5056 W	≦0.30	≦0.40	≦0.10	0.05~0.20	4.5~5.6	0.05~0.20
	JIS	A 5056 W	≦0.30	≦0.40	≦0.10	0.05~0.20	4.5~5.6	0.05~0.20
	AA	5056	≦0.30	≦0.40	≦0.10	0.05~0.20	4.5~5.6	0.05~0.20
	ASTM	5056	≦0.30	≦0.40	≦0.10	0.05~0.20	4.5~5.6	0.05~0.20
	BS							
	DIN							
	ISO	AlMg 5 Cr	≦0.30	≦0.40	≦0.10	0.05~0.20	4.5~5.6	0.05~0.20
R 086	KS	A 5083 BD	≦0.40	≦0.40	≦0.10	0.40~1.0	4.0~4.9	0.05~0.25
	JIS	A 5083 BD	≦0.40	≦0.40	≦0.10	0.40~1.0	4.0~4.9	0.05~0.25
	KS	A 5083 W	≦0.40	≦0.40	≦0.10	0.40~1.0	4.0~4.9	0.05~0.25
	JIS	A 5083 W	≦0.40	≦0.40	≦0.10	0.40~1.0	4.0~4.9	0.05~0.25
	AA							
	ASTM							
	BS	EN AW-5083	≦0.40	≦0.40	≦0.10	0.40~1.0	4.0~4.9	0.05~0.25
	DIN	EN AW-5083	≦0.40	≦0.40	≦0.10	0.40~1.0	4.0~4.9	0.05~0.25
	NF	EN AW-5083	≦0.40	≦0.40	≦0.10	0.40~1.0	4.0~4.9	0.05~0.25
	ISO	AlMg 4.5 Mn 0.7	≦0.40	≦0.40	≦0.10	0.40~1.0	4.0~4.9	0.05~0.25
R 087	KS	A 6061 BD	0.40~0.8	≦0.7	0.15~0.40	≦0.15	0.8~1.2	0.04~0.35
	JIS	A 6061 BD	0.40~0.8	≦0.7	0.15~0.40	≦0.15	0.8~1.2	0.04~0.35
	KS	A 6061 W	0.40~0.8	≦0.7	0.15~0.40	≦0.15	0.8~1.2	0.04~0.35
	JIS	A 6061 W	0.40~0.8	≦0.7	0.15~0.40	≦0.15	0.8~1.2	0.04~0.35
	AA	6061	0.40~0.8	≦0.7	0.15~0.40	≦0.15	0.8~1.2	0.04~0.35
	ASTM	6061	0.40~0.8	≦0.7	0.15~0.40	≦0.15	0.8~1.2	0.04~0.35
	BS	EN AW-6061	0.40~0.8	≦0.7	0.15~0.40	≦0.15	0.8~1.2	0.04~0.35
	DIN	EN AW-6061	0.40~0.8	≦0.7	0.15~0.40	≦0.15	0.8~1.2	0.04~0.35
	NF	EN AW-6061	0.40~0.8	≦0.7	0.15~0.40	≦0.15	0.8~1.2	0.04~0.35
	ISO	AlMg 1 SiCu	0.40~0.8	≦0.7	0.15~0.40	≦0.15	0.8~1.2	0.04~0.35

Index No. R 085~R 087

化学成分(%) Chemical composition						形状別規格番号 Std, No. by shapes					
Zn	Ti		others 各(1)	others 合計(2)	Al	板(3)	条(4)	棒(5)	線(6)	管(7)	形材(8)
≦0.10			≦0.05	≦0.15	殘部			D 6763	←		
≦0.10			≦0.05	≦0.15	殘部			H 4040	←		
≦0.10			≦0.05	≦0.15	殘部			D 6763	←		
≦0.10			≦0.05	≦0.15	殘部			H 4040	←		
≦0.10			≦0.05	≦0.15	殘部			*	←		
≦0.10			≦0.05	≦0.15	殘部			B 211	←		
≦0.10			≦0.05	≦0.15	殘部			209-1☆ 6363-2☆☆	←		
≦0.25	≦0.15		≦0.05	≦0.15	殘部			D 6763	←		
≦0.25	≦0.15		≦0.05	≦0.15	殘部			H 4040	←		
≦0.25	≦0.15		≦0.05	≦0.15	殘部			D 6763	←		
≦0.25	≦0.15		≦0.05	≦0.15	殘部			H 4040	←		
≦0.25	≦0.15		≦0.05	≦0.15	殘部			BS EN 573-3☆ BS EN 754-2☆☆		←	
≦0.25	≦0.15		≦0.05	≦0.15	殘部			DIN EN 573-3☆ DIN EN 754-2☆☆		←	
≦0.25	≦0.15		≦0.05	≦0.15	殘部			NF EN 573-3☆ NF EN 754-2☆☆		←	
≦0.25	≦0.15		≦0.05	≦0.15	殘部			209-1☆ 6363-2☆☆		←	
≦0.25	≦0.15		≦0.05	≦0.15	殘部			D 6763	←		
≦0.25	≦0.15		≦0.05	≦0.15	殘部			H 4040	←		
≦0.25	≦0.15		≦0.05	≦0.15	殘部			D 6763	←		
≦0.25	≦0.15		≦0.05	≦0.15	殘部			H 4040	←		
≦0.25	≦0.15		≦0.05	≦0.15	殘部			*	←		
≦0.25	≦0.15		≦0.05	≦0.15	殘部			B 211 B 316	←		
≦0.25	≦0.15		≦0.05	≦0.15	殘部			BS EN 573-3☆ BS EN 754-2☆☆		←	
≦0.25	≦0.15		≦0.05	≦0.15	殘部			DIN EN 573-3☆ DIN EN 754-2☆☆		←	
≦0.25	≦0.15		≦0.05	≦0.15	殘部			NF EN 573-3☆ NF EN 754-2☆☆		←	
≦0.25	≦0.15		≦0.05	≦0.15	殘部			209-1☆ 6363-2☆☆		←	

Notes : (1) Individual (2) Total (3) Plate (4) Strip (5) Bar (6) Wire (7) Pipe (8) Shapes
☆ 화학성분만을 규정하고 있는 규격 ☆☆기계적 성질만을 규정하는 규격

알루미늄 및 그 합금의 전신재 Aluminium and aluminum alloys

索引番号 Index No.	規格名 Std.	記号 Designation	化学成分 (%) Chemical composition Si	Fe	Cu	Mn	Mg	Cr
R 088	KS	A 7075 BD	≦0.40	≦0.50	1.2~2.0	≦0.30	2.1~2.9	0.18~0.28
	JIS	A 7075 BD	≦0.40	≦0.50	1.2~2.0	≦0.30	2.1~2.9	0.18~0.28
	AA	7075	≦0.40	≦0.50	1.2~2.0	≦0.30	2.1~2.9	0.18~0.28
	ASTM	7075	≦0.40	≦0.50	1.2~2.0	≦0.30	2.1~2.9	0.18~0.28
	BS	EN AW-7075	≦0.40	≦0.50	1.2~2.0	≦0.30	2.1~2.9	0.18~0.28
	DIN	EN AW-7075	≦0.40	≦0.50	1.2~2.0	≦0.30	2.1~2.9	0.18~0.28
	NF	EN AW-7075	≦0.40	≦0.50	1.2~2.0	≦0.30	2.1~2.9	0.18~0.28
	ISO	AlZn 5.5 MgCu	≦0.40	≦0.50	1.2~2.0	≦0.30	2.1~2.9	0.18~0.28
R 089	JIS	KA 1050 ABD	≦0.25	≦0.40	≦0.05	≦0.05	≦0.05	
	AA							
	ASTM							
	BS	EN AW-1050 A	≦0.25	≦0.40	≦0.05	≦0.05	≦0.05	
	DIN	EN AW-1050 A	≦0.25	≦0.40	≦0.05	≦0.05	≦0.05	
	NF	EN AW-1050 A	≦0.25	≦0.40	≦0.05	≦0.05	≦0.05	
	ISO	Al 99.5	≦0.25	≦0.40	≦0.05	≦0.05	≦0.05	
R 090	JIS	KA 2017 ABD	0.20~0.8	≦0.7	3.5~4.5	0.40~1.0	0.40~1.0	≦0.10
	AA							
	ASTM							
	BS	EN AW-2017 A	0.20~0.8	≦0.7	3.5~4.5	0.40~1.0	0.40~1.0	≦0.10
	DIN	EN AW-2017 A	0.20~0.8	≦0.7	3.5~4.5	0.40~1.0	0.40~1.0	≦0.10
	NF	EN AW-2017 A	0.20~0.8	≦0.7	3.5~4.5	0.40~1.0	0.40~1.0	≦0.10
	ISO	AlCu 4 MgSi(A)	0.20~0.8	≦0.7	3.5~4.5	0.40~1.0	0.40~1.0	≦0.10
R 091	JIS	KA 2014 ABD	0.50~0.9	≦0.50	3.9~5.0	0.40~1.2	0.20~0.8	≦0.10
	AA							
	ASTM							
	BS	EN AW-2014 A	0.50~0.9	≦0.50	3.9~5.0	0.40~1.2	0.20~0.8	≦0.10
	DIN	EN AW-2014 A	0.50~0.9	≦0.50	3.9~5.0	0.40~1.2	0.20~0.8	≦0.10
	NF	EN AW-2014 A	0.50~0.9	≦0.50	3.9~5.0	0.40~1.2	0.20~0.8	≦0.10
	ISO	AlCu 4 SiMgA	0.50~0.9	≦0.50	3.9~5.0	0.40~1.2	0.20~0.8	≦0.10

Index No. R 088~R 091

化学成分 (%) Chemical composition						形状別規格番号 Std, No. by shapes					
Zn	Ti		others 各(1)	others 合計(2)	Al	板(3)	条(4)	棒(5)	線(6)	管(7)	形材(8)
5.1~6.1	≦0.20	Zr+Ti≦0.25	≦0.05	≦0.15	殘部			D 6763	←		
5.1~6.1	≦0.20	Zr+Ti≦0.25	≦0.05	≦0.15	殘部			H 4040	←		
5.1~6.1	≦0.20		≦0.05	≦0.15	殘部			*	←		
5.1~6.1	≦0.20		≦0.05	≦0.15	殘部			B 211	←		
5.1~6.1	≦0.20	Zr+Ti≦0.25(9)	≦0.05	≦0.15	殘部			BS EN 573-3☆ BS EN 754-2☆☆		←	
5.1~6.1	≦0.20	Zr+Ti≦0.25(9)	≦0.05	≦0.15	殘部			DIN EN 573-3☆ DIN EN 754-2☆☆		←	
5.1~6.1	≦0.20	Zr+Ti≦0.25(9)	≦0.05	≦0.15	殘部			NF EN 573-3☆ NF EN 754-2☆☆		←	
5.1~6.1	≦0.20	Zr+Ti≦0.25(9)	≦0.05	≦0.15	殘部			209-1☆ 6363-2☆☆		←	
≦0.07	≦0.05		≦003		≧99.50			H 4040			
≦0.07	≦0.05		≦003		≧99.50			BS EN 573-3☆ BS EN 754-2☆☆		←	
≦0.07	≦0.05		≦003		≧99.50			DIN EN 573-3☆ DIN EN 754-2☆☆		←	
≦0.07	≦0.05		≦003		≧99.50			NF EN 573-3☆ NF EN 754-2☆☆		←	
≦0.07	≦0.05		≦003		≧99.50			209-1☆ 6363-2☆☆		←	
≦0.25		Zr+Ti≦0.25	≦0.05	≦0.15	殘部			H 4040			
≦0.25		Zr+Ti≦0.25	≦0.05	≦0.15	殘部			BS EN 573-3☆ BS EN 754-2☆☆		←	
≦0.25		Zr+Ti≦0.25	≦0.05	≦0.15	殘部			DIN EN 573-3☆ DIN EN 754-2☆☆		←	
≦0.25		Zr+Ti≦0.25	≦0.05	≦0.15	殘部			NF EN 573-3☆ NF EN 754-2☆☆		←	
≦0.25		Zr+Ti≦0.25	≦0.05	≦0.15	殘部			209-1☆ 6363-2☆☆		←	
≦0.25	≦0.15	Zr+Ti≦0.25 Ni≦0.10	≦0.05	≦0.15	殘部			H 4040			
≦0.25	≦0.15	Zr+Ti≦0.25 Ni≦0.10	≦0.05	≦0.15	殘部			BS EN 573-3☆ BS EN 754-2☆☆		←	
≦0.25	≦0.15	Zr+Ti≦0.25 Ni≦0.10	≦0.05	≦0.15	殘部			DIN EN 573-3☆ DIN EN 754-2☆☆		←	
≦0.25	≦0.15	Zr+Ti≦0.25 Ni≦0.10	≦0.05	≦0.15	殘部			NF EN 573-3☆ NF EN 754-2☆☆		←	
≦0.25	≦0.15	Zr+Ti≦0.25 Ni≦0.10	≦0.05	≦0.15	殘部			209-1☆ 6363-2☆☆		←	

Notes : (1) Individual (2) Total (3) Plate (4) Strip (5) Bar (6) Wire (7) Pipe (8) Shapes (9) 당사자간의 협정에 따름
☆ 화학성분만을 규정하고 있는 규격 ☆☆기계적 성질만을 규정하는 규격

알루미늄 및 그 합금의 전신재 Aluminium and aluminum alloys

索引番号 Index No.	規格名 Std.	記号 Designation	化学成分 (%) Chemical composition					
			Si	Fe	Cu	Mn	Mg	Cr
R 092	JIS	KA 2030 BD	≦0.8	≦0.7	3.3~4.5	0.20~1.0	0.50~1.3	≦0.10
	AA							
	ASTM							
	BS	EN AW-2030	≦0.8	≦0.7	3.3~4.5	0.20~1.0	0.50~1.3	≦0.10
	DIN	EN AW-2030	≦0.8	≦0.7	3.3~4.5	0.20~1.0	0.50~1.3	≦0.10
	NF	EN AW-2030	≦0.8	≦0.7	3.3~4.5	0.20~1.0	0.50~1.3	≦0.10
	ISO	AlCu 4 PbMg	≦0.8	≦0.7	3.3~4.5	0.20~1.0	0.50~1.3	≦0.10
R 093	JIS	KA 2219 BD	≦0.20	≦0.30	5.8~6.8	0.20~0.40	≦0.20	
	AA							
	ASTM							
	BS							
	DIN							
	NF							
	ISO	AlCu 6 Mn	≦0.20	≦0.30	5.8~6.8	0.20~0.40	≦0.20	
R 094	JIS	KA 3103 BD	≦0.50	≦0.7	≦0.10	0.9~1.5	≦0.30	≦0.10
	AA							
	ASTM							
	BS	EN AW-3103	≦0.50	≦0.7	≦0.10	0.9~1.5	≦0.30	≦0.10
	DIN	EN AW-3103	≦0.50	≦0.7	≦0.10	0.9~1.5	≦0.30	≦0.10
	NF	EN AW-3103	≦0.50	≦0.7	≦0.10	0.9~1.5	≦0.30	≦0.10
	ISO	AlMn 1	≦0.50	≦0.7	≦0.10	0.9~1.5	≦0.30	≦0.10
R 095	JIS	KA 5050 BD	≦0.40	≦0.7	≦0.20	≦0.10	1.1~1.8	≦0.10
	AA							
	ASTM							
	BS							
	DIN							
	NF							
	ISO	AlMg 1.5(C)	≦0.40	≦0.7	≦0.20	≦0.10	1.1~1.8	≦0.10

化学成分 (%) Chemical composition						形状別規格番号 Std, No. by shapes					
Zn	Ti		others 各(1)	others 合計(2)	Al	板(3)	条(4)	棒(5)	線(6)	管(7)	形材(8)
≦0.50	≦0.20	Pb 0.8~1.5 Bi≦0.20	≦0.10	≦0.30	殘部			H 4040			
≦0.50	≦0.20	Pb 0.8~1.5 Bi≦0.20	≦0.10	≦0.30	殘部			BS EN 573-3☆ BS EN 754-2☆☆		←	
≦0.50	≦0.20	Pb 0.8~1.5 Bi≦0.20	≦0.10	≦0.30	殘部			DIN EN 573-3☆ DIN EN 754-2☆☆		←	
≦0.50	≦0.20	Pb 0.8~1.5 Bi≦0.20	≦0.10	≦0.30	殘部			NF EN 573-3☆ NF EN 754-2☆☆		←	
≦0.50	≦0.20	Pb 0.8~1.5 Bi≦0.20	≦0.10	≦0.30	殘部			209-1☆ 6363-2☆☆		←	
≦0.10	0.02~0.10	Zr 0.10~0.25 V 0.05~0.15	≦0.05	≦0.15	殘部			H 4040			
≦0.10	0.02~0.10	Zr 0.10~0.25 V 0.05~0.15	≦0.05	≦0.15	殘部			209-1☆ 6363-2☆☆			
≦0.20		Zr+Ti≦0.10	≦0.05	≦0.15	殘部			H 4040			
≦0.20		Zr+Ti≦0.10	≦0.05	≦0.15	殘部			BS EN 573-3☆ BS EN 754-2☆☆		←	
≦0.20		Zr+Ti≦0.10	≦0.05	≦0.15	殘部			DIN EN 573-3☆ DIN EN 754-2☆☆		←	
≦0.20		Zr+Ti≦0.10	≦0.05	≦0.15	殘部			NF EN 573-3☆ NF EN 754-2☆☆		←	
≦0.20		Zr+Ti≦0.10	≦0.05	≦0.15	殘部			209-1☆ 6363-2☆☆		←	
≦0.25			≦0.05	≦0.15	殘部			H 4040			
≦0.25			≦0.05	≦0.15	殘部			209-1☆ 6363-2☆☆		←	

Notes : (1) Individual (2) Total (3) Plate (4) Strip (5) Bar (6) Wire (7) Pipe (8) Shapes

☆ 화학성분만을 규정하고 있는 규격 ☆☆기계적 성질만을 규정하는 규격

알루미늄 및 그 합금의 전신재 Aluminium and aluminum alloys

索引番号 Index No.	規格名 Std.	記号 Designation	化学成分 (%) Chemical composition					
			Si	Fe	Cu	Mn	Mg	Cr
R 096	JIS	KA 5154 BD	≦0.25	≦0.40	≦0.10	≦0.10	3.1~3.9	0.15~0.35
	AA	5154	≦0.25	≦0.40	≦0.10	≦0.10	3.1~3.9	0.15~0.35
	ASTM	5154	≦0.25	≦0.40	≦0.10	≦0.10	3.1~3.9	0.15~0.35
	BS							
	DIN							
	NF							
	ISO	AlMg 3.5	≦0.25	≦0.40	≦0.10	≦0.10	3.1~3.9	0.15~0.35
R 097	JIS	KA 5754 BD	≦0.40	≦0.40	≦0.10	≦0.50	2.6~3.6	≦0.30
	AA							
	ASTM							
	BS	EN AW-5754	≦0.40	≦0.40	≦0.10	≦0.50	2.6~3.6	≦0.30
	DIN	EN AW-5754	≦0.40	≦0.40	≦0.10	≦0.50	2.6~3.6	≦0.30
	NF	EN AW-5754	≦0.40	≦0.40	≦0.10	≦0.50	2.6~3.6	≦0.30
	ISO	AlMg 3	≦0.40	≦0.40	≦0.10	≦0.50	2.6~3.6	≦0.30
R 098	JIS	KA 5086 BD	≦0.40	≦0.50	≦0.10	0.20~0.7	3.5~4.5	0.05~0.25
	AA							
	ASTM							
	BS	EN AW-5086	≦0.40	≦0.50	≦0.10	0.20~0.7	3.5~4.5	0.05~0.25
	DIN	EN AW-5086	≦0.40	≦0.50	≦0.10	0.20~0.7	3.5~4.5	0.05~0.25
	NF	EN AW-5086	≦0.40	≦0.50	≦0.10	0.20~0.7	3.5~4.5	0.05~0.25
	ISO	AlMg 4	≦0.40	≦0.50	≦0.10	0.20~0.7	3.5~4.5	0.05~0.25
R 099	JIS	KA 6262 BD	0.40~0.8	≦0.7	0.15~0.40	≦0.15	0.8~1.2	0.04~0.14
	AA	6262	0.40~0.8	≦0.7	0.15~0.40	≦0.15	0.8~1.2	0.04~0.14
	ASTM	6262	0.40~0.8	≦0.7	0.15~0.40	≦0.15	0.8~1.2	0.04~0.14
	BS	EN AW-6262	0.40~0.8	≦0.7	0.15~0.40	≦0.15	0.8~1.2	0.04~0.14
	DIN	EN AW-6262	0.40~0.8	≦0.7	0.15~0.40	≦0.15	0.8~1.2	0.04~0.14
	NF	EN AW-6262	0.40~0.8	≦0.7	0.15~0.40	≦0.15	0.8~1.2	0.04~0.14
	ISO	AlMg 1 SiPb	0.40~0.8	≦0.7	0.15~0.40	≦0.15	0.8~1.2	0.04~0.14

化学成分 (%) Chemical composition						形状別規格番号 Std, No. by shapes					
Zn	Ti		others 各(1)	others 合計(2)	Al	板(3)	条(4)	棒(5)	線(6)	管(7)	形材(8)
≦0.20	≦0.20	溶接棒만 Be≦0.0008	≦0.05	≦0.15	殘部			H 4040			
≦0.20	≦0.20		≦0.05	≦0.15	殘部			*	←		
≦0.20	≦0.20		≦0.05	≦0.15	殘部			B 211	←		
≦0.20	≦0.20	溶接棒만 Be≦0.0008	≦0.05	≦0.15	殘部			209-1☆ 6363-2☆☆		←	
≦0.20	≦0.15	Mn+Cr 0.10~0.6	≦0.05	≦0.15	殘部			H 4040			
≦0.20	≦0.15	Mn+Cr 0.10~0.6	≦0.05	≦0.15	殘部			BS EN 573-3☆ BS EN 754-2☆☆		←	
≦0.20	≦0.15	Mn+Cr 0.10~0.6	≦0.05	≦0.15	殘部			DIN EN 573-3☆ DIN EN 754-2☆☆		←	
≦0.20	≦0.15	Mn+Cr 0.10~0.6	≦0.05	≦0.15	殘部			NF EN 573-3☆ NF EN 754-2☆☆		←	
≦0.20	≦0.15	Mn+Cr 0.10~0.6	≦0.05	≦0.15	殘部			209-1☆ 6363-2☆☆		←	
≦0.25	≦0.15		≦0.05	≦0.15	殘部			H 4040			
≦0.25	≦0.15		≦0.05	≦0.15	殘部			BS EN 573-3☆ BS EN 754-2☆☆		←	
≦0.25	≦0.15		≦0.05	≦0.15	殘部			DIN EN 573-3☆ DIN EN 754-2☆☆		←	
≦0.25	≦0.15		≦0.05	≦0.15	殘部			NF EN 573-3☆ NF EN 754-2☆☆		←	
≦0.25	≦0.15		≦0.05	≦0.15	殘部			209-1☆ 6363-2☆☆		←	
≦0.25	≦0.15	Bi 0.40~0.7 Pb 0.40~0.7	≦0.05	≦0.15	殘部			H 4040			
≦0.25	≦0.15	Bi 0.40~0.7 Pb 0.40~0.7	≦0.05	≦0.15	殘部			*	←		
≦0.25	≦0.15	Bi 0.40~0.7 Pb 0.40~0.7	≦0.05	≦0.15	殘部			B 211	←		
≦0.25	≦0.15	Bi 0.40~0.7 Pb 0.40~0.7	≦0.05	≦0.15	殘部			BS EN 573-3☆ BS EN 754-2☆☆		←	
≦0.25	≦0.15	Bi 0.40~0.7 Pb 0.40~0.7	≦0.05	≦0.15	殘部			DIN EN 573-3☆ DIN EN 754-2☆☆		←	
≦0.25	≦0.15	Bi 0.40~0.7 Pb 0.40~0.7	≦0.05	≦0.15	殘部			NF EN 573-3☆ NF EN 754-2☆☆		←	
≦0.25	≦0.15	Bi 0.40~0.7 Pb 0.40~0.7	≦0.05	≦0.15	殘部			209-1☆ 6363-2☆☆		←	

Notes : (1) Individual (2) Total (3) Plate (4) Strip (5) Bar (6) Wire (7) Pipe (8) Shapes
☆ 화학성분만을 규정하고 있는 규격 ☆☆기계적 성질만을 규정하는 규격

알루미늄 및 그 합금의 전신재 Aluminium and aluminum alloys

索引番号 Index No.	規格名 Std.	記号 Designation	化学成分 (%) Chemical composition Si	Fe	Cu	Mn	Mg	Cr
R 100	JIS	KA 6082 BD	0.7~1.3	≦0.50	≦0.10	0.40~1.0	0.6~1.2	≦0.25
	AA							
	ASTM							
	BS	EN AW-6082	0.7~1.3	≦0.50	≦0.10	0.40~1.0	0.6~1.2	≦0.25
	DIN	EN AW-6082	0.7~1.3	≦0.50	≦0.10	0.40~1.0	0.6~1.2	≦0.25
	NF	EN AW-6082	0.7~1.3	≦0.50	≦0.10	0.40~1.0	0.6~1.2	≦0.25
	ISO	AlSiMgMn	0.7~1.3	≦0.50	≦0.10	0.40~1.0	0.6~1.2	≦0.25
R 101	JIS	KA 6181 BD	0.8~1.2	≦0.45	≦0.10	≦0.15	0.6~1.0	≦0.10
	AA							
	ASTM							
	BS							
	DIN							
	NF							
	ISO	AlSiMg 0.8	0.8~1.2	≦0.45	≦0.10	≦0.15	0.6~1.0	≦0.10
R 102	JIS	KA 7020 BD	≦0.35	≦0.40	≦0.20	0.05~0.50	1.0~1.4	0.10~0.35
	AA							
	ASTM							
	BS	EN AW-7020	≦0.35	≦0.40	≦0.20	0.05~0.50	1.0~1.4	0.10~0.35
	DIN	EN AW-7020	≦0.35	≦0.40	≦0.20	0.05~0.50	1.0~1.4	0.10~0.35
	NF	EN AW-7020	≦0.35	≦0.40	≦0.20	0.05~0.50	1.0~1.4	0.10~0.35
	ISO	AlZn 4.5 Mg 1	≦0.35	≦0.40	≦0.20	0.05~0.50	1.0~1.4	0.10~0.35
R 103	JIS	KA 7049 BD	≦0.40	≦0.50	≦1.2~1.9	≦0.50	2.1~3.1	0.05~0.25
	AA							
	ASTM							
	BS	EN AW-7049 A	≦0.40	≦0.50	≦1.2~1.9	≦0.50	2.1~3.1	0.05~0.25
	DIN	EN AW-7049 A	≦0.40	≦0.50	≦1.2~1.9	≦0.50	2.1~3.1	0.05~0.25
	NF	EN AW-7049 A	≦0.40	≦0.50	≦1.2~1.9	≦0.50	2.1~3.1	0.05~0.25
	ISO	AlZn 8 MgCu	≦0.40	≦0.50	≦1.2~1.9	≦0.50	2.1~3.1	0.05~0.25

Index No. R 100~R 103

化学成分 (%) Chemical composition						形状別規格番号 Std, No. by shapes					
Zn	Ti		others 各(1)	others 合計(2)	Al	板(3)	条(4)	棒(5)	線(6)	管(7)	形材(8)
≦0.20	≦0.10		≦0.05	≦0.15	殘部			H 4040			
≦0.20	≦0.10		≦0.05	≦0.15	殘部			BS EN 573-3☆ BS EN 754-2☆☆		←	
≦0.20	≦0.10		≦0.05	≦0.15	殘部			DIN EN 573-3☆ DIN EN 754-2☆☆		←	
≦0.20	≦0.10		≦0.05	≦0.15	殘部			NF EN 573-3☆ NF EN 754-2☆☆		←	
≦0.20	≦0.10		≦0.05	≦0.15	殘部			209-1☆ 6363-2☆☆		←	
≦0.20	≦0.10		≦0.05	≦0.15	殘部			H 4040			
≦0.20	≦0.10		≦0.05	≦0.15	殘部			209-1☆ 6363-2☆☆			
4.0~5.0		Zr 0.08~0.20 Zr+Ti 0.08~0.25	≦0.05	≦0.15	殘部			H 4040			
4.0~5.0		Zr 0.08~0.20 Zr+Ti 0.08~0.25	≦0.05	≦0.15	殘部			BS EN 573-3☆ BS EN 754-2☆☆		←	
4.0~5.0		Zr 0.08~0.20 Zr+Ti 0.08~0.25	≦0.05	≦0.15	殘部			DIN EN 573-3☆ DIN EN 754-2☆☆		←	
4.0~5.0		Zr 0.08~0.20 Zr+Ti 0.08~0.25	≦0.05	≦0.15	殘部			NF EN 573-3☆ NF EN 754-2☆☆		←	
4.0~5.0		Zr 0.08~0.20 Zr+Ti 0.08~0.25	≦0.05	≦0.15	殘部			209-1☆ 6363-2☆☆		←	
7.2~8.4		Zr+Ti≦0.25	≦0.05	≦0.15	殘部			H 4040			
7.2~8.4		Zr+Ti≦0.25	≦0.05	≦0.15	殘部			BS EN 573-3☆ BS EN 754-2☆☆		←	
7.2~8.4		Zr+Ti≦0.25	≦0.05	≦0.15	殘部			DIN EN 573-3☆ DIN EN 754-2☆☆		←	
7.2~8.4		Zr+Ti≦0.25	≦0.05	≦0.15	殘部			NF EN 573-3☆ NF EN 754-2☆☆		←	
7.2~8.4		Zr+Ti≦0.25	≦0.05	≦0.15	殘部			209-1☆ 6363-2☆☆		←	

Notes : (1) Individual (2) Total (3) Plate (4) Strip (5) Bar (6) Wire (7) Pipe (8) Shapes

☆ 화학성분만을 규정하고 있는 규격 ☆☆기계적 성질만을 규정하는 규격

알루미늄 및 그 합금의 전신재 Aluminium and aluminum alloys

索引番号 Index No.	規格名 Std.	記号 Designation	化学成分 (%) Chemical composition Si	Fe	Cu	Mn	Mg	Cr
R 104	KS	A 1070 TE	≦0.20	≦0.25	≦0.04	≦0.03	≦0.03	
	JIS	A 1070 TE	≦0.20	≦0.25	≦0.04	≦0.03	≦0.03	
	AA							
	ASTM							
	BS							
	DIN							
R 105	KS	A 1050 TE	≦0.25	≦0.40	≦0.05	≦0.05	≦0.05	
	JIS	A 1050 TE	≦0.25	≦0.40	≦0.05	≦0.05	≦0.05	
	AA							
	ASTM							
	BS							
	DIN							
	NF							
	ISO							
R 106	KS	A 1100 TE			0.05~0.20	≦0.05		
	JIS	A 1100 TE			0.05~0.20	≦0.05		
	AA	1100			0.05~0.20	≦0.05		
	ASTM	1100			0.05~0.20	≦0.05		
	BS							
	DIN							
R 107	KS	A 1200 TE			≦0.05	≦0.05		
	JIS	A 1200 TE			≦0.05	≦0.05		
	AA							
	ASTM							
	BS	EN AW-1200			≦0.05	≦0.05		
	DIN	EN AW-1200			≦0.05	≦0.05		
	NF	EN AW-1200			≦0.05	≦0.05		
	ISO	Al 99.0			≦0.05	≦0.05		

Index No. R 104~R 107

化学成分 (%) Chemical composition						形状別規格番号 Std, No. by shapes					
Zn	Ti		others 各(1)	others 合計(2)	Al	板(3)	条(4)	棒(5)	線(6)	管(7)	形材(8)
≦0.04	≦0.03		≦0.03		≧99.70					D 6761	
≦0.04	≦0.03		≦0.03		≧99.70					H 4080	
≦0.05	≦0.03		≦0.03		≧99.50					D 6761	
≦0.05	≦0.03		≦0.03		≧99.50					H 4080	
≦0.10		Si+Fe≦0.95	≦0.05	≦0.15	≧99.00					D 6761	
≦0.10		Si+Fe≦0.95	≦0.05	≦0.15	≧99.00					H 4080	
≦0.10		Si+Fe≦0.95	≦0.05	≦0.15	≧99.00					*	
≦0.10		Si+Fe≦0.95	≦0.05	≦0.15	≧99.00			→	→	B 221 B 241	←
≦0.10	≦0.05	Si+Fe≦1.00	≦0.05	≦0.15	≧99.00					D 6761	
≦0.10	≦0.05	Si+Fe≦1.00	≦0.05	≦0.15	≧99.00					H 4080	
≦0.10	≦0.05	Si+Fe≦1.00	≦0.05	≦0.15	≧99.00			→		BS EN 573-3☆ BS EN 755-2☆☆	←
≦0.10	≦0.05	Si+Fe≦1.00	≦0.05	≦0.15	≧99.00			→		DIN EN 573-3☆ DIN EN 755-2☆☆	←
≦0.10	≦0.05	Si+Fe≦1.00	≦0.05	≦0.15	≧99.00			→		NF EN 573-3☆ NF EN 755-2☆☆	←
≦0.10	≦0.05	Si+Fe≦1.0	≦0.05	≦0.15	≧99.00			→		209-1☆ 6362-2☆☆	

Notes : (1) Individual (2) Total (3) Plate (4) Strip (5) Bar (6) Wire (7) Pipe (8) Shapes

☆ 화학성분만을 규정하고 있는 규격 ☆☆기계적 성질만을 규정하는 규격

알루미늄 및 그 합금의 전신재 Aluminium and aluminum alloys

索引番号 Index No.	規格名 Std.	記号 Designation	化学成分(%) Chemical composition					
			Si	Fe	Cu	Mn	Mg	Cr
R 108	KS	A 2014 TE	0.50~1.2	≦0.7	3.9~5.0	0.40~1.2	0.20~0.8	≦0.10
	JIS	A 2014 TE	0.50~1.2	≦0.7	3.9~5.0	0.40~1.2	0.20~0.8	≦0.10
	AA	2014	0.50~1.2	≦0.7	3.9~5.0	0.40~1.2	0.20~0.8	≦0.10
	ASTM	2014	0.50~1.2	≦0.7	3.9~5.0	0.40~1.2	0.20~0.8	≦0.10
	BS	EN AW-2014	0.50~1.2	≦0.7	3.9~5.0	0.40~1.2	0.20~0.8	≦0.10
	DIN	EN AW-2014	0.50~1.2	≦0.7	3.9~5.0	0.40~1.2	0.20~0.8	≦0.10
	NF	EN AW-2014	0.50~1.2	≦0.7	3.9~5.0	0.40~1.2	0.20~0.8	≦0.10
	ISO	Al-Cu 4 SiMg	0.50~1.2	≦0.7	3.9~5.0	0.40~1.2	0.20~0.8	≦0.10
R 109	KS	A 2017 TE	0.20~0.8	≦0.7	3.5~4.5	0.40~1.0	0.40~0.8	≦0.10
	JIS	A 2017 TE	0.20~0.8	≦0.7	3.5~4.5	0.40~1.0	0.40~0.8	≦0.10
	AA							
	ASTM							
	BS							
	DIN							
	NF							
	ISO							
R 110	KS	A 2024 TE	≦0.50	≦0.50	3.8~4.9	0.30~0.9	1.2~1.8	≦0.10
	JIS	A 2024 TE	≦0.50	≦0.50	3.8~4.9	0.30~0.9	1.2~1.8	≦0.10
	AA	2024	≦0.50	≦0.50	3.8~4.9	0.30~0.9	1.2~1.8	≦0.10
	ASTM	2024	≦0.50	≦0.50	3.8~4.9	0.30~0.9	1.2~1.8	≦0.10
	BS	EN AW-2024	≦0.50	≦0.50	3.8~4.9	0.30~0.9	1.2~1.8	≦0.10
	DIN	EN AW-2024	≦0.50	≦0.50	3.8~4.9	0.30~0.9	1.2~1.8	≦0.10
	NF	EN AW-2024	≦0.50	≦0.50	3.8~4.9	0.30~0.9	1.2~1.8	≦0.10
	ISO	Al-Cu 4 Mg 1	≦0.50	≦0.50	3.8~4.9	0.30~0.9	1.2~1.8	≦0.10
R 111	KS	A 3003 TE	≦0.6	≦0.7	0.05~0.20	1.0~1.5		
	JIS	A 3003 TE	≦0.6	≦0.7	0.05~0.20	1.0~1.5		
	AA	3003	≦0.6	≦0.7	0.05~0.20	1.0~1.5		
	ASTM	3003	≦0.6	≦0.7	0.05~0.20	1.0~1.5		
	BS	EN AW-3003	≦0.6	≦0.7	0.05~0.20	1.0~1.5		
	DIN	EN AW-3003	≦0.6	≦0.7	0.05~0.20	1.0~1.5		
	NF	EN AW-3003	≦0.6	≦0.7	0.05~0.20	1.0~1.5		
	ISO	Al-Mn 1 Cu	≦0.6	≦0.7	0.05~0.20	1.0~1.5		

Index No. R 108~R 111

化学成分 (%) Chemical composition						形状別規格番号 Std, No. by shapes					
Zn	Ti		others 各[1]	others 合計[2]	Al	板[3]	条[4]	棒[5]	線[6]	管[7]	形材[8]
≦0.25	≦0.15	Zr+Ti≦0.20	≦0.05	≦0.15	殘部					D 6761	
≦0.25	≦0.15	Zr+Ti≦0.20	≦0.05	≦0.15	殘部					H 4080	
≦0.25	≦0.15	Zr+Ti≦0.20[9]	≦0.05	≦0.15	殘部					*	
≦0.25	≦0.15	Zr+Ti≦0.20[9]	≦0.05	≦0.15	殘部			→	→	B 221 B 241	←
≦0.25	≦0.15	Zr+Ti≦0.20[9]	≦0.05	≦0.15	殘部			→		BS EN 573-3☆ BS EN 755-2☆☆	←
≦0.25	≦0.15	Zr+Ti≦0.20[9]	≦0.05	≦0.15	殘部			→		DIN EN 573-3☆ DIN EN 755-2☆☆	←
≦0.25	≦0.15	Zr+Ti≦0.20[9]	≦0.05	≦0.15	殘部			→		NF EN 573-3☆ NF EN 755-2☆☆	←
≦0.25	≦0.15	Zr+Ti≦0.20[9]	≦0.05	≦0.15	殘部			→		209-1☆ 6362-2☆☆	←
≦0.25	≦0.15	Zr+Ti≦0.20	≦0.05	≦0.15	殘部					D 6761	
≦0.25	≦0.15	Zr+Ti≦0.20	≦0.05	≦0.15	殘部					H 4080	
≦0.25	≦0.15	Zr+Ti≦0.20	≦0.05	≦0.15	殘部					D 6761	
≦0.25	≦0.15	Zr+Ti≦0.20	≦0.05	≦0.15	殘部					H 4080	
≦0.25	≦0.15	Zr+Ti≦0.20[9]	≦0.05	≦0.15	殘部					*	
≦0.25	≦0.15	Zr+Ti≦0.20[9]	≦0.05	≦0.15	殘部			→	→	B 221 B 241	←
≦0.25	≦0.15	Zr+Ti≦0.20	≦0.05	≦0.15	殘部			→		BS EN 573-3☆ BS EN 755-2☆☆	←
≦0.25	≦0.15	Zr+Ti≦0.20	≦0.05	≦0.15	殘部			→		DIN EN 573-3☆ DIN EN 755-2☆☆	←
≦0.25	≦0.15	Zr+Ti≦0.20	≦0.05	≦0.15	殘部			→		NF EN 573-3☆ NF EN 755-2☆☆	←
≦0.25	≦0.15	Zr+Ti≦0.20[9]	≦0.05	≦0.15	殘部			→		209-1☆ 6362-2☆☆	←
≦0.10			≦0.05	≦0.15	殘部					D 6761	
≦0.10			≦0.05	≦0.15	殘部					H 4080	
≦0.10			≦0.05	≦0.15	殘部					*	
≦0.10			≦0.05	≦0.15	殘部			→	→	B 221 B 241	←
≦0.10			≦0.05	≦0.15	殘部			→		BS EN 573-3☆ BS EN 755-2☆☆	←
≦0.10			≦0.05	≦0.15	殘部			→		DIN EN 573-3☆ DIN EN 755-2☆☆	←
≦0.10			≦0.05	≦0.15	殘部			→		NF EN 573-3☆ NF EN 755-2☆☆	←
≦0.10			≦0.05	≦0.15	殘部			→		209-1☆ 6362-2☆☆	←

Notes : [1] Individual [2] Total [3] Plate [4] Strip [5] Bar [6] Wire [7] Pipe [8] Shapes [9] 당사자간의 협정에 따름

☆ 화학성분만을 규정하고 있는 규격 ☆☆기계적 성질만을 규정하는 규격

알루미늄 및 그 합금의 전신재 Aluminium and aluminum alloys

索引番号 Index No.	規格名 Std.	記号 Designation	化学成分 (%) Chemical composition					
			Si	Fe	Cu	Mn	Mg	Cr
R 112	KS	A 3203 TE	≦0.6	≦0.7	≦0.05	1.0~1.5		
	JIS	A 3203 TE	≦0.6	≦0.7	≦0.05	1.0~1.5		
	AA							
	ASTM							
	BS							
	DIN							
R 113	KS	A 5052 TE	≦0.25	≦0.40	≦0.10	≦0.10	2.2~2.8	0.15~0.35
	JIS	A 5052 TE	≦0.25	≦0.40	≦0.10	≦0.10	2.2~2.8	0.15~0.35
	AA							
	ASTM	5052	≦0.25	≦0.40	≦0.10	≦0.10	2.2~2.8	0.15~0.35
	BS							
	DIN							
R 114	KS	A 5154 TE	≦0.25	≦0.40	≦0.10	≦0.10	3.1~3.9	0.15~0.35
	JIS	A 5154 TE	≦0.25	≦0.40	≦0.10	≦0.10	3.1~3.9	0.15~0.35
	AA	5154	≦0.25	≦0.40	≦0.10	≦0.10	3.1~3.9	0.15~0.35
	ASTM	5154	≦0.25	≦0.40	≦0.10	≦0.10	3.1~3.9	0.15~0.35
	BS							
	DIN							
R 115	KS	A 5454 TE	≦0.25	≦0.40	≦0.10	0.50~1.0	2.4~3.0	0.05~0.20
	JIS	A 5454 TE	≦0.25	≦0.40	≦0.10	0.50~1.0	2.4~3.0	0.05~0.20
	AA	5454	≦0.25	≦0.40	≦0.10	0.50~1.0	2.4~3.0	0.05~0.20
	ASTM	5454	≦0.25	≦0.40	≦0.10	0.50~1.0	2.4~3.0	0.05~0.20
	BS	EN AW-5454	≦0.25	≦0.40	≦0.10	0.50~1.0	2.4~3.0	0.05~0.20
	DIN	EN AW-5454	≦0.25	≦0.40	≦0.10	0.50~1.0	2.4~3.0	0.05~0.20
	NF	EN AW-5454	≦0.25	≦0.40	≦0.10	0.50~1.0	2.4~3.0	0.05~0.20
	ISO	Al-Mg 3 Mn	≦0.25	≦0.40	≦0.10	0.50~1.0	2.4~3.0	0.05~0.20
R 116	KS	A 5056 TE	≦0.30	≦0.40	≦0.10	0.05~0.20	4.5~5.6	0.05~0.20
	JIS	A 5056 TE	≦0.30	≦0.40	≦0.10	0.05~0.20	4.5~5.6	0.05~0.20
	AA							
	ASTM							

Index No. R 112~R 116

化学成分 (%) Chemical composition						形状別規格番号 Std, No. by shapes					
Zn	Ti		others 各[1]	others 合計[2]	Al	板[3]	条[4]	棒[5]	線[6]	管[7]	形材[8]
≦0.10			≦0.05	≦0.15	殘部					D 6761	
≦0.10			≦0.05	≦0.15	殘部					H 4080	
≦0.10			≦0.05	≦0.15	殘部					D 6761	
≦0.10			≦0.05	≦0.15	殘部					H 4080	
≦0.10			≦0.05	≦0.15	殘部			→	→	B 221 B 241	←
≦0.20	≦0.20		≦0.05	≦0.15	殘部					D 6761	
≦0.20	≦0.20		≦0.05	≦0.15	殘部					H 4080	
≦0.20	≦0.20		≦0.05	≦0.15	殘部					*	
≦0.20	≦0.20		≦0.05	≦0.15	殘部			→	→	B 221	←
≦0.25	≦0.20		≦0.05	≦0.15	殘部					D 6761	
≦0.25	≦0.20		≦0.05	≦0.15	殘部					H 4080	
≦0.25	≦0.20		≦0.05	≦0.15	殘部					*	
≦0.25	≦0.20		≦0.05	≦0.15	殘部			→	→	B 221 B 241	←
≦0.25	≦0.20		≦0.05	≦0.15	殘部			→		BS EN 573-3☆ BS EN 755-2☆☆	←
≦0.25	≦0.20		≦0.05	≦0.15	殘部			→		DIN EN 573-3☆ DIN EN 755-2☆☆	←
≦0.25	≦0.20		≦0.05	≦0.15	殘部			→		NF EN 573-3☆ NF EN 755-2☆☆	←
≦0.25	≦0.20		≦0.05	≦0.15	殘部			→		209-1☆ 6362-2☆☆	←
≦0.10			≦0.05	≦0.15	殘部					D 6761	
≦0.10			≦0.05	≦0.15	殘部					H 4080	

Notes : [1] Individual [2] Total [3] Plate [4] Strip [5] Bar [6] Wire [7] Pipe [8] Shapes

☆ 화학성분만을 규정하고 있는 규격 ☆☆기계적 성질만을 규정하는 규격

알루미늄 및 그 합금의 전신재 Aluminium and aluminum alloys

索引番号 Index No.	規格名 Std.	記号 Designation	化学成分(%) Chemical composition Si	Fe	Cu	Mn	Mg	Cr
R 116(계속)	BS							
	DIN							
R 117	KS	A 5083 TE	≦0.40	≦0.40	≦0.10	0.40~1.0	4.0~4.9	0.05~0.25
	JIS	A 5083 TE	≦0.40	≦0.40	≦0.10	0.40~1.0	4.0~4.9	0.05~0.25
	AA	5083	≦0.40	≦0.40	≦0.10	0.40~1.0	4.0~4.9	0.05~0.25
	ASTM	5083	≦0.40	≦0.40	≦0.10	0.40~1.0	4.0~4.9	0.05~0.25
	BS	EN AW-5083	≦0.40	≦0.40	≦0.10	0.40~1.0	4.0~4.9	0.05~0.25
	DIN	EN AW-5083	≦0.40	≦0.40	≦0.10	0.40~1.0	4.0~4.9	0.05~0.25
	NF	EN AW-5083	≦0.40	≦0.40	≦0.10	0.40~1.0	4.0~4.9	0.05~0.25
	ISO	Al-Mg 4.5 Mn 0.7	≦0.40	≦0.40	≦0.10	0.40~1.0	4.0~4.9	0.05~0.25
R 118	KS	A 6061 TE	0.40~0.8	≦0.7	0.15~0.40	≦0.15	0.8~1.2	0.04~0.35
	JIS	A 6061 TE	0.40~0.8	≦0.7	0.15~0.40	≦0.15	0.8~1.2	0.04~0.35
	AA	6061	0.40~0.8	≦0.7	0.15~0.40	≦0.15	0.8~1.2	0.04~0.35
	ASTM	6061	0.40~0.8	≦0.7	0.15~0.40	≦0.15	0.8~1.2	0.04~0.35
	BS	EN AW-6061	0.40~0.8	≦0.7	0.15~0.40	≦0.15	0.8~1.2	0.04~0.35
	DIN	EN AW-6061	0.40~0.8	≦0.7	0.15~0.40	≦0.15	0.8~1.2	0.04~0.35
	NF	EN AW-6061	0.40~0.8	≦0.7	0.15~0.40	≦0.15	0.8~1.2	0.04~0.35
	ISO	Al-Mg 1 SiCu	0.40~0.8	≦0.7	0.15~0.40	≦0.15	0.8~1.2	0.04~0.35
R 119	KS	A 6063 TE	0.20~0.6	≦0.35	≦0.10	≦0.10	0.45~0.9	≦0.10
	JIS	A 6063 TE	0.20~0.6	≦0.35	≦0.10	≦0.10	0.45~0.9	≦0.10
	AA	6063	0.20~0.6	≦0.35	≦0.10	≦0.10	0.45~0.9	≦0.10
	ASTM	6063	0.20~0.6	≦0.35	≦0.10	≦0.10	0.45~0.9	≦0.10
	BS	EN AW-6063	0.20~0.6	≦0.35	≦0.10	≦0.10	0.45~0.9	≦0.10
	DIN	EN AW-6063	0.20~0.6	≦0.35	≦0.10	≦0.10	0.45~0.9	≦0.10
	NF	EN AW-6063	0.20~0.6	≦0.35	≦0.10	≦0.10	0.45~0.9	≦0.10
	ISO	Al-Mg 0.7 Si	0.20~0.6	≦0.35	≦0.10	≦0.10	0.45~0.9	≦0.10
R 120	KS	A 7003 TE	≦0.30	≦0.35	≦0.20	≦0.30	0.50~1.0	≦0.20
	JIS	A 7003 TE	≦0.30	≦0.35	≦0.20	≦0.30	0.50~1.0	≦0.20
	AA							
	ASTM							

Index No. R 116~R 120

化学成分 (%) Chemical composition						形状別規格番号 Std, No. by shapes					
Zn	Ti		others 各(1)	others 合計(2)	Al	板(3)	条(4)	棒(5)	線(6)	管(7)	形材(8)
≦0.25	≦0.15		≦0.05	≦0.15	殘部					D 6761	
≦0.25	≦0.15		≦0.05	≦0.15	殘部					H 4080	
≦0.25	≦0.15		≦0.05	≦0.15	殘部					*	
≦0.25	≦0.15		≦0.05	≦0.15	殘部			→	→	B 221 B 241	←
≦0.25	≦0.15		≦0.05	≦0.15	殘部			→		BS EN 573-3☆ BS EN 755-2☆☆	←
≦0.25	≦0.15		≦0.05	≦0.15	殘部			→		DIN EN 573-3☆ DIN EN 755-2☆☆	←
≦0.25	≦0.15		≦0.05	≦0.15	殘部			→		NF EN 573-3☆ NF EN 755-2☆☆	←
≦0.25	≦0.15		≦0.05	≦0.15	殘部			→		209-1☆ 6362-2☆☆	←
≦0.25	≦0.15		≦0.05	≦0.15	殘部					D 6761	
≦0.25	≦0.15		≦0.05	≦0.15	殘部					H 4080	
≦0.25	≦0.15		≦0.05	≦0.15	殘部					*	
≦0.25	≦0.15		≦0.05	≦0.15	殘部			→	→	B 221 B 241	←
≦0.25	≦0.15		≦0.05	≦0.15	殘部			→		BS EN 573-3☆ BS EN 755-2☆☆	←
≦0.25	≦0.15		≦0.05	≦0.15	殘部			→		DIN EN 573-3☆ DIN EN 755-2☆☆	←
≦0.25	≦0.15		≦0.05	≦0.15	殘部			→		NF EN 573-3☆ NF EN 755-2☆☆	←
≦0.25	≦0.15		≦0.05	≦0.15	殘部			→		209-1☆ 6362-2☆☆	←
≦0.10	≦0.10		≦0.05	≦0.15	殘部					D 6761	
≦0.10	≦0.10		≦0.05	≦0.15	殘部					H 4080	
≦0.10	≦0.10		≦0.05	≦0.15	殘部					*	
≦0.10	≦0.10		≦0.05	≦0.15	殘部			→	→	B 221 B 241	←
≦0.10	≦0.10		≦0.05	≦0.15	殘部			→		BS EN 573-3☆ BS EN 755-2☆☆	←
≦0.10	≦0.10		≦0.05	≦0.15	殘部			→		DIN EN 573-3☆ DIN EN 755-2☆☆	←
≦0.10	≦0.10		≦0.05	≦0.15	殘部			→		NF EN 573-3☆ NF EN 755-2☆☆	←
≦0.10	≦0.10		≦0.05	≦0.15	殘部			→		209-1☆ 6362-2☆☆	←
5.0~6.5	≦0.20	Zr 0.05~0.25	≦0.05	≦0.15	殘部					D 6761	
5.0~6.5	≦0.20	Zr 0.05~0.25	≦0.05	≦0.15	殘部					H 4080	

Notes : (1) Individual (2) Total (3) Plate (4) Strip (5) Bar (6) Wire (7) Pipe (8) Shapes

☆ 화학성분만을 규정하고 있는 규격 ☆☆기계적 성질만을 규정하는 규격

알루미늄 및 그 합금의 전신재 Aluminium and aluminum alloys

索引番号 Index No.	規格名 Std.	記号 Designation	化学成分 (%) Chemical composition					
			Si	Fe	Cu	Mn	Mg	Cr
R 120(계속)	BS							
	DIN							
R 121	KS	A 7 N 01 TE	≦0.30	≦0.35	≦0.20	0.20~0.7	1.0~2.0	≦0.30
	JIS	A 7 N 01 TE	≦0.30	≦0.35	≦0.20	0.20~0.7	1.0~2.0	≦0.30
	AA							
	ASTM							
	BS							
	DIN							
R 122	KS	A 7075 TE	≦0.40	≦0.50	1.2~2.0	≦0.30	2.1~2.9	0.18~0.28
	JIS	A 7075 TE	≦0.40	≦0.50	1.2~2.0	≦0.30	2.1~2.9	0.18~0.28
	AA	7075	≦0.40	≦0.50	1.2~2.0	≦0.30	2.1~2.9	0.18~0.28
	ASTM	7075	≦0.40	≦0.50	1.2~2.0	≦0.30	2.1~2.9	0.18~0.28
	BS	EN AW-7075	≦0.40	≦0.50	1.2~2.0	≦0.30	2.1~2.9	0.18~0.28
	DIN	EN AW-7075	≦0.40	≦0.50	1.2~2.0	≦0.30	2.1~2.9	0.18~0.28
	NF	EN AW-7075	≦0.40	≦0.50	1.2~2.0	≦0.30	2.1~2.9	0.18~0.28
	ISO	Al-Zn 5.5 MgCu	≦0.40	≦0.50	1.2~2.0	≦0.30	2.1~2.9	0.18~0.28
R 123	JIS	KA 1050 ATE	≦0.25	≦0.40	≦0.05	≦0.05	≦0.05	
	AA							
	ASTM							
	BS	EN AW-1050 A	≦0.25	≦0.40	≦0.05	≦0.05	≦0.05	
	DIN	EN AW-1050 A	≦0.25	≦0.40	≦0.05	≦0.05	≦0.05	
	NF	EN AW-1050 A	≦0.25	≦0.40	≦0.05	≦0.05	≦0.05	
	ISO	Al 99.5	≦0.25	≦0.40	≦0.05	≦0.05	≦0.05	
R 124	JIS	KA 2014 ATE	0.50~0.9	≦0.50	3.9~5.0	0.40~1.2	0.20~0.8	≦0.10
	AA							
	ASTM							
	BS	EN AW-2014 A	0.50~0.9	≦0.50	3.9~5.0	0.40~1.2	0.20~0.8	≦0.10
	DIN	EN AW-2014 A	0.50~0.9	≦0.50	3.9~5.0	0.40~1.2	0.20~0.8	≦0.10
	NF	EN AW-2014 A	0.50~0.9	≦0.50	3.9~5.0	0.40~1.2	0.20~0.8	≦0.10
	ISO	AlCu 4 SIMg(A)	0.50~0.9	≦0.50	3.9~5.0	0.40~1.2	0.20~0.8	≦0.10

Index No. R 120~R 124

化 学 成 分 (%) Chemical composition						形 状 別 規 格 番 号 Std, No. by shapes					
Zn	Ti		others 各(1)	others 合計(2)	Al	板(3)	条(4)	棒(5)	線(6)	管(7)	形材(8)
4.0~5.0	≦0.20	V≦0.10 Zr≦0.25	≦0.05	≦0.15	殘部					D 6761	
4.0~5.0	≦0.20	V≦0.10 Zr≦0.25	≦0.05	≦0.15	殘部					H 4080	
5.1~6.1	≦0.20	Zr+Ti≦0.25	≦0.05	≦0.15	殘部					D 6761	
5.1~6.1	≦0.20	Zr+Ti≦0.25	≦0.05	≦0.15	殘部					H 4080	
5.1~6.1	≦0.20	Zr+Ti≦0.25(9)	≦0.05	≦0.15	殘部					*	
5.1~6.1	≦0.20	Zr+Ti≦0.25(9)	≦0.05	≦0.15	殘部			→	→	B 221 B 241	←
5.1~6.1	≦0.20	Zr+Ti≦0.25	≦0.05	≦0.15	殘部			→		BS EN 573-3☆ BS EN 755-2☆☆	←
5.1~6.1	≦0.20	Zr+Ti≦0.25	≦0.05	≦0.15	殘部			→		DIN EN 573-3☆ DIN EN 755-2☆☆	←
5.1~6.1	≦0.20	Zr+Ti≦0.25	≦0.05	≦0.15	殘部			→		NF EN 573-3☆ NF EN 755-2☆☆	←
5.1~6.1	≦0.20	Zr+Ti≦0.25(9)	≦0.05	≦0.15	殘部			→		209-1☆ 6363-2☆☆	←
≦0.07	≦0.05		≦0.03		≧99.50					H 4080	
≦0.07	≦0.05		≦0.03		≧99.50			→		BS EN 573-3☆ BS EN 755-2☆☆	←
≦0.07	≦0.05		≦0.03		≧99.50			→		DIN EN 573-3☆ DIN EN 755-2☆☆	←
≦0.07	≦0.05		≦0.03		≧99.50			→		NF EN 573-3☆ NF EN 755-2☆☆	←
≦0.07	≦0.05		≦0.03		≧99.50			→		209-1☆ 6362-2☆☆	←
≦0.25	≦0.15	Zr+Ti≦0.20 Ni≦0.10	≦0.05	≦0.15	殘部					H 4080	
≦0.25	≦0.15	Zr+Ti≦0.20 Ni≦0.10	≦0.05	≦0.15	殘部			→		BS EN 573-3☆ BS EN 755-2☆☆	←
≦0.25	≦0.15	Zr+Ti≦0.20 Ni≦0.10	≦0.05	≦0.15	殘部			→		DIN EN 573-3☆ DIN EN 755-2☆☆	←
≦0.25	≦0.15	Zr+Ti≦0.20 Ni≦0.10	≦0.05	≦0.15	殘部			→		NF EN 573-3☆ NF EN 755-2☆☆	←
≦0.25	≦0.15	Zr+Ti≦0.20 Ni≦0.10	≦0.05	≦0.15	殘部			→		209-1☆ 6362-2☆☆	←

Notes : (1) Individual (2) Total (3) Plate (4) Strip (5) Bar (6) Wire (7) Pipe (8) Shapes (9) 당사자간의 협정에 따름
☆ 화학성분만을 규정하고 있는 규격 ☆☆기계적 성질만을 규정하는 규격

알루미늄 및 그 합금의 전신재 Aluminium and aluminum alloys

索引番号 Index No.	規格名 Std.	記号 Designation	化学成分 (%) Chemical composition					
			Si	Fe	Cu	Mn	Mg	Cr
R 125	JIS	KA 2017 ATE	0.20~0.8	≦0.7	3.5~4.5	0.40~1.0	0.40~1.0	≦0.10
	AA							
	ASTM							
	BS	EN AW-2017 A	0.20~0.8	≦0.7	3.5~4.5	0.40~1.0	0.40~1.0	≦0.10
	DIN	EN AW-2017 A	0.20~0.8	≦0.7	3.5~4.5	0.40~1.0	0.40~1.0	≦0.10
	NF	EN AW-2017 A	0.20~0.8	≦0.7	3.5~4.5	0.40~1.0	0.40~1.0	≦0.10
	ISO	AlCu 4 MgSi(A)	0.20~0.8	≦0.7	3.5~4.5	0.40~1.0	0.40~1.0	≦0.10
R 126	JIS	KA 3303 TE	≦0.50	≦0.7	≦0.10	0.9~1.5	≦0.30	≦0.10
	AA							
	ASTM							
	BS	EN AW-3103	≦0.50	≦0.7	≦0.10	0.9~1.5	≦0.30	≦0.10
	DIN	EN AW-3103	≦0.50	≦0.7	≦0.10	0.9~1.5	≦0.30	≦0.10
	NF	EN AW-3103	≦0.50	≦0.7	≦0.10	0.9~1.5	≦0.30	≦0.10
	ISO	AlMn 1	≦0.50	≦0.7	≦0.10	0.9~1.5	≦0.30	≦0.10
R 127	JIS	KA 5754 TE	≦0.40	≦0.40	≦0.10	≦0.50	2.6~3.6	≦0.30
	AA							
	ASTM							
	BS	EN AW-5754	≦0.40	≦0.40	≦0.10	≦0.50	2.6~3.6	≦0.30
	DIN	EN AW-5754	≦0.40	≦0.40	≦0.10	≦0.50	2.6~3.6	≦0.30
	NF	EN AW-5754	≦0.40	≦0.40	≦0.10	≦0.50	2.6~3.6	≦0.30
	ISO	AlMg 3	≦0.40	≦0.40	≦0.10	≦0.50	2.6~3.6	≦0.30
R 128	JIS	KA 6060 TE	0.30~0.6	0.10~0.30	≦0.10	≦0.10	0.35~0.6	≦0.05
	AA							
	ASTM	6060	0.30~0.6	0.10~0.30	≦0.10	≦0.10	0.35~0.6	≦0.05
	BS	EN AW-6060	0.30~0.6	0.10~0.30	≦0.10	≦0.10	0.35~0.6	≦0.05
	DIN	EN AW-6060	0.30~0.6	0.10~0.30	≦0.10	≦0.10	0.35~0.6	≦0.05
	NF	EN AW-6060	0.30~0.6	0.10~0.30	≦0.10	≦0.10	0.35~0.6	≦0.05
	ISO	AlMgSi	0.30~0.6	0.10~0.30	≦0.10	≦0.10	0.35~0.6	≦0.05

化学成分 (%) Chemical composition						形状別規格番号 Std, No. by shapes					
Zn	Ti		others		Al	板(3)	条(4)	棒(5)	線(6)	管(7)	形材(8)
			各(1)	合計(2)							
≦0.25		Zr+Ti≦0.25	≦0.05	≦0.15	残部					H 4080	
≦0.25		Zr+Ti≦0.25	≦0.05	≦0.15	残部			→		BS EN 573-3☆ BS EN 755-2☆☆	←
≦0.25		Zr+Ti≦0.25	≦0.05	≦0.15	残部			→		DIN EN 573-3☆ DIN EN 755-2☆☆	←
≦0.25		Zr+Ti≦0.25	≦0.05	≦0.15	残部			→		NF EN 573-3☆ NF EN 755-2☆☆	←
≦0.25		Zr+Ti≦0.25	≦0.05	≦0.15	残部			→		209-1☆ 6362-2☆☆	←
≦0.20		Zr+Ti≦0.10	≦0.05	≦0.15	残部					H 4080	
≦0.20		Zr+Ti≦0.10	≦0.05	≦0.15	残部			→		BS EN 573-3☆ BS EN 755-2☆☆	←
≦0.20		Zr+Ti≦0.10	≦0.05	≦0.15	残部			→		DIN EN 573-3☆ DIN EN 755-2☆☆	←
≦0.20		Zr+Ti≦0.10	≦0.05	≦0.15	残部			→		NF EN 573-3☆ NF EN 755-2☆☆	←
≦0.20		Zr+Ti≦0.10	≦0.05	≦0.15	残部			→		209-1☆ 6362-2☆☆	←
≦0.20	≦0.15	Mn+Cr 0.10～0.6	≦0.05	≦0.15	残部					H 4080	
≦0.20	≦0.15	Mn+Cr 0.10～0.6	≦0.05	≦0.15	残部			→		BS EN 573-3☆ BS EN 755-2☆☆	←
≦0.20	≦0.15	Mn+Cr 0.10～0.6	≦0.05	≦0.15	残部			→		DIN EN 573-3☆ DIN EN 755-2☆☆	←
≦0.20	≦0.15	Mn+Cr 0.10～0.6	≦0.05	≦0.15	残部			→		NF EN 573-3☆ NF EN 755-2☆☆	←
≦0.20	≦0.15	Mn+Cr 0.10～0.6	≦0.05	≦0.15	残部			→		209-1☆ 6362-2☆☆	←
≦0.15	≦0.10		≦0.05	≦0.15	残部					H 4080	
≦0.15	≦0.10		≦0.05	≦0.15	残部			→	→	B 221	←
≦0.15	≦0.10		≦0.05	≦0.15	残部			→		BS EN 573-3☆ BS EN 755-2☆☆	←
≦0.15	≦0.10		≦0.05	≦0.15	残部			→		DIN EN 573-3☆ DIN EN 755-2☆☆	←
≦0.15	≦0.10		≦0.05	≦0.15	残部			→		NF EN 573-3☆ NF EN 755-2☆☆	←
≦0.15	≦0.10		≦0.05	≦0.15	残部			→		209-1☆ 6362-2☆☆	←

Notes : (1) Individual (2) Total (3) Plate (4) Strip (5) Bar (6) Wire (7) Pipe (8) Shapes

☆ 화학성분만을 규정하고 있는 규격 ☆☆기계적 성질만을 규정하는 규격

알루미늄 및 그 합금의 전신재 Aluminium and aluminum alloys

索引番号 Index No.	規格名 Std.	記号 Designation	化学成分 (%) Chemical composition					
			Si	Fe	Cu	Mn	Mg	Cr
R 129	JIS	KA 6005 ATE	0.50～0.9	≦0.35	≦0.30	≦0.50	0.40～0.7	≦0.30
	AA							
	ASTM		0.50～0.9	≦0.35	≦0.30	≦0.50	0.40～0.7	≦0.30
	BS	EN AW-6005 A	0.50～0.9	≦0.35	≦0.30	≦0.50	0.40～0.7	≦0.30
	DIN	EN AW-6005 A	0.50～0.9	≦0.35	≦0.30	≦0.50	0.40～0.7	≦0.30
	NF	EN AW-6005 A	0.50～0.9	≦0.35	≦0.30	≦0.50	0.40～0.7	≦0.30
	ISO	AlSiMg(A)	0.50～0.9	≦0.35	≦0.30	≦0.50	0.40～0.7	≦0.30
R 130	JIS	KA 6082 TE	0.7～1.3	≦0.50	≦0.10	0.40～1.0	0.6～1.2	≦0.25
	AA							
	ASTM							
	BS	EN AW-6082	0.7～1.3	≦0.50	≦0.10	0.40～1.0	0.6～1.2	≦0.25
	DIN	EN AW-6082	0.7～1.3	≦0.50	≦0.10	0.40～1.0	0.6～1.2	≦0.25
	NF	EN AW-6082	0.7～1.3	≦0.50	≦0.10	0.40～1.0	0.6～1.2	≦0.25
	ISO	AlSi 1 MgMn	0.7～1.3	≦0.50	≦0.10	0.40～1.0	0.6～1.2	≦0.25
R 131	JIS	KA 7020 TE	≦0.35	≦0.40	≦0.20	0.05～0.50	1.0～1.4	0.10～0.35
	AA							
	ASTM							
	BS	EN AW-7020	≦0.35	≦0.40	≦0.20	0.05～0.50	1.0～1.4	0.10～0.35
	DIN	EN AW-7020	≦0.35	≦0.40	≦0.20	0.05～0.50	1.0～1.4	0.10～0.35
	NF	EN AW-7020	≦0.35	≦0.40	≦0.20	0.05～0.50	1.0～1.4	0.10～0.35
	ISO	AlZn 4.5 Mg 1	≦0.35	≦0.40	≦0.20	0.05～0.50	1.0～1.4	0.10～0.35
R 132	JIS	KA 7050 TE	≦0.12	≦0.15	2.0～2.6	≦0.10	1.9～2.6	≦0.04
	AA							
	ASTM							
	BS							
	DIN							
	NF							
	ISO	AlZn 6 CuMgZr	≦0.12	≦0.15	2.0～2.6	≦0.10	1.9～2.6	≦0.04

Zn	Ti		others 各(1)	others 合計(2)	Al	板(3)	条(4)	棒(5)	線(6)	管(7)	形材(8)
化学成分(%) Chemical composition						形状別規格番号 Std, No. by shapes					
≦0.20	≦0.10	Mn+Cr 0.12~0.50	≦0.05	≦0.15	殘部					H 4080	
≦0.20	≦0.10	Mn+Cr 0.12~0.50	≦0.05	≦0.15	殘部			→	→	B 221	←
≦0.20	≦0.10	Mn+Cr 0.12~0.50	≦0.05	≦0.15	殘部			→		BS EN 573-3☆ BS EN 755-2☆☆	←
≦0.20	≦0.10	Mn+Cr 0.12~0.50	≦0.05	≦0.15	殘部			→		DIN EN 573-3☆ DIN EN 755-2☆☆	←
≦0.20	≦0.10	Mn+Cr 0.12~0.50	≦0.05	≦0.15	殘部			→		NF EN 573-3☆ NF EN 755-2☆☆	←
≦0.20	≦0.10	Mn+Cr 0.12~0.50	≦0.05	≦0.15	殘部			→		209-1☆ 6362-2☆☆	←
≦0.20	≦0.10		≦0.05	≦0.15	殘部					H 4080	
								→			
≦0.20	≦0.10		≦0.05	≦0.15	殘部			→		BS EN 573-3☆ BS EN 755-2☆☆	←
≦0.20	≦0.10		≦0.05	≦0.15	殘部			→		DIN EN 573-3☆ DIN EN 755-2☆☆	←
≦0.20	≦0.10		≦0.05	≦0.15	殘部					NF EN 573-3☆ NF EN 755-2☆☆	←
≦0.20	≦0.10		≦0.05	≦0.15	殘部			→		209-1☆ 6362-2☆☆	←
4.0~5.0		Zr 0.08~0.20 Zr+Ti 0.08~0.25	≦0.05	≦0.15	殘部					H 4080	
4.0~5.0		Zr 0.08~0.20 Zr+Ti 0.08~0.25	≦0.05	≦0.15	殘部			→		BS EN 573-3☆ BS EN 755-2☆☆	←
4.0~5.0		Zr 0.08~0.20 Zr+Ti 0.08~0.25	≦0.05	≦0.15	殘部			→		DIN EN 573-3☆ DIN EN 755-2☆☆	←
4.0~5.0		Zr 0.08~0.20 Zr+Ti 0.08~0.25	≦0.05	≦0.15	殘部			→		NF EN 573-3☆ NF EN 755-2☆☆	←
4.0~5.0		Zr 0.08~0.20 Zr+Ti 0.08~0.25	≦0.05	≦0.15	殘部			→		209-1☆ 6362-2☆☆	←
5.7~6.7	≦0.06	Zr 0.08~0.15	≦0.05	≦0.15	殘部					H 4080	
5.7~6.7	≦0.06	Zr 0.08~0.15	≦0.05	≦0.15	殘部			→		209-1☆ 6362-2☆☆	←

Notes : (1) Individual (2) Total (3) Plate (4) Strip (5) Bar (6) Wire (7) Pipe (8) Shapes

☆ 화학성분만을 규정하고 있는 규격 ☆☆기계적 성질만을 규정하는 규격

알루미늄 및 그 합금의 전신재 Aluminium and aluminum alloys

索引番号 Index No.	規格名 Std.	記号 Designation	化学成分 (%) Chemical composition					
			Si	Fe	Cu	Mn	Mg	Cr
R 133	KS	A 1070 TD	≦0.20	≦0.25	≦0.04	≦0.03	≦0.03	
	JIS	A 1070 TD	≦0.20	≦0.25	≦0.04	≦0.03	≦0.03	
	AA							
	ASTM							
	BS							
	DIN							
R 134	KS	A 1050 TD	≦0.25	≦0.40	≦0.05	≦0.05	≦0.05	
	JIS	A 1050 TD	≦0.25	≦0.40	≦0.05	≦0.05	≦0.05	
	AA							
	ASTM							
	BS							
	DIN							
	NF							
R 135	KS	A 1100 TD			0.05～0.20	≦0.05		
	JIS	A 1100 TD			0.05～0.20	≦0.05		
	AA	1100			0.05～0.20	≦0.05		
	ASTM	1100			0.05～0.20	≦0.05		
	BS							
	DIN							
R 136	KS	A 1200 TD			≦0.05	≦0.05		
	JIS	A 1200 TD			≦0.05	≦0.05		
	AA							
	ASTM							
	BS	EN AW-1200			≦0.05	≦0.05		
	DIN	EN AW-1200			≦0.05	≦0.05		
	NF	EN AW-1200			≦0.05	≦0.05		
	ISO	Al 99.0			≦0.05	≦0.05		
R 137	KS	A 2017 TD	0.20～0.8	≦0.7	3.5～4.5	0.40～1.0	0.40～0.8	≦0.10
	JIS	A 2017 TD	0.20～0.8	≦0.7	3.5～4.5	0.40～1.0	0.40～0.8	≦0.10
	AA							

Index No. R 133~R 137

化 学 成 分 (%) Chemical composition						形 状 別 規 格 番 号 Std, No. by shapes					
Zn	Ti		others 各(1)	others 合計(2)	Al	板(3)	条(4)	棒(5)	線(6)	管(7)	形材(8)
≦0.04	≦0.03		≦0.03		≧99.70					D 6761	
≦0.04	≦0.03		≦0.03		≧99.70					H 4080	
≦0.05	≦0.03		≦0.03		≧99.50					D 6761	
≦0.05	≦0.03		≦0.03		≧99.50					H 4080	
≦0.10		Si+Fe≦0.95	≦0.05	≦0.15	≧99.00					D 6761	
≦0.10		Si+Fe≦0.95	≦0.05	≦0.15	≧99.00					H 4080	
≦0.10		Si+Fe≦0.95	≦0.05	≦0.15	≧99.00					*	
≦0.10		Si+Fe≦0.95	≦0.05	≦0.15	≧99.00					B 210	
≦0.10	≦0.05	Si+Fe≦1.00	≦0.05	≦0.15	≧99.00					D 6761	
≦0.10	≦0.05	Si+Fe≦1.00	≦0.05	≦0.15	≧99.00					H 4080	
≦0.10	≦0.05	Si+Fe≦1.00	≦0.05	≦0.15	≧99.00			→		BS EN 573-3☆ BS EN 754-2☆☆	←
≦0.10	≦0.05	Si+Fe≦1.00	≦0.05	≦0.15	≧99.00			→		DIN EN 573-3☆ DIN EN 754-2☆☆	←
≦0.10	≦0.05	Si+Fe≦1.00	≦0.05	≦0.15	≧99.00			→		NF EN 573-3☆ NF EN 754-2☆☆	←
≦0.10	≦0.05	Si+Fe≦1.00	≦0.05	≦0.15	≧99.00			→		209-1☆ 6363-2☆☆	←
≦0.25	≦0.15	Zr+Ti≦0.20	≦0.05	≦0.15	殘部					D 6761	
≦0.25	≦0.15	Zr+Ti≦0.20	≦0.05	≦0.15	殘部					H 4080	

Notes : (1) Individual (2) Total (3) Plate (4) Strip (5) Bar (6) Wire (7) Pipe (8) Shapes

☆ 화학성분만을 규정하고 있는 규격 ☆☆기계적 성질만을 규정하는 규격

알루미늄 및 그 합금의 전신재 Aluminium and aluminum alloys

索引番号 Index No.	規格名 Std.	記号 Designation	化学成分 (%) Chemical composition					
			Si	Fe	Cu	Mn	Mg	Cr
R 137(계속)	ASTM							
	BS							
	DIN							
	NF							
R 138	KS	A 2024 TD	≦0.50	≦0.50	3.8~4.9	0.30~0.9	1.2~1.8	≦0.10
	JIS	A 2024 TD	≦0.50	≦0.50	3.8~4.9	0.30~0.9	1.2~1.8	≦0.10
	AA	2024	≦0.50	≦0.50	3.8~4.9	0.30~0.9	1.2~1.8	≦0.10
	ASTM	2024	≦0.50	≦0.50	3.8~4.9	0.30~0.9	1.2~1.8	≦0.10
	BS	EN AW-2024	≦0.50	≦0.50	3.8~4.9	0.30~0.9	1.2~1.8	≦0.10
	DIN	EN AW-2024	≦0.50	≦0.50	3.8~4.9	0.30~0.9	1.2~1.8	≦0.10
	NF	EN AW-2024	≦0.50	≦0.50	3.8~4.9	0.30~0.9	1.2~1.8	≦0.10
	ISO	AlCu 4 Mg 1	≦0.50	≦0.50	3.8~4.9	0.30~0.9	1.2~1.8	≦0.10
R 139	KS	A 3003 TD	≦0.6	≦0.7	0.05~0.20	1.0~1.5		
	JIS	A 3003 TD	≦0.6	≦0.7	0.05~0.20	1.0~1.5		
	AA	3003	≦0.6	≦0.7	0.05~0.20	1.0~1.5		
	ASTM	3003	≦0.6	≦0.7	0.05~0.20	1.0~1.5		
	BS	EN AW-3003	≦0.6	≦0.7	0.05~0.20	1.0~1.5		
	DIN	EN AW-3003	≦0.6	≦0.7	0.05~0.20	1.0~1.5		
	NF	EN AW-3003	≦0.6	≦0.7	0.05~0.20	1.0~1.5		
	ISO	AlMn 1 Cu	≦0.6	≦0.7	0.05~0.20	1.0~1.5		
R 140	KS	A 3203 TD	≦0.6	≦0.7	≦0.05	1.0~1.5		
	JIS	A 3203 TD	≦0.6	≦0.7	≦0.05	1.0~1.5		
	AA							
	ASTM							
	BS							
	DIN							
R 141	KS	A 5052 TD	≦0.25	≦0.40	≦0.10	≦0.10	2.2~2.8	0.15~0.35
	JIS	A 5052 TD	≦0.25	≦0.40	≦0.10	≦0.10	2.2~2.8	0.15~0.35
	AA	5052	≦0.25	≦0.40	≦0.10	≦0.10	2.2~2.8	0.15~0.35
	ASTM	5052	≦0.25	≦0.40	≦0.10	≦0.10	2.2~2.8	0.15~0.35

Index No. R 137~R 141

化学成分 (%) Chemical composition						形状別規格番号 Std, No. by shapes					
Zn	Ti		others 各[1]	others 合計[2]	Al	板[3]	条[4]	棒[5]	線[6]	管[7]	形材[8]
≦0.25	≦0.15	Zr+Ti≦0.20	≦0.05	≦0.15	殘部					D 6761	
≦0.25	≦0.15	Zr+Ti≦0.20	≦0.05	≦0.15	殘部					H 4080	
≦0.25	≦0.15		≦0.05	≦0.15	殘部					*	
≦0.25	≦0.15		≦0.05	≦0.15	殘部					B 210	
≦0.25	≦0.15		≦0.05	≦0.15	殘部			→		BS EN 573-3☆ BS EN 754-2☆☆	
≦0.25	≦0.15		≦0.05	≦0.15	殘部			→		DIN EN 573-3☆ DIN EN 754-2☆☆	
≦0.25	≦0.15		≦0.05	≦0.15	殘部			→		NF EN 573-3☆ NF EN 754-2☆☆	
≦0.25	≦0.15		≦0.05	≦0.15	殘部			→		209-1☆ 6363-2☆☆	
≦0.10			≦0.05	≦0.15	殘部					D 6761	
≦0.10			≦0.05	≦0.15	殘部					H 4080	
≦0.10			≦0.05	≦0.15	殘部					*	
≦0.10			≦0.05	≦0.15	殘部					B 210	
≦0.10			≦0.05	≦0.15	殘部					BS EN 573-3☆ BS EN 754-2☆☆	
≦0.10			≦0.05	≦0.15	殘部					DIN EN 573-3☆ DIN EN 754-2☆☆	
≦0.10			≦0.05	≦0.15	殘部			→		NF EN 573-3☆ NF EN 754-2☆☆	
≦0.10			≦0.05	≦0.15	殘部			→		209-1☆ 6363-2☆☆	
≦0.10			≦0.05	≦0.15	殘部					D 6761	
≦0.10			≦0.05	≦0.15	殘部					H 4080	
≦0.10			≦0.05	≦0.15	殘部					D 6761	
≦0.10			≦0.05	≦0.15	殘部					H 4080	
≦0.10			≦0.05	≦0.15	殘部					*	
≦0.10			≦0.05	≦0.15	殘部					B 210	

Notes : (1) Individual (2) Total (3) Plate (4) Strip (5) Bar (6) Wire (7) Pipe (8) Shapes

☆ 화학성분만을 규정하고 있는 규격 ☆☆기계적 성질만을 규정하는 규격

알루미늄 및 그 합금의 전신재 Aluminium and aluminum alloys

索引番号 Index No.	規格名 Std.	記号 Designation	化学成分 (%) Chemical composition					
			Si	Fe	Cu	Mn	Mg	Cr
R 141(계속)	BS	EN AW-5052	≦0.25	≦0.40	≦0.10	≦0.10	2.2~2.8	0.15~0.35
	DIN	EN AW-5052	≦0.25	≦0.40	≦0.10	≦0.10	2.2~2.8	0.15~0.35
	NF	EN AW-5052	≦0.25	≦0.40	≦0.10	≦0.10	2.2~2.8	0.15~0.35
	ISO	AlMg 2.5	≦0.25	≦0.40	≦0.10	≦0.10	2.2~2.8	0.15~0.35
R 142	KS	A 5154 TD	≦0.25	≦0.40	≦0.10	≦0.10	3.1~3.9	0.15~0.35
	JIS	A 5154 TD	≦0.25	≦0.40	≦0.10	≦0.10	3.1~3.9	0.15~0.35
	AA	5154	≦0.25	≦0.40	≦0.10	≦0.10	3.1~3.9	0.15~0.35
	ASTM	5154	≦0.25	≦0.40	≦0.10	≦0.10	3.1~3.9	0.15~0.35
	BS							
	DIN							
	ISO	AlMg 3.5	≦0.25	≦0.40	≦0.10	≦0.10	3.1~3.9	0.15~0.35
R 143	KS	A 5056 TD	≦0.30	≦0.40	≦0.10	0.05~0.20	4.5~5.6	0.05~0.20
	JIS	A 5056 TD	≦0.30	≦0.40	≦0.10	0.05~0.20	4.5~5.6	0.05~0.20
	AA							
	ASTM							
	BS							
	DIN							
	ISO	AlMg 5 Cr	≦0.30	≦0.40	≦0.10	0.05~0.20	4.5~5.6	0.05~0.20
R 144	KS	A 5083 TD	≦0.40	≦0.40	≦0.10	0.40~1.0	4.0~4.9	0.05~0.25
	JIS	A 5083 TD	≦0.40	≦0.40	≦0.10	0.40~1.0	4.0~4.9	0.05~0.25
	AA							
	ASTM	5083	≦0.40	≦0.40	≦0.10	0.40~1.0	4.0~4.9	0.05~0.25
	BS	EN AW-5083	≦0.40	≦0.40	≦0.10	0.40~1.0	4.0~4.9	0.05~0.25
	DIN	EN AW-5083	≦0.40	≦0.40	≦0.10	0.40~1.0	4.0~4.9	0.05~0.25
	NF	EN AW-5083	≦0.40	≦0.40	≦0.10	0.40~1.0	4.0~4.9	0.05~0.25
	ISO	AlMg 4.5 Mn 0.7	≦0.40	≦0.40	≦0.10	0.40~1.0	4.0~4.9	0.05~0.25
R 145	KS	A 6061 TD	0.40~0.8	≦0.7	0.15~0.40	≦0.15	0.8~1.2	0.04~0.35
	JIS	A 6061 TD	0.40~0.8	≦0.7	0.15~0.40	≦0.15	0.8~1.2	0.04~0.35
	AA	6061	0.40~0.8	≦0.7	0.15~0.40	≦0.15	0.8~1.2	0.04~0.35
	ASTM	6061	0.40~0.8	≦0.7	0.15~0.40	≦0.15	0.8~1.2	0.04~0.35

Index No. R 141~R 145

化学成分 (%) Chemical composition						形状別規格番号 Std, No. by shapes					
Zn	Ti		others 各(1)	others 合計(2)	Al	板(3)	条(4)	棒(5)	線(6)	管(7)	形材(8)
≦0.10			≦0.05	≦0.15	殘部			→		BS EN 573-3☆ BS EN 754-2☆☆	
≦0.10			≦0.05	≦0.15	殘部			→		DIN EN 573-3☆ DIN EN 754-2☆☆	
≦0.10			≦0.05	≦0.15	殘部			→		NF EN 573-3☆ NF EN 754-2☆☆	
≦0.10			≦0.05	≦0.15	殘部			→		209-1☆ 6363-2☆☆	
≦0.20	≦0.20		≦0.05	≦0.15	殘部					D 6761	
≦0.20	≦0.20		≦0.05	≦0.15	殘部					H 4080	
≦0.20	≦0.20		≦0.05	≦0.15	殘部					*	
≦0.20	≦0.20		≦0.05	≦0.15	殘部					B 210	
≦0.20	≦0.20		≦0.05	≦0.15	殘部			→		209-1☆ 6363-2☆☆	
≦0.10			≦0.05	≦0.15	殘部					D 6761	
≦0.10			≦0.05	≦0.15	殘部					H 4080	
≦0.10			≦0.05	≦0.15	殘部			→		209-1☆ 6363-2☆☆	
≦0.25	≦0.15		≦0.05	≦0.15	殘部					D 6761	
≦0.25	≦0.15		≦0.05	≦0.15	殘部					H 4080	
≦0.25	≦0.15		≦0.05	≦0.15	殘部					B 210	
≦0.25	≦0.15		≦0.05	≦0.15	殘部			→		BS EN 573-3☆ BS EN 754-2☆☆	
≦0.25	≦0.15		≦0.05	≦0.15	殘部			→		DIN EN 573-3☆ DIN EN 754-2☆☆	
≦0.25	≦0.15		≦0.05	≦0.15	殘部			→		NF EN 573-3☆ NF EN 754-2☆☆	
≦0.25	≦0.15		≦0.05	≦0.15	殘部			→		209-1☆ 6363-2☆☆	
≦0.25	≦0.15		≦0.05	≦0.15	殘部					D 6761	
≦0.25	≦0.15		≦0.05	≦0.15	殘部					H 4080	
≦0.25	≦0.15		≦0.05	≦0.15	殘部					*	
≦0.25	≦0.15		≦0.05	≦0.15	殘部					B 210	

Notes : (1) Individual (2) Total (3) Plate (4) Strip (5) Bar (6) Wire (7) Pipe (8) Shapes

☆ 화학성분만을 규정하고 있는 규격 ☆☆기계적 성질만을 규정하는 규격

알루미늄 및 그 합금의 전신재 Aluminium and aluminum alloys								
索引番号 Index No.	規格名 Std.	記号 Designation	化学成分 (%) Chemical composition					
			Si	Fe	Cu	Mn	Mg	Cr
R 145(계속)	BS	EN AW-6061	0.40~0.8	≦0.7	0.15~0.40	≦0.15	0.8~1.2	0.04~0.35
	DIN	EN AW-6061	0.40~0.8	≦0.7	0.15~0.40	≦0.15	0.8~1.2	0.04~0.35
	NF	EN AW-6061	0.40~0.8	≦0.7	0.15~0.40	≦0.15	0.8~1.2	0.04~0.35
	ISO	AlMg 1 SiCu	0.40~0.8	≦0.7	0.15~0.40	≦0.15	0.8~1.2	0.04~0.35
R 146	KS	A 6063 TD	0.20~0.6	≦0.35	≦0.10	≦0.10	0.45~0.9	≦0.10
	JIS	A 6063 TD	0.20~0.6	≦0.35	≦0.10	≦0.10	0.45~0.9	≦0.10
	AA	6063	0.20~0.6	≦0.35	≦0.10	≦0.10	0.45~0.9	≦0.10
	ASTM	6063	0.20~0.6	≦0.35	≦0.10	≦0.10	0.45~0.9	≦0.10
	BS	EN AW-6063	0.20~0.6	≦0.35	≦0.10	≦0.10	0.45~0.9	≦0.10
	DIN	EN AW-6063	0.20~0.6	≦0.35	≦0.10	≦0.10	0.45~0.9	≦0.10
	NF	EN AW-6063	0.20~0.6	≦0.35	≦0.10	≦0.10	0.45~0.9	≦0.10
	ISO	AlMg 0.7 Si	0.20~0.6	≦0.35	≦0.10	≦0.10	0.45~0.9	≦0.10
R 147	KS	A 7075 TD	≦0.40	≦0.50	1.2~2.0	≦0.30	2.1~2.9	0.18~0.28
	jiS	A 7075 TD	≦0.40	≦0.50	1.2~2.0	≦0.30	2.1~2.9	0.18~0.28
	AA	7075	≦0.40	≦0.50	1.2~2.0	≦0.30	2.1~2.9	0.18~0.28
	ASTM	7075	≦0.40	≦0.50	1.2~2.0	≦0.30	2.1~2.9	0.18~0.28
	BS	EN AW-7075	≦0.40	≦0.50	1.2~2.0	≦0.30	2.1~2.9	0.18~0.28
	DIN	EN AW-7075	≦0.40	≦0.50	1.2~2.0	≦0.30	2.1~2.9	0.18~0.28
	NF	EN AW-7075	≦0.40	≦0.50	1.2~2.0	≦0.30	2.1~2.9	0.18~0.28
	ISO	AlZn 5.5 MgCu	≦0.40	≦0.50	1.2~2.0	≦0.30	2.1~2.9	0.18~0.28
R 148	JIS	KA 1050 ATD	≦0.25	≦0.40	≦0.05	≦0.05		
	AA							
	ASTM							
	BS	EN AW-1050 A	≦0.25	≦0.40	≦0.05	≦0.05		
	DIN	EN AW-1050 A	≦0.25	≦0.40	≦0.05	≦0.05		
	NF	EN AW-1050 A	≦0.25	.≦0.40	≦0.05	≦0.05		
	ISO	Al 99.5	≦0.25	≦0.40	≦0.05	≦0.05		
R 149	JIS	KA 2014 ATD	0.50~0.9	≦0.50	3.9~5.0	0.40~1.2	0.20~0.8	≦0.10
	AA							
	ASTM							

Index No. R 145~R 149

化学成分 (%) Chemical composition						形状別規格番号 Std, No. by shapes					
Zn	Ti		others 各(1)	others 合計(2)	Al	板(3)	条(4)	棒(5)	線(6)	管(7)	形材(8)
≦0.25	≦0.15		≦0.05	≦0.15	殘部			→		BS EN 573-3☆ BS EN 754-2☆☆	
≦0.25	≦0.15		≦0.05	≦0.15	殘部			→		DIN EN 573-3☆ DIN EN 754-2☆☆	
≦0.25	≦0.15		≦0.05	≦0.15	殘部			→		NF EN 573-3☆ NF EN 754-2☆☆	
≦0.25	≦0.15		≦0.05	≦0.15	殘部			→		209-1☆ 6363-2☆☆	
≦0.10	≦0.10		≦0.05	≦0.15	殘部					D 6761	
≦0.10	≦0.10		≦0.05	≦0.15	殘部					H 4080	
≦0.10	≦0.10		≦0.05	≦0.15	殘部					*	
≦0.10	≦0.10		≦0.05	≦0.15	殘部					B 210	
≦0.10	≦0.10		≦0.05	≦0.15	殘部			→		BS EN 573-3☆ BS EN 754-2☆☆	
≦0.10	≦0.10		≦0.05	≦0.15	殘部			→		DIN EN 573-3☆ DIN EN 754-2☆☆	
≦0.10	≦0.10		≦0.05	≦0.15	殘部			→		NF EN 573-3☆ NF EN 754-2☆☆	
≦0.10	≦0.10		≦0.05	≦0.15	殘部					209-1☆ 6363-2☆☆	
5.1~6.1	≦0.20	Zr+Ti≦0.25	≦0.05	≦0.15	殘部					D 6761	
5.1~6.1	≦0.20	Zr+Ti≦0.25	≦0.05	≦0.15	殘部					H 4080	
5.1~6.1	≦0.20		≦0.05	≦0.15	殘部					*	
5.1~6.1	≦0.20		≦0.05	≦0.15	殘部					B 210	
5.1~6.1	≦0.20		≦0.05	≦0.15	殘部			→		BS EN 573-3☆ BS EN 754-2☆☆	
5.1~6.1	≦0.20		≦0.05	≦0.15	殘部			→		DIN EN 573-3☆ DIN EN 754-2☆☆	
5.1~6.1	≦0.20		≦0.05	≦0.15	殘部			→		NF EN 573-3☆ NF EN 754-2☆☆	
5.1~6.1	≦0.20		≦0.05	≦0.15	殘部			→		209-1☆ 6363-2☆☆	
≦0.07	≦0.05		≦0.03		≧99.50					H 4080	
≦0.07	≦0.05		≦0.03		≧99.50			→		BS EN 573-3☆ BS EN 754-2☆☆	
≦0.07	≦0.05		≦0.03		≧99.50			→		DIN EN 573-3☆ DIN EN 754-2☆☆	
≦0.07	≦0.05		≦0.03		≧99.50			→		NF EN 573-3☆ NF EN 754-2☆☆	
≦0.07	≦0.05		≦0.03		≧99.50			→		209-1☆ 6363-2☆☆	
≦0.25	≦0.15	Zr+Ti≦0.20 Ni≦0.10	≦0.05	≦0.15	殘部					H 4080	

Notes : (1) Individual (2) Total (3) Plate (4) Strip (5) Bar (6) Wire (7) Pipe (8) Shapes

☆ 화학성분만을 규정하고 있는 규격 ☆☆기계적 성질만을 규정하는 규격

알루미늄 및 그 합금의 전신재 Aluminium and aluminum alloys

索引番号 Index No.	規格名 Std.	記号 Designation	化 学 成 分 (%) Chemical composition					
			Si	Fe	Cu	Mn	Mg	Cr
R 149(계속)	BS	EN AW-2014 A	0.50~0.9	≦0.50	3.9~5.0	0.40~1.2	0.20~0.8	≦0.10
	DIN	EN AW-2014 A	0.50~0.9	≦0.50	3.9~5.0	0.40~1.2	0.20~0.8	≦0.10
	NF	EN AW-2014 A	0.50~0.9	≦0.50	3.9~5.0	0.40~1.2	0.20~0.8	≦0.10
	ISO	AlCu 4 SiMg(A)	0.50~0.9	≦0.50	3.9~5.0	0.40~1.2	0.20~0.8	≦0.10
R 150	JIS	KA 2011 TD	≦0.40	≦0.7	5.0~6.0			
	AA	2011	≦0.40	≦0.7	5.0~6.0			
	ASTM	2011	≦0.40	≦0.7	5.0~6.0			
	BS	EN AW-2011	≦0.40	≦0.7	5.0~6.0			
	DIN	EN AW-2011	≦0.40	≦0.7	5.0~6.0			
	NF	EN AW-2011	≦0.40	≦0.7	5.0~6.0			
	ISO	AlCu 6 BiPb	≦0.40	≦0.7	5.0~6.0			
R 151	JIS	KA 2030 TD	≦0.8	≦0.7	3.3~4.5	0.20~1.0	0.50~1.3	≦0.10
	AA							
	ASTM							
	BS	EN AW-2030	≦0.8	≦0.7	3.3~4.5	0.20~1.0	0.50~1.3	≦0.10
	DIN	EN AW-2030	≦0.8	≦0.7	3.3~4.5	0.20~1.0	0.50~1.3	≦0.10
	NF	EN AW-2030	≦0.8	≦0.7	3.3~4.5	0.20~1.0	0.50~1.3	≦0.10
	ISO	AlCu 4 PbMg	≦0.8	≦0.7	3.3~4.5	0.20~1.0	0.50~1.3	≦0.10
R 152	JIS	KA 3103 TD	≦0.50	≦0.7	≦0.10	0.9~1.5	≦0.30	≦0.10
	AA							
	ASTM							
	BS	EN AW-3103	≦0.50	≦0.7	≦0.10	0.9~1.5	≦0.30	≦0.10
	DIN	EN AW-3103	≦0.50	≦0.7	≦0.10	0.9~1.5	≦0.30	≦0.10
	NF	EN AW-3103	≦0.50	≦0.7	≦0.10	0.9~1.5	≦0.30	≦0.10
	ISO	AlMn 1	≦0.50	≦0.7	≦0.10	0.9~1.5	≦0.30	≦0.10
R 153	JIS	KA 5005 TD	≦0.30	≦0.7	≦0.20	≦0.20	0.50~1.1	≦0.10
	AA	5005	≦0.30	≦0.7	≦0.20	≦0.20	0.50~1.1	≦0.10
	ASTM	5005	≦0.30	≦0.7	≦0.20	≦0.20	0.50~1.1	≦0.10
	BS	EN AW-5005	≦0.30	≦0.7	≦0.20	≦0.20	0.50~1.1	≦0.10
	DIN	EN AW-5005	≦0.30	≦0.7	≦0.20	≦0.20	0.50~1.1	≦0.10

Index No. R 149~R 153

化学成分 (%) Chemical composition						形状別規格番号 Std, No. by shapes					
Zn	Ti		others		Al	板(3)	条(4)	棒(5)	線(6)	管(7)	形材(8)
			各(1)	合計(2)							
≦0.25	≦0.15	Zr+Ti≦0.20 Ni≦0.10	≦0.05	≦0.15	残部			→		BS EN 573-3☆ BS EN 754-2☆☆	
≦0.25	≦0.15	Zr+Ti≦0.20 Ni≦0.10	≦0.05	≦0.15	残部			→		DIN EN 573-3☆ DIN EN 754-2☆☆	
≦0.25	≦0.15	Zr+Ti≦0.20 Ni≦0.10	≦0.05	≦0.15	残部			→		NF EN 573-3☆ NF EN 754-2☆☆	
≦0.25	≦0.15	Zr+Ti≦0.20 Ni≦0.10	≦0.05	≦0.15	残部			→		209-1☆ 6363-2☆☆	
≦0.30		Pb 0.20~0.6 Bi 0.20~0.6	≦0.05	≦0.15	残部					H 4080	
≦0.30		Pb 0.20~0.6 Bi 0.20~0.6	≦0.05	≦0.15	残部					*	
≦0.30		Pb 0.20~0.6 Bi 0.20~0.6	≦0.05	≦0.15	残部					B 210	
≦0.30		Pb 0.20~0.6 Bi 0.20~0.6	≦0.05	≦0.15	残部			→		BS EN 573-3☆ BS EN 754-2☆☆	
≦0.30		Pb 0.20~0.6 Bi 0.20~0.6	≦0.05	≦0.15	残部			→		DIN EN 573-3☆ DIN EN 754-2☆☆	
≦0.30		Pb 0.20~0.6 Bi 0.20~0.6	≦0.05	≦0.15	残部			→		NF EN 573-3☆ NF EN 754-2☆☆	
≦0.30		Pb 0.20~0.6 Bi 0.20~0.6	≦0.05	≦0.15	残部			→		209-1☆ 6363-2☆☆	
≦0.50	≦0.20	Pb 0.8~1.5 Bi≦0.20	≦0.10	≦0.30	残部					H 4080	
≦0.50	≦0.20	Pb 0.8~1.5 Bi≦0.20	≦0.10	≦0.30	残部			→		BS EN 573-3☆ BS EN 754-2☆☆	
≦0.50	≦0.20	Pb 0.8~1.5 Bi≦0.20	≦0.10	≦0.30	残部			→		DIN EN 573-3☆ DIN EN 754-2☆☆	
≦0.50	≦0.20	Pb 0.8~1.5 Bi≦0.20	≦0.10	≦0.30	残部			→		NF EN 573-3☆ NF EN 754-2☆☆	
≦0.50	≦0.20	Pb 0.8~1.5 Bi≦0.20	≦0.10	≦0.30	残部			→		209-1☆ 6363-2☆☆	
≦0.20		Zr+Ti≦0.10	≦0.05	≦0.15	残部					H 4080	
≦0.20		Zr+Ti≦0.10	≦0.05	≦0.15	残部			→		BS EN 573-3☆ BS EN 754-2☆☆	
≦0.20		Zr+Ti≦0.10	≦0.05	≦0.15	残部			→		DIN EN 573-3☆ DIN EN 754-2☆☆	
≦0.20		Zr+Ti≦0.10	≦0.05	≦0.15	残部			→		NF EN 573-3☆ NF EN 754-2☆☆	
≦0.20		Zr+Ti≦0.10	≦0.05	≦0.15	残部			→		209-1☆ 6363-2☆☆	
≦0.25			≦0.05	≦0.15	残部					H 4080	
≦0.25			≦0.05	≦0.15	残部					*	
≦0.25			≦0.05	≦0.15	残部					B 210	
≦0.25			≦0.05	≦0.15	残部			→		BS EN 573-3☆ BS EN 754-2☆☆	
≦0.25			≦0.05	≦0.15	残部			→		DIN EN 573-3☆ DIN EN 754-2☆☆	

Notes : (1) Individual (2) Total (3) Plate (4) Strip (5) Bar (6) Wire (7) Pipe (8) Shapes

☆ 화학성분만을 규정하고 있는 규격 ☆☆기계적 성질만을 규정하는 규격

알루미늄 및 그 합금의 전신재 Aluminium and aluminum alloys								
索引番号 Index No.	規格名 Std.	記号 Designation	化学成分 (%) Chemical composition					
			Si	Fe	Cu	Mn	Mg	Cr
R 153(계속)	NF	EN AW-5005	≦0.30	≦0.7	≦0.20	≦0.20	0.50~1.1	≦0.10
	ISO	AlMg 1 (B)	≦0.30	≦0.7	≦0.20	≦0.20	0.50~1.1	≦0.10
R 154	JIS	KA 5251 TD	≦0.40	≦0.50	≦0.15	0.10~0.50	1.7~2.4	≦0.15
	AA							
	ASTM							
	BS	EN AW-5251	≦0.40	≦0.50	≦0.15	0.10~0.50	1.7~2.4	≦0.15
	DIN	EN AW-5251	≦0.40	≦0.50	≦0.15	0.10~0.50	1.7~2.4	≦0.15
	NF	EN AW-5251	≦0.40	≦0.50	≦0.15	0.10~0.50	1.7~2.4	≦0.15
	ISO	AlMg 2	≦0.40	≦0.50	≦0.15	0.10~0.50	1.7~2.4	≦0.15
R 155	JIS	KA 5754 TD	≦0.40	≦0.40	≦0.10	≦0.50	2.6~3.6	≦0.30
	AA							
	ASTM							
	BS	EN AW-5754	≦0.40	≦0.40	≦0.10	≦0.50	2.6~3.6	≦0.30
	DIN	EN AW-5754	≦0.40	≦0.40	≦0.10	≦0.50	2.6~3.6	≦0.30
	NF	EN AW-5754	≦0.40	≦0.40	≦0.10	≦0.50	2.6~3.6	≦0.30
	ISO	AlMg 3	≦0.40	≦0.40	≦0.10	≦0.50	2.6~3.6	≦0.30
R 156	JIS	KA 5086 TD	≦0.40	≦0.50	≦0.10	0.20~0.7	3.5~4.5	0.05~0.25
	AA	5086	≦0.40	≦0.50	≦0.10	0.20~0.7	3.5~4.5	0.05~0.25
	ASTM	5086	≦0.40	≦0.50	≦0.10	0.20~0.7	3.5~4.5	0.05~0.25
	BS	EN AW-5086	≦0.40	≦0.50	≦0.10	0.20~0.7	3.5~4.5	0.05~0.25
	DIN	EN AW-5086	≦0.40	≦0.50	≦0.10	0.20~0.7	3.5~4.5	0.05~0.25
	NF	EN AW-5086	≦0.40	≦0.50	≦0.10	0.20~0.7	3.5~4.5	0.05~0.25
	ISO	AlMg 4	≦0.40	≦0.50	≦0.10	0.20~0.7	3.5~4.5	0.05~0.25
R 157	JIS	KA 6060 TE	0.30~0.6	0.10~0.30	≦0.10	≦0.10	0.35~0.6	≦0.05
	AA							
	ASTM	6060	0.30~0.6	0.10~0.30	≦0.10	≦0.10	0.35~0.6	≦0.05
	BS	EN AW-6060	0.30~0.6	0.10~0.30	≦0.10	≦0.10	0.35~0.6	≦0.05
	DIN	EN AW-6060	0.30~0.6	0.10~0.30	≦0.10	≦0.10	0.35~0.6	≦0.05
	NF	EN AW-6060	0.30~0.6	0.10~0.30	≦0.10	≦0.10	0.35~0.6	≦0.05
	ISO	AlMgSi	0.30~0.6	0.10~0.30	≦0.10	≦0.10	0.35~0.6	≦0.05

化学成分 (%) Chemical composition						形状別規格番号 Std, No. by shapes					
Zn	Ti		others		Al	板(3)	条(4)	棒(5)	線(6)	管(7)	形材(8)
			各(1)	合計(2)							
≦0.25			≦0.05	≦0.15	殘部			→		NF EN 573-3☆ NF EN 754-2☆☆	
≦0.25			≦0.05	≦0.15	殘部					209-1☆ 6363-2☆☆	
≦0.15	≦0.15		≦0.05	≦0.15	殘部					H 4080	
≦0.15	≦0.15		≦0.05	≦0.15	殘部			→		BS EN 573-3☆ BS EN 754-2☆☆	
≦0.15	≦0.15		≦0.05	≦0.15	殘部			→		DIN EN 573-3☆ DIN EN 754-2☆☆	
≦0.15	≦0.15		≦0.05	≦0.15	殘部			→		NF EN 573-3☆ NF EN 754-2☆☆	
≦0.15	≦0.15		≦0.05	≦0.15	殘部					209-1☆ 6363-2☆☆	
≦0.20	≦0.15	Mn+Cr 0.10~0.6	≦0.05	≦0.15	殘部					H 4080	
≦0.20	≦0.15	Mn+Cr 0.10~0.6	≦0.05	≦0.15	殘部			→		BS EN 573-3☆ BS EN 754-2☆☆	
≦0.20	≦0.15	Mn+Cr 0.10~0.6	≦0.05	≦0.15	殘部			→		DIN EN 573-3☆ DIN EN 754-2☆☆	
≦0.20	≦0.15	Mn+Cr 0.10~0.6	≦0.05	≦0.15	殘部			→		NF EN 573-3☆ NF EN 754-2☆☆	
≦0.20	≦0.15	Mn+Cr 0.10~0.6	≦0.05	≦0.15	殘部			→		209-1☆ 6363-2☆☆	
≦0.25	≦0.15		≦0.05	≦0.15	殘部					H 4080	
≦0.25	≦0.15		≦0.05	≦0.15	殘部					*	
≦0.25	≦0.15		≦0.05	≦0.15	殘部					B 210	
≦0.25	≦0.15		≦0.05	≦0.15	殘部			→		BS EN 573-3☆ BS EN 754-2☆☆	
≦0.25	≦0.15		≦0.05	≦0.15	殘部			→		DIN EN 573-3☆ DIN EN 754-2☆☆	
≦0.25	≦0.15		≦0.05	≦0.15	殘部			→		NF EN 573-3☆ NF EN 754-2☆☆	
≦0.25	≦0.15		≦0.05	≦0.15	殘部			→		209-1☆ 6363-2☆☆	
≦0.15	≦0.10		≦0.05	≦0.15	殘部					H 4080	
≦0.15	≦0.10		≦0.05	≦0.15	殘部			→	→	B 221	
≦0.15	≦0.10		≦0.05	≦0.15	殘部			→		BS EN 573-3☆ BS EN 754-2☆☆	
≦0.15	≦0.10		≦0.05	≦0.15	殘部			→		DIN EN 573-3☆ DIN EN 754-2☆☆	
≦0.15	≦0.10		≦0.05	≦0.15	殘部			→		NF EN 573-3☆ NF EN 754-2☆☆	
≦0.15	≦0.10		≦0.05	≦0.15	殘部					209-1☆ 6363-2☆☆	

Notes : (1) Individual (2) Total (3) Plate (4) Strip (5) Bar (6) Wire (7) Pipe (8) Shapes

☆ 화학성분만을 규정하고 있는 규격 ☆☆기계적 성질만을 규정하는 규격

알루미늄 및 그 합금의 전신재 Aluminium and aluminum alloys

索引番号 Index No.	規格名 Std.	記号 Designation	化学成分 (%) Chemical composition					
			Si	Fe	Cu	Mn	Mg	Cr
R 158	JIS	KA 6262 TD	0.40~0.8	≦0.7	0.15~0.40	≦0.15	0.8~1.2	0.04~0.14
	AA	6262	0.40~0.8	≦0.7	0.15~0.40	≦0.15	0.8~1.2	0.04~0.14
	ASTM	6262	0.40~0.8	≦0.7	0.15~0.40	≦0.15	0.8~1.2	0.04~0.14
	BS	EN AW-6262	0.40~0.8	≦0.7	0.15~0.40	≦0.15	0.8~1.2	0.04~0.14
	DIN	EN AW-6262	0.40~0.8	≦0.7	0.15~0.40	≦0.15	0.8~1.2	0.04~0.14
	NF	EN AW-6262	0.40~0.8	≦0.7	0.15~0.40	≦0.15	0.8~1.2	0.04~0.14
	ISO	AlMg 1 SiPb	0.40~0.8	≦0.7	0.15~0.40	≦0.15	0.8~1.2	0.04~0.14
R 159	JIS	KA 6082 TD	0.7~1.3	≦0.50	≦0.10	0.40~1.0	0.6~1.2	≦0.25
	AA							
	ASTM							
	BS	EN AW-6082	0.7~1.3	≦0.50	≦0.10	0.40~1.0	0.6~1.2	≦0.25
	DIN	EN AW-6082	0.7~1.3	≦0.50	≦0.10	0.40~1.0	0.6~1.2	≦0.25
	NF	EN AW-6082	0.7~1.3	≦0.50	≦0.10	0.40~1.0	0.6~1.2	≦0.25
	ISO	AlSiMgMn	0.7~1.3	≦0.50	≦0.10	0.40~1.0	0.6~1.2	≦0.25
R 160	KS	A 1100 S			0.05~0.20	≦0.05		
	JIS	A 1100 S			0.05~0.20	≦0.05		
	AA	1100			0.05~0.20	≦0.05		
	ASTM	1100			0.05~0.20	≦0.05		
	BS							
	DIN							
R 161	KS	A 1200 S			≦0.05	≦0.05		
	JIS	A 1200 S			≦0.05	≦0.05		
	AA							
	ASTM							
	BS	EN AW-1200			≦0.05	≦0.05		
	DIN	EN AW-1200			≦0.05	≦0.05		
	NF	EN AW-1200			≦0.05	≦0.05		
R 162	KS	A 2014 S	0.50~1.2	≦0.7	3.9~5.0	0.40~1.2	0.20~0.8	≦0.10
	JIS	A 2014 S	0.50~1.2	≦0.7	3.9~5.0	0.40~1.2	0.20~0.8	≦0.10
	AA	2014	0.50~1.2	≦0.7	3.9~5.0	0.40~1.2	0.20~0.8	≦0.10

Index No. R 158～R 162

化学成分 (%) Chemical composition						形状別規格番号 Std, No. by shapes					
Zn	Ti		others		Al	板(3)	条(4)	棒(5)	線(6)	管(7)	形材(8)
			各(1)	合計(2)							
≦0.25	≦0.15	Bi 0.40～0.7 Pb 0.40～0.7	≦0.05	≦0.15	殘部					H 4080	
≦0.25	≦0.15	Bi 0.40～0.7 Pb 0.40～0.7	≦0.05	≦0.15	殘部					*	
≦0.25	≦0.15	Bi 0.40～0.7 Pb 0.40～0.7	≦0.05	≦0.15	殘部					B 210	
≦0.25	≦0.15	Bi 0.40～0.7 Pb 0.40～0.7	≦0.05	≦0.15	殘部			→		BS EN 573-3☆ BS EN 754-2☆☆	
≦0.25	≦0.15	Bi 0.40～0.7 Pb 0.40～0.7	≦0.05	≦0.15	殘部			→		DIN EN 573-3☆ DIN EN 754-2☆☆	
≦0.25	≦0.15	Bi 0.40～0.7 Pb 0.40～0.7	≦0.05	≦0.15	殘部			→		NF EN 573-3☆ NF EN 754-2☆☆	
≦0.25	≦0.15	Bi 0.40～0.7 Pb 0.40～0.7	≦0.05	≦0.15	殘部			→		209-1☆ 6363-2☆☆	
≦0.20	≦0.10		≦0.05	≦0.15	殘部					H 4080	
≦0.20	≦0.10		≦0.05	≦0.15	殘部			→		BS EN 573-3☆ BS EN 754-2☆☆	
≦0.20	≦0.10		≦0.05	≦0.15	殘部			→		DIN EN 573-3☆ DIN EN 754-2☆☆	
≦0.20	≦0.10		≦0.05	≦0.15	殘部			→		NF EN 573-3☆ NF EN 754-2☆☆	
≦0.20	≦0.10		≦0.05	≦0.15	殘部			→		209-1☆ 6363-2☆☆	
≦0.10		Si+Fe≦0.95	≦0.05	≦0.15	≧99.00						D 6759
≦0.10		Si+Fe≦0.95	≦0.05	≦0.15	≧99.00						H 4100
≦0.10		Si+Fe≦0.95	≦0.05	≦0.15	≧99.00						*
≦0.10		Si+Fe≦0.95	≦0.05	≦0.15	≧99.00			→	→	→	B 221
≦0.10	≦0.05	Si+Fe≦1.00	≦0.05	≦0.15	≧99.00						D 6759
≦0.10	≦0.05	Si+Fe≦1.00	≦0.05	≦0.15	≧99.00						H 4100
≦0.10	≦0.05	Si+Fe≦1.00	≦0.05	≦0.15	≧99.00			→		→	BS EN 573-3☆ BS EN 755-2☆☆
≦0.10	≦0.05	Si+Fe≦1.00	≦0.05	≦0.15	≧99.00			→		→	DIN EN 573-3☆ DIN EN 755-2☆☆
≦0.10	≦0.05	Si+Fe≦1.00	≦0.05	≦0.15	≧99.00			→		→	NF EN 573-3☆ NF EN 755-2☆☆
≦0.25	≦0.15	Zr+Ti≦0.20	≦0.05	≦0.15	殘部						D 6759
≦0.25	≦0.15	Zr+Ti≦0.20	≦0.05	≦0.15	殘部						H 4100
≦0.25	≦0.15	Zr+Ti≦0.20(9)	≦0.05	≦0.15	殘部						*

Notes : (1) Individual (2) Total (3) Plate (4) Strip (5) Bar (6) Wire (7) Pipe (8) Shapes (9) 당사자간의 협정에 따름

☆ 화학성분만을 규정하고 있는 규격 ☆☆기계적 성질만을 규정하는 규격

알루미늄 및 그 합금의 전신재 Aluminium and aluminum alloys

索引番号 Index No.	規格名 Std.	記号 Designation	化学成分(%) Chemical composition					
			Si	Fe	Cu	Mn	Mg	Cr
R 162(계속)	ASTM	2014	0.50~1.2	≦0.7	3.9~5.0	0.40~1.2	0.20~0.8	≦0.10
	BS	EN AW-2014	0.50~1.2	≦0.7	3.9~5.0	0.40~1.2	0.20~0.8	≦0.10
	DIN	EN AW-2014	0.50~1.2	≦0.7	3.9~5.0	0.40~1.2	0.20~0.8	≦0.10
	NF	EN AW-2014	0.50~1.2	≦0.7	3.9~5.0	0.40~1.2	0.20~0.8	≦0.10
	ISO	Al-Cu 4 SiMg	0.50~1.2	≦0.7	3.9~5.0	0.40~1.2	0.20~0.8	≦0.10
R 163	KS	A 2017 S	0.20~0.8	≦0.7	3.5~4.5	0.40~1.0	0.40~0.8	≦0.10
	JIS	A 2017 S	0.20~0.8	≦0.7	3.5~4.5	0.40~1.0	0.40~0.8	≦0.10
	AA							
	ASTM							
	BS							
	DIN							
	NF							
	ISO							
R 164	KS	A 2024 S	≦0.50	≦0.50	3.8~4.9	0.30~0.9	1.2~1.8	≦0.10
	JIS	A 2024 S	≦0.50	≦0.50	3.8~4.9	0.30~0.9	1.2~1.8	≦0.10
	AA	2024	≦0.50	≦0.50	3.8~4.9	0.30~0.9	1.2~1.8	≦0.10
	ASTM	2024	≦0.50	≦0.50	3.8~4.9	0.30~0.9	1.2~1.8	≦0.10
	BS	EN AW-2024	≦0.50	≦0.50	3.8~4.9	0.30~0.9	1.2~1.8	≦0.10
	DIN	EN AW-2024	≦0.50	≦0.50	3.8~4.9	0.30~0.9	1.2~1.8	≦0.10
	NF	EN AW-2024	≦0.50	≦0.50	3.8~4.9	0.30~0.9	1.2~1.8	≦0.10
	ISO	Al-Cu 4 Mg 1	≦0.50	≦0.50	3.8~4.9	0.30~0.9	1.2~1.8	≦0.10
R 165	KS	A 3003 S	≦0.6	≦0.7	0.05~0.20	1.0~1.5		
	JIS	A 3003 S	≦0.6	≦0.7	0.05~0.20	1.0~1.5		
	AA	3003	≦0.6	≦0.7	0.05~0.20	1.0~1.5		
	ASTM	3003	≦0.6	≦0.7	0.05~0.20	1.0~1.5		
	BS	EN AW-3003	≦0.6	≦0.7	0.05~0.20	1.0~1.5		
	DIN	EN AW-3003	≦0.6	≦0.7	0.05~0.20	1.0~1.5		
	NF	EN AW-3003	≦0.6	≦0.7	0.05~0.20	1.0~1.5		
	ISO	Al-Mn 1 Cu	≦0.6	≦0.7	0.05~0.20	1.0~1.5		

Index No. R 162~R 165

化学成分 (%) Chemical composition						形状別規格番号 Std, No. by shapes					
Zn	Ti		others 各(1)	others 合計(2)	Al	板(3)	条(4)	棒(5)	線(6)	管(7)	形材(8)
≦0.25	≦0.15	Zr+Ti≦0.20(9)	≦0.05	≦0.15	殘部			→	→	→	B 221
≦0.25	≦0.15	Zr+Ti≦0.20(9)	≦0.05	≦0.15	殘部			→		→	BS EN 573-3☆ BS EN 755-2☆☆
≦0.25	≦0.15	Zr+Ti≦0.20(9)	≦0.05	≦0.15	殘部			→		→	DIN EN 573-3☆ DIN EN 755-2☆☆
≦0.25	≦0.15	Zr+Ti≦0.20(9)	≦0.05	≦0.15	殘部			→		→	NF EN 573-3☆ NF EN 755-2☆☆
≦0.25	≦0.15	Zr+Ti≦0.20(9)	≦0.05	≦0.15	殘部			→		→	209-1☆ 6362-2☆☆
≦0.25	≦0.15	Zr+Ti≦0.20	≦0.05	≦0.15	殘部						D 6759
≦0.25	≦0.15	Zr+Ti≦0.20	≦0.05	≦0.15	殘部						H 4100
≦0.25	≦0.15	Zr+Ti≦0.20	≦0.05	≦0.15	殘部						D 6759
≦0.25	≦0.15	Zr+Ti≦0.20	≦0.05	≦0.15	殘部						H 4100
≦0.25	≦0.15	Zr+Ti≦0.20(9)	≦0.05	≦0.15	殘部						*
≦0.25	≦0.15	Zr+Ti≦0.20(9)	≦0.05	≦0.15	殘部			→	→	→	B 221
≦0.25	≦0.15	Zr+Ti≦0.20(9)	≦0.05	≦0.15	殘部			→		→	BS EN 573-3☆ BS EN 755-2☆☆
≦0.25	≦0.15	Zr+Ti≦0.20(9)	≦0.05	≦0.15	殘部			→		→	DIN EN 573-3☆ DIN EN 755-2☆☆
≦0.25	≦0.15	Zr+Ti≦0.20(9)	≦0.05	≦0.15	殘部			→		→	NF EN 573-3☆ NF EN 755-2☆☆
≦0.25	≦0.15	Zr+Ti≦0.20(9)	≦0.05	≦0.15	殘部			→		→	209-1☆ 6363-2☆☆
≦0.10			≦0.05	≦0.15	殘部						D 6759
≦0.10			≦0.05	≦0.15	殘部						H 4100
≦0.10			≦0.05	≦0.15	殘部						*
≦0.10			≦0.05	≦0.15	殘部			→	→	→	B 221
≦0.10			≦0.05	≦0.15	殘部			→		→	BS EN 573-3☆ BS EN 755-2☆☆
≦0.10			≦0.05	≦0.15	殘部			→		→	DIN EN 573-3☆ DIN EN 755-2☆☆
≦0.10			≦0.05	≦0.15	殘部			→		→	NF EN 573-3☆ NF EN 755-2☆☆
≦0.10			≦0.05	≦0.15	殘部					→	209-1☆ 6363-2☆☆

Notes : (1) Individual (2) Total (3) Plate (4) Strip (5) Bar (6) Wire (7) Pipe (8) Shapes (9) 당사자간의 협정에 따름
☆ 화학성분만을 규정하고 있는 규격 ☆☆기계적 성질만을 규정하는 규격

알루미늄 및 그 합금의 전신재 Aluminium and aluminum alloys

索引番号 Index No.	規格名 Std.	記号 Designation	化学成分 (%) Chemical composition Si	Fe	Cu	Mn	Mg	Cr
R 166	KS	A 3203 S	≦0.6	≦0.7	≦0.05	1.0~1.5		
	JIS	A 3203 S	≦0.6	≦0.7	≦0.05	1.0~1.5		
	AA							
	ASTM							
	BS							
	DIN							
R 167	KS	A 5052 S	≦0.25	≦0.40	≦0.10	≦0.10	2.2~2.8	0.15~0.35
	JIS	A 5052 S	≦0.25	≦0.40	≦0.10	≦0.10	2.2~2.8	0.15~0.35
	AA							
	ASTM	5052	≦0.25	≦0.40	≦0.10	≦0.10	2.2~2.8	0.15~0.35
	BS	EN AW-5052	≦0.25	≦0.40	≦0.10	≦0.10	2.2~2.8	0.15~0.35
	DIN	EN AW-5052	≦0.25	≦0.40	≦0.10	≦0.10	2.2~2.8	0.15~0.35
	NF	EN AW-5052	≦0.25	≦0.40	≦0.10	≦0.10	2.2~2.8	0.15~0.35
R 168	KS	A 5454 S	≦0.25	≦0.40	≦0.10	0.50~1.0	2.4~3.0	0.05~0.20
	JIS	A 5454 S	≦0.25	≦0.40	≦0.10	0.50~1.0	2.4~3.0	0.05~0.20
	AA	5454	≦0.25	≦0.40	≦0.10	0.50~1.0	2.4~3.0	0.05~0.20
	ASTM	5454	≦0.25	≦0.40	≦0.10	0.50~1.0	2.4~3.0	0.05~0.20
	BS	EN AW-5454	≦0.25	≦0.40	≦0.10	0.50~1.0	2.4~3.0	0.05~0.20
	DIN	EN AW-5454	≦0.25	≦0.40	≦0.10	0.50~1.0	2.4~3.0	0.05~0.20
	NF	EN AW-5454	≦0.25	≦0.40	≦0.10	0.50~1.0	2.4~3.0	0.05~0.20
R 169	KS	A 5083 S	≦0.40	≦0.40	≦0.10	0.40~1.0	4.0~4.9	0.05~0.25
	JIS	A 5083 S	≦0.40	≦0.40	≦0.10	0.40~1.0	4.0~4.9	0.05~0.25
	AA	5083	≦0.40	≦0.40	≦0.10	0.40~1.0	4.0~4.9	0.05~0.25
	ASTM	5083	≦0.40	≦0.40	≦0.10	0.40~1.0	4.0~4.9	0.05~0.25
	BS	EN AW-5083	≦0.40	≦0.40	≦0.10	0.40~1.0	4.0~4.9	0.05~0.25
	DIN	EN AW-5083	≦0.40	≦0.40	≦0.10	0.40~1.0	4.0~4.9	0.05~0.25
	NF	EN AW-5083	≦0.40	≦0.40	≦0.10	0.40~1.0	4.0~4.9	0.05~0.25
	ISO	Al-Mg 4.5 Mn 0.7	≦0.40	≦0.40	≦0.10	0.40~1.0	4.0~4.9	0.05~0.25

化学成分 (%) Chemical composition						形状別規格番号 Std, No. by shapes					
Zn	Ti		others		Al	板(3)	条(4)	棒(5)	線(6)	管(7)	形材(8)
			各(1)	合計(2)							
≦0.10			≦0.05	≦0.15	殘部						D 6759
≦0.10			≦0.05	≦0.15	殘部						H 4100
≦0.10			≦0.05	≦0.15	殘部						D 6759
≦0.10			≦0.05	≦0.15	殘部						H 4100
≦0.10			≦0.05	≦0.15	殘部			→	→	→	B 221
≦0.10			≦0.05	≦0.15	殘部			→		→	BS EN 573-3☆ BS EN 755-2☆☆
≦0.10			≦0.05	≦0.15	殘部			→		→	DIN EN 573-3☆ DIN EN 755-2☆☆
≦0.10			≦0.05	≦0.15	殘部			→		→	NF EN 573-3☆ NF EN 755-2☆☆
≦0.25	≦0.20		≦0.05	≦0.15	殘部						D 6759
≦0.25	≦0.20		≦0.05	≦0.15	殘部						H 4100
≦0.25	≦0.20		≦0.05	≦0.15	殘部						*
≦0.25	≦0.20		≦0.05	≦0.15	殘部			→	→	→	B 221
≦0.25	≦0.20		≦0.05	≦0.15	殘部			→		→	BS EN 573-3☆ BS EN 755-2☆☆
≦0.25	≦0.20		≦0.05	≦0.15	殘部			→		→	DIN EN 573-3☆ DIN EN 755-2☆☆
≦0.25	≦0.20		≦0.05	≦0.15	殘部			→		→	NF EN 573-3☆ NF EN 755-2☆☆
≦0.25	≦0.15		≦0.05	≦0.15	殘部						D 6759
≦0.25	≦0.15		≦0.05	≦0.15	殘部						H 4100
≦0.25	≦0.15		≦0.05	≦0.15	殘部						*
≦0.25	≦0.15		≦0.05	≦0.15	殘部			→	→	→	B 221
≦0.25	≦0.15		≦0.05	≦0.15	殘部			→		→	BS EN 573-3☆ BS EN 755-2☆☆
≦0.25	≦0.15		≦0.05	≦0.15	殘部			→		→	DIN EN 573-3☆ DIN EN 755-2☆☆
≦0.25	≦0.15		≦0.05	≦0.15	殘部			→		→	NF EN 573-3☆ NF EN 755-2☆☆
≦0.25	≦0.15		≦0.05	≦0.15	殘部			→		→	209-1☆ 6362-2☆☆

Notes : (1) Individual (2) Total (3) Plate (4) Strip (5) Bar (6) Wire (7) Pipe (8) Shapes

☆ 화학성분만을 규정하고 있는 규격 ☆☆기계적 성질만을 규정하는 규격

알루미늄 및 그 합금의 전신재 Aluminium and aluminum alloys								
索引番号 Index No.	規格名 Std.	記号 Designation	化学成分(%) Chemical composition					
			Si	Fe	Cu	Mn	Mg	Cr
R 170	KS	A 5086 S	≦0.40	≦0.50	≦0.10	0.20~0.7	3.5~4.5	0.05~0.25
	JIS	A 5086 S	≦0.40	≦0.50	≦0.10	0.20~0.7	3.5~4.5	0.05~0.25
	AA	5086	≦0.40	≦0.50	≦0.10	0.20~0.7	3.5~4.5	0.05~0.25
	ASTM	5086	≦0.40	≦0.50	≦0.10	0.20~0.7	3.5~4.5	0.05~0.25
	BS	EN AW-5086	≦0.40	≦0.50	≦0.10	0.20~0.7	3.5~4.5	0.05~0.25
	DIN	EN AW-5086	≦0.40	≦0.50	≦0.10	0.20~0.7	3.5~4.5	0.05~0.25
	NF	EN AW-5086	≦0.40	≦0.50	≦0.10	0.20~0.7	3.5~4.5	0.05~0.25
R 171	KS	A 6061 S	0.40~0.8	≦0.7	0.15~0.40	≦0.15	0.8~1.2	0.04~0.35
	JIS	A 6061 S	0.40~0.8	≦0.7	0.15~0.40	≦0.15	0.8~1.2	0.04~0.35
	AA	6061	0.40~0.8	≦0.7	0.15~0.40	≦0.15	0.8~1.2	0.04~0.35
	ASTM	6061	0.40~0.8	≦0.7	0.15~0.40	≦0.15	0.8~1.2	0.04~0.35
	BS	EN AW-6061	0.40~0.8	≦0.7	0.15~0.40	≦0.15	0.8~1.2	0.04~0.35
	DIN	EN AW-6061	0.40~0.8	≦0.7	0.15~0.40	≦0.15	0.8~1.2	0.04~0.35
	NF	EN AW-6061	0.40~0.8	≦0.7	0.15~0.40	≦0.15	0.8~1.2	0.04~0.35
	ISO	Al-Mg 1 SiCu	0.40~0.8	≦0.7	0.15~0.40	≦0.15	0.8~1.2	0.04~0.35
R 172	KS	A 6 N 01 S	0.40~0.9	≦0.35	≦0.35	≦0.50	0.40~0.8	≦0.30
	JIS	A 6 N 01 S	0.40~0.9	≦0.35	≦0.35	≦0.50	0.40~0.8	≦0.30
	AA							
	ASTM							
	BS							
	DIN							
	NF							
	ISO							
R 173	KS	A 6063 S	0.20~0.6	≦0.35	≦0.10	≦0.10	0.45~0.9	≦0.10
	JIS	A 6063 S	0.20~0.6	≦0.35	≦0.10	≦0.10	0.45~0.9	≦0.10
	AA	6063	0.20~0.6	≦0.35	≦0.10	≦0.10	0.45~0.9	≦0.10
	ASTM	6063	0.20~0.6	≦0.35	≦0.10	≦0.10	0.45~0.9	≦0.10
	BS	EN AW-6063	0.20~0.6	≦0.35	≦0.10	≦0.10	0.45~0.9	≦0.10
	DIN	EN AW-6063	0.20~0.6	≦0.35	≦0.10	≦0.10	0.45~0.9	≦0.10
	NF	EN AW-6063	0.20~0.6	≦0.35	≦0.10	≦0.10	0.45~0.9	≦0.10
	ISO	AlMg 0.7 Si	0.20~0.6	≦0.35	≦0.10	≦0.10	0.45~0.9	≦0.10

Index No. R 170~R 173

化 学 成 分 (%) Chemical composition						形 状 別 規 格 番 号 Std, No. by shapes					
Zn	Ti		others		Al	板(3)	条(4)	棒(5)	線(6)	管(7)	形材(8)
			各(1)	合計(2)							
≦0.25	≦0.15		≦0.05	≦0.15	殘部						D 6759
≦0.25	≦0.15		≦0.05	≦0.15	殘部						H 4100
≦0.25	≦0.15		≦0.05	≦0.15	殘部						*
≦0.25	≦0.15		≦0.05	≦0.15	殘部			→	→	→	B 221
≦0.25	≦0.15		≦0.05	≦0.15	殘部			→		→	BS EN 573-3☆ BS EN 755-2☆☆
≦0.25	≦0.15		≦0.05	≦0.15	殘部			→		→	DIN EN 573-3☆ DIN EN 755-2☆☆
≦0.25	≦0.15		≦0.05	≦0.15	殘部			→		→	NF EN 573-3☆ NF EN 755-2☆☆
≦0.25	≦0.15		≦0.05	≦0.15	殘部						D 6759
≦0.25	≦0.15		≦0.05	≦0.15	殘部						H 4100
≦0.25	≦0.15		≦0.05	≦0.15	殘部						*
≦0.25	≦0.15		≦0.05	≦0.15	殘部			→	→	→	B 221
≦0.25	≦0.15		≦0.05	≦0.15	殘部			→		→	BS EN 573-3☆ BS EN 755-2☆☆
≦0.25	≦0.15		≦0.05	≦0.15	殘部			→		→	DIN EN 573-3☆ DIN EN 755-2☆☆
≦0.25	≦0.15		≦0.05	≦0.15	殘部			→		→	NF EN 573-3☆ NF EN 755-2☆☆
≦0.25	≦0.15		≦0.05	≦0.15	殘部			→		→	209-1☆ 6362-2☆☆
≦0.25	≦0.10	Mn+Cr≦0.50	≦0.05	≦0.15	殘部						D 6759
≦0.25	≦0.10	Mn+Cr≦0.50	≦0.05	≦0.15	殘部						H 4100
≦0.10	≦0.10		≦0.05	≦0.15	殘部						D 6759
≦0.10	≦0.10		≦0.05	≦0.15	殘部						H 4100
≦0.10	≦0.10		≦0.05	≦0.15	殘部						*
≦0.10	≦0.10		≦0.05	≦0.15	殘部			→	→	→	B 221
≦0.10	≦0.10		≦0.05	≦0.15	殘部			→		→	BS EN 573-3☆ BS EN 755-2☆☆
≦0.10	≦0.10		≦0.05	≦0.15	殘部			→		→	DIN EN 573-3☆ DIN EN 755-2☆☆
≦0.10	≦0.10		≦0.05	≦0.15	殘部			→		→	NF EN 573-3☆ NF EN 755-2☆☆
≦0.10	≦0.10		≦0.05	≦0.15	殘部			→		→	209-1☆ 6362-2☆☆

Notes : (1) Individual (2) Total (3) Plate (4) Strip (5) Bar (6) Wire (7) Pipe (8) Shapes

☆ 화학성분만을 규정하고 있는 규격 ☆☆기계적 성질만을 규정하는 규격

알루미늄 및 그 합금의 전신재 Aluminium and aluminum alloys

索引番号 Index No.	規格名 Std.	記号 Designation	化 学 成 分 (%) Chemical composition					
			Si	Fe	Cu	Mn	Mg	Cr
R 174	KS	A 7003 S	≦0.30	≦0.35	≦0.20	≦0.30	0.50~1.0	≦0.20
	JIS	A 7003 S	≦0.30	≦0.35	≦0.20	≦0.30	0.50~1.0	≦0.20
	AA							
	ASTM							
	BS	EN AW-7003	≦0.30	≦0.35	≦0.20	≦0.30	0.50~1.0	≦0.20
	DIN	EN AW-7003	≦0.30	≦0.35	≦0.20	≦0.30	0.50~1.0	≦0.20
	NF	EN AW-7003	≦0.30	≦0.35	≦0.20	≦0.30	0.50~1.0	≦0.20
R 175	KS	A 7 N 01 S	≦0.30	≦0.35	≦0.20	0.20~0.7	1.0~2.0	≦0.30
	JIS	A 7 N 01 S	≦0.30	≦0.35	≦0.20	0.20~0.7	1.0~2.0	≦0.30
	AA							
	ASTM							
	BS							
	DIN							
R 176	KS	A 7075 S	≦0.40	≦0.50	1.2~2.0	≦0.30	2.1~2.9	0.18~0.28
	JIS	A 7075 S	≦0.40	≦0.50	1.2~2.0	≦0.30	2.1~2.9	0.18~0.28
	AA	7075	≦0.40	≦0.50	1.2~2.0	≦0.30	2.1~2.9	0.18~0.28
	ASTM	7075	≦0.40	≦0.50	1.2~2.0	≦0.30	2.1~2.9	0.18~0.28
	BS	EN AW-7075	≦0.40	≦0.50	1.2~2.0	≦0.30	2.1~2.9	0.18~0.28
	DIN	EN AW-7075	≦0.40	≦0.50	1.2~2.0	≦0.30	2.1~2.9	0.18~0.28
	NF	EN AW-7075	≦0.40	≦0.50	1.2~2.0	≦0.30	2.1~2.9	0.18~0.28
	ISO	AlZn 5.5 MgCu	≦0.40	≦0.50	1.2~2.0	≦0.30	2.1~2.9	0.18~0.28
R 177	JIS	KA 2014 AS	0.50~0.9	≦0.50	3.9~5.0	0.40~1.2	0.20~0.8	≦0.10
	AA							
	ASTM							
	BS	EN AW-2014 A	0.50~0.9	≦0.50	3.9~5.0	0.40~1.2	0.20~0.8	≦0.10
	DIN	EN AW-2014 A	0.50~0.9	≦0.50	3.9~5.0	0.40~1.2	0.20~0.8	≦0.10
	NF	EN AW-2014 A	0.50~0.9	≦0.50	3.9~5.0	0.40~1.2	0.20~0.8	≦0.10
	ISO	AlCu 4 SiMg(A)	0.50~0.9	≦0.50	3.9~5.0	0.40~1.2	0.20~0.8	≦0.10

Index No. R 174~R 177

化学成分 (%) Chemical composition						形状別規格番号 Std, No. by shapes					
Zn	Ti		others 各(1)	others 合計(2)	Al	板(3)	条(4)	棒(5)	線(6)	管(7)	形材(8)
5.0~6.5	≦0.20	Zr 0.05~0.25	≦0.05	≦0.15	殘部						D 6759
5.0~6.5	≦0.20	Zr 0.05~0.25	≦0.05	≦0.15	殘部						H 4100
5.0~6.5	≦0.20	Zr 0.05~0.25	≦0.05	≦0.15	殘部			→		→	BS EN 573-3☆ BS EN 755-2☆☆
5.0~6.5	≦0.20	Zr 0.05~0.25	≦0.05	≦0.15	殘部			→		→	DIN EN 573-3☆ DIN EN 755-2☆☆
5.0~6.5	≦0.20	Zr 0.05~0.25	≦0.05	≦0.15	殘部			→		→	NF EN 573-3☆ NF EN 755-2☆☆
4.0~5.0	≦0.20	V≦0.10 Zr≦0.25	≦0.05	≦0.15	殘部						D 6759
4.0~5.0	≦0.20	V≦0.10 Zr≦0.25	≦0.05	≦0.15	殘部						H 4100
5.1~6.1	≦0.20	Zr+Ti≦0.25	≦0.05	≦0.15	殘部						D 6759
5.1~6.1	≦0.20	Zr+Ti≦0.25	≦0.05	≦0.15	殘部						H 4100
5.1~6.1	≦0.20	Zr+Ti≦0.25(9)	≦0.05	≦0.15	殘部						*
5.1~6.1	≦0.20	Zr+Ti≦0.25(9)	≦0.05	≦0.15	殘部			→	→	→	B 221
5.1~6.1	≦0.20	Zr+Ti≦0.25(9)	≦0.05	≦0.15	殘部			→		→	BS EN 573-3☆ BS EN 755-2☆☆
5.1~6.1	≦0.20	Zr+Ti≦0.25(9)	≦0.05	≦0.15	殘部			→		→	DIN EN 573-3☆ DIN EN 755-2☆☆
5.1~6.1	≦0.20	Zr+Ti≦0.25(9)	≦0.05	≦0.15	殘部			→		→	NF EN 573-3☆ NF EN 755-2☆☆
5.1~6.1	≦0.20	Zr+Ti≦0.25(9)	≦0.05	≦0.15	殘部			→		→	209-1☆ 6362-2☆☆
≦0.25	≦0.15	Zr+Ti≦0.20 Ni≦0.20	≦0.05	≦0.15	殘部						H 4100
≦0.25	≦0.15	Zr+Ti≦0.20 Ni≦0.20	≦0.05	≦0.15	殘部			→		→	BS EN 573-3☆ BS EN 755-2☆☆
≦0.25	≦0.15	Zr+Ti≦0.20 Ni≦0.20	≦0.05	≦0.15	殘部			→		→	DIN EN 573-3☆ DIN EN 755-2☆☆
≦0.25	≦0.15	Zr+Ti≦0.20 Ni≦0.20	≦0.05	≦0.15	殘部			→		→	NF EN 573-3☆ NF EN 755-2☆☆
≦0.25	≦0.15	Zr+Ti≦0.20 Ni≦0.20	≦0.05	≦0.15	殘部			→		→	209-1☆ 6362-2☆☆

Notes : (1) Individual (2) Total (3) Plate (4) Strip (5) Bar (6) Wire (7) Pipe (8) Shapes (9) 당사자간의 협정에 따름

☆ 화학성분만을 규정하고 있는 규격 ☆☆기계적 성질만을 규정하는 규격

알루미늄 및 그 합금의 전신재 Aluminium and aluminum alloys

索引番号 Index No.	規格名 Std.	記号 Designation	化学成分 (%) Chemical composition					
			Si	Fe	Cu	Mn	Mg	Cr
R 178	JIS	KA 2017 AS	0.20~0.8	≦0.7	3.5~4.5	0.40~1.0	0.40~1.0	≦0.10
	AA							
	ASTM							
	BS	EN AW-2017 A	0.20~0.8	≦0.7	3.5~4.5	0.40~1.0	0.40~1.0	≦0.10
	DIN	EN AW-2017 A	0.20~0.8	≦0.7	3.5~4.5	0.40~1.0	0.40~1.0	≦0.10
	NF	EN AW-2017 A	0.20~0.8	≦0.7	3.5~4.5	0.40~1.0	0.40~1.0	≦0.10
	ISO	AlCu 4 MgSi(A)	0.20~0.8	≦0.7	3.5~4.5	0.40~1.0	0.40~1.0	≦0.10
R 179	JIS	KA 6060 S	0.30~0.6	0.10~0.30	≦0.10	≦0.10	0.35~0.6	≦0.05
	AA	6060						
	ASTM	6060	0.30~0.6	0.10~0.30	≦0.10	≦0.10	0.35~0.6	≦0.05
	BS	EN AW-6060	0.30~0.6	0.10~0.30	≦0.10	≦0.10	0.35~0.6	≦0.05
	DIN	EN AW-6060	0.30~0.6	0.10~0.30	≦0.10	≦0.10	0.35~0.6	≦0.05
	NF	EN AW-6060	0.30~0.6	0.10~0.30	≦0.10	≦0.10	0.35~0.6	≦0.05
	ISO	AlMgSi	0.30~0.6	0.10~0.30	≦0.10	≦0.10	0.35~0.6	≦0.05
R 180	JIS	KA 6005 AS	0.50~0.9	≦0.35	≦0.30	≦0.50	0.40~0.7	≦0.30
	AA							
	ASTM	6005 A	0.50~0.9	≦0.35	≦0.30	≦0.50	0.40~0.7	≦0.30
	BS	EN AW-6005 A	0.50~0.9	≦0.35	≦0.30	≦0.50	0.40~0.7	≦0.30
	DIN	EN AW-6005 A	0.50~0.9	≦0.35	≦0.30	≦0.50	0.40~0.7	≦0.30
	NF	EN AW-6005 A	0.50~0.9	≦0.35	≦0.30	≦0.50	0.40~0.7	≦0.30
	ISO	AlSiMg(A)	0.50~0.9	≦0.35	≦0.30	≦0.50	0.40~0.7	≦0.30
R 181	JIS	KA 6082 S	0.7~1.3	≦0.50	≦0.10	0.40~1.0	0.6~1.2	≦0.25
	AA							
	ASTM							
	BS	EN AW-6082	0.7~1.3	≦0.50	≦0.10	0.40~1.0	0.6~1.2	≦0.25
	DIN	EN AW-6082	0.7~1.3	≦0.50	≦0.10	0.40~1.0	0.6~1.2	≦0.25
	NF	EN AW-6082	0.7~1.3	≦0.50	≦0.10	0.40~1.0	0.6~1.2	≦0.25
	ISO	AlSi 1 MgMn	0.7~1.3	≦0.50	≦0.10	0.40~1.0	0.6~1.2	≦0.25

Zn	Ti		others		Al	化 学 成 分 (%) Chemical composition / 形 状 別 規 格 番 号 Std, No. by shapes: 板(3)	条(4)	棒(5)	線(6)	管(7)	形材(8)
			各(1)	合計(2)							
≦0.25		Zr+Ti≦0.25	≦0.05	≦0.15	殘部						H 4100
≦0.25		Zr+Ti≦0.25	≦0.05	≦0.15	殘部			→		→	BS EN 573-3☆ BS EN 755-2☆☆
≦0.25		Zr+Ti≦0.25	≦0.05	≦0.15	殘部			→		→	DIN EN 573-3☆ DIN EN 755-2☆☆
≦0.25		Zr+Ti≦0.25	≦0.05	≦0.15	殘部			→		→	NF EN 573-3☆ NF EN 755-2☆☆
≦0.25		Zr+Ti≦0.25	≦0.05	≦0.15	殘部			→		→	209-1☆ 6362-2☆☆
≦0.15	≦0.10		≦0.05	≦0.15	殘部						H 4100
≦0.15	≦0.10		≦0.05	≦0.15	殘部			→	→	→	B221
≦0.15	≦0.10		≦0.05	≦0.15	殘部			→		→	BS EN 573-3☆ BS EN 755-2☆☆
≦0.15	≦0.10		≦0.05	≦0.15	殘部			→		→	DIN EN 573-3☆ DIN EN 755-2☆☆
≦0.15	≦0.10		≦0.05	≦0.15	殘部			→		→	NF EN 573-3☆ NF EN 755-2☆☆
≦0.15	≦0.10		≦0.05	≦0.15	殘部			→		→	209-1☆ 6362-2☆☆
≦0.20	≦0.10	Mn+Cr 0.12~0.50	≦0.05	≦0.15	殘部						H 4100
≦0.20	≦0.10	Mn+Cr 0.12~0.50	≦0.05	≦0.15	殘部			→	→	→	B221
≦0.20	≦0.10	Mn+Cr 0.12~0.50	≦0.05	≦0.15	殘部			→		→	BS EN 573-3☆ BS EN 755-2☆☆
≦0.20	≦0.10	Mn+Cr 0.12~0.50	≦0.05	≦0.15	殘部			→		→	DIN EN 573-3☆ DIN EN 755-2☆☆
≦0.20	≦0.10	Mn+Cr 0.12~0.50	≦0.05	≦0.15	殘部			→		→	NF EN 573-3☆ NF EN 755-2☆☆
≦0.20	≦0.10	Mn+Cr 0.12~0.50	≦0.05	≦0.15	殘部			→		→	209-1☆ 6362-2☆☆
≦0.20	≦0.10		≦0.05	≦0.15	殘部						H 4100
≦0.20	≦0.10		≦0.05	≦0.15	殘部			→		→	BS EN 573-3☆ BS EN 755-2☆☆
≦0.20	≦0.10		≦0.05	≦0.15	殘部			→		→	DIN EN 573-3☆ DIN EN 755-2☆☆
≦0.20	≦0.10		≦0.05	≦0.15	殘部			→		→	NF EN 573-3☆ NF EN 755-2☆☆
≦0.20	≦0.10		≦0.05	≦0.15	殘部			→		→	209-1☆ 6362-2☆☆

Notes : (1) Individual (2) Total (3) Plate (4) Strip (5) Bar (6) Wire (7) Pipe (8) Shapes
☆ 화학성분만을 규정하고 있는 규격 ☆☆기계적 성질만을 규정하는 규격

알루미늄 및 그 합금의 전신재 Aluminium and aluminum alloys

索引番号 Index No.	規格名 Std.	記号 Designation	化学成分 (%) Chemical composition					
			Si	Fe	Cu	Mn	Mg	Cr
R 182	JIS	KA 7020 S	≦0.35	≦0.40	≦0.20	0.05~0.50	1.0~1.4	0.10~0.35
	AA							
	ASTM							
	BS	EN AW-7020	≦0.35	≦0.40	≦0.20	0.05~0.50	1.0~1.4	0.10~0.35
	DIN	EN AW-7020	≦0.35	≦0.40	≦0.20	0.05~0.50	1.0~1.4	0.10~0.35
	NF	EN AW-7020	≦0.35	≦0.40	≦0.20	0.05~0.50	1.0~1.4	0.10~0.35
	ISO	AlZn 4.5 Mg 1	≦0.35	≦0.40	≦0.20	0.05~0.50	1.0~1.4	0.10~0.35
R 183	JIS	AlZn 4 Mg 1.5 MnS	≦0.3	≦0.4	≦0.1	0.2~0.6	1.3~1.8	0.08~0.2
	AA							
	ASTM							
	BS							
	DIN							
	NF							
	ISO	AlZn 4 Mg 1.5 Mn	≦0.3	≦0.4	≦0.1	0.2~0.6	1.3~1.8	0.08~0.2
R 184	JIS	KA 7005 S	≦0.35	≦0.40	≦0.10	0.20~0.7	1.0~1.8	0.06~0.20
	AA	7005	≦0.35	≦0.40	≦0.10	0.20~0.7	1.0~1.8	0.06~0.20
	ASTM	7005	≦0.35	≦0.40	≦0.10	0.20~0.7	1.0~1.8	0.06~0.20
	BS	EN AW-7005	≦0.35	≦0.40	≦0.10	0.20~0.7	1.0~1.8	0.06~0.20
	DIN	EN AW-7005	≦0.35	≦0.40	≦0.10	0.20~0.7	1.0~1.8	0.06~0.20
	NF	EN AW-7005	≦0.35	≦0.40	≦0.10	0.20~0.7	1.0~1.8	0.06~0.20
	ISO	AlZn 4.5 Mg 1.5 Mn	≦0.35	≦0.40	≦0.10	0.20~0.7	1.0~1.8	0.06~0.20
R 185	JIS	KA 7050 S	≦0.12	≦0.15	2.0~2.6	≦0.10	1.9~2.6	≦0.04
	AA	7050	≦0.12	≦0.15	2.0~2.6	≦0.10	1.9~2.6	≦0.04
	ASTM							
	BS							
	DIN							
	NF							
	ISO	AlZn 6 Cu MgZr	≦0.12	≦0.15	2.0~2.6	≦0.10	1.9~2.6	≦0.04

Index No. R 182~R 185

化学成分 (%) Chemical composition						形状別規格番号 Std, No. by shapes					
Zn	Ti		others 各(1)	others 合計(2)	Al	板(3)	条(4)	棒(5)	線(6)	管(7)	形材(8)
4.0~5.0		Zr 0.08~0.20 Zr+Ti 0.08~0.25	≦0.05	≦0.15	殘部						H 4100
4.0~5.0		Zr 0.08~0.20 Zr+Ti 0.08~0.25	≦0.05	≦0.15	殘部			→		→	BS EN 573-3☆ BS EN 755-2☆☆
4.0~5.0		Zr 0.08~0.20 Zr+Ti 0.08~0.25	≦0.05	≦0.15	殘部			→		→	DIN EN 573-3☆ DIN EN 755-2☆☆
4.0~5.0		Zr 0.08~0.20 Zr+Ti 0.08~0.25	≦0.05	≦0.15	殘部			→		→	NF EN 573-3☆ NF EN 755-2☆☆
4.0~5.0		Zr 0.08~0.20 Zr+Ti 0.08~0.25	≦0.05	≦0.15	殘部			→		→	209-1☆ 6362-2☆☆
3.4~4.0	≦0.1	Zr 0.15~0.22	≦0.05	≦0.15	殘部						H 4100
3.4~4.0	≦0.1	Zr 0.15~0.22	≦0.05	≦0.15	殘部			→			209-1☆ 6362-2☆☆
4.0~5.0	0.01~0.06	Zr 0.08~0.20	≦0.05	≦0.15	殘部						H 4100
4.0~5.0	0.01~0.06	Zr 0.08~0.20	≦0.05	≦0.15	殘部			→	→	→	*
4.0~5.0	0.01~0.06	Zr 0.08~0.20	≦0.05	≦0.15	殘部			→	→	→	B221
4.0~5.0	0.01~0.06	Zr 0.08~0.20	≦0.05	≦0.15	殘部			→		→	BS EN 573-3☆ BS EN 755-2☆☆
4.0~5.0	0.01~0.06	Zr 0.08~0.20	≦0.05	≦0.15	殘部			→		→	DIN EN 573-3☆ DIN EN 755-2☆☆
4.0~5.0	0.01~0.06	Zr 0.08~0.20	≦0.05	≦0.15	殘部			→		→	NF EN 573-3☆ NF EN 755-2☆☆
4.0~5.0	0.01~0.06	Zr 0.08~0.20	≦0.05	≦0.15	殘部						209-1☆ 6362-2☆☆
5.7~6.7	≦0.06	Zr 0.08~0.15	≦0.05	≦0.15	殘部						H 4100
5.7~6.7	≦0.06	Zr 0.08~0.15	≦0.05	≦0.15	殘部						*
5.7~6.7	≦0.06	Zr 0.08~0.15	≦0.05	≦0.15	殘部			→		→	209-1☆ 6362-2☆☆

Notes : (1) Individual (2) Total (3) Plate (4) Strip (5) Bar (6) Wire (7) Pipe (8) Shapes

☆ 화학성분만을 규정하고 있는 규격 ☆☆기계적 성질만을 규정하는 규격

알루미늄 및 그 합금의 전신재 Aluminium and aluminum alloys

索引番号 Index No.	規格名 Std.	記号 Designation	化学成分 (%) Chemical composition					
			Si	Fe	Cu	Mn	Mg	Cr
R 186	JIS	AlZn 6 Mg CuMnS	≦0.5	≦0.5	1.4~2.0	0.2~0.6	1.8~2.8	0.1~0.25
	AA							
	ASTM							
	BS							
	DIN							
	NF							
	ISO	AlZn 6 Mg CuMn	≦0.5	≦0.5	1.4~2.0	0.2~0.6	1.8~2.8	0.1~0.25
R 187	KS	A 1100 FD			0.05~0.20	≦0.05		
	JIS	A 1100 FD			0.05~0.20	≦0.05		
	AA	1100			0.05~0.20	≦0.05		
	ASTM	1100			0.05~0.20	≦0.05		
	BS							
	DIN							
R 188	KS	A 1200 FD			≦0.05	≦0.05		
	JIS	A 1200 FD			≦0.05	≦0.05		
	AA							
	ASTM							
	BS							
	DIN							

化 学 成 分 (%) Chemical composition						形 状 別 規 格 番 号 Std, No. by shapes					
Zn	Ti		others 各(1)	others 合計(2)	Al	板(3)	条(4)	棒(5)	線(6)	管(7)	形材(8)
5.0~7.0	≦0.05	Ni≦0.1	≦0.05	≦0.1	殘部						H 4100
5.0~7.0	≦0.05	Ni≦0.1	≦0.05	≦0.1	殘部			→			209-1☆ 6362-2☆☆
≦0.10		Si+Fe≦1.0	≦0.05	≦0.15	≧99.0						D 6770
≦0.10		Si+Fe≦1.0	≦0.05	≦0.15	≧99.0						H 4140
≦0.10		Si+Fe≦0.95	≦0.05	≦0.15	≧99.0						*
≦0.10		Si+Fe≦0.95	≦0.05	≦0.15	≧99.0						B 247
≦0.10	≦0.05	Si+Fe≦1.0	≦0.05	≦0.15	≧99.00						D 6770
≦0.10	≦0.05	Si+Fe≦1.0	≦0.05	≦0.15	≧99.00						H 4140

Notes : (1) Individual (2) Total (3) Plate (4) Strip (5) Bar (6) Wire (7) Pipe (8) Shapes
☆ 화학성분만을 규정하고 있는 규격 ☆☆기계적 성질만을 규정하는 규격

알루미늄 및 그 합금의 전신재 Aluminium and aluminum alloys

索引番号 Index No.	規格名 Std.	記号 Designation	化 学 成 分 (%) Chemical composition					
			Si	Fe	Cu	Mn	Mg	Cr
R 189	KS	A 2014 FD	0.50~1.2	≦0.7	3.9~5.0	0.40~1.2	0.20~0.8	≦0.10
	JIS	A 2014 FD	0.50~1.2	≦0.7	3.9~5.0	0.40~1.2	0.20~0.8	≦0.10
	KS	A 2014 FH	0.50~1.2	≦0.7	3.9~5.0	0.40~1.2	0.20~0.8	≦0.10
	JIS	A 2014 FH	0.50~1.2	≦0.7	3.9~5.0	0.40~1.2	0.20~0.8	≦0.10
	AA	2014	0.50~1.2	≦0.7	3.9~5.0	0.40~1.2	0.20~0.8	≦0.10
	ASTM	2014	0.50~1.2	≦0.7	3.9~5.0	0.40~1.2	0.20~0.8	≦0.10
	BS	2014 A	0.50~0.9	≦0.50	3.9~5.0	0.40~1.2	0.20~0.8	≦0.10
	DIN	AlCuSiMn	0.50~1.2	≦0.7	3.9~5.0	0.40~1.2	0.20~0.8	≦0.10
	NF	2014	0.50~1.2	≦0.70	3.9~5.0	0.40~1.2	0.20~0.8	≦0.10
R 190	KS	A 2017 FD	0.20~0.8	≦0.7	3.5~4.5	0.40~1.0	0.40~0.8	≦0.10
	JIS	A 2017 FD	0.20~0.8	≦0.7	3.5~4.5	0.40~1.0	0.40~0.8	≦0.10
	AA							
	ASTM							
	BS							
	DIN	AlCuMg 1	0.20~0.8	≦0.7	3.5~4.5	0.40~1.0	0.40~1.0	≦0.10
	NF	2017 A	0.20~0.8	≦0.7	3.5~4.5	0.40~1.0	0.40~1.0	≦0.10
R 191	KS	A 2018 FD	≦0.9	≦1.0	3.5~4.5	≦0.20	0.45~0.9	≦0.10
	JIS	A 2018 FD	≦0.9	≦1.0	3.5~4.5	≦0.20	0.45~0.9	≦0.10
	AA	2018	≦0.9	≦1.0	3.5~4.5	≦0.20	0.45~0.9	≦0.10
	ASTM	2018	≦0.9	≦1.0	3.5~4.5	≦0.20	0.45~0.9	≦0.10
	BS							
	DIN							
R 192	KS	A 2218 FD	≦0.9	≦1.0	3.5~4.5	≦0.20	1.2~1.8	≦0.10
	JIS	A 2218 FD	≦0.9	≦1.0	3.5~4.5	≦0.20	1.2~1.8	≦0.10
	AA	2218	≦0.9	≦1.0	3.5~4.5	≦0.20	1.2~1.8	≦0.10
	ASTM	2218	≦0.9	≦1.0	3.5~4.5	≦0.20	1.2~1.8	≦0.10
	BS							
	DIN							

Index No. R 189~R 192

化 学 成 分 (%) Chemical composition						形 状 別 規 格 番 号 Std, No. by shapes					
Zn	Ti		others		Al	板(3)	条(4)	棒(5)	線(6)	管(7)	鍛造(8)
			各(1)	合計(2)							
≦0.25	≦0.15	Zr+Ti≦0.20	≦0.05	≦0.15	殘部						D 6770
≦0.25	≦0.15	Zr+Ti≦0.20	≦0.05	≦0.15	殘部						H 4140
≦0.25	≦0.15	Zr+Ti≦0.20	≦0.05	≦0.15	殘部						D 6770
≦0.25	≦0.15	Zr+Ti≦0.20	≦0.05	≦0.15	殘部						H 4140
≦0.25	≦0.15		≦0.05	≦0.15	殘部						*
≦0.25	≦0.15	Zr+Ti≦0.20(9)	≦0.05	≦0.15	殘部						B 247
≦0.25	≦0.15	Zr+Ti≦0.20 Ni≦0.10	≦0.05	≦0.15	殘部						1472
≦0.25	≦0.15	Zr+Ti≦0.20	≦0.05	≦0.15	殘部						1725-1 ☆ 1749 17606
≦0.25	≦0.15	Zr+Ti≦0.20	≦0.05	≦0.15	殘部						A 50-901
≦0.25	≦0.15	Zr+Ti≦0.20	≦0.05	≦0.15	殘部						D 6770
≦0.25	≦0.15	Zr+Ti≦0.20	≦0.05	≦0.15	殘部						H 4140
≦0.25		Zr+Ti≦0.25	≦0.05	≦0.15	殘部						1725-1 ☆ 1749
≦0.25		Zr+Ti≦0.25	≦0.05	≦0.15	殘部						A 50-901
≦0.25		Ni 1.7~2.3	≦0.05	≦0.15	殘部						D 6770
≦0.25		Ni 1.7~2.3	≦0.05	≦0.15	殘部						H 4140
≦0.25		Ni 1.7~2.3	≦0.05	≦0.15	殘部						*
≦0.25		Ni 1.7~2.3	≦0.05	≦0.15	殘部						B 247
≦0.25		Ni 1.7~2.3	≦0.05	≦0.15	殘部						D 6770
≦0.25		Ni 1.7~2.3	≦0.05	≦0.15	殘部						H 4140
≦0.25		Ni 1.7~2.3	≦0.05	≦0.15	殘部						*
≦0.25		Ni 1.7~2.3	≦0.05	≦0.15	殘部						B 247

Notes : (1) Individual (2) Total (3) Plate (4) Strip (5) Bar (6) Wire (7) Pipe (8) Forming (9) 당사자간의 협정에 따름
☆ 화학성분만을 규정하고 있는 규격 ☆☆ 기계적 성질만을 규정하는 규격

알루미늄 및 그 합금의 전신재 Aluminium and aluminum alloys

索引番号 Index No.	規格名 Std.	記号 Designation	化学成分(%) Chemical composition					
			Si	Fe	Cu	Mn	Mg	Cr
R 193	KS	A 2219 FD	≦0.20	≦0.30	5.8~6.8	0.20~0.40	≦0.20	
	JIS	A 2219 FD	≦0.20	≦0.30	5.8~6.8	0.20~0.40	≦0.20	
	KS	A 2219 FH	≦0.20	≦0.30	5.8~6.8	0.20~0.40	≦0.20	
	JIS	A 2219 FH	≦0.20	≦0.30	5.8~6.8	0.20~0.40	≦0.20	
	AA	2219	≦0.20	≦0.30	5.8~6.8	0.20~0.40	≦0.20	
	ASTM	2219	≦0.20	≦0.30	5.8~6.8	0.20~0.40	≦0.20	
	BS							
	DIN							
	NF							
R 194	KS	A 2025 FD	0.50~1.2	≦1.0	3.9~5.0	0.40~1.2	≦0.05	≦0.10
	JIS	A 2025 FD	0.50~1.2	≦1.0	3.9~5.0	0.40~1.2	≦0.05	≦0.10
	KS	A 2025 FH	0.50~1.2	≦1.0	3.9~5.0	0.40~1.2	≦0.05	≦0.10
	JIS	A 2025 FH	0.50~1.2	≦1.0	3.9~5.0	0.40~1.2	≦0.05	≦0.10
	AA	2025	0.50~1.2	≦1.0	3.9~5.0	0.40~1.2	≦0.05	≦0.10
	ASTM	2025	0.50~1.2	≦1.0	3.9~5.0	0.40~1.2	≦0.05	≦0.10
	BS							
	DIN							
R 195	KS	A 2618 FD	0.10~0.25	0.9~1.3	1.9~2.7		1.3~1.8	
	JIS	A 2618 FD	0.10~0.25	0.9~1.3	1.9~2.7		1.3~1.8	
	KS	A 2618 FH	0.10~0.25	0.9~1.3	1.9~2.7		1.3~1.8	
	JIS	A 2618 FH	0.10~0.25	0.9~1.3	1.9~2.7		1.3~1.8	
	AA	2618	0.10~0.25	0.9~1.3	1.9~2.7		1.3~1.8	
	ASTM	2618	0.10~0.25	0.9~1.3	1.9~2.7		1.3~1.8	
	BS	2618 A	0.15~0.25	0.9~1.4	1.8~2.7	≦0.25	1.2~1.8	
	DIN							
	NF	2618 A	0.15~0.25	0.9~1.4	1.8~2.7	≦0.20	1.2~1.8	
R 196	KS	A 2 N 01 FD	0.50~1.3	0.6~1.5	1.5~2.5	≦0.20	1.2~1.8	
	JIS	A 2 N 01 FD	0.50~1.3	0.6~1.5	1.5~2.5	≦0.20	1.2~1.8	
	KS	A 2 N 01 FH	0.50~1.3	0.6~1.5	1.5~2.5	≦0.20	1.2~1.8	
	JIS	A 2 N 01 FH	0.50~1.3	0.6~1.5	1.5~2.5	≦0.20	1.2~1.8	
	AA							

Index No. R 193~R 196

化 学 成 分 (%) Chemical composition						形 状 別 規 格 番 号 Std, No. by shapes					
Zn	Ti		others		Al	板(3)	条(4)	棒(5)	線(6)	管(7)	鍛造(8)
			各(1)	合計(2)							
≦0.10	0.02~0.10	Zr 0.10~0.25 V 005~0.15	≦0.05	≦0.15	殘部						D 6770
≦0.10	0.02~0.10	Zr 0.10~0.25 V 005~0.15	≦0.05	≦0.15	殘部						H 4140
≦0.10	0.02~0.10	Zr 0.10~0.25 V 005~0.15	≦0.05	≦0.15	殘部						D 6770
≦0.10	0.02~0.10	Zr 0.10~0.25 V 005~0.15	≦0.05	≦0.15	殘部						H 4140
≦0.10	0.02~0.10	Zr 0.10~0.25 V 005~0.15	≦0.05	≦0.15	殘部						*
≦0.10	0.02~0.10	Zr 0.10~0.25 V 005~0.15	≦0.05	≦0.15	殘部						B 247
≦0.25	≦0.15		≦0.05	≦0.15	殘部						D 6770
≦0.25	≦0.15		≦0.05	≦0.15	殘部						H 4140
≦0.25	≦0.15		≦0.05	≦0.15	殘部						D 6770
≦0.25	≦0.15		≦0.05	≦0.15	殘部						H 4140
≦0.25	≦0.15		≦0.05	≦0.15	殘部						*
≦0.25	≦0.15		≦0.05	≦0.15	殘部						B 247
≦0.10	0.04~0.10	Ni 0.9~1.2	≦0.05	≦0.15	殘部						D 6770
≦0.10	0.04~0.10	Ni 0.9~1.2	≦0.05	≦0.15	殘部						H 4140
≦0.10	0.04~0.10	Ni 0.9~1.2	≦0.05	≦0.15	殘部						D 6770
≦0.10	0.04~0.10	Ni 0.9~1.2	≦0.05	≦0.15	殘部						H 4140
≦0.10	0.04~0.10	Ni 0.9~1.2	≦0.05	≦0.15	殘部						*
≦0.10	0.04~0.10	Ni 0.9~1.2	≦0.05	≦0.15	殘部						B 247
≦0.15	≦0.20	Ni 0.8~1.4 Ti+Zr≦0.25	≦0.05	≦0.15	殘部						i472
≦0.15	≦0.20	Ni 0.8~1.4 Ti+Zr≦0.25	≦0.05	≦0.15	殘部						A 50-901
≦0.20	≦0.20	Ni 0.6~1.4	≦0.05	≦0.15	殘部						D 6770
≦0.20	≦0.20	Ni 0.6~1.4	≦0.05	≦0.15	殘部						H 4140
≦0.20	≦0.20	Ni 0.6~1.4	≦0.05	≦0.15	殘部						D 6770
≦0.20	≦0.20	Ni 0.6~1.4	≦0.05	≦0.15	殘部						H 4140

Notes : (1) Individual (2) Total (3) Plate (4) Strip (5) Bar (6) Wire (7) Pipe (8) Forming

☆ 화학성분만을 규정하고 있는 규격 ☆☆ 기계적 성질만을 규정하는 규격

알루미늄 및 그 합금의 전신재 Aluminium and aluminum alloys

索引番号 Index No.	規格名 Std.	記号 Designation	化学成分 (%) Chemical composition					
			Si	Fe	Cu	Mn	Mg	Cr
R 196(계속)	ASTM							
	BS							
	DIN							
R 197	KS	A 4032 FD	11.0~13.5	≦1.0	0.50~1.3		0.8~1.3	≦0.10
	JIS	A 4032 FD	11.0~13.5	≦1.0	0.50~1.3		0.8~1.3	≦0.10
	AA	4032	11.0~13.5	≦1.0	0.50~1.3		0.8~1.3	≦0.10
	ASTM	4032	11.0~13.5	≦1.0	0.50~1.3		0.8~1.3	≦0.10
	BS							
	DIN							
	NF	4032	11.0~13.5	≦1.0	0.50~1.3		0.8~1.3	≦0.10
R 198	KS	A 5052 FH	≦0.25	≦0.40	≦0.10	≦0.10	2.2~2.8	0.15~0.35
	JIS	A 5052 FH	≦0.25	≦0.40	≦0.10	≦0.10	2.2~2.8	0.15~0.35
	AA							
	ASTM							
	BS							
	DIN							
	NF							
R 199	KS	A 5056 FD	≦0.30	≦0.40	≦0.10	0.05~0.20	4.5~5.6	0.05~0.20
	JIS	A 5056 FD	≦0.30	≦0.40	≦0.10	0.05~0.20	4.5~5.6	0.05~0.20
	AA							
	ASTM							
	BS							
	DIN	AlMg 5	≦0.40	≦0.50	≦0.10	0.10~0.6	4.5~5.6	≦0.20
R 200	KS	A 5083 FD	≦0.40	≦0.40	≦0.10	0.40~1.0	4.0~4.9	0.05~0.25
	JIS	A 5083 FD	≦0.40	≦0.40	≦0.10	0.40~1.0	4.0~4.9	0.05~0.25
	KS	A 5083 FH	≦0.40	≦0.40	≦0.10	0.40~1.0	4.0~4.9	0.05~0.25
	JIS	A 5083 FH	≦0.40	≦0.40	≦0.10	0.40~1.0	4.0~4.9	0.05~0.25
	AA	5083	≦0.40	≦0.40	≦0.10	0.40~1.0	4.0~4.9	0.05~0.25
	ASTM	5083	≦0.40	≦0.40	≦0.10	0.40~1.0	4.0~4.9	0.05~0.25
	BS	5083	≦0.40	≦0.40	≦0.10	0.40~1.0	4.0~4.9	0.05~0.25

Index No. R 196~R 200

化学成分 (%) Chemical composition						形状別規格番号 Std, No. by shapes					
Zn	Ti		others 各(1)	others 合計(2)	Al	板(3)	条(4)	棒(5)	線(6)	管(7)	鍛造(8)
≦0.25		Ni 0.50~1.3	≦0.05	≦0.15	殘部						D 6770
≦0.25		Ni 0.50~1.3	≦0.05	≦0.15	殘部						H 4140
≦0.25		Ni 0.50~1.3	≦0.05	≦0.15	殘部						*
≦0.25		Ni 0.50~1.3	≦0.05	≦0.15	殘部						B 247
≦0.25		Ni 0.50~1.3	≦0.05	≦0.15	殘部						A 50-901
≦0.10			≦0.05	≦0.15	殘部						D 6770
≦0.10			≦0.05	≦0.15	殘部						H 4140
≦0.10			≦0.05	≦0.15	殘部						D 6770
≦0.10			≦0.05	≦0.15	殘部						H 4140
≦0.20	≦0.20	Mn+Cr 0.10~0.6	≦0.05	≦0.15	殘部						1725-1☆ 1749
≦0.25	≦0.15		≦0.05	≦0.15	殘部						D 6770
≦0.25	≦0.15		≦0.05	≦0.15	殘部						H 4140
≦0.25	≦0.15		≦0.05	≦0.15	殘部						D 6770
≦0.25	≦0.15		≦0.05	≦0.15	殘部						H 4140
≦0.25	≦0.15		≦0.05	≦0.15	殘部						*
≦0.25	≦0.15		≦0.05	≦0.15	殘部						B 247
≦0.25	≦0.15		≦0.05	≦0.15	殘部						1472

Notes : (1) Individual (2) Total (3) Plate (4) Strip (5) Bar (6) Wire (7) Pipe (8) Forming

☆ 화학성분만을 규정하고 있는 규격 ☆☆ 기계적 성질만을 규정하는 규격

알루미늄 및 그 합금의 전신재 Aluminium and aluminum alloys

索引番号 Index No.	規格名 Std.	記号 Designation	化学成分 (%) Chemical composition					
			Si	Fe	Cu	Mn	Mg	Cr
R 200(계속)	DIN	AlMg 4.5 Mn	≦0.40	≦0.40	≦0.10	0.40~1.0	4.0~4.9	0.05~0.25
	NF	5083	≦0.40	≦0.40	≦0.10	0.40~1.0	4.0~4.9	0.05~0.25
R 201	KS	A 6151 FD	0.6~1.2	≦1.0	≦0.35	≦0.20	0.45~0.8	0.15~0.35
	JIS	A 6151 FD	0.6~1.2	≦1.0	≦0.35	≦0.20	0.45~0.8	0.15~0.35
	KS	A 6151 FH	0.6~1.2	≦1.0	≦0.35	≦0.20	0.45~0.8	0.15~0.35
	JIS	A 6151 FH	0.6~1.2	≦1.0	≦0.35	≦0.20	0.45~0.8	0.15~0.35
	AA	6151	0.6~1.2	≦1.0	≦0.35	≦0.20	0.45~0.8	0.15~0.35
	ASTM	6151	0.6~1.2	≦1.0	≦0.35	≦0.20	0.45~0.8	0.15~0.35
	BS							
	DIN							
R 202	KS	A 6061 FD	0.40~0.8	≦0.7	0.15~0.40	≦0.15	0.8~1.2	0.04~0.35
	JIS	A 6061 FD	0.40~0.8	≦0.7	0.15~0.40	≦0.15	0.8~1.2	0.04~0.35
	KS	A 6061 FH	0.40~0.8	≦0.7	0.15~0.40	≦0.15	0.8~1.2	0.04~0.35
	JIS	A 6061 FH	0.40~0.8	≦0.7	0.15~0.40	≦0.15	0.8~1.2	0.04~0.35
	AA	6061	0.40~0.8	≦0.7	0.15~0.40	≦0.15	0.8~1.2	0.04~0.35
	ASTM	6061	0.40~0.8	≦0.7	0.15~0.40	≦0.15	0.8~1.2	0.04~0.35
	BS							
	DIN							
	NF	6061	0.40~0.8	≦0.7	0.15~0.40	≦0.15	0.8~1.2	0.04~0.35
R 203	KS	A 7050 FD	≦0.12	≦0.15	2.0~2.6	≦0.10	1.9~2.6	≦0.04
	JIS	A 7050 FD	≦0.12	≦0.15	2.0~2.6	≦0.10	1.9~2.6	≦0.04
	KS	A 7050 FH	≦0.12	≦0.15	2.0~2.6	≦0.10	1.9~2.6	≦0.04
	JIS	A 7050 FH	≦0.12	≦0.15	2.0~2.6	≦0.10	1.9~2.6	≦0.04
	AA	7050	≦0.12	≦0.15	2.0~2.6	≦0.10	1.9~2.6	≦0.04
	ASTM	7050	≦0.12	≦0.15	2.0~2.6	≦0.10	1.9~2.6	≦0.04
	BS							
	DIN							
	NF							

Index No. R 200~R 203

化学成分 (%) Chemical composition						形状別規格番号 Std, No. by shapes					
Zn	Ti		others 各(1)	others 合計(2)	Al	板(3)	条(4)	棒(5)	線(6)	管(7)	鍛造(8)
≦0.25	≦0.15		≦0.05	≦0.15	殘部						1725-1☆ 1749
≦0.25	≦0.15		≦0.05	≦0.15	殘部						A 50-901
≦0.25	≦0.15		≦0.05	≦0.15	殘部						D 6770
≦0.25	≦0.15		≦0.05	≦0.15	殘部						H 4140
≦0.25	≦0.15		≦0.05	≦0.15	殘部						D 6770
≦0.25	≦0.15		≦0.05	≦0.15	殘部						H 4140
≦0.25	≦0.15		≦0.05	≦0.15	殘部						*
≦0.25	≦0.15		≦0.05	≦0.15	殘部						B 247
≦0.25	≦0.15		≦0.05	≦0.15	殘部						D 6770
≦0.25	≦0.15		≦0.05	≦0.15	殘部						H 4140
≦0.25	≦0.15		≦0.05	≦0.15	殘部						D 6770
≦0.25	≦0.15		≦0.05	≦0.15	殘部						H 4140
≦0.25	≦0.15		≦0.05	≦0.15	殘部						*
≦0.25	≦0.15		≦0.05	≦0.15	殘部						B 247
≦0.25	≦0.15		≦0.05	≦0.15	殘部						A 50-901
5.7~6.7	≦0.06	Zr 0.08~0.15	≦0.05	≦0.15	殘部						D 6770
5.7~6.7	≦0.06	Zr 0.08~0.15	≦0.05	≦0.15	殘部						H 4140
5.7~6.7	≦0.06	Zr 0.08~0.15	≦0.05	≦0.15	殘部						D 6770
5.7~6.7	≦0.06	Zr 0.08~0.15	≦0.05	≦0.15	殘部						H 4140
5.7~6.7	≦0.06	Zr 0.08~0.15	≦0.05	≦0.15	殘部						*
5.7~6.7	≦0.06	Zr 0.08~0.15	≦0.05	≦0.15	殘部						B 247

Notes : (1) Individual (2) Total (3) Plate (4) Strip (5) Bar (6) Wire (7) Pipe (8) Forming

☆ 화학성분만을 규정하고 있는 규격 ☆☆ 기계적 성질만을 규정하는 규격

알루미늄 및 그 합금의 전신재 Aluminium and aluminum alloys

索引番号 Index No.	規格名 Std.	記号 Designation	化学成分 (%) Chemical composition					
			Si	Fe	Cu	Mn	Mg	Cr
R 204	KS	A 7075 FD	≦0.40	≦0.50	1.2~2.0	≦0.30	2.1~2.9	0.18~0.28
	JIS	A 7075 FD	≦0.40	≦0.50	1.2~2.0	≦0.30	2.1~2.9	0.18~0.28
	KS	A 7075 FH	≦0.40	≦0.50	1.2~2.0	≦0.30	2.1~2.9	0.18~0.28
	JIS	A 7075 FH	≦0.40	≦0.50	1.2~2.0	≦0.30	2.1~2.9	0.18~0.28
	AA	7075	≦0.40	≦0.50	1.2~2.0	≦0.30	2.1~2.9	0.18~0.28
	ASTM	7075	≦0.40	≦0.50	1.2~2.0	≦0.30	2.1~2.9	0.18~0.28
	BS							
	DIN	AlZnMg Cu 1.5	≦0.40	≦0.50	1.2~2.0	≦0.30	2.1~2.9	0.18~0.28
	NF	7075	≦0.40	≦0.50	1.2~2.0	≦0.30	2.1~2.9	0.18~0.28
R 205	KS	A 7 N 01 FD	≦0.30	≦0.35	≦0.20	0.20~0.7	1.0~2.0	≦0.30
	JIS	A 7 N 01 FD	≦0.30	≦0.35	≦0.20	0.20~0.7	1.0~2.0	≦0.30
	KS	A 7 N 01 FH	≦0.30	≦0.35	≦0.20	0.20~0.7	1.0~2.0	≦0.30
	JIS	A 7 N 01 FH	≦0.30	≦0.35	≦0.20	0.20~0.7	1.0~2.0	≦0.30
	AA							
	ASTM							
	BS							
	DIN							
	NF							

Index No. R 204~R 205

化 学 成 分 (%) Chemical composition						形 状 別 規 格 番 号 Std, No. by shapes					
Zn	Ti		others		Al	板(3)	条(4)	棒(5)	線(6)	管(7)	鍛造(8)
			各(1)	合計(2)							
5.1~6.1	≦0.20	Zr+Ti≦0.25	≦0.05	≦0.15	殘部						D 6770
5.1~6.1	≦0.20	Zr+Ti≦0.25	≦0.05	≦0.15	殘部						H 4140
5.1~6.1	≦0.20	Zr+Ti≦0.25	≦0.05	≦0.15	殘部						D 6770
5.1~6.1	≦0.20	Zr+Ti≦0.25	≦0.05	≦0.15	殘部						H 4140
5.1~6.1	≦0.20	Zr+Ti≦0.25(9)	≦0.05	≦0.15	殘部						*
5.1~6.1	≦0.20	Zr+Ti≦0.25(9)	≦0.05	≦0.15	殘部						B 247
5.1~6.1	≦0.20	Zr+Ti≦0.25	≦0.05	≦0.15	殘部						1749
5.1~6.1	≦0.20	Zr+Ti≦0.25	≦0.05	≦0.15	殘部						A 50-901
4.0~5.0	≦0.20	V≦0.10 Zr≦0.25	≦0.05	≦0.15	殘部						D 6770
4.0~5.0	≦0.20	V≦0.10 Zr≦0.25	≦0.05	≦0.15	殘部						H 4140
4.0~5.0	≦0.20	V≦0.10 Zr≦0.25	≦0.05	≦0.15	殘部						D 6770
4.0~5.0	≦0.20	V≦0.10 Zr≦0.25	≦0.05	≦0.15	殘部						H 4140

Notes : (1) Individual (2) Total (3) Plate (4) Strip (5) Bar (6) Wire (7) Pipe (8) Forming (9) 당사자간의 협정에 따름

☆ 화학성분만을 규정하고 있는 규격 ☆☆ 기계적 성질만을 규정하는 규격

주물(鋳物)

Castings

■ 동합금주물(銅合金鋳物)

Copper alloy castings ······ 653

■ 알루미늄합금주물

Aluminum alloy castings ······ 672

■ 알루미늄합금다이캐스팅

Aluminum alloy die castings ······ 688

鋳物 (銅合金)　Castings (Copper alloy)

索引番号 Index No.	規格名 Std.	記号 Designation	化学成分 (%) Chemical composition					
			Cu	Zn	Al	Mn	Ni	Pb
S 001	KS	CAC 101	≧99.5					
	JIS	CAC 101	≧99.5					
	ASTM	-						
	BS	HCCI	BS 1035에 의한다.					
	DIN	G-CuL 45	≧99.90					
	ISO	-						
S 002	KS	CAC 102	≧99.7					
	JIS	CAC 102	≧99.7					
	ASTM	-						
	BS	-						
	DIN	G-CuL 50	≧99.90					
	ISO	-						
S 003	KS	CAC 103	≧99.9					
	JIS	CAC 103	≧99.9					
	ASTM	-						
	BS	-						
	DIN	-						
	ISO	-						
S 004	KS	CAC 201	83.0~88.0	11.0~17.0	≦0.2		≦0.2	≦0.5
	JIS	CAC 201	83.0~88.0	11.0~17.0	≦0.2		≦0.2	≦0.5
	ASTM	-						
	BS	SCB 6	83.0~87.0	殘部				≦0.5
	DIN	CuZn 15	83.0~87.5	殘部			≦0.2	≦0.5
	ISO	-						
S 005	KS	CAC 202	65.0~70.0	24.0~34.0	≦0.5		≦1.0	0.5~3.0
	JIS	CAC 202	65.0~70.0	24.0~34.0	≦0.5		≦1.0	0.5~3.0
	ASTM	C 85400	65.0~70.0	24.0~32.0	≦0.35		≦1.0	1.5~3.8
	BS	SCB 3	63.0~66.0	殘部	≦0.1	≦0.2	≦1.0	1.0~2.8
	DIN	CuZn 33 Pb	63.0~67.0	殘部	≦0.10	≦0.2	≦1.0	1.0~3.0
	ISO	-						

Index No. S 001~S 005

化 学 成 分 (%) Chemical composition							規格番号 Std, No.
Sn	Fe	Si	Mg	Ti		기타 불순물 Other impurities	
≦0.4						P≦0.07	D 6024
≦0.4						P≦0.07	H 5120
							1400
							17655 ☆
≦0.2						P≦0.07	D 6024
≦0.2						P≦0.07	H 5120
							17655 ☆
						P≦0.04	D 6024
						P≦0.04	H 5120
≦0.1	≦0.2						D 6024
≦0.1	≦0.2						H 5120
					As 0.05~0.20	≦0.1(含 Pb)	1400
≦0.5					As 0.05~0.20	≦0.8	1709 ☆
≦1.0	≦0.8						D 6024
≦1.0	≦0.8						H 5120
0.50~1.5	≦0.7	≦0.05					B 584
≦1.5	≦0.5	≦0.03				≦1.0	1400
≦0.05	≦0.80	≦0.05				≦2.0	1709 ☆

☆ 화학성분만을 규정하고 있는 규격

鋳物 (銅合金)　Castings (Copper alloy)

索引番号 Index No.	規格名 Std.	記号 Designation	化学成分 (%) Chemical composition Cu	Zn	Al	Mn	Ni	Pb
S 006	KS	CAC 203	58.0~64.0	30.0~41.0	≦0.5		≦1.0	0.5~3.0
	JIS	CAC 203	58.0~64.0	30.0~41.0	≦0.5		≦1.0	0.5~3.0
	ASTM	C 85700	58.0~64.0	32.0~40.0	≦0.55		≦1.0	0.8~1.5
	BS	DCB 3	58.0~62.0	殘部	0.2~0.8	≦0.5	≦1.0	0.5~2.5
	DIN	CuZn 37 Pb	59.0~63.0	殘部	0.2~0.8	≦0.1	≦1.0	0.5~2.5
	ISO	-						
S 007	KS	CAC 301	55.0~60.0	33.0~42.0	0.5~1.5	0.1~1.5	≦1.0	≦0.4
	JIS	CAC 301	55.0~60.0	33.0~42.0	0.5~1.5	0.1~1.5	≦1.0	≦0.4
	ASTM	C 86500	55.0~60.0	36.0~42.0	0.50~1.5	0.10~1.5	≦1.0	≦0.40
	BS	HTB 1	≧57.0	殘部	0.5~2.5	0.1~3.0	≦1.0	≦0.50
	DIN	CuZn 35 Al 1	56.0~65.0	殘部	0.5~2.0	0.3~3.0	≦3.0	≦1.0
	ISO	-						
S 008	KS	CAC 301 C	55.0~60.0	33.0~42.0	0.5~1.5	0.1~1.5	≦1.0	≦0.4
	JIS	CAC 301 C	55.0~60.0	33.0~42.0	0.5~1.5	0.1~1.5	≦1.0	≦0.4
	ASTM	C 86500	55.0~60.0	36.0~42.0	0.50~1.5	≦1.5	≦1.0	≦0.40
	BS	-						
	DIN	-						
	ISO	-						
S 009	KS	CAC 302	55.0~60.0	30.0~42.0	0.5~2.0	0.1~3.5	≦1.0	≦0.4
	JIS	CAC 302	55.0~60.0	30.0~42.0	0.5~2.0	0.1~3.5	≦1.0	≦0.4
	ASTM	C 86400	56.0~62.0	34.0~42.0	0.50~1.5	0.10~1.0	≦1.0	0.50~1.5
	BS	HTB 1	≧57.0	殘部	0.7~2.5	0.1~3.0	≦1.0	≦0.50
	DIN	CuZn 34 Al 1	55.0~66.0	殘部	1.0~3.0		≦3.0	≦0.3
	ISO	-						
S 010	KS	CAC 302 C	55.0~60.0	30.0~42.0	0.5~2.0	0.1~3.5	≦1.0	≦0.4
	JIS	CAC 302 C	55.0~60.0	30.0~42.0	0.5~2.0	0.1~3.5	≦1.0	≦0.4
	ASTM	C 86400	56.0~62.0	34.0~42.0	0.50~1.5	0.10~1.0	≦1.0	0.50~1.5
	BS	HTB 1	≧57.0	殘部	0.7~2.5	0.1~3.0	≦1.0	≦0.50
	DIN	CuZn 34 Al 1	55.0~66.0	殘部	1.0~3.0		≦3.0	≦0.3
	ISO	-						

化学成分 (%) Chemical composition							規格番号 Std, No.
Sn	Fe	Si	Mg	Ti		기타 불순물 Other impurities	
≦1.0	≦0.8						D 6024
≦1.0	≦0.8						H 5120
0.50~1.5	0.7	≦0.05					B 584
≦1.0	≦0.5	≦0.05				≦0.5	1400
≦0.7	≦0.5	≦0.1				≦1.2	1709 ☆
≦1.0	0.5~1.5	≦0.1					D 6024
≦1.0	0.5~1.5						H 5120
≦1.0	0.40~2.0	≦0.10				≦0.2	B 584
≦1.0	0.7~2.0					≦1.5	1400
≦1.0	0.5~2.0						1709 ☆
≦1.0	0.5~1.5	≦0.1					D 6025
≦1.0	0.5~1.5	≦0.1					H 5120
≦1.0	0.40~2.0						B 505
≦1.0	0.5~2.0	≦0.1					D 6024
≦1.0	0.5~2.0	≦0.1					H 5120
0.50~1.5	0.40~2.0						B 584
≦1.0	0.7~2.0					≦0.2	1400
≦0.3	0.5~2.5	≦0.1				≦0.5	1709 ☆
≦1.0	0.5~2.0	≦0.1					D 6025
≦1.0	0.5~2.0	≦0.1					H 5121
0.50~1.5	0.40~2.0						B 505
≦1.0	0.7~2.0					≦0.2	1400
≦0.3	0.5~2.5	≦0.1				≦0.5	1709 ☆

☆ 화학성분만을 규정하고 있는 규격

鋳物 (銅合金)　Castings (Copper alloy)

索引番号 Index No.	規格名 Std.	記　号 Designation	化 学 成 分 (%) Chemical composition					
			Cu	Zn	Al	Mn	Ni	Pb
S 011	KS	CAC 303	60.0~65.0	22.0~28.0	3.0~5.0	2.5~5.0	≦0.5	≦0.2
	JIS	CAC 303	60.0~65.0	22.0~28.0	3.0~5.0	2.5~5.0	≦0.5	≦0.2
	ASTM	C 86200	60.0~65.0	22.0~28.0	3.0~4.9	2.5~5.0	≦1.0	≦0.20
	BS	HTB 3	≧55.0	殘部	3.0~6.0	≦4.0	≦1.0	≦0.20
	DIN	CuZn 25 Al 5	60.0~67.0	殘部	3.0~7.0	2.5~5.0	≦3.0	≦0.20
	ISO	-						
S 012	KS	CAC 303 C	60.0~65.0	22.0~28.0	3.0~5.0	2.5~5.0	≦0.5	≦0.2
	JIS	CAC 303	60.0~65.0	22.0~28.0	3.0~5.0	2.5~5.0	≦0.5	≦0.2
	ASTM	C 86200	60.0~66.0	22.0~28.0	3.0~4.9	2.5~5.0	≦1.0	≦0.20
	BS	HTB 3	≧55.0	殘部	3.0~6.0	≦4.0	≦1.0	≦0.20
	DIN	CuZn 25 Al 5	60.0~67.0	殘部	3.0~7.0	2.5~5.0	≦3.0	≦0.20
	ISO	-						
S 013	KS	CAC 304	60.0~65.0	22.0~28.0	5.0~7.5	2.5~5.0	≦0.5	≦0.2
	JIS	CAC 304	60.0~65.0	22.0~28.0	5.0~7.5	2.5~5.0	≦0.5	≦0.2
	ASTM	C 86300	60.0~66.0	22.0~28.0	5.0~7.5	2.5~5.0	≦1.0	≦0.20
	BS	HTB 3	≧55.0	殘部	3.0~6.0	≦4.0	≦1.0	≦0.20
	DIN	CuZn 25 Al 5	60.0~67.0	殘部	3.0~7.0	2.5~5.0	≦3.0	≦0.20
	ISO	-						
S 014	KS	CAC 304 C	60.0~65.0	22.0~28.0	5.0~7.5	2.5~5.0	≦0.5	≦0.2
	JIS	CAC 304 C	60.0~65.0	22.0~28.0	5.0~7.5	2.5~5.0	≦0.5	≦0.2
	ASTM	C 86300	60.0~66.0	22.0~28.0	5.0~7.5	2.5~5.0	≦1.0	≦0.20
	BS	HTB 3	≧55.0	殘部	3.0~6.0	≦4.0	≦1.0	≦0.20
	DIN	CuZn 25 Al 5	60.0~67.0	殘部	3.0~7.0	2.5~5.0	≦3.0	≦0.20
	ISO	-						
S 015	KS	CAC 401	79.0~83.0	8.0~12.0	≦0.01		≦1.0	3.0~7.0
	JIS	CAC 401	79.0~83.0	8.0~12.0	≦0.01		≦1.0	3.0~7.0
	ASTM	C 84400	78.0~82.0	7.0~10.0	≦0.005		≦1.0	6.0~8.0
	BS	LG 1	殘部	7.5~9.5	≦0.01		≦2.0	4.0~6.0
	DIN	-						
	ISO	-						

Index No. S 011~S 015

化学成分 (%) Chemical composition							規格番号 Std, No.
Sn	Fe	Si	Mg	Ti		기타 불순물 Other impurities	
≦0.5	2.0~4.0	≦0.1					D 6024
≦0.5	2.0~4.0	≦0.1					H 5120
≦0.20	2.0~4.0						B 584
≦0.20	1.5~3.25	≦0.10				≦0.2	1400
≦0.1	1.5~4.0	≦0.1				≦0.5	1709 ☆
≦0.5	2.0~4.0	≦0.1					D 6025
≦0.5	2.0~4.0	≦0.1					H 5121
≦0.20	2.0~4.0						B 505
≦0.20	1.5~3.25	≦0.10				≦0.2	1400
≦0.1	1.5~4.0	≦0.1				≦0.5	1709 ☆
≦0.2	2.0~4.0	≦0.1					D 6024
≦0.2	2.0~4.0	≦0.1					H 5120
≦0.20	2.0~4.0						B 584
≦0.20	1.5~3.25					≦0.2	1400
≦0.1	1.5~4.0	≦0.1				≦0.5	1709 ☆
≦0.2	2.0~4.0	≦0.1					D 6025
≦0.2	2.0~4.0	≦0.1					H 5121
≦0.20	2.0~4.0						B 505
≦0.20	1.5~3.25					≦0.2	1400
≦0.1	1.5~4.0	≦0.1				≦0.5	1709 ☆
2.0~4.0	≦0.35	≦0.01			Sb≦0.2	P≦0.5	D 6024
2.0~4.0	≦0.35	≦0.01			Sb≦0.2	P≦0.5	H 5120
2.3~3.5	≦0.40	≦0.005					B 584
2.0~3.5		≦0.02				≦1.0	1400

☆ 화학성분만을 규정하고 있는 규격

鋳物 (銅合金)　Castings (Copper alloy)

索引番号 Index No.	規格名 Std.	記　号 Designation	化 学 成 分 (%) Chemical composition					
			Cu	Zn	Al	Mn	Ni	Pb
S 016	KS	CAC 401 C	79.0~83.0	8.0~12.0	≦0.01		≦1.0	3.0~7.0
	JIS	CAC 401 C	79.0~83.0	8.0~12.0	≦0.01		≦1.0	3.0~7.0
	ASTM	C 84400	78.0~82.0	7.0~10.0	≦0.005		≦1.0	6.0~8.0
	BS	LG 1	殘部	7.5~9.5	≦0.01		≦2.0	4.0~6.0
	DIN	-						
	ISO	-						
S 017	KS	CAC 402	86.0~90.0	3.0~5.0	≦0.01		≦1.0	≦1.0
	JIS	CAC 402	86.0~90.0	3.0~5.0	≦0.01		≦1.0	≦1.0
	ASTM	C 90300	86.0~89.0	3.0~5.0	≦0.005		≦1.0	≦0.30
	BS	-						
	DIN	-						
	ISO	-						
S 018	KS	CAC 402 C	86.0~90.0	3.0~5.0	≦0.01		≦1.0	≦1.0
	JIS	CAC 402 C	86.0~90.0	3.0~5.0	≦0.01		≦1.0	≦1.0
	ASTM	C 90300	86.0~89.0	3.0~5.0	≦0.005		≦1.0	≦0.30
	BS	-						
	DIN	-						
	ISO	-						
S 019	KS	CAC 403	86.5~89.5	1.0~3.0	≦0.01		≦1.0	≦1.0
	JIS	CAC 403	86.5~89.5	1.0~3.0	≦0.01		≦1.0	≦1.0
	ASTM	C 90500	86.0~89.0	1.0~3.0	≦0.005		≦1.0	≦0.30
	BS	G 1	殘部	1.75~2.75	≦0.01		≦1.0	≦1.5
	DIN	CuSn 10 Zn	86.0~89.0	1.0~3.0			≦2.0	≦1.5
	ISO	-						
S 020	KS	CAC 403 C	86.5~89.5	1.0~3.0	≦0.01		≦1.0	≦1.0
	JIS	CAC 403 C	86.5~89.5	1.0~3.0	≦0.01		≦1.0	≦1.0
	ASTM	C 90500	86.0~89.0	1.0~3.0	≦0.005		≦1.0	≦0.30
	BS	G 1	殘部	1.75~2.75	≦0.01		≦1.0	≦1.5
	DIN	CuSn 10 Zn	86.0~89.0	1.0~3.0			≦2.0	≦1.5
	ISO							

Index No. S 016~S 020

化学成分 (%) Chemical composition							規格番号 Std, No.
Sn	Fe	Si	Mg	Ti		기타 불순물 Other impurities	
2.0~4.0	≦0.35	≦0.01			Sb≦0.2	P≦0.5	D 6025
2.0~4.0	≦0.35	≦0.01			Sb≦0.2	P≦0.5	H 5121
2.3~3.5	≦0.40	≦0.005					B 505
2.0~3.5		≦0.02				≦1.0	1400
7.0~9.0	≦0.2	≦0.01			Sb≦0.2	P≦0.5	D 6024
7.0~9.0	≦0.2	≦0.01			Sb≦0.2	P≦0.5	H 5120
7.5~9.0	≦0.20	≦0.005					B 584
7.0~9.0	≦0.2	≦0.01			Sb≦0.2	P≦0.5	D 6025
7.0~9.0	≦0.2	≦0.01			Sb≦0.2	P≦0.5	H 5121
7.5~9.0	≦0.20	≦0.005					B 505
9.0~11.0	≦0.2	≦0.01			Sb≦0.2	P≦0.5	D 6024
9.0~11.0	≦0.2	≦0.01			Sb≦0.2	P≦0.5	H 5120
9.0~11.0	≦0.20	≦0.005					B 584
9.7~10.5	≦0.15	≦0.02				≦0.50	1400
9.0~11.0							1705 ☆
9.0~11.0	≦0.2	≦0.01			Sb≦0.2	P≦0.5	D 6025
9.0~11.0	≦0.2	≦0.01			Sb≦0.2	P≦0.5	H 5121
9.0~11.0	≦0.20	≦0.005					B 505
9.7~10.5	≦1.15	≦0.02				≦0.50	1400
9.0~11.0							1705 ☆

☆ 화학성분만을 규정하고 있는 규격

鋳物 (銅合金) Castings (Copper alloy)

索引番号 Index No.	規格名 Std.	記 号 Designation	化 学 成 分 (%) Chemical composition					
			Cu	Zn	Al	Mn	Ni	Pb
S 021	KS	CAC 406	82.0~87.0	4.0~6.0	≦0.01		≦1.0	4.0~6.0
	JIS	CAC 406	82.0~87.0	4.0~6.0	≦0.01		≦1.0	4.0~6.0
	ASTM	C 83600	84.0~86.0	4.5~6.0	≦0.005		≦1.0	4.0~6.0
	BS	LG 2	殘部	4.0~6.0	≦0.01		≦2.0	4.0~6.0
	DIN	CuSn 5 ZnPb	84.0~86.0	4.0~6.0			≦2.5	4.0~6.0
	ISO	-						
S 022	KS	CAC 406 C	82.0~87.0	4.0~6.0	≦0.01		≦1.0	4.0~6.0
	JIS	CAC 406 C	82.0~87.0	4.0~6.0	≦0.01		≦1.0	4.0~6.0
	ASTM	C 83600	84.0~86.0	4.0~6.0	≦0.005		≦1.0	4.0~6.0
	BS	LG 2	殘部	4.5~6.0	≦0.01		≦2.0	4.0~6.0
	DIN	CuSn 5 ZnPb	84.0~86.0	4.0~6.0			≦2.5	4.0~6.0
	ISO	-						
S 023	KS	CAC 407	86.0~90.0	3.0~5.0	≦0.01		≦1.0	1.0~3.0
	JIS	CAC 407	86.0~90.0	3.0~5.0	≦0.01		≦1.0	1.0~3.0
	ASTM	C 92200	86.0~90.0	3.0~5.0	≦0.005		≦1.0	1.0~2.0
	BS	LG 4	殘部	1.5~3.0	≦0.01		≦2.0	2.5~3.5
	DIN	-						
	ISO	-						
S 024	KS	CAC 407 C	86.0~90.0	3.0~5.0	≦0.01		≦1.0	1.0~3.0
	JIS	CAC 407 C	86.0~90.0	3.0~5.0	≦0.01		≦1.0	1.0~3.0
	ASTM	C 92200	86.0~90.0	3.0~5.0	≦0.005		≦1.0	1.0~2.0
	BS	LG 4	殘部	1.5~3.0	≦0.01		≦2.0	2.5~3.5
	DIN	-						
	ISO	-						
S 025	KS	CAC 502 A	87.0~91.0	≦0.3	≦0.01		≦1.0	≦0.3
	JIS	CAC 502 A	87.0~91.0	≦0.3	≦0.01		≦1.0	≦0.3
	ASTM	-						
	BS	PB 2	殘部	≦0.30			≦0.50	≦0.50
	DIN	CuSn 10	88.0~90.0	≦0.5				
	ISO	-						

Index No. S 021~S 025

化 学 成 分 (%) Chemical composition							規格番号 Std, No.
Sn	Fe	Si	Mg	Ti		기타 불순물 Other impurities	
4.0~6.0	≦0.3	≦0.01			Sb≦0.2	P≦0.5	D 6024
4.0~6.0	≦0.3	≦0.01			Sb≦0.2	P≦0.5	H 5120
4.0~6.0	≦0.30	0.005					B 584
4.0~6.0		≦0.02				≦0.80	1400
4.0~6.0	≦0.30						1705 ☆
4.0~6.0	≦0.3	≦0.01			Sb≦0.2	P≦0.5	D 6025
4.0~6.0	≦0.3	≦0.01			Sb≦0.2	P≦0.5	H 5121
4.0~6.0	≦0.30	≦0.005					B 505
4.0~6.0		≦0.02				≦0.80	1400
4.0~6.0	≦0.30						1705 ☆
5.0~7.0	≦0.2	≦0.01			Sb≦0.2	P≦0.5	D 6024
5.0~7.0	≦0.2	≦0.01			Sb≦0.2	P≦0.5	H 5120
5.5~6.5	≦0.25	≦0.005					B 584
6.0~8.0	≦020	≦0.01				≦0.70	1400
5.0~7.0	≦0.2	≦0.01			Sb≦0.2	P≦0.5	D 6025
5.0~7.0	≦0.2	≦0.01			Sb≦0.2	P≦0.5	H 5121
5.5~6.5	≦0.25	≦0.005					B 505
6.0~8.0	≦0.20	≦0.01				≦0.70	1400
9.0~12.0	≦0.2	≦0.01			P 0.05~0.20	Sb≦0.05	D 6024
9.0~12.0	≦0.2	≦0.01			P 0.05~0.20	Sb≦0.05	H 5120
11.0~13.0	≦0.10	≦0.02			P 0.15~0.6	≦0.20	1400
9.0~11.0					P≦0.2	≦0.7	1705 ☆

☆ 화학성분만을 규정하고 있는 규격

鋳物 (銅合金)　Castings (Copper alloy)

索引番号 Index No.	規格名 Std.	記　号 Designation	化 学 成 分 (%) Chemical composition					
			Cu	Zn	Al	Mn	Ni	Pb
S 026	KS	CAC 502 B	87.0~91.0	≦0.3	≦0.01		≦1.0	≦0.3
	JIS	CAC 502 B	87.0~91.0	≦0.3	≦0.01		≦1.0	≦0.3
	ASTM	-						
	BS	PB 2	残部	≦0.30			≦0.50	≦0.50
	DIN	-						
	ISO	-						
S 027	KS	CAC 502 C	87.0~91.0	≦0.3	≦0.01		≦1.0	≦0.3
	JIS	CAC 502 C	87.0~91.0	≦0.3	≦0.01		≦1.0	≦0.3
	ASTM	C 90700	88.0~90.0	≦0.50	≦0.005		≦0.50	≦0.50
	BS	PB 2	残部	≦0.30			≦0.50	≦0.50
	DIN	CuSn 10	88.0~90.0	≦0.5				
	ISO	-						
S 028	KS	CAC 503 A	84.0~88.0	≦0.3	≦0.01		≦1.0	≦0.3
	JIS	CAC 503 A	84.0~88.0	≦0.3	≦0.01		≦1.0	≦0.3
	ASTM	-						
	BS	PB 2	残部	≦0.30	≦0.01		≦0.50	≦0.50
	DIN	CuSn 12	84.0~88.5	≦1.0			≦2.0	≦1.0
	ISO	-						
S 029	KS	CAC 503 B	84.0~88.0	≦0.3	≦0.01		≦1.0	≦0.3
	JIS	CAC 503 B	84.0~88.0	≦0.3	≦0.01		≦1.0	≦0.3
	ASTM	-						
	BS	PB 2	残部	≦0.30	≦0.01		≦0.50	≦0.50
	DIN	CuSn 12	84.0~88.5	≦1.0			≦2.0	≦1.0
	ISO	-						
S 030	KS	CAC 503 C	84.0~88.0	≦0.3	≦0.01		≦1.0	≦0.3
	JIS	CAC 503 C	84.0~88.0	≦0.3	≦0.01		≦1.0	≦0.3
	ASTM	C 91000	84.0~86.0	≦1.5	≦0.005		≦0.8	≦0.20
	BS	-						
	DIN	CuSn 12	84.0~88.5	≦1.0			≦2.0	≦1.0
	ISO	-						

Index No. S 026~S 030

化学成分 (%) Chemical composition							規格番号 Std. No.
Sn	Fe	Si	Mg	Ti		기타 불순물 Other impurities	
9.0~12.0	≦0.2	≦0.01			P 0.15~0.50	Sb≦0.05	D 6024
9.0~12.0	≦0.2	≦0.01			P 0.15~0.50	Sb≦0.05	H 5120
11.0~13.0	≦0.10	≦0.02			P 0.15~0.6	≦0.20	1400
9.0~12.0	≦0.2	≦0.01			P 0.05~0.50	Sb≦0.05	D 6025
9.0~12.0	≦0.2	≦0.01			P 0.05~0.50	Sb≦0.05	H 5121
10.0~12.0	≦0.15	≦0.005					B 505
11.0~13.0	≦0.10	≦0.02			P 0.15~0.6	≦0.20	1400
9.0~11.0					P≦0.2	≦0.7	1705 ☆
12.0~15.0	≦0.2	≦0.01			P 0.15~0.50	Sb≦0.05	D 6024
12.0~15.0	≦0.2	≦0.01			P 0.15~0.50	Sb≦0.05	H 5120
11.0~13.0	≦0.15	≦0.02			P 0.15~0.6	≦0.20	1400
11.0~13.0	≦0.2				P≦0.4	≦1.2	1705 ☆
12.0~15.0	≦0.2	≦0.01			P 0.15~0.50	Sb≦0.05	D 6024
12.0~15.0	≦0.2	≦0.01			P 0.15~0.50	Sb≦0.05	H 5120
11.0~13.0	≦0.15	≦0.02			P 0.15~0.6	≦0.20	1400
11.0~13.0	≦0.2				P≦0.4	≦1.2	1705 ☆
12.0~15.0	≦0.2	≦0.01			P 0.05~0.50	Sb≦0.05	D 6025
12.0~15.0	≦0.2	≦0.01			P 0.05~0.50	Sb≦0.05	H 5121
14.0~16.0	≦0.10	≦0.005					B 505
11.0~13.0	≦0.2				P≦0.4	≦1.2	1705 ☆

☆ 화학성분만을 규정하고 있는 규격

鋳物 (銅合金)　Castings (Copper alloy)

索引番号 Index No.	規格名 Std.	記　号 Designation	化 学 成 分 (%) Chemical composition					
			Cu	Zn	Al	Mn	Ni	Pb
S 031	KS	CAC 602	82.0～86.0	≦1.0	≦0.01		≦1.0	4.0～6.0
	JIS	CAC 602	82.0～86.0	≦1.0	≦0.01		≦1.0	4.0～6.0
	ASTM	-						
	BS	-						
	DIN	CuPb 5 Sn	84.0～87.0	≦2.0			≦1.5	4.0～6.0
	ISO	-						
S 032	KS	CAC 603	77.0～81.0	≦1.0	≦0.01		≦1.0	9.0～11.0
	JIS	CAC 603	77.0～81.0	≦1.0	≦0.01		≦1.0	9.0～11.0
	ASTM	C 93700	78.0～82.0	≦0.8	≦0.005		≦1.0	8.0～11.0
	BS	LB 2	殘部	≦1.0	≦0.01		≦2.0	9.0～10.5
	DIN	CuPb 10 Sn	78.0～82.0	≦2.0			≦1.5	8.0～11.0
	ISO	-						
S 033	KS	CAC 603 C	77.0～81.0	≦1.0	≦0.01		≦1.0	9.0～11.0
	JIS	CAC 603 C	77.0～81.0	≦1.0	≦0.01		≦1.0	9.0～11.0
	ASTM	C 93700	78.0～82.0	≦0.8	≦0.005		≦1.0	8.0～11.0
	BS	LB 2	殘部	≦1.0	≦0.01		≦2.0	9.0～10.5
	DIN	CuPb 10 Sn	78.0～82.0	≦2.0			≦1.5	8.0～11.0
	ISO	-						
S 034	KS	CAC 604	74.0～78.0	≦1.0	≦0.01		≦1.0	14.0～16.0
	JIS	CAC 604	74.0～78.0	≦1.0	≦0.01		≦1.0	14.0～16.0
	ASTM	C 93800	75.0～79.0	≦0.8	≦0.005		≦1.0	13.0～16.0
	BS	LB 1	殘部	≦1.0			≦2.0	13.5～16.5
	DIN	CuPb 15 Sn	75.0～79.0	≦3.0			≦2.0	13.0～17.0
	ISO	-						
S 035	KS	CAC 604 C	74.0～78.0	≦1.0	≦0.01		≦1.0	14.0～16.0
	JIS	CAC 604 C	74.0～78.0	≦1.0	≦0.01		≦1.0	14.0～16.0
	ASTM	C 93800	75.0～79.0	≦0.8	≦0.005		≦1.0	13.0～16.0
	BS	LB 1	殘部	≦1.0			≦2.0	13.5～16.5
	DIN	CuPb 15 Sn	75.0～79.0	≦3.0			≦2.0	13.0～17.0
	ISO	-						

Index No. S 031~S 035

化学成分 (%) Chemical composition							規格番号 Std, No.
Sn	Fe	Si	Mg	Ti		기타 불순물 Other impurities	
9.0~11.0	≦0.3	≦0.01			Sb≦0.3	P≦0.1	D 6024
9.0~11.0	≦0.3	≦0.01			Sb≦0.3	P≦0.1	H 5120
9.0~11.0	≦0.25					≦0.5	1716 ☆
9.0~11.0	≦0.3	≦0.01			Sb≦0.5	P≦0.1	D 6024
9.0~11.0	≦0.3	≦0.01			Sb≦0.5	P≦0.1	H 5120
9.0~11.0	≦0.15	≦0.005					B 584
9.2~11.0	≦0.15	≦0.02				≦0.50	1400
9.0~11.0	≦0.25					≦0.5	1716 ☆
9.0~11.0	≦0.3	≦0.01			Sb≦0.5	P≦0.5	D 6025
9.0~11.0	≦0.3	≦0.01			Sb≦0.5	P≦0.5	H 5121
9.0~11.0	≦0.15	≦0.005					B 505
9.2~11.0	≦0.15	≦0.02				≦0.50	1400
9.0~11.0	≦0.25					≦0.5	1716 ☆
7.0~9.0	≦0.3	≦0.01			Sb≦0.5	P≦0.01	D 6024
7.0~9.0	≦0.3	≦0.01			Sb≦0.5	P≦0.01	H 5120
6.3~7.5	≦0.15	≦0.005					B 584
8.0~10.0						≦0.30	1400
9.0~11.0	≦0.25					≦0.5	1716 ☆
7.0~9.0	≦0.3	≦0.01			Sb≦0.5	P≦0.5	D 6025
7.0~9.0	≦0.3	≦0.01			Sb≦0.5	P≦0.5	H 5121
6.3~7.5	≦0.15	≦0.005					B 505
8.0~10.0						≦0.30	1400
7.0~9.0	≦0.25					≦0.5	1716 ☆

☆ 화학성분만을 규정하고 있는 규격

鋳物 (銅合金)　Castings (Copper alloy)

索引番号 Index No.	規格名 Std.	記　号 Designation	化 学 成 分 (%) Chemical composition					
			Cu	Zn	Al	Mn	Ni	Pb
S 036	KS	CAC 605	70.0～76.0	≦1.0	≦0.01		≦1.0	16.0～22.0
	JIS	CAC 605	70.0～76.0	≦1.0	≦0.01		≦1.0	16.0～22.0
	ASTM	-						
	BS	LB 5	殘部	≦1.0	≦0.01		≦2.0	19.0～23.0
	DIN	CuPb 20 Sn	69.0～76.0	≦3.0			≦2.5	18.0～23.0
	ISO	-						
S 037	KS	CAC 605 C	70.0～76.0	≦1.0	≦0.01		≦1.0	16.0～22.0
	JIS	CAC 605 C	70.0～76.0	≦1.0	≦0.01		≦1.0	16.0～22.0
	ASTM	-						
	BS	LB 5	殘部	≦1.0	≦0.01		≦2.0	19.0～23.0
	DIN	CuPb 20 Sn	69.0～76.0	≦3.0			≦2.5	18.0～23.0
	ISO	-						
S 038	KS	CAC 701	85.0～90.0	≦0.5	8.0～10.0	0.1～1.0	0.1～1.0	≦0.1
	JIS	CAC 701	85.0～90.0	≦0.5	8.0～10.0	0.1～1.0	0.1～1.0	≦0.1
	ASTM	C 95200	≧86.0		8.5～9.5			
	BS	AB 1	殘部	≦0.50	8.5～10.5	≦1.0	≦1.0	≦0.05
	DIN	CuAl 10 Fe	≧83.0	≦0.50	8.0～11.0	≦1.0	≦3.0	≦0.20
	ISO	-						
S 039	KS	CAC 701 C	85.0～90.0	≦0.5	8.0～10.0	0.1～1.0	0.1～1.0	≦0.1
	JIS	CAC 701 C	85.0～90.0	≦0.5	8.0～10.0	0.1～1.0	0.1～1.0	≦0.1
	ASTM	C 95200	≧86.0		8.5～9.5			
	BS	AB 1	殘部	≦0.50	8.5～10.5	≦1.0	≦1.0	≦0.05
	DIN	CuAl 10 Fe	≧83.0	≦0.50	8.0～11.0	≦1.0	≦3.0	≦0.20
	ISO	-						
S 040	KS	CAC 702	80.0～88.0	≦0.5	8.0～10.5	0.1～1.5	0.1～3.0	≦0.1
	JIS	CAC 702	80.0～88.0	≦0.5	8.0～10.5	0.1～1.5	0.1～3.0	≦0.1
	ASTM	C 95400	≧83.0		10.0～11.5	≦0.50	≦2.5	
	BS	-						
	DIN	CuAl 9 Ni	≧82.0	≦0.50	8.5～10.0	≦2.5	1.5～4.0	≦0.05
	ISO	-						

Index No. S 036~S 040

化 学 成 分 (%) Chemical composition							規格番号 Std, No.
Sn	Fe	Si	Mg	Ti		기타 불순물 Other impurities	
6.0~8.0	≦0.3	≦0.01			Sb≦0.5	P≦0.01	D 6024
6.0~8.0	≦0.3	≦0.01			Sb≦0.5	P≦0.01	H 5120
4.0~6.0		≦0.01				≦0.30	1400
4.0~6.0	≦0.25						1716 ☆
6.0~8.0	≦0.3	≦0.01			Sb≦0.5	P≦0.01	D 6025
6.0~8.0	≦0.3	≦0.01			Sb≦0.5	P≦0.01	H 5121
4.0~6.0		≦0.01				≦0.30	1400
4.0~6.0	≦0.25						1716 ☆
≦0.1	1.0~4.0						D 6024
≦0.1	1.0~4.0						H 5120
	2.5~4.0					≦1.0	B 148
≦0.1	1.5~3.5	≦0.25	≦0.05			≦0.30	1400
≦0.30	2.0~4.0	≦0.20				≦1.0	1714 ☆
≦0.1	1.0~4.0						D 6025
≦0.1	1.0~4.0						H 5121
	2.5~4.0					≦1.0	B 148
≦0.1	1.5~3.5	≦0.25	≦0.05			≦0.30	1400
≦0.30	2.0~4.0	≦0.20				≦1.0	1714 ☆
≦0.1	2.5~5.0						D 6024
≦0.1	2.5~5.0						H 5120
	3.0~5.0					≦0.5	B 148
≦0.20	1.0~3.0		≦0.05			≦0.8	1714 ☆

☆ 화학성분만을 규정하고 있는 규격

鋳物 (銅合金)　Castings (Copper alloy)

索引番号 Index No.	規格名 Std.	記　号 Designation	化学成分 (%) Chemical composition					
			Cu	Zn	Al	Mn	Ni	Pb
S 041	KS	CAC 702 C	80.0~88.0	≦0.5	8.0~10.5	0.1~1.5	1.0~3.0	≦0.1
	JIS	CAC 702 C	80.0~88.0	≦0.5	8.0~10.5	0.1~1.5	1.0~3.0	≦0.1
	ASTM	C 95400	≧83.0		10.0~11.5	0.50	2.5	
	BS	-						
	DIN	CuAl 9 Ni	≧82.0	≧0.50	8.5~10.0	≦2.5	1.5~4.0	≦0.05
	ISO	-						
S 042	KS	CAC 703	78.0~85.0	≦0.5	8.5~10.5	0.1~1.5	3.0~6.0	≦0.1
	JIS	CAC 703	78.0~85.0	≦0.5	8.5~10.5	0.1~1.5	3.0~6.0	≦0.1
	ASTM	C 95800	≧79.0		8.5~9.5	0.8~1.5	4.0~5.0	≦0.03
	BS	AB 2	殘部	≦0.50	8.8~10.0	≦1.5	4.0~5.5	≦0.05
	DIN	CuAl 10 Ni	≧76.0	≦0.50	8.5~11.0	≦3.0	4.0~6.5	≦0.05
	ISO	-						
S 043	KS	CAC 703 C	78.0~85.0	≦0.5	8.5~10.5	0.1~1.5	3.0~6.0	≦0.1
	JIS	CAC 703 C	78.0~85.0	≦0.5	8.5~10.5	0.1~1.5	3.0~6.0	≦0.1
	ASTM	C 95800	≧79.0		8.5~9.5	0.8~1.5	4.0~5.0	≦0.03
	BS	AB 2	殘部	≦0.50	8.8~10.0	≦1.5	4.0~5.5	≦0.05
	DIN	CuAl 10 Ni	≧76.0	≦0.50	8.5~11.0	≦3.0	4.0~6.5	≦0.05
	ISO	-						
S 044	KS	CAC 704	71.0~84.0	≦0.5	6.0~9.0	7.0~15.0	1.0~4.0	≦0.1
	JIS	CAC 704	71.0~84.0	≦0.5	6.0~9.0	7.0~15.0	1.0~4.0	≦0.1
	ASTM	C 95700	≧71.0		7.0~8.5	11.0~14.0	1.5~3.0	≦0.03
	BS	CMA 2	殘部	≦0.50	8.5~9.0	11.0~15.0	1.5~4.5	≦0.05
	DIN	-						
	ISO	-						
S 045	KS	CAC 801	84.0~88.0	9.0~11.0	≦0.5			≦0.1
	JIS	CAC 801	84.0~88.0	9.0~11.0	≦0.5			≦0.1
	ASTM	C 87400	≧79.0	12.0~16.0	≦0.8			≦1.0
	BS	-						
	DIN	-						
	ISO	-						

化学成分 (%) Chemical composition							規格番号 Std, No.
Sn	Fe	Si	Mg	Ti		기타 불순물 Other impurities	
≦0.1	2.5~5.0						D 6025
≦0.1	2.5~5.0						H 5121
	3.0~5.0						B 505
≦0.20	1.0~3.0		≦0.05			≦0.8	1714 ☆
≦0.1	3.0~6.0						D 6024
≦0.1	3.0~6.0						H 5120
	3.5~4.5	≦0.10				≦0.5	B 148
≦0.1	4.0~5.5	≦0.10	≦0.05			≦0.30 ≦0.20	1400
≦0.20	3.5~5.5	≦0.10	≦0.05			≦0.8	1714 ☆
≦0.1	3.0~6.0						D 6025
≦0.1	3.0~6.0						H 5121
	3.5~4.5	≦0.10				≦0.5	B 148
≦0.1	4.0~5.5	≦0.10	≦0.05			≦0.30 ≦0.20	1400
≦0.20	3.5~5.5	≦0.10	≦0.05			≦0.8	1714 ☆
≦0.1	2.0~5.0						D 6024
≦0.1	2.0~5.0						H 5120
	2.0~4.0	≦0.10				≦0.5	B 148
≦1.0	2.0~4.0	≦0.15				≦0.30	1400
			3.5~4.5				D 6024
			3.5~4.5				H 5120
			2.5~4.0				B 584

☆ 화학성분만을 규정하고 있는 규격

鋳物（銅合金） Castings (Copper alloy)

索引番号 Index No.	規格名 Std.	記号 Designation	化学成分 (%) Chemical composition					
			Cu	Zn	Al	Mn	Ni	Pb
S 046	KS	CAC 802	78.5~82.5	14.0~16.0	≦0.3			≦0.3
	JIS	CAC 802	78.5~82.5	14.0~16.0	≦0.3			≦0.3
	ASTM	C 87500	≧79.0	12.0~16.0	≦0.50			≦0.50
	BS	-						
	DIN	CuZn 15 Si 4	78.0~83.0	殘部	≦0.1	≦0.2	≦1.0	≦0.8
	ISO	-						
S 047	KS	CAC 803	80.0~84.0	13.0~15.0	≦0.3	≦0.2		≦0.2
	JIS	CAC 803	80.0~84.0	13.0~15.0	≦0.3	≦0.2		≦0.2
	ASTM	-						
	BS	-						
	DIN	-						
	ISO	-						

化学成分 (%) Chemical composition							規格番号 Std, No.
Sn	Fe	Si	Mg	Ti		기타 불순물 Other impurities	
		4.0~5.0					D 6024
		4.0~5.0					H 5120
		3.0~5.0					B 584
≦0.3	≦0.6	3.8~5.0				≦1.2	1709 ☆
	≦0.3	3.2~4.2					D 6024
	≦0.3	3.2~4.2					H 5120

☆ 화학성분만을 규정하고 있는 규격

鋳物 (알루미늄合金鑄物) Castings (Aluminium alloy castings)

索引番号 Index No.	規格名 Std.	記号 Designation	化学成分 (%) Chemical composition					
			Cu	Si	Mg	Zn	Fe	Mn
S 048	KS	AC 1 B	4.2~5.0	≦0.30	0.15~0.35	≦0.10	≦0.35	≦0.10
	JIS	AC 1 B	4.2~5.0	≦0.30	0.15~0.35	≦0.10	≦0.35	≦0.10
	AA	204.0	4.2~5.0	≦0.20	0.15~0.35	≦0.10	≦0.35	≦0.10
	ASTM	204.0	4.2~5.0	≦0.20	0.15~0.35	≦0.10	≦0.35	≦0.10
	BS							
	DIN	G(GK)-AlCu 4 TiMg	4.2~4.9	≦0.18	0.15~0.30	≦0.07	≦0.18	0.001~0.5
	NF	A-U 5 GT	4.2~5.0	≦0.30	0.15~0.35	≦0.10	≦0.35	≦0.10
	ISO	Al-Cu 4 MgTi	4.2~5.0	≦0.30	0.15~0.35	≦0.10	≦0.35	≦0.10
S 049	KS	AC 2 A	3.0~4.5	4.0~6.0	≦0.25	≦0.55	≦0.8	≦0.55
	JIS	AC 2 A	3.0~4.5	4.0~6.0	≦0.25	≦0.55	≦0.8	≦0.55
	ASTM							
	BS							
	DIN							
	ISO							
S 050	KS	AC 2 B	2.0~4.0	5.0~7.0	≦0.50	≦1.0	≦1.0	≦0.50
	JIS	AC 2 B	2.0~4.0	5.0~7.0	≦0.50	≦1.0	≦1.0	≦0.50
	AA	319.0	3.0~4.0	5.5~6.5	≦0.10	≦1.0	≦1.0	≦0.50
	ASTM	319.0	3.0~4.0	5.5~6.5	≦0.10	≦1.0	≦1.0	≦0.50
	BS							
	NF							
	ISO							
S 051	KS	AC 3 A	≦0.25	10.0~13.0	≦0.15	≦0.30	≦0.8	≦0.35
	JIS	AC 3 A	≦0.25	10.0~13.0	≦0.15	≦0.30	≦0.8	≦0.35
	ASTM							
	BS	LM-6	≦0.1	10.0~13.0	≦0.10	≦0.1	≦0.6	≦0.5
	DIN							
	NF							
	ISO							

化学成分 (%) Chemical composition								規格番号 Std, No.
Ni	Ti	Pb	Sn		others 各([1])	others 合計([2])	Al	
≦0.05	0.05~0.35	≦0.05	≦0.05	Cr≦0.05			殘部	D 6008
≦0.05	0.05~0.35	≦0.05	≦0.05	Cr≦0.05			殘部	H 5202
≦0.05	0.15~0.30		≦0.05		≦0.05	≦0.15	殘部	*
≦0.05	0.15~0.30		≦0.05		≦0.05	≦0.15	殘部	B 26, B 108
	0.15~0.30				≦0.03	≦0.10	殘部	1725-2
≦0.05	0.05~0.30	≦0.05	≦0.05				殘部	A 57-702
≦0.05	0.05~0.35	≦0.05	≦0.05				殘部	3522
≦0.30	≦0.20	≦0.15	≦0.05	Cr≦0.15			殘部	D 6008
≦0.30	≦0.20	≦0.15	≦0.05	Cr≦0.15			殘部	H 5202
≦0.35	≦0.20	≦0.20	≦0.10	Cr≦0.20			殘部	D 6008
≦0.35	≦0.20	≦0.20	≦0.10	Cr≦0.20			殘部	H 5202
≦0.35	≦0.25					≦0.50	殘部	*
≦0.35	≦0.25					≦0.50	殘部	B 26, B 108
≦0.10	≦0.20	≦0.10	≦0.10	Cr≦0.15			殘部	D 6008
≦0.10	≦0.20	≦0.10	≦0.10	Cr≦0.15			殘部	H 5202
≦0.1	≦0.2	≦0.1	≦0.05		≦0.05	≦0.15	殘部	1490

Note : ([1]) Individual ([2]) Total

鋳物 (알루미늄合金鑄物) Castings (Aluminium alloy castings)

索引番号 Index No.	規格名 Std.	記号 Designation	化学成分 (%) Chemical composition					
			Cu	Si	Mg	Zn	Fe	Mn
S 052	KS	AC 4 A	≦0.25	8.0~10.0	0.30~0.6	≦0.25	≦0.55	0.30~0.6
	JIS	AC 4 A	≦0.25	8.0~10.0	0.30~0.6	≦0.25	≦0.55	0.30~0.6
	ASTM							
	BS							
	DIN							
	NF							
	ISO							
S 053	KS	AC 4 B	2.0~4.0	7.0~10.0	≦0.50	≦1.0	≦1.0	≦0.50
	JIS	AC 4 B	2.0~4.0	7.0~10.0	≦0.50	≦1.0	≦1.0	≦0.50
	AA	333.0	3.0~4.0	8.0~10.0	0.50~0.50	≦1.0	≦1.0	≦0.50
	ASTM	333.0	3.0~4.0	8.0~10.0	0.50~0.50	≦1.0	≦1.0	≦0.50
	BS							
	DIN	G(GK)-AlSi 9 Cu 3	2.0~3.5	8.0~11.0	0.1~0.5	≦1.2	≦0.8	0.1~0.5
S 054	KS	AC 4 C	≦0.20	6.5~7.5	0.20~0.4	≦0.3	≦0.5	≦0.6
	JIS	AC 4 C	≦0.20	6.5~7.5	0.20~0.4	≦0.3	≦0.5	≦0.6
	AA	356.0	≦0.25	6.5~7.5	0.20~0.45	≦0.35	≦0.6	≦0.35
	ASTM	356.0	≦0.25	6.5~7.5	0.20~0.45	≦0.35	≦0.6	≦0.35
	BS	LM-25	≦0.20	6.5~7.5	0.20~0.6	≦0.1	≦0.5	≦0.3
	DIN							
	NF	A-S 7 G	≦0.15	6.5~7.5	0.20~0.40	≦0.10	≦0.55	≦0.50
	ISO	Al-Si 7 Mg(Fe)	≦0.20	6.5~7.5	0.20~0.4	≦0.3	≦0.5	≦0.6
S 055	KS	AC 4 CH	≦0.10	6.5~7.5	0.25~0.45	≦0.10	≦0.20	≦0.10
	JIS	AC 4 CH	≦0.10	6.5~7.5	0.25~0.45	≦0.10	≦0.20	≦0.10
	AA	A 356.0	≦0.20	6.5~7.5	0.25~0.45	≦0.10	≦0.20	≦0.10
	ASTM	A 356.0	≦0.20	6.5~7.5	0.25~0.45	≦0.10	≦0.20	≦0.10
	BS							
	DIN	G(GK)-AlSi 7 Mg	≦0.05	6.5~7.5	0.25~0.45	≦0.07	≦0.18	≦0.10
	ISO	Al-S 7 Mg	≦0.10	6.5~7.5	0.25~0.45	≦0.10	≦0.20	≦0.10

化学成分 (%) Chemical composition								規格番号 Std, No.
					others			
Ni	Ti	Pb	Sn		各(1)	合計(2)	Al	
≦0.10	≦0.20	≦0.10	≦0.05	Cr≦0.15			殘部	D 6008
≦0.10	≦0.20	≦0.10	≦0.05	Cr≦0.15			殘部	H 5202
≦0.35	≦0.20	≦0.20	≦0.10	Cr≦0.20			殘部	D 6008
≦0.35	≦0.20	≦0.20	≦0.10	Cr≦0.20			殘部	H 5202
≦0.50	≦0.25					≦0.50	殘部	*
≦0.50	≦0.25					≦0.50	殘部	B 108
≦03	≦0.15	≦0.2	≦0.1		≦0.05	≦0.15	殘部	1725-2
≦0.05	≦0.20	≦0.05	≦0.05				殘部	D 6008
≦0.05	≦0.20	≦0.05	≦0.05				殘部	H 5202
	≦0.25			Fe양이 0.45를 초과하는 경우 Mn양은 Fe 함유량의 ½이상	≦0.05	≦0.15	殘部	*
	≦0.25				≦0.05	≦0.15	殘部	B 26, B 108
≦0.1	≦0.2	≦0.1	≦0.05		≦0.05	≦0.15	殘部	1490
≦0.05	0.05~0.25	≦0.05	≦0.05		≦0.05	≦0.15	殘部	A 57-702
≦0.05	≦0.20	≦0.05	≦0.05				殘部	3522
≦0.05	≦0.20	≦0.05	≦0.05	Cr≦0.05	≦0.05	≦0.15	殘部	D 6008
≦0.05	≦0.20	≦0.05	≦0.05	Cr≦0.05	≦0.05	≦0.15	殘部	H 5202
	≦0.20				≦0.05	≦0.15	殘部	*
	≦0.20				≦0.05	≦0.15	殘部	B 26, B 108
	0.001~0.20				≦0.03	≦0.10	殘部	1725-2
≦0.05	≦0.20				≦0.05	≦0.15	殘部	3522

Note : (1) Individual (2) Total

鋳物 (알루미늄合金鑄物) Castings (Aluminium alloy castings)

索引番号 Index No.	規格名 Std.	記号 Designation	化学成分 (%) Chemical composition Cu	Si	Mg	Zn	Fe	Mn
S 056	KS	AC 4 D	1.0~1.5	4.5~5.5	0.4~0.6	≦0.5	≦0.6	≦0.5
	JIS	AC 4 D	1.0~1.5	4.5~5.5	0.4~0.6	≦0.5	≦0.6	≦0.5
	AA	355.0	1.0~1.5	4.5~5.5	0.40~0.6	≦0.35	≦0.6	≦0.50
	ASTM	355.0	1.0~1.5	4.5~5.5	0.40~0.6	≦0.35	≦0.6	≦0.50
	BS	LM-16	1.0~1.5	4.5~5.5	0.4~0.6	≦0.1	≦0.6	≦0.5
	DIN							
	ISO	Al-Si 5 Cu 1 Mg	1.0~1.5	4.5~5.5	0.4~0.6	≦0.5	≦0.6	≦0.5
S 057	KS	AC 5 A	3.5~4.5	≦0.7	1.2~1.8	≦0.1	≦0.7	≦0.6
	JIS	AC 5 A	3.5~4.5	≦0.7	1.2~1.8	≦0.1	≦0.7	≦0.6
	AA	242.0	3.5~4.5	≦0.7	1.2~1.8	≦0.35	≦1.0	≦0.35
	ASTM	242.0	3.5~4.5	≦0.7	1.2~1.8	≦0.35	≦1.0	≦0.35
	BS							
	DIN							
	NF	A-U 4 NT	3.50~4.50	≦0.45	1.20~1.80	≦0.10	≦0.65	≦0.30
	ISO	Al-Cu 4 Ni 2 Mg 2	3.5~4.5	≦0.7	1.2~1.8	≦0.1	≦0.7	≦0.6
S 058	KS	AC 7 A	≦0.10	≦0.20	3.5~5.5	≦0.15	≦0.30	≦0.6
	JIS	AC 7 A	≦0.10	≦0.20	3.5~5.5	≦0.15	≦0.30	≦0.6
	AA	514.0	≦0.15	≦0.35	3.5~4.5	≦0.15	≦0.50	≦0.35
	ASTM	514.0	≦0.15	≦0.35	3.5~4.5	≦0.15	≦0.50	≦0.35
	BS	LM-5	≦0.1	≦0.3	3.5~6.0	≦0.1	≦0.6	0.3~0.7
	DIN	G(GK)-AlMg 5	≦0.05	≦0.5	4.5~5.5	≦0.10	≦0.5	0.001~0.4
S 059	KS	AC 8 A	0.8~1.3	11.0~13.0	0.7~1.3	≦0.15	≦0.8	≦0.15
	JIS	AC 8 A	0.8~1.3	11.0~13.0	0.7~1.3	≦0.15	≦0.8	≦0.15
	AA	336.0	0.50~1.5	11.0~13.0	0.7~1.3	≦0.35	≦1.2	≦0.35
	ASTM	336.0	0.50~1.5	11.0~13.0	0.7~1.3	≦0.35	≦1.2	≦0.35
	BS	LM-13	0.7~1.5	10.0~13.0	0.8~1.5	≦0.5	≦1.0	≦0.5
	DIN							
	NF	A-S 12 UNG	0.80~1.50	11.5~13.5	0.80~1.50	≦0.20	≦0.75	≦0.20

化学成分 (%) Chemical composition								規格番号 Std, No.
Ni	Ti	Pb	Sn		others 各(1)	others 合計(2)	Al	
≦0.3	≦0.2	≦0.1	≦0.05				殘部	D 6008
≦003	≦0.2	≦0.1	≦0.05				殘部	H 5202
	≦0.25			Fe양이 0.45를 초과하는 경우 Mn양은 Fe 함유량의 ½이상	≦0.05	≦0.15	殘部	*
	≦0.25				≦0.05	≦0.15	殘部	B 26, B 108
≦0.25	≦0.2	≦0.1	≦0.05		≦0.05	≦0.15	殘部	1490
≦0.3	≦0.2	≦0.1	≦0.1				殘部	3522
1.7~2.3	≦0.2	≦0.05	≦0.05	Cr≦0.2			殘部	D 6008
1.7~2.3	≦0.2	≦0.05	≦0.05	Cr≦0.2			殘部	H 5202
1.7~2.3	≦0.25			Cr≦0.25	≦0.05	≦0.15	殘部	*
1.7~2.3	≦0.25			Cr≦0.25	≦0.05	≦0.15	殘部	B 26, B 108
1.70~2.30	0.05~0.20	≦0.05	≦0.05		≦0.05	≦0.15	殘部	A-57-702
1.7~2.3	≦0.2	≦0.05	≦0.05	Cr≦0.2			殘部	3522
≦0.05	≦0.20	≦0.05	≦0.05	Cr≦0.15			殘部	D 6008
≦0.05	≦0.20	≦0.05	≦0.05	Cr≦0.15			殘部	H 5202
	≦0.25				≦0.05	≦0.15	殘部	*
	≦0.25				≦0.05	≦0.15	殘部	B 26
≦0.1	≦0.2	≦0.05	≦0.05		≦0.05	≦0.15	殘部	1490
	0.001~0.20				≦0.05	≦0.15	殘部	1725-2
0.8~1.5	≦0.20	≦0.05	≦0.05	Cr≦0.15			殘部	D 6008
0.8~1.5	≦0.20	≦0.05	≦0.05	Cr≦0.15			殘部	H 5202
2.0~3.0	≦0.25				≦0.05		殘部	*
2.0~3.0	≦0.25				≦0.05		殘部	B 108
≦1.5	≦0.2	≦0.1	≦0.1		≦0.05	≦0.15	殘部	1490
0.60~1.30	≦0.20	≦0.10	≦0.05		≦0.05	≦0.15	殘部	A 57-702

Note : (1) Individual (2) Total

鋳物 (알루미늄合金鑄物) Castings (Aluminium alloy castings)

索引番号 Index No.	規格名 Std.	記 号 Designation	化 学 成 分 (%) Chemical composition					
			Cu	Si	Mg	Zn	Fe	Mn
S 060	KS	AC 8 B	2.0~4.0	8.5~10.5	0.50~1.5	≦0.50	≦1.0	≦0.50
	JIS	AC 8 B	2.0~4.0	8.5~10.5	0.50~1.5	≦0.50	≦1.0	≦0.50
	ASTM							
	BS	LM-26	2.0~4.0	8.5~10.5	0.5~1.5	≦1.0	≦1.2	≦0.5
	NF							
S 061	KS	AC 8 C	2.0~4.0	8.5~10.5	0.50~1.5	≦0.50	≦1.0	≦0.50
	JIS	AC 8 C	2.0~4.0	8.5~10.5	0.50~1.5	≦0.50	≦1.0	≦0.50
	AA	332.0	2.0~4.0	8.5~10.5	0.50~1.5	≦1.0	≦1.2	≦0.50
	ASTM	332.0	2.0~4.0	8.5~10.5	0.50~1.5	≦1.0	≦1.2	≦0.50
	BS							
	DIN							
	NF	A-S 10 UG	1.80~2.60	9.2~10.8	0.70~1.50	≦0.20	0.60~1.00	0.30~0.70
S 062	KS	AC 9 A	0.50~1.5	22~24	0.50~1.5	≦0.20	≦0.8	≦0.50
	JIS	AC 9 A	0.50~1.5	22~24	0.50~1.5	≦0.20	≦0.8	≦0.50
	BS	LM-29	0.8~1.3	22.0~25.0	0.8~1.3	≦0.2	≦0.7	≦0.6
	ASTM							
	DIN							
S 063	KS	AC 9 B	0.50~1.5	18~20	0.50~1.5	≦0.20	≦0.8	≦0.50
	JIS	AC 9 B	0.50~1.5	18~20	0.50~1.5	≦0.20	≦0.8	≦0.50
	ASTM							
	BS							
	DIN							
	NF	A-S 18 UNG	0.80~1.50	16.5~19.5	0.80~1.50	≦0.20	≦0.75	≦0.20
S 064	JIS	Al-Cu 4 Ti	4.0~5.0	≦0.25	≦0.05	≦0.2	≦0.25	≦0.10
	AA							
	ASTM							
	BS							
	DIN	G(GK)-AlCu 4 Ti	4.5~5.2	≦0.18		≦0.07	≦0.18	0.001~0.5
	NF							
	ISO	Al-Cu 4 Ti	4.0~5.0	≦0.25	≦0.05	≦0.2	≦0.25	≦0.10

Index No. S 060~S 064

化 学 成 分 (%) Chemical composition								規格番号 Std, No.
Ni	Ti	Pb	Sn		others		Al	
					各(1)	合計(2)		
0.10~1.0	≦0.20	≦0.10	≦0.10	Cr≦0.10			殘部	D 6008
0.10~1.0	≦0.20	≦0.10	≦0.10	Cr≦0.10			殘部	H 5202
≦1.0	≦0.2	≦0.2	≦0.1		≦0.05	≦0.15	殘部	1490
≦0.50	≦0.20	≦0.10	≦0.10	Cr≦0.10			殘部	D 6008
≦0.50	≦0.20	≦0.10	≦0.10	Cr≦0.10			殘部	H 5202
≦0.50	≦0.25					≦0.50	殘部	*
≦0.50	≦0.25					≦0.50	殘部	B 108
≦0.25	≦0.20	≦0.10	≦0.05		≦0.05	≦0.15	殘部	A 57-702
0.50~1.5	≦0.20	≦0.10	≦0.10	Cr≦0.10			殘部	D 6008
0.50~1.5	≦0.20	≦0.10	≦0.10	Cr≦0.10			殘部	H 5202
0.8~1.3	≦0.2	≦0.1	≦0.1	Co≦0.5 Cr≦0.6	≦0.10	≦0.30	殘部	1490
0.50~1.5	≦0.20	≦0.10	≦0.10	Cr≦0.10			殘部	D 6008
0.50~1.5	≦0.20	≦0.10	≦0.10	Cr≦0.10			殘部	H 5202
0.80~1.30	≦0.20	≦0.10	≦0.05		≦0.05	≦0.15	殘部	A 57-702
≦0.10	0.05~0.30	≦0.05	≦0.05				殘部	H 5202
	0.15~0.30				≦0.03	≦0.10	殘部	1725-2
≦0.10	0.05~0.30	≦0.05	≦0.05				殘部	3522

Note : (1) Individual (2) Total

鋳物 (알루미늄合金鑄物)　Castings (Aluminium alloy castings)

索引番号 Index No.	規格名 Std.	記　号 Designation	化 学 成 分 (%) Chemical composition					
			Cu	Si	Mg	Zn	Fe	Mn
S 065	JIS	Al-Si 5	≦0.10	4.5~6.0	≦0.1	≦0.1	≦0.8	≦0.5
	AA	A 443.0	≦0.15	4.5~6.0	≦0.05	≦0.35	≦0.8	≦0.35
	ASTM	B 443.0	≦0.15	4.5~6.0	≦0.05	≦0.35	≦0.8	≦0.35
	BS							
	DIN							
	NF							
	ISO	Al-Si 5	≦0.10	4.5~6.0	≦0.1	≦0.1	≦0.8	≦0.5
S 066	JIS	Al-Si 5 Mg	≦0.1	3.5~6.0(3)	0.5~0.9	≦0.1	≦0.6	≦0.6
	AA							
	ASTM							
	BS							
	DIN							
	NF							
	ISO	Al-Si 5 Mg	≦0.1	3.5~6.0(3)	0.5~0.9	≦0.1	≦0.6	≦0.6
S 067	JIS	Al-Si 5 Cu 3	2.0~4.0	4.0~6.0	≦0.15	≦0.5	≦0.8	0.2~0.6
	AA							
	ASTM							
	BS	LM 4	2.0~4.0	4.0~6.0	≦0.20	≦0.5	≦0.8	0.2~0.6
	DIN							
	NF	A-S 5 U 3	2.8~3.8	4.5~6.0	0.05~0.25	≦0.50	≦0.80	0.20~0.6
	ISO	Al-Si 5 Cu 3	2.0~4.0	4.0~6.0	≦0.15	≦0.5	≦0.8	0.2~0.6
S 068	JIS	Al-Si 6 Cu 4	3.0~5.0	5.0~7.0	≦0.3	≦2.0	≦1.0	0.2~0.6
	AA							
	ASTM							
	BS	LM 21	3.0~5.0	5.0~7.0	0.1~0.3	≦2.0	≦1.0	0.2~0.6
	DIN	G(GK)-AlSi 6 Cu 4	3.0~5.0	5.0~7.0	0.1~0.5	≦2.0	≦1.0	0.1~0.6
	NF	A-S 5 UZ	3.0~5.0	5.0~7.0	≦0.30	≦2.00	≦1.00	0.20~0.60
	ISO	Al-Si 6 Cu 4	3.0~5.0	5.0~7.0	≦0.3	≦2.0	≦1.0	0.2~0.6

Index No. S 065~S 068

化 学 成 分 (%) Chemical composition								規格番号 Std, No.
Ni	Ti	Pb	Sn		others 各(1)	合計(2)	Al	
≦0.1	≦0.20	≦0.1	≦0.1				殘部	H 5202
	≦0.25				≦0.05	≦0.15	殘部	*
	≦0.25				≦0.05	≦0.15	殘部	B 26, B 108
≦0.1	≦0.20	≦0.1	≦0.1				殘部	3522
≦0.1	≦0.2	≦0.1	≦0.05				殘部	H 5202
≦0.1	≦0.2	≦0.1	≦0.05				殘部	3522
≦0.3	≦0.2	≦0.1	≦0.05				殘部	H 5202
≦0.3	≦0.2	≦0.1	≦0.1		≦0.05	≦0.15	殘部	1490
≦0.30	≦0.25	≦0.10	≦0.05	Pb+Sn≦0.10			殘部	A 57-702
≦0.3	≦0.2	≦0.1	≦0.05				殘部	3522
≦0.3	≦0.2	≦0.2	≦0.1				殘部	H 5202
≦0.3	≦0.2	≦0.2	≦0.1		≦0.05	≦0.15	殘部	1490
≦0.3	≦0.15	≦0.3	≦0.1		≦0.05	≦0.15	殘部	1725-2
≦0.30	≦0.25	≦0.25	≦0.20				殘部	A 57-702
≦0.3	≦0.2	≦0.2	≦0.1				殘部	3522

Note : (1) Individual (2) Total (3) 양극산화처리를 실시한 경우는 규소를 3.0~4.5%로 한다.

鋳物 (알루미늄合金鑄物)　Castings (Aluminium alloy castings)

索引番号 Index No.	規格名 Std.	記　号 Designation	化学成分 (%) Chemical composition					
			Cu	Si	Mg	Zn	Fe	Mn
S 069	JIS	Al-Si 10 Mg	≦0.10	9.0～11.0	0.15～0.40	≦0.1	≦0.60	≦0.6
	AA							
	ASTM							
	BS							
	DIN	G(GK)-AlSi 10 Mg	≦0.3	9.0～11.0	0.20～0.50	≦0.3	≦0.6	0.1～0.4
	NF	A-S 10 G	≦0.10	9.0～11.0	0.17～0.40	≦0.10	≦0.60	≦0.50
	ISO	Al-Si 10 Mg	≦0.10	9.0～11.0	0.15～0.40	≦0.1	≦0.60	≦0.6
S 070	JIS	Al-Si 12	≦0.10	11.0～13.5	≦0.10	≦0.1	≦0.70	≦0.5
	AA							
	ASTM							
	BS							
	DIN	G(GK)-AlSi 12	≦0.05	10.0～13.5	≦0.05	≦0.1	≦0.5	0.001～0.4
	NF	A-S 13	≦0.10	11.0～13.5	≦0.10	≦0.15	≦0.70	≦0.50
	ISO	Al-Si 12	≦0.10	11.0～13.5	≦0.10	≦0.1	≦0.70	≦0.5
S 071	JIS	Al-Si 12 Cu	≦1.2	11.0～13.5	≦0.3	≦0.5	≦0.90	≦0.5
	AA							
	ASTM							
	BS							
	DIN	G(GK)-AlSi 12 (Cu)	≦1.0	10.5～13.5	≦0.3	≦0.5	≦0.8	0.1～0.5
	NF	A-S 12 U	≦1.0	11.0～13.5	≦0.30	≦0.50	≦0.90	≦0.60
	ISO	Al-Si 12 Cu	≦1.2	11.0～13.5	≦0.3	≦0.5	≦0.90	≦0.5
S 072	JIS	Al-Mg 3	≦1.0	≦0.5	2.5～4.5	≦0.2	≦0.5	≦0.6
	AA							
	ASTM							
	BS							
	DIN	G(GK)-AlMg 3	≦0.05	≦0.5	2.5～3.5	≦0.10	≦0.5	0.001～0.4
	NF	A-G 3 T	≦0.10	≦0.50	2.50～3.50	≦0.20	≦0.50	≦0.50
	ISO	Al-Mg 3	≦0.10	≦0.5	2.5～4.5	≦0.2	≦0.5	≦0.6

Index No. S 069~S 072

化学成分 (%) Chemical composition								規格番号 Std, No.
Ni	Ti	Pb	Sn		others 各[1]	others 合計[2]	Al	
≦0.05	≦0.20	≦0.05	≦0.05				殘部	H 5202
≦0.1	≦0.15				≦0.05	≦0.15	殘部	1725-2
≦0.05	≦0.20	≦0.05	≦0.05		≦0.05	≦0.15	殘部	A 57-702
≦0.05	≦0.20	≦0.05	≦0.05				殘部	3522
≦0.1	≦0.20	≦0.1	≦0.05				殘部	H 5202
	≦0.15				≦0.05	≦0.15	殘部	1725-2
≦0.05	≦0.15	≦0.05	≦0.05		≦0.05	≦0.15	殘部	A 57-702
≦0.1	≦0.20	≦0.1	≦0.05				殘部	3522
≦0.30	≦0.2	≦0.20	≦0.1				殘部	H 5202
≦0.2	≦0.15	≦0.2	≦0.1		≦0.05	≦0.15	殘部	1725-2
≦0.30	≦0.15	≦0.20	≦0.10				殘部	A 57-702
≦0.30	≦0.2	≦0.20	≦0.1				殘部	3522
≦0.05	≦0.2	≦0.05	≦0.05	Cr≦0.1			殘部	H 5202
	0.001~0.20				≦0.05	≦0.15	殘部	1725-2
≦0.05	0.05~0.25	≦0.05	≦0.05		≦0.15	≦0.15	殘部	A 57-702
≦0.05	≦0.2	≦0.05	≦0.05	Cr≦0.1			殘部	3522

Note : ([1]) Individual ([2]) Total

鋳物 (알루미늄合金鑄物) Castings (Aluminium alloy castings)

索引番号 Index No.	規格名 Std.	記号 Designation	化学成分 (%) Chemical composition					
			Cu	Si	Mg	Zn	Fe	Mn
S 073	JIS	Al-Mg 5 Si	≦0.10	0.5～1.5	4.0～6.0	≦0.2	≦0.5	≦0.5
	AA							
	ASTM							
	BS							
	DIN	G(GK)-AlMg 5 Si	≦0.05	0.9～1.5	4.5～5.5	≦0.10	≦0.5	0.001～0.4
	NF							
	ISO	Al-Mg 5 Si 1	≦0.10	0.5～1.5	4.0～6.0	≦0.2	≦0.5	≦0.5
S 074	JIS	Al-Mg 6	≦0.10	≦0.50	4.5～7.0	≦0.2	≦0.5	≦0.6
	AA							
	ASTM							
	BS							
	DIN							
	NF	A-G 6	≦0.10	≦0.40	5.00～7.00	≦0.20	≦0.50	≦0.50
	ISO	Al-Mg 6	≦0.10	≦0.50	4.5～7.0	≦0.2	≦0.5	≦0.6
S 075	JIS	Al-Mg 10	≦0.10	≦0.30	9.5～11.0	≦0.10	≦0.3	≦0.15
	AA	520.0	≦0.25	≦0.25	9.5～10.6	≦0.15	≦0.30	≦0.15
	ASTM	520.0	≦0.25	≦0.25	9.5～10.6	≦0.15	≦0.30	≦0.15
	BS							
	DIN							
	NF							
	ISO	Al-Mg 10	≦0.10	≦0.30	9.5～11.0	≦0.10	≦0.3	≦0.15
S 076	JIS	Al-Zn 5 Mg	≦0.35	≦0.3	0.5～0.70	4.5～6.0	≦0.8	≦0.4
	AA	712.0	≦0.25	≦0.30	0.50～0.65	5.0～6.5	≦0.50	≦0.10
	ASTM	712.0.	≦0.25	≦0.30	0.50～0.65	5.0～6.5	≦0.50	≦0.10
	BS	LM 31	≦0.1	≦0.25	0.5～0.75	4.8～5.7	≦0.5	≦0.1
	DIN							
	NF							
	ISO	Al-ZN 5 Mg	≦0.35	≦0.3	0.5～0.70	4.5～6.0	≦0.8	≦0.4

化学成分 (%) Chemical composition								規格番号 Std, No.
Ni	Ti	Pb	Sn		others 各(1)	others 合計(2)	Al	
≦0.05	≦0.2	≦0.05	≦0.05				殘部	H 5202
		0.001~0.20			≦0.05	≦0.15	殘部	1725-2
≦0.05	≦0.2	≦0.05	≦0.05				殘部	3522
≦0.05	≦0.2	≦0.05	≦0.05	Cr≦0.5			殘部	H 5202
≦0.05	≦0.20	≦0.05	≦0.05	Be≦0.04	≦0.05	≦0.15	殘部	A 57-702
≦0.05	≦0.2	≦0.05	≦0.05	Cr≦0.5			殘部	3522
≦0.05	≦0.15	≦0.05	≦0.05	Be≦0.05			殘部	H 5202
	≦0.25				≦0.05	≦0.15	殘部	*
	≦0.25				≦0.05	≦0.15	殘部	B 26
≦0.10	≦0.15	≦0.05	≦0.05	Be≦0.05			殘部	3522
≦0.05	0.10~0.30	≦0.05	≦0.05	Cr 0.15~0.60			殘部	H 5202
	0.15~0.25			Cr 0.40~0.6	≦0.05	≦0.20	殘部	*
	0.15~0.25			Cr 0.40~0.6	≦0.05	≦0.20	殘部	B 26
≦0.1	≦0.25	≦0.05	≦0.05	Cr 0.4~0.6	≦0.05	≦0.15	殘部	1490
≦0.05	0.10~0.30	≦0.05	≦0.05	Cr 0.15~0.60			殘部	3522

Note : (1) Individual (2) Total

鋳物 (알루미늄合金鑄物) Castings (Aluminium alloy castings)

索引番号 Index No.	規格名 Std.	記 号 Designation	化 学 成 分 (%) Chemical composition Cu	Si	Mg	Zn	Fe	Mn
S 077	KS	ALDC 1	≦1.0	11.0~13.0	≦0.3	≦0.5	≦1.3	≦0.3
	JIS	ADC 1	≦1.0	11.0~13.0	≦0.3	≦0.5	≦1.3	≦0.3
	AA	A 413.0	≦1.0	11.0~13.0	≦0.10	≦0.50	≦1.3	≦0.35
	ASTM	A 413.0 (S 12 A)	≦1.0	11.0~13.0	≦0.10	≦0.50	≦1.3	≦0.35
	BS	LM 20	≦0.4	10.0~13.0	≦0.2	≦0.2	≦1.0	≦0.5
	DIN	GD-AlSi 12(Cu)	≦1.2	10.5~13.5	≦0.4	≦0.5	≦1.2	0.1~0.5
	NF	A-S 12	≦0.10	11.0~13.5	≦0.10	≦0.15	≦1.2	≦0.50
	ISO	Al-Si 12 CuFe	≦1.2	11.0~13.5	≦0.3	≦0.5	≦1.3	≦0.5
S 078	KS	ALDC 2	≦0.6	9.0~10.0	0.4~0.6	≦0.5	≦1.3	≦0.3
	JIS	ADC 3	≦0.6	9.0~10.0	0.4~0.6	≦0.5	≦1.3	≦0.3
	AA	A 360.0	≦0.6	9.0~10.0	0.40~0.6	≦0.50	≦1.3	≦0.35
	ASTM	A 360.0 (SG 100 A)	≦0.6	9.0~10.0	0.40~0.6	≦0.50	≦1.3	≦0.35
	BS							
	DIN	GD-AlSi 10 Mg	≦0.10	9.0~11.0	0.20~0.50	≦0.1	≦1.0	0.001~0.4
	NF	A-S 9	≦0.10	8.0~10.0	≦0.10	≦0.15	≦0.60	≦0.30

化学成分 (%) Chemical composition								規格番号 Std, No.
Ni	Ti	Pb	Sn		others 各([1])	others 合計([2])	Al	
≦0.5			≦0.1				殘部	D 6006
≦0.5			≦0.1				殘部	H 5302
≦0.50			≦0.15			≦0.25	殘部	*
≦0.50			≦0.15			≦0.25	殘部	B 85
≦0.1	≦0.2	≦0.1	≦0.1		≦0.05	≦0.20	殘部	1490
≦0.2	≦0.15	≦0.2	≦0.1		≦0.05	≦0.15	殘部	1725-2
≦0.10	≦0.20	≦0.10	≦0.05				殘部	A 57-703
≦0.30	≦0.2	≦0.20	≦0.1				殘部	3522
≦0.5			≦0.1				殘部	D 6006
≦0.5			≦0.1				殘部	H 5302
≦0.50			≦0.15			≦0.25	殘部	*
≦0.50			≦0.15			≦0.25	殘部	B 85
≦0.1	≦0.15				≦0.05	≦0.15	殘部	1725-2
≦0.05	≦0.15	≦0.05	≦005				殘部	A 57-703

Note : ([1]) Individual ([2]) Total

鋳物 (알루미늄合金鑄物) Castings (Aluminium alloy die castings)

索引番号 Index No.	規格名 Std.	記 号 Designation	化学成分 (%) Chemical composition					
			Cu	Si	Mg	Zn	Fe	Mn
S 079	KS	ALDC 3	≦0.2	≦0.3	4.0~8.5	≦0.1	≦1.8	≦0.3
	JIS	ADC 5	≦0.2	≦0.3	4.0~8.5	≦0.1	≦1.8	≦0.3
	AA	518.0	≦0.25	≦0.35	7.5~8.5	≦0.15	≦1.8	≦0.35
	ASTM	518.0(G 8 A)	≦0.25	≦0.35	7.5~8.5	≦0.15	≦1.8	≦0.35
	BS							
	DIN							
	NF	A-G 6	≦0.10	≦0.40	5.7~7.0	≦0.20	≦1.0	0.30~0.60
S 080	KS	ALDC 4	≦0.1	≦1.0	2.5~4.0	≦0.4	≦0.8	0.4~0.6
	JIS	ADC 6	≦0.1	≦1.0	2.5~4.0	≦0.4	≦0.8	0.4~0.6
	AA							
	ASTM							
	BS							
	DIN							
S 081	KS	ALDC 7	2.0~4.0	7.5~9.5	≦0.3	≦1.0	≦1.3	≦0.5
	JIS	ADC 10	2.0~4.0	7.5~9.5	≦0.3	≦1.0	≦1.3	≦0.5
	AA	A 380.0	3.0~4.0	7.5~9.5	≦0.10	≦3.0	≦1.3	≦0.50
	ASTM	A 380.0 (SC 84 A)	3.0~4.0	7.5~9.5	≦0.10	≦3.0	≦1.3	≦0.50
	BS							
	DIN	GD-AlSi 9 Cu 3	2.0~3.5	8.0~11.0	0.1~0.5	≦1.2	≦1.2	0.1~0.5
	NF	A-S 9 U 3	2.7~3.7	8.0~10.0	0.10~0.30	≦1.2	≦1.0	≦0.60
	ISO	Al-Si 8 Cu 3 Fe	2.5~4.0	7.5~9.5	≦0.3	≦1.2	≦1.3	≦0.6
S 082	KS	ALDC 7 Z	2.0~4.0	7.5~9.5	≦0.3	≦3.0	≦1.3	≦0.5
	JIS	ADC 10 Z	2.0~4.0	7.5~9.5	≦0.3	≦3.0	≦1.3	≦0.5
	AA	A 380.0	3.0~4.0	7.5~9.5	≦0.10	≦3.0	≦1.3	≦0.50
	ASTM	A 380.0 (SC 84 A)	3.0~4.0	7.5~9.5	≦0.10	≦3.0	≦1.3	≦0.50
	BS	LM 24	3.0~4.0	7.5~9.5	≦0.30	≦3.0	≦1.3	≦0.5
	DIN							
	NF	A-S 9 U 3 Z	2.5~4.0	7.5~10.0	≦0.30	≦3.0	≦1.3	≦0.60
	ISO	AlSi 8 Cu 3 Fe	2.5~4.0	7.5~9.5	≦0.3	≦1.2	≦1.3	≦0.6

化学成分 (%) Chemical composition								規格番号 Std, No.
Ni	Ti	Pb	Sn		others 各([1])	others 合計([2])	Al	
≦0.1			≦0.1				殘部	D 6006
≦0.1			≦0.1				殘部	H 5302
≦0.15			≦0.15			≦0.25	殘部	*
≦0.15			≦0.15			≦0.25	殘部	B 85
≦0.05	≦0.20	≦0.05	≦0.05					A 57-703
≦0.1			≦0.1				殘部	D 6006
≦0.1			≦0.1				殘部	H 5302
≦0.5			≦0.3				殘部	D 6006
≦0.5			≦0.3				殘部	H 5302
≦0.50			≦0.35			≦0.50	殘部	*
≦0.50			≦035			≦0.50	殘部	B 85
≦0.3	≦0.15	≦0.2	≦0.1		≦0.05	≦0.15	殘部	1725-2
≦0.50	≦0.20	≦0.20	≦0.20				殘部	A 57-703
≦0.5	≦0.2	≦0.3	≦0.2				殘部	3522
≦0.5			≦0.3				殘部	D 6006
≦0.5			≦0.3				殘部	H 5302
≦0.50			≦0.35			≦0.50	殘部	*
≦0.50			≦0.35			≦0.50	殘部	B 85
≦0.5	≦0.2	≦0.3	≦0.2			≦0.50	殘部	1490
≦0.50	≦0.20	≦0.20	≦0.20				殘部	A 57-703
≦0.5	≦0.2	≦0.3	≦0.2				殘部	3522

Note : ([1]) Individual ([2]) Total

鋳物 (알루미늄合金鑄物) Castings (Aluminium alloy castings)

索引番号 Index No.	規格名 Std.	記 号 Designation	化 学 成 分 (%) Chemical composition					
			Cu	Si	Mg	Zn	Fe	Mn
S 083	KS	ALDC 8	1.5~3.5	9.6~12.0	≦0.3	≦1.0	≦1.3	≦0.5
	JIS	ADC 12	1.5~3.5	9.6~12.0	≦0.3	≦1.0	≦1.3	≦0.5
	AA							
	ASTM							
	BS	LM 2	0.7~2.5	9.0~11.5	≦0.30	≦2.0	≦1.0	≦0.5
	DIN							
S 084	KS	ALDC 8 Z	1.5~3.5	9.6~12.0	≦0.3	≦3.0	≦1.3	≦0.5
	JIS	ADC 12 Z	1.5~3.5	9.6~12.0	≦0.3	≦3.0	≦1.3	≦0.5
	AA	383.0	2.0~3.0	9.5~11.5	≦0.10	≦3.0	≦1.3	≦0.50
	ASTM	383.0 (SC 102 A)	2.0~3.0	9.5~11.5	≦0.10	≦3.0	≦1.3	≦0.50
	BS	LM 2	0.7~2.5	9.0~11.5	≦0.30	≦2.0	≦1.0	≦0.5
S 085	KS	ALDC 9	4.0~5.0	16.0~18.0	0.45~0.65	≦1.5	≦1.3	≦0.5
	JIS	ADC 14	4.0~5.0	16.0~18.0	0.45~0.65	≦1.5	≦1.3	≦0.5
	AA	B 390.0	4.0~5.0	16.0~18.0	0.45~0.65	≦1.5	≦1.3	≦0.50
	ASTM	B 390.0 (SC 174 B)	4.0~5.0	16.0~18.0	0.45~0.65	≦1.5	≦1.3	≦0.50
	BS	LM 30	4.0~5.0	16.0~18.0	0.4~0.7	≦0.2	≦1.1	≦0.3

化 学 成 分 (%) Chemical composition								規格番号 Std, No.
Ni	Ti	Pb	Sn		others 各([1])	others 合計([2])	Al	
≦0.5			≦0.3				殘部	D 6006
≦0.5			≦0.3				殘部	H 5302
≦0.5	≦0.2	≦0.3	≦0.2				殘部	1490
≦0.5			≦0.3				殘部	D 6006
≦0.5			≦0.3				殘部	H 5302
≦0.30			≦0.15			≦0.50	殘部	*
≦0.30			≦0.15			≦0.50	殘部	B 85
≦0.5	≦0.2	≦0.3	≦0.2			≦0.50	殘部	1490
≦0.3			≦0.3				殘部	D 6006
≦0.3			≦0.3				殘部	H 5302
≦0.10	≦0.10					≦0.20	殘部	*
≦0.10	≦0.10					≦0.20	殘部	B 85
≦0.1	≦0.2	≦0.1	≦0.1		≦0.10	≦0.30	殘部	1490

Note : ([1]) Individual ([2]) Total

수록규격번호일람표

List of standards classified

AISI/ISS

SPM 209 : 1996
SPM 212 : 1991
SPM 214 : 1996
SPM 217 : 1993

ANSI

ANSI B 16.22 : 1989*

ASTM

ASTM A 27 : 1995
ASTM A 31 : 1995
ASTM A 36 : 1996
ASTM A 48 : 1994
ASTM A 53 : 1997
ASTM A 105 : 1997
ASTM A 106 : 1997
ASTM A 109 : 1998
ASTM A 128 : 1993
ASTM A 135 : 1997
ASTM A 139 : 1996
ASTM A 148 : 1993
ASTM A 161 : 1994
ASTM A 167 : 1996
ASTM A 176 : 1996
ASTM A 178 : 1995
ASTM A 181 : 1995
ASTM A 182 : 1997
ASTM A 193 : 1997
ASTM A 194 : 1997
ASTM A 197 : 1987
ASTM A 199 : 1992*
ASTM A 200 : 1994
ASTM A 203 : 1997
ASTM A 204 : 1993
ASTM A 209 : 1995
ASTM A 210 : 1996
ASTM A 213 : 1995
ASTM A 216 : 1993
ASTM A 217 : 1995
ASTM A 220 : 1988
ASTM A 240 : 1997
ASTM A 242 : 1993
ASTM A 249 : 1996
ASTM A 250 : 1995
ASTM A 266 : 1996
ASTM A 268 : 1996
ASTM A 271 : 1996
ASTM A 276 : 1997
ASTM A 283 : 1993
ASTM A 290 : 1995
ASTM A 291 : 1995
ASTM A 295 : 1994
ASTM A 297 : 1993
ASTM A 302 : 1997
ASTM A 312 : 1995
ASTM A 313 : 1995
ASTM A 314 : 1995
ASTM A 322 : 1991
ASTM A 333 : 1994
ASTM A 334 : 1996
ASTM A 335 : 1995
ASTM A 336 : 1997
ASTM A 350 : 1997
ASTM A 351 : 1994
ASTM A 352 : 1993
ASTM A 353 : 1993
ASTM A 356 : 1996
ASTM A 358 : 1995
ASTM A 366 : 1997
ASTM A 376 : 1996
ASTM A 387 : 1992
ASTM A 409 : 1995
ASTM A 414 : 1997
ASTM A 424 : 1997
ASTM A 426 : 1992
ASTM A 436 : 1984
ASTM A 439 : 1983
ASTM A 447 : 1993
ASTM A 463 : 1997
ASTM A 473 : 1997
ASTM A 478 : 1995
ASTM A 479 : 1997
ASTM A 483 : 1964
ASTM A 485 : 1994
ASTM A 492 : 1995
ASTM A 493 : 1995
ASTM A 500 : 1996
ASTM A 501 : 1996
ASTM A 508 : 1995
ASTM A 511 : 1996
ASTM A 513 : 1997
ASTM A 515 : 1992
ASTM A 516 : 1990

ASTM A 519 : 1996
ASTM A 529 : 1996
ASTM A 533 : 1993
ASTM A 536 : 1984
ASTM A 537 : 1995
ASTM A 540 : 1993
ASTM A 541 : 1995
ASTM A 553 : 1995
ASTM A 564 : 1995
ASTM A 565 : 1995
ASTM A 569 : 1998
ASTM A 570 : 1996
ASTM A 571 : 1984
ASTM A 573 : 1993
ASTM A 576 : 1990
ASTM A 580 : 1998
ASTM A 581 : 1995
ASTM A 582 : 1995
ASTM A 588 : 1997
ASTM A 591 : 1998
ASTM A 600 : 1992
ASTM A 608 : 1991
ASTM A 615 : 1996
ASTM A 620 : 1997
ASTM A 622 : 1997
ASTM A 624 : 1995
ASTM A 625 : 1998
ASTM A 626 : 1995
ASTM A 633 : 1995
ASTM A 650 : 1998
ASTM A 653 : 1998
ASTM A 657 : 1998
ASTM A 662 : 1993

ASTM A 666 : 1996
ASTM A 668 : 1996
ASTM A 678 : 1994
ASTM A 681 : 1994
ASTM A 686 : 1992
ASTM A 689 : 1997
ASTM A 693 : 1993
ASTM A 706 : 1996
ASTM A 709 : 1997
ASTM A 743 : 1995
ASTM A 744 : 1996
ASTM A 789 : 1995
ASTM A 792 : 1997
ASTM A 841 : 1995
ASTM A 844 : 1993
ASTM A 875 : 1997
ASTM A 895 : 1994
ASTM B 16 : 1992
ASTM B 21 : 1996
ASTM B 26 : 1997
ASTM B 36 : 1995
ASTM B 75 : 1997
ASTM B 85 : 1996
ASTM B 103 : 1993
ASTM B 108 : 1997
ASTM B 111 : 1995
ASTM B 121 : 1995
ASTM B 122 : 1995
ASTM B 124 : 1996
ASTM B 133*
ASTM B 134 : 1996
ASTM B 135 : 1996
ASTM B 139 : 1995

ASTM B 148 : 1997
ASTM B 150 : 1995
ASTM B 151 : 1994
ASTM B 152 : 1997
ASTM B 159 : 1996
ASTM B 169 : 1995
ASTM B 171 : 1995
ASTM B 188 : 1996
ASTM B 194 : 1996
ASTM B 196 : 1995
ASTM B 197 : 1993
ASTM B 206 : 1997
ASTM B 209 : 1996
ASTM B 210 : 1995
ASTM B 211 : 1995
ASTM B 221 : 1996
ASTM B 224 : 1996
ASTM B 241 : 1996
ASTM B 247 : 1995
ASTM B 316 : 1996
ASTM B 425 : 1993
ASTM B 505 : 1996
ASTM B 584 : 1996
ASTM B 591 : 1993
ASTM B 625 : 1995
ASTM B 649 : 1995
ASTM B 688 : 1996
ASTM B 691 : 1995
ASTM F 68 : 1993

BS

BS 29 : 1976

BS 970-1 : 1996

BS 970-2 : 1988

BS 970-4 : 1970*

BS 1378 : 1985

BS 1400 : 1985

BS 1449 : 1.2 : 1991*

BS 1449 : 1.5 : 1991

BS 1449 : 1.8 : 1991

BS 1449 : 1.9 : 1991*

BS 1449 : 1.11 : 1991

BS 1449 : 1.14 : 1991

BS 1449 : 1.15 : 1991

BS 1449-2 : 1983

BS 1472 : 1972*

BS 1490 : 1988

BS 1503 : 1989

BS 1717 : 1983

BS 2056 : 1991

BS 2871 : 1972

BS 2872 : 1989*

BS 3059-2 : 1990

BS 3100 : 1991

BS 3111-2 : 1979

BS 3468 : 1986

BS 3601 : 1987

BS 3602-1 : 1987

BS 3603 : 1991

BS 3604-1 : 1990

BS 3605-1 : 1991

BS 3605-2 : 1992

BS 3606 : 1992

BS 4360 : 1990*

BS 4449 : 1997

BS 4659 : 1987

BS 4670 : 1971

BS 5770-2 : 1981

BS 5770-4 : 1981

BS 6323-2 : 1982

BS 6323-3 : 1982

BS 6323-4 : 1982

BS 6323-5 : 1982

BS 6326-6 : 1982

BS 6323-7 : 1982

BS 6323-8 : 1982

BS 6323-8 : 1985

BS EN 485-2 : 1995

BS EN 573-3 : 1995

BS EN 754-2 : 1997

BS EN 755-2 : 1997

BS EN 1561 : 1997

BS EN 1562 : 1997

BS EN 1563 : 1997

BS EN 1564 : 1997

BS EN 1652 : 1998

BS EN 1653 : 1998

BS EN 1654 : 1998

BS EN 10025 : 1993

BS EN 10155 : 1993

BS EN 10028-2 : 1993

BS EN 10028-3 : 1993

BS EN 10028-4 : 1995

BS EN 10028-5 : 1997

BS EN 10083-1 : 1991

BS EN 10113-2 : 1993

BS EN 10113-3 : 1993

BS EN 10120 : 1997

BS EN 10137-2 : 1996

BS EN 10137-3 : 1996

BS EN 12163 : 1998

BS EN 12164 : 1998

BS EN 12166 : 1998

BS EN 12167 : 1998

DIN

DIN 488-1 : 1984

DIN 1614-1 : 1986

DIN 1615 : 1984

DIN 1623-2 : 1986

DIN 1626 : 1984

DIN 1629 : 1984

DIN 1630 : 1984

DIN 1651 : 1988

DIN 1654-3 : 1989

DIN 1654-4 : 1989

DIN 1654-5 : 1989

DIN 1681 : 1985

DIN 1694 : 1981

DIN 1705 : 1981

DIN 1709 : 1981

DIN 1714 : 1981

DIN 1716 : 1981

DIN 1725-1 : 1997*

DIN 1725-1 : 1986*

DIN 1749 : 1976*

DIN 1787 : 1973

DIN 2391-2 : 1994

DIN 2393-2 : 1994

DIN 2856 : 1986*
DIN 17100 : 1980*
DIN 17103 : 1989*
DIN 17111 : 1980
DIN 17120 : 1984*
DIN 17121 : 1984*
DIN 17173 : 1985
DIN 17174 : 1985
DIN 17175 : 1979
DIN 17177 : 1979
DIN 17221 : 1988
DIN 17224 : 1982
DIN 17230 : 1980
DIN 17240 : 1976
DIN 17350 : 1980
DIN 17440 : 1996
DIN 17441 : 1997
DIN 17606 : 1976*
DIN 17660 : 1983
DIN 17662 : 1983
DIN 17663 : 1983
DIN 17664 : 1983
DIN 17665 : 1983
DIN 17666 : 1983
DIN EN 485-2 : 1995
DIN EN 573-3 : 1994
DIN EN 754-2 : 1997
DIN EN 755-2 : 1997
DIN EN 1561 : 1997
DIN EN 1562 : 1997
DIN EN 1563 : 1997
DIN EN 1564 : 1997
DIN EN 10083-1 : 1996
DIN EN 10083-2 : 1996
DIN EN 10084 : 1998
DIN EN 10213-2 : 1996
DIN EN 10213-4 : 1996

ISO

ISO 185 : 1988
ISO 209 : 1989*
ISO 209-1 : 1989
ISO 426-1 : 1983
ISO 426-2 : 1983
ISO 427 : 1983
ISO 428 : 1983
ISO 429 : 1983
ISO 430 : 1983
ISO 630 : 1995
ISO 683-1 : 1987
ISO 683-9 : 1988
ISO 683-10 : 1987
ISO 638-11 : 1987
ISO 638-14 : 1992
ISO 638-15 : 1992
ISO 638-17 : 1976
ISO 1083 : 1987
ISO 1187 : 1983
ISO 1337 : 1980
ISO 2604-1 : 1975
ISO 2892 : 1973
ISO 2937 : 1974
ISO 3304 : 1985
ISO 3305 : 1985
ISO 3306 : 1985
ISO 3522 : 1984
ISO 3573 : 1999
ISO 3574 : 1999
ISO 3575 : 1996
ISO 3755 : 1991
ISO 3892 : 1980
ISO 4950-2 : 1995
ISO 4950-3 : 1995
ISO 4955 : 1994
ISO 4957 : 1980
ISO 4978 : 1983
ISO 4998 : 1996
ISO 5000 : 1993
ISO 5001 : 1999
ISO 5002 : 1989
ISO 5952 : 1998
ISO 6317 : 1982
ISO 6361 : 1990*
ISO 6361-2 : 1990
ISO 6362-2 : 1990
ISO 6363-2 : 1993
ISO 6935-1 : 1991
ISO 6935-2 : 1991
ISO 9328-2 : 1991
ISO 9328-3 : 1991
ISO 9328-4 : 1991
ISO 9364 : 1991
ISO 11949 : 1995
ISO 11950 : 1995
ISO 11951 : 1995
ISO 14788 : 1998
ISO DIS 4952.2 : 1996

JIS

JIS G 3101 : 1995
JIS G 3103 : 1987
JIS G 3104 : 1987
JIS G 3106 : 1999
JIS G 3112 : 1987
JIS G 3114 : 1998
JIS G 3115 : 1990
JIS G 3115-1 : 1995
JIS G 3116 : 1990
JIS G 3118 : 1987
JIS G 3119 : 1987
JIS G 3120 : 1987
JIS G 3124 : 1987
JIS G 3125 : 1987
JIS G 3126 : 1990
JIS G 3127 : 1990
JIS G 3131 : 1996
JIS G 3133 : 1999
JIS G 3136 : 1994
JIS G 3141 : 1996
JIS G 3201 : 1988
JIS G 3202 : 1988
JIS G 3203 : 1988
JIS G 3204 : 1988
JIS G 3205 : 1988
JIS G 3206 : 1993
JIS G 3214 : 1991
JIS G 3221 : 1988
JIS G 3222 : 1988
JIS G 3302 : 1998
JIS G 3303 : 1987
JIS G 3312 : 1994
JIS G 3313 : 1998
JIS G 3314 : 1995
JIS G 3315 : 1987
JIS G 3317 : 1994
JIS G 3318 : 1994
JIS G 3321 : 1998
JIS G 3350 : 1987
JIS G 3441 : 1988
JIS G 3444 : 1994
JIS G 3445 : 1988
JIS G 3446 : 1994
JIS G 3452 : 1997
JIS G 3454 : 1988
JIS G 3455 : 1988
JIS G 3456 : 1988
JIS G 3457 : 1988
JIS G 3458 : 1988
JIS G 3459 : 1997
JIS G 3460 : 1988
JIS G 3461 : 1988
JIS G 3462 : 1988
JIS G 3463 : 1994
JIS G 3464 : 1988
JIS G 3466 : 1988
JIS G 3467 : 1988
JIS G 3468 : 1994
JIS G 3472 : 1988
JIS G 3473 : 1988
JIS G 3474 : 1995
JIS G 4051 : 1979
JIS G 4052 : 1979
JIS G 4102 : 1979
JIS G 4103 : 1979
JIS G 4104 : 1979
JIS G 4105 : 1979
JIS G 4106 : 1979
JIS G 4107 : 1994
JIS G 4108 : 1994
JIS G 4109 : 1987
JIS G 4202 : 1979
JIS G 4303 : 1998
JIS G 4304 : 1999
JIS G 4305 : 1999
JIS G 4308 : 1998
JIS G 4309 : 1999
JIS G 4311 : 1991
JIS G 4312 : 1991
JIS G 4313 : 1996
JIS G 4314 : 1993
JIS G 4315 : 1999
JIS G 4317 : 1999
JIS G 4318 : 1998
JIS G 4320 : 1991
JIS G 4401 : 1983
JIS G 4403 : 1983
JIS G 4404 : 1983
JIS G 4801 : 1984
JIS G 4804 : 1999
JIS G 4805 : 1999
JIS G 5101 : 1991
JIS G 5102 : 1991
JIS G 5111 : 1991
JIS G 5121 : 1991
JIS G 5122 : 1991
JIS G 5131 : 1991

JIS G 5151 : 1991
JIS G 5152 : 1991
JIS G 5201 : 1991
JIS G 5202 : 1991
JIS G 5501 : 1995
JIS G 5502 : 1995
JIS G 5503 : 1995
JIS G 5510 : 1987
JIS G 5702 : 1988
JIS G 5703 : 1988
JIS G 5704 : 1988
JIS H 3100 : 1992
JIS H 3110 : 1992
JIS H 3130 : 1992
JIS H 3250 : 1992
JIS H 3260 : 1992
JIS H 3270 : 1992
JIS H 3300 : 1997
JIS H 3401 : 1997
JIS H 3510 : 1992
JIS H 4000 : 1999
JIS H 4040 : 1999
JIS H 4080 : 1999
JIS H 4100 : 1999
JIS H 4140 : 1988
JIS H 5120 : 1997
JIS H 5121 : 1997
JIS H 5202 : 1999
JIS H 5302 : 1990

NF

NF A 32-053 : 1992
NF A 32-054 : 1994
NF A 32-055 : 1985*
NF A 32-056 : 1984
NF A 32-057 : 1981
NF A 32-058 : 1984
NF A 32-301 : 1992
NF A 35-561 : 1992
NF A 35-562 : 1986
NF A 35-565 : 1994
NF A 35-571 : 1996
NF A 35-573 : 1995
NF A 35-574 : 1995
NF A 35-577 : 1990
NF A 35-578 : 1991
NF A 35-579 : 1991
NF A 35-584 : 1988*
NF A 35-590 : 1992
NF A 36-102 : 1993
NF A 36-209 : 1990
NF A 36-601 : 1980
NF A 36-602 : 1988
NF A 36-607 : 1984
NF A 36-612 : 1982
NF A 57-702 : 1981
NF A 57-703 : 1984
NF A 50-901 : 1982*
NF EN 485-2 : 1994
NF EN 573-3 : 1994
NF EN 754-2 : 1997
NF EN 755-2 : 1997
NF EN 1561 : 1997
NF EN 1562 : 1997
NF EN 1563 : 1997
NF EN 1564 : 1997
NF EN 10083-1 : 1997
NF EN 10213-2 : 1996

SAE

SAE J 1249 : 1995

VDEh

SEW 087 : 1981

EN

EN 10025 : 1993
EN 10083-2 : 1991
EN 10088-2 : 1995
EN 10088-3 : 1995
EN 10111 : 1998
EN 10130 : 1991
EN 10139 : 1997
EN 10142 : 1995
EN 10147 : 1995
EN 10152 : 1993
EN 10202 : 1989
EN 10203 : 1991
EN 10205 : 1991
EN 10209 : 1996
EN 10214 : 1995

EN 10215 : 1996

KS

KS D 3501 : 1099
KS D 3503 : 1998
KS D 3504 : 2001
KS D 3506 : 2001
KS D 3512 : 2002
KS D 3515 : 2002
KS D 3516 : 2002
KS D 3517 : 2001
KS D 3518 : 2002
KS D 3521 : 1991
KS D 3522 : 1984
KS D 3525 : 2002
KS D 3528 : 2002
KS D 3529 : 1984
KS D 3530 : 1984
KS D 3533 : 1992
KS D 3534 : 1992
KS D 3535 : 1997
KS D 3536 : 2001
KS D 3538 : 1990
KS D 3539 : 1990
KS D 3540 : 2002
KS D 3541 : 1991
KS D 3542 : 1991
KS D 3543 : 1991
KS D 3544 : 2002
KS D 3557 : 1992
KS D 3560 : 1992
KS D 3563 : 1991
KS D 3564 : 1984
KS D 3566 : 1999
KS D 3567 : 1984
KS D 3568 : 1991
KS D 3569 : 1984
KS D 3570 : 1984
KS D 3571 : 1990
KS D 3572 : 1990
KS D 3573 : 1984
KS D 3574 : 1993
KS D 3576 : 2001
KS D 3577 : 2001
KS D 3583 : 1992
KS D 3586 : 1992
KS D 3587 : 1991
KS D 3588 : 2001
KS D 3598 : 1984
KS D 3610 : 1991
KS D 3618 : 1992
KS D 3690 : 1994
KS D 3692 : 2001
KS D 3694 : 1994
KS D 3697 : 1996
KS D 3698 : 2001
KS D 3701 : 1985
KS D 3702 : 1993
KS D 3703 : 1997
KS D 3705 : 2001
KS D 3706 : 2001
KS D 3707 : 1982
KS D 3708 : 1982
KS D 3709 : 1990
KS D 3710 : 2001
KS D 3711 : 1982
KS D 3723 : 1996
KS D 3724 : 1991
KS D 3731 : 1993
KS D 3732 : 1993
KS D 3751 : 1984
KS D 3752 : 1986
KS D 3753 : 1984
KS D 3754 : 1980
KS D 3755 : 1995
KS D 3756 : 1980
KS D 3770 : 1992
KS D 3771 : 1997
KS D 3780 : 2001
KS D 4101 : 2001
KS D 4102 : 1995
KS D 4103 : 2001
KS D 4104 : 1995
KS D 4105 : 1995
KS D 4106 : 1992
KS D 4107 : 1991
KS D 4108 : 1992
KS D 4111 : 1995
KS D 4112 : 1995
KS D 4114 : 1990
KS D 4115 : 2001
KS D 4117 : 1991
KS D 4122 : 1993
KS D 4123 : 1993
KS D 4124 : 1993
KS D 4125 : 1993
KS D 4129 : 1995

KS D 4301 : 2001
KS D 4302 : 2004
KS D 4303 : 1980
KS D 4304 : 1981
KS D 4305 : 1981
KS D 4318 : 2000
KS D 4319 : 2000
KS D 5101 : 1994
KS D 5102 : 1993
KS D 5103 : 1994
KS D 5201 : 2001
KS D 5202 : 1993
KS D 5301 : 2001
KS D 5401 : 1993
KS D 5506 : 1994
KS D 5578 : 2000
KS D 6006 : 2001
KS D 6008 : 1993
KS D 6024 : 1998
KS D 6025 : 1999
KS D 6701 : 2002
KS D 6759 : 1993
KS D 6761 : 1998
KS D 6763 : 2001
KS D 6770 : 1993

부록

Appendix

▣ 철강기호 · 비철금속기호 보는 법 ▣

[철강기호]

철강재료의 규격은 먼저 철과 강으로 대별하고 다시 철은 선철, 합금철 및 주철로, 강은 보통강, 특수강 및 주단강(鑄鍛鋼)으로 분류한다. 또한 보통강은 조강(條鋼), 후판(厚板), 박판(薄板), 선재(線材) 및 선(線)과 같이 형상별, 용도별로, 특수강은 공구강, 특수용도강과 같이 성상(性狀)별로, 강관은 강종, 용도별로, 스테인리스강은 형상별로 각각 세분화한다.

강종기호도 위에서 설명한 규격분류에 따라 원칙적으로 다음의 3가지로 구성된다.

(1) 첫째 부분은 재질을 나타낸다.
(2) 둘째 부분은 규격명 또는 제품명을 나타낸다.
(3) 마지막 부분은 종류를 나타낸다.

《예》 S S 400 → (1) (2) (3)　　S UP 6 → (1) (2) (3)

《예》	S	S	400		S	UP	6
	(1)	(2)	(3)		(1)	(2)	(3)

(1)은 영어 또는 로마자의 머리글자 또는 원소기호를 사용하여 나타내기 때문에 철강재료는 S(Steel : 강) 또는 F(Ferrum : 철)의 기호로써 시작하는 것이 대부분이다.

《예외》 SiMn(실리콘망간), MCr(금속크롬) 등의 합금분류
Sxx 냉간압연규소강판(S : Silicon, xx : 숫자)

(2)는 영어 또는 로마자의 머리글자를 사용하여 판, 봉, 관, 선, 주조품 등의 제품의 형상별 종류나 용도를 나타낸 기호를 조합하여 제품명을 나타내고 있기 때문에 S 또는 F의 다음에 오는 기호는 다음과 같이 그룹을 나타내는 기호가 표기되는 것이 많다(철강기호의 분류별 일람표 참조).

P : Plate(박판)　U : Use(특수용도)　W : Wire(선재, 선)　T : Tube(관)
P : Pipe(관)　C : Casting(주물)　F : Forging(단조)　K : Kongku(공구)

《예외》 I) 구조용 합금강의 그룹(예를 들면, 니켈크롬강)은 SNC와 같이 첨가원소의 기호를 나타낸다.

II) 보통철강재중 조강, 후판(예를 들면, 보일러용 강재)는 SB와 같이 용도를 나타내는 영어의 머리글자를 표시한다.

(3)은 재료의 종류번호의 숫자, 최저인장강도 또는 내력(耐力)을 나타낸다. 단, 기계구조용강의 경우는 주요 합금원소량 코드와 탄소량과의 조합으로 나타낸다(기계구조용강 기호체계 참조)

《예》 1 : 1종 A : A종 또는 A호

2A : 2종 A grade 400 : 인장강도 또는 내력

430 : 코드 4, 탄소량의 대표치 30

> **참고 :** 철강재료의 종류기호 이외에 형상이나 제조방법 등을 기호화하는 경우에는 종류기호에 이어 다음의 부호 또는 기호를 표기하여 표시한다.

《예》 SM 57 Q : 용접구조용 압연강재 5종으로 퀜칭-템퍼링을 행한 것

STB 340-S-H : 열간처리 이음매 없는 보일러 · 열교환기용 탄소강관으로 인장강도 하한치 340N/㎟

(a) 형상을 나타내는 부호

W	선	Wire
CP	냉연판	Cold Plate
HP	열연판	Hot Plate
WR	선재	Wire Rod
CS	냉연대	Cold Strip
HS	열연대	Hot Strip
TB	열전달용관	Boiler and Heat Exchange Tube
TP	배관용관	Pipes

(b) 제조방법을 나타내는 부호

—R	Rimmed강
—A	Alumikilled강

—K	Killede강	
—S—H	열간 이음매 없는 강관	Seamless Hot
—S—C	냉간 이음매 없는 강관	Seamless Cold
—E	전기저항용접강관	Electric Resistance Welding
—E—H	열간전기저항용접강관	Electric Resistance Welding Hot
—E—C	냉간전기저항용접강관	Electric Resistance Welding Cold
—E—G	열간 및 냉간 이외의 전기저항용접강관	Electric Resistance General
—B	단접강관	Butt Welding
—B—C	냉간단접강관	Butt Welding Cold
—A	아크용접강관	Arc Welding
—A—C	냉간 아크용접강관	Arc Welding Cold
—D9	냉간인발(9는 허용차의 등급 9급)	Drawing
—T8	절삭(8은 허용차의 등급 8급)	Cutting
—G7	연삭(7은 허용차의 등급 7급)	Grinding
—CSP	스프링용 냉간압연강대	Cold Strip Spring

(c) 열처리를 나타내는 부호

R	압연그대로	As-rolled
A		Annealing
N	Normalize	
Q		Quench and Temper
NT		Normalized and Temper
TMC	열가공제어	Thermo-Mechanical Control Process
P		Plate에 SR
TN		Test normalize
TNT		Test normalize and Temper
SR	응력제거처리	Stress relief Annealing
S	고용화열처리	Solution Treatment
THxxxx	석출경화열처리	H : 시효처리 R : Sub-zero처리
RHxxxx	석출경화열처리	T : 변태처리

(d) 엄격한 치수 허용차를 나타내는 부호

ET	두께허용차(스테인리스강, 스프링용 냉간압강대)	Extra Thickness
EW	폭허용차(스테인리스강)	Extra Width

[비철금속기호]

1. 신동품(伸銅品)

신동품의 재질기호는 C와 4자리 숫자로 나타낸다.

C	X	X	X	X
(1)	(2)	(3)	(4)	(5)

(1) 동 및 동합금을 표시 C.

(2) 주요첨가원소에 의한 합금의 계통을 나타낸다.

1 : Cu · 고Cu계 합금

2 : Cu-Zn계 합금

3 : Cu-Zn-Pb계 합금

4 : Cu-Zn-Sn계 합금

5 : Cu-Sn계 합금 · Cu-Sn-Pb계 합금

6 : Cu-Al계 합금 · Cu-Si계 합금 · 특수Cu-Zn계 합금

7 : Cu-Ni계 합금 · Cu-Ni-Zn계 합금

(2) · (3) · (4) CDA(Copper Development Association)의 합금기호

(5) O는 CDA와 같은 기본합금을 나타내고 1부터 9까지는 그 개량합금에 이용된다.

2. 알루미늄 전신재(展伸材)

알루미늄 전신재는 A와 4자리 숫자로 나타낸다.

A	X	X	X	X
(1)	(2)	(3)	(4)	(5)

(1)은 알루미늄 및 알루미늄합금을 표시 A.

(2)~(5)의 4자리 숫자는 ISO에도 이용되고 있는 AA국제등록합금 번호이다.

(2) 순알루미늄에 대해서 숫자 1, 알루미늄합금에 대해서는 주요첨가원소에 따라

숫자 2부터 9까지 다음의 구분에 따라 사용한다.

1 : 알루미늄 순도 99.00% 또는 그 이상의 순알루미늄
2 : Al-Cu-Mg계 합금
3 : Al-Mn계 합금
4 : Al-Si계 합금
5 : Al-Mg계 합금
6 : Al-Mg-Si계 합금
7 : Al-Zn-Mg계 합금
8 : 상기 이외 계통의 합금
9 : 예비

(3) 숫자 0~9를 이용하여 0은 기본합금을 나타내고 1부터 9까지는 합금의 개량형에 따라 이용한다. 국제등록합금 이외의 규격에 의한 합금에 대해서는 N을 사용한다.

《예》 A 1080, A 7N01

(4) 및 (5) 순알루미늄은 알루미늄 순도 소수점 2자리, 합금에 대해서는 구 알코아(Alcoa) 호칭방법을 원칙으로 하고 국제등록에 없는 합금에 대해서는 합금계별, 제정순서에 따라 01에서 99까지의 번호를 사용한다.

《예》 A 2 0 1 4

- 14 : 구 알코아 기호(14S)
- 0 : 제정순위(합금의 변형)
- 2 : 합금계통(Al-Cu-Mg계 합금)
- A : 알루미늄 또는 알루미늄합금을 나타내는 기호

4자리 숫자에 이어 1~3개의 로마자가 부기되는데 이는 재료의 형상을 나타내는 형상기호이다.

기호	의미	기호	의미
P	판, 조(條), 원판	TD	인발이음매 없는 관
PC	합판	TW	용접관
BE	추출(抽出)봉	TWA	아크용접관
BD	인발봉	S	추출형재
W	인발선	FD	형타(型打)단조품
TE	추출이음매 없는 관	FH	자유단조품

3. 기타

신동품, 알루미늄 전신재를 제외한 기타의 금속기호는 다음의 3가지로 구성된 금속기호를 사용한다.

(1) 첫째 부분은 재질
(2) 둘째 부분은 제품명을 나타낸다.
(3) 마지막 부분은 종류를 나타낸다.

《예》 M P 1 - H 14 마그네슘합금판
(1) (2) (3) (질별기호)

(1)~(3)에 대해 해설하면 (1)의 기호문자는 영어 또는 로마자의 머리글자 또는 원소기호를 이용하여 재질을 나타낸다.

A	알루미늄	(Aluminium)
B	청동	(Bronze)
C	동	(Copper)
DCu	인탈산동	(Deoxied Copper)
HBs	고장력황동	(High Strength Brass)
MCr	금속크롬	(Metallic Cr)
M	마그네슘	(magnesium)
PB	인청동	(Phosphor Bronze)

(2)에는 영어 또는 로마자의 머리글자를 사용하여 판, 관, 봉, 선 등의 제품형상별 종류나 용도를 나타내는 기호를 조합하여 제품명을 나타낸다.

B	봉	(Bar)
C	주조품	(Casting)
DC	다이캐스팅 주물	(Die Casting)
F	단조품	(Forging)
P	판	(Plate)
PP	인쇄용 판	(Printing Plate)
R	조(條)	(Ribbon)
T	관	(Tube)
TW	용접관	(Tube Welded)
TW	수도용 관	(Water)

W	선	(wire)
BR	리벳재	(Bar Rivet)
S	형재(形材)	(Shape)

또한 가공법을 명시하는 경우는 상기의 뒤에 다음의 기호를 붙이는 경우도 있다.

D	냉간인발
E	열간추출

(3)에는 재료의 종류번호의 숫자를 배치하여 종류를 나타낸다.

1	1종
2S	2종 특수급(Special)
3A	3종 A

금속기호는 원칙적으로 상기 3가지로 구성되지만 위의 일반적 표시에 의하지 않는 것, 예를 들면 기호가 중복하는 것이나 그 주성분 또는 대표적 특성치를 표시하고자 하는 것 등은 특별표시방법에 의한다.

또한 질별(質別)로 나타내고자 할 때는 상기의 금속기호 뒤에 —를 넣고 질별기호(열처리 기호 등을 포함)를 붙인다.

—O	연질	—F	제조 그대로
—OL	경연질	—S	용체화처리재
—1/2H	반경질	—AH	시효처리재
—H	경질	—TH	액체화처리후 시효처리재
—EH	특경질	—SR	응력제거재
—SH	스프링질		

▣ 계량단위환산표 ▣

1. 길이

m	cm	in	ft
1	1×10^{2}	3.937×10	3.281
1×10^{-2}	1	3.937×10^{-1}	3.281×10^{-2}
2.54×10^{-2}	2.544	1	8.333×10^{-2}
3.048×10^{-1}	3.048×10	12	1

2. 질량

kg	t	lb	ton	sh tn
1	1×10^{-2}	2.20462	9.842×10^{-4}	1.1023×10^{-3}
1×10^{3}	1	2.20462×10^{3}	9.842×10^{-1}	1.1023
4.5359×10^{-1}	4.5359×10^{-4}	1	4.464×10^{-4}	5×10^{-4}
1.01605×10^{3}	1.01605	2.240×10^{3}	1	1.12
9.07185×10^{2}	9.07185×10^{-1}	2.000×10^{3}	8.9286×10^{-1}	1

【주】 t : 톤, ton : 영국 톤(long ton), sh tn : 미국 톤(short ton의 약자)

3. 밀도

kg/mm^3	g/cm^3	lb/in^3	lb/ft^3
1	1×10^{-3}	3.613×10^{-3}	6.234×10^{-2}
1.000×10^{3}	1	3.613×10^{-2}	6.234×10
2.7680×10^{4}	2.768×10	1	1.728×10^{3}
1.602×10	1.602×10^{-2}	5.787×10^{-4}	1

【주】 $1g/cm^3=1t/m^3$

4. 힘

N	dyn	kgf	lbf	pdl
1	1×10^{5}	1.01972×10^{-1}	2.248×10^{-1}	7.233
1×10^{-5}	1	1.01972×10^{-5}	2.248×10^{-5}	7.233×10^{-5}
9.80665	9.80665×10^{5}	1	2.205	7.093×10
4.44822	4.44822×10^{5}	4.536×10^{-1}	1	3.217×10
1.38255×10^{-1}	1.38255×10^{4}	1.410×10^{-2}	3.108×10^{-2}	1

【주】 1dyn=10^{-5}N, 1pdl=1ft · lb/s^2

5. 응력

Pa	N/mm²	kgf/mm²	kgf/mm²	lbf/ft²
1	1×10^{-6}	1.0197×10^{-7}	1.0197×10^{-5}	2.089×10^{-2}
1×10^{6}	1	1.01972×10^{-1}	1.01972×10	2.089×10^{4}
9.80665×10^{6}	9.80665	1	1×10^{2}	2.048×10^{5}
9.80665×10^{4}	9.80665×10^{-2}	1×10−2	1	2.048×10^{3}
4.786×10	4.786×10^{-5}	4.882×10^{-6}	4.882×10^{-4}	1

【주】 1N/㎟=1MPa

기호별색인

Index

기호	규격번호	페이지	색인번호
A	ASTM A 283	16	A 001
	ASTM A 633	24	A 002
	ASTM A 678	36	A 003
	ASTM A 588	54	A 006
	ASTM A 31	62	A 009
	ASTM A 366	118	C 004
	ASTM A 620	120	C 005
	ASTM A 53	162	E 002
	ASTM A 135	162	E 002
	ASTM A 106	164	E 007
	ASTM A 178	188	F 001
	ASTM A 500	218	G 008
	ASTM A 128	446	O 067
	ASTM A 128	446	O 068
	ASTM A 128	448	O 069
A-1	ASTM A 210	188	F 002
A 1	BS 3100	416	O 002
	BS 3100	448	O 072
	BS 3100	452	O 080
	BS 3100	454	O 084
A 1 N 00 P	KS D 6701	548	R 007
A 1 N 00 P	JIS H 4000	548	R 007
A 1 N 00 P	KS D 6701	548	R 008
A 1 N 00 P	JIS H4000	548	R 008
A 2	ASTM A 681	348	J 039
	BS 3100	416	O 004
	BS 3100	450	O 074
	BS 3100	452	O 080
	BS 3100	454	O 086
A 2 N 01 FD	KS D 6770	642	R 196
	JIS H 4140	642	R 196
A 2 N 01 FH	KS D 6770	642	R 196
	JIS H 4140	642	R 196
A 3	BS 3100	420	O 010
A 4	BS 3100	418	O 008

기호	규격번호	페이지	색인번호
	BS 3100	454	O 087
A 5	BS 3100	422	O 016
	BS 3100	424	O 017
A 5 N 01 P	KS D 6701	558	R 029
	JIS H 4000	558	R 029
A 5 N 02 BD	KS D 6763	586	R 084
	JIS H 4040	586	R 084
A 5 N 02 W	KS D 6763	586	R 084
	JIS H 4040	586	R 084
A 6	BS 3100	424	O 019
A 6 N 01 S	KS D 6759	630	R 172
	JIS H 4100	630	R 172
A 7 N 01 P	KS D 6701	560	R 031
	JIS H 4000	560	R 031
A 7 N 01 BE	KS D 6763	572	R 058
	JIS H 4040	572	R 058
A 7 N 01 TE	KS D 6761	606	R 121
	JIS H 4080	606	R 121
A 7 N 01 S	KS D 6759	632	R 175
	JIS H 4100	632	R 175
A 7 N 01 FD	KS D 6770	648	R 205
	JIS H 4100	648	R 205
A 7 N 01 FH	KS D 6770	648	R 205
	JIS H 4140	648	R 205
A 42 FP	NF A 36-601	384	N 020
A 48 CP	NF A 36-601	380	N 012
A 48 FP	NF A 36-601	386	N 021
A 356.0	ASTM B 108	674	S 055
	ASTM B 26	674	S 055
A 360.0(SG 100 A)	ASTM B 85	686	S 078
A 380.0(SC 84 A)	ASTM B 85	688	S 081
	ASTM B 85	688	S 082
A 413.0(S 12 A)	ASTM B 85	686	S 077
A 1050 BD	KS D 6763	684	R 074
	JIS H 4040	684	R 074

기호	규격번호	페이지	색인번호
A 1050 BE	KS D 6763	566	R 046
	JIS H 4040	566	R 046
A 1050 P	KS D 6701	546	R 004
	JIS H 4000	546	R 004
A 1050 TD	KS D 6761	612	R 134
	JIS H 4080	612	R 134
A 1050 TE	KS D 6761	598	R 105
	JIS H 4080	598	R 105
A 1050 W	KS D 6763	580	R 074
	JIS H 4040	580	R 074
A 1070 BD	KS D 6763	580	R 073
	JIS H 4040	580	R 073
A 1070 BE	KS D 6763	566	R 045
	JIS H 4040	566	R 045
A 1070 P	KS D 6701	546	R 003
	JIS H 4000	546	R 003
A 1070 TD	KS D 6761	612	R 133
	JIS H 4080	612	R 133
A 1070 TE	KS D 6761	602	R 104
	JIS H 4080	602	R 104
A 1070 W	KS D 6763	580	R 073
	JIS H 4040	580	R 073
A 1080 P	KS D 6701	546	R 002
	JIS H 4000	546	R 002
A 1085 P	KS D 6701	546	R 001
	JIS H 4000	546	R 001
A 1100 BD	KS D 6763	582	R 075
	JIS H 4040	582	R 075
A 1100 BE	KS D 6763	568	R 047
	JIS H 4040	568	R 047
A 1100 FD	KS D 6770	638	R 187
	JIS H 4140	638	R 187
A 1100 P	KS D 6701	548	R 005
	JIS H 4000	548	R 005
A 1100 S	KS D 6759	624	R 160

기호	규격번호	페이지	색인번호
	JIS H 4100	624	R 160
A 1100 TD	KS D 6761	612	R 135
	JIS H 4080	612	R 135
A 1100 TE	KS D 6761	598	R 106
	JIS H 4080	598	R 106
A 1100 W	KS D 6763	582	R 075
	JIS H 4040	582	R 075
A 1200 BD	KS D 6763	582	R 076
	JIS H 4040	582	R 076
A 1200 BE	KS D 6763	568	R 048
	JIS H 4040	568	R 048
A 1200 FD	KS D 6770	638	R 188
	JIS H 4140	638	R 188
A 1200 P	KS D 6701	548	R 006
	JIS H 4000	548	R 006
A 1200 S	KS D 6759	624	R 161
	JIS H 4100	624	R 161
A 1200 TD	KS D 6761	612	R 136
	JIS H 4080	612	R 136
A 1200 TE	KS D 6761	598	R 107
	JIS H 4080	598	R 107
A 1200 W	KS D 6763	582	R 076
	JIS H 4040	582	R 076
A 2011 BD	KS D 6763	582	R 077
	JIS H 4040	582	R 077
A 2011 W	KS D 6763	582	R 077
	JIS H 4040	582	R 077
A 2014 BD	KS D 6763	584	R 078
	JIS H 4040	584	R 078
A 2014 BE	KS D 6763	568	R 049
	JIS H 4040	568	R 049
A 2014 FD	KS D 6770	640	R 189
	JIS H 4140	640	R 189
A 2014 FH	KS D 6770	640	R 189
	JIS H 4140	640	R 189

기호	규격번호	페이지	색인번호
A 2014 P	KS D 6701	548	R 009
	JIS H 4000	548	R 009
A 2014 S	KS D 6759	624	R 162
	JIS H 4100	624	R 162
A 2014 TE	KS D 6761	600	R 108
	JIS H 4080	600	R 108
A 2017 BD	KS D 6763	584	R 079
	JIS H 4040	584	R 079
A 2017 BE	KS D 6763	568	R 050
	JIS H 4040	568	R 050
A 2017 FD	KS D 6770	640	R 190
	JIS H 4140	640	R 190
A 2017 P	KS D 6701	550	R 010
	JIS H 4000	550	R 010
A 2017 S	KS D 6759	626	R 163
	JIS H 4100	626	R 163
A 2017 TD	KS D 6761	612	R 137
	JIS H 4080	612	R 137
A 2017 TE	KS D 6761	600	R 109
	JIS H 4080	600	R 109
A 2017 W	KS D 6763	584	R 079
	JIS H 4040	584	R 079
A 2018 FD	KS D 6770	640	R 191
	JIS H 4140	640	R 191
A 2024 BD	KS D 6763	584	R 081
	JIS H 4040	584	R 081
A 2024 BE	KS D 6763	570	R 051
	JIS H 4040	570	R 051
A 2024 P	KS D 6701	550	R 012
	JIS H 4000	550	R 012
A 2024 S	KS D 6759	626	R 164
	JIS H 4100	626	R 164
A 2024 TD	KS D 6761	614	R 138
	JIS H 4080	614	R 138
A 2024 TE	KS D 6761	600	R 110

기호	규격번호	페이지	색인번호
	JIS H 4080	600	R 110
A 2024 W	KS D 6763	584	R 081
	JIS H 4040	584	R 081
A 2025 FD	KS D 6770	642	R 194
	JIS H 4140	642	R 194
A 2025 FH	KS D 6770	642	R 194
	JIS H 4140	642	R 194
A 2117 W	KS D 6763	584	R 080
	JIS H 4040	584	R 080
A 2218 FD	KS D 6770	640	R 192
	JIS H 4140	640	R 192
A 2219 FD	KS D 6770	642	R 193
	JIS H 4140	642	R 193
A 2219 FH	KS D 6770	642	R 193
	JIS H 4140	642	R 193
A 2219 P	KS D 6701	550	R 011
	JIS H 4000	550	R 011
A 2618 FD	KS D 6770	642	R 195
	JIS H 4140	642	R 195
A 2618 FH	KS D 6770	642	R 195
	JIS H 4140	642	R 195
A 3003 BD	KS D 6763	586	R 082
	JIS H 4040	586	R 082
A 3003 BE	KS D 6763	570	R 052
	JIS H 4040	570	R 052
A 3003 P	KS D 6701	552	R 013
	JIS H 4000	552	R 013
A 3003 S	KS D 6759	626	R 165
	JIS H 4100	626	R 165
A 3003 TD	KS D 6761	614	R 139
	JIS H 4080	614	R 139
A 3003 TE	KS D 6761	600	R 111
	JIS H 4080	600	R 111
A 3003 W	KS D 6763	586	R 082
	JIS H 4040	586	R 082

기호	규격번호	페이지	색인번호
A 3004 P	KS D 6701	552	R 015
	JIS H 4000	552	R 015
A 3005 P	KS D 6701	554	R 017
	JIS H 4000	554	R 017
A 3104 P	KS D 6701	552	R 016
	JIS H 4000	552	R 016
A 3105 P	KS D 6701	554	R 018
	JIS H 4000	554	R 018
A 3203 P	KS D 6701	552	R 014
	JIS H 4000	552	R 014
A 3203 S	KS D 6759	628	R 166
	JIS H 4100	628	R 166
A 3203 TD	KS D 6761	614	R 140
	JIS H 4080	614	R 140
A 3203 TE	KS D 6761	602	R 112
	JIS H 4080	602	R 112
A 4032 FD	KS D 6770	644	R 197
	JIS H 4140	644	R 197
A 5005 P	KS D 6701	554	R 019
	JIS H 4000	554	R 019
A 5052 BD	KS D 6763	586	R 083
	JIS H 4040	586	R 083
A 5052 BE	KS D 6763	570	R 053
	JIS H 4040	570	R 053
A 5052 FH	KS D 6770	644	R 198
	JIS H 4140	644	R 198
A 5052 P	KS D 6701	554	R 020
	JIS H 4000	554	R 020
A 5052 S	KS D 6759	628	R 167
	JIS H 4100	628	R 167
A 5052 TD	KS D 6761	614	R 141
	JIS H 4080	614	R 141
A 5052 TE	KS D 6761	602	R 113
	JIS H 4080	602	R 113
A 5052 W	KS D 6763	586	R 083
	JIS H 4040	586	R 083
A 5056 BD	KS D 6763	588	R 085
	JIS H 4040	588	R 085
A 5056 BE	KS D 6763	570	R 054
	JIS H 4040	570	R 054
A 5056 FD	KS D 6770	644	R 199
	JIS H 4140	644	R 199
A 5056 TD	KS D 6761	616	R 143
	JIS H 4080	616	R 143
A 5056 TE	KS D 6761	602	R 116
	JIS H 4080	602	R 116
A 5056 W	KS D 6773	588	R 085
	JIS H 4040	588	R 085
A 5082 P	KS D 6701	556	R 025
	JIS H 4000	556	R 025
A 5083 BD	KS D 6763	588	R 086
	JIS H 4040	588	R 086
A 5083 BE	KS D 6763	572	R 055
	JIS H 4040	572	R 055
A 5083 FD	KS D 6770	644	R 200
	JIS H 4140	644	R 200
A 5083 FH	KS D 6770	644	R 200
	JIS H 4140	644	R 200
A 5083 P	KS D 6701	558	R 027
	JIS H 4000	558	R 027
A 5083 S	KS D 6759	628	R 169
	JIS H 4100	628	R 169
A 5083 TD	KS D 6761	616	R 144
	JIS H 4080	616	R 144
A 5083 TE	KS D 6761	604	R 117
	JIS H 4080	604	R 117
A 5083 W	KS D 6763	588	R 086
	JIS H 4040	588	R 086
A 5086 P	KS D 6701	558	R 028
	JIS H 4000	558	R 028

기호	규격번호	페이지	색인번호
A 5086 S	KS D 6759	630	R 170
	JIS H 4100	630	R 170
A 5154 P	KS D 6701	556	R 022
	JIS H 4000	556	R 022
A 5154 TD	KS D 6761	616	R 142
	JIS H 4080	616	R 142
A 5154 TE	KS D 6761	602	R 114
	JIS H 4080	602	R 114
A 5182 P	KS D 6701	558	R 026
	JIS H 4000	558	R 026
A 5254 P	KS D 6701	556	R 023
	JIS H 4000	556	R 023
A 5454 P	KS D 6701	556	R 024
	JIS H 4000	556	R 024
A 5454 S	KS D 6759	628	R 168
	JIS H 4100	628	R 168
A 5454 TE	KS D 6761	602	R 115
	JIS H 4080	602	R 115
A 5652 P	KS D 6701	558	R 021
	JIS H 4000	558	R 021
A 6061 BD	KS D 6763	588	R 087
	JIS H 4040	588	R 087
A 6061 BE	KS D 6763	572	R 056
	JIS H 4040	572	R 056
A 6061 FD	KS D 6770	646	R 202
	JIS H 4140	646	R 202
A 6061 FH	KS D 6770	646	R 202
	JIS H 4140	646	R 202
A 6061 P	KS D 6701	560	R 030
	JIS H 4000	560	R 030
A 6061 S	KS D 6759	630	R 171
	JIS H 4100	630	R 171
A 6061 TD	KS D 6761	616	R 145
	JIS H 4080	616	R 145
A 6061 TE	KS D 6761	604	R 118
	JIS H 4080	604	R 118
A 6061 W	KS D 6763	588	R 087
	JIS H 4040	588	R 087
A 6063 BE	KS D 6763	572	R 057
	JIS H 4040	572	R 057
A 6063 S	KS D 6759	630	R 173
	JIS H 4100	630	R 173
A 6063 TD	KS D 6761	618	R 146
	JIS H 4080	618	R 146
A 6063 TE	KS D 6761	604	R 119
	JIS H 4080	604	R 119
A 6151 FD	KS D 6770	645	R 201
	JIS H 4140	645	R 201
A 6151 FH	KS D 6770	645	R 201
	JIS H 4140	645	R 201
A 7003 BE	KS D 6763	574	R 059
	JIS H 4040	574	R 059
A 7003 S	KS D 6759	631	R 174
	JIS H 4100	631	R 174
A 7003 TE	KS D 6761	604	R 120
	JIS H 4080	604	R 120
A 7050 FD	KS D 6770	646	R 203
	JIS H 4140	646	R 203
A 7050 FH	KS D 6770	646	R 203
	JIS H 4140	646	R 203
A 7075 BD	KS D 6763	591	R 088
	JIS H 4040	591	R 088
A 7075 BE	KS D 6763	574	R 060
	JIS H 4040	574	R 060
A 7075 FD	KS D 6770	648	R 204
	JIS H 4140	648	R 204
A 7075 FH	KS D 6770	648	R 204
	JIS H 4140	648	R 204
A 7075 P	KS D 6701	560	R 032
	JIS H 4000	560	R 032

기호	규격번호	페이지	색인번호
A 7075 S	KS D 6759	632	R 176
	JIS H 4100	632	R 176
A 7075 TD	KS D 6761	618	R 147
	JIS H 4080	618	R 147
A 7075 TE	KS D 6761	606	R 122
	JIS H 4080	606	R 122
A 8021 P	JIS H 4000	560	R 033
	JIS H 4000	560	R 034
AB 1	BS 1400	666	S 038
	BS 1400	666	S 039
AB 2	BS 1400	668	S 042
	BS 1400	668	S 043
AC 1 B	KS D 6008	672	S 048
AC 1 B	JIS H 5202	672	S 048
AC 2 A	KS D 6008	672	S 049
AC 2 A	JIS H 5202	672	S 049
AC 2 B	KS D 6008	672	S 050
AC 2 B	JIS H 5202	672	S 050
AC 3 A	KS D 6008	672	S 051
AC 3 A	JIS H 5202	672	S 051
AC 4 A	KS D 6008	672	S 052
AC 4 A	JIS H 5202	672	S 052
AC 4 B	KS D 6008	674	S 053
AC 4 B	JIS H 5202	674	S 053
AC 4 C	KS D 6008	674	S 054
AC 4 C	JIS H 5202	674	S 054
AC 4 CH	KS D 6008	674	S 055
AC 4 CH	JIS H 5202	674	S 055
AC 4 D	KS D 6008	676	S 056
AC 4 D	JIS H 5202	676	S 056
AC 5 A	KS D 6008	676	S 057
AC 5 A	JIS H 5202	676	S 057
AC 7 A	KS D 6008	676	S 058
AC 7 A	JIS H 5202	676	S 058
AC 8 A	KS D 6008	676	S 059

기호	규격번호	페이지	색인번호
AC 8 A	JIS H 5202	676	S 059
AC 8 B	KS D 6008	678	S 060
AC 8 B	JIS H 5202	678	S 060
AC 8 C	KS D 6008	678	S 061
AC 8 C	JIS H 5202	678	S 061
AC 9 A	KS D 6008	678	S 062
AC 9 A	JIS H 5202	678	S 062
AC 9 B	KS D 6008	678	S 063
AC 9 B	JIS H 5202	678	S 063
ALDC 1	KS D 6006	686	S 077
ADC 1	JIS H 5302	686	S 077
ALDC 2	KS D 6006	686	S 078
ADC 3	JIS H 5302	686	S 078
ALDC 3	KS D 6006	688	S 079
ADC 5	JIS H 5302	688	S 079
ALDC 4	KS D 6006	688	S 080
ADC 6	JIS H 5302	688	S 080
ALDC 7	KS D 6006	688	S 081
ADC 10	JIS H 5302	688	S 081
ALDC 7 Z	KS D 6006	688	S 082
ADC 10 Z	JIS H 5302	688	S 082
ALDC 8	KS D 6006	690	S 083
ADC 12	JIS H 5302	690	S 083
ALDC 8 Z	KS D 6006	690	S 084
ADC 12 Z	JIS H 5302	690	S 084
ALDC 9	KS D 6006	690	S 085
ADC 14	JIS H 5302	690	S 085
A-G 3 T	NF A 57-702	682	S 072
A-G 6	NF A 57-702	684	S 074
	NF A 57-703	688	S 079
Al 99.0	ISO 209-1	548	R 006
	ISO 6361-2	548	R 006
	ISO 209-1	568	R 048
	ISO 6362-2	568	R 048
	ISO 209-1	582	R 076

기호	규격번호	페이지	색인번호
	ISO 6363-2	582	R 076
	ISO 209-1	598	R 107
	ISO 6362-2	598	R 107
	ISO 209-1	612	R 136
	ISO 6363-2	612	R 136
Al 99.0 Cu	ISO 6361	548	R 005
	ISO 209	548	R 005
	ISO 209-1	568	R 047
	ISO 6362-2	568	R 047
	ISO 209-1	582	R 075
	ISO 6363-2	582	R 075
Al 99.5	ISO 209-1	562	R 035
	ISO 6361-2	562	R 035
	ISO 209-1	574	R 061
	ISO 6362-2	574	R 061
	ISO 209-1	590	R 089
	ISO 6363-2	590	R 089
	ISO 209-1	606	R 123
	ISO 6362-2	606	R 123
	ISO 209-1	618	R 148
	ISO 6363-2	618	R 148
AlCu 4 Mg 1	ISO 209-1	596	R 012
	ISO 6361-2	596	R 012
	ISO 209-1	586	R 081
	ISO 6363-2	586	R 081
	ISO 209-1	614	R 138
	ISO 6363-2	614	R 138
Al-Cu 4 Mg 1	ISO 209-1	570	R 051
	ISO 6362-2	570	R 051
	ISO 209-1	600	R 110
	ISO 6362-2	600	R 110
	ISO 209-1	626	R 164
	ISO 6363-2	626	R 164
AlCu 4 MgSi(A)	ISO 209-1	562	R 037
	ISO 6361-2	562	R 037

기호	규격번호	페이지	색인번호
	ISO 209-1	574	R 062
	ISO 6362-2	574	R 062
	ISO 209-1	590	R 090
	ISO 6363-2	590	R 090
	ISO 209-1	608	R 125
	ISO 6362-2	608	R 125
	ISO 209-1	634	R 178
	ISO 6362-2	634	R 178
Al-Cu 4 MgTi	ISO 3522	568	R 048
Al-Cu 4 Ni 2 Mg 2	ISO 3522	572	R 057
AlCu 4 PbMg	ISO 209-1	576	R 064
	ISO 6362-2	576	R 064
	ISO 209-1	592	R 092
	ISO 6363-2	592	R 092
	ISO 209-1	620	R 151
	ISO 6363-2	620	R 151
Al-Cu 4 SiMg	ISO 209-1	550	R 009
	ISO 6361-2	550	R 009
	ISO 209-1	550	R 049
	ISO 6362-2	550	R 049
	ISO 209-1	600	R 108
	ISO 6362-2	600	R 108
	ISO 209-1	626	R 162
	ISO 6362-2	626	R 162
AlCu 4 SiMg	ISO 209-1	584	R 078
	ISO 6363-2	584	R 078
AlCu 4 SiMg(A)	ISO 209-1	606	R 124
	ISO 6362-2	606	R 124
	ISO 209-1	562	R 036
	ISO 6361-2	562	R 036
	ISO 209-1	562	R 063
	ISO 6362-2	562	R 063
AlCu 4 SiMgA	ISO 209-1	590	R 091
	ISO 6363-2	590	R 091
AlCu 4 SiMg(A)	ISO 209-1	620	R 149

기호	규격번호	페이지	색인번호
	ISO 6363-2	620	R 149
	ISO 209-1	632	R 177
	ISO 6362-2	632	R 177
Al-Cu 4 Ti	JIS H 5202	576	S 064
	ISO 3522	576	S 064
AlCu 6 BiPb	ISO 209-1	582	R 077
	ISO 6363-2	582	R 077
	ISO 209-1	620	R 150
	ISO 6363-2	620	R 150
Al-Cu 6 Mn	ISO 6361	550	R 011
	ISO 209	550	R 011
AlCu 6 Mn	ISO 209-1	592	R 093
	ISO 6363-2	592	R 093
AlCuMg 1	DIN 1725-1	640	R 190
	DIN 1749	640	R 190
AlCuSiMn	DIN 1725-1	640	R 189
	DIN 1749	640	R 189
	DIN 17606	640	R 189
Al-Mg 0.7 Si	ISO 209-1	572	R 057
	ISO 6362-2	572	R 057
	ISO 209-1	604	R 119
	ISO 6362-2	604	R 119
	ISO 209-1	618	R 146
	ISO 6363-2	618	R 146
	ISO 209-1	630	R 173
	ISO 6362-2	630	R 173
AlMg 1(B)	ISO 209-1	622	R 153
	ISO 6363-2	622	R 153
Al-Mg 1 SiCu	ISO 209-1	572	R 056
	ISO 6362-2	572	R 056
Al-Mg 1 SiCu	ISO 209-1	604	R 118
	ISO 6362-2	604	R 118
	ISO 209-1	630	R 171
	ISO 6363-2	630	R 171
AlMg 1 SiCu	ISO 209-1	588	R 087

기호	규격번호	페이지	색인번호
	ISO 6363-2	588	R 087
	ISO 209-1	618	R 145
	ISO 6363-2	618	R 145
AlMg 1 SiPb	ISO 209-1	594	R 099
	ISO 6363-2	594	R 099
	ISO 209-1	624	R 158
	ISO 6363-2	624	R 158
AlMg 1.5(C)	ISO 209-1	592	R 095
	ISO 6363-2	592	R 095
AlMg 2	ISO 209-1	622	R 154
	ISO 6363-2	622	R 154
Al-Mg 2.5	ISO 209-1	554	R 020
	ISO 6361-2	554	R 020
AlMg 2.5	ISO 209-1	586	R 083
	ISO 6363-2	586	R 083
	ISO 209-1	616	R 141
	ISO 6363-2	616	R 141
AlMg 3	ISO 209-1	564	R 039
	ISO 6361-2	564	R 039
	ISO 209-1	594	R 097
	ISO 6363-2	594	R 097
	ISO 209-1	608	R 127
	ISO 6362-2	608	R 127
	ISO 209-1	622	R 155
	ISO 6363-2	622	R 155
Al-Mg 3	JIS H 5202	580	S 072
	ISO 3522	580	S 072
Al-Mg 3 Mn	ISO 209-1	556	R 024
	ISO 6361-2	556	R 024
	ISO 209-1	602	R 115
	ISO 6362-2	602	R 115
AlMg 3 Mn	ISO 209-1	576	R 065
	ISO 6362-2	576	R 065
AlMg 3.5	ISO 209-1	594	R 096
	ISO 6363-2	594	R 096

기호	규격번호	페이지	색인번호
	ISO 209-1	616	R 142
	ISO 6363-2	616	R 142
AlMg 4	ISO 209-1	594	R 098
	ISO 6363-2	594	R 098
	ISO 209-1	622	R 156
	ISO 6363-2	622	R 156
AlMg 4.5 Mn	DIN 1725-1	646	R 200
	DIN 1749	646	R 200
Al-Mg 4.5 Mn 0.7	ISO 209-1	558	R 027
	ISO 6361-2	558	R 027
	ISO 209-1	572	R 055
	ISO 6362-2	572	R 055
	ISO 209-1	604	R 117
	ISO 6362-2	604	R 117
	ISO 209-1	628	R 169
	ISO 6362-2	628	R 169
AlMg 4.5 Mn 0.7	ISO 209-1	588	R 086
	ISO 6363-2	588	R 086
	ISO 209-1	616	R 144
	ISO 6363-2	616	R 144
AlMg 5	DIN 1725-1	644	R 199
	DIN 1749	644	R 199
AlMg 5 Cr	ISO 209-1	588	R 085
	ISO 6363-2	588	R 085
	ISO 209-1	616	R 143
	ISO 6363-2	616	R 143
Al-Mg 5 Si 1	JIS H 5202	684	S 073
	ISO 3522	684	S 073
Al-Mg 6	JIS H 5202	684	S 074
	ISO 3522	684	S 074
Al-Mg 10	JIS H 5202	684	S 075
	ISO 3522	684	S 075
AlMgSi	ISO 209-1	576	R 066
	ISO 6362-1	576	R 066
	ISO 209-1	608	R 128

기호	규격번호	페이지	색인번호
	ISO 6362-2	608	R 128
	ISO 209-1	622	R 157
	ISO 6363-2	622	R 157
	ISO 209-1	634	R 179
	ISO 6362-2	634	R 179
AlMn 1	ISO 209-1	564	R 038
	ISO 6361-2	564	R 038
	ISO 209-1	592	R 094
	ISO 6363-2	592	R 094
	ISO 209-1	608	R 126
	ISO 6362-2	608	R 126
	ISO 209-1	620	R 152
	ISO 6363-2	620	R 152
AlMn 1 Cu	ISO 209-1	552	R 013
	ISO 6361-2	552	R 013
	ISO 209-1	586	R 082
	ISO 6362-2	586	R 082
	ISO 209-1	614	R 139
	ISO 6363-2	614	R 139
Al-Mn 1 Cu	ISO 209-1	600	R 111
	ISO 6362-2	600	R 111
	ISO 209-1	626	R 165
	ISO 6363-2	626	R 165
Al-S 7 Mg	ISO 3522	572	R 055
AlSi 1 MgMn	ISO 209-1	564	R 040
	ISO 6361-2	564	R 040
	ISO 209-1	578	R 068
	ISO 6362-2	578	R 068
	ISO 209-1	610	R 130
	ISO 6362-2	610	R 130
	ISO 209-1	634	R 181
	ISO 6362-2	634	R 181
Al-Si 5	JIS H 5202	576	R 065
	ISO 3522	576	R 065
Al-Si 5 Cu 1 Mg	ISO 3522	572	R 056

기호	규격번호	페이지	색인번호
Al-Si 5 Cu 3	JIS H 5202	578	S 067
	ISO 3522	578	S 067
Al-Si 5 Mg	JIS H 5202	576	S 066
	ISO 3522	576	S 066
Al-Si 6 Cu 4	JIS H 5202	578	S 068
	ISO 3522	578	S 068
Al-Si 7 Mg(Fe)	ISO 3522	570	S 054
Al-Si 8 Cu 3 Fe	ISO 3522	586	S 081
AlSi 8 Cu 3 Fe	ISO 3522	586	S 082
Al-Si 10 Mg	JIS H 5202	578	S 069
	ISO 3522	578	S 069
Al-Si 12	JIS H 5202	578	S 070
	ISO 3522	578	S 070
Al-Si 12 Cu	JIS H 5202	580	S 071
	ISO 3522	580	S 071
Al-Si 12 CuFe	ISO 3522	582	S 077
AlSiMg 0.8	ISO 209-1	596	R 101
	ISO 6363-2	596	R 101
AlSiMg(A)	ISO 209-1	578	R 067
	ISO 6362-2	578	R 067
	ISO 209-1	610	R 129
	ISO 6362-2	610	R 129
	ISO 209-1	634	R 180
	ISO 6362-2	634	R 180
AlSiMgMn	ISO 209-1	596	R 100
	ISO 6362-2	596	R 100
	ISO 209-1	624	R 159
	ISO 6363-2	624	R 159
AlZn 4 Mg 1.5 Mn	JIS H 4040	578	R 069
	ISO 209-1	578	R 069
	ISO 6362-2	578	R 069
AlZn 4 Mg 1.5 MnS	JIS H 4100	636	R 183
AlZn 4 Mg 1.5 Mn	ISO 209-1	636	R 183
	ISO 6362-2	636	R 183
AlZn 4.5 Mg 1	ISO 209-1	578	R 070
	ISO 6362-2	578	R 070
	ISO 209-1	596	R 102
	ISO 6363-2	596	R 102
	ISO 209-1	610	R 131
	ISO 6362-2	610	R 131
	ISO 209-1	636	R 182
	ISO 6362-2	636	R 182
AlZn 4.5 Mg 1.5 Mn	ISO 209-1	636	R 184
	ISO 6362-2	636	R 184
Al-Zn 5 Mg	JIS H 5202	582	S 076
	ISO 3522	582	S 076
Al-Zn 5.5 MgCu	ISO 209-1	560	R 032
	ISO 6361-2	560	R 032
	ISO 209-1	574	R 060
	ISO 6362-2	574	R 060
AlZn 5.5 MgCu	ISO 209-1	590	R 088
	ISO 6363-2	590	R 088
Al-Zn 5.5 MgCu	ISO 209-1	606	R 122
	ISO 6363-2	606	R 122
AlZn 5.5 MgCu	ISO 209-1	618	R 147
	ISO 6363-2	618	R 147
	ISO 209-1	632	R 176
	ISO 6362-2	632	R 176
AlZn 5.5 MgCu(A)	ISO 209-1	564	R 042
	ISO 6361-2	564	R 042
AlZn 65 CuMgZr	ISO 209-1	580	R 071
	ISO 6362-2	580	R 071
	ISO 209-1	610	R 132
	ISO 6362-2	610	R 132
	ISO 209-1	636	R 185
	ISO 6362-2	636	R 185
AlZn 6 MgCu	ISO 209-1	566	R 043
	ISO 6361-2	566	R 043
AlZn 6 MgCuMn	ISO 209-1	566	R 044
	ISO 6361-2	566	R 044

기호	규격번호	페이지	색인번호
	ISO 209-1	580	R072
	ISO 6362-2	580	R072
AlZn 6 MgCuMn	ISO 209-1	638	R186
	ISO 6362-2	638	R186
AlZn 6 MgCuMnBe	JIS H 4040	580	R072
AlZn 6 MgCuMnP	JIS H 4040	566	R044
AlZn 6 MgCuMnS	JIS H 4040	638	R186
AlZn 7 MgCu	ISO 209-1	564	R041
	ISO 6361-2	564	R041
AlZn 8 MgCu	ISO 209-1	596	R103
	ISO 6363-2	596	R103
AlZnMgCu 1.5	DIN 1749	648	R204
A-S 5 U 3	NF A 57-702	578	S067
A-S 5 UZ	NF A 57-702	578	S068
A-S 7 G	NF A 57-702	570	S054
A-S 9	NF A 57-703	584	S078
A-S 9 U 3	NF A 57-703	584	S081
A-S 9 U 3 Z	NF A 57-703	586	S082
A-S 10G	NF A 57-702	578	S069
A-S 10 UG	NF A 57-702	574	S061
A-S 10	NF A 57-703	582	S077
A-S 12U	NF A 57-702	580	S071
A-S 12 UNG	NF A 57-702	574	S059
A-S 13	NF A 57-702	578	S070
A-S 18 UNG	NF A 57-702	576	S063
A-U 4 NT	NF A 57-702	572	S057
A-U 5 GT	NF A 57-702	568	S048
B	ASTM A 283	16	A 001
	ASTM A 678	36	A 003
	ASTM A 588	54	A 006
	ASTM A 31	62	A 010
	ASTM A 366	118	C 004
	ASTM A 620	120	C 005
	ASTM A 53	162	E 003
	ASTM A 135	162	E 003

기호	규격번호	페이지	색인번호
	ASTM A 106	166	E 008
	ASTM A 139	166	E 010
B 1	ISO 683-17	368	M 002
	BS 3100	448	O 073
	BS 3100	452	O 081
	BS 3100	456	O 088
B-1	ASTM A 128	446	O 067
	ASTM A 128	446	O 068
	ASTM A 128	448	O 069
B 2	ISO 683-17	368	M 003
	BS 3100	450	O 075
	BS 3100	456	O 089
B-2	ASTM A 128	446	O 067
	ASTM A 128	446	O 068
	ASTM A 128	448	O 069
B 3	BS 3100	452	O 078
	BS 3100	456	O 090
B-3	ASTM A 128	446	O 067
	ASTM A 128	448	O 068
	ASTM A 128	448	O 069
B 5	ASTM A 193	276	H 086
	BS 3100	452	O 079
B 7	ASTM A 193	276	H 087
B 16	ASTM A 193	276	H 087
B 21-1	ASTM A 540	278	H 088
B 21-2	ASTM A 540	280	H 088
B 21-3	ASTM A 540	280	H 088
B 21-4	ASTM A 540	280	H 088
B 21-5	ASTM A 540	280	H 088
B 22-1	ASTM A 540	280	H 088
B 22-2	ASTM A 540	280	H 088
B 22-3	ASTM A 540	280	H 088
B 22-4	ASTM A 540	280	H 088
B 22-5	ASTM A 540	280	H 088
B 23-1	ASTM A 540	280	H 088

기호	규격번호	페이지	색인번호
B 23-2	ASTM A 540	280	H 088
B 23-3	ASTM A 540	280	H 088
B 23-4	ASTM A 540	280	H 088
B 23-5	ASTM A 540	280	H 088
B 24 V-1	ASTM A 540	280	H 088
B 24 V-2	ASTM A 540	280	H 088
B 24 V-3	ASTM A 540	280	H 088
B 24-1	ASTM A 540	280	H 088
B 24-2	ASTM A 540	280	H 088
B 24-3	ASTM A 540	280	H 088
B 24-4	ASTM A 540	280	H 088
B 24-5	ASTM A 540	280	H 088
B 390.0(SC 174 B)	ASTM B 85	690	S 085
B 443.0	ASTM B 108	680	S 065
	ASTM B 26	680	S 065
BA 2	BS 4659	348	J 039
BD 2	BS 4659	348	J 038
BD 3	BS 4659	348	J 037
BH 10	BS 4659	352	J 045
BH 11	BS 4659	350	J 042
BH 12	BS 4659	350	J 044
BH 13	BS 4659	350	J 043
BH 19	BS 4659	352	J 046
BH 21	BS 4659	350	J 041
BH 224/5	BS 4659	352	J 048
BL 2	BS 3100	454	O 083
BM 2	BS 4659	334	J 012
BM 4	BS 4659	336	J 015
BM 35	BS 4659	336	J 016
BM 42	BS 4659	338	J 020
BSt 420S	DIN 488-1	64	A 013
BSt 500S	DIN 488-1	64	A 013
BT 1	BS 4659	332	J 008
BT 4	BS 4659	334	J 009
BT 5	BS 4659	334	J 010
BT 15	BS 4659	334	J 011
BT 42	BS 4659	338	J 018
BW 2	BS 4659	344	J 030
BW 10	BS 3100	446	O 067
C	ASTM A 283	16	A 001
	ASTM A 633	36	A 003
	ASTM A 678	48	A 004
	ASTM A 588	54	A 006
	ASTM A 366	118	C 004
	ASTM A 106	166	E 009
	ASTM A 178	188	F 002
	ASTM A 128	448	O 070
C 5	ASTM A 217	452	O 079
C 10	ISO 683-11	248	H 001
	ISO 683-11	256	H 021
C 10 E	DIN EN 10084	248	H 001
	DIN EN 10084	256	H 021
C 10 R	DIN EN 10084	248	H 001
	DIN EN 10084	256	H 021
C 15 E	DIN EN 10084	248	H 003
	DIN EN 10084	256	H 022
C 15 E 4	ISO 683-11	248	H 003
	ISO 683-11	256	H 022
C 15 M 2	ISO 683-11	248	H 003
	ISO 683-11	256	H 022
C 15 R	DIN EN 10084	248	H 003
	DIN EN 10084	256	H 022
C 25	ISO 683-1	250	H 007
	DIN EN 10083-2	250	H 007
	NF EN 10083-1	250	H 007
	BS EN 10083-1	250	H 007
C 25 E	DIN EN 10083-2	250	H 007
	NF EN 10083-1	250	H 007
	BS EN 10083-1	250	H 007
C 25 E 4	ISO 683-1	250	H 007

기호	규격번호	페이지	색인번호
C 25 M 2	ISO 683-1	250	H 009
C 25 R	DIN EN 10083-2	250	H 009
	NF EN 10083-1	250	H 009
	BS EN 10083-1	250	H 009
C 30	ISO 683-1	250	H 009
	DIN EN 10083-2	250	H 009
	NF EN 10083-1	250	H 009
	BS EN 10083-1	250	H 009
C 30 E	DIN EN 10083-2	250	H 009
	NF EN 10083-1	250	H 009
	BS EN 10083-1	250	H 009
C 30 E 4	ISO 683-1	250	H 009
C 30 M 2	ISO 683-1	250	H 009
C 30 R	DIN EN 10083-2	250	H 009
	NF EN 10083-1	250	H 009
	BS EN 10083-1	250	H 009
C 35	ISO 683-1	252	H 011
	DIN EN 10083-2	252	H 011
	NF EN 10083-1	252	H 011
	BS EN 10083-1	252	H 011
C 35 E	DIN EN 10083-2	252	H 011
	NF EN 10083-1	252	H 011
	BS EN 10083-1	252	H 011
C 35 E 4	ISO 683-1	252	H 011
C 35 M 2	ISO 683-1	252	H 011
C 35 R	DIN EN 10083-2	252	H 011
	NF EN 10083-1	252	H 011
	BS EN 10083-1	252	H 011
C 40	ISO 683-1	252	H 013
	DIN EN 10083-2	252	H 013
	NF EN 10083-1	252	H 013
	BS EN 10083-1	252	H 013
C 40 E	DIN EN 10083-2	252	H 013
	NF EN 10083-1	252	H 013
	BS EN 10083-1	252	H 013

기호	규격번호	페이지	색인번호
C 40 E 4	ISO 683-1	252	H 013
C 40 M 2	ISO 683-1	252	H 013
C 40 R	DIN EN 10083-2	252	H 013
	NF EN 10083-1	252	H 013
	BS EN 10083-1	252	H 013
C 45	ISO 683-1	254	H 015
	DIN EN 10083-2	254	H 015
	NF EN 10083-1	254	H 015
	BS EN 10083-1	254	H 015
C 45 E	DIN EN 10083-2	254	H 015
	NF EN 10083-1	254	H 015
	BS EN 10083-1	254	H 015
C 45 E 4	ISO 683-1	254	H 015
C 45 M 2	ISO 683-1	254	H 015
C 45 R	DIN EN 10083-2	254	H 015
	NF EN 10083-1	254	H 015
	BS EN 10083-1	254	H 015
C 50	ISO 683-1	254	H 017
	DIN EN 10083-2	254	H 017
	NF EN 10083-1	254	H 017
	BS EN 10083-1	254	H 017
C 50 E	DIN EN 10083-2	254	H 017
	NF EN 10083-1	254	H 017
	BS EN 10083-1	254	H 017
C 50 E 4	ISO 683-1	254	H 017
C 50 M 2	ISO 683-1	254	H 017
C 50 R	DIN EN 10083-2	254	H 017
	NF EN 10083-1	254	H 017
	BS EN 10083-1	254	H 017
C 55	ISO 683-1	254	H 019
	DIN EN 10083-2	256	H 019
	NF EN 10083-1	256	H 019
	BS EN 10083-1	256	H 019
C 55 E	DIN EN 10083-2	256	H 019
	NF EN 10083-1	256	H 019

기호	규격번호	페이지	색인번호
	BS EN 10083-1	256	H 019
C 55 E 4	ISO 683-1	256	H 019
C 55 M 2	ISO 683-1	256	H 019
C 55 R	DIN EN 10083-2	256	H 019
	NF EN 10083-1	256	H 019
	BS EN 10083-1	256	H 019
C 60	ISO 683-1	256	H 020
	DIN EN 10083-2	256	H 020
	NF EN 10083-1	256	H 020
	BS EN 10083-1	256	H 020
C 60 E	DIN EN 10083-2	256	H 020
	NF EN 10083-1	256	H 020
	BS EN 10083-1	256	H 020
C 60 E 4	ISO 683-1	256	H 020
C 60 M 2	ISO 683-1	256	H 020
C 60 R	DIN EN 10083-2	256	H 020
	NF EN 10083-1	256	H 020
	BS EN 10083-1	256	H 020
C 70 E 2 U	NF A 35-590	332	J 006
	NF A 35-590	332	J 007
C 70 W 2	DIN 17350	332	J 007
C 80 E 2 U	NF A 35-590	332	J 005
	NF A 35-590	332	J 006
C 80 W 1	DIN 17350	332	J 005
	DIN 17350	332	J 006
C 90 E 2 U	NF A 35-590	330	J 004
	NF A 35-590	332	J 005
C 101	BS EN 1652	490	Q 002
	BS EN 1653	490	Q 002
	BS EN 12163	512	Q 043
	BS EN 12166	520	Q 062
	BS 2871	534	Q 091
C 102	BS EN 1652	490	Q 002
	BS EN 1653	490	Q 002
	BS EN 12163	512	Q 043
	BS EN 12166	520	Q 062
	BS 2871	534	Q 091
C 103	BS EN 1652	490	Q 001
	BS EN 1653	490	Q 001
	BS EN 12163	490	Q 042
	BS 2871	534	Q 090
C 105 E 2 U	NF A 35-590	330	J 003
C 105 W 1	DIN 17350	330	J 003
C 106	BS EN 12163	512	Q 045
	BS EN 1652	490	Q 003
	BS EN 1653	490	Q 003
	BS EN 1652	492	Q 004
	BS EN 1653	492	Q 004
	BS EN 12163	512	Q 044
	BS EN 12166	520	Q 063
	BS EN 12166	522	Q 064
	BS 2871	534	Q 092
	BS 2871	534	Q 093
C 120 E 3 U	NF A 35-590	330	J 002
C 140 E 3 U	NF A 35-590	330	J 001
C 1011 B	KS D 5401	542	Q 109
	JIS H 3510	542	Q 109
C 1011 P	KS D 5401	542	Q 109
	JIS H 3510	542	Q 109
C 1011 R	KS D 5401	542	Q 109
	JIS H 3510	542	Q 109
C 1011 T	KS D 5401	542	Q 109
	JIS H 3510	542	Q 109
C 1011 W	KS D 5401	542	Q 109
	JIS H 3510	542	Q 109
C 1020 B	KS D 5101	512	Q 042
	JIS H 3250	512	Q 042
C 1020 P	KS D 5201	490	Q 001
	JIS H 3100	490	Q 001
C 1020 R	KS D 5201	490	Q 001

기호	규격번호	페이지	색인번호
	JIS H 3100	490	Q 001
C 1020 T	KS D 5301	534	Q 090
	JIS H 3300	534	Q 090
	KS D 5578	540	Q 107
	JIS H 3401	540	Q 107
C 1100 B	KS D 5101	512	Q 043
	JIS H 3250	512	Q 043
C 1100 P	KS D 5201	490	Q 002
	JIS H 3100	490	Q 002
C 1100 PP	JIS H 3100	490	Q 002
C 1100 R	KS D 5201	490	Q 002
	JIS H 3100	490	Q 002
C 1100 T	KS D 5301	534	Q 091
	JIS H 3300	534	Q 091
C 1100 W	KS D 5103	520	Q 062
	JIS H 3260	520	Q 062
C 1201 B	KS D 5101	512	Q 044
	JIS H 3250	512	Q 044
C 1201 P	KS D 5201	490	Q 003
	JIS H 3100	490	Q 003
C 1201 R	KS D 5201	490	Q 003
	JIS H 3100	490	Q 003
C 1201 T	KS D 5301	534	Q 092
	JIS H 3300	534	Q 092
C 1201 W	KS D 5103	520	Q 063
	JIS H 3260	520	Q 063
C 1220 B	KS D 5101	512	Q 045
	JIS H 3250	512	Q 045
C 1220 P	KS D 5201	490	Q 004
	JIS H 3100	490	Q 004
C 1220 R	KS D 5201	490	Q 004
	JIS H 3100	490	Q 004
C 1220 T	KS D 5301	534	Q 093
	JIS H 3300	534	Q 093
	KS D 5578	534	Q 108

기호	규격번호	페이지	색인번호
	JIS H 3401	534	Q 108
C 1220 W	KS D 5103	522	Q 064
	JIS H 3260	522	Q 064
C 1221 P	KS D 5201	492	Q 004
	JIS H 3100	492	Q 004
C 1221 PP	JIS H 3100	492	Q 004
C 1221 R	KS D 5201	492	Q 004
	JIS H 3100	492	Q 004
C 1401 PP	KS D 5201	492	Q 005
	JIS H 3100	492	Q 005
C 1700 P	KS D 5202	510	Q 038
	JIS H 3130	510	Q 038
C 1700 R	KS D 5202	510	Q 038
	JIS H 3130	510	Q 038
C 1720 B	KS D 5102	528	Q 078
	JIS H 3270	528	Q 078
C 1720 P	KS D 5202	510	Q 039
	JIS H 3130	510	Q 039
C 1720 R	KS D 5202	510	Q 039
	JIS H 3130	510	Q 039
C 1720 W	KS D 5202	528	Q 078
	JIS H 3270	528	Q 078
C 2051 R	KS D 5201	492	Q 006
	JIS H 3100	492	Q 006
C 2100 P	KS D 5201	492	Q 007
	JIS H 3100	492	Q 007
C 2100 R	KS D 5201	492	Q 007
	JIS H 3100	492	Q 007
C 2100 W	KS D 5103	522	Q 065
	JIS H 3260	522	Q 065
C 2200 P	KS D 5201	494	Q 008
	JIS H 3100	494	Q 008
C 2200 R	KS D 5201	494	Q 008
	JIS H 3100	494	Q 008
C 2200 T	KS D 5301	536	Q 094

기호	규격번호	페이지	색인번호
	JIS H 3300	536	Q 094
C 2200W	KS D 5103	522	Q 066
	JIS H 3260	522	Q 066
C 2300 P	KS D 5201	494	Q 009
	JIS H 3100	494	Q 009
C 2300 R	KS D 5201	494	Q 009
	JIS H 3100	494	Q 009
C 2300 T	KS D 5301	536	Q 095
	JIS H 3300	536	Q 095
C 2300 W	KS D 5103	522	Q 067
	JIS H 3260	522	Q 067
C 2400 P	KS D 5201	494	Q 010
	JIS H 3100	494	Q 010
C 2400 R	KS D 5201	494	Q 010
	JIS H 3100	494	Q 010
C 2400 W	KS D 5103	524	Q 068
	JIS H 3260	524	Q 068
C 2600 B	KS D 5101	514	Q 046
	JIS H 3250	514	Q 046
C 2600 P	KS D 5201	494	Q 011
	JIS H 3100	494	Q 011
C 2600 R	KS D 5201	494	Q 011
	JIS H 3100	494	Q 011
C 2600 T	KS D 5301	536	Q 096
	JIS H 3300	536	Q 096
C 2600 W	KS D 5103	524	Q 069
	JIS H 3260	524	Q 069
C 2680 P	KS D 5201	496	Q 012
	JIS H 3100	496	Q 012
C 2680 R	KS D 5201	496	Q 012
	JIS H 3100	496	Q 012
C 2700 B	KS D 5101	514	Q 047
	JIS H 3250	514	Q 047
C 2700 T	KS D 5301	536	Q 097
	JIS H 3300	536	Q 097

기호	규격번호	페이지	색인번호
C 2700 W	KS D 5103	524	Q 070
	JIS H 3260	524	Q 070
C 2720 P	KS D 5201	496	Q 013
	JIS H 3100	496	Q 013
C 2720 R	KS D 5201	496	Q 013
	JIS H 3100	496	Q 013
C 2720 W	KS D 5103	524	Q 071
	JIS H 3260	524	Q 071
C 2800 B	KS D 5101	514	Q 048
	JIS H 3250	514	Q 048
C 2800 T	KS D 5301	538	Q 098
	JIS H 3300	538	Q 098
C 2800 W	KS D 5103	524	Q 072
	JIS H 3260	524	Q 072
C 2801 P	KS D 5201	496	Q 014
	JIS H 3100	496	Q 014
C 2801 R	KS D 5201	496	Q 014
	JIS H 3100	496	Q 014
C 3501 W	KS D 5103	526	Q 073
	JIS H 3260	526	Q 073
C 3560 P	KS D 5201	498	Q 015
	JIS H 3100	498	Q 015
C 3560 R	KS D 5201	498	Q 015
	JIS H 3100	498	Q 015
C 3561 P	KS D 5201	498	Q 015
	JIS H 3100	498	Q 015
C 3561 R	KS D 5201	498	Q 015
	JIS H 3100	498	Q 015
C 3601 B	KS D 5101	514	Q 049
	JIS H 3250	514	Q 049
C 3601 W	KS D 5103	526	Q 074
	JIS H 3260	526	Q 074
C 3602 B	KS D 5101	514	Q 050
	JIS H 3250	514	Q 050
C 3602 W	KS D 5103	526	Q 075

기호	규격번호	페이지	색인번호
	JIS H 3260	526	Q 075
C 3603 B	KS D 5101	516	Q 051
	JIS H 3250	516	Q 051
C 3603 W	KS D 5103	526	Q 076
	JIS H 3260	526	Q 076
C 3604 B	KS D 5101	516	Q 052
	JIS H 3250	516	Q 052
C 3604 W	KS D 5103	526	Q 077
	JIS H 3260	526	Q 077
C 3605 B	KS D 5101	516	Q 053
	JIS H 3250	516	Q 053
C 3710 P	KS D 5201	498	Q 016
	JIS H 3100	498	Q 016
C 3710 R	KS D 5201	498	Q 016
	JIS H 3100	498	Q 016
C 3712 B	KS D 5101	516	Q 054
	JIS H 3250	516	Q 054
C 3713 P	KS D 5201	500	Q 017
	JIS H 3100	500	Q 017
C 3713 R	KS D 5201	498	Q 017
	JIS H 3100	498	Q 017
C 3771 B	KS D 5101	498	Q 055
	JIS H 3250	498	Q 055
C 4250 P	KS D 5201	518	Q 018
	JIS H 3100	518	Q 018
C 4250 R	KS D 5201	500	Q 018
	JIS H 3100	500	Q 018
C 4430 P	KS D 5201	500	Q 019
	JIS H 3100	500	Q 019
C 4430 R	KS D 5201	500	Q 019
	JIS H 3100	500	Q 019
C 4430 T	KS D 5301	500	Q 099
	JIS H 3300	500	Q 099
C 4621 P	KS D 5201	500	Q 020
	JIS H 3100	500	Q 020

기호	규격번호	페이지	색인번호
C 4622 B	KS D 5101	518	Q 056
	JIS H 3250	518	Q 056
C 4640 P	KS D 5201	500	Q 021
	JIS H 3100	500	Q 021
C 4641 B	KS D 5101	518	Q 057
	JIS H 3250	518	Q 057
C 5102 B	KS D 5102	528	Q 080
	JIS H 3270	528	Q 080
C 5102 P	KS D 5506	506	Q 031
	JIS H 3110	506	Q 031
C 5102 R	KS D 5506	506	Q 031
	JIS H 3110	506	Q 031
C 5102 W	KS D 5102	528	Q 080
	JIS H 3270	528	Q 080
C 5101 B	KS D 5102	528	Q 079
C 5111 B	JIS H 3270	528	Q 079
C 5111 P	KS D 5506	504	Q 030
C 5111 W	JIS H 3110	504	Q 030
C 5111 R	KS D 5506	504	Q 030
	JIS H 3110	504	Q 030
C 5101 W	KS D 5102	528	Q 079
	JIS H 3270	528	Q 079
C 5191 B	KS D 5102	530	Q 081
	JIS H 3270	530	Q 081
C 5191 P	KS D 5506	506	Q 032
	JIS H 3110	506	Q 032
C 5191 R	KS D 5506	506	Q 032
	JIS H 3110	506	Q 032
C 5191 W	KS D 5102	530	Q 081
	JIS H 3270	530	Q 081
C 5210 P	KS D 5202	510	Q 040
	JIS H 3130	510	Q 040
C 5210 R	KS D 5202	510	Q 040
	JIS H 3130	510	Q 040
C 5212 B	KS D 5102	530	Q 082

기호	규격번호	페이지	색인번호
	JIS H 3270	530	Q 082
C 5212 P	KS D 5506	506	Q 033
	JIS H 3110	506	Q 033
C 5212 R	KS D 5506	506	Q 033
	JIS H 3110	506	Q 033
C 5212 W	KS D 5102	530	Q 082
	JIS H 3270	530	Q 082
C 5341 B	KS D 5102	530	Q 083
	JIS H 3270	530	Q 083
C 5441 B	KS D 5102	530	Q 084
	JIS H 3270	530	Q 084
C 6140 P	KS D 5506	502	Q 022
	JIS H 3100	502	Q 022
C 6161 B	KS D 5101	518	Q 058
	JIS H 3250	518	Q 058
C 6161 P	KS D 5201	502	Q 023
	JIS H 3100	502	Q 023
C 6191 B	KS D 5101	518	Q 059
	JIS H 3250	518	Q 059
C 6241 B	KS D 5101	520	Q 060
	JIS H 3250	520	Q 060
C 6280 P	KS D 5201	502	Q 024
	JIS H 3100	502	Q 024
C 6301 P	KS D 5201	502	Q 025
	JIS H 3100	502	Q 025
C 6711 P	KS D 5201	504	Q 028
	JIS H 3100	504	Q 028
C 6712 P	KS D 5201	504	Q 029
	JIS H 3100	504	Q 029
C 6782 B	KS D 5101	520	Q 061
	JIS H 3250	520	Q 061
C 6783 B	KS D 5101	520	Q 061
	JIS H 3250	520	Q 061
C 6870 T	KS D 5301	538	Q 100
	JIS H 3300	538	Q 100
C 6871 T	KS D 5301	538	Q 101
	JIS H 3300	538	Q 101
C 6872 T	KS D 5301	538	Q 102
	JIS H 3300	538	Q 102
C 7060 P	KS D 5201	502	Q 026
	JIS H 3100	502	Q 026
C 7060 T	KS D 5301	540	Q 103
	JIS H 3300	540	Q 103
C 7100 T	KS D 5301	540	Q 104
	JIS H 3300	540	Q 104
C 7150 P	KS D 5201	504	Q 027
	JIS H 3100	504	Q 027
C 7150 T	KS D 5301	540	Q 105
	JIS H 3300	540	Q 105
C 7164 T	KS D 5301	540	Q 106
	JIS H 3300	540	Q 106
C 7351 P	KS D 5506	506	Q 034
	JIS H 3110	506	Q 034
C 7351 R	KS D 5506	506	Q 034
	JIS H 3110	506	Q 034
C 7451 P	KS D 5506	508	Q 035
	JIS H 3110	508	Q 035
C 7451 R	KS D 5506	508	Q 035
	JIS H 3110	508	Q 035
C 7451 W	KS D 5102	532	Q 085
	JIS H 3270	532	Q 085
C 7521 B	KS D 5102	532	Q 086
	JIS H 3270	532	Q 086
C 7521 P	KS D 5506	508	Q 036
	JIS H 3110	508	Q 036
C 7521 R	KS D 5506	508	Q 036
	JIS H 3110	508	Q 036
C 7521 W	KS D 5102	532	Q 086
	JIS H 3270	532	Q 086
C 7541 B	KS D 5102	532	Q 087

기호	규격번호	페이지	색인번호
	JIS H 3270	532	Q 087
C 7541 P	KS D 5506	532	Q 037
	JIS H 3110	532	Q 037
C 7541 R	KS D 5506	532	Q 037
	JIS H 3110	532	Q 037
C 7541 W	KS D 5102	532	Q 087
	JIS H 3270	532	Q 087
C 7701 B	KS D 5102	532	Q 088
	JIS H 3270	532	Q 088
C 7701 P	KS D 5202	510	Q 041
	JIS H 3130	510	Q 041
C 7701 R	KS D 5202	510	Q 041
	JIS H 3130	510	Q 041
C 7701 W	KS D 5102	532	Q 088
	JIS H 3270	532	Q 088
C 7941 B	KS D 5102	534	Q 089
	JIS H 3270	534	Q 089
C 10100	ASTM F 68	542	Q 109
C 10200	ASTM B 152	490	Q 001
	ASTM B 133	512	Q 042
	ASTM B 75	534	Q 090
C 11000	ASTM B 152	490	Q 002
	ASTM B 133	512	Q 043
	ASTM B 188	534	Q 091
C 12000	ASTM B 152	490	Q 003
	ASTM B 133	512	Q 044
	ASTM B 75	534	Q 092
C 12200	ASTM B 133	512	Q 045
	ASTM B 152	492	Q 004
	ASTM B 75	534	Q 093
C 17000	ASTM B 194	510	Q 038
C 17200	ASTM B 194	510	Q 039
	ASTM B 196	528	Q 078
	ASTM B 197	528	Q 078
C 21000	ASTM B 36	492	Q 007

기호	규격번호	페이지	색인번호
	ASTM B 134	522	Q 065
C 22000	ASTM B 36	494	Q 008
	ASTM B 134	522	Q 066
	ASTM B 135	536	Q 094
C 23000	ASTM B 36	494	Q 009
	ASTM B 134	522	Q 067
	ASTM B 135	536	Q 095
C 24000	ASTM B 36	494	Q 010
	ASTM B 134	524	Q 068
C 26000	ASTM B 36	494	Q 011
	ASTM B 36	514	Q 046
	ASTM B 134	524	Q 069
	ASTM B 135	536	Q 096
C 26800	ASTM B 36	496	Q 012
C 27000	ASTM B 134	524	Q 070
	ASTM B 134	524	Q 071
	ASTM B 135	536	Q 097
C 27200	ASTM B 36	496	Q 013
C 28000	ASTM B 135	496	Q 014
	ASTM B 135	538	Q 098
C 35600	ASTM B 121	498	Q 015
C 36000	ASTM B 16	514	Q 049
	ASTM B 16	514	Q 050
	ASTM B 16	516	Q 051
	ASTM B 16	516	Q 052
C 37700	ASTM B 124	518	Q 055
C 42500	ASTM B 591	500	Q 018
C 44300	ASTM B 171	500	Q 019
	ASTM B 111	538	Q 099
C 46200	ASTM B 21	518	Q 056
C 46400	ASTM B 171	500	Q 021
	ASTM B 21	518	Q 057
C 51000	ASTM B 103	504	Q 030
	ASTM B 103	506	Q 031
	ASTM B 139	528	Q 079

기호	규격번호	페이지	색인번호
	ASTM B 159	528	Q 079
	ASTM B 139	528	Q 080
	ASTM B 159	528	Q 080
C 52100	ASTM B 103	506	Q 033
	ASTM B 103	510	Q 040
	ASTM B 139	530	Q 082
	ASTM B 159	530	Q 082
C 53400	ASTM B 139	530	Q 083
C 54400	ASTM B 139	530	Q 084
C 61400	ASTM B 169	502	Q 022
C 61900	ASTM B 150	518	Q 059
C 62400	ASTM B 150	520	Q 060
C 63000	ASTM B 171	502	Q 025
C 68700	ASTM B 111	538	Q 100
	ASTM B 111	538	Q 101
	ASTM B 111	538	Q 102
C 70600	ASTM B 171	502	Q 026
	ASTM B 111	540	Q 103
C 71000	ASTM B 111	540	Q 104
C 71500	ASTM B 171	504	Q 027
	ASTM B 111	540	Q 105
C 71640	ASTM B 111	540	Q 106
C 73500	ASTM B 122	506	Q 034
C 74500	ASTM B 122	508	Q 035
	ASTM B 206	532	Q 085
C 75200	ASTM B 122	508	Q 036
	ASTM B 151	532	Q 086
	ASTM B 206	532	Q 086
C 77000	ASTM B 122	510	Q 041
	ASTM B 151	532	Q 088
	ASTM B 206	532	Q 088
C 83600	ASTM B 584	660	S 021
	ASTM B 505	660	S 022
C 84400	ASTM B 584	656	S 015
	ASTM B 505	658	S 016
C 85400	ASTM B 584	652	S 005
C 85700	ASTM B 584	654	S 006
C 86200	ASTM B 584	656	S 011
	ASTM B 505	656	S 012
C 86300	ASTM B 584	656	S 013
	ASTM B 505	656	S 014
C 86400	ASTM B 584	654	S 009
	ASTM B 505	654	S 010
C 86500	ASTM B 584	654	S 007
	ASTM B 505	654	S 008
C 87400	ASTM B 584	668	S 045
C 87500	ASTM B 584	670	S 046
C 90300	ASTM B 584	658	S 017
	ASTM B 505	658	S 018
C 90500	ASTM B 584	658	S 019
	ASTM B 505	658	S 020
C 90700	ASTM B 505	662	S 027
C 91000	ASTM B 505	662	S 030
C 92200	ASTM B 584	660	S 023
	ASTM B 505	660	S 024
C 93700	ASTM B 584	664	S 032
	ASTM B 505	664	S 033
C 93800	ASTM B 584	664	S 034
	ASTM B 505	664	S 035
C 95200	ASTM B 148	666	S 038
	ASTM B 148	666	S 039
C 95400	ASTM B 148	666	S 040
	ASTM B 505	668	S 041
C 95700	ASTM B 148	668	S 044
C 95800	ASTM B 148	668	S 042
	ASTM B 148	668	S 043
CA-15	ASTM A 743	668	O 044
CA-15 M	ASTM A 743	674	O 052
CA 103	BS 2872	660	Q 023
	BS 2872	676	Q 058

기호	규격번호	페이지	색인번호
CA 104	BS EN 1652	502	Q 025
	BS EN 1653	502	Q 025
	BS 2872	518	Q 059
CA 105	BS 2872	502	Q 024
CA 106	BS EN 1652	502	Q 022
	BS EN 1653	502	Q 022
CAC 101	KS D 6024	652	S 001
	JIS H 5120	652	S 001
CAC 102	KS D 6024	652	S 002
	JIS H 5120	652	S 002
CAC 103	KS D 6024	652	S 003
	JIS H 5120	652	S 003
CAC 201	KS D 6024	652	S 004
	JIS H 5120	652	S 004
CAC 202	KS D 6024	652	S 005
	JIS H 5120	652	S 005
CAC 203	KS D 6024	654	S 006
	JIS H 5120	654	S 006
CAC 301	KS D 6024	654	S 007
	JIS H 5120	654	S 007
CAC 301 C	KS D 6025	654	S 008
	JIS H 5121	654	S 008
CAC 302	KS D 6024	654	S 009
	JIS H 5120	654	S 009
CAC 302 C	KS D 6025	654	S 010
	JIS H 5121	654	S 010
CAC 303	KS D 6024	656	S 011
	JIS H 5120	656	S 011
CAC 303 C	KS D 6025	656	S 012
	JIS H 5121	656	S 012
CAC 304	KS D 6024	656	S 013
	JIS H 5120	656	S 013
CAC 304 C	KS D 6025	656	S 014
	JIS H 5121	656	S 014
CAC 401	KS D 6024	656	S 015

기호	규격번호	페이지	색인번호
	JIS H 5120	656	S 015
CAC 401 C	KS D 6025	658	S 016
	JIS H 5121	658	S 016
CAC 402	KS D 6024	658	S 017
	JIS H 5120	658	S 017
CAC 402 C	KS D 6025	658	S 018
	JIS H 5121	658	S 018
CAC 403	KS D 6024	658	S 019
	JIS H 5120	658	S 019
CAC 403 C	KS D 6025	658	S 020
	JIS H 5121	658	S 020
CAC 406	KS D 6024	660	S 021
	JIS H 5120	660	S 021
CAC 406 C	KS D 6025	660	S 022
	JIS H 5121	660	S 022
CAC 407	KS D 6024	660	S 023
	JIS H 5120	660	S 023
CAC 407 C	KS D 6025	660	S 024
	JIS H 5121	660	S 024
CAC 502 A	KS D 6024	660	S 025
	JIS H 5120	660	S 025
CAC 502 B	KS D 6024	662	S 026
	JIS H 5120	662	S 026
CAC 502 C	KS D 6025	662	S 027
	JIS H 5121	662	S 027
CAC 503 A	KS D 6024	662	S 028
	JIS H 5120	662	S 028
CAC 503 B	KS D 6024	662	S 029
	JIS H 5120	662	S 029
CAC 503 C	KS D 6025	662	S 030
	JIS H 5121	662	S 030
CAC 602	KS D 6024	664	S 031
	JIS H 5120	664	S 031
CAC 603	KS D 6024	664	S 032
	JIS H 5120	664	S 032

기호	규격번호	페이지	색인번호
CAC 603 C	KS D 6025	664	S 033
	JIS H 5121	664	S 033
CAC 604	KS D 6024	664	S 034
	JIS H 5120	664	S 034
CAC 604 C	KS D 6025	664	S 035
	JIS H 5121	664	S 035
CAC 605	KS D 6024	666	S 036
	JIS H 5120	666	S 036
CAC 605 C	KS D 6025	666	S 037
	JIS H 5121	666	S 037
CAC 701	KS D 6024	666	S 038
	JIS H 5120	666	S 038
CAC 701 C	KS D 6025	666	S 039
	JIS H 5121	666	S 039
CAC 702	KS D 6024	666	S 040
	JIS H 5120	666	S 040
CAC 702 C	KS D 6025	668	S 041
	JIS H 5121	668	S 041
CAC 703	KS D 6024	668	S 042
	JIS H 5120	668	S 042
CAC 703 C	KS D 6025	668	S 043
	JIS H 5121	668	S 043
CAC 704	KS D 6024	668	S 044
	JIS H 5120	668	S 044
CAC 801	KS D 6024	668	S 045
	JIS H 5120	668	S 045
CAC 802	KS D 6024	670	S 046
	JIS H 5120	670	S 046
CAC 803	KS D 6024	670	S 047
	JIS H 5120	670	S 047
CB 101	BS EN 12166	528	Q 078
CEW C3	BS 1717	222	G 015
	BS 1717	222	G 017
CEW 3	BS 6323-6	222	G 015
CEW 4	BS 6323-6	242	G 061

기호	규격번호	페이지	색인번호
CEW 5	BS 6323-6	228	G 027
	BS 6323-6	228	G 028
	BS 6323-6	230	G 032
	BS 6323-6	230	G 033
CF-3 M	ASTM A 743	236	O 048
	ASTM A 744	236	O 048
	ASTM A 351	236	O 048
CF-8	ASTM A 743	236	O 046
	ASTM A 744	236	O 046
	ASTM A 351	236	O 046
CF-8 C	ASTM A 743	236	O 050
	ASTM A 744	236	O 050
	ASTM A 351	236	O 050
CF-8 M	ASTM A 743	236	O 047
	ASTM A 744	236	O 047
	ASTM A 351	236	O 047
CF-20	ASTM A 743	234	O 045
CFS C3	BS 1717	222	G 015
	BS 1717	224	G 017
CFS C4	BS 1717	224	G 019
	BS 1717	226	G 022
CFS 3	BS 6323-4	222	G 015
CFS 5	BS 6323-4	228	G 027
	BS 6323-4	228	G 028
	BS 6323-4	230	G 032
	BS 6323-4	230	G 033
CFS 6	BS 6323-4	228	G 029
CFS 8	BS 6323-4	226	G 026
CFS 8	BS 6323-4	230	G 031
CFS 10	BS 6323-4	216	G 004
CFS 11	BS 6323-4	218	G 007
CH-20	ASTM A 743	236	O 049
	ASTM A 351	236	O 049
CK-20	ASTM A 743	234	O 042
	ASTM A 351	234	O 042

기호	규격번호	페이지	색인번호
Class A	ASTM A 668	374	N 001
Class B	ASTM A 668	374	N 002
Class C	ASTM A 668	374	N 003
Class D	ASTM A 668	376	N 005
Class E	ASTM A 668	376	N 007
Class F	ASTM A 668	378	N 008
Class G	ASTM A 668	402	N 049
	ASTM A 290	410	N 060
Class H	ASTM A 668	402	N 050
Class I	ASTM A 290	412	N 062
Class J	ASTM A 668	404	N 050
Class K	ASTM A 668	404	N 051
	ASTM A 668	404	N 052
	ASTM A 668	408	N 058
Class L	ASTM A 668	406	N 053
	ASTM A 668	406	N 054
	ASTM A 668	406	N 055
	ASTM A 668	410	N 059
	ASTM A 668	410	N 060
Class M	ASTM A 668	408	N 056
	ASTM A 668	408	N 057
	ASTM A 668	412	N 061
	ASTM A 668	412	N 062
Class No.20	ASTM A 48	458	P 001
Class No.25	ASTM A 48	458	P 002
Class No.30	ASTM A 48	458	P 003
Class No.35	ASTM A 48	458	P 004
Class No.40	ASTM A 48	458	P 004
Class No.45	ASTM A 48	460	P 005
Class No.50	ASTM A 48	460	P 006
Class 1	ASTM A 537 M	80	B 012
Class 2	ASTM A 537 M	86	B 017
Class 3 A	ASTM A 291	408	N 058
Class 4	ASTM A 291	410	N 059
Class 60	ASTM A 181	378	N 010
Class 70	ASTM A 181	380	N 011
CMA 2	BS 1400	668	S 044
CN-7 M	ASTM A 743	434	O 043
	ASTM A 744	434	O 043
	ASTM A 351	434	O 043
CN 102	BS EN 1652	502	Q 026
	BS EN 1653	502	Q 026
	BS 2871	540	Q 103
CN 106	BS 2871	540	Q 105
CN 107	BS EN 1652	504	Q 027
	BS EN 1653	504	Q 027
CN 108	BS 2871	540	Q 106
CP 1	ASTM A 426	532	O 088
CP 11	ASTM A 426	534	O 089
CP 12	ASTM A 426	534	O 089
CP 22	ASTM A 426	534	O 090
CR 1	ISO 3574	120	C 004
	ISO 5002	146	D 013
CR 2	ISO 3574	122	C 005
	ISO 5002	146	D 014
CR 3	ISO 3574	122	C 006
	ISO 5002	146	D 014
CR 4	ISO 3574	122	C 006
	ISO 5002	146	D 014
CR 5	ISO 3574	122	C 006
	ISO 5002	146	D 014
CR 34/20	BS 1449 : 1.5	118	C 004
CR 37/23	BS 1449 : 1.5	118	C 004
CS Type A	ASTM A 653	126	D 001
	ASTM A 875	132	D 004
	ASTM A 463	138	D 007
	ASTM A 792	142	D 010
CS Type B	ASTM A 653	126	D 001
	ASTM A 875	132	D 004
	ASTM A 463	138	D 007

기호	규격번호	페이지	색인번호
	ASTM A 792	142	D 010
CS Type C	ASTM A 653	126	D 001
	ASTM A 875	132	D 004
	ASTM A 463	138	D 007
	ASTM A 792	142	D 010
CS 1	BS 1449 : 1.9	122	C 006
CS 2	BS 1449 : 1.9	122	C 006
CS 3	BS 1449 : 1.9	122	C 006
CS 4	BS 1449 : 1.15	120	C 004
	BS 1449 : 1.9	120	C 005
CS 14	BS 1449 : 1.9	120	C 005
CS 15	BS 1449 : 1.9	118	C 004
CS 34/20	BS 1449 : 1.11	120	C 004
CS 37/23	BS 1449 : 1.11	120	C 004
CuAl 8 Fe 3	ISO 428	502	Q 022
	DIN 17665	502	Q 023
CuAl 9 Ni	DIN 1714	510	S 040
	DIN 1714	512	S 041
CuAl 10 Fe	DIN 1714	510	S 038
	DIN 1714	510	S 039
CuAl 10 Fe 3	ISO 428	502	Q 023
	ISO 428	518	Q 058
	ISO 428	520	Q 059
	ISO 428	520	Q 060
CuAl 10 Fe 3 Mn 2	DIN 17665	518	Q 058
	DIN 17665	520	Q 059
	DIN 17665	520	Q 060
CuAl 10 Ni	DIN 1714	512	S 042
	DIN 1714	512	S 043
CuAl 10 Ni 5 Fe 4	DIN 17665	502	Q 024
	ISO 428	502	Q 024
	DIN 17665	502	Q 025
	ISO 428	502	Q 025
CuBe 1.7	DIN 17666	510	Q 038
	ISO 1187	510	Q 038

기호	규격번호	페이지	색인번호
CuBe 2	DIN 1766	510	Q 039
	ISO 1187	510	Q 039
	DIN 17666	528	Q 078
	ISO 1187	528	Q 078
Cu-DHP	ISO 1337	512	Q 045
	ISO 1337	492	Q 004
	ISO 1337	522	Q 064
	ISO 1337	536	Q 093
	ISO 1337	542	Q 108
Cu-DLP	ISO 1337	490	Q 003
	ISO 1337	512	Q 044
	ISO 1337	522	Q 063
	ISO 1337	534	Q 092
Cu-ETP	ISO 1337	490	Q 002
	ISO 1337	512	Q 043
	ISO 1337	520	Q 062
	ISO 1337	534	Q 091
CuNi 10 Fe 1 Mn	DIN 17664	504	Q 026
	ISO 429	504	Q 026
	DIN 17664	540	Q 103
	ISO 429	540	Q 103
CuNi 10 Zn 27	ISO 430	508	Q 035
	ISO 430	532	Q 085
CuNi 12 Zn 24	DIN 17663	508	Q 035
	DIN 17663	508	Q 037
	DIN 17663	532	Q 085
	DIN 17663	532	Q 087
CuNi 15 Zn 21	ISO 430	508	Q 037
	ISO 430	532	Q 087
CuNi18 Zn19 Pb1	DIN 17663	534	Q 089
	ISO 430	534	Q 089
CuNi 18 Zn 20	DIN 17663	508	Q 036
	ISO 430	508	Q 036
	DIN 17663	532	Q 086
	ISO 430	532	Q 086

기호	규격번호	페이지	색인번호
CuNi 18 Zn 27	DIN 17663	512	Q 041
	ISO 430	512	Q 041
	DIN 17663	532	Q 088
	ISO 430	532	Q 088
CuNi30 Fe2 Mn 2	ISO 429	540	Q 106
CuNi 30 Mn 1 Fe	DIN 17664	504	Q 027
	ISO 429	504	Q 027
	DIN 17664	540	Q 105
	ISO 429	540	Q 105
Cu-OF	ISO 1337	490	Q 001
	ISO 1337	512	Q 042
	ISO 1337	534	Q 090
CuPb 5 Sn	DIN 1716	664	S 031
CuPb 10 Sn	DIN 1716	664	S 032
	DIN 1716	664	S 033
CuPb 15 Sn	DIN 1716	664	S 034
	DIN 1716	664	S 035
CuPb 20 Sn	DIN 1716	666	S 036
	DIN 1716	666	S 037
CuSn 4	DIN 17662	504	Q 030
	ISO 427	504	Q 030
	DIN 17662	528	Q 079
	ISO 427	528	Q 079
CuSn4 Pb4 Zn3	ISO 427	530	Q 084
CuSn 5	ISO 427	506	Q 031
	ISO 427	528	Q 080
CuSn 5 ZnPb	DIN 1705	660	S 021
	DIN 1705	660	S 022
CuSn 6	DIN 17662	506	Q 032
	ISO 427	506	Q 032
	DIN 17662	530	Q 081
	ISO 427	530	Q 081
CuSn 8	DIN 17662	506	Q 033
	ISO 427	506	Q 033
	DIN 17662	510	Q 040

기호	규격번호	페이지	색인번호
	ISO 427	510	Q 040
	DIN 17662	530	Q 082
	ISO 427	530	Q 082
CuSn 10	DIN 1705	660	S 025
	DIN 1705	662	S 027
CuSn 10 Zn	DIN 1705	658	S 019
	DIN 1705	658	S 020
CuSn 12	DIN 1705	662	S 028
	DIN 1705	662	S 029
	DIN 1705	662	S 030
CuZn 5	DIN 17660	492	Q 007
	ISO 426-1	492	Q 007
	DIN 17660	522	Q 065
	ISO 426-1	522	Q 065
CuZn 10	DIN 17660	494	Q 008
	ISO 426-1	494	Q 008
	ISO 426-1	522	Q 066
	DIN 17660	536	Q 094
	ISO 426-1	536	Q 094
CuZn 15	DIN 17660	494	Q 009
	ISO 426-1	494	Q 009
	DIN 17660	522	Q 067
	ISO 426-1	522	Q 067
	DIN 17660	536	Q 095
	ISO 426-1	536	Q 095
	DIN 1709	652	S 004
CuZn 15 Si 4	DIN 1709	670	S 046
CuZn 20	DIN 17660	494	Q 010
	ISO 426-1	494	Q 010
	DIN 17660	524	Q 068
	ISO 426-1	524	Q 068
CuZn 20 Al 2	DIN 17660	538	Q 100
	ISO 426-1	538	Q 100
	DIN 17660	538	Q 101
	DIN 17660	538	Q 102

기호	규격번호	페이지	색인번호
CuZn 25 Al 5	DIN 1709	656	S 011
	DIN 1709	656	S 012
	DIN 1709	656	S 013
	DIN 1709	656	S 014
CuZn 28 Sn 1	DIN 17660	500	Q 019
	ISO 426-1	500	Q 019
	DIN 17660	538	Q 099
	ISO 426-1	538	Q 099
CuZn 30	DIN 17660	496	Q 011
	ISO 426-1	496	Q 011
	DIN 17660	514	Q 046
	ISO 426-1	514	Q 046
	DIN 17660	524	Q 069
	ISO 426-1	524	Q 069
	DIN 17660	536	Q 096
	ISO 426-1	536	Q 096
CuZn 33 Pb	DIN 1709	652	S 005
CuZn 34 Al 1	DIN 1709	654	S 009
	DIN 1709	654	S 010
CuZn 35	ISO 426-1	496	Q 012
	ISO 426-1	514	Q 047
	ISO 426-1	524	Q 070
CuZn 35 Al 1	DIN 1709	654	S 007
CuZn 36	DIN 17660	496	Q 012
	DIN 17660	514	Q 047
	DIN 17660	524	Q 070
	DIN 17660	536	Q 097
CuZn 36 Pb 1.5	DIN 17660	498	Q 015
	DIN 17660	526	Q 073
CuZn 36 Pb 3	ISO 426-2	498	Q 015
	DIN 17660	514	Q 049
	ISO 426-2	514	Q 049
	DIN 17660	514	Q 050
	DIN 17660	526	Q 074
	ISO 426-2	526	Q 074

기호	규격번호	페이지	색인번호
CuZn 37	DIN 17660	496	Q 013
	ISO 426-1	496	Q 013
	DIN 17660	524	Q 071
CuZn 37 Pb	DIN 1709	654	S 006
CuZn 37 Pb 1	ISO 426-2	526	Q 073
CuZn 37 Pb 2	ISO 426-2	516	Q 050
CuZn 37 Sn 1 Pb 1	ISO 426-1	504	Q 028
CuZn 38 Pb 1.5	DIN 17660	498	Q 017
CuZn 38 Pb 2	ISO 426-2	498	Q 017
	ISO 426-2	516	Q 051
	ISO 426-2	518	Q 055
CuZn 38 Pb 4	ISO 426-2	516	Q 053
CuZn 38 Sn 1	DIN 17660	500	Q 021
	ISO 426-1	500	Q 021
	DIN 17660	504	Q 028
	DIN 17660	518	Q 056
	ISO 426-1	518	Q 056
	DIN 17660	518	Q 057
	ISO 426-1	518	Q 057
CuZn 39 Pb 0.5	DIN 17660	498	Q 016
	DIN 17660	504	Q 029
	DIN 17660	516	Q 054
CuZn 39 Pb 1	ISO 426-2	498	Q 016
CuZn 39 Pb 2	DIN 17660	518	Q 055
	ISO 426-2	518	Q 055
CuZn 39 Pb 3	DIN 17660	516	Q 051
	DIN 17660	516	Q 052
	ISO 426-2	516	Q 052
	DIN 17660	528	Q 077
	ISO 426-2	528	Q 077
CuZn 40	DIN 17660	496	Q 014
	ISO 426-1	496	Q 014
	DIN 17660	514	Q 048
	ISO 426-1	514	Q 048
	DIN 17660	524	Q 072

기호	규격번호	페이지	색인번호
	ISO 426-1	526	Q 072
	DIN 17660	538	Q 098
	ISO 426-1	538	Q 098
CuZn 40 Al 1	DIN 17660	520	Q 061
CuZn 40 Pb	ISO 426-2	504	Q 029
	ISO 426-2	516	Q 054
CZ 101	BS EN 1652	494	Q 008
	BS EN 1653	494	Q 008
	BS EN 12166	522	Q 066
CZ 102	BS EN 1652	494	Q 009
	BS EN 1653	494	Q 009
	BS EN 12166	522	Q 067
CZ 103	BS EN 1652	494	Q 010
	BS EN 1653	494	Q 010
	BS EN 12166	524	Q 068
CZ 106	BS EN 1652	494	Q 011
	BS EN 1653	494	Q 011
	BS EN 12163	514	Q 046
	BS EN 12166	524	Q 069
CZ 107	BS EN 1652	496	Q 012
	BS EN 1653	496	Q 012
	BS EN 12166	524	Q 070
CZ 108	BS EN 1652	496	Q 013
	BS EN 1653	496	Q 013
CZ 109	BS EN 12163	514	Q 048
CZ 110	BS 2871	538	Q 100
	BS 2871	538	Q 101
	BS 2871	538	Q 102
CZ 111	BS 2871	538	Q 099
CZ 112	BS EN 1652	500	Q 020
	BS EN 1653	500	Q 020
CZ 114	BS EN 12163	520	Q 061
CZ 119	BS EN 1652	498	Q 015
	BS EN 12166	526	Q 073
	BS 2871	538	Q 098

기호	규격번호	페이지	색인번호
CZ 120	BS EN 1652	498	Q 017
CZ 121	BS EN 12164	516	Q 051
	BS EN 12164	516	Q 052
CZ 122	BS EN 12167	518	Q 055
	BS EN 12164	518	Q 056
CZ 123	BS EN 1652	498	Q 016
	BS EN 1652	504	Q 029
	BS EN 12167	516	Q 054
CZ 124	BS EN 12164	514	Q 049
	BS EN 12164	514	Q 050
CZ 126	BS 2871	536	Q 096
D	ASTM A 283	24	A 002
	ASTM A 633	36	A 003
	ASTM A 678	48	A 004
	ASTM A 178	188	F 003
D 2	ASTM A 681	348	J 038
D-2	ASTM A 439	470	P 029
D-2 B	ASTM A 439	472	P 031
D-2 C	ASTM A 439	472	P 033
D 3	ASTM A 681	348	J 037
D-3	ASTM A 439	474	P 036
D-3 A	ASTM A 439	474	P 035
D-4	ASTM A 439	476	P 038
D-5	ASTM A 439	476	P 039
D-5 B	ASTM A 439	476	P 040
D-5 S	ASTM A 439	476	P 041
DC 01	EN 10139	120	C 004
	EN 10152	146	D 013
DC 01 EK	EN 10209	124	C 008
DC 03	EN 10139	120	C 004
	EN 10152	146	D 013
DC 03 ED	EN 10209	124	C 008
DC 04	EN 10139	120	C 004
	EN 10152	146	D 013
DC 04 ED	EN 10209	124	C 008

기호	규격번호	페이지	색인번호
DC 04 EK	EN 10209	124	C 008
DC 05	EN 10139	120	C 004
	EN 10152	146	D 013
DC 06	EN 10139	120	C 004
	EN 10152	146	D 013
DC 06 ED	EN 10209	124	C 008
DC 06 EK	EN 10209	124	C 008
DCB 3	BS 1400	654	S 006
DD 11	EN 10111	116	C 002
DD 12	EN 10111	116	C 002
DD 13	EN 10111	116	C 002
DD 14	EN 10111	116	C 002
DDS	ASTM A 653	126	D 002
	ASTM A 875	132	D 005
	ASTM A 463	138	D 008
DR 550	EN 10205	154	D 018
	EN 10203	156	D 020
	EN 10202	158	D 022
DR 620	EN 10205	154	D 018
	EN 10203	156	D 020
	EN 10202	158	D 022
DR 660	EN 10205	154	D 018
	EN 10203	156	D 020
	EN 10202	158	D 022
DS	ASTM A 792	142	D 011
DX 51 D	EN 10142	126	D 001
	EN 10214	132	D 004
	EN 10215	142	D 010
DX 52 D	EN 10142	128	D 002
	EN 10214	134	D 005
	EN 10215	142	D 011
DX 53 D	EN 10142	128	D 002
	EN 10214	134	D 005
	EN 10215	142	D 011
DX 54 D	EN 10142	128	D 002
	EN 10214	134	D 005
	EN 10215	142	D 011
E	ASTM A 633	36	A 003
E 185	ISO 630	18	A 001
E 235 A	ISO 630	18	A 001
E 235 B	ISO 630	20	A 001
E 235 C	ISO 630	20	A 001
E 235 D	ISO 630	20	A 001
E 275 A	ISO 630	30	A 002
E 275 B	ISO 630	30	A 002
E 275 C	ISO 630	30	A 002
E 275 D	ISO 630	30	A 002
E 295	BS EN 10025	38	A 003
	DIN EN 10025	38	A 003
	NF EN 10025	38	A 003
E 335	BS EN 10025	38	A 003
	DIN EN 10025	38	A 003
	NF EN 10025	38	A 003
E 355 C	ISO 630	42	A 003
E 355 D	ISO 630	42	A 003
E 355 DD	ISO 4950-2	42	A 003
E 355 E	ISO 4950-2	42	A 003
E 360	BS EN 10025	40	A 003
	DIN EN 10025	40	A 003
	NF EN 10025	40	A 003
E 460 CC	ISO 4950-2	42	A 003
E 460 DD	ISO 4950-2	44	A 003
	ISO 4950-3	44	A 003
E 460 E	ISO 4950-2	44	A 003
	ISO 4950-3	44	A 003
E 550 DD	ISO 4950-3	44	A 003
E 550 E	ISO 4950-3	44	A 003
E 690 DD	ISO 4950-3	44	A 003
E 690 E	ISO 4950-3	44	A 003
ECu 57	DIN 1787	490	Q 002

기호	규격번호	페이지	색인번호
	DIN 1787	512	Q 043
	DIN 1787	520	Q 062
E-Cu 57	DIN 1787	534	Q 091
ECu 58	DIN 1787	520	Q 062
EDDS	ASTM A 653	128	D 002
	ASTM A 875	134	D 005
	ASTM A 463	138	D 008
EN AW-1050A	BS EN 573-3	562	R 035
	BS EN 485-2	562	R 035
	DIN EN 573-3	562	R 035
	DIN EN 485-2	562	R 035
	NF EN 573-3	562	R 035
	NF EN 485-2	562	R 035
	BS EN 573-3	574	R 061
	BS EN 755-2	574	R 061
	DIN EN 573-3	574	R 061
	DIN EN 755-2	574	R 061
	NF EN 573-3	574	R 061
	NF EN 755-2	574	R 061
	BS EN 573-2	590	R 089
	BS EN 754-2	590	R 089
	DIN EN 573-3	590	R 089
	DIN EN 754-2	590	R 089
	NF EN 573-3	590	R 089
	NF EN 754-2	590	R 089
	BS EN 573-3	606	R 123
	BS EN 755-2	606	R 123
	DIN EN 573-3	606	R 123
	DIN EN 755-2	606	R 123
	NF EN 573-3	606	R 123
	NF EN 755-2	606	R 123
	BS EN 573-3	618	R 148
	BS EN 754-2	618	R 148
	DIN EN 573-3	618	R 148
	DIN EN 754-2	618	R 148
	NF EN 573-3	618	R 148
	NF EN754-2	618	R 148
EN AW-1070A	BS EN 573-3	618	R 003
	BS EN 485-2	546	R 003
	DIN EN 573-3	546	R 003
	DIN EN 485-2	546	R 003
	NF EN 573-3	546	R 003
	NF EN485-2	546	R 003
EN AW-1080A	BS EN 573-3	546	R 002
	BS EN 485-2	546	R 002
	DIN EN 573-3	546	R 002
	DIN EN 485-2	546	R 002
	NF EN 573-3	546	R 002
	NF EN 485-2	546	R 002
EN AW-1200	BS EN 573-3	548	R 006
	BS EN 485-2	548	R 006
	DIN EN 573-3	548	R 006
	DIN EN 485-2	548	R 006
	NF EN 573-3	548	R 006
	NF EN 485-2	548	R 006
	BS EN 573-3	568	R 048
	BS EN 755-2	568	R 048
	DIN EN 573-3	568	R 048
	DIN EN 755-2	568	R 048
	NF EN 573-3	568	R 048
	NF EN 755-2	568	R 048
	BS EN 573-3	582	R 076
	BS EN 754-2	582	R 076
	DIN EN 573-3	582	R 076
	DIN EN 754-2	582	R 076
	NF EN 573-3	582	R 076
	NF EN 754-2	582	R 076
	BS EN 573-3	598	R 107
	BS EN 755-2	598	R 107
	DIN EN 573-3	598	R 107

기호	규격번호	페이지	색인번호
	DIN EN 755-2	598	R 107
	NF EN 573-3	598	R 107
	NF EN 755-2	598	R 107
	BS EN 573-3	612	R 136
	BS EN 754-2	612	R 136
	DIN EN 573-3	612	R 136
	DIN EN 754-2	612	R 136
	NF EN 573-3	612	R 136
	NF EN 754-2	612	R 136
	BS EN 573-3	624	R 161
	BS EN 755-2	624	R 161
	DIN EN 573-3	624	R 161
	DIN EN 755-2	624	R 161
	NF EN 573-3	624	R 161
	NF EN 755-2	624	R 161
EN AW-2011	BS EN 573-3	582	R 077
	BS EN 754-2	582	R 077
	DIN EN 573-3	582	R 077
	DIN EN 754-2	582	R 077
	NF EN 573-3	582	R 077
	NF EN 754-2	582	R 077
	BS EN 573-3	620	R 150
	BS EN 754-2	620	R 150
	DIN EN 573-3	620	R 150
	DIN EN 754-2	620	R 150
	NF EN 573-3	620	R 150
	NF EN754-2	620	R 150
EN AW-2014	BS EN 573-3	550	R 009
	BS EN 485-2	550	R 009
	DIN EN 573-3	550	R 009
	DIN EN 485-2	550	R 009
	NF EN 573-3	550	R 009
	NF EN 485-2	550	R 009
	BS EN 573-3	568	R 049
	BS EN 755-2	568	R 049

기호	규격번호	페이지	색인번호
	DIN EN 573-3	568	R 049
	DIN EN 755-2	568	R 049
	NF EN 573-3	568	R 049
	NF EN 755-2	568	R 049
	BS EN 573-3	584	R 078
	BS EN 754-2	584	R 078
	DIN EN 573-3	584	R 078
	DIN EN 754-2	584	R 078
	NF EN 573-3	584	R 078
	NF EN 754-2	584	R 078
	BS EN 573-3	600	R 108
	BS EN 755-2	600	R 108
	DIN EN 573-3	600	R 108
	DIN EN 755-2	600	R 108
	NF EN 573-3	600	R 108
	NF EN 755-2	600	R 108
	BS EN 573-3	626	R 162
	BS EN 755-2	626	R 162
	DIN EN 573-3	626	R 162
	DIN EN 755-2	626	R 162
	NF EN 573-3	626	R 162
	NF EN 755-2	626	R 162
EN AW-2014 A	BS EN 573-3	576	R 063
	BS EN 755-2	576	R 063
	DIN EN 573-3	576	R 063
	DIN EN 755-2	576	R 063
	NF EN 573-3	576	R 063
	NF EN 755-2	576	R 063
	BS EN 573-3	590	R 091
	BS EN 754-2	590	R 091
	DIN EN 573-3	590	R 091
	DIN EN 754-2	590	R 091
	NF EN 573-3	590	R 091
	NF EN 754-2	590	R 091
	BS EN 573-3	606	R 124

기호	규격번호	페이지	색인번호
	BS EN 755-2	606	R 124
	DIN EN 573-3	606	R 124
	DIN EN 755-2	606	R 124
	NF EN 573-3	606	R 124
	NF EN 755-2	606	R 124
	BS EN 573-3	620	R 149
	BS EN 754-2	620	R 149
	DIN EN 573-3	620	R 149
	DIN EN 754-2	620	R 149
	NF EN 573-3	620	R 149
	NF EN 754-2	620	R 149
	BS EN 573-3	632	R 177
	BS EN 755-2	632	R 177
	DIN EN 573-3	632	R 177
	DIN EN 755-2	632	R 177
	NF EN 573-3	632	R 177
	NF EN755-2	632	R 177
EN AW-2017 A	BS EN 573-3	562	R 037
	BS EN 485-2	562	R 037
	DIN EN 573-3	562	R 037
	DIN EN 485-2	562	R 037
	NF EN 573-3	562	R 037
	NF EN 485-2	562	R 037
	BS EN 573-3	574	R 062
	BS EN 755-2	574	R 062
	DIN EN 573-3	574	R 062
	DIN EN 755-2	574	R 062
	NF EN 573-3	574	R 062
	NF EN755-2	574	R 062
	BS EN 573-3	590	R 090
	BS EN 754-2	590	R 090
	DIN EN 573-3	590	R 090
	DIN EN 754-2	590	R 090
	NF EN 573-3	590	R 090
	NF EN754-2	590	R 090

기호	규격번호	페이지	색인번호
	BS EN 573-3	608	R 125
	BS EN 755-2	608	R 125
	DIN EN 573-3	608	R 125
	DIN EN 755-2	608	R 125
	NF EN 573-3	608	R 125
	NF EN 755-2	608	R 125
	BS EN 573-3	634	R 178
	BS EN 755-2	634	R 178
	DIN EN 573-3	634	R 178
	DIN EN 755-2	634	R 178
	NF EN 573-3	634	R 178
	NF EN 755-2	634	R 178
EN AW-2024	BS EN 573-3	550	R 012
	BS EN 485-2	550	R 012
	DIN EN 573-3	550	R 012
	DIN EN 485-2	550	R 012
	NF EN 573-3	550	R 012
	NF EN 485-2	550	R 012
	BS EN 573-3	570	R 051
	BS EN 755-2	570	R 051
	DIN EN 573-3	570	R 051
	DIN EN 755-2	570	R 051
	NF EN 573-3	570	R 051
	NF EN 755-2	570	R 051
	BS EN 573-3	584	R 081
	BS EN 754-2	584	R 081
	DIN EN 573-3	584	R 081
	DIN EN 754-2	584	R 081
	NF EN 573-3	584	R 081
	NF EN 754-2	584	R 081
	BS EN 573-3	600	R 110
	BS EN 755-2	600	R 110
	DIN EN 573-3	600	R 110
	DIN EN 755-2	600	R 110
	NF EN 573-3	600	R 110

기호	규격번호	페이지	색인번호
	NF EN 755-2	600	R 110
	BS EN 573-3	614	R 138
	BS EN 754-2	614	R 138
	DIN EN 573-3	614	R 138
	DIN EN 754-2	614	R 138
	NF EN 573-3	614	R 138
	NF EN 754-2	614	R 138
	BS EN 573-3	626	R 164
	BS EN 755-2	626	R 164
	DIN EN 573-3	626	R 164
	DIN EN 755-2	626	R 164
	NF EN 573-3	626	R 164
	NF EN 755-2	626	R 164
EN AW-2030	BS EN 573-3	576	R 064
	BS EN 755-2	576	R 064
	DIN EN 573-3	576	R 064
	DIN EN 755-2	576	R 064
	NF EN 573-3	576	R 064
	NF EN 755-2	576	R 064
	BS EN 573-3	592	R 092
	BS EN 754-2	592	R 092
	DIN EN 573-3	592	R 092
	DIN EN 754-2	592	R 092
	NF EN 573-3	592	R 092
	NF EN 754-2	592	R 092
	BS EN 573-3	620	R 151
	BS EN 754-2	620	R 151
	DIN EN 573-3	620	R 151
	DIN EN 754-2	620	R 151
	NF EN 573-3	620	R 151
	NF EN 754-2	620	R 151
EN AW-3003	BS EN 573-3	552	R 013
	BS EN 485-2	552	R 013
	DIN EN 573-3	552	R 013
	DIN EN 485-2	552	R 013
	NF EN 573-3	552	R 013
	NF EN 485-2	552	R 013
	BS EN 573-3	570	R 052
	BS EN 755-2	570	R 052
	DIN EN 573-3	570	R 052
	DIN EN 755-2	570	R 052
	NF EN 573-3	570	R 052
	NF EN 755-2	570	R 052
	BS EN 573-3	586	R 082
	BS EN 754-2	586	R 082
	DIN EN 573-3	586	R 082
	DIN EN 754-2	586	R 082
	NF EN 573-3	586	R 082
	NF EN 754-2	586	R 082
	BS EN 573-3	600	R 111
	BS EN 755-2	600	R 111
	DIN EN 573-3	600	R 111
	DIN EN 755-2	600	R 111
	NF EN 573-3	600	R 111
	NF EN 755-2	600	R 111
	BS EN 573-3	614	R 139
	BS EN 754-2	614	R 139
	DIN EN 573-3	614	R 139
	DIN EN 754-2	614	R 139
	NF EN 573-3	614	R 139
	NF EN 754-2	614	R 139
	BS EN 573-3	626	R 165
	BS EN 755-2	626	R 165
	DIN EN 573-3	626	R 165
	DIN EN 755-2	626	R 165
	NF EN 573-3	626	R 165
	NF EN 755-2	626	R 165
EN AW-3004	BS EN 573-3	552	R 015
	BS EN 485-2	552	R 015
	DIN EN 573-3	552	R 015

기호	규격번호	페이지	색인번호
	DIN EN 485-2	552	R 015
	NF EN 573-3	552	R 015
	NF EN 485-2	552	R 015
EN AW-3005	BS EN 573-3	554	R 017
	BS EN 485-2	554	R 017
	DIN EN 573-3	554	R 017
	DIN EN 485-2	554	R 017
	NF EN 573-3	554	R 017
	NF EN 485-2	554	R 017
EN AW-3103	BS EN 573-3	562	R 038
	BS EN 485-2	562	R 038
	DIN EN 573-3	562	R 038
	DIN EN 485-2	562	R 038
	NF EN 573-3	562	R 038
	NF EN 485-2	562	R 038
	BS EN 573-3	592	R 094
	BS EN 754-2	592	R 094
	DIN EN 573-3	592	R 094
	DIN EN 754-2	592	R 094
	NF EN 573-3	592	R 094
	NF EN 754-2	592	R 094
	BS EN 573-3	608	R 126
	BS EN 755-2	608	R 126
	DIN EN 573-3	608	R 126
	DIN EN 755-2	608	R 126
	NF EN 573-3	608	R 126
	NF EN 755-2	608	R 126
	BS EN 573-3	620	R 152
	BS EN 754-2	620	R 152
	DIN EN 573-3	620	R 152
	DIN EN 754-2	620	R 152
	NF EN573-3	620	R 152
	NF EN 754-2	620	R 152
EN AW-3105	BS EN 573-3	554	R 018
	BS EN 485-2	554	R 018

기호	규격번호	페이지	색인번호
	DIN EN 573-3	554	R 018
	DIN EN 485-2	554	R 018
	NF EN 573-3	554	R 018
	NF EN 485-2	554	R 018
EN AW-5005	DIN EN 573-3	554	R 019
	EIN EN 485-2	554	R 019
	NF EN 573-3	554	R 019
	NF EN 485-2	554	R 019
	ISO 209-1	554	R 019
	ISO 6361-2	554	R 019
	BS EN 573-3	620	R 153
	BS EN 754-2	620	R 153
	DIN EN 573-3	620	R 153
	DIN EN 754-2	620	R 153
	NF EN 573-3	620	R 153
	NF EN 754-2	620	R 153
EN AW-5052	BS EN 573-3	554	R 020
	BS EN 485-2	554	R 020
	DIN EN573-3	554	R 020
	DIN EN 485-2	554	R 020
	NF EN 573-3	554	R 020
	NF EN 485-2	554	R 020
	BS EN 573-3	570	R 053
	BS EN 755-2	570	R 053
	DIN EN 573-3	570	R 053
	DIN EN 755-2	570	R 053
	NF EN 573-3	570	R 053
	NF EN 755-2	570	R 053
	BS EN 573-3	586	R 083
	BS EN 754-2	586	R 083
	DIN EN 573-3	586	R 083
	DIN EN 754-2	586	R 083
	NF EN 573-3	586	R 083
	NF EN 754-2	586	R 083
	BS EN 573-3	616	R 141

기호	규격번호	페이지	색인번호
	BS EN 754-2	616	R 141
	DIN EN 573-3	616	R 141
	DIN EN 754-2	616	R 141
	NF EN 573-3	616	R 141
	NF EN 754-2	616	R 141
	BS EN 573-3	628	R 167
	BS EN 755-2	628	R 167
	DIN EN 573-3	628	R 167
	DIN EN 755-2	628	R 167
	NF EN 573-3	628	R 167
	NF EN 755-2	628	R 167
EN AW-5083	BS EN 573-3	558	R 027
	BS EN 485-2	558	R 027
	DIN EN 573-3	558	R 027
	DIN EN 485-2	558	R 027
	NF EN 573-3	558	R 027
	NF EN 485-2	558	R 027
	BS EN 573-3	572	R 055
	BS EN 755-2	572	R 055
	DIN EN 573-3	572	R 055
	DIN EN 755-2	572	R 055
	NF EN 573-3	572	R 055
	NF EN 755-2	572	R 055
	BS EN 573-3	588	R 086
	BS EN 754-2	588	R 086
	DIN EN 573-3	588	R 086
	DIN EN 754-2	588	R 086
	NF EN 573-3	588	R 086
	NF EN 754-2	588	R 086
	BS EN 573-3	604	R 117
	BS EN 755-2	604	R 117
	DIN EN 573-3	604	R 117
	DIN EN 755-2	604	R 117
	NF EN 573-3	604	R 117
	NF EN 755-2	604	R 117

기호	규격번호	페이지	색인번호
	BS EN 573-3	616	R 144
	BS EN 754-2	616	R 144
	DIN EN 573-3	616	R 144
	DIN EN 754-2	616	R 144
	NF EN 573-3	616	R 144
	NF EN 754-2	616	R 144
	BS EN 573-3	628	R 169
	BS EN 755-2	628	R 169
	DIN EN 573-3	628	R 169
	DIN EN 755-2	628	R 169
	NF EN 573-3	628	R 169
	NF EN 755-2	628	R 169
EN AW-5086	BS EN 573-3	558	R 028
	BS EN 485-2	558	R 028
	DIN EN 573-3	558	R 028
	DIN EN 485-2	558	R 028
	NF EN 573-3	558	R 028
	NF EN 485-2	558	R 028
	BS EN 573-3	594	R 098
	BS EN 754-2	594	R 098
	DIN EN 573-3	594	R 098
	DIN EN 754-2	594	R 098
	NF EN 573-3	594	R 098
	NF EN 754-2	594	R 098
	BS EN 573-3	622	R 156
	BS EN 754-2	622	R 156
	DIN EN 573-3	622	R 156
	DIN EN 754-2	622	R 156
	NF EN 573-3	622	R 156
	NF EN 754-2	622	R 156
	BS EN 573-3	630	R 170
	BS EN 755-2	630	R 170
	DIN EN 573-3	630	R 170
	DIN EN 755-2	630	R 170
	NF EN 573-3	630	R 170

기호	규격번호	페이지	색인번호
	NF EN 755-2	630	R 170
EN AW-5154 A	BS EN 573-3	556	R 022
	BS EN 485-2	556	R 022
	DIN EN 573-3	556	R 022
	DIN EN 485-2	556	R 022
	NF EN 573-3	556	R 022
	NF EN 485-2	556	R 022
EN AW-5182	BS EN 573-3	558	R 026
	BS EN 485-2	558	R 026
	DIN EN 573-3	558	R 026
	DIN EN 485-2	558	R 026
	NF EN 573-3	558	R 026
	NF EN 485-2	558	R 026
EN AW-5251	BS EN 573-3	622	R 154
	BS EN 754-2	622	R 154
	DIN EN 573-3	622	R 154
	DIN EN 754-2	622	R 154
	NF EN 573-3	622	R 154
	NF EN 754-2	622	R 154
EN AW-5454	BS EN 573-3	556	R 024
	BS EN 485-2	556	R 024
	DIN EN 573-3	556	R 024
	DIN EN 485-2	556	R 024
	NF EN 573-3	556	R 024
	NF EN 485-2	556	R 024
	BS EN 573-3	576	R 065
	BS EN 755-2	576	R 065
	DIN EN 573-3	576	R 065
	DIN EN 755-2	576	R 065
	NF EN 573-3	576	R 065
	NF EN 755-2	576	R 065
	BS EN 573-3	602	R 115
	BS EN 755-2	602	R 115
	DIN EN 573-3	602	R 115
	DIN EN 755-2	602	R 115

기호	규격번호	페이지	색인번호
	NF EN 573-3	602	R 115
	NF EN 755-2	602	R 115
	BS EN 573-3	628	R 168
	BS EN 755-2	628	R 168
	DIN EN 573-3	628	R 168
	DIN EN 755-2	628	R 168
	NF EN 573-3	628	R 168
	NF EN 755-2	628	R 168
EN AW-5754	BS EN 573-3	564	R 039
	BS EN 485-2	564	R 039
	DIN EN 573-3	564	R 039
	DIN EN 485-2	564	R 039
	NF EN 573-3	564	R 039
	NF EN 485-2	564	R 039
	BS EN 573-3	594	R 097
	BS EN 754-2	594	R 097
	DIN EN 573-3	594	R 097
	DIN EN 754-2	594	R 097
	NF EN 573-3	594	R 097
	NF EN 754-2	594	R 097
	BS EN 573-3	608	R 127
	BS EN 755-2	608	R 127
	DIN EN 573-3	608	R 127
	DIN EN 755-2	608	R 127
	NF EN 573-3	608	R 127
	NF EN 755-2	608	R 127
	BS EN 573-3	622	R 155
	BS EN 754-2	622	R 155
	DIN EN 573-3	622	R 155
	DIN EN 754-2	622	R 155
	NF EN 573-3	622	R 155
	NF EN 754-2	622	R 155
EN AW-6005 A	BS EN 573-3	578	R 067
	BS EN 755-2	578	R 067
	DIN EN 573-3	578	R 067

기호	규격번호	페이지	색인번호
	DIN EN 755-2	578	R 067
	NF EN 573-3	578	R 067
	NF EN 755-2	578	R 067
	BS EN 573-3	610	R 129
	BS EN 755-2	610	R 129
	DIN EN 573-3	610	R 129
	DIN EN 755-2	610	R 129
	NF EN 573-3	610	R 129
	NF EN 755-2	610	R 129
	BS EN 573-3	634	R 180
	BS EN 755-2	634	R 180
	DIN EN 573-3	634	R 180
	DIN EN 755-2	634	R 180
	NF EN 573-3	634	R 180
	NF EN 755-2	634	R 180
EN AW-6060	BS EN 573-3	576	R 066
	BS EN 755-2	576	R 066
	DIN EN 573-3	576	R 066
	DIN EN 755-2	576	R 066
	NF EN 573-3	576	R 066
	NF EN 755-2	576	R 066
	BS EN 573-3	608	R 128
	BS EN 755-2	608	R 128
	DIN EN 573-3	608	R 128
	DIN EN 755-2	608	R 128
	NF EN 573-3	608	R 128
	NF EN 755-2	608	R 128
	BS EN 573-3	622	R 157
	BS EN 754-2	622	R 157
	DIN EN 573-3	622	R 157
	DIN EN 754-2	622	R 157
	NF EN 573-3	622	R 157
	NF EN 754-2	622	R 157
	BS EN 573-3	634	R 179
	BS EN 755-2	634	R 179
	DIN EN 573-3	634	R 179
	DIN EN 755-2	634	R 179
	NF EN 573-3	634	R 179
	NF EN 755-2	634	R 179
EN AW-6061	BS EN 573-3	560	R 030
	BS EN 485-2	560	R 030
	DIN EN 573-3	560	R 030
	DIN EN 485-2	560	R 030
	NF EN 573-3	560	R 030
	NF EN 485-2	560	R 030
	BS EN 573-3	572	R 056
	BS EN 755-2	572	R 056
	DIN EN 573-3	572	R 056
	DIN EN 755-2	572	R 056
	NF EN 573-3	572	R 056
	NF EN 755-2	572	R 056
	BS EN 573-3	588	R 087
	BS EN 754-2	588	R 087
	DIN EN 573-3	588	R 087
	DIN EN 754-2	588	R 087
	NF EN 573-3	588	R 087
	NF EN 754-2	588	R 087
	BS EN 573-3	604	R 118
	BS EN 755-2	604	R 118
	DIN EN 573-3	604	R 118
	DIN EN 755-2	604	R 118
	NF EN 573-3	604	R 118
	NF EN 755-2	604	R 118
	BS EN 573-3	618	R 145
	BS EN 754-2	618	R 145
	DIN EN 573-3	618	R 145
	DIN EN 754-2	618	R 145
	NF EN 573-3	618	R 145
	NF EN 754-2	618	R 145
	BS EN 573-3	630	R 171

기호	규격번호	페이지	색인번호
	BS EN 755-2	630	R 171
	DIN EN 573-3	630	R 171
	DIN EN755-2	630	R 171
	NF EN 573-3	630	R 171
	NF EN 755-2	630	R 171
EN AW-6063	BS EN 573-3	572	R 057
	BS EN 755-2	572	R 057
	DIN EN 573-3	572	R 057
	DIN EN 755-2	572	R 057
	NF EN 573-3	572	R 057
	NF EN 755-2	572	R 057
	BS EN 573-3	604	R 119
	BS EN 755-2	604	R 119
	DIN EN 573-3	604	R 119
	DIN EN 755-2	604	R 119
	NF EN 573-3	604	R 119
	NF EN 755-2	604	R 119
	BS EN 573-3	618	R 146
	BS EN 754-2	618	R 146
	DIN EN 573-3	618	R 146
	DIN EN 754-2	618	R 146
	NF EN 573-3	618	R 146
	NF EN 754-2	618	R 146
	BS EN 573-3	630	R 173
	BS EN 755-2	630	R 173
	DIN EN 573-3	630	R 173
	DIN EN 755-2	630	R 173
	NF EN 573-3	630	R 173
	NF EN 755-2	630	R 173
EN AW-6082	BS EN 573-3	564	R 040
	BS EN 485-2	564	R 040
	DIN EN 573-3	564	R 040
	DIN EN 485-2	564	R 040
	NF EN 573-3	564	R 040
	NF EN 485-2	564	R 040

기호	규격번호	페이지	색인번호
	BS EN 573-3	578	R 068
	BS EN 755-2	578	R 068
	DIN EN 573-3	578	R 068
	DIN EN 755-2	578	R 068
	NF EN 573-3	578	R 068
	NF EN 755-2	578	R 068
	BS EN 573-3	596	R 100
	BS EN 754-2	596	R 100
	DIN EN 573-3	596	R 100
	DIN EN 754-2	596	R 100
	NF EN 573-3	596	R 100
	NF EN 754-2	596	R 100
	BS EN 573-3	610	R 130
	BS EN 755-2	610	R 130
	DIN EN 573-3	610	R 130
	DIN EN 755-2	610	R 130
	NF EN 573-3	610	R 130
	NF EN 755-2	610	R 130
	BS EN 573-3	624	R 159
	BS EN 754-2	624	R 159
	DIN EN 573-3	624	R 159
	DIN EN 754-2	624	R 159
	NF EN 573-3	624	R 159
	NF EN 754-2	624	R 159
	BS EN 573-3	634	R 181
	BS EN 755-2	634	R 181
	DIN EN 573-3	634	R 181
	DIN EN 755-2	634	R 181
	NF EN 573-3	634	R 181
	NF EN 755-2	634	R 181
EN AW-6262	BS EN 573-3	594	R 099
	BS EN 754-2	594	R 099
	DIN EN 573-3	594	R 099
	DIN EN 754-2	594	R 099
	NF EN 573-3	594	R 099

기호	규격번호	페이지	색인번호
	NF EN 754-2	594	R 099
	BS EN 573-3	624	R 158
	BS EN 754-2	624	R 158
	DIN EN 573-3	624	R 158
	DIN EN 754-2	624	R 158
	NF EN 573-3	624	R 158
	NF EN 754-2	624	R 158
EN AW-7003	BS EN 573-3	632	R 174
	BS EN 755-2	632	R 174
	DIN EN 573-3	632	R 174
	DIN EN 755-2	632	R 174
	NF EN 573-3	632	R 174
	NF EN 755-2	632	R 174
EN AW-7005	BS EN 573-3	636	R 184
	BS EN 755-2	636	R 184
	DIN EN 573-3	636	R 184
	DIN EN 755-2	636	R 184
	NF EN 573-3	636	R 184
	NF EN 755-2	636	R 184
EN AW-7020	BS EN 573-3	578	R 070
	BS EN 755-2	578	R 070
	DIN EN 573-3	578	R 070
	DIN EN 755-2	578	R 070
	NF EN 573-3	578	R 070
	NF EN 755-2	578	R 070
	BS EN 573-3	596	R 102
	BS EN 754-2	596	R 102
	DIN EN 573-3	596	R 102
	DIN EN 754-2	596	R 102
	NF EN 573-3	596	R 102
	NF EN 754-2	596	R 102
	BS EN 573-3	610	R 131
	BS EN 755-2	610	R 131
	DIN EN 573-3	610	R 131
	DIN EN 755-2	610	R 131

기호	규격번호	페이지	색인번호
	NF EN 573-3	610	R 131
	NF EN 755-2	610	R 131
	BS EN 573-3	636	R 182
	BS EN 755-2	636	R 182
	DIN EN 573-3	636	R 182
	DIN EN 755-2	636	R 182
	NF EN 573-3	636	R 182
	NF EN 755-2	636	R 182
EN AW-7049 A	BS EN 573-3	596	R 103
	BS EN 754-2	596	R 103
	DIN EN 573-3	596	R 103
	DIN EN 754-2	596	R 103
	NF EN 573-3	596	R 103
	NF EN 754-2	596	R 103
EN AW-7075	BS EN 573-3	560	R 032
	BS EN 485-2	560	R 032
	DIN EN 573-3	560	R 032
	DIN EN 485-2	560	R 032
	NF EN 573-3	560	R 032
	NF EN 485-2	560	R 032
	BS EN 573-3	574	R 060
	BS EN 755-2	574	R 060
	DIN EN 573-3	574	R 060
	DIN EN 755-2	574	R 060
	NF EN 573-3	574	R 060
	NF EN 755-2	574	R 060
	BS EN 573-3	590	R 088
	BS EN 754-2	590	R 088
	DIN EN 573-3	590	R 088
	DIN EN 754-2	590	R 088
	NF EN 573-3	590	R 088
	NF EN 754-2	590	R 088
	BS EN 573-3	606	R 122
	BS EN 755-2	606	R 122
	DIN EN 573-3	606	R 122

기호	규격번호	페이지	색인번호
	DIN EN 755-2	606	R 122
	NF EN 573-3	606	R 122
	NF EN 755-2	606	R 122
	BS EN 573-3	618	R 147
	BS EN 754-2	618	R 147
	DIN EN 573-3	618	R 147
	DIN EN 754-2	618	R 147
	NF EN 573-3	618	R 147
	NF EN 754-2	618	R 147
	BS EN 573-3	632	R 176
	BS EN 755-2	632	R 176
	DIN EN 573-3	632	R 176
	DIN EN 755-2	632	R 176
	NF EN 573-3	632	R 176
	NF EN 755-2	632	R 176
EN-GJL-100	BS EN 1561	458	P 001
	DIN EN 1561	458	P 001
	NF EN 1561	458	P 001
EN-GJL-150	BS EN 1561	458	P 002
	DIN EN 1561	458	P 002
	NF EN 1561	458	P 002
EN-GJL-200	BS EN 1561	458	P 003
	DIN EN 1561	458	P 003
	NF EN 1561	458	P 003
EN-GJL-250	BS EN 1561	458	P 004
	DIN EN 1561	458	P 004
	NF EN 1561	458	P 004
EN-GJL-300	BS EN 1561	460	P 005
	DIN EN 1561	460	P 005
	NF EN 1561	460	P 005
EN-GJL-350	BS EN 1561	460	P 006
	DIN EN 1561	460	P 006
	NF EN 1561	460	P 006
EN-GJL-600-3	BS EN 1563	462	P 012
	DIN EN 1563	462	P 012

기호	규격번호	페이지	색인번호
	NF EN 1563	462	P 012
EN-GJMB-300-6	BS EN 1562	478	P 042
	DIN EN 1562	478	P 042
	NF EN 1562	478	P 042
	BS EN 1562	478	P 043
	DIN EN 1562	478	P 043
	NF EN 1562	478	P 043
EN-GJMB-350-10	BS EN 1562	478	P 044
	DIN EN 1562	478	P 044
	NF EN 1562	478	P 044
	BS EN 1562	478	P 045
	DIN EN 1562	478	P 045
	NF EN 1562	478	P 045
EN-GJMB-550-4	BS EN 1562	484	P 053
	DIN EN 1562	484	P 053
	NF EN 1562	484	P 053
EN-GJMB-600-3	BS EN 1562	486	P 054
	DIN EN 1562	486	P 054
	NF EN 1562	486	P 054
EN-GJMB-700-2	BS EN 1562	486	P 055
	DIN EN 1562	486	P 055
	NF EN 1562	486	P 055
EN-GJMW-350-4	BS EN 1562	480	P 046
	DIN EN 1562	480	P 046
	NF EN 1562	480	P 046
EN-GJMW-360-12	BS EN 1562	480	P 047
	DIN EN 1562	480	P 047
	NF EN 1562	480	P 047
EN-GJMW-450-7	BS EN 1562	482	P 048
	DIN EN 1562	482	P 048
	NF EN 1562	482	P 048
EN-GJMW-500-5	DIN EN 1562	484	P 052
EN-GJMW-540-4	BS EN 1562	482	P 050
	DIN EN 1562	482	P 050
	NF EN 1562	482	P 050

기호	규격번호	페이지	색인번호
EN-GJS-350-22	BS EN 1563	460	P 007
	DIN EN 1563	460	P 007
	NF EN 1563	460	P 007
EN-GJS-400-15	BS EN 1563	462	P 009
	DIN EN 1563	462	P 009
	NF EN 1563	462	P 009
EN-GJS-400-18	BS EN 1563	460	P 008
	DIN EN 1563	460	P 008
	NF EN 1563	460	P 008
EN-GJS-450-10	BS EN 1563	462	P 010
	DIN EN 1563	462	P 010
	NF EN 1563	462	P 010
EN-GJS-500-7	BS EN 1563	462	P 011
	DIN EN 1563	462	P 011
	NF EN 1563	462	P 011
EN-GJS-700-2	BS EN 1563	464	P 013
	DIN EN 1563	464	P 013
	NF EN 1563	464	P 013
EN-GJS-800-2	BS EN 1563	464	P 014
	DIN EN 1563	464	P 014
	NF EN 1563	464	P 014
EN-GJS-800-8	BS EN 1564	464	P 015
	DIN EN 1564	464	P 015
	NF EN 1564	464	P 015
EN-GJS-1000-5	BS EN 1564	464	P 016
	DIN EN 1564	464	P 016
	NF EN 1564	464	P 016
EN-GJS-1200-2	BS EN 1564	466	P 017
	DIN EN 1564	466	P 017
	NF EN 1564	466	P 017
EN-GJS-1400-1	BS EN 1564	466	P 018
	DIN EN 1564	466	P 018
	NF EN 1564	466	P 018
ERW C1	BS 1717	220	G 013
	BS 1717	236	G 050
ERW C3	BS 1717	222	G 015
	BS 1717	238	G 051
ERW 1	BS 6323-5	218	G 008
	BS 6323-5	220	G 013
	BS 6323-5	236	G 050
ERW 3	BS 6323-5	222	G 015
	BS 6323-5	238	G 051
ERW 5	BS 6323-5	228	G 027
	BS 6323-5	230	G 032
F 1	ASTM A 182	384	N 018
	ASTM A 336	384	N 018
	BS 3468	466	P 020
F 2	ASTM A 681	340	J 021
	ASTM A 182	384	N 019
	BS 3468	468	P 022
F 3	BS 3468	468	P 025
F 3 V	ASTM A 182	392	N 037
	ASTM A 336	392	N 037
F 5	ASTM A 336	390	N 030
	ASTM A 182	390	N 031
F 5 A	ASTM A 336	390	N 032
F 5 a	ASTM A 182	392	N 033
F 6	ASTM A 336	414	N 064
F 6 a	ASTM A 182	414	N 064
F 6 b	ASTM A 182	414	N 065
F 6 NM	ASTM A 182	414	N 066
F 8	ISO 2604-1	380	N 010
F 9	ASTM A 182	392	N 034
	ASTM A 336	392	N 034
F 11 Class 2	ASTM A 182	388	N 024
	ASTM A 336	388	N 024
F 11 Class 3	ASTM A 336	388	N 025
	ASTM A 182	388	N 025
F 12	ASTM A 336	386	N 023
F 12 Class 2	ASTM A 182	386	N 023

기호	규격번호	페이지	색인번호
F 13	ISO 2604-1	384	N 020
F 18	ISO 2604-1	384	N 021
F 21	ASTM A 182	390	N 029
F 21 Class 1	ASTM A 336	390	N 028
F 12 Class 3	ASTM A 336	390	N 029
F 22	ISO 2604-1	380	N 012
F 22 Class 1	ASTM A 182	388	N 026
	ASTM A 336	388	N 026
F 22 Class 3	ASTM A 182	388	N 027
	ASTM A 336	388	N 027
F 22 Q	ISO 2604-1	380	N 012
F 22 V	ASTM A 336	392	N 036
F 23	ISO 2604-1	380	N 011
F 28	ISO 2604-1	384	N 018
F 29	ISO 2604-1	384	N 018
F 32	ISO 2604-1	386	N 023
F 32 Q	ISO 2604-1	386	N 023
F 34	ISO 2604-1	388	N 027
F 34 Q	ISO 2604-1	388	N 027
F 37	NF A 36-612	374	N 001
	ISO 2604-1	390	N 030
F 42	NF 36-612	374	N 002
F 44	ISO 2604-1	386	N 022
F 46	ISO 2604-1	394	N 038
F 47	ISO 2604-1	396	N 040
F 48	NF A 36-612	374	N 003
	ISO 2604-1	396	N 041
F 50	ISO 2604-1	400	N 047
F 51	ISO 2604-1	402	N 048
F 52	NF A 36-612	376	N 004
F 53	ISO 2604-1	400	N 045
F 54 B	ISO 2604-1	400	N 046
F 59	ISO 2604-1	394	N 039
F 60	NF A 36-612	378	N 007
	NF A 36-612	420	O 012
F 62	ISO 2604-1	398	N 043
F 64	ISO 2604-1	398	N 044
F 68	ISO 2604-1	398	N 042
F 70	NF A 36-612	378	N 009
F 304	ASTM A 182	396	N 040
	ASTM A 336	396	N 040
F 304 H	ASTM A 182	396	N 041
	ASTM A 336	396	N 041
F 304 L	ASTM A 182	394	N 038
	ASTM A 336	394	N 038
F 310	ASTM A 182	398	N 042
	ASTM A 336	398	N 042
F 316	ASTM A 182	398	N 043
	ASTM A 336	398	N 043
F 316 H	ASTM A 182	398	N 044
	ASTM A 336	398	N 044
F 316 L	ASTM A 182	394	N 039
	ASTM A 336	394	N 039
F 321	ASTM A 182	400	N 045
	ASTM A 336	400	N 045
F 321 H	ASTM A 182	400	N 046
	ASTM A 336	400	N 046
F 347	ASTM A 182	400	N 047
	ASTM A 348	400	N 047
F 347 H	ASTM A 182	402	N 048
	ASTM A 336	402	N 048
FC 2-M	NF A 32-053	454	O 082
FC 3-M	NF A 32-053	454	O 083
GC 100	KS D 4301	458	P 001
FC 100	JIS G 5501	458	P 001
GC 150	KS D 4301	458	P 002
FC 150	JIS G 5501	458	P 002
GC 200	KS D 4301	458	P 003
FC 200	JIS G 5501	458	P 003
GC 250	KS D 4301	458	P 004

기호	규격번호	페이지	색인번호
FC 250	JIS G 5501	458	P 004
GC 300	KS D 4301	460	P 005
FC 300	JIS G 5501	460	P 005
GC 350	KS D 4301	460	P 006
FC 350	JIS G 5501	460	P 006
GCD 900 A	KS D 4318	464	P 015
FCAD 900-8	JIS G 5503	464	P 015
GCD 1000 A	KS D 4318	464	P 016
FCAD 1000-5	JIS G 5503	464	P 016
GCD 1200 A	KS D 4318	466	P 017
FCAD 1200-2	JIS G 5503	466	P 017
FCAD 1400-1	JIS G 5503	466	P 018
FCA-Ni 35	KS D 4319	470	P 027
	JIS G 5510	470	P 027
FCA-NiCr 202	KS D 4319	468	P 022
	JIS G 5510	468	P 022
FCA-NiCr 203	KS D 4319	468	P 023
	JIS G 5510	468	P 023
FCA-NiCr 303	KS D 4319	468	P 025
	JIS G 5510	468	P 025
FCA-NiCuCr 1562	KS D 4319	466	P 020
	JIS G 5510	466	P 020
FCA-NiCuCr 1563	KS D 4319	466	P 021
	JIS G 5510	466	P 021
FCA-NiMn 137	KS D 4319	466	P 019
	JIS G 5510	466	P 019
FCA-NiSiCr 2053	KS D 4319	468	P 024
	JIS G 5510	468	P 024
FCA-NiSiCr 3055	KS D 4319	470	P 026
	JIS G 5510	470	P 026
GCD 350-22	KS D 4302	460	P 007
FCD 350-22	JIS G 5502	460	P 007
GCD 400-15	KS D 4302	462	P 009
FCD 400-15	JIS G 5502	462	P 009
GCD 400-18	KS D 4302	460	P 008
FCD 400-18	JIS G 5502	460	P 008
GCD 450-10	KS D 4302	462	P 010
FCD 450-10	JIS G 5502	462	P 010
GCD 500-7	KS D 4302	462	P 011
FCD 500-7	JIS G 5502	462	P 011
GCD 600-3	KS D 4302	462	P 012
FCD 600-3	JIS G 5502	462	P 012
GCD 700-2	KS D 4302	464	P 013
FCD 700-2	JIS G 5502	464	P 013
GCD 800-2	KS D 4302	464	P 014
FCD 800-2	JIS G 5502	464	P 014
FCDA-Ni 22	KS D 4319	472	P 033
	JIS G 5510	472	P 033
FCDA-Ni 35	KS D 4319	476	P 039
	JIS G 5510	476	P 039
FCDA-NiCr 202	KS D 4319	470	P 029
	JIS G 5510	470	P 029
FCDA-NiCr203	KS D 4319	472	P 031
	JIS G 5510	472	P 031
FCDA-NiCr 301	KS D 4319	474	P 035
	JIS G 5510	474	P 035
FCDA-NiCr 303	KS D 4319	474	P 036
	JIS G 5510	474	P 036
FCDA-NiCr 353	KS D 4319	476	P 040
	JIS G 5510	476	P 040
FCDA-NiCrNb 202	KS D 4319	472	P 030
	JIS G 5510	472	P 030
FCDA-NiMn 137	KS D 4319	470	P 028
	JIS G 5510	470	P 028
FCDA-NiMn 234	KS D 4319	474	P 034
	JIS G 5510	474	P 034
FCDA-NiSiCr 2052	KS D 4319	472	P 032
	JIS G 5510	472	P 032
FCDA-NiSiCr 3052	KS D 4319	474	P 037
	JIS G 5510	474	P 037

기호	규격번호	페이지	색인번호
FCDA-NiSiCr 3055	KS D 4319	476	P 038
	JIS G 5510	476	P 038
FCDA-NiSiCr 3552	KS D 4319	476	P 041
	JIS G 5510	476	P 041
BMC 270	KS D 4302	478	P 042
FCMB 270	JIS G 5702	478	P 042
BMC 310	KS D 4302	478	P 043
FCMB 310	JIS G 5702	478	P 043
BMC 340	KS D 4302	478	P 044
FCMB 340	JIS G 5702	478	P 044
BMC 360	KS D 4302	478	P 045
FCMB 360	JIS G 5702	478	P 045
PMC 440	KS D 4304	484	P 051
FCMP 440	JIS G 5704	484	P 051
PMC 490	KS D 4304	484	P 052
FCMP 490	JIS G 5704	484	P 052
PMC 540	KS D 4304	484	P 053
FCMP 540	JIS G 5704	484	P 053
PMC 590	KS D 4304	486	P 054
FCMP 590	JIS G 5704	486	P 054
PMC 690	KS D 4304	486	P 055
FCMP 690	JIS G 5704	486	P 055
WMC 330	KS D 4305	478	P 046
FCMW 330	JIS G 5703	478	P 046
WMC 370	KS D 4305	480	P 047
FCMW 370	JIS G 5703	480	P 047
WMC 440	KS D 4305	482	P 048
FCMWP 440	JIS G 5703	482	P 048
WMC 490	KS D 4305	482	P 049
FCMWP 490	JIS G 5703	482	P 049
WMC 540	KS D 4305	482	P 050
FCMWP 540	JIS G 5703	482	P 050
Fd 2	NF A 36-102	114	C 001
Fd 4	NF A 36-102	114	C 001
Fe P 01	EN 10130	120	C 004

기호	규격번호	페이지	색인번호
Fe P 03	EN 10130	120	C 004
Fe P 04	EN 10130	120	C 004
Fe P 05	EN 10130	120	C 004
Fe P 06	EN 10130	120	C 004
Fe 235 WB	ISO DIS 4952.2	50	A 005
Fe 235 WC	ISO DIS 4952.2	50	A 005
Fe 235 WD	ISO DIS 4952.2	50	A 005
Fe 335 W1A	ISO DIS 4952.2	62	A 008
Fe 335 W1D	ISO DIS 4952.2	62	A 008
Fe 335 W 2 B	ISO DIS 4952.2	54	A 006
Fe 335 W 2 C	ISO DIS 4952.2	54	A 006
Fe 335 W 2 D	ISO DIS 4952.2	54	A 006
FS	ASTM A 463	138	D 007
	ASTM A 792	142	D 010
FS Type A	ASTM A 653	126	D 001
	ASTM A 875	132	D 004
FS Type B	ASTM A 653	126	D 001
	ASTM A 875	132	D 004
G 1	BS 1400	658	S 019
	BS 1400	658	S 019
G 17 CrMo5-5	DIN EN 10213-2	450	O 075
	NF EN 10213-2	450	O 075
G 17 CrMo9-10	NF EN 10213-2	452	O 078
G 17 CrMo V5-10	DIN EN 10213-2	450	O 077
	NF EN 10213-2	450	O 077
G 20 Mo 5	DIN EN 10213-2	450	O 073
	NF EN 10213-2	450	O 073
	NF EN 10213-2	452	O 081
G 25 CrMo 4	NF A 32-054	430	O 032
	NF A 32-054	430	O 033
G 30 Mn 6	NF A 32-054	422	O 014
	NF A 32-054	422	O 015
	NF A 32-054	422	O 016
	NF A 32-054	424	O 017
G 30 NiCrMo8	NF A 32-054	434	O 040

기호	규격번호	페이지	색인번호
	NF A 32-054	434	O 041
G 35 CrMo 4	NF A 32-054	432	O 035
G-CuL 45	DIN 17655	652	S 001
G-CuL 50	DIN 17655	652	S 002
GD-AlSi 9 Cu 3	DIN 1725-2	688	S 081
GD-AlSi 10 Mg	DIN 1725-2	686	S 078
GD-AlSi 12(Cu)	DIN 1725-2	686	S 077
GE 230	NF A 32-054	416	O 001
	NF A 32-054	416	O 002
	NF A 32-054	418	O 005
GE 280	NF A 32-054	416	O 004
	NF A 32-054	418	O 007
GE 370	NF A 32-054	420	O 011
GGG-Ni 22	DIN 1694	472	P 033
GGG-Ni 35	DIN 1694	476	P 039
GGG-NiCr 202	DIN 1694	470	P 029
GGG-NiCr 203	DIN 1694	472	P 031
GGG-NiCr 301	DIN 1694	474	P 035
GGG-NiCr 303	DIN 1694	474	P 036
GGG-NiCr 353	DIN 1694	476	P 040
GGG-NiCrNb 202	DIN 1694	472	P 030
GGG-NiMn 137	DIN 1694	470	P 028
GGG-NiMn 234	DIN 1694	474	P 034
GGG-NiSiCr 2052	DIN 1694	472	P 032
GGG-NiSiCr 3052	DIN 1694	474	P 037
GGG-NiSiCr 3055	DIN 1694	476	P 038
GGG-NiSiCr 3552	DIN 1694	476	P 041
G(GK)-AlCu 4 Ti	DIN 1725-2	678	S 064
G(GK)-AlCu 4 TiMg	DIN 1725-2	672	S 048
G(GK)-AlMg 3	DIN 1725-2	682	S 072
G(GK)-AlMg 5	DIN 1725-2	676	S 058
G(GK)-AlMg 5 Si	DIN 1725-2	684	S 073
G(GK)-AlSi 6 Cu 4	DIN 1725-2	680	S 068
G(GK)-AlSi 7 Mg	DIN 1725-2	674	S 055
G(GK)-AlSi 9 Cu 3	DIN 1725-2	674	S 053
G(GK)-AlSi 10 Mg	DIN 1725-2	682	S 069
G(GK)-AlSi 12	DIN 1725-2	682	S 070
G(GK)-AlSi 12(Cu)	DIN 1725-2	682	S 071
GGL-NiCr 202	DIN 1694	468	P 022
GGL-NiCr 203	DIN 1694	468	P 023
GGL-NiCr 303	DIN 1694	468	P 025
GGL-NiCuCr 1562	DIN 1694	466	P 020
GGL-NiCuCr 1563	DIN 1694	468	P 021
GGL-NiMn 137	DIN 1694	466	P 019
GGL-NiSiCr 2053	DIN 1694	468	P 024
GGL-NiSiCr 3055	DIN 1694	470	P 026
GP 240 GH	NF EN 10213-2	524	O 072
GP 280 GH	NF EN 10213-2	526	O 074
	NF EN 10213-2	528	O 080
Gr. 2-cl. 1	ASTM A 387	88	B 019
Gr. 2-cl. 2	ASTM A 387	88	B 019
Gr. 5-cl. 1	ASTM A 387	94	B 024
Gr. 5-cl. 2	ASTM A 387	94	B 024
Gr. 11-cl. 1	ASTM A 387	90	B 021
Gr. 11-cl. 2	ASTM A 387	90	B 021
Gr. 12-cl. 1	ASTM A 387	90	B 020
Gr. 12-cl. 2	ASTM A 387	90	B 020
Gr. 21-cl. 1	ASTM A 387	92	B 023
Gr. 21-cl. 2	ASTM A 387	92	B 023
Gr. 21 L-cl. 1	ASTM A 387	92	B 023
Gr. 22-cl. 1	ASTM A 387	92	B 022
Gr. 22-cl. 2	ASTM A 387	92	B 022
Gr. 22 L-cl. 1	ASTM A 387	92	B 022
Grade A	ASTM A 204	70	B 003
	ASTM A 662	72	B 004
	ASTM A 841	120	B 012
	ASTM A 302	94	B 025
	ASTM A 662	102	B 038
	ASTM A 203	108	B 042
Grade B	ASTM A 204	78	B 010

기호	규격번호	페이지	색인번호
	ASTM A 302	96	B 026
Grade C	ASTM A 662	78	B 011
	ASTM A 302	96	B 027
	ASTM A 662	104	B 039
Grade D	ASTM A 414	72	B 005
	ASTM A 302	96	B 028
	ASTM A 203	108	B 043
Grade E	ASTM A 414	72	B 006
	ASTM A 203	108	B 044
Grade F	ASTM A 414	82	B 013
Grade G	ASTM A 414	82	B 014
Grade I	ASTM A 485	368	M 003
	ASTM A 266	378	N 010
	ASTM A 508	380	N 011
Grade 1 A	ASTM A 508	380	N 012
	ASTM A 541	380	N 012
Grade 2	ASTM A 266	380	N 011
Grade 2 Class 1	ASTM A 541	382	N 013
	ASTM A 508	382	N 013
Grade 2 Class 2	ASTM A 541	382	N 014
	ASTM A 508	382	N 014
Grade 3 Class 1	ASTM A 541	382	N 015
	ASTM A 508	382	N 015
Grade 3 Class 2	ASTM A 541	382	N 016
	ASTM A 508	382	N 016
Grade 3 V	ASTM A 508	394	N 037
	ASTM A 541	394	N 037
Grade 4	ASTM A 266	380	N 012
Grade 4N Class 3	ASTM A 508	382	N 017
	ASTM A 541	382	N 017
Grade 22 Class 3	ASTM A 508	392	N 035
	ASTM A 541	392	N 035
Grade 22 V	ASTM A 541	392	N 036
Grade 60	ASTM A 515	68	B 001
	ASTM A 516	74	B 007
Grade 65	ASTM A 515	68	B 002
	ASTM A 516	76	B 008
Grade 70	ASTM A 515	76	B 009
	ASTM A 516	84	B 015
Grade 100-70-03	ASTM A 536	464	P 014
Grade 120-90-02	ASTM A 536	464	P 014
GS-38	DIN 1681	416	O 001
GS-45	DIN 1681	416	O 003
GS-52	DIN 1681	416	O 004
GX5CrNi19-10	DIN EN 10213-4	436	O 046
GX5CrNiMo19-11-2	DIN EN 10213-4	438	O 047
GX5CrNiNb19-11	DIN EN 10213-4	438	O 050
GX 12 Cr 12	DIN EN 10213-4	436	O 044
H 10	ASTM A 681	352	J 045
H 11	ASTM A 681	350	J 042
H 12	ASTM A 681	350	J 044
H 13	ASTM A 681	350	J 043
H 19	ASTM A 681	352	J 046
H 21	ASTM A 681	350	J 041
HC	ASTM A 297	440	O 053
HC 30	ASTM A 608	440	O 053
HCCI	BS 1400	652	S 001
HD	ASTM A 297	446	O 066
HD 50	ASTM A 608	446	O 066
HE	ASTM A 297	444	O 064
HE 35	ASTM A 608	444	O 064
HF	ASTM A 297	444	O 062
HF 30	ASTM A 608	444	O 062
HFS 3	BS 6323-3	222	G 015
HFS 4	BS 6323-3	218	G 009
HFS 5	BS 6323-3	220	G 011
	BS 6323-3	228	G 027
HFW 2	BS 6323-2	218	G 008
	BS 6323-2	220	G 013
HFW 3	BS 6323-2	222	G 015

기호	규격번호	페이지	색인번호
	BS 6323-2	240	G 060
HFW 4	BS 6323-2	218	G 009
HFW 5	BS 6323-2	220	G 011
	BS 6323-2	228	G 027
HH	ASTM A 297	444	O 063
HH 30	ASTM A 608	444	O 063
HI	ASTM A 297	446	O 065
HI 35	ASTM A 608	446	O 065
HK 30	ASTM A 351	442	O 058
	ASTM A 608	442	O 058
HK 40	ASTM A 351	442	O 059
	ASTM A 608	442	O 059
HL	ASTM A 297	442	O 060
HL 30	ASTM A 608	442	O 060
HL 40	ASTM A 608	442	O 060
HN	ASTM A 297	440	O 056
HN 40	ASTM A 608	440	O 056
HP	ASTM A 297	444	O 061
HR 1	ISO 3573	114	C 001
	ISO 6317	114	C 001
	BS 1449 : 1.2	118	C 003
	ISO 5002	146	D 013
HR 2	ISO 3573	116	C 002
	ISO 6317	116	C 002
	BS 1449 : 1.2	118	C 003
	ISO 5002	146	D 014
HR 3	BS 1449 : 1.2	118	C 003
	ISO 3573	118	C 003
	ISO 6317	118	C 003
	ISO 5002	146	D 014
HR 4	BS 1449 : 1.2	116	C 002
	ISO 3573	118	C 003
	ISO 6317	118	C 003
	ISO 5002	146	D 014
HR14	BS 1449 : 1.2	116	C 002

기호	규격번호	페이지	색인번호
HR 15	BS 1449 : 1.2	114	C 001
HS 1	BS 1449 : 1.8	118	C 003
HS 2	BS 1449 : 1.8	118	C 003
HS 2-9-1-8	NF A 35-590	338	J 020
	ISO 4957	338	J 020
HS 2-9-2	NF A 35-590	338	J 019
	ISO 4957	338	J 019
HS 3	BS 1449 : 1.8	118	C 003
HS 4	BS 1449 : 1.14	114	C 001
	BS 1449 : 1.8	116	C 002
HS 6-5-2	NF A 35-590	334	J 012
	ISO 4957	334	J 012
HS 6-5-2-5	ISO 4957	336	J 016
HS 6-5-2-5 HC	NF A 35-590	336	J 016
HS 6-5-3	NF A 35-590	336	J 014
	ISO 4957	336	J 014
HS 6-5-4	NF A 35-590	336	J 015
HS 10-4-3-10	NF A 35-590	338	J 018
	ISO 4957	338	J 018
HS 12-1-5-5	NF A 35-590	334	J 011
	ISO 4957	334	J 011
HS 14	BS 1449 : 1.8	116	C 002
HS 15	BS 1449 : 1.8	114	C 001
HS 18-0-1	NF A 35-590	334	J 008
	ISO 4957	334	J 008
HS 18-0-1-10	ISO 4957	334	J 010
HS 18-0-2-9	NF A 35-590	334	J 010
HS 18-1-1-5	NF A 35-590	334	J 009
	ISO 4957	334	J 009
HSA 235 WB	ISO 5952	54	A 006
HSA 235 WD	ISO 5952	54	A 006
HSA 355 W1A	ISO 5952	62	A 008
HSA 355 W1D	ISO 5952	62	A 008
HSA 355 W2C	ISO 5952	54	A 006
HSA 355 W2D	ISO 5952	54	A 006

기호	규격번호	페이지	색인번호
HSLAS A 340	ASTM A 653	130	D 003
	ASTM A 875	136	D 006
	ASTM A 463	140	D 009
HSLAS A 410	ASTM A 653	130	D 003
	ASTM A 875	136	D 006
	ASTM A 463	140	D 009
HSLAS A 480	ASTM A 653	130	D 003
	ASTM A 875	136	D 006
	ASTM A 463	140	D 009
HSLAS A 550	ASTM A 653	130	D 003
	ASTM A 875	136	D 006
	ASTM A 463	140	D 009
HSLAS B 340	ASTM A 653	130	D 003
	ASTM A 875	136	D 006
	ASTM A 463	140	D 009
HSLAS B 410	ASTM A 653	130	D 003
	ASTM A 875	136	D 006
	ASTM A 463	140	D 009
HSLAS 8 480	ASTM A 653	130	D 003
	ASTM A 875	136	D 006
	ASTM A 463	140	D 009
HSLAS B 550	ASTM A 653	130	D 003
	ASTM A 875	136	D 006
	ASTM A 463	140	D 009
HT	ASTM A 297	440	O 054
HT 30	ASTM A 351	440	O 055
HT 50	ASTM A 608	440	O 054
HTB 1	BS 1400	654	S 007
	BS 1400	654	S 009
	BS 1400	654	S 010
HTB 3	BS 1400	656	S 011
	BS 1400	656	S 012
	BS 1400	656	S 013
	BS 1400	656	S 014
HTS	ASTM A 792	144	D 012

기호	규격번호	페이지	색인번호
HU	ASTM A 297	442	O 057
HU 50	ASTM A 608	442	O 057
JS-GJMW-500-5	BS EN 1562	484	P 052
K	ASTM A 588	54	A 006
KA 1050 ABD	JIS H 4040	590	R 089
KA 1050 ABE	JIS H 4040	574	R 061
KA 1050 AP	JIS H 4000	562	R 035
KA 1050 ATD	JIS H 4080	618	R 148
KA 1050 ATE	JIS H 4080	606	R 123
KA 2011 TD	JIS H 4080	620	R 150
KA 2014 ABD	JIS H 4040	590	R 091
KA 2014 ABE	JIS H 4040	576	R 063
KA 2014 AP	JIS H 4000	562	R 036
KA 2014 AS	JIS H 4100	632	R 177
KA 2014 ATD	JIS H 4080	618	R 149
KA 2014 ATE	JIS H 4080	606	R 124
KA 2017 ABD	JIS H 4040	590	R 090
KA 2017 ABE	JIS H 4040	574	R 062
KA 2017 AP	JIS H 4000	562	R 037
KA 2017 AS	JIS H 4100	634	R 178
KA 2017 ATE	JIS H 4080	608	R 125
KA 2030 BD	JIS H 4040	592	R 092
KA 2030 BE	JIS H 4040	576	R 064
KA 2030 TD	JIS H 4080	620	R 151
KA 2219 BD	JIS H 4040	592	R 093
KA 3103 BD	JIS H 4040	592	R 094
KA 3103 P	JIS H 4000	562	R 038
KA 3103 TD	JIS H 4080	620	R 152
KA 3103 TE	JIS H 4080	608	R 126
KA 5005 TD	JIS H 4080	620	R 153
KA 5050 BD	JIS H 4040	592	R 095
KA 5086 BD	JIS H 4040	594	R 098
KA 5086 TD	JIS H 4080	622	R 156
KA 5154 BD	JIS H 4040	594	R 096
KA 5251 TD	JIS H 4080	622	R 154

기호	규격번호	페이지	색인번호
KA 5454 BE	JIS H 4040	576	R 065
KA 5754 BD	JIS H 4040	594	R 097
KA 5754 P	JIS H 4000	564	R 039
KA 5754 TD	JIS H 4080	622	R 155
KA 5754 TE	JIS H 4080	608	R 127
KA 6005 ABE	JIS H 4040	578	R 067
KA 6005 AS	JIS H 4100	634	R 180
KA 6005 ATE	JIS H 4080	610	R 129
KA 6060 BE	JIS H 4040	576	R 066
KA 6060 S	JIS H 4100	634	R 179
KA 6060 TE	JIS H 4080	608	R 128
	JIS H 4080	622	R 157
KA 6082 BD	JIS H 4040	596	R 100
KA 6082 BE	JIS H 4040	578	R 068
KA 6082 P	JIS H 4000	564	R 040
KA 6082 S	JIS H 4100	634	R 181
KA 6082 TD	JIS H 4080	624	R 159
KA 6082 TE	JIS H 4080	610	R 130
KA 6181 BD	JIS H 4040	596	R 101
KA 6262 BD	JIS H 4040	594	R 099
KA 6262 TD	JIS H 4080	624	R 158
KA 7005 S	JIS H 4100	636	R 184
KA 7010 P	JIS H 4000	566	R 043
KA 7020 BD	JIS H 4040	596	R 102
KA 7020 BE	JIS H 4040	578	R 070
KA 7020 S	JIS H 4100	636	R 182
KA 7020 TE	JIS H 4080	610	R 131
KA 7049 ABD	JIS H 4040	596	R 103
KA 7050 BE	JIS H 4040	580	R 071
KA 7050 S	JIS H 4100	636	R 185
KA 7050 TE	JIS H 4080	610	R 132
KA 7178 P	JIS H 4000	564	R 041
KA 7475 P	JIS H 4000	564	R 042
L 6	ASTM A 681	342	J 025
LB 1	BS 1400	664	S 034

기호	규격번호	페이지	색인번호
	BS 1400	664	S 035
LB 2	BS 1400	664	S 032
	BS 1400	664	S 033
LB 5	BS 1400	666	S 036
	BS 1400	666	S 037
LC 1	ASTM 352	452	O 081
LC 2	ASTM 352	452	O 082
LC 3	ASTM 352	454	O 083
LCB	ASTM 352	452	O 080
LF 1	ASTM 350	384	N 020
LF 2	ASTM 350	386	N 021
LF 3	ASTM 350	386	N 022
LG 1	BS 1400	656	S 015
	BS 1400	658	S 016
LG 2	BS 1400	660	S 021
	BS 1400	660	S 022
LG 4	BS 1400	660	S 023
	BS 1400	660	S 024
LM 2	BS 1490	690	S 083
	BS 1490	690	S 084
LM 4	BS 1490	680	S 067
LM-5	BS 1490	676	S 058
LM-6	BS 1490	672	S 051
LM-13	BS 1490	676	S 059
LM-16	BS 1490	676	S 056
LM 20	BS 1490	686	S 077
LM 21	BS 1490	680	S 068
LM 24	BS 1490	688	S 082
LM-25	BS 1490	674	S 054
LM-26	BS 1490	678	S 060
LM-29	BS 1490	678	S 062
LM 30	BS 1490	690	S 085
LM 31	BS 1490	684	S 076
L-N 35	NF A 32-301	470	P 027
L-NC 202	NF A 32-301	468	P 022

기호	규격번호	페이지	색인번호
L-NC 203	NF A 32-301	468	P 023
L-NC 303	NF A 32-301	470	P 025
L-Ni 35	ISO 3892	470	P 027
L-NiCr 202	ISO 2892	468	P 022
L-NiCr 203	ISO 2892	468	P 023
L-NiCr 303	ISO 2892	470	P 025
L-NiCuCr 1562	ISO 2892	466	P 020
L-NiCuCr 1563	ISO 2892	466	P 021
L-NiMn 137	ISO 2892	466	P 019
L-NiSiCr 2053	ISO 2892	468	P 024
L-NiSiCr 3055	ISO 2892	470	P 026
L-NM 137	NF A 32-301	466	P 019
L-NSC 2053	NF A 32-301	468	P 024
L-NSC 3055	NF A 32-301	470	P 026
L-NUC 1562	NF A 32-301	466	P 020
L-NUC 1563	NF A 32-301	468	P 021
LW 13	BS 6323-8	234	G 041
LW 17	BS 6323-8	234	G 042
LW 18	BS 6323-8	234	G 043
LWCF 13	BS 6323-8	234	G 041
LWCF 17	BS 6323-8	234	G 042
LWCF 18	BS 6323-8	234	G 043
M 2	ASTM A 600	334	J 012
M 3-1	ASTM A 600	336	J 013
M 3-2	ASTM A 600	336	J 014
M 4	ASTM A 600	336	J 015
M 7	ASTM A 600	338	J 019
M 36	ASTM A 600	338	J 017
M 42	ASTM A 600	338	J 020
MT 304	ASTM A 511	234	G 041
MT 316	ASTM A 511	234	G 042
MT 321	ASTM A 511	234	G 043
MT 347	ASTM A 511	234	G 044
MT 410	ASTM A 511	232	G 039
MT 430	ASTM A 511	230	G 035

기호	규격번호	페이지	색인번호
N 08330	ASTM	324	I 084
N 08367	ASTM A 358	176	E 031
	ASTM B 691	300	I 035
	ASTM B 688	300	I 035
N 08904	ASTM A 358	176	E 032
	ASTM B 649	302	I 036
	ASTM B 625	302	I 036
	ASTM B 425	302	I 036
NCF 800 HTF	KS D 3587	210	F 058
	JIS G 3467	210	F 058
NCF 800 TF	KS D 3587	210	F 057
	JIS G 3467	210	F 057
NS 103	BS EN 1652	508	Q 035
	BS EN 1654	508	Q 035
	BS EN 12166	532	Q 085
NS 105	BS EN 1652	508	Q 037
	BS EN 1654	508	Q 037
	BS EN 12166	532	Q 087
NS 106	BS EN 1652	508	Q 036
	BS EN 1654	508	Q 036
	BS EN 12166	532	Q 086
NS 107	BS EN 1652	510	Q 041
	BS EN 1654	510	Q 041
	BS EN 12166	532	Q 088
OF-Cu	DIN 1787	490	Q 001
	DIN 1787	512	Q 042
	DIN 1787	534	Q 090
P 1	ASTM A 335	166	E 011
P 2	ASTM A 335	168	E 012
P 5	ASTM A 335	168	E 016
P 9	ASTM A 335	170	E 017
P 11	ASTM A 335	168	E 014
P 12	ASTM A 335	168	E 013
P 22	ASTM A 335	168	E 015
P 265	ISO 9328-2	74	B 007

기호	규격번호	페이지	색인번호
P 265 GH	BS EN 10028-2	68	B 001
	DIN EN 10028-2	68	B 001
	NF EN 10028-2	68	B 001
	BS EN 10028-2	74	B 007
	DIN EN 10028-2	74	B 007
	NF EN 10028-2	74	B 007
P 265 NB	BS EN 10120	72	B 005
	DIN EN 10120	72	B 005
	NF EN 10120	72	B 005
P 275 N	BS EN 10028-3	72	B 004
	DIN EN 10028-3	72	B 004
	NF EN 10028-3	72	B 004
P 275 NL 1	BS EN 10028-3	104	B 038
	DIN EN 10028-3	104	B 038
	NF EN 10028-3	104	B 038
P 285 TN	ISO 9328-4	72	B 004
P 290	ISO 9328-2	76	B 008
P 295 GH	BS EN 10028-2	70	B 002
	DIN EN 10028-2	70	B 002
	NF EN 10028-2	70	B 002
	BS EN 10028-2	76	B 008
	DIN EN 10028-2	76	B 008
	NF EN 10028-2	76	B 008
P 310 NB	BS EN 10120	72	B 006
	DIN EN 10120	72	B 006
	NF EN 10120	72	B 006
P 315	ISO 9328-2	84	B 015
P 355 GH	BS EN 10028-2	76	B 009
	DIN EN 10028-2	76	B 009
	NF EN 10028-2	76	B 009
	BS EN 10028-2	84	B 015
	DIN EN 10028-2	84	B 015
	NF EN 10028-2	84	B 015
P 355 M	BS EN 10028-5	80	B 012
	DIN EN 10028-5	80	B 012
	NF EN 10028-5	80	B 012
P 355 ML	BS EN 10028-5	106	B 040
	DIN EN 10028-5	106	B 040
	NF EN 10028-5	106	B 040
P 355 N	BS EN 10028-3	80	B 011
	DIN EN 10028-3	80	B 011
	NF EN 10028-3	80	B 011
	BS EN 10028-3	80	B 012
	DIN EN 10028-3	80	B 012
	NF EN 10028-3	80	B 012
P 355 NB	BS EN 10120	82	B 013
	DIN EN 10120	82	B 013
	NF EN 10120	82	B 013
	BS EN 10120	82	B 014
	DIN EN 10120	82	B 014
	NF EN 10120	82	B 014
P 355 NL 1	BS EN 10028-3	106	B 040
	DIN EN 10028-3	106	B 040
	NF EN 10028-3	106	B 040
P 355 TN	ISO 9328-4	80	B 011
	ISO 9328-4	82	B 012
P 420 M	BS EN 10028-5	84	B 016
	DIN EN 10028-5	84	B 016
	NF EN 10028-5	84	B 016
P 430 ML	BS EN 10028-5	106	B 041
	DIN EN 10028-5	106	B 041
	NF EN 10028-5	106	B 041
P 420 TN	ISO 9328-4	84	B 016
P 460 M	BS EN 10028-5	84	B 016
	DIN EN 10028-5	84	B 016
	NF EN 10028-5	84	B 016
	BS EN 10028-5	86	B 017
	DIN EN 10028-5	86	B 017
	NF EN 10028-5	86	B 017
P 460 ML	BS EN 10028-5	106	B 041

기호	규격번호	페이지	색인번호
	DIN EN 10028-5	106	B 041
	NF EN 10028-5	106	B 041
P 460 N	BS EN 10028-3	86	B 017
	DIN EN 10028-3	86	B 017
	NF EN 10028-3	86	B 017
P 460 TN	ISO 9328-4	88	B 017
P 500 TQ	ISO 9328-4	88	B 018
PB 2	BS 1400	660	S 025
	BS 1400	662	S 026
	BS 1400	662	S 027
	BS 1400	662	S 028
	BS 1400	662	S 029
PB 101	BS EN 12166	528	Q 079
PB 102	BS EN 1652	504	Q 030
	BS EN 1654	504	Q 030
	BS EN 1652	506	Q 031
	BS EN 1654	506	Q 031
	BS EN 12166	528	Q 080
PB 103	BS EN 1652	506	Q 032
	BS EN 1654	506	Q 032
	BS EN 12166	530	Q 081
PB 104	BS EN 1652	506	Q 033
	BS EN 1654	506	Q 033
	BS EN 1652	510	Q 040
	BS EN 1654	510	Q 040
PB 240	ISO 6935-1	64	A 011
PB 300	ISO 6935-1	64	A 012
PH 265	ISO 9328-2	68	B 001
PH 290	ISO 9328-2	68	B 002
PH 315	ISO 9328-2	76	B 009
PL 285 TN	ISO 9328-4	104	B 038
PL 315 TN	ISO 9328-4	104	B 039
PL 355 TN	ISO 9328-4	106	B 040
PL 420 TN	ISO 9328-4	106	B 041
R 33	ISO 3304	222	G 014

기호	규격번호	페이지	색인번호
	ISO 3305	222	G 014
	ISO 3306	222	G 014
R 37	ISO 3304	222	G 015
	ISO 3305	222	G 015
	ISO 3306	222	G 015
R 50	ISO 3304	228	G 027
	ISO 3305	228	G 027
	ISO 3306	228	G 027
R 30115	ASTM	324	I 086
RB 300	ISO 6935-2	64	A 012
RB 400	ISO 6935-2	64	A 013
RB 400 W	ISO 6935-2	64	A 013
RB 500	ISO 6935-2	66	A 014
RB 500 W	ISO 6935-2	66	A 014
RH 388	NF A 35-571	354	K 002
RRSt 23	DIN 1614-1	114	C 001
S 2	BS 3468	470	P 029
S 2 B	BS 3468	472	P 031
S 2 C	BS 3468	472	P 033
S 2 M	BS 3468	474	P 034
S 2 W	BS 3468	472	P 030
S 2-10-1-8	DIN 17350	338	J 020
S 3	BS 3468	474	P 036
S 5 S	BS 3468	476	P 041
S 6	BS 3468	466	P 019
	BS 3468	470	P 028
S 6-5-2	DIN 17350	334	J 012
S 6-5-2-5	DIN 17350	336	J 016
S 6-5-3	DIN 17350	336	J 014
SM 09 CK	KS D 3752	256	H 021
S 09 CK	JIS G 4051	256	H 021
SM 10 C	KS D 3752	248	H 001
S 10 C	JIS G 4051	248	H 001
S 10-4-3-10	DIN 17350	338	J 018
SM 12 C	KS D 3752	248	H 002

기호	규격번호	페이지	색인번호
S 12 C	JIS G 4051	248	H 002
S 12-1-4-5	DIN 17350	334	J 011
SM 15 C	KS D 3752	248	H 003
S 15 C	JIS G 4051	248	H 003
SM 15 CK	KS D 3752	256	H 022
S 15 CK	JIS G 4051	256	H 022
SM 17 C	KS D 3752	248	H 004
S 17 C	JIS G 4051	248	H 004
S 18-1-2-5	DIN 17350	334	J 009
SM 20 C	KS D 3752	248	H 005
S 20 C	JIS G 4051	248	H 005
SM 20 CK	KS D 3752	258	H 023
S 20 CK	JIS G 4051	258	H 023
SM 22 C	KS D 3752	250	H 006
S 22 C	JIS G 4051	250	H 006
SM 25 C	KS D 3752	250	H 007
S 25 C	JIS G 4051	250	H 007
SM 28 C	KS D 3752	250	H 008
S 28 C	JIS G 4051	250	H 008
SM 30 C	KS D 3752	250	H 009
S 30 C	JIS G 4051	250	H 009
SM 33 C	KS D 3752	250	H 010
S 33 C	JIS G 4051	250	H 010
SM 35 C	KS D 3752	252	H 011
S 35 C	JIS G 4051	252	H 011
SM 38 C	KS D 3752	252	H 012
S 38 C	JIS G 4051	252	H 012
SM 40 C	KS D 3752	252	H 013
S 40 C	JIS G 4051	252	H 013
SM 43 C	KS D 3752	252	H 014
S 43 C	JIS G 4051	252	H 014
SM 45 C	KS D 3752	252	H 015
S 45 C	JIS G 4051	252	H 015
SM 48 C	KS D 3752	254	H 016
S 48 C	JIS G 4051	254	H 016

기호	규격번호	페이지	색인번호
SM 50 C	KS D 3752	254	H 017
S 50 C	JIS G 4051	254	H 018
SM 53 C	KS D 3752	254	H 018
S 53 C	JIS G 4051	254	H 018
SM 55 C	KS D 3752	254	H 019
S 5 C	JIS G 4051	254	H 019
SM 58 C	KS D 3752	256	H 020
S 58 C	JIS G 4051	256	H 020
S 185	BS EN 10025	16	A 001
	DIN EN 10025	16	A 001
	NF EN 10025	16	A 001
S 220 GD	EN 10147	130	D 003
	EN 10214	136	D 006
S 235 J0	BS EN 10025	18	A 001
	DIN EN 10025	18	A 001
	NF EN 10025	18	A 001
S 235 J0W	BS EN 10155	50	A 005
	DIN EN 10155	50	A 005
	NF EN 10155	50	A 005
S 235 J2G3	BS EN 10025	18	A 001
	DIN EN 10025	18	A 001
	NF EN 10025	18	A 001
S 235 J2G4	BS EN 10025	18	A 001
	DIN EN 10025	18	A 001
	NF EN 10025	18	A 001
S 235 J2W	BS EN 10155	50	A 005
	DIN EN 10155	50	A 005
	NF EN 10155	50	A 005
S 235 JR	BS EN 10025	16	A 001
	DIN EN 10025	16	A 001
	NF EN 10025	16	A 001
S 235 JRG 1	BS EN 10025	16	A 001
	DIN EN 10025	16	A 001
	NF EN 10025	16	A 001
S 235 JRG 2	BS EN 10025	16	A 001

기호	규격번호	페이지	색인번호
	DIN EN 10025	16	A 001
	NF EN 10025	16	A 001
S 250	NF A 35-561	360	L 004
S 250 GD	EN 10147	130	D 003
	EN 10214	136	D 006
	EN 10215	144	D 012
S 250 Pb	NF A 35-561	362	L 005
	NF A 35-561	362	L 008
S 275 J2G3	BS EN 10025	26	A 002
	DIN EN 10025	26	A 002
	NF EN 10025	26	A 002
S 275 J2G4	BS EN 10025	26	A 002
	DIN EN 10025	26	A 002
	NF EN 10025	26	A 002
S 275 JO	BS EN 10025	26	A 002
	DIN EN 10025	26	A 002
	NF EN 10025	26	A 002
S 275 JR	BS EN 10025	24	A 002
	DIN EN 10025	24	A 002
	NF EN 10025	24	A 002
	EN 10025	236	G 047
S 275 M	BS EN 10113-3	26	A 002
	DIN EN 10113-3	26	A 002
	NF EN 10113-3	26	A 002
S 275 N	BS EN 10113-2	26	A 002
	DIN EN 10113-2	26	A 002
	NF EN 10113-2	26	A 002
S 280 GD	EN 10147	130	D 003
	EN 10214	136	D 006
	EN 10215	144	D 012
S 300	NF A 35-561	364	L 009
S 320 GD	EN 10147	130	D 003
	EN 10214	136	D 006
	EN 10215	144	D 012
S 350 GD	EN 10147	130	D 003

기호	규격번호	페이지	색인번호
	EN 10214	136	D 006
	EN 10215	144	D 012
S 355 J0	BS EN 10025	36	A 003
	DIN EN 10025	36	A 003
	NF EN 10025	36	A 003
S 355 J0W	BS EN 10155	54	A 006
	DIN EN 10155	54	A 006
	NF EN 10155	54	A 006
S 355 J0WP	BS EN 10155	62	A 008
	DIN EN 10155	62	A 008
	NF EN 10155	62	A 008
S 355 J2G3	BS EN 10025	38	A 003
	DIN EN 10025	38	A 003
	NF EN 10025	38	A 003
S 355 J2G4	BS EN 10025	38	A 003
	DIN EN 10025	38	A 003
	NF EN 10025	38	A 003
S 355 J2G1W	BS EN 10155	54	A 006
	DIN EN 10155	54	A 006
	NF EN 10155	54	A 006
S 355 J2G2W	BS EN 10155	54	A 006
	DIN EN 10155	54	A 006
	NF EN 10155	54	A 006
S 355 J2WP	BS EN 10155	62	A 008
	DIN EN 10155	62	A 008
	NF EN 10155	62	A 008
S 355 JO	EN 10025	236	G 048
S 355 JR	BS EN 10025	36	A 003
	DIN EN 10025	36	A 003
	NF EN 10025	36	A 003
S 355 K2G3	BS EN 10025	38	A 003
	DIN EN 10025	38	A 003
	NF EN 10025	38	A 003
S 355 K2G4	BS EN 10025	38	A 003
	DIN EN 10025	38	A 003

기호	규격번호	페이지	색인번호
	NF EN 10025	38	A 003
S355K2G1W	BS EN 10155	54	A 006
	DIN EN 10155	54	A 006
	NF EN 10155	54	A 006
S355K2G2W	BS EN 10155	54	A 006
	DIN EN 10155	54	A 006
	NF EN 10155	54	A 006
S 355 M	BS EN 10113-3	26	A 002
	DIN EN 10113-3	26	A 002
	NF EN 10113-3	26	A 002
S 355 N	BS EN 10113-2	40	A 003
	DIN EN 10113-2	40	A 003
	NF EN 10113-2	40	A 003
S 420 M	BS EN 10113-3	40	A 003
	DIN EN 10113-3	40	A 003
	NF EN 10113-3	40	A 003
S 420 N	BS EN 10113-2	40	A 003
	DIN EN 10113-2	40	A 003
	NF EN 10113-2	40	A 003
S 460 M	BS EN 10113-3	40	A 003
	DIN EN 10113-3	40	A 003
	NF EN 10113-3	40	A 003
S 460 N	BS EN 10113-2	40	A 003
	DIN EN 10113-2	40	A 003
	NF EN 10113-2	40	A 003
S 460 Q	BS EN 10137-2	58	A 007
	DIN EN 10137-2	58	A 007
	NF EN 10137-2	58	A 007
S 460 QL	BS EN 10137-2	58	A 007
	DIN EN 10137-2	58	A 007
S 460 QL 1	BS EN 10137-2	58	A 007
	DIN EN 10137-2	58	A 007
S 500 A	BS EN 10137-3	60	A 007
	DIN EN 10137-3	60	A 007
	NF EN 10137-3	60	A 007

기호	규격번호	페이지	색인번호
A 500 AL	BS EN 10137-3	60	A 007
	DIN EN 10137-3	60	A 007
	NF EN 10137-3	60	A 007
S 500 Q	BS EN 10137-2	58	A 007
	DIN EN 10137-2	58	A 007
	NF EN 10137-2	58	A 007
S 500 QL	BS EN 10137-2	58	A 007
	DIN EN 10137-2	58	A 007
S 500 QL 1	BS EN 10137-2	58	A 007
	DIN EN 10137-2	58	A 007
S 550 A	BS EN 10137-3	60	A 007
	DIN EN 10137-3	60	A 007
	NF EN 10137-3	60	A 007
S 550 AL	BS EN 10137-3	60	A 007
	DIN EN 10137-3	60	A 007
	NF EN 10137-3	60	A 007
S 550 GD	EN 10147	130	D 003
	EN 10214	136	D 006
	EN 10215	144	D 012
S 550 Q	BS EN 10137-2	58	A 007
	DIN EN 10137-2	58	A 007
	NF EN 10137-2	58	A 007
S 550 QL	BS EN 10137-2	58	A 007
	DIN EN 10137-2	58	A 007
S 550 QL 1	BS EN 10137-2	58	A 007
	DIN EN 10137-2	58	A 007
S 620 A	BS EN 10137-3	60	A 007
	DIN EN 10137-3	60	A 007
	NF EN 10137-3	60	A 007
S 620 AL	BS EN 10137-3	60	A 007
	DIN EN 10137-3	60	A 007
	NF EN 10137-3	60	A 007
S 620 Q	BS EN 10137-2	58	A 007
	DIN EN 10137-2	58	A 007
	NF EN 10137-2	58	A 007

기호	규격번호	페이지	색인번호
S 620 QL	BS EN 10137-2	58	A 007
	DIN EN 10137-2	58	A 007
S 620 QL 1	BS EN 10137-2	58	A 007
	DIN EN 10137-2	58	A 007
S 690 A	BS EN 10137-3	60	A 007
	DIN EN 10137-3	60	A 007
	NF EN 10137-3	60	A 007
S 690 AL	BS EN 10137-3	60	A 007
	DIN EN 10137-3	60	A 007
	NF EN 10137-3	60	A 007
S 690 Q	BS EN 10137-2	58	A 007
	DIN EN 10137-2	58	A 007
	NF EN 10137-2	58	A 007
S 690 QL	BS EN 10137-2	58	A 007
	DIN EN 10137-2	58	A 007
S 690 QL 1	BS EN 10137-2	58	A 007
	DIN EN 10137-2	58	A 007
S 890 Q	BS EN 10137-2	58	A 007
	DIN EN 10137-2	58	A 007
	NF EN 10137-2	58	A 007
S 890 QL	BS EN 10137-2	60	A 007
	DIN EN 10137-2	60	A 007
S 890 QL 1	BS EN 10137-2	60	A 007
	DIN EN 10137-2	60	A 007
S 960 Q	BS EN 10137-2	60	A 007
	DIN EN 10137-2	60	A 007
	NF EN 10137-2	60	A 007
S 960 QL	BS EN 10137-2	60	A 007
	DIN EN 10137-2	60	A 007
	NF EN 10137-2	60	A 007
S 17400	ASTM A 564	318	I 074
	ASTM A 693	318	I 074
S 17700	ASTM A 564	320	I 075
	ASTM A 693	320	I 075
	ASTM A 564	320	I 075

기호	규격번호	페이지	색인번호
S 20100	ASTM A 666	284	I 001
	ASTM A 240	284	I 001
S 20200	ASTM A 314	284	I 002
	ASTM A 666	284	I 002
	ASTM A 240	284	I 002
	ASTM A 473	284	I 002
S 30100	ASTM A 666	284	I 003
	ASTM A 240	284	I 003
	ASTM A 492	284	I 003
	ASTM A 493	284	I 003
S 30200	ASTM A 276	286	I 006
	ASTM A 479	286	I 006
	ASTM A 666	286	I 006
	ASTM A 240	286	I 006
	ASTM A 313	286	I 006
S 30215	ASTM A 276	286	I 007
	ASTM A 314	286	I 007
	ASTM A 167	286	I 007
	ASTM (A 580)	286	I 007
S 30300	ASTM A 314	286	I 008
	ASTM A 582	286	I 008
	ASTM A 895	286	I 008
	ASTM A 581	286	I 008
	ASTM A 194	286	I 008
S 30323	ASTM A 314	288	I 009
	ASTM A 582	288	I 009
	ASTM A 895	288	I 009
	ASTM A 581	288	I 009
S 30400	ASTM A 276	288	I 010
	ASTM A 479	288	I 010
	ASTM A 666	288	I 010
	ASTM A 240	288	I 010
	ASTM A 666	288	I 010
	ASTM A 313	288	I 010
	ASTM A 182	288	I 010

기호	규격번호	페이지	색인번호
S 30403	ASTM A 276	288	I 011
	ASTM A 479	288	I 011
	ASTM A 666	288	I 011
	ASTM A 240	288	I 011
	ASTM A 478	288	I 011
	ASTM A 580	288	I 011
S 30430	ASTM A 493	304	I 040
S 30451	ASTM A 479	290	I 012
	ASTM A 666	290	I 012
	ASTM A 240	290	I 012
S 30452	ASTM A 276	290	I 013
	ASTM A 240	290	I 013
S 30453	ASTM A 276	290	I 014
	ASTM A 666	290	I 014
	ASTM A 240	290	I 014
S 30500	ASTM A 276	292	I 018
	ASTM A 493	292	I 018
	ASTM A 240	292	I 018
	ASTM A 313	292	I 018
S 30900	ASTM A 276	322	I 082
	ASTM A 167	322	I 082
	ASTM A 580	322	I 082
S 30908	ASTM A 276	294	I 020
	ASTM A 314	294	I 020
	ASTM A 240	294	I 020
	ASTM A 580	294	I 020
	ASTM A 473	294	I 020
S 31000	ASTM A 276	322	I 083
	ASTM A 167	322	I 083
	ASTM A 580	322	I 083
S 31008	ASTM A 276	294	I 021
	ASTM A 479	294	I 021
	ASTM A 240	294	I 021
	ASTM A 580	294	I 021
	ASTM A 473	294	I 021

기호	규격번호	페이지	색인번호
S 31260	ASTM A 789	202	F 035
	ASTM A 240	304	I 044
S 31600	ASTM A 276	294	I 022
	ASTM A 493	294	I 022
	ASTM A 240	294	I 022
	ASTM A 666	294	I 022
	ASTM A 313	294	I 022
S 31603	ASTM A 276	294	I 023
	ASTM A 479	294	I 023
	ASTM A 240	294	I 023
	ASTM A 478	294	I 023
	ASTM A 580	294	I 023
S 31635	ASTM A 358	174	E 028
	ASTM A 479	296	I 026
	ASTM A 240	296	I 026
	ASTM A 478	296	I 026
S 31651	ASTM A 276	296	I 024
	ASTM A 479	296	I 024
	ASTM A 240	296	I 024
	ASTM A 666	296	I 024
S 31653	ASTM A 276	296	I 025
	ASTM A 479	296	I 025
	ASTM A 240	296	I 025
S 31700	ASTM A 276	298	I 029
	ASTM A 240	298	I 029
	ASTM (A 580)	298	I 029
S 31703	ASTM A 240	298	I 030
S 31725	ASTM A 409	184	E 057
S 31753	ASTM A 240	298	I 031
S 31803	ASTM A 240	304	I 043
	ASTM A 182	304	I 043
S 32100	ASTM A 276	302	I 037
	ASTM A 479	302	I 037
	ASTM A 240	302	I 037
	ASTM A 493	302	I 037

기호	규격번호	페이지	색인번호
	ASTM A 580	302	I 037
S 32900	ASTM A 358	186	E 060
	ASTM A 789	200	F 034
	ASTM A 240	304	I 042
S 32950	ASTM A 358	178	E 039
S 34700	ASTM A 276	302	I 038
	ASTM A 479	302	I 038
	ASTM A 240	302	I 038
	ASTM A 493	302	I 038
	ASTM A 580	302	I 038
S 38100	ASTM A 240	304	I 041
S 38400	ASTM A 483	302	I 039
S 40300	ASTM A 276	312	I 058
	ASTM A 479	312	I 058
	ASTM A 176	312	I 058
	ASTM A 580	312	I 058
S 40500	ASTM A 276	306	I 045
	ASTM A 479	306	I 045
	ASTM A 240	306	I 045
S 40900	ASTM A 240	324	I 088
S 40945	ASTM A 358	178	E 041
S 41000	ASTM A 276	312	I 059
	ASTM A 479	312	I 059
	ASTM A 240	312	I 059
	ASTM A 493	312	I 059
	ASTM A 580	312	I 059
S 41008	ASTM A 240	314	I 061
S 41600	ASTM A 582	314	I 063
	ASTM A 581	314	I 063
S 42000	ASTM A 314	314	I 064
	ASTM A 582	314	I 064
	ASTM A 581	314	I 064
	ASTM A 194	314	I 064
S 42020	ASTM A 895	316	I 066
S 42200	ASTM A 565	316	I 069
S 42900	ASTM A 276	306	I 047
	ASTM A 240	306	I 047
	ASTM A 493	306	I 047
S 43000	ASTM A 358	180	E 042
	ASTM A 276	306	I 048
	ASTM A 479	306	I 048
	ASTM A 240	306	I 048
	ASTM A 493	306	I 048
	ASTM A 580	306	I 048
S 43020	ASTM A 582	308	I 049
	ASTM A 581	308	I 049
S 43035	ASTM A 479	308	I 050
	ASTM A 240	308	I 050
S 43100	ASTM A 276	316	I 069
	ASTM A 493	316	I 069
	ASTM A 580	316	I 069
S 43400	ASTM A 240	310	I 052
S 43600	ASTM A 240	310	I 053
S 44002	ASTM A 276	318	I 070
	ASTM A 580	318	I 070
S 44003	ASTM A 276	318	I 071
	ASTM A 580	318	I 071
S 44004	ASTM A 276	318	I 072
	ASTM A 493	318	I 072
	ASTM A 580	318	I 072
S 44400	ASTM A 358	180	E 046
	ASTM A 268	204	F 044
	ASTM A 276	310	I 055
	ASTM A 479	310	I 055
	ASTM A 240	310	I 055
S 44600	ASTM A 276	326	I 090
	ASTM A 314	326	I 090
	ASTM A 176	326	I 090
	ASTM A 580	326	I 090
S 44627	ASTM A 276	312	I 057

기호	규격번호	페이지	색인번호
	ASTM A 476	312	I 057
	ASTM A 493	312	I 057
	ASTM A 240	312	I 057
S 44700	ASTM A 276	312	I 056
	ASTM A 479	312	I 056
	ASTM A 240	312	I 056
	ASTM A 493	312	I 056
	ASTM A 580	312	I 056
S 63017	ASTMS-56 E	322	I 080
SA 1 C	KS D 3544	138	D 007
	JIS G 3314	138	D 007
SA 1 D	KS D 3544	138	D 008
	JIS G 3314	138	D 008
SA 1 E	KS D 3544	138	D 008
	JIS G 3314	138	D 008
SA 2 C	KS D 3544	138	D 009
	JIS G 3314	138	D 009
SACM 1	KS D 3756	268	H 062
SACM 645	JIS G 4202	268	H 062
SAW 4	BS 6323-7	218	G 009
SAW 5	BS 6323-7	218	G 009
SB 410	KS D 3560	68	B 001
	JIS G 3103	68	B 001
SB 450	KS D 3560	68	B 002
	JIS G 3103	68	B 002
SB 450 M	KS D 3560	70	B 003
	JIS G 3103	70	B 003
SB 480	KS D 3560	76	B 009
	JIS G 3103	76	B 009
SB 480 M	KS D 3560	78	B 010
	JIS G 3103	78	B 010
SBV 1 A	KS D 3538	94	B 025
	JIS G 3119	94	B 025
SBV 1 B	KS D 3538	94	B 026
	JIS G 3119	94	B 026

기호	규격번호	페이지	색인번호
SBV 2	KS D 3538	96	B 027
	JIS G 3119	96	B 027
SBV 3	KS D 3538	96	B 028
	JIS G 3119	96	B 028
SC 360	KS D 4101	416	O 001
	JIS G 5101	416	O 001
SC 410	KS D 4101	416	O 002
	JIS G 5101	416	O 002
SC 450	KS D 4101	416	O 003
	JIS G 5101	416	O 003
SC 480	KS D 4101	416	O 004
	JIS G 5101	416	O 004
SCB 3	BS 1400	652	S 005
SCB 6	BS 1400	652	S 004
SCC 3 A	KS D 4102	654	S 010
	JIS G 5111	654	S 010
SCC 3 B	KS D 4102	420	O 011
	JIS G 5111	420	O 011
SCC 5 A	KS D 4102	420	O 012
	JIS G 5111	420	O 012
SCC 5 B	KS D 4102	422	O 013
	JIS G 5111	422	O 013
SCCrM 1A	KS D 4102	430	O 032
	JIS G 5111	430	O 032
SCCrM 1B	KS D 4102	430	O 033
	JIS G 5111	430	O 033
SCCrM 3A	KS D 4102	430	O 034
	JIS G 5111	430	O 034
SCCrM 3B	KS D 4102	432	O 035
	JIS G 5111	432	O 035
HRSC2	KS D 4105	440	O 053
SCH2	JIS G 5122	440	O 053
HRSC11	KS D 4105	446	O 066
SCH11	JIS G 5122	446	O 066
HRSC12	KS D 4105	444	O 062

기호	규격번호	페이지	색인번호
SCH12	JIS G 5122	444	O 062
HRSC13	KS D 4105	444	O 063
SCH13	JIS G 5122	444	O 063
HRSC15	KS D 4105	440	O 054
SCH15	JIS G 5122	440	O 054
HRSC16	KS D 4105	440	O 055
SCH16	JIS G 5122	440	O 055
HRSC17	KS D 4105	444	O 064
SCH17	JIS G 5122	444	O 064
HRSC18	KS D 4105	446	O 065
SCH18	JIS G 5122	446	O 065
HRSC19	KS D 4105	440	O 056
SCH19	JIS G 5122	440	O 056
HRSC20	KS D 4105	442	O 057
SCH20	JIS G 5122	442	O 057
HRSC21	KS D 4105	442	O 058
SCH21	JIS G 5122	442	O 058
HRSC22	KS D 4105	442	O 059
SCH22	JIS G 5122	442	O 059
HRSC23	KS D 4105	442	O 060
SCH23	JIS G 5122	442	O 060
HRSC24	KS D 4105	444	O 061
SCH24	JIS G 5122	444	O 061
SCM 415	KS D 3711	264	H 046
	JIS G 4105	264	H 046
SCM 415 H	KS D 3754	270	H 074
	JIS G 4052	270	H 074
SCM 415 TK	KS D 3574	216	G 002
	JIS G 3441	216	G 002
SCM 418	KS D 3711	264	H 047
	JIS G 4105	264	H 047
SCM 418 H	KS D 3754	270	H 075
	JIS G 4052	270	H 075
SCM 418 TK	KS D 3574	216	G 003
	JIS G 3441	216	G 003
SCM 420	KS D 3711	264	H 048
	JIS G 4105	264	H 048
SCM 420 H	KS D 3754	272	H 076
	JIS G 4052	272	H 076
SCM 420 TK	KS D 3574	216	G 004
	JIS G 3441	216	G 004
SCM 421	KS D 3711	264	H 049
	JIS G 4105	264	H 049
SCM 430	KS D 3711	264	H 050
	JIS G 4105	264	H 050
SCM 430 TK	KS D 3574	216	G 005
	JIS G 3441	216	G 005
SCM 432	KS D 3711	264	H 051
	JIS G 4105	264	H 051
SCM 435	KS D 3711	264	H 052
	JIS G 4105	264	H 052
SCM 435 H	KS D 3754	272	H 077
	JIS G 4052	272	H 077
SCM 435 TK	KS D 3574	218	G 006
	JIS G 3441	218	G 006
SCM 440	KS D 3711	264	H 053
	JIS G 4105	264	H 053
SCM 440 H	KS D 3754	272	H 078
	JIS G 4052	272	H 078
SCM 440 TK	KS D 3574	219	G 007
	JIS G 3441	219	G 007
SCM 445	KS D 3711	266	H 054
	JIS G 4105	266	H 054
SCM 445 H	KS D 3754	272	H 079
	JIS G 4052	272	H 079
SCM 822	KS D 3711	266	H 055
	JIS G 4105	266	H 055
SCM 822 H	KS D 3754	272	H 080
	JIS G 4052	272	H 080
SCMn 1A	KS D 4102	422	O 014

기호	규격번호	페이지	색인번호
	JIS G 5111	422	O 014
SCMn 1B	KS D 4102	422	O 015
	JIS G 5111	422	O 015
SCMn 2A	KS D 4102	422	O 016
	JIS G 5111	422	O 016
SCMn 2B	KS D 4102	424	O 017
	JIS G 5111	424	O 017
SCMn 3A	KS D 4102	424	O 018
	JIS G 5111	424	O 018
SCMn 3B	KS D 4102	424	O 019
	JIS G 5111	424	O 019
SCMn 5A	KS D 4102	424	O 020
	JIS G 5111	424	O 020
SCMn 5B	KS D 4102	426	O 021
	JIS G 5111	426	O 021
SCMnCr 2A	KS D 4102	426	O 024
	JIS G 5111	426	O 024
SCMnCr 2B	KS D 4102	426	O 025
	JIS G 5111	426	O 025
SCMnCr 3A	KS D 4102	428	O 026
	JIS G 5111	428	O 026
SCMnCr 3B	KS D 4102	428	O 027
	JIS G 5111	428	O 027
SCMnCr 4A	KS D 4102	428	O 028
	JIS G 5111	428	O 028
SCMnCr 4B	KS D 4102	428	O 029
	JIS G 5111	428	O 029
SCMnCrM 2A	KS D 4102	432	O 036
	JIS G 5111	432	O 036
SCMnCrM 2B	KS D 4102	432	O 037
	JIS G 5111	432	O 037
SCMnCrM 3A	KS D 4102	432	O 038
	JIS G 5111	432	O 038
SCMnCrM 3B	KS D 4102	432	O 039
	JIS G 5111	432	O 039

기호	규격번호	페이지	색인번호
SCMnH 1	KS D 4104	446	O 067
	JIS G 5131	446	O 067
SCMnH 2	KS D 4104	446	O 068
	JIS G 5131	446	O 068
SCMnH 3	KS D 4104	448	O 069
	JIS G 5131	448	O 069
SCMnH 11	KS D 4104	448	O 070
	JIS G 5131	448	O 070
SCMnH 21	KS D 4104	448	O 071
	JIS G 5131	448	O 071
SCMnM 3A	KS D 4102	428	O 030
	JIS G 5111	428	O 030
SCMnM 3B	KS D 4102	430	O 031
	JIS G 5111	430	O 031
SCMV 1-1	KS D 3543	88	B 019
	JIS G 4109	88	B 019
SCMV 1-2	KS D 3543	88	B 019
	JIS G 4109	88	B 019
SCMV 2-1	KS D 3543	90	B 020
	JIS G 4109	90	B 020
SCMV 2-2	KS D 3543	90	B 020
	JIS G 4109	90	B 020
SCMV 3-1	KS D 3543	90	B 021
	JIS G 4109	90	B 021
SCMV 3-2	KS D 3543	90	B 021
	JIS G 4109	90	B 021
SCMV 4-1	KS D 3543	90	B 022
	JIS G 4109	90	B 022
SCMV 4-2	KS D 3543	90	B 022
	JIS G 4109	90	B 022
SCMV 5-1	KS D 3543	92	B 023
	JIS G 4109	92	B 023
SCMV 5-2	KS D 3543	92	B 023
	JIS G 4109	92	B 023
SCMV 6-1	KS D 3543	94	B 024

기호	규격번호	페이지	색인번호
	JIS G 4109	94	B 024
SCMV 6-2	KS D 3543	94	B 024
	JIS G 4109	94	B 024
SCNCrM 2A	KS D 4102	434	O 040
	JIS G 5111	434	O 040
SCNCrM 2B	KS D 4102	434	O 041
	JIS G 5111	434	O 041
SCPH 1	KS D 4107	448	O 072
	JIS G 5151	448	O 072
SCPH 2	KS D 4107	450	O 074
	JIS G 5151	450	O 074
SCPH 11	KS D 4107	448	O 073
	JIS G 5151	448	O 073
SCPH 11-CF	KS D 4106	456	O 088
	JIS G 5202	456	O 088
SCPH 21	KS D 4107	450	O 075
	JIS G 5151	450	O 075
SCPH 21-CF	KS D 4106	456	O 089
	JIS G 5202	456	O 089
SCPH 22	KS D 4107	450	O 076
	JIS G 5151	450	O 076
SCPH 23	KS D 4107	450	O 077
	JIS G 5151	450	O 077
SCPH 32	KS D 4107	452	O 078
	JIS G 5151	452	O 078
SCPH 32-CF	KS D 4106	456	O 090
	JIS G 5202	456	O 090
SCPH 61	KS D 4107	452	O 079
	JIS G 5151	452	O 079
SCPL 1	KS D 4111	452	O 080
	JIS G 5152	452	O 080
SCPL 11	KS D 4111	452	O 081
	JIS G 5152	452	O 081
SCPL 21	KS D 4111	452	O 082
	JIS G 5152	452	O 082
SCPL 31	KS D 4111	454	O 083
	JIS G 5152	454	O 083
SCR 440 H	KS D 3754	270	H 073
	JIS G 4052	270	H 073
SCr 415	KS D 3707	262	H 040
	JIS G 4104	262	H 040
SCr 415 H	KS D 3754	270	H 069
	JIS G 4052	270	H 069
SCr 420	KS D 3707	262	H 041
	JIS G 4104	262	H 041
SCr 420 H	KS D 3754	270	H 070
	JIS G 4052	270	H 070
SCr 420 TK	KS D 3574	216	G 001
	JIS G 3441	216	G 001
SCr 430	KS D 3707	262	H 042
	JIS G 4104	262	H 042
SCr 430 H	KS D 3754	270	H 071
	JIS G 4052	270	H 071
SCr 435	KS D 3707	262	H 043
	JIS G 4104	262	H 043
SCr 435 H	KS D 3754	270	H 072
	JIS G 4052	270	H 072
SCr 440	KS D 3707	262	H 044
	JIS G 4104	262	H 044
SCr 445	KS D 3707	262	H 045
	JIS G 4104	262	H 045
SCS 1	KS D 4103	436	O 044
	JIS G 5121	436	O 044
SCS 2	KS D 4103	438	O 051
	JIS G 5121	438	O 051
SCS 3	KS D 4103	440	O 052
	JIS G 5121	440	O 052
SCS 12	KS D 4103	436	O 045
	JIS G 5121	436	O 045
SCS 13 A	KS D 4103	436	O 046

기호	규격번호	페이지	색인번호
	JIS G 5121	436	O 046
SCS 14 A	KS D 4103	436	O 047
	JIS G 5121	436	O 047
SCS 16 A	KS D 4103	438	O 048
	JIS G 5121	438	O 048
SCS 17	KS D 4103	438	O 049
	JIS G 5121	438	O 049
SCS 18	KS D 4103	434	O 042
	JIS G 5121	434	O 042
SCS 21	KS D 4103	436	O 050
	JIS G 5121	436	O 050
SCS 23	KS D 4103	434	O 043
	JIS G 5121	434	O 043
SCSiMn 2A	KS D 4102	426	O 022
	JIS G 5111	426	O 022
SCSiMn 2B	KS D 4102	426	O 023
	JIS G 5111	426	O 023
SCW 410	KS D 4106	418	O 005
	JIS G 5102	418	O 005
SCW 410-CF	KS D 4101	454	O 084
	JIS G 5201	454	O 084
SCW 450	KS D 4106	418	O 006
	JIS G 5102	418	O 006
SCW 480	KS D 4106	418	O 007
	JIS G 5102	418	O 007
SCW 480-CF	KS D 4101	454	O 085
	JIS G 5201	454	O 085
SCW 490-CF	KS D 4101	454	O 086
	JIS G 5201	454	O 086
SCW 520-CF	KS D 4101	454	O 087
	JIS G 5201	454	O 087
SCW 550	KS D 4106	418	O 008
	JIS G 5102	418	O 008
SCW 620	KS D 4106	420	O 009
	JIS G 5102	420	O 009

기호	규격번호	페이지	색인번호
SD 295 A	JIS G 3112	64	A 012
SD 300 B	KS D 3504	64	A 012
SD 295 B	JIS G 3112	64	A 012
SD 350	KS D 3504	64	A 012
SD 345	JIS G 3112	64	A 012
SD 400	KS D 3504	64	A 013
SD 390	JIS G 3112	64	A 013
SD 500	KS D 3504	64	A 014
SD 490	JIS G 3112	64	A 014
SE 330	KS D 3528	150	D 016
	JIS G 3313	150	D 016
SE 400	KS D 3528	150	D 016
	JIS G 3313	150	D 016
SE 490	KS D 3528	150	D 016
	JIS G 3313	150	D 016
SE 540	KS D 3528	150	D 016
	JIS G 3313	150	D 016
SECC	KS D 3528	146	D 013
	JIS G 3313	146	D 013
SECD	KS D 3528	146	D 014
	JIS G 3313	146	D 014
SECE	KS D 3528	146	D 014
	JIS G 3313	146	D 014
SEFC 340	KS D 3528	146	D 014
	JIS G 3313	146	D 014
	KS D 3528	148	D 015
	JIS G 3313	148	D 015
SEFC 340 H	KS D 3528	150	D 016
	JIS G 3313	150	D 016
SEFC 370	KS D 3528	146	D 014
	JIS G 3313	146	D 014
	KS D 3528	148	D 015
	JIS G 3313	148	D 015
SEFC 390	KS D 3528	148	D 015
	JIS G 3313	148	D 015

기호	규격번호	페이지	색인번호
SEFC 440	KS D 3528	148	D 015
	JIS G 3313	148	D 015
SEFC 490	KS D 3528	148	D 015
	JIS G 3313	148	D 015
SEFC 490 Y	KS D 3528	148	D 015
	JIS G 3313	148	D 015
SEFC 540	KS D 3528	148	D 015
	JIS G 3313	148	D 015
SEFC 540 Y	KS D 3528	148	D 015
	JIS G 3313	148	D 015
SEFC 590	KS D 3528	148	D 015
	JIS G 3313	148	D 015
SEFC 590 Y	KS D 3528	150	D 015
	JIS G 3313	150	D 015
SEFC 780 Y	KS D 3528	148	D 015
	JIS G 3313	148	D 015
SEFC 980 Y	KS D 3528	148	D 015
	JIS G 3313	148	D 015
SEFC 490	KS D 3528	148	D 015
	JIS G 3313	148	D 015
SEFC 540	KS D 3528	148	D 015
	JIS G 3313	148	D 015
SEFC 540 Y	KS D 3528	148	D 015
	JIS G 3313	148	D 015
SEFC 590	KS D 3528	148	D 015
	JIS G 3313	148	D 015
SEFC 590 Y	KS D 3528	148	D 015
	JIS G 3313	148	D 015
SEHC	KS D 3528	146	D 013
	JIS G 3313	146	D 013
SEHD	KS D 3528	146	D 014
	JIS G 3313	146	D 014
SEHE	KS D 3528	146	D 014
	JIS G 3313	146	D 014
SEPH 310	KS D 3528	150	D 016
	JIS G 3313	150	D 016
SEPH 370	KS D 3528	150	D 016
	JIS G 3313	150	D 016
SEPH 400	KS D 3528	150	D 016
	JIS G 3313	150	D 016
SEPH 440	KS D 3528	150	D 016
	JIS G 3313	150	D 016
SEV 245	KS D 3610	100	B 035
	JIS G 3124	100	B 035
SEV 295	KS D 3610	102	B 036
	JIS G 3124	102	B 036
SEV 345	KS D 3610	102	B 037
	JIS G 3124	102	B 037
SF 340 A	KS D 3710	374	N 001
	JIS G 3201	374	N 001
SF 390 A	KS D 3710	374	N 002
	JIS G 3201	374	N 002
SF 440 A	KS D 3710	374	N 003
	JIS G 3201	374	N 003
SF 490 A	KS D 3710	374	N 004
	JIS G 3201	374	N 004
SF 540 A	KS D 3710	376	N 005
	JIS G 3201	376	N 005
SF 540 B	KS D 3710	376	N 006
	JIS G 3201	376	N 006
SF 590 A	KS D 3710	376	N 007
	JIS G 3201	376	N 007
SF 590 B	KS D 3710	378	N 008
	JIS G 3201	378	N 008
SF 640 B	KS D 3710	378	N 009
	JIS G 3201	378	N 009
SFCM 590 S	KS D 4114	402	N 049
	JIS G 3221	402	N 049
SFCM 640 S	KS D 4114	402	N 050
	JIS G 3221	402	N 050

기호	규격번호	페이지	색인번호
SFCM 690 S	KS D 4114	404	N 051
	JIS G 3221	404	N 051
SFCM 740 S	KS D 4114	404	N 052
	JIS G 3221	404	N 052
SFCM 780 S	KS D 4114	404	N 053
	JIS G 3221	404	N 053
SFCM 830 S	KS D 4114	406	N 054
	JIS G 3221	406	N 054
SFCM 880 S	KS D 4114	406	N 055
	JIS G 3221	406	N 055
SFCM 930 S	KS D 4114	406	N 056
	JIS G 3221	406	N 056
SFCM 980 S	KS D 4114	408	N 057
	JIS G 3221	408	N 057
SF-Cu	DIN 1787	512	Q 045
	DIN 1787	492	Q 004
	DIN 1787	522	Q 064
	DIN 1787	534	Q 093
	DIN 2856	542	Q 108
SFL 1	KS D 4125	384	N 020
	JIS G 3205	384	N 020
SFL 2	KS D 4125	386	N 021
	JIS G 3205	386	N 021
SFL 3	KS D 4125	386	N 022
	JIS G 3205	386	N 022
SFNCM 740 R	KS D 4117	408	N 058
	JIS G 3222	408	N 058
SFNCM 830 R	KS D 4117	410	N 059
	JIS G 3222	410	N 059
SFNCM 880 R	KS D 4117	410	N 060
	JIS G 3222	410	N 060
SFNCM 930 R	KS D 4117	412	N 061
	JIS G 3222	412	N 061
SFNCM 980 R	KS D 4117	412	N 062
	JIS G 3222	412	N 062
SFNCM 1030 R	KS D 4117	414	N 063
	JIS G 3222	414	N 063
SFV C 2 B	KS D 4117	380	N 012
	JIS G 3204	380	N 012
SFV Q 2 A	KS D 4124	382	N 013
	JIS G 3203	382	N 013
SFVA F 1	KS D 4123	384	N 018
	JIS G 3203	384	N 018
SFVA F 2	KS D 4123	384	N 019
	JIS G 3203	384	N 019
SFVA F 5A	KS D 4123	390	N 030
	JIS G 3203	390	N 030
SFVA F 5B	KS D 4123	390	N 031
	JIS G 3203	390	N 031
SFVA F 5C	KS D 4123	390	N 032
	JIS G 3203	390	N 032
SFVA F 5D	KS D 4123	392	N 033
	JIS G 3203	392	N 033
SFVA F 9	KS D 4123	392	N 034
	JIS G 3203	392	N 034
SFVA F 11A	KS D 4123	388	N 024
	JIS G 3203	388	N 024
SFVA F 11B	KS D 4123	388	N 025
	JIS G 3203	388	N 025
SFVA F 12	KS D 4123	386	N 023
	JIS G 3203	386	N 023
SFVA F 21A	KS D 4123	390	N 028
	JIS G 3203	390	N 028
SFVA F 21B	KS D 4123	390	N 029
	JIS G 3203	390	N 029
SFVA F 22A	KS D 4123	388	N 026
	JIS G 3203	388	N 026
SFVA F 22B	KS D 4123	388	N 027
	JIS G 3203	388	N 027
SFVC 1	KS D 4211	378	N 010

기호	규격번호	페이지	색인번호
	JIS G 3202	378	N 010
SFVC 2 A	KS D 4122	380	N 011
	JIS G 3202	380	N 011
SFVCM F 3 V	KS D 4129	392	N 037
	JIS G 3206	392	N 037
SFVCM F 22 B	KS D 4129	392	N 035
	JIS G 3206	392	N 035
SFVCM F 22 V	KS D 4129	392	N 036
	JIS G 3206	392	N 036
SFVQ 1 A	KS D 4124	382	N 015
	JIS G 3204	382	N 015
SFVQ 1 B	KS D 4124	382	N 016
	JIS G 3204	382	N 016
SFVQ 2 B	KS D 4124	382	N 014
	JIS G 3204	382	N 014
SFVQ 3	KS D 4124	382	N 017
	JIS G 3204	382	N 017
SG 255	KS D 3533	72	B 005
	JIS G 3116	72	B 005
SG 295	KS D 3533	72	B 006
	JIS G 3116	72	B 006
SG 325	KS D 3533	82	B 013
	JIS G 3116	82	B 013
SG 365	KS D 3533	82	B 014
	JIS G 3116	82	B 014
SGC 340	KS D 3506	128	D 003
	JIS G 3302	128	D 003
SGC 400	KS D 3506	128	D 003
	JIS G 3302	128	D 003
SGC 440	KS D 3506	128	D 003
	JIS G 3302	128	D 003
SGC 490	KS D 3506	128	D 003
	JIS G 3302	128	D 003
SGC 570	KS D 3506	128	D 003
	JIS G 3302	128	D 003

기호	규격번호	페이지	색인번호
SGCC	KS D 3506	126	D 001
	JIS G 3302	126	D 001
SGCD 1	KS D 3506	126	D 002
	JIS G 3302	126	D 002
SGCD 2	KS D 3506	128	D 002
	JIS G 3302	128	D 002
SGCD 3	KS D 3506	128	D 002
	JIS G 3302	128	D 002
SGCH	KS D 3506	126	D 001
	JIS G 3302	126	D 001
SGH 340	KS D 3506	128	D 003
	JIS G 3302	128	D 003
SGH 400	KS D 3506	128	D 003
	JIS G 3302	128	D 003
SGH 440	KS D 3506	128	D 003
	JIS G 3302	128	D 003
SGH 490	KS D 3506	128	D 003
	JIS G 3302	128	D 003
SGH 540	KS D 3506	128	D 003
	JIS G 3302	128	D 003
SGHC	KS D 3506	126	D 001
	JIS G 3302	126	D 001
SGLC 400	JIS G 3321	144	D 012
SGLC 440	JIS G 3321	144	D 012
SGLC 490	JIS G 3321	144	D 012
SAZ 570	KS D 4114	144	D 012
SGLC 570	JIS G 3321	144	D 012
SAZCC 570	KS D 4114	142	D 010
SGLCC 570	JIS G 3321	142	D 010
SAZCD	KS D 4114	142	D 011
SGLCD	JIS G 3321	142	D 011
SAZHC	KS D 4114	142	D 010
SGLCH	JIS G 3321	142	D 010
SAZ 400	KS D 4114	142	D 012
SGLH 400	JIS G 3321	142	D 012

기호	규격번호	페이지	색인번호
SAZ 440	KS D 4114	142	D 012
SGLH 440	JIS G 3321	142	D 012
SAZ 490	KS D 4114	142	D 012
SGLH 490	JIS G 3321	142	D 012
SGLH 540	JIS G 3321	144	D 012
SPP	KS D 3507	162	E 001
SGP	JIS G 3452	162	E 001
SGV 410	KS D 3540	74	B 007
	JIS G 3118	74	B 007
SGV 450	KS D 3540	74	B 008
	JIS G 3118	74	B 008
SGV 480	KS D 3540	82	B 015
	JIS G 3118	82	B 015
STC 1	KS D 3751	330	J 001
SK 1	JIS G 4401	330	J 001
STC 2	KS D 3751	330	J 002
SK 2	JIS G 4401	330	J 002
STC 3	KS D 3751	330	J 003
SK 3	JIS G 4401	330	J 003
STC 4	KS D 3751	330	J 004
SK 4	JIS G 4401	330	J 004
STC 5	KS D 3751	330	J 005
SK 5	JIS G 4401	332	J 005
STC 6	KS D 3751	332	J 006
SK 6	JIS G 4401	332	J 006
STC 7	KS D 3751	332	J 007
SK 7	JIS G 4401	332	J 007
STD 1	KS D 3753	348	J 037
SKD 1	JIS G 4404	348	J 037
STD 4	KS D 3753	348	J 040
SKD 4	JIS G 4404	348	J 040
STD 5	KS D 3753	350	J 041
SKD 5	JIS G 4404	350	J 041
STD 6	KS D 3753	350	J 042
SKD 6	JIS G 4404	350	J 042

기호	규격번호	페이지	색인번호
SKD 7	JIS G 4404	352	J 045
SKD 8	JIS G 4404	352	J 046
STD 11	KS D 3753	348	J 038
SKD 11	JIS G 4404	348	J 038
STD 12	KS D 3753	348	J 039
SKD 12	JIS G 4404	348	J 039
STD 61	KS D 3753	350	J 043
SKD 61	JIS G 4404	350	J 043
STD 62	KS D 3753	350	J 044
SKD 62	JIS G 4404	350	J 044
SKH 2	KS D 3522	332	J 008
	JIS G 4403	332	J 008
SKH 3	KS D 3522	334	J 009
	JIS G 4403	334	J 009
SKH 4	KS D 3522	334	J 010
	JIS G 4403	334	J 010
SKH 10	KS D 3522	334	J 011
	JIS G 4403	334	J 011
SKH 51	KS D 3522	334	J 012
	JIS G 4403	334	J 012
SKH 52	KS D 3522	336	J 013
	JIS G 4403	336	J 013
SKH 53	KS D 3522	336	J 014
	JIS G 4403	336	J 014
SKH 54	KS D 3522	336	J 015
	JIS G 4403	336	J 015
SKH 55	KS D 3522	336	J 016
	JIS G 4403	336	J 016
SKH 56	KS D 3522	338	J 017
	JIS G 4403	338	J 017
SKH 57	KS D 3522	338	J 018
	JIS G 4403	338	J 018
SKH 58	KS D 3522	338	J 019
	JIS G 4403	338	J 019
SKH 59	KS D 3522	338	J 020

기호	규격번호	페이지	색인번호
	JIS G 4403	338	J 020
STS 2	KS D 3753	340	J 022
SKS 2	JIS G 4404	340	J 022
STS 3	KS D 3753	344	J 032
SKS 3	JIS G 4404	344	J 032
STS 4	KS D 3753	342	J 028
SKS 4	JIS G 4404	342	J 028
STS 5	KS D 3753	340	J 024
SKS 5	JIS G 4404	340	J 024
STS 7	KS D 3753	342	J 026
SKS 7	JIS G 4404	342	J 026
STS 8	KS D 3753	342	J 027
SKS 8	JIS G 4404	342	J 027
STS 11	KS D 3753	340	J 021
SKS 11	JIS G 4404	340	J 021
STS 21	KS D 3753	340	J 023
SKS 21	JIS G 4404	340	J 023
STS 31	KS D 3753	346	J 033
SKS 31	JIS G 4404	346	J 033
STS 41	KS D 3753	344	J 029
SKS 41	JIS G 4404	344	J 029
STS 43	KS D 3753	344	J 030
SKS 43	JIS G 4404	344	J 030
STS 44	KS D 3753	344	J 031
SKS 44	JIS G 4404	344	J 031
STS 51	KS D 3753	342	J 025
SKS 51	JIS G 4404	342	J 025
STS 93	KS D 3753	346	J 034
SKS 93	JIS G 4404	346	J 034
STS 94	KS D 3753	346	J 035
SKS 94	JIS G 4404	346	J 035
STS 95	KS D 3753	346	J 036
SKS 95	JIS G 4404	346	J 036
STF 3	KS D 3753	352	J 047
SKT 3	JIS G 4404	352	J 047

기호	규격번호	페이지	색인번호
STF 4	KS D 3753	352	J 048
SKT 4	JIS G 4404	352	J 048
SL 2 N 255	KS D 3586	108	B 042
	JIS G 3217	108	B 042
SL 3 N 255	KS D 3586	108	B 043
	JIS G 3217	108	B 043
SL 3 N 275	KS D 3586	108	B 044
	JIS G 3217	108	B 044
SL 3 N 440	KS D 3586	110	B 045
	JIS G 3217	110	B 045
SL 5 N 590	KS D 3586	110	B 046
	JIS G 3217	110	B 046
SL 9 N 520	KS D 3586	110	B 047
	JIS G 3217	110	B 047
SL 9 N 590	KS D 3586	110	B 048
	JIS G 3217	110	B 048
SLA 1	KS D 3526	102	B 038
SLA 235	JIS G 3216	102	B 038
SLA 1	KS D 3526	104	B 039
SLA 325	JIS G 3216	104	B 039
SLA 1	KS D 3526	104	B 040
SLA 360	JIS G 3216	104	B 040
SLA 410	JIS G 3216	106	B 041
SM 400 A	KS D 3515	20	A 002
	JIS G 3106	22	A 002
SM 400 B	KS D 3515	22	A 002
	JIS G 3106	22	A 002
SM 400 C	KS D 3515	22	A 002
	JIS G 3106	22	A 002
SM 490 A	KS D 3515	32	A 003
	JIS G 3106	32	A 003
SM 490 B	KS D 3515	32	A 003
	JIS G 3106	32	A 003
SM 490 C	KS D 3515	34	A 003
	JIS G 3106	34	A 003

기호	규격번호	페이지	색인번호
SM 490 Y	KS D 3515	34	A 003
	JIS G 3106	34	A 003
SM 520 B	KS D 3515	34	A 003
	JIS G 3106	34	A 003
SM 520 C	KS D 3515	34	A 003
	JIS G 3106	34	A 003
SM 570	KS D 3515	46	A 004
	JIS G 3106	46	A 004
SMA 41 AP	KS D 3529	48	A 005
SMA 400 AP	JIS G 3114	48	A 005
SMA 41 AW	KS D 3529	48	A 005
SMA 400 AW	JIS G 3114	48	A 005
SMA 41 BP	KS D 3529	48	A 005
SMA 400 BP	JIS G 3114	48	A 005
SMA 41 BW	KS D 3529	48	A 005
SMA 400 BW	JIS G 3114	48	A 005
SMA 41 CP	KS D 3529	50	A 005
SMA 400 CP	JIS G 3114	50	A 005
SMA 41 CW	KS D 3529	50	A 005
SMA 400 CW	JIS G 3114	50	A 005
SMA 50 AP	KS D 3529	52	A 006
SMA 490 AP	JIS G 3114	52	A 006
SMA 50 AW	KS D 3529	52	A 006
SMA 490 AW	JIS G 3114	52	A 006
SMA 50 BP	KS D 3529	52	A 006
SMA 490 BP	JIS G 3114	52	A 006
SMA 50 BW	KS D 3529	52	A 006
SMA 490 BW	JIS G 3114	52	A 006
SMA 50 CP	KS D 3529	52	A 006
SMA 490 CP	JIS G 3114	54	A 006
SMA 50 CW	KS D 3529	52	A 006
SMA 490 CW	JIS G 3114	52	A 006
SMA 58 P	KS D 3529	56	A 007
SMA 570 P	JIS G 3114	56	A 007
SMA 58 W	KS D 3529	56	A 007

기호	규격번호	페이지	색인번호
SMA 570 W	JIS G 3114	56	A 007
SMn 420	KS D 3274	266	H 056
	JIS G 4106	266	H 056
SMn 420 H	KS D 3754	266	H 063
	JIS G 4052	266	H 063
SMn 433	KS D 3724	266	H 057
	JIS G 4106	266	H 057
SMn 433 H	KS D 3754	268	H 064
	JIS G 4052	268	H 064
SMn 438	KS D 3724	266	H 058
	JIS G 4106	266	H 058
SMn 438 H	KS D 3754	268	H 065
	JIS G 4052	268	H 065
SMn 443	KS D 3724	266	H 059
	JIS G 4106	266	H 059
SMn 443 H	KS D 3754	268	H 066
	JIS G 4052	268	H 066
SMnC 420	KS D 3724	268	H 060
	JIS G 4106	268	H 060
SMnC 420 H	KS D 3754	268	H 067
	JIS G 4052	268	H 067
SMnC 443	KS D 3724	268	H 061
	JIS G 4106	268	H 061
SMnC 443 H	KS D 3754	268	H 068
	JIS G 4052	268	H 068
S-N 22	NF A 32-301	472	P 033
S-N 35	NF A 32-301	476	P 039
SN 400 A	JIS G 3136	22	A 002
SN 400 B	JIS G 3136	22	A 002
SN 400 C	JIS G 3136	22	A 002
SN 490 B	JIS G 3136	32	A 003
SN 490 C	JIS G 3136	34	A 003
SNB 5	KS D 3755	276	H 086
	JIS G 4107	276	H 086
SNB 7	KS D 3755	276	H 087

기호	규격번호	페이지	색인번호
	JIS G 4107	276	H 087
SNB 16	KS D 3755	276	H 087
	JIS G 4107	276	H 087
SNB 21-1	KS D 3723	276	H 088
	JIS G 4108	278	H 088
SNB 21-2	KS D 3723	276	H 088
	JIS G 4108	278	H 088
SNB 21-3	KS D 3723	276	H 088
	JIS G 4108	278	H 088
SNB 21-4	KS D 3723	276	H 088
	JIS G 4108	278	H 088
SNB 21-5	KS D 3723	276	H 088
	JIS G 4108	278	H 088
SNB 22-1	KS D 3723	276	H 088
	JIS G 4108	278	H 088
SNB 22-2	KS D 3723	278	H 088
	JIS G 4108	278	H 088
SNB 22-3	KS D 3723	278	H 088
	JIS G 4108	278	H 088
SNB 22-4	KS D 3723	278	H 088
	JIS G 4108	278	H 088
SNB 22-5	KS D 3723	278	H 088
	JIS G 4108	278	H 088
SNB 23-1	KS D 3723	278	H 088
	JIS G 4108	278	H 088
SNB 23-2	KS D 3723	278	H 088
	JIS G 4108	278	H 088
SNB 23-3	KS D 3723	278	H 088
	JIS G 4108	278	H 088
SNB 23-4	KS D 3723	278	H 088
	JIS G 4108	278	H 088
SNB 23-5	KS D 3723	278	H 088
	JIS G 4108	278	H 088
S-NC 202	NF A 32-301	470	P 029
S-NC 203	NF A 32-301	472	P 031

기호	규격번호	페이지	색인번호
SNC 236	KS D 3708	258	H 024
	JIS G 4102	258	H 024
S-NC 301	NF A 32-301	474	P 035
S-NC 202	NF A 32-301	474	P 036
S-NC 353	NF A 32-301	476	P 040
SNC 415	KS D 3708	258	H 025
	JIS G 4102	258	H 025
SNC 415 H	KS D 3754	272	H 081
	JIS G 4052	272	H 081
SNC 631	KS D 3708	258	H 026
	JIS G 4102	258	H 026
SNC 631 H	KS D 3754	272	H 082
	JIS G 4052	272	H 082
SNC 815	KS D 3708	258	H 027
	JIS G 4102	258	H 027
SNC 815 H	KS D 3754	272	H 083
	JIS G 4052	272	H 083
SNC 836	KS D 3708	258	H 028
	JIS G 4102	258	H 028
SNCM 220	KS D 3709	258	H 029
	JIS G 4103	258	H 029
SNCM 220 H	KS D 3754	274	H 084
	JIS G 4052	274	H 084
SNCM 240	KS D 3709	258	H 030
	JIS G 4103	258	H 030
SNCM 415	KS D 3709	260	H 031
	JIS G 4103	260	H 031
SNCM 420	KS D 3709	260	H 032
	JIS G 4103	260	H 032
SNCM 420 H	KS D 3754	274	H 085
	JIS G 4052	274	H 085
SNCM 431	KS D 3709	260	H 033
	JIS G 4103	260	H 033
SNCM 439	KS D 3709	260	H 034
	JIS G 4103	260	H 034

기호	규격번호	페이지	색인번호
SNCM 447	KS D 3709	260	H 035
	JIS G 4103	260	H 035
SNCM 616	KS D 3709	260	H 036
	JIS G 4103	260	H 036
SNCM 625	KS D 3709	260	H 037
	JIS G 4103	260	H 037
SNCM 630	KS D 3709	260	H 038
	JIS G 4103	260	H 038
SNCM 815	KS D 3709	260	H 039
	JIS G 4103	260	H 039
S-Ni 22	ISO 2892	472	P 033
S-Ni 35	ISO 2892	476	P 039
S-NiCr 202	ISO 2892	470	P 029
S-NiCr 203	ISO 2892	472	P 031
S-NiCr 301	ISO 2892	474	P 035
S-NiCr 303	ISO 2892	474	P 036
S-NiCr 353	ISO 2892	476	P 040
S-NiMn 137	ISO 2892	470	P 028
S-NiMn 234	ISO 2892	474	P 034
S-NiSiCr 2052	ISO 2892	472	P 032
S-NiSiCr 3055	ISO 2892	476	P 038
S-NM 137	NF A 32-301	470	P 028
S-NM 234	NF A 32-301	474	P 034
S-NSC 2062	NF A 32-301	472	P 032
S-NSC 3055	NF A 32-301	476	P 038
SPA-C	KS D 3542	122	C 007
	JIS G 3125	122	C 007
SPA-H	KS D 3542	62	A 008
	JIS G 3125	62	A 008
SPB DR-8	KS D 3516	152	D 018
	JIS G 3303	152	D 018
SPB DR-9	KS D 3516	152	D 018
	JIS G 3303	152	D 018
SPB DR-9 M	KS D 3516	152	D 018
	JIS G 3303	154	D 018

기호	규격번호	페이지	색인번호
SPB DR-10	KS D 3516	152	D 018
	JIS G 3303	154	D 018
SPB T-1	KS D 3516	152	D 017
	JIS G 3303	152	D 017
SPB T-2	KS D 3516	152	D 017
	JIS G 3303	152	D 017
SPB T-2.5	KS D 3516	152	D 017
	JIS G 3303	152	D 017
SPB T-3	KS D 3516	152	D 017
	JIS G 3303	152	D 017
SPB T-4	KS D 3516	152	D 017
	JIS G 3303	152	D 017
SPB T-5	KS D 3516	152	D 017
	JIS G 3303	152	D 017
SPB T-6	KS D 3516	152	D 017
	JIS G 3303	152	D 017
SPCC	KS D 3512	118	C 004
	JIS G 3141	118	C 004
SPCD	KS D 3512	120	C 005
	JIS G 3141	120	C 005
SPCE	KS D 3512	122	C 006
	JIS G 3141	122	C 006
SPHC	KS D 3501	114	C 001
	JIS G 3131	114	C 001
SPHD	KS D 3501	114	C 002
	JIS G 3131	114	C 002
SPHE	KS D 3501	116	C 003
	JIS G 3131	116	C 003
SPP	KS D 3518	122	C 008
	JIS G 3133	122	C 008
SPTE DR-8	JIS G 3303	156	D 020
SPTE DR-9	JIS G 3303	156	D 020
SPTE DR-9 M	JIS G 3303	156	D 020
SPTE DR-10	JIS G 3303	156	D 020
SPTE T-1	JIS G 3303	154	D 019

기호	규격번호	페이지	색인번호
SPTE T-2	JIS G 3303	154	D 019
SPTE T-2.5	JIS G 3303	154	D 019
SPTE T-3	JIS G 3303	154	D 019
SPTE T-4	JIS G 3303	154	D 019
SPTE T-5	JIS G 3303	154	D 019
SPTE T-6	JIS G 3303	154	D 019
SPTES DR-8	JIS G 3315	158	D 022
SPTES DR-9	JIS G 3315	158	D 022
SPTES DR-9M	JIS G 3315	158	D 022
SPTES DR-10	JIS G 3315	158	D 022
SPTES T-1	JIS G 3315	156	D 021
SPTES T-2	JIS G 3315	156	D 021
SPTES T-2.5	JIS G 3315	156	D 021
SPTES T-3	JIS G 3315	156	D 021
SPTES T-4	JIS G 3315	156	D 021
SPTES T-5	JIS G 3315	156	D 021
SPTES T-6	JIS G 3315	156	D 021
SPPV 235	KS D 3521	70	B 004
SPV 235	JIS G 3115	72	B 004
SPPV 315	KS D 3521	78	B 011
SPV 315	JIS G 3115	78	B 011
	JIS G 3115-1	78	B 011
SPPV 355	KS D 3521	80	B 012
SPV 355	JIS G 3115	80	B 012
	JIS G 3115-1	80	B 012
SPV 410	JIS G 3115	84	B 016
	JIS G 3115-1	84	B 016
SPPV 450	KS D 3521	86	B 017
SPV 450	JIS G 3115	86	B 017
	JIS G 3115-1	86	B 017
SPPV 490	KS D 3521	88	B 018
SPV 490	JIS G 3115	88	B 018

기호	규격번호	페이지	색인번호
SQV 1 A	KS D 3539	98	B 029
	JIS G 3120	98	B 029
SQV 1 B	KS D 3539	98	B 032
	JIS G 3120	98	B 032
SQV 2 A	KS D 3539	98	B 030
	JIS G 3120	98	B 030
SQV 2 B	KS D 3539	100	B 033
	JIS G 3120	100	B 033
SQV 3 A	KS D 3539	98	B 031
	JIS G 3120	98	B 031
SQV 3 B	KS D 3539	100	B 034
	JIS G 3120	100	B 034
SR 240	KS D 3504	64	A 011
SR 235	JIS G 3112	64	A 011
SR 300	KS D 3504	64	A 012
SR 295	JIS G 3112	64	A 012
SS 230	ASTM A 653	130	D 003
	ASTM A 875	136	D 006
	ASTM A 463	138	D 009
	ASTM A 792	144	D 012
SS 255	ASTM A 653	130	D 003
	ASTM A 875	136	D 006
	ASTM A 463	138	D 009
	ASTM A 792	144	D 012
SS 275	ASTM A 653	130	D 003
	ASTM A 875	136	D 006
	ASTM A 463	138	D 009
	ASTM A 792	144	D 012
SS 330	KS D 3503	16	A 001
	JIS G 3101	16	A 001
SS 340 Cl 1	ASTM A 653	130	D 003
	ASTM A 875	136	D 006
	ASTM A 463	138	D 009

기호	규격번호	페이지	색인번호
SS 340 Cl 2	ASTM A 653	130	D 003
	ASTM A 875	136	D 006
	ASTM A 463	138	D 009
SS 340 Cl 3	ASTM A 653	130	D 003
	ASTM A 875	136	D 006
	ASTM A 463	140	D 009
SS 345 A	ASTM A 792	144	D 012
SS 345 B	ASTM A 792	144	D 012
SS 400	KS D 3503	20	A 002
	JIS G 3101	20	A 002
SS 490	KS D 3503	30	A 003
	JIS G 3101	32	A 003
SS 540	KS D 3503	32	A 003
	JIS G 3101	32	A 003
SS 550	ASTM A 653	130	D 003
	ASTM A 875	136	D 006
	ASTM A 463	140	D 009
	ASTM A 792	144	D 012
SSC 40	KS D 3530	66	A 015
SSC 400	JIS G 3350	66	A 015
St 22	DIN 1614-1	114	C 001
St 24	DIN 1614-1	114	C 001
St 33	DIN (17100)	16	A 001
	DIN 1615	162	E 001
St 34-2	DIN 2393-2	220	G 013
St 35.8	DIN 17175	164	E 007
	DIN 17175	188	F 001
St 37.0	DIN 1626	162	E 002
	DIN 1629	162	E 002
St 37-2 G	DIN 1623-2	120	C 004
St 37-3 G	DIN 1623-2	120	C 004
St 37.4	DIN 1630	164	E 004
St 37.8	DIN 17177	164	E 007
	DIN 17177	188	F 001
St 42.8	DIN 17177	166	E 008
	DIN 17177	188	F 002
St 44.0	DIN 1626	162	E 003
	DIN 1629	162	E 003
	DIN 1626	166	E 010
St 44-2	DIN (17100)	28	A 002
	DIN 17120	218	G 009
	DIN 17121	218	G 009
	DIN 2393-2	222	G 016
	DIN 2393-2	238	G 052
St 44-3	DIN (17100)	28	A 002
St 44.4	DIN 1630	164	E 005
St 45	DIN 2391-2	224	G 019
	DIN 2391-2	226	G 022
St 45.8	DIN 17175	166	E 008
	DIN 17175	188	F 002
St 52	DIN 2391-2	228	G 028
	DIN 2391-2	230	G 032
	DIN 2391-2	230	G 033
St 52-3	DIN (17100)	46	A 003
	DIN 17120	220	G 011
	DIN 17121	220	G 011
	DIN 2393-2	228	G 028
St 52.4	DIN 1630	164	E 006
STAM 30 GA	KS D 3598	236	G 049
STAM 290 GA	JIS G 3472	236	G 049
STAM 30 GB	KS D 3598	236	G 050
STAM 290 GB	JIS G 3472	236	G 050
STAM 35 G	KS D 3598	238	G 051
STAM 340 G	JIS G 3472	238	G 051
STAM 40 G	KS D 3598	238	G 052
STAM 390 G	JIS G 3472	238	G 052
STAM 45 G	KS D 3598	238	G 053
STAM 440 G	JIS G 3472	238	G 053
STAM 45 H	KS D 3598	238	G 054
STAM 440 H	JIS G 3472	238	G 054

기호	규격번호	페이지	색인번호
STAM 48 G	KS D 3598	238	G 055
STAM 470 G	JIS G 3472	238	G 055
STAM 48 H	KS D 3598	240	G 056
STAM 470 H	JIS G 3472	240	G 056
STAM 51 G	KS D 3598	240	G 057
STAM 500 G	JIS G 3472	240	G 057
STAM 51 H	KS D 3598	240	G 058
STAM 500 H	JIS G 3472	240	G 058
STAM 55 H	KS D 3598	240	G 059
STAM 540 H	JIS G 3472	240	G 059
STBH 340	KS D 3563	188	F 001
STB 340	JIS G 3461	188	F 001
STBH 410	KS D 3563	188	F 002
STB 410	JIS G 3461	188	F 002
STBH 510	KS D 3563	188	F 003
STB 510	JIS G 3461	188	F 003
STHA 12	KS D 3572	188	F 004
STBA 12	JIS G 3462	188	F 004
STHA 13	KS D 3572	190	F 005
STBA 13	JIS G 3462	190	F 005
STHA 20	KS D 3572	190	F 006
STBA 20	JIS G 3462	190	F 006
STHA 22	KS D 3572	190	F 007
STBA 22	JIS G 3462	190	F 007
STHA 23	KS D 3572	190	F 008
STBA 23	JIS G 3462	190	F 008
STHA 24	KS D 3572	190	F 009
STBA 24	JIS G 3462	190	F 009
STHA 25	KS D 3572	192	F 010
STBA 25	JIS G 3462	192	F 010
STHA 26	KS D 3572	192	F 011
STBA 26	JIS G 3462	192	F 011
STLT 39	KS D 3571	206	F 047
STBL 380	JIS G 3464	206	F 047
STLT 46	KS D 3571	206	F 048
STBL 450	JIS G 3464	206	F 048
STLT 70	KS D 3571	206	F 049
STBL 600	JIS G 3464	206	F 049
STC 370	KS D 3618	240	G 060
	JIS G 3473	240	G 060
STC 440	KS D 3618	242	G 061
	JIS G 3473	242	G 061
STC 510 A	KS D 3618	242	G 062
	JIS G 3473	242	G 062
STC 510 B	KS D 3618	242	G 063
	JIS G 3473	242	G 063
STC 540	KS D 3618	242	G 064
	JIS G 3473	242	G 064
STC 590 A	KS D 3618	242	G 065
	JIS G 3473	242	G 065
STC 590 B	KS D 3618	244	G 066
	JIS G 3473	244	G 066
StE 285	DIN 17103	374	N 002
StE 355	DIN 17103	376	N 004
Steel 3	ISO 4987	72	B 005
Steel 4	ISO 4987	82	B 013
STF 410	KS D 3587	206	F 050
	JIS G 3467	206	F 050
STFA 12	KS D 3587	206	F 051
	JIS G 3467	206	F 051
STFA 22	KS D 3587	208	F 052
	JIS G 3467	208	F 052
STFA 23	KS D 3587	208	F 053
	JIS G 3467	208	F 053
STFA 24	KS D 3587	208	F 054
	JIS G 3467	208	F 054
STFA 25	KS D 3587	208	F 055
	JIS G 3467	208	F 055
STFA 26	KS D 3587	208	F 056
	JIS G 3467	208	F 056

기호	규격번호	페이지	색인번호
STK 290	KS D 3566	218	G 008
	JIS G 3444	218	G 008
STK 400	KS D 3566	218	G 009
	JIS G 3444	218	G 009
STK 490	KS D 3566	220	G 011
	JIS G 3444	220	G 011
STK 500	KS D 3566	220	G 010
	JIS G 3444	220	G 010
STK 540	KS D 3566	220	G 012
	JIS G 3444	220	G 012
STKM 11 A	KS D 3517	220	G 013
	JIS G 3445	220	G 013
STKM 12 A	KS D 3517	222	G 014
	JIS G 3445	222	G 014
STKM 12 B	KS D 3517	222	G 016
	JIS G 3445	222	G 016
STKM 12 C	KS D 3517	224	G 017
	JIS G 3445	224	G 017
STKM 13 A	KS D 3517	222	G 015
	JIS G 3445	222	G 015
STKM 13 B	KS D 3517	224	G 018
	JIS G 3445	224	G 018
STKM 13 C	KS D 3517	226	G 022
	JIS G 3445	226	G 022
STKM 14 A	KS D 3517	224	G 019
	JIS G 3445	224	G 019
STKM 14 B	KS D 3517	226	G 023
	JIS G 3445	226	G 023
STKM 14 C	KS D 3517	226	G 024
	JIS G 3445	226	G 024
STKM 15 A	KS D 3517	224	G 020
	JIS G 3445	224	G 020
STKM 15 C	KS D 3517	228	G 029
	JIS G 3445	228	G 029
STKM 16 A	KS D 3517	224	G 025

기호	규격번호	페이지	색인번호
	JIS G 3445	224	G 025
STKM 16 C	KS D 3517	224	G 030
	JIS G 3445	224	G 030
STKM 17 A	KS D 3517	224	G 026
	JIS G 3445	224	G 026
STKM 17 C	KS D 3517	230	G 031
	JIS G 3445	230	G 031
STKM 18 A	KS D 3517	224	G 021
	JIS G 3445	224	G 021
STKM 18 B	KS D 3517	228	G 027
	JIS G 3445	228	G 027
STKM 18 C	KS D 3517	228	G 028
	JIS G 3445	228	G 028
STKM 19 A	KS D 3517	230	G 032
	JIS G 3445	230	G 032
STKM 19 C	KS D 3517	230	G 033
	JIS G 3445	230	G 033
STKM 20 A	KS D 3517	230	G 034
	JIS G 3445	230	G 034
STKR 400	KS D 3568	236	G 047
	JIS G 3466	236	G 047
STKR 490	KS D 3568	236	G 048
	JIS G 3466	236	G 048
STKR 540	KS D 3780	244	G 067
	JIS G 3474	244	G 067
STKR 590	KS D 3780	244	G 068
	JIS G 3474	244	G 068
SPA 12	KS D 3573	166	E 011
STPA 12	JIS G 3458	166	E 011
SPA 20	KS D 3573	168	E 012
STPA 20	JIS G 3458	168	E 012
SPA 22	KS D 3573	168	E 013
STPA 22	JIS G 3458	168	E 013
SPA 23	KS D 3573	168	E 014
STPA 23	JIS G 3458	168	E 014

기호	규격번호	페이지	색인번호
SPA 24	KS D 3573	168	E 015
STPA 24	JIS G 3458	168	E 015
SPA 25	KS D 3573	168	E 016
STPA 25	JIS G 3458	168	E 016
SPA 26	KS D 3573	170	E 017
STPA 26	JIS G 3458	170	E 017
STPG 370	KS D 3562	162	E 002
	JIS G 3454	162	E 002
STPG 410	KS D 3562	162	E 003
	JIS G 3454	162	E 003
SPLT 39	KS D 3569	180	E 047
STPL 380	JIS G 3460	180	E 047
SPLT 46	KS D 3569	180	E 048
STPL 450	JIS G 3460	180	E 048
SPLT 70	KS D 3569	182	E 049
STPL 690	JIS G 3460	182	E 049
SPHT 38	KS D 3570	164	E 007
STPT 370	JIS G 3456	164	E 007
SPHT 42	KS D 3570	166	E 008
STPT 410	JIS G 3456	166	E 008
SPHT 49	KS D 3570	166	E 009
STPT 480	JIS G 3456	166	E 009
SPW 400	KS D 3583	166	E 010
STPY 400	JIS G 3457	166	E 010
SPPH 38	KS D 3564	162	E 004
STS 370	JIS G 3455	162	E 004
SPPH 42	KS D 3564	164	E 005
STS 410	JIS G 3455	164	E 005
SPPH 49	KS D 3564	164	E 006
STS 480	JIS G 3455	164	E 006
STR 1	KS D 3731	326	I 091
SUH 1	JIS G 4311	326	I 091
STR 3	KS D 3731	326	I 092
SUH 3	JIS G 4311	326	I 092
STR 4	KS D 3731	328	I 093

기호	규격번호	페이지	색인번호
SUH 4	JIS G 4311	328	I 093
STR 11	KS D 3731	328	I 094
SUH 11	JIS G 4311	328	I 094
STR 21	KS D 3732	324	I 087
SUH 21	JIS G 4312	324	I 087
STR 31	KS D 3731	320	I 077
SUH 31	JIS G 4311	320	I 077
STR 35	KS D 3731	320	I 078
SUH 35	JIS G 4311	320	I 078
STR 36	KS D 3731	322	I 079
SUH 36	JIS G 4311	322	I 079
STR 37	KS D 3731	322	I 080
SUH 37	JIS G 4311	322	I 080
STR 38	KS D 3731	322	I 081
SUH 38	JIS G 4311	322	I 081
STR 309	KS D 3731	322	I 082
SUH 309	JIS G 4311	322	I 082
	KS D 3732	322	I 082
	JIS G 4312	322	I 082
STR 310	KS D 3731	322	I 083
SUH 310	JIS G 4311	322	I 083
	KS D 3732	322	I 083
	JIS G 4312	322	I 083
STR 330	KS D 3731	324	I 084
SUH 330	JIS G 4311	324	I 084
	KS D 3732	324	I 084
	JIS G 4312	324	I 084
STR 409	KS D 3732	324	I 088
SUH 409	JIS G 4312	324	I 088
STR 409 L	KS D 3732	326	I 089
SUH 409 L	JIS G 4312	326	I 089
STR 446	KS D 3731	326	I 090
SUH 446	JIS G 4311	326	I 090
	KS D 3732	326	I 090
	JIS G 4312	326	I 090

기호	규격번호	페이지	색인번호
STR 600	KS D 3731	328	I 095
SUH 600	JIS G 4311	328	I 095
STR 616	KS D 3731	328	I 096
SUH 616	JIS G 4311	328	I 096
STR 660	KS D 3731	324	I 085
SUH 660	JIS G 4311	324	I 085
	KS D 3732	324	I 085
	JIS G 4312	324	I 085
STR 661	KS D 3731	324	I 086
SUH 661	JIS G 4311	324	I 086
	KS D 3732	324	I 086
	JIS G 4312	324	I 086
STB 1	KS D 3525	368	M 001
SUJ 1	JIS G 4805	368	M 001
STB 2	KS D 3525	368	M 002
SUJ 2	JIS G 4805	368	M 002
STB 3	KS D 3525	368	M 003
SUJ 3	JIS G 4805	368	M 003
STB 4	KS D 3525	368	M 004
SUJ 4	JIS G 4805	368	M 004
STB 5	KS D 3525	370	M 005
SUJ 5	JIS G 4805	370	M 005
SUM 11	KS D 3567	360	L 001
	JIS G 4804	360	L 001
SUM 12	KS D 3567	360	L 002
	JIS G 4804	360	L 002
SUM 21	KS D 3567	360	L 003
	JIS G 4804	360	L 003
SUM 22	KS D 3567	360	L 004
	JIS G 4804	360	L 004
SUM 22 L	KS D 3567	362	L 005
	JIS G 4804	362	L 005
SUM 23	KS D 3567	362	L 006
	JIS G 4804	362	L 006
SUM 23 L	KS D 3567	362	L 007

기호	규격번호	페이지	색인번호
	JIS G 4804	362	L 007
SUM 24 L	KS D 3567	362	L 008
	JIS G 4804	362	L 008
SUM 25	KS D 3567	364	L 009
	JIS G 4804	364	L 009
SUM 31	KS D 3567	364	L 010
	JIS G 4804	364	L 010
SUM 31 L	KS D 3567	364	L 011
	JIS G 4804	364	L 011
SUM 32	KS D 3567	364	L 012
	JIS G 4804	364	L 012
SUM 41	KS D 3567	366	L 013
	JIS G 4804	366	L 013
SUM 42	KS D 3567	366	L 014
	JIS G 4804	366	L 014
SUM 43	KS D 3567	366	L 015
	JIS G 4804	366	L 015
SPS 3	KS D 3701	354	K 001
SUP 3	JIS G 4801	354	K 001
SPS 6	KS D 3701	354	K 002
SUP 6	JIS G 4801	354	K 002
SPS 7	KS D 3701	354	K 003
SUP 7	JIS G 4801	354	K 003
SPS 9	KS D 3701	354	K 004
SUP 9	JIS G 4801	354	K 004
SPS 9 A	KS D 3701	356	K 005
SUP 9 A	JIS G 4801	356	K 005
SPS 10	KS D 3701	356	K 006
SUP 10	JIS G 4801	356	K 006
SPS 11 A	KS D 3701	356	K 007
SUP 11 A	JIS G 4801	356	K 007
SPS 12	KS D 3701	356	K 008
SUP 12	JIS G 4801	356	K 008
SPS 13	KS D 3701	358	K 009
SUP 13	JIS G 4801	358	K 009

기호	규격번호	페이지	색인번호
STS F 6B	KS D 4115	414	N 065
SUS F 6B	JIS G 3214	414	N 065
STS F 6NM	KS D 4115	414	N 066
SUS F 6NM	JIS G 3214	414	N 066
STS F 304	KS D 4115	396	N 040
SUS F 304	JIS G 3214	396	N 040
STS F 304 H	KS D 4115	396	N 041
SUS F 304 H	JIS G 3214	396	N 041
STS F 304 L	KS D 4115	394	N 038
SUS F 304 L	JIS G 3214	394	N 038
STS F 310	KS D 4115	396	N 042
SUS F 310	JIS G 3214	396	N 042
STS F 316	KS D 4115	398	N 043
SUS F 316	JIS G 3214	398	N 043
STS F 316 H	KS D 4115	398	N 044
SUS F 316 H	JIS G 3214	398	N 044
STS F 316 L	KS D 4115	396	N 039
SUS F 316 L	JIS G 3214	396	N 039
STS F 321	KS D 4115	400	N 045
SUS F 321	JIS G 3214	400	N 045
STS F 321 H	KS D 4115	400	N 046
SUS F 321 H	JIS G 3214	400	N 046
STS F 347	KS D 4115	400	N 047
SUS F 347	JIS G 3214	400	N 047
STS F 347 H	KS D 4115	402	N 048
SUS F 347 H	JIS G 3214	402	N 048
STS F 410-A	KS D 4115	414	N 064
SUS F 410-A	JIS G 3214	414	N 064
STS F 410-B	KS D 4115	414	N 064
SUS F 410-B	JIS G 3214	414	N 064
STS F 410-C	KS D 4115	414	N 064
SUS F 410-C	JIS G 3214	414	N 064
STS F 410-D	KS D 4115	414	N 064
SUS F 410-D	JIS G 3214	414	N 064
STS XM 7	KS D 3706	304	I 040

기호	규격번호	페이지	색인번호
SUS XM 7	JIS G 4303	304	I 040
	KS D 3706	304	I 040
	JIS G 4308	304	I 040
	KS D 3703	304	I 040
	JIS G 4309	304	I 040
	KS D 3697	304	I 040
	JIS G 4315	304	I 040
STS XM 15 J 1	KS D 3706	304	I 041
SUS XM 15 J 1	JIS G 4303	304	I 041
	KS D 3731	304	I 041
	JIS G 4311	304	I 041
	KS D 3705	304	I 041
	JIS G 4304	304	I 041
	KS D 3698	304	I 041
	JIS G 4305	304	I 041
	KS D 3732	304	I 041
	JIS G 4312	304	I 041
STS XM 27	KS D 3706	312	I 057
SUS XM 27	JIS G 4303	312	I 057
	KS D 3705	312	I 057
	JIS G 4304	312	I 057
	KS D 3698	312	I 057
	JIS G 4305	312	I 057
STS 201	KS D 3706	284	I 001
SUS 201	JIS G 4303	284	I 001
	KS D 3702	284	I 001
	JIS G 4308	284	I 001
	KS D 3703	284	I 001
	JIS G 4309	284	I 001
STS 202	KS D 3706	284	I 002
SUS 202	JIS G 4303	284	I 002
STS 301	KS D 3706	284	I 003
SUS 301	JIS G 4303	284	I 003
	KS D 3705	284	I 003
	JIS G 4304	284	I 003

기호	규격번호	페이지	색인번호
	KS D 3698	284	I 003
	JIS G 4305	284	I 003
	KS D 3534	284	I 003
	JIS G 4313	284	I 003
STS 301 J 1	KS D 3705	286	I 005
SUS 301 J 1	JIS G 4304	286	I 005
	KS D 3698	286	I 005
	JIS G 4305	286	I 005
STS 301 L	KS D 3705	284	I 004
SUS 301 L	JIS G 4304	284	I 004
	KS D 3698	284	I 004
	JIS G 4305	284	I 004
STS 302	KS D 3706	286	I 006
SUS 302	JIS G 4303	286	I 006
	KS D 3692	286	I 006
	JIS G 4318	286	I 006
	KS D 3705	286	I 006
	JIS G 4304	286	I 006
	KS D 3698	286	I 006
	JIS G 4305	286	I 006
	KS D 3732	286	I 006
	JIS G 4312	286	I 006
	KS D 3702	286	I 006
	JIS G 4308	286	I 006
	KS D 3535	286	I 006
	JIS G 4314	286	I 006
	KS D 3694	286	I 006
	JIS G 4317	286	I 006
STS 302 B	KS D 3705	286	I 007
SUS 302	JIS G 4304	286	I 007
	KS D 3698	286	I 007
	JIS G 4305	286	I 007
STS 303	KS D 3706	286	I 008
SUS 303	JIS G 4303	286	I 008
	KS D 3692	286	I 008

기호	규격번호	페이지	색인번호
	JIS G 4318	286	I 008
	KS D 3702	286	I 008
	JIS G 4308	286	I 008
	KS D 3703	286	I 008
	JIS G 4309	286	I 008
STS 303 Se	KS D 3706	288	I 009
SUS 303 Se	JIS G 4303	288	I 009
	KS D 3692	288	I 009
	JIS G 4318	288	I 009
	KS D 3702	288	I 009
	JIS G 4308	288	I 009
	KS D 3703	288	I 009
	JIS G 4309	288	I 009
STS 304	KS D 3706	288	I 010
SUS 304	JIS G 4303	288	I 010
	KS D 3692	288	I 010
	JIS G 4318	288	I 010
	KS D 3731	288	I 010
	JIS G 4311	288	I 010
	KS D 3705	288	I 010
	JIS G 4304	288	I 010
	KS D 3698	288	I 010
	JIS G 4305	288	I 010
	KS D 3732	288	I 010
	JIS G 4312	288	I 010
	KS D 3702	288	I 010
	JIS G 4308	288	I 010
	KS D 3703	288	I 010
	JIS G 4309	288	I 010
	KS D 3694	288	I 010
	JIS G 4317	288	I 010
	KS D 3690	288	I 010
	JIS G 4320	288	I 010
STS 304 HTB	KS D 3577	192	F 015
SUS 304 HTB	JIS G 3463	192	F 015

기호	규격번호	페이지	색인번호
STS 304 HTF	KS D 3587	210	F 060
SUS 304 HTF	JIS G 3467	210	F 060
STS 304 HTP	KS D 3576	170	E 019
SUS 304 HTP	JIS G 3459	170	E 019
STS 304 J 1	KS D 3705	290	I 015
SUS 304 J 1	JIS G 4304	290	I 015
	KS D 3698	290	I 015
	JIS G 4305	290	I 015
STS 304 J 2	KS D 3705	292	I 016
SUS 304 J 2	JIS G 4304	292	I 016
	KS D 3698	292	I 016
	JIS G 4305	292	I 016
STS 304 J 3	KS D 3706	292	I 017
SUS 304 J 3	JIS G 4303	292	I 017
	KS D 3702	292	I 017
	JIS G 4308	292	I 017
STS 304 L	KS D 3706	288	I 011
SUS 304 L	JIS G 4303	288	I 011
	KS D 3692	288	I 011
	JIS G 4318	288	I 011
	KS D 3705	288	I 011
	JIS G 4304	288	I 011
	KS D 3698	288	I 011
	JIS G 4305	288	I 011
	KS D 3702	288	I 011
	JIS G 4308	288	I 011
	KS D 3703	288	I 011
	JIS G 4309	288	I 011
	KS D 3694	288	I 011
	JIS G 4317	288	I 011
	KS D 3690	288	I 011
	JIS G 4320	288	I 011
STS 304 LN	KS D 3706	290	I 014
SUS 304 LN	JIS G 4303	290	I 014
	KS D 3705	290	I 014
	JIS G 4304	290	I 014
	KS D 3698	290	I 014
	JIS G 4305	290	I 014
STS 304 LTB	KS D 3577	194	F 016
SUS 304 LTB	JIS G 3463	194	F 016
STS 304 LTP	KS D 3576	170	E 020
SUS 304 LTP	JIS G 3459	170	E 020
STS 304 LTPY	KS D 3588	182	E 051
SUS 304 LTPY	JIS G 3468	182	E 051
STS 304 N 1	KS D 3706	290	I 012
SUS 304 N 1	JIS G 4303	290	I 012
	KS D 3705	290	I 012
	JIS G 4304	290	I 012
	KS D 3698	290	I 012
	JIS G 4305	290	I 012
	KS D 3702	290	I 012
	JIS G 4308	290	I 012
	KS D 3703	290	I 012
	JIS G 4309	290	I 012
	KS D 3535	290	I 012
	JIS G 4314	290	I 012
STS 304 N 2	KS D 3706	290	I 013
SUS 304 N 2	JIS G 4303	290	I 013
	KS D 3705	290	I 013
	JIS G 4304	290	I 013
	KS D 3698	290	I 013
	JIS G 4305	290	I 013
STS 304 TB	KS D 3577	194	F 014
SUS 304 TB	JIS G 3463	194	F 014
STS 304 TF	KS D 3587	210	F 059
SUS 304 TF	JIS G 3467	210	F 059
STS 304 TKA	KS D 3536	234	G 041
SUS 304 TKA	JIS G 3446	234	G 041
STS 304 TKC	KS D 3536	234	G 045
SUS 304 TKC	JIS G 3446	234	G 045

기호	규격번호	페이지	색인번호
STS 304 TP	PKS D 3576	170	E 018
SUS 304 TP	JIS G 3459	170	E 018
STS 304 TPY	KS D 3588	182	E 050
SUS 304 TPY	JIS G 3468	182	E 050
STS 305	KS D 3706	292	I 018
SUS 305	JIS G 4303	292	I 018
	KS D 3692	292	I 018
	JIS G 4318	292	I 018
	KS D 3705	292	I 018
	JIS G 4304	292	I 018
	KS D 3698	292	I 018
	JIS G 4305	292	I 018
	KS D 3702	292	I 018
	JIS G 4308	292	I 018
	KS D 3703	292	I 018
	JIS G 4309	292	I 018
	KS D 3697	292	I 018
	JIS G 4315	292	I 018
STS 305 J 1	KS D 3692	292	I 019
SUS 305 J 1	JIS G 4318	292	I 019
	KS D 3702	292	I 019
	JIS G 4308	292	I 019
	KS D 3703	292	I 019
	JIS G 4309	292	I 019
	KS D 3697	292	I 019
	JIS G 4315	292	I 019
STS 309 S	KS D 3706	294	I 020
SUS 309 S	JIS G 4303	294	I 020
	KS D 3731	294	I 020
	JIS G 4311	294	I 020
	KS D 3705	294	I 020
	JIS G 4304	294	I 020
	KS D 3698	294	I 020
	JIS G 4305	294	I 020
	KS D 3702	294	I 020
	JIS G 4312	294	I 020
	KS D 3702	294	I 020
	JIS G 4308	294	I 020
	KS D 3703	294	I 020
	JIS G 4309	294	I 020
STS 309 STB	KS D 3577	194	F 018
SUS 309 STB	JIS G 3463	194	F 018
STS 309 STP	KS D 3576	172	E 022
SUS 309 STP	JIS G 3459	172	E 022
STS 309 STPY	KS D 3588	182	E 052
SUS 309 STPY	JIS G 3468	182	E 052
STS 309 TB	KS D 3577	194	F 017
SUS 309 TB	JIS G 3463	194	F 017
STS 309 TF	KS D 3587	210	F 061
SUS 309 TF	JIS G 3467	210	F 061
STS 309 TP	KS D 3576	172	E 021
SUS 309 TP	JIS G 3459	172	E 021
STS 310 S	KS D 3706	294	I 021
SUS 310 S	JIS G 4303	294	I 021
	KS D 3731	294	I 021
	JIS G 4311	294	I 021
	KS D 3705	294	I 021
	JIS G 4304	294	I 021
	KS D 3698	294	I 021
	JIS G 4305	294	I 021
	KS D 3732	294	I 021
	JIS G 4312	294	I 021
	KS D 3702	294	I 021
	JIS G 4308	294	I 021
	KS D 3703	294	I 021
	JIS G 4309	294	I 021
STS 310 STB	KS D 3577	196	F 020
SUS 310 STB	JIS G 3463	196	F 020
STS 310 STP	KS D 3576	172	E 024
SUS 310 STP	JIS G 3459	172	E 024

기호	규격번호	페이지	색인번호
STS 310 STPY	KS D 3588	182	E 053
SUS 310 STPY	JIS G 3468	182	E 053
STS 310 TB	KS D 3577	196	F 019
SUS 310 TB	JIS G 3463	196	F 019
STS 310 TF	KS D 3587	212	F 062
SUS 310 TF	JIS G 3467	212	F 062
STS 310 TP	KS D 3576	172	E 023
SUS 310 TP	JIS G 3459	172	E 023
STS 316	KS D 3706	294	I 022
SUS 316	JIS G 4303	294	I 022
	KS D 3692	294	I 022
	JIS G 4318	294	I 022
	KS D 3731	294	I 022
	JIS G 4311	294	I 022
	KS D 3705	294	I 022
	JIS G 4304	294	I 022
	KS D 3698	294	I 022
	JIS G 4305	294	I 022
	KS D 3732	294	I 022
	JIS G 4312	294	I 022
	KS D 3702	294	I 022
	JIS G 4308	294	I 022
	KS D 3703	294	I 022
	JIS G 4309	294	I 022
	KS D 3535	294	I 022
	JIS G 4314	294	I 022
	KS D 3694	294	I 022
	JIS G 4317	294	I 022
	KS D 3690	294	I 022
	JIS G 4320	294	I 022
STS 316 HTB	KS D 3577	196	F 022
SUS 316 HTB	JIS G 3463	196	F 022
STS 316 HTF	KS D 3587	212	F 064
SUS 316 HTF	JIS G 3467	212	F 064
STS 316 HTP	KS D 3576	174	E 026
SUS 316 HTP	JIS G 3459	174	E 026
STS 316 J 1 L	KS D 3706	298	I 027
SUS 316 J 1 L	JIS G 4303	298	I 027
	KS D 3705	298	I 027
	JIS G 4304	298	I 027
	KS D 3698	298	I 027
	JIS G 4305	298	I 027
	KS D 3706	298	I 028
	JIS G 4303	298	I 028
	KS D 3705	298	I 028
	JIS G 4304	298	I 028
	KS D 3698	298	I 028
	JIS G 4305	298	I 028
STS 316 L	KS D 3706	294	I 023
SUS 316 L	JIS G 4303	294	I 023
	KS D 3692	294	I 023
	JIS G 4318	294	I 023
	KS D 3731	294	I 023
	JIS G 4311	294	I 023
	KS D 3705	294	I 023
	JIS G 4304	294	I 023
	KS D 3698	294	I 023
	JIS G 4305	294	I 023
	KS D 3732	294	I 023
	JIS G 4312	294	I 023
	KS D 3702	294	I 023
	JIS G 4308	294	I 023
	KS D 3703	294	I 023
	JIS G 4309	294	I 023
	KS D 3694	294	I 023
	JIS G 4317	294	I 023
	KS D 3690	294	I 023
	JIS G 4320	294	I 023
STS 316 LN	KS D 3706	296	I 025
SUS 316 LN	JIS G 4303	296	I 025

기호	규격번호	페이지	색인번호
	KS D 3705	296	I 025
	JIS G 4304	296	I 025
	KS D 3698	296	I 025
	JIS G 4305	296	I 025
STS 316 LTB	KS D 3577	196	F 023
SUS 316 LTB	JIS G 3463	196	F 023
STS 316 LTP	KS D 3576	174	E 027
SUS 316 LTP	JIS G 3459	174	E 027
STS 316 LTPY	KS D 3588	184	E 055
SUS 316 LTPY	JIS G 3468	184	E 055
STS 316 N	KS D 3706	296	I 024
SUS 316 N	JIS G 4303	296	I 024
	KS D 3705	296	I 024
	JIS G 4304	296	I 024
	KS D 3698	296	I 024
	JIS G 4305	296	I 024
STS 316 TB	KS D 3577	196	F 021
SUS 316 TB	JIS G 3463	196	F 021
SUS 316 TF	KS D 3587	212	F 063
STS 316 TF	JIS G 3467	212	F 063
STS 316 Ti	KS D 3706	296	I 026
SUS 316 Ti	JIS G 4303	296	I 026
	KS D 3731	296	I 026
	JIS G 4311	296	I 026
	KS D 3705	296	I 026
	JIS G 4304	296	I 026
	KS D 3698	296	I 026
	JIS G 4305	296	I 026
	KS D 3732	296	I 026
	JIS G 4312	296	I 026
STS 316 TiTB	KS D 3577	198	F 024
SUS 316 TiTB	JIS G 3463	198	F 024
STS 316 TiTP	KS D 3576	174	E 028
SUS 316 TiTP	JIS G 3459	174	E 028
STS 316 TKA	KS D 3536	234	G 042
SUS 316 TKA	JIS G 3446	234	G 042
STS 316 TKC	KS D 3536	236	G 046
SUS 316 TKC	JIS G 3446	236	G 046
STS 316 TP	KS D 3576	172	E 025
SUS 316 TP	JIS G 3459	172	E 025
STS 316 TPY	KS D 3588	184	E 054
SUS 316 TPY	JIS G 3468	184	E 054
STS 317	KS D 3706	298	I 029
SUS 317	JIS G 4303	298	I 029
	KS D 3731	298	I 029
	JIS G 4311	298	I 029
	KS D 3705	298	I 029
	JIS G 4304	298	I 029
	KS D 3698	298	I 029
	JIS G 4305	298	I 029
	KS D 3732	298	I 029
	JIS G 4312	298	I 029
	KS D 3702	298	I 029
	JIS G 4308	298	I 029
STS 317 J 1	KS D 3706	300	I 032
SUS 317 J 1	JIS G 4303	300	I 032
	KS D 3705	300	I 032
	JIS G 4304	300	I 032
	KS D 3698	300	I 032
	JIS G 4305	300	I 032
STS 317 J 2	KS D 3705	300	I 033
SUS 317 J 2	JIS G 4304	300	I 033
	KS D 3698	300	I 033
	JIS G 4305	300	I 033
STS 317 J 3 L	KS D 3705	300	I 034
SUS 317 J 3 L	JIS G 4304	300	I 034
	KS D 3698	300	I 034
	JIS G 4305	300	I 034
STS 317 L	KS D 3706	298	I 030
SUS 317 L	JIS G 4303	298	I 030

기호	규격번호	페이지	색인번호
	KS D 3705	298	I 030
	JIS G 4304	298	I 030
	KS D 3698	298	I 030
	JIS G 4305	298	I 030
	KS D 3702	298	I 030
	JIS G 4308	298	I 030
STS 317 LN	KS D 3706	298	I 031
SUS 317 LN	JIS G 4303	298	I 031
	KS D 3705	298	I 031
	JIS G 4304	298	I 031
	KS D 3698	298	I 031
	JIS G 4305	298	I 031
STS 317 LTB	KS D 3577	198	F 026
SUS 317 LTB	JIS G 3463	198	F 026
STS 317 LTP	KS D 3576	174	E 030
SUS 317 LTP	JIS G 3459	174	E 030
STS 317 LTPY	KS D 3588	184	E 057
SUS 317 LTPY	JIS G 3468	184	E 057
SUS 317 TB	KS D 3577	198	F 025
STS 317 TB	JIS G 3463	198	F 025
STS 317 TP	KS D 3576	174	E 029
SUS 317 TP	JIS G 3459	174	E 029
STS 317 TPY	KS D 3588	184	E 056
SUS 317 TPY	JIS G 3468	184	E 056
STS 321	KS D 3706	302	I 037
SUS 321	JIS G 4303	302	I 037
	KS D 3692	302	I 037
	JIS G 4318	302	I 037
	KS D 3731	302	I 037
	JIS G 4311	302	I 037
	KS D 3705	302	I 037
	JIS G 4304	302	I 037
	KS D 3698	302	I 037
	JIS G 4305	302	I 037
	KS D 3732	302	I 037

기호	규격번호	페이지	색인번호
	JIS G 4312	302	I 037
	KS D 3702	302	I 037
	JIS G 4308	302	I 037
	KS D 3703	302	I 037
	JIS G 4309	302	I 037
	KS D 3694	302	I 037
	JIS G 4317	302	I 037
	KS D 3690	302	I 037
	JIS G 4320	302	I 037
STS 321 HTB	KS D 3577	198	F 030
SUS 321 HTB	JIS G 3463	198	F 030
STS 321 HTF	KS D 3587	212	F 066
SUS 321 HTF	JIS G 3467	212	F 066
STS 321 HTP	KS D 3576	176	E 034
SUS 321 HTP	JIS G 3459	176	E 034
STS 321 TB	KS D 3577	198	F 029
SUS 321 TB	JIS G 3463	198	F 029
STS 321 TF	KS D 3587	212	F 065
SUS 321 TF	JIS G 3467	212	F 065
STS 321 TKA	KS D 3536	234	G 043
SUS 321 TKA	JIS G 3446	234	G 043
STS 321 TP	KS D 3576	176	E 033
SUS 321 TP	JIS G 3459	176	E 033
STS 321 TPY	KS D 3588	184	E 058
SUS 321 TPY	JIS G 3468	184	E 058
STS 329 J 1 TP	KS D 3576	178	E 037
SUS 329 J 1 TP	JIS G 3459	178	E 037
STS 329 J 1 TPY	KS D 3588	186	E 060
SUS 329 J 1 TPY	JIS G 3468	186	E 060
STS 329 J 1 TB	KS D 3536	200	F 034
SUS 329 J 1 TB	JIS G 3463	200	F 034
STS 329 J 1	KS D 3706	304	I 042
SUS 329 J 1	JIS G 4303	304	I 042
	KS D 3692	304	I 042
	JIS G 4318	304	I 042

기호	규격번호	페이지	색인번호
	KS D 3705	304	I 042
	JIS G 4304	304	I 042
	KS D 3698	304	I 042
	JIS G 4305	304	I 042
STS 329 J 3 LTP	KS D 3576	178	E 038
SUS 329 J 3 LTP	JIS G 3459	178	E 038
STS 329 J 3 LTB	KS D 3536	202	F 035
SUS 329 J 3 LTB	JIS G 3463	202	F 035
STS 329 J 3 L	KS D 3706	304	I 043
SUS 329 J 3 L	JIS G 4303	304	I 043
	KS D 3705	304	I 043
	JIS G 4304	304	I 043
	KS D 3698	304	I 043
	JIS G 4305	304	I 043
STS 329 J 4 LTP	KS D 3576	178	E 039
SUS 329 J 4 LTP	JIS G 3459	178	E 039
STS 329 J 4 LTB	KS D 3563	202	F 036
SUS 329 J 4 LTB	JIS G 3463	202	F 036
STS 329 J 4 L	KS D 3706	304	I 044
SUS 329 J 4 L	JIS G 4303	304	I 044
	KS D 3705	304	I 044
	JIS G 4304	304	I 044
	KS D 3698	304	I 044
	JIS G 4305	304	I 044
STS 347	KS D 3706	302	I 038
SUS 347	JIS G 4303	302	I 038
	KS D 3731	302	I 038
	JIS G 4311	302	I 038
	KS D 3692	302	I 038
	JIS G 4318	302	I 038
	KS D 3705	302	I 038
	JIS G 4304	302	I 038
	KS D 3698	302	I 038
	JIS G 4305	302	I 038
	KS D 3732	302	I 038

기호	규격번호	페이지	색인번호
	JIS G 4312	302	I 038
	KS D 3702	302	I 038
	JIS G 4308	302	I 038
	KS D 3703	302	I 038
	JIS G 4309	302	I 038
	KS D 3694	302	I 038
	JIS G 4317	302	I 038
	KS D 3690	302	I 038
	JIS G 4320	302	I 038
STS 347 HTB	KS D 3577	200	F 032
SUS 347 HTB	JIS G 3463	200	F 032
STS 347 HTF	KS D 3587	214	F 068
SUS 347 HTF	JIS G 3467	214	F 068
STS 347 HTP	KS D 3576	178	E 036
SUS 347 HTP	JIS G 3459	178	E 036
STS 347 TB	KS D 3577	200	F 031
SUS 347 TB	JIS G 3463	200	F 031
STS 347 TF	KS D 3587	214	F 067
SUS 347 TF	JIS G 3467	214	F 067
STS 347 TKA	KS D 3536	234	G 044
SUS 347 TKA	JIS G 3446	234	G 044
STS 347 TP	KS D 3576	176	E 035
SUS 347 TP	JIS G 3459	176	E 035
STS 347 TPY	KS D 3588	186	E 059
SUS 347 TPY	JIS G 3468	186	E 059
STS 384	KS D 3702	302	I 039
SUS 384	JIS G 4308	302	I 039
	KS D 3697	302	I 039
	JIS G 4315	302	I 039
STS 403	KS D 3706	312	I 058
SUS 403	JIS G 4303	312	I 058
	KS D 3731	312	I 058
	JIS G 4311	312	I 058
	KS D 3692	312	I 058
	JIS G 4318	312	I 058

기호	규격번호	페이지	색인번호
	KS D 3705	312	I 058
	JIS G 4304	312	I 058
	KS D 3698	312	I 058
	JIS G 4305	312	I 058
	KS D 3732	312	I 058
	JIS G 4312	312	I 058
	KS D 3702	312	I 058
	JIS G 4308	312	I 058
STS 405	KS D 3706	306	I 045
SUS 405	JIS G 4303	306	I 045
	KS D 3731	306	I 045
	JIS G 4311	306	I 045
	KS D 3705	306	I 045
	JIS G 4304	306	I 045
	KS D 3698	306	I 045
	JIS G 4305	306	I 045
	KS D 3732	306	I 045
	JIS G 4312	306	I 045
STS 405 TB	KS D 3577	202	F 037
SUS 405 TB	JIS G 3463	202	F 037
STS 405 TP	KS D 3576	178	E 040
SUS 405 TP	JIS G 4359	178	E 040
STS 409 LTB	KS D 3577	202	F 039
SUS 409 LTB	JIS G 3463	202	F 039
STS 409 LTP	KS D 3576	178	E 041
SUS 409 LTP	JIS G 3459	178	E 041
STS 409 TB	KS D 3577	202	F 038
SUS 409 TB	JIS G 3463	202	F 038
STS 410	KS D 3706	312	I 059
SUS 410	JIS G 4303	312	I 059
	KS D 3731	312	I 059
	JIS G 4311	312	I 059
	KS D 3692	312	I 059
	JIS G 4318	312	I 059
	KS D 3705	312	I 059
	JIS G 4304	312	I 059
	KS D 3698	312	I 059
	JIS G 4305	312	I 059
	KS D 3732	312	I 059
	JIS G 4312	312	I 059
	KS D 3702	312	I 059
	JIS G 4308	312	I 059
	KS D 3703	312	I 059
	JIS G 4309	312	I 059
	KS D 3697	312	I 059
	JIS G 4315	312	I 059
STS 410 F 2	KS D 3706	312	I 060
SUS 410 F 2	JIS G 4303	312	I 060
STS 410 J 1	KS D 3706	314	I 062
SUS 410 J 1	JIS G 4303	314	I 062
	KS D 3731	314	I 062
	JIS G 4311	314	I 062
STS 410 L	KS D 3706	306	I 046
SUS 410 L	JIS G 4303	306	I 046
	KS D 3731	306	I 046
	JIS G 4311	306	I 046
	KS D 3705	306	I 046
	JIS G 4304	306	I 046
	KS D 3698	306	I 046
	JIS G 4305	306	I 046
	KS D 3732	306	I 046
	JIS G 4312	306	I 046
STS 410 S	KS D 3705	314	I 061
SUS 410 S	JIS G 4304	314	I 061
	KS D 3698	314	I 061
	JIS G 4305	314	I 061
STS 410 TB	KS D 3577	192	F 013
SUS 410 TB	JIS G 3463	192	F 013
STS 410 TiTB	KS D 3577	202	F 040
SUS 410 TiTB	JIS G 3463	202	F 040

기호	규격번호	페이지	색인번호
STS 410 TKA	KS D 3536	232	G 039
SUS 410 TKA	JIS G 3446	232	G 039
STS 410 TKC	KS D 3536	232	G 040
SUS 410 TKC	JIS G 3446	232	G 040
STS 416	KS D 3706	314	I 063
SUS 416	JIS G 4303	314	I 063
	KS D 3692	314	I 063
	JIS G 4318	314	I 063
	KS D 3702	314	I 063
	JIS G 4308	314	I 063
	KS D 3703	314	I 063
	JIS G 4309	314	I 063
STS 420 F	KS D 3706	316	I 066
SUS 420 F	JIS G 4303	316	I 066
	KS D 3692	316	I 066
	JIS G 4318	316	I 066
	KS D 3702	316	I 066
	JIS G 4308	316	I 066
	KS D 3703	316	I 066
	JIS G 4309	316	I 066
STS 420 F 2	KS D 3706	316	I 067
SUS 420 F 2	JIS G 4303	316	I 067
	KS D 3692	316	I 067
	JIS G 4318	316	I 067
STS 420 J 1 TKA	KS D 3536	230	G 037
SUS 420 J 1 TKA	JIS G 3446	230	G 037
STS 420 J 1	KS D 3706	314	I 064
SUS 420 J 1	JIS G 4303	314	I 064
	KS D 3692	314	I 064
	JIS G 4318	314	I 064
	KS D 3705	314	I 064
	JIS G 4304	314	I 064
	KS D 3698	314	I 064
	JIS G 4305	314	I 064
	KS D 3702	314	I 064

기호	규격번호	페이지	색인번호
	JIS G 4308	314	I 064
	KS D 3703	314	I 064
	JIS G 4309	314	I 064
STS 420 J 2 TKA	KS D 3536	230	G 038
SUS 420 J 2 TKA	JIS G 3446	230	G 038
STS 420 J 2	KS D 3706	316	I 065
SUS 420 J 2	JIS G 4303	316	I 065
	KS D 3692	316	I 065
	JIS G 4318	316	I 065
	KS D 3705	316	I 065
	JIS G 4304	316	I 065
	KS D 3698	316	I 065
	JIS G 4305	316	I 065
	KS D 3534	316	I 065
	JIS G 4313	316	I 065
	KS D 3702	316	I 065
	JIS G 4308	316	I 065
	KS D 3703	316	I 065
	JIS G 4309	316	I 065
STS 429	KS D 3705	306	I 047
SUS 429	JIS G 4304	306	I 047
	KS D 3698	306	I 047
	JIS G 4305	306	I 047
STS 429 J 1	KS D 3705	316	I 068
SUS 429 J 1	JIS G 4304	316	I 068
	KS D 3698	316	I 068
	JIS G 4305	316	I 068
STS 430	KS D 3706	306	I 048
SUS 430	JIS G 4303	306	I 048
	KS D 3731	306	I 048
	JIS G 4311	306	I 048
	KS D 3692	306	I 048
	JIS G 4318	306	I 048
	KS D 3705	306	I 048
	JIS G 4304	306	I 048

기호	규격번호	페이지	색인번호
	KS D 3698	306	I 048
	JIS G 4305	306	I 048
	KS D 3732	306	I 048
	JIS G 4312	306	I 048
	KS D 3702	306	I 048
	JIS G 4308	306	I 048
	KS D 3703	306	I 048
	JIS G 4309	306	I 048
	KS D 3697	306	I 048
	JIS G 4315	306	I 048
	KS D 3694	306	I 048
	JIS G 4317	306	I 048
	KS D 3690	306	I 048
	JIS G 4320	306	I 048
STS 430 F	KS D 3706	308	I 049
SUS 430 F	JIS G 4303	308	I 049
	KS D 3692	308	I I049
	JIS G 4318	308	I 049
	KS D 3702	308	I 049
	JIS G 4308	308	I 049
	KS D 3703	308	I 049
	JIS G 4309	308	I 049
STS 430 J 1 LTP	KS D 3576	180	E 044
SUS 430 J 1 LTP	JIS G 3459	180	E 044
STS 430 J 1 LTB	KS D 3577	204	F 042
SUS 430 J 1 LTB	JIS G 3463	204	F 042
STS 430 J 1 L	KS D 3705	308	I 051
SUS 430 J 1 L	JIS G 4304	308	I 051
	KS D 3698	308	I 051
	JIS G 4305	308	I 051
	KS D 3732	308	I 051
	JIS G 4312	308	I 051
STS 430 LX	KS D 3705	308	I 050
SUS 430 LX	JIS G 4304	308	I 050
	KS D 3698	308	I 050
	JIS G 4305	308	I 050
STS 430 LXTB	KS D 3577	204	F 041
SUS 430 LXTB	JIS G 3463	204	F 041
STS 430 LXTP	KS D 3576	180	E 043
SUS 430 LXTP	JIS G 3459	180	E 043
STS 430 TB	KS D 3577	192	F 012
SUS 430 TB	JIS G 3463	192	F 012
STS 430 TKA	KS D 3536	230	G 035
SUS 430 TKA	JIS G 3446	230	G 035
STS 430 TKC	KS D 3536	232	G 036
SUS 430 TKC	JIS G 3446	232	G 036
STS 430 TP	KS D 3576	180	E 042
SUS 430 TP	JIS G 3459	180	E 042
STS 431	KS D 3706	316	I 069
SUS 431	JIS G 4303	316	I 069
	KS D 3731	316	I 069
	JIS G 4311	316	I 069
STS 434	KS D 3706	310	I 052
SUS 434	JIS G 4303	310	I 052
	KS D 3705	310	I 052
	JIS G 4304	310	I 052
	KS D 3698	310	I 052
	JIS G 4305	310	I 052
	KS D 3702	310	I 052
	JIS G 4308	310	I 052
	KS D 3697	310	I 052
	JIS G 4315	310	I 052
STS 436 J 1 L	KS D 3705	310	I 054
SUS 436 J 1 L	JIS G 4304	310	I 054
	KS D 3698	310	I 054
	JIS G 4305	310	I 054
	KS D 3732	310	I 054
	JIS G 4312	310	I 054
STS 436 L	KS D 3705	310	I 053
SUS 436 L	JIS G 4304	310	I 053

기호	규격번호	페이지	색인번호
	KS D 3698	310	I 053
	JIS G 4305	310	I 053
STS 436 LTB	KS D 3577	204	F 043
SUS 436 LTB	JIS G 3463	204	F 043
STS 436 LTP	KS D 3576	180	E 045
SUS 436 LTP	JIS G 3459	180	E 045
STS 440 A	KS D 3706	318	I 070
SUS 440 A	JIS G 4303	318	I 070
	KS D 3705	318	I 070
	JIS G 4304	318	I 070
	KS D 3698	318	I 070
	JIS G 4305	318	I 070
STS 440 B	KS D 3706	318	I 071
SUS 440 B	JIS G 4303	318	I 071
STS 440 C	KS D 3706	318	I 072
SUS 440 C	JIS G 4303	318	I 072
	KS D 3692	318	I 072
	JIS G 4318	318	I 072
	KS D 3702	318	I 072
	JIS G 4308	318	I 072
	KS D 3703	318	I 072
	JIS G 4309	318	I 072
STS 440 F	KS D 3706	318	I 073
SUS 440 F	JIS G 4303	318	I 073
STS 444	KS D 3705	310	I 055
SUS 444	JIS G 4304	310	I 055
	KS D 3698	310	I 055
	JIS G 4305	310	I 055
STS 444 TB	KS D 3577	204	F 044
SUS 444 TB	JIS G 3463	204	F 044
STS 444 TP	KS D 3576	180	E 046
SUS 444 TP	JIS G 3459	180	E 046
STS 447 J 1	KS D 3706	312	I 056
SUS 447 J 1	JIS G 4303	312	I 056
	KS D 3705	312	I 056

기호	규격번호	페이지	색인번호
	JIS G 4304	312	I 056
	KS D 3698	312	I 056
	JIS G 4305	312	I 056
STS 630	KS D 3706	318	I 074
SUS 630	JIS G 4303	318	I 074
	KS D 3731	318	I 074
	JIS G 4311	318	I 074
	KS D 3705	318	I 074
	JIS G 4304	318	I 074
	KS D 3698	318	I 074
	JIS G 4305	318	I 074
	KS D 3732	318	I 074
	JIS G 4312	318	I 074
STS 631	KS D 3706	320	I 075
SUS 631	JIS G 4303	320	I 075
	KS D 3731	320	I 075
	JIS G 4311	320	I 075
	KS D 3705	320	I 075
	JIS G 4304	320	I 075
	KS D 3698	320	I 075
	JIS G 4305	320	I 075
	KS D 3732	320	I 075
	JIS G 4312	320	I 075
	KS D 3534	320	I 075
	JIS G 4313	320	I 075
STS 631 J 1	KS D 3702	320	I 076
SUS 631 J 1	JIS G 4308	320	I 076
	KS D 3535	320	I 076
	JIS G 4314	320	I 076
STS 836 L	KS D 3706	300	I 035
SUS 836 L	JIS G 4303	300	I 035
	KS D 3705	300	I 035
	JIS G 4304	300	I 035
	KS D 3698	300	I 035
	JIS G 4305	300	I 035

기호	규격번호	페이지	색인번호
STS 836 LTB	KS D 3577	198	F 027
SUS 836 LTB	JIS G 3463	198	F 027
STS 836 LTP	KS D 3576	176	E 031
SUS 836 LTP	JIS G 3459	176	E 031
STS 890 L	KS D 3706	302	I 036
SUS 890 L	JIS G 4303	302	I 036
	KS D 3705	302	I 036
	JIS G 4304	302	I 036
	KS D 3698	302	I 036
	JIS G 4305	302	I 036
	KS D 3577	302	I 036
	JIS G 3463	302	I 036
STS 890 LTB	KS D 3577	198	F 028
SUS 890 LTB	JIS G 3463	198	F 028
STS 890 LTP	KS D 3576	176	E 032
SUS 890 LTP	JIS G 3459	176	E 032
STSXM 8 TB	KS D 3577	204	F 045
SUSXM 8 TB	JIS G 3463	204	F 045
STSXM15J1TB	KS D 3577	200	F 033
SUSXM15J1TB	JIS G 3463	200	F 033
STSXM 27 TB	KS D 3577	205	F 046
SUSXM 27 TB	JIS G 3463	205	F 046
SV 330	KS D 3557	62	A 009
	JIS G 3104	62	A 009
SV 400	KS D 3557	62	A 010
	JIS G 3104	62	A 010
SW-Cu	DIN 1787	490	Q 003
	DIN 1787	512	Q 044
	DIN 1787	520	Q 063
	DIN 1787	534	Q 092
SZAC 340	KS D 3771	134	D 006
	JIS G 3317	134	D 006
SZAC 400	KS D 3771	134	D 006
	JIS G 3317	136	D 006
SZAC 440	KS D 3771	134	D 006

기호	규격번호	페이지	색인번호
	JIS G 3317	136	D 006
SZAC 490	KS D 3771	134	D 006
	JIS G 3317	136	D 006
SZAC 570	KS D 3771	134	D 006
	JIS G 3317	136	D 006
SZACC	KS D 3771	132	D 004
	JIS G 3317	132	D 004
SZACD 1	KS D 3771	132	D 005
	JIS G 3317	132	D 005
SZACD 2	KS D 3771	132	D 005
	JIS G 3317	132	D 005
SZACD 3	KS D 3771	132	D 005
	JIS G 3317	132	D 005
SZACH	KS D 3771	132	D 004
	JIS G 3317	132	D 004
SZAH 340	KS D 3771	134	D 006
	JIS G 3317	134	D 006
SZAH 400	KS D 3771	134	D 006
	JIS G 3317	134	D 006
SZAH 440	KS D 3771	134	D 006
	JIS G 3317	134	D 006
SZAH 490	KS D 3771	134	D 006
	JIS G 3317	134	D 006
SZAH 540	KS D 3771	134	D 006
	JIS G 3317	134	D 006
SZAHC	KS D 3771	132	D 004
	JIS G 3317	132	D 004
T 1	ASTM A 209	188	F 004
	ASTM A 250	188	F 004
	ASTM A 161	206	F 051
	ASTM A 600	332	J 008
T 1 a	ASTM A 209	190	F 005
	ASTM A 250	190	F 005
T 2	ASTM A 213	190	F 006
T 4	ASTM A 600	334	J 009

기호	규격번호	페이지	색인번호
T 580+SE	ISO 11949	156	D 020
T 620	ISO 11951	154	D 018
T 620+CE	ISO 11950	158	D 022
T 620+SE	ISO 11949	156	D 020
T 660	ISO 11951	154	D 018
T 660+CE	ISO 11950	158	D 022
T 660+SE	ISO 11949	156	D 020
T 690	ISO 11951	154	D 018
T 690+CE	ISO 11950	158	D 022
T 690+SE	ISO 11949	156	D 020
TC 70	ISO 4957	332	J 006
TC 80	ISO 4957	332	J 005
	ISO 4957	332	J 006
TC 90	ISO 4957	330	J 004
	ISO 4957	332	J 005
TC 105	ISO 4957	330	J 003
TC 120	ISO 4957	330	J 002
TC 140	ISO 4957	330	J 001
TCV 105	ISO 4957	344	J 030
TH 50	ISO 11951	152	D 017
TH 50+CE	ISO 11950	156	D 021
TH 50+SE	ISO 11949	154	D 019
TH 52	ISO 11951	152	D 017
TH 52+CE	ISO 11950	156	D 021
TH 52+SE	ISO 11949	154	D 019
TH 55	ISO 11951	152	D 017
TH 55+CE	ISO 11950	156	D 021
TH 55+SE	ISO 11949	154	D 019
TH 57	ISO 11951	152	D 017
TH 57+CE	ISO 11950	156	D 021
TH 57+SE	ISO 11949	154	D 019
TH 61	ISO 11951	152	D 017
TH 61+CE	ISO 11950	156	D 021
TH 61+SE	ISO 11949	154	D 019
TH 65	ISO 11951	152	D 017

기호	규격번호	페이지	색인번호
TH 65+CSE	ISO 11950	156	D 021
TH 65+SE	ISO 11949	154	D 019
TP 304	ASTM A 312	170	E 018
	ASTM A 376	170	E 018
	ASTM A 409	182	E 050
	ASTM A 213	194	F 014
	ASTM A 249	194	F 014
	ASTM A 271	210	F 059
TP 304 H	ASTM A 312	170	E 019
	ASTM A 376	170	E 019
	ASTM A 213	194	F 015
	ASTM A 249	194	F 015
	ASTM A 271	210	F 060
TP 304 L	ASTM A 312	170	E 020
	ASTM A 409	182	E 051
	ASTM A 213	194	F 016
	ASTM A 249	194	F 016
TP 304 LN	ASTM A 376	170	E 020
TP 309 S	ASTM A 312	172	E 022
	ASTM A 213	194	F 018
	ASTM A 249	194	F 018
TP 310 S	ASTM A 312	172	E 024
	ASTM A 213	196	F 020
	ASTM A 249	196	F 020
TP 316	ASTM A 312	172	E 025
	ASTM A 376	172	E 025
	ASTM A 409	184	E 054
	ASTM A 213	196	F 021
	ASTM A 249	196	F 021
	ASTM A 271	212	F 063
TP 316 H	ASTM A 312	174	E 026
	ASTM A 376	174	E 026
	ASTM A 213	196	F 022
	ASTM A 249	196	F 022
	ASTM A 271	212	F 064

기호	규격번호	페이지	색인번호
T 5	ASTM A 199	192	F 010
	ASTM A 213	192	F 010
	ASTM A 200	208	F 055
	ASTM A 600	334	J 010
T 9	ASTM A 199	192	F 011
	ASTM A 213	192	F 011
	ASTM A 200	208	F 056
T 11	ASTM A 199	190	F 008
	ASTM A 213	190	F 008
	ASTM A 200	208	F 053
T 12	ASTM A 213	190	F 007
T 15	ASTM A 600	334	J 011
T 22	ASTM A 199	190	F 009
	ASTM A 213	190	F 009
	ASTM A 200	208	F 054
T 50	EN 10205	152	D 017
	EN 10203	154	D 019
	EN 10202	156	D 021
T 52	EN 10205	152	D 017
	EN 10203	154	D 019
	EN 10202	156	D 021
T 57	EN 10205	152	D 017
	EN 10203	154	D 019
	EN 10202	156	D 021
T 61	EN 10205	152	D 017
	EN 10203	154	D 019
	EN 10202	156	D 021
T 65	EN 10205	152	D 017
	EN 10203	154	D 019
	EN 10202	156	D 021
T 550+CE	ISO 11950	158	D 022
T 550+SE	ISO 11951	154	D 018
	ISO 11949	156	D 020
T 580	ISO 11951	154	D 018
T 580+CE	ISO 11950	158	D 022

기호	규격번호	페이지	색인번호
TP 316 L	ASTM A 312	174	E 027
	ASTM A 409	184	E 055
	ASTM A 213	198	F 023
	ASTM A 249	198	F 023
TP 316 LN	ASTM A 376	174	E 027
TP 317	ASTM A 312	174	E 029
	ASTM A 409	184	E 056
	ASTM A 213	198	F 025
	ASTM A 249	198	F 025
TP 317 L	ASTM A 312	174	E 030
	ASTM A 213	198	F 026
	ASTM A 249	198	F 026
TP 321	ASTM A 312	176	E 033
	ASTM A 376	176	E 033
	ASTM A 409	184	E 058
	ASTM A 213	198	F 029
	ASTM A 249	198	F 029
	ASTM A 271	12	F 065
TP 321 H	ASTM A 312	176	E 034
	ASTM A 376	176	E 034
	ASTM A 213	200	F 030
	ASTM A 249	200	F 030
	ASTM A 271	212	F 066
TP 347	ASTM A 312	176	E 035
	ASTM A 376	176	E 035
	ASTM A 409	186	E 059
	ASTM A 213	200	F 031
	ASTM A 249	200	F 031
	ASTM A 271	214	F 067
TP 347 H	ASTM A 312	178	E 036
	ASTM A 376	178	E 036
	ASTM A 213	200	F 032
	ASTM A 249	200	F 032
	ASTM A 271	214	F 068
TP 405	ASTM A 268	202	F 037

기호	규격번호	페이지	색인번호
TP 409	ASTM A 268	202	F 038
	ASTM A 268	202	F 039
TP 410	ASTM A 268	192	F 013
TP 430	ASTM A 268	192	F 012
	ASTM A 268	204	F 042
TP 430 Ti	ASTM A 268	204	F 041
TP 439	ASTM A 268	204	F 045
TPXM-27	ASTM A 268	204	F 046
TS 1	ISO 2937	218	G 008
TS 9	ISO 2937	218	G 009
TS 1 S	ISO 2937	220	G 011
TStE 285	DIN 17103	384	N 020
Type A	ASTM A 569	114	C 001
	ASTM A 622	115	C 002
Type A-cl.1	ASTM A 533	98	B 029
Type A-cl.2	ASTM A 533	98	B 032
Type B	ASTM A 569	114	C 001
	ASTM A 622	115	C 002
Type B-cl.1	ASTM A 533	98	B 030
Type B-cl.2	ASTM A 533	100	B 033
Type C	ASTM A 569	114	C 001
Type C-cl.1	ASTM A 533	98	B 031
Type C-cl.2	ASTM A 533	100	B 034
Type F(A)	ASTM A 53	162	E 001
Type I	ASTM A 447	444	O 063
Type II	ASTM A 447	444	O 063
Type 1	ASTM A 553	110	B 048
	ASTM A 424	124	C 008
	ASTM A 436	466	P 020
Type 1 b	ASTM A 436	466	P 021
Type 2	ASTM A 424	124	C 008
	ASTM A 436	468	P 022
Type 2 b	ASTM A 436	468	P 023
Type 3	ASTM A 424	124	C 008
	ASTM A 436	468	P 025

기호	규격번호	페이지	색인번호
Type 4	ASTM A 436	470	P 026
Type 5	ASTM A 436	470	P 02F
U-60-30	ASTM A 27	416	O 002
USt 23	DIN 1614-1	114	C 001
USt 36	DIN 17111	62	A 009
USt 37.0	DIN 1626	162	E 002
USt 37-2 G	DIN 1623-2	120	C 004
VE 01	ISO 5001	124	C 008
VE 02	ISO 5001	124	C 008
VE 03	ISO 5001	124	C 008
VE 04	ISO 5001	124	C 008
VE 05	ISO 5001	124	C 008
W 1-10	ASTM A 686	330	J 003
W1-11 1/2	ASTM A 686	330	J 002
W1-8	ASTM A 686	332	J 005
W1-9	ASTM A 686	330	J 004
W2-8 1/2	ASTM A 686	344	J 031
W2-9 1/2	ASTM A 686	344	J 030
WC 1	ASTM A 217	448	O 073
WC 6	ASTM A 217	450	O 075
WC 9	ASTM A 217	452	O 078
WCA	ASTM A 217	418	O 005
WCB	ASTM A 217	418	O 005
	ASTM A 217	418	O 006
WCC	ASTM A 217	418	O 007
WR 50 A	BS (4360)	62	A 008
WR 50 B	BS (4360)	56	A 006
WR 50 C	BS (4360)	56	A 006
WT St 52-3	VDEh SEW 087	56	A 006
X 1 NiCrMoCu 25-20-5	ISO TR 15510	302	I 036
X 2 CrMoTi 18-2	ISO TR 15510	310	I 055
X 2 CrNi 18-9	ISO TR 15510	288	I 011
X 2 CrNi 19-11	ISO TR 15510	288	I 011
X 2 CrNi 1911	DIN 1654-5	288	I 011
	DIN 17441	288	I 011

기호	규격번호	페이지	색인번호
	DIN 17440	290	I 011
X 2 CrNiMo	DIN 17441	294	I 023
	DIN 17441	298	I 030
X 2 CrNiMo 17-12-2	ISO TR 15510	294	I 023
X 2 CrNiMo 17-12-3	ISO TR 15510	294	I 023
X 2 CrNiMo 19-14-4	ISO TR 15510	298	I 030
X 2 CrNiMo 17132	DIN 17440	294	I 023
X 2 CrNiMo 18164	DIN 17440	298	I 030
X 2 CrNiMoCu 25-6-3	ISO A 240	306	I 044
X 2 CrNiMoN 17-11-2	ISO TR 15510	296	I 025
X 2 CrNiMoN 17-12-3	ISO TR 15510	296	I 025
X 2 CrNiMoN 18-12-4	ISO TR 15510	300	I 031
X 2 CrNiMoN 17122	ISO TR 15510	306	I 043
	DIN 1654-5	296	I 025
	DIN 17441	296	I 025
	DIN 17440	296	I 025
X 2 CrNiN 18-7	ISO TR 15510	286	I 004
X 2 CrNiN 18-9	ISO TR 15510	290	I 014
X 2 CrNiN 187	DIN	286	I 004
X 2 CrNiN 1810	DIN 1654-3	290	I 014
	DIN 17441	290	I 014
	DIN 17440	290	I 014
X 2 CrTi 12	ISO TR 15510	326	I 089
X 2 CrTi 17	ISO 4955	308	I 050
X 3 NiCr 18-16	ISO TR 15510	302	I 039
X 4 CrMoS 18	DIN 17440	308	I 049
X 5 CrNi 17-7	ISO TR 15510	284	I 003
X 5 CrNi 18-9	ISO TR 15510	288	I 010
	ISO 4955	288	I 010
X 5 CrNi 1810	DIN 17441	288	I 010
	DIN 17440	288	I 010
X 5 CrNi 1812	DIN 1654-5	292	I 018
	DIN 17440	292	I 018
X 5 CrNiCuNb 16-4	ISO A 35-573	320	I 074
X 5 CrNiMo	DIN 1654-5	294	I 022
	DIN 17441	294	I 022
	DIN 17224	294	I 022
	DIN 1654-5	294	I 022
	DIN 17440	294	I 022
X 5 CrNiMo 17-12-2	ISO TR 15510	294	I 022
X 5 CrNiN 18-8	ISO TR 15510	290	I 012
X 6 Cr 13	ISO TR 15510	306	I 045
	DIN 17441	314	I 061
	DIN 17440	314	I 061
	ISO TR 15510	314	I 061
X 6 Cr 17	DIN 1654-5	308	I 048
	DIN 17441	308	I 048
	DIN 1654-5	308	I 048
	DIN 17440	308	I 048
	ISO TR 15510	308	I 048
X 6 CrAl 13	DIN 17441	306	I 045
	DIN 17440	306	I 045
X 6 CrMo 17-1	ISO TR 15510	310	I 052
X 6 CrMo171	DIN 17441	310	I 052
	DIN 17440	310	I 052
X 6 CrNb 17	DIN 17440	308	I 050
X 6 CrNi 18-12	ISO TR 15510	292	I 018
X 6 CrNi 23-14	ISO 4955	294	I 020
X 6 CrNi 25-21	ISO 4955	294	I 021
X 6 CrNiMoTi 17-12-2	ISO TR 15510	296	I 026
X 6 CrNiMoTi 17122	DIN 17441	296	I 026
	DIN 17440	296	I 026
X 6 CrNiNb 18-10	ISO TR 15510	296	I 026
	ISO 4955	302	I 038
X 6 CrNiNb 1810	DIN 17441	302	I 038
	DIN 17440	302	I 038
X 6 CrNiTi 18-10	ISO TR 15510	302	I 037
X 6 CrNiTi 1810	DIN 1654-5	302	I 037
	DIN 17441	302	I 037
	DIN 1654-5	302	I 037

기호	규격번호	페이지	색인번호
	DIN 17440	302	I 037
X 6 CrTi 12	DIN 17440	324	I 088
	ISO TR 15510	324	I 088
X 6 CrTi 17	DIN 17441	308	I 050
	DIN 17440	308	I 050
X 7 CrNiAl 17-7	ISO TR 15510	320	I 075
X 7 CrNiAl 177	DIN 17224	320	I 075
X 7 CrS 17	ISO TR 15510	308	I 049
X 7 Ni 9	BS EN 10028-4	110	B 048
	DIN EN 10028-4	110	B 048
	NF EN 10028-4	110	B 048
X 8 Ni 9(HT 640)	BS EN 10028-4	110	B 047
	DIN EN 10028-4	110	B 047
	NF EN 10028-4	110	B 047
X 8 Ni 9	ISO 9328-3	110	B 047
X 8 Ni 9(HT 680)	BS EN 10028-4	110	B 048
	DIN EN 10028-4	110	B 048
	NF EN 10028-4	110	B 048
X 8 Ni 9	DIN 17173	182	E 049
	DIN 17174	182	E 049
	DIN 17173	206	F 049
	DIN 17174	206	F 049
X 10 Cr 13	DIN 1654-5	312	I 059
	DIN 17441	312	I 059
	DIN 17440	312	I 059
X 10 CrNiS 18-9	ISO TR 15510	288	I 008
X 10 CrNiS 189	DIN 970-1	286	I 008
X 12 Cr 13	ISO TR 15510	312	I 059
X 12 CrMnNiN 17-7-5	ISO TR 15510	284	I 001
X 12 CrNi 177	DIN 17224	286	I 005
X 12 CrS 13	ISO TR 15510	314	I 063
X 15 CrN 26	ISO 4955	326	I 090
X 17 CrNi 16-2	ISO TR 15510	316	I 069
X 20 Cr 13	DIN 17441	314	I 064
	DIN 173440	314	I 064
	ISO TR 15510	314	I 064
X 20 CrNi 172	DIN 17440	316	I 069
X 30 Cr 13	DIN 17441	316	I 065
	DIN 173440	316	I 065
	ISO TR 15510	316	I 065
X 30 WCrV 9	NF A 35-590	350	J 041
X 32 CrMoV 33	DIN 17350	352	J 045
X 32 WCrV 5	NF A 35-590	348	J 040
X 35 CrWMoV 5	NF A 35-590	350	J 044
X 38 CrMoV 5	NF A 35-590	350	J 042
X 38 CrMoV 51	DIN 17350	350	J 042
X 40 CrMoV 5	NF A 35-590	350	J 043
X 40 CrMoV 51	DIN 17350	350	J 043
X 45 CrSi 93	ISO 638-15	326	I 091
X 50 CrSi 18 2	ISO 638-15	328	I 094
X 53 CrMnNiN 219	ISO 638-15	320	I 078
X 100 CrMoV 5	NF A 35-590	348	J 039
X 160 CrMoV 12	NF A 35-590	348	J 038
X 200 Cr 12	NF A 35-590	348	J 037
X 210 Cr 12	DIN 17350	348	J 037
Y_2 140 C	NF A 35-590	342	J 027
Z 1 CD 26.01	NF A 36-584	312	I 057
Z 2 CN 18-10	NF A 35-607	394	N 038
Z2CND17-12	NF A 36-607	394	N 039
Z2CND18-12-M	NF A 32-056	438	O 048
Z2CND18-13	NF A 36-607	396	N 039
Z 2 NCDU 2520	NF A 35-574	302	I 036
	NF A 35-573	302	I 036
	NF A 36-209	302	I 036
Z 3 CDT 18-02	NF A 35-573	310	I 055
Z 3 CN 18.10	NF A 35-573	288	I 011
	NF A 36-209	288	I 011
Z 3 CN 18.10 Az	NF A 35-573	290	I 014
	NF A 36-209	290	I 014
Z 3 CND 17.11 Az	NF A 35-573	296	I 025

기호	규격번호	페이지	색인번호
	NF A 36-209	296	I 025
Z 3 CND 17.12-02	NF A 35-574	294	I 023
Z 3 CND 19.15-04	NF A 35-573	298	I 030
Z 3 CND 1914 Az	NF A 35-573	300	I 031
	NF A 36-209	300	I 031
Z 3 CNU 18.10	NF A 35-574	304	I 040
Z 3 CT 12	NF A 35-573	326	I 089
	NF A 35-578	326	I 089
Z 4 CNb 17	NF A 35-573	308	I 050
	NF A 35-573	308	I 051
Z 4 CN 17	NF A 35-573	308	I 050
Z 6 CN 18-09	NF A 36-607	396	N 040
Z 6 CN 18-10-M	NF A 32-056	436	O 046
Z 6 CN 18.16	NF A 483	302	I 039
Z 6 CND17-11	NF A 36-607	398	N 043
Z 6 CND 18-12-M	NF A 32-056	438	O 047
Z 6 CND 18-13	NF A 36-607	398	N 043
Z 6 CNDT 1712	NF A 35-574	296	I 026
	NF A 35-573	296	I 026
	NF A 36-209	296	I 026
Z 6 CNNb 18.10	NF A 35-573	302	I 038
	NF A 36-209	302	I 038
Z 6 CNNb 18-10	NF A 36-607	402	N 047
Z 6 CNNb 18-10 M	NF A 32-056	438	O 050
Z 6 CNT 18.10	NF A 35-574	302	I 037
	NF A 35-573	302	I 037
	NF A 36-209	302	I 037
	NF A 35-578	302	I 037
Z 6 CNT 18-10	NF A 36-607	400	N 045
Z6NCDU25-20-04-M	NF A 32-056	436	O 043
Z 7 CN 18.09	NF A 35-574	288	I 010
	NF A 35-573	288	I 010
Z 7 CND 17.11-02	NF A 35-577	294	I 022
	NF A 35-574	294	I 022
	NF A 35-573	294	I 022

기호	규격번호	페이지	색인번호
	NF A 36-209	294	I 022
Z 7 CNU 17.04	NF A 35-573	318	I 074
Z 8 C 12	NF A 35-573	314	I 061
Z 8 C 17	NF A 35-574	308	I 048
	NF A 35-573	308	I 048
	NF A 35-578	308	I 048
	NF A 35-577	308	I 048
Z 8 CA 12	NF A 35-573	306	I 045
Z 8 CD 17.01	NF A 35-574	310	I 052
	NF A 35-573	310	I 052
Z 8 CF 17	NF A 35-574	308	I 049
Z 8 CNF 18.09	NF A 35-574	288	I 008
Z 8 CNT 12	NF A 35-573	326	I 088
	NF A 35-578	326	I 088
Z 9 CNA 17.07	NF A 35-574	320	I 075
	NF A 35-573	320	I 075
Z 10 CD 5.05 Class 1	NF A 36-602	390	N 031
Z 10 CD 5.05 Class 2	NF A 36-602	390	N 032
	NF A 36-602	392	N 033
Z 11 CF 13	NF A 35-574	314	I 063
Z 11 CN 17.08	NF A 35-573	284	I 003
Z 12 C 25	NF A 35-578	326	I 090
Z 12 CMN 17-07 Az	NF A 35-573	284	I 001
Z 12 CN 18.09	NF A 35-574	286	I 006
	NF A 35-573	286	I 006
Z 12 CNS 35.16	NF A 35-578	324	I 084
Z 13 C 13	NF A 35-577	312	I 059
	NF A 35-573	312	I 059
Z 15 CD 5.05-M	NF A 32-055	452	O 079
Z 15 CN 16-02	NF A 35-574	316	I 069
Z 15 CN 23.13	NF A 36-209	322	I 082
	NF A 35-578	322	I 082
Z 15 CNS 20.12	NF A 35-573	304	I 041
	NF A 36-209	304	I 041
	NF A 35-578	304	I 041

기호	규격번호	페이지	색인번호
Z 15 CNS 25.20	NF A 35-578	322	I 083
Z 20 C 13	NF A 35-573	314	I 064
Z 25 CN 20.10-M	NF A 32-057	444	O 062
Z 30 CF 13	NF A 35-574	316	I 066
Z 30CN26.05-M	NF A 32-057	446	O 066
Z 33 C 13	NF A 35-573	316	I 065
Z 35CNWS 14.14	NF A 35-579	320	I 077
Z 40 C 28-M	NF A 32-057	440	O 053
Z 40 CN 30.20-M	NF A 32-057	442	O 060
Z 40 CSD 10	NF A 35-579	328	I 092
Z 40 NC 35.15-M	NF A 32-057	440	O 054
Z 45 CS 9	NF A 35-579	326	I 091
Z 53 CMN 21.09	NF A 35-579	320	I 078
Z 55 CMN 21-09 Az	NF A 35-579	322	I 079
Z 80 CNS 20.02	NF A 35-579	328	I 093
Z 100 CD 17	NF A 35-565	318	I 072
Z 120 M 12-M	NF A 32-058	446	O 067
01	ISO 3575	126	D 001
	ISO 14788	132	D 004
	ISO 5000	138	D 007
	ISO 9364	142	D 010
1	ASTM A 242	62	A 008
	ASTM A 333	180	E 047
	ASTM A 334	206	F 047
	ASTM A 356	450	O 074
1.4000	EN 10088-3	314	I 061
	EN 10088-2	314	I 061
1.4002	EN 10088-2	306	I 045
1.4005	EN 10088-3	314	I 063
1.4006	EN 10088-3	312	I 059
1.4.16	EN 10088-3	308	I 048
	EN 10088-2	308	I 048
1.4021	EN 10088-3	314	I 064
	EN 10088-2	314	I 064
1.4028	EN 10088-3	316	I 065

기호	규격번호	페이지	색인번호
	EN 10088-2	316	I 065
1.4029	EN 10088-3	316	I 066
1.4057	EN 10088-3	316	I 069
1.4105	EN 10088-3	308	I 049
1.4109	EN 10088-3	318	I 070
1.4113	EN 10088-3	310	I 052
	EN 10088-2	310	I 052
1.4125	EN 10088-3	318	I 072
1.4301	EN 10088-3	288	I 010
	EN 10088-2	288	I 010
1.4303	EN 10088-3	292	I 018
	EN 10088-2	292	I 018
1.4305	EN 10088-3	288	I 008
	EN 10088-2	288	I 008
1.4306	EN 10088-3	288	I 011
	EN 10088-2	288	I 011
1.4307	EN 10088-3	288	I 011
	EN 10088-2	288	I 011
1.4311	EN 10088-3	290	I 014
	EN 10088-2	290	I 014
1.4318	EN 10088-2	286	I 004
1.4319	EN 10088-3	284	I 003
	EN 10088-2	284	I 003
1.4372	EN 10088-2	284	I 001
1.4373	EN 10088-2	284	I 002
1.4401	EN 10088-3	294	I 022
	EN 10088-2	294	I 022
1.4404	EN 10088-3	294	I 023
	EN 10088-2	294	I 023
1.4406	EN 10088-3	296	I 025
	EN 10088-2	296	I 025
1.4429	EN 10088-3	296	I 025
	EN 10088-2	296	I 025
1.4432	EN 10088-2	294	I 023
1.4434	EN 10088-2	300	I 031

기호	규격번호	페이지	색인번호
1.4435	EN 10088-2	296	I 023
1.4436	EN 10088-3	294	I 022
	EN 10088-2	294	I 022
1.4438	EN 10088-3	298	I 030
	EN 10088-2	298	I 030
1.4439	EN 10088-3	300	I 032
	EN 10088-2	300	I 032
1.4462	EN 10088-3	304	I 043
	EN 10088-2	304	I 043
1.4507	EN A 240	306	I 044
1.4510	EN 10088-2	308	I 050
1.4511	EN 10088-2	308	I 050
1.4512	EN 10088-2	326	I 089
1.4513	EN 10088-2	310	I 053
1.4520	EN 10088-2	308	I 050
1.4521	EN 10088-2	310	I 055
1.4539	EN 10088-3	302	I 036
	EN 10088-2	302	I 036
1.4541	EN 10088-3	302	I 037
	EN 10088-2	302	I 037
1.4542	EN 10088-3	320	I 074
	EN 10088-2	320	I 074
1.4550	EN 10088-3	302	I 038
	EN 10088-2	302	I 038
1.4568	EN 10088-3	320	I 075
	EN 10088-2	320	I 075
1.4571	EN 10088-3	296	I 026
	EN 10088-2	296	I 026
02	ISO 3575	126	D 001
	ISO 14788	132	D 004
	ISO 5000	138	D 008
	ISO 9364	142	D 010
2	ASTM A 356	448	O 073
03	ISO 3575	128	D 002
	ISO 14788	134	D 005

기호	규격번호	페이지	색인번호
	ISO 5000	138	D 008
3	ASTM A 333	180	E 048
	ASTM A 334	206	F 048
04	ISO 3735	128	D 002
	ISO 14788	134	D 005
	ISO 5000	138	D 008
05	ISO 3575	128	D 002
	ISO 14788	134	D 005
06	ISO 3575	128	D 002
6	ASTM A 356	450	O 075
8	ASTM A 333	182	E 049
	ASTM A 334	206	F 049
	ASTM A 356	450	O 077
9 S Mn Pb 28	DIN 1651	362	L 005
9 S 20	ISO 638-9	360	L 003
9 SMn 28	DIN 1651	360	L 004
9 SMn 36	DIN 1651	364	L 009
9 SMnPb 28	DIN 1651	362	L 008
10 CD 9.10	NF A 36-602	388	N 027
10 CrMo 9-10	BS EN 10028-2	92	B 022
	DIN EN 10028-2	92	B 022
	NF EN 10028-2	92	B 022
10 CrMo 910	DIN 17175	168	E 015
	DIN 17175	192	F 009
10 Ni 14	DIN 17173	182	E 048
	DIN 17174	182	E 048
	DIN 17173	206	F 048
	DIN 17174	206	F 048
11 CrMo 9-10	BS EN 10028-2	92	B 022
	DIN EN 10028-2	92	B 022
	NF EN 10028-2	92	B 022
11 L 17	ASTM A 576	364	L 011
11 SMn 28	ISO 683-9	360	L 004
11 SMnPb 28	ISO 683-9	362	L 005
	ISO 683-9	362	L 008

기호	규격번호	페이지	색인번호
12 L 13	ASTM A 576	362	L 005
12 L 14	ASTM A 576	362	L 008
12 L 15	ASTM A 576	362	L 007
12 Ni 14	BS EN 10028-2	108	B 044
	DIN EN 10028-2	108	B 044
	NF EN 10028-2	108	B 044
12 Ni 14 G 1	ISO 9328-3	108	B 043
12 Ni 14 G 2	ISO 9328-3	108	B 044
12 SMn 35	ISO 683-9	364	L 009
13 CrMo 4-5	BS EN 10028-2	90	B 020
	DIN EN 10028-2	90	B 020
	NF EN 10028-2	90	B 020
13 CrMo 44	DIN 17175	168	E 013
	DIN 17175	190	F 007
13 CrMo 910 T 1	ISO 9328-2	92	B 022
13 CrMo 910 T 2	ISO 9328-2	92	B 022
13 MF 14	NF A 35-562	364	L 012
14 CrMo 45	ISO 9328-2	90	B 020
15 CD 2.05	NF A 36-602	384	N 019
15 CD 4.05	NF A 36-602	386	N 023
15 NiCr 13	ISO 683-11	272	H 083
15 S 10	DIN A 576	364	L 010
18 CrMo 4	ISO 683-11	264	H 047
	ISO 683-11	270	H 075
18 CrMoS 4	ISO 683-11	264	H 047
	ISO 683-11	270	H 075
20 Cr 4	ISO 683-11	262	H 041
20 Cr 4 H	ISO 683-11	270	H 070
20 CrS 4	ISO 683-11	262	H 041
	ISO 683-11	270	H 070
20 NiCrMo 2	ISO 683-11	258	H 029
	ISO 683-11	274	H 084
20 NiCrMo 2-2	DIN EN 10084	258	H 029
20 NiCrMoS 2	ISO 683-11	258	H 029
	ISO 683-11	274	H 084

기호	규격번호	페이지	색인번호
20 NiCrMoS 2-2	DIN EN 10084	258	H 029
22 CrMoS 35	DIN EN 10084	264	H 049
22 Mn 6	ISO 683-1	266	H 056
22 Mn 6 H	ISO 683-1	268	H 063
23 CrNiMo 747	VDEh SEW 555	408	N 058
30	ASTM A 570	16	A 001
30 CrMoV 3	ISO 4957	352	J 045
30 WCrV 5	ISO 4957	348	J 040
30 WCrV 9	ISO 4957	350	J 041
32 CrMoV 12-28	NF A 35-590	352	J 045
33	ASTM A 570	16	A 001
34 Cr 4	ISO 683-1	262	H 043
	ISO 683-1	270	H 071
34 Cr 4 H	ISO 683-1	270	H 072
34 CrMo 4	ISO 683-1	264	H 052
	ISO 683-1	272	H 077
34 CrMoS 4	ISO 683-1	264	H 052
	ISO 683-1	272	H 077
34 CrS 4	ISO 683-1	262	H 043
	ISO 683-1	270	H 071
34 CrS 4 H	ISO 683-1	270	H 072
35 CD 4-M	NF A 32-054	430	O 034
35 MF 6	NF A 35-562	366	L 013
36	ASTM A 709	24	A 002
36 Mn 6	ISO 683-1	266	H 058
36 Mn 6 H	ISO 683-1	268	H 065
36 Type 1	ASTM A 570	16	A 001
36 Type 2	ASTM A 570	16	A 001
40	ASTM A 570	16	A 001
40 [300]	ASTM A 615	64	A 012
40 CN 25-12-M	NF A 32-057	444	O 063
40 CrMoV 5	ISO 4957	350	J 043
40 CrMoV 47	DIN 17240	276	H 087
40 CrMoV 47	DIN 17240	280	H 088
40 DD	BS (4360)	26	A 002

기호	규격번호	페이지	색인번호
40 E	BS (4360)	28	A 002
40 EE	BS (4360)	28	A 002
41 Cr 4	ISO 683-1	262	H 044
	DIN EN 10083-1	262	H 044
	NF EN 10083-1	262	H 044
	BS EN 10083-1	262	H 044
	ISO 683-1	270	H 073
41 CrAlMo 74	ISO 683-10	268	H 062
41 CrNiMo 2	ISO 683-1	260	H 030
	ISO 683-1	260	H 030
41 CrS 4	ISO 683-1	262	H 044
	DIN EN 10083-1	262	H 044
	NF EN 10083-1	262	H 044
	BS EN 10083-1	262	H 044
	ISO 683-1	270	H 073
42 CrMo 4	ISO 683-1	266	H 053
	DIN EN 10083-1	266	H 053
	NF EN 10083-1	266	H 053
	BS EN 10083-1	266	H 053
	ISO 683-1	272	H 078
	DIN 1654-4	276	H 087
	DIN 1654-4	280	H 088
42 CrMoS 4	ISO 683-1	266	H 053
	DIN EN 10083-1	266	H 053
	NF EN 10083-1	266	H 053
	BS EN 10083-1	266	H 053
	ISO 683-1	272	H 078
42 Mn 6	ISO 683-1	266	H 059
42 Mn 6 H	ISO 683-1	268	H 066
43 DD	BS (4360)	28	A 002
43 E	BS (4360)	28	A 002
43 EE	BS (4360)	28	A 002
44 SMn 28	ISO 683-1	366	L 015
45	ASTM A 570	24	A 002
45 MF 6.1	NF A 35-562	366	L 014
45 MF 6.3	NF A 35-562	366	L 015
50	ASTM A 529	24	A 002
	ASTM A 570	24	A 002
	ASTM A 709	24	A 002
50 CrV 4	DIN 17221	356	K 006
50 CV 4	NF A 35-571	356	K 006
50 E	BS (4360)	46	A 003
50 EE	BS (4360)	46	A 003
50 F	BS (4360)	46	A 003
50 W	ASTM A 709	46	A 003
51 B 60	ASTM A 689	356	K 007
	ASTM A 322	356	K 007
51 CrV 4	ISO 683-14	356	K 006
54 SiCr 6	DIN 17221	356	K 008
55	ASTM A 529	24	A 002
	ASTM A 570	24	A 002
55 C	BS (4360)	46	A 003
55 C 3	NF A 35-571	354	K 004
55 Cr 3	DIN 17221	354	K 004
	ISO 683-14	354	K 004
55 CrNiMoV 4	NF A 35-590	352	J 047
55 EE	BS (4360)	46	A 003
55 F	BS (4360)	46	A 003
55 NiCrMoV 2	ISO 4957	352	J 048
55 NiCrMoV 6	DIN 17350	352	J 048
55 NiCrMoV 7	NF A 35-590	352	J 048
55 SiCr 63	ISO 683-14	356	K 008
58	ASTM A 573	24	A 002
59 Si 7	ISO 683-14	354	K 002
	ISO 683-14	354	K 003
60 [420]	ASTM A 615	64	A 013
60 CrB 3	ISO 683-14	356	K 007
60 CrMo 33	ISO 683-14	358	K 009
60-30	ASTM A 27	416	O 002
60-40-18	ASTM A 536	460	P 008

기호	규격번호	페이지	색인번호
	ASTM A 536	462	P 009
65	ASTM A 573	24	A 002
65-35	ASTM A 27	416	O 003
65-45-12	ASTM A 536	462	P 010
70	ASTM A 573	36	A 003
70-36	ASTM A 27	416	O 004
75 [520]	ASTM A 615	64	A 014
80-40	ASTM A 148	420	O 010
	ASTM A 148	422	O 014
80-55-06	ASTM A 536	462	P 012
90-60	ASTM A 148	420	O 011
	ASTM A 148	422	O 015
	ASTM A 148	424	O 017
	ASTM A 148	424	O 018
	ASTM A 148	426	O 022
	ASTM A 148	426	O 023
	ASTM A 148	426	O 024
	ASTM A 148	426	O 025
	ASTM A 148	428	O 026
040 A 10	BS 970-1	248	H 001
040 A 12	BS 970-1	248	H 002
045 A 10	BS 970-1	248	H 001
	BS 970-1	256	H 021
045 M 10	BS 970-1	248	H 001
	BS 970-1	256	H 021
055 M 15	BS 970-1	248	H 003
100	ISO 185	458	P 001
100 Cr 6	DIN 17230	368	M 002
	NF A 35-565	368	M 002
100CrMoV 5	ISO 4957	348	J 039
100 V 2	NF A 35-590	344	J 030
100-70-03	ASTM A 536	464	P 013
105 WCr 1	ISO 4957	340	J 022
	ISO 4957	346	J 033
105 WCr 5	NF A 35-590	346	J 022

기호	규격번호	페이지	색인번호
	NF A 35-590	346	J 033
105 WCr 6	DIN 17350	340	J 022
	DIN 17350	346	J 033
105-85	ASTM A 148	424	O 019
	ASTM A 148	424	O 020
	ASTM A 148	426	O 021
	ASTM A 148	428	O 027
	ASTM A 148	428	O 028
	ASTM A 148	428	O 029
	ASTM A 148	428	O 030
	ASTM A 148	430	O 033
	ASTM A 148	430	O 034
	ASTM A 148	432	O 035
	ASTM A 148	432	O 036
	ASTM A 148	432	O 037
	ASTM A 148	432	O 038
115-95	ASTM A 148	432	O 039
	ASTM A 148	434	O 040
122	ANSI B 16.22	542	Q 108
130-115	ASTM A 148	434	O 041
150	ISO 185	458	P 002
164-490	BS 1503	380	N 012
200	ISO 185	458	P 003
200-400	ISO 3755	416	O 001
	ISO 3755	416	O 002
200-400W	ISO 3755	418	O 005
204.0	ASTM B 26	672	S 048
	ASTM B 108	672	S 048
210 Cr 12	ISO 4957	348	J 037
220	ISO 4998	130	D 003
	ISO 14788	136	D 006
	ISO 9364	144	D 012
220 M 07	BS 970-1	360	L 004
221-410	BS 1503	378	N 010
221-490	BS 1503	380	N 011

기호	규격번호	페이지	색인번호
224-410	BS 1503	378	N 010
226 M 44	BS 970-1	366	L 015
230 M 07	BS 970-1	360	L 004
230-450	ISO 3755	416	O 003
230-450W	ISO 3755	418	O 006
242.0	ASTM B 108	676	S 057
	ASTM B 26	676	S 057
250	BS 4449	64	A 011
	ISO 4998	130	D 003
	ISO 14788	136	D 006
	ISO 9364	144	D 012
	ISO 185	458	P 004
270-480	ISO 3755	418	O 004
270-480 W	ISO 3755	418	O 007
280	ISO 4998	130	D 003
	ISO 14788	136	D 006
	ISO 9364	144	D 012
280 M 10	ASTM A 220 M	484	P 051
284 S 16	BS 1449-2	284	I 002
300	ISO 185	460	P 005
301 S 21	BS 1449-2	284	I 003
	BS 5770-4	284	I 003
	BS 2056	284	I 003
302 S 31	BS 1449-2	286	I 006
	BS 2056	286	I 006
	BS 970-1	286	I 006
303 S 31	BS 970-1	286	I 008
303 S 42	BS 970-1	288	I 009
304	ASTM A 358	170	E 018
	ASTM A 358	182	E 050
304 C 15	BS 3100	444	O 046
304 H	ASTM A 358	170	E 019
304 L	ASTM A 358	170	E 020
	ASTM A 358	182	E 051
304 S 11	BS 3605-1	182	E 020
	BS 3605-2	170	E 020
	BS 3605-1	182	E 051
	BS 3605-2	182	E 051
	BS 3606	168	F 016
	BS 1449-2	288	I 011
	BS 970-1	288	I 011
	BS 1503	394	N 038
304 S 31	BS 3605-1	170	E 018
	BS 3605-2	170	E 018
	BS 3605-1	182	E 050
	BS 3605-2	182	E 050
	BS 3606	168	F 014
	BS 1449-2	288	I 010
	BS 3111-2	288	I 010
	BS 970-1	288	I 010
	BS 1503	396	N 040
304 S 51	BS 3605-1	170	E 019
	BS 3059-2	194	F 015
	BS 1503	396	N 041
305 S 19	BS 1449-2	292	I 018
	BS 3111-2	292	I 018
309 C 30	BS 3100	444	O 063
309 C 40	BS 3100	444	O 064
309 S	ASTM A 358	172	E 022
	ASTM A 358	182	E 052
309 S 24	BS 1449-2	322	I 082
310 C 45	BS 3100	442	O 059
310 M 6	ASTM A 220 M	484	P 052
310 M 8	ASTM A 220 M	484	P 051
310 S	ASTM A 358	172	E 024
	ASTM A 358	182	E 053
310 S 24	BS 1449-2	322	I 083
	BS 970-1	322	I 083
310-S 31	BS 1503	398	N 042
316	ASTM A 358	172	E 025

기호	규격번호	페이지	색인번호
	ASTM A 358	184	E 054
316 C 12	BS 3100	438	O 048
316 C 16	BS 3100	436	O 047
316 H	ASTM A 358	174	E 026
316 L	ASTM A 358	174	E 027
	ASTM A 358	184	E 055
316 S 11	BS 3605-1	174	E 027
	BS 3605-2	174	E 027
	BS 1449-2	294	I 023
	BS 970-1	294	I 023
	BS 1503	394	N 039
316 S 13	BS 3605-1	174	E 027
	BS 3605-2	174	E 027
	BS 3605-1	184	E 055
	BS 3605-2	184	E 055
	BS 3606	196	F 023
	BS 1503	395	N 039
316 S 31	BS 3605-1	172	E 025
	BS 3605-2	172	E 025
	BS 3606	196	F 021
	BS 1449-2	294	I 022
	BS 5770-2	294	I 022
	BS 3111-2	294	I 022
	BS 2056	294	I 022
	BS 970-1	294	I 022
316-S 31	BS 1503	398	N 043
316 S 33	BS 3605-1	172	E 025
	BS 3605-2	172	E 025
	BS 3605-1	184	E 054
	BS 3605-2	184	E 054
	BS 3606	196	F 022
316- 33	BS 1503	398	N 043
316 S 51	BS 3605-1	174	E 026
316-S 51	BS 1503	398	N 044
316 S 52	BS 3605-1	174	E 026

기호	규격번호	페이지	색인번호
317	ASTM A 358	184	E 056
317 L	ASTM A 358	184	E 057
317 S 12	BS 1449-2	298	I 030
	BS 970-4	298	I 030
317 S 16	BS 1449-2	298	I 029
	BS 970-4	298	I 029
319.0	ASTM B 24	672	S 050
	ASTM B 108	672	S 050
320	ISO 4998	130	D 003
	ISO 14788	136	D 006
	ISO 9364	144	D 012
321	ASTM A 358	176	E 033
	ASTM A 358	184	E 058
321 S 31	BS 3605-1	176	E 033
	BS 3605-2	176	E 033
	BS 3605-1	184	E 058
	BS 3605-2	184	E 058
	BS 3606	198	F 029
	BS 1449-2	302	I 037
	BS 970-1	302	I 037
321-S 31	BS 1503	400	N 045
321 S 51	BS 3605-1	176	E 034
	BS 3059-2	200	F 030
321 S 51-510	BS 1503	400	N 046
330 C 12	BS 3100	440	O 054
331 C 60	BS 3100	442	O 057
331 S 42	BS 970-4	320	I 077
332 C 11	BS 3100	434	O 043
332.0	ASTM B 108	678	S 061
333.0	ASTM B 108	674	S 053
336.0	ASTM B 108	676	S 059
340 M 5	ASTM A 108	484	P 052
	ASTM A 108	484	P 053
340-550 W	ISO 3755	420	O 008
347	ASTM A 358	176	E 035

기호	규격번호	페이지	색인번호
	ASTM A 358	186	E 059
347 C 17	BS 3100	438	O 050
347 S 31	BS 3605-1	176	E 035
	BS 3605-1	186	E 059
	BS 1449-2	302	I 038
	BS 970-1	302	I 038
347-S 31	BS 1503	400	N 047
347 S 51	BS 3605-1	178	E 036
	BS 3059-2	200	F 032
347-S 51	BS 1503	402	N 048
349- S 52	BS 970-4	320	I 078
349 S 54	BS 970-4	322	I 079
350	ISO 4998	130	D 003
	ISO 14788	136	D 006
	ISO 9364	144	D 012
	ISO 185	460	P 006
350-22	ISO 1083	460	P 007
355.0	ASTM B 108	676	S 056
	ASTM B 26	676	S 056
356.0	ASTM B 26	674	S 054
	ASTM B 108	674	S 054
360	BS 3601	162	E 002
	BS 3062-1	164	E 007
	BS 3059-2	188	F 001
381 S 34	BD 970-4	322	I 080
383.0(SC 102 A)	ASTM B 85	690	S 084
394 S 17	BS 3111-2	304	I 040
400-15	ISO 1083	462	P 009
400-18	ISO 1083	460	P 008
401 S 45	BS 970-4	326	I 091
403 S 17	BS 1449-2	314	I 061
405 S 17	BS 1449-2	306	I 045
409 S 19	BS 1449-2	324	I 088
410 C 21	BS 3100	436	O 044
410 M 4	ASTM A 220	484	P 053
	ASTM A 220	486	P 054
410 S 21	BS 1449-2	312	I 059
	BS 3111-2	312	I 059
410 S 21	BS 970-1	312	I 059
	BS 1503	414	N 064
416 S 21	BS A 581	314	I 063
420 C 28	BS 3100	436	O 044
420 S 29	BS 970-1	314	I 064
420 S 45	BS 1449-2	316	I 065
	BS 8770-4	316	I 065
	BS 2056	316	I 065
430	BS 3601	162	E 003
	BS 3602-1	166	E 008
430LT	BS 3603	180	E 047
	BS 3603	206	F 047
430 S 17	BS 1449-2	306	I 048
	BS 3111-2	306	I 048
	BS 970-4	306	I 048
431 S 29	BS 970-1	316	I 069
434 S 17	BS 1449-2	310	I 052
440	BS 3059-2	188	F 002
443 S 65	BS 970-4	328	I 093
450-10	BS 1083	462	P 010
460	BS 4449	64	A 013
480 M 3	ASTM A 220	486	P 054
500 Nb	BS 3602-1	166	E 009
500-7	ISO 1083	462	P 011
503 LT	BS 3603	180	E 048
	BS 3603	206	F 048
503-490	BS 1503	386	N 022
509 LT	BS	182	E 049
	BS	206	F 049
514.0	ASTM B 26	676	S 058
518.0(G 8 A)	ASTM B 85	688	S 079

기호	규격번호	페이지	색인번호
520.0	ASTM B 26	684	S 075
550	ISO 4998	130	D 003
	ISO 14788	136	D 006
	ISO 9364	144	D 012
550 M 2	ASTM A 220	486	P 055
600-3	ISO 1083	462	P 012
620	BS 3606	190	F 007
620 M 1	ASTM A 220	486	P 055
620-440	BS 3604-1	168	E 013
	BS 1503	386	N 023
620-540	BS 1503	388	N 025
621	BS 3604-1	168	E 014
	BS 3606	190	F 008
621-460	BS 1503	388	N 024
622	BS 3604-1	168	E 015
	BS 3606	191	F 009
622-490	BS 1503	388	N 026
622-560	BS 1503	388	N 027
625	BS 3604-1	168	E 016
	BS 3606	191	F 010
625-520	BS 1503	390	N 031
625-590	BS 1503	390	N 032
	BS 1503	392	N 033
629-470	BS 3604-1	170	E 017
	BS 3059-2	191	F 011
655 H 13	BS 970-1	272	H 083
655 M 13	BS 970-1	258	H 027
685 A 57	BS 970-2	356	K 008
685 H 57	BS 970-2	356	K 008
700-2	ISO 1083	464	P 013
705 A 60	BS 970-2	358	K 009
705 H 60	BS 970-2	358	K 009
708 H 20	BS 970-1	272	H 076
708 M 20	BS 970-1	264	H 048
712.0	ASTM B 26	684	S 076

기호	규격번호	페이지	색인번호
735 A 51	BS 970-2	356	K 006
735 H 51	BS 970-2	356	K 006
771 M 40	BS 4670	404	N 051
	BS 4670	404	N 052
	BS 4670	406	N 053
	BS 4670	406	N 054
800-2	ISO 1083	464	P 014
805 A 20	BS 970-1	258	H 029
805 H 20	BS 970-1	274	H 084
805 M 20	BS 970-1	258	H 029
818 M 40	BS 4670	410	N 059
	BS 4670	412	N 061
	BS 4670	412	N 062
826 M 31	BS 4670	412	N 061
	BS 4670	412	N 062
826 M 40	BS 4670	412	N 060
	BS 4670	412	N 061
	BS 4670	412	N 062
	BS 4670	414	N 063
904 S 14	BS 2056	302	I 036
1008	ASTM A 513	220	G 013
1010	AISI/ISS 209	248	H 001
	AISI/ISS 212	248	H 001
	AISI/ISS 214	248	H 001
	AISI/ISS 217	248	H 001
	AISI/ISS 209	256	H 021
	AISI/ISS 212	256	H 021
	AISI/ISS 214	256	H 021
	AISI/ISS 217	256	H 021
1012	AISI/ISS 209	248	H 002
	AISI/ISS 212	248	H 002
	AISI/ISS 214	248	H 002
	AISI/ISS 217	248	H 002
1015	AISI/ISS 209	248	H 003
	AISI/ISS 212	248	H 003

기호	규격번호	페이지	색인번호
	AISI/ISS 214	248	H 003
	AISI/ISS 217	248	H 003
	AISI/ISS 209	256	H 022
	AISI/ISS 212	256	H 022
	AISI/ISS 214	256	H 022
	AISI/ISS 217	256	H 022
1017	AISI/ISS 209	248	H 004
	AISI/ISS 212	248	H 004
	AISI/ISS 214	248	H 004
	AISI/ISS 217	222	G 015
1020	ASTM A 519	226	G 022
	ASTM A 513	226	G 022
	AISI/ISS 209	248	H 005
	AISI/ISS 212	248	H 005
	AISI/ISS 214	248	H 005
	AISI/ISS 217	248	H 005
1023	AISI/ISS 209	250	H 006
	AISI/ISS 212	250	H 006
	AISI/ISS 214	250	H 006
	AISI/ISS 217	226	G 023
1025	ASTM A 519	226	G 024
	ASTM A 519	250	H 007
	AISI/ISS 209	250	H 007
	AISI/ISS 212	250	H 007
	AISI/ISS 214	250	H 007
	AISI/ISS 217	250	H 007
1026	ASTM A 513	226	G 023
	ASTM A 513	226	G 024
	ASTM A 513	240	G 057
1029	AISI/ISS 209	250	H 008
	AISI/ISS 217	250	H 008
1030	AISI/ISS 209	250	H 009
	AISI/ISS 212	250	H 009
	AISI/ISS 214	250	H 009
	AISI/ISS 217	250	H 009

기호	규격번호	페이지	색인번호
1035	AISI/ISS 209	252	H 011
	AISI/ISS 212	252	H 011
	AISI/ISS 214	252	H 011
	AISI/ISS 217	252	H 011
1038	AISI/ISS 209	252	H 012
	AISI/ISS 212	252	H 012
	AISI/ISS 214	252	H 012
	AISI/ISS 217	252	H 012
1040	AISI/ISS 209	252	H 013
	AISI/ISS 212	252	H 013
	AISI/ISS 214	252	H 013
	AISI/ISS 217	252	H 013
1042	AISI/ISS 209	252	H 014
	AISI/ISS 212	252	H 014
	AISI/ISS 214	252	H 014
	AISI/ISS 217	252	H 014
1045	AISI/ISS 209	252	H 015
	AISI/ISS 212	252	H 015
	AISI/ISS 214	252	H 015
	AISI/ISS 217	252	H 015
1049	AISI/ISS 209	254	H 016
	AISI/ISS 212	254	H 016
	AISI/ISS 214	254	H 016
	AISI/ISS 217	254	H 016
	AISI/ISS 209	254	H 017
	AISI/ISS 212	254	H 017
	AISI/ISS 214	254	H 017
	AISI/ISS 217	254	H 017
1050	ASTM A 519	226	G 026
1053	AISI/ISS 209	254	H 018
	AISI/ISS 217	254	H 018
1055	AISI/ISS 209	254	H 019
	AISI/ISS 212	254	H 019
	AISI/ISS 214	256	H 020
	AISI/ISS 217	256	H 020

기호	규격번호	페이지	색인번호
1060	AISI/ISS 209	256	H 020
	AISI/ISS 212	256	H 020
	AISI/ISS 214	256	H 020
	AISI/ISS 217	256	H 020
1078	ASTM A 689	354	K 001
	ASTM A 576	354	K 001
1100	ASTM B 209	548	R 005
	ASTM B 221	568	R 047
	ASTM B 211	582	R 075
	ASTM B 221	598	R 106
	ASTM B 241	598	R 106
	ASTM B 210	612	R 135
	ASTM B 221	624	R 160
	ASTM B 247	638	R 187
1109	ASTM A 576	360	L 002
1110	ASTM A 576	360	L 001
1117	ASTM A 576	364	L 010
1137	ASTM A 576	366	L 013
1141	ASTM A 576	366	L 014
1144	ASTM A 576	366	L 015
1212	ASTM A 576	360	L 003
1213	ASTM A 576	360	L 004
1215	ASTM A 576	362	L 006
1522	AISI/ISS 209	266	H 056
	AISI/ISS 217	266	H 056
1522 H	AISI/ISS 209	268	H 063
	AISI/ISS 217	268	H 063
1541	AISI/ISS 209	266	H 058
	AISI/ISS 217	266	H 058
	AISI/ISS 209	266	H 059
	AISI/ISS 217	266	H 059
1541 H	AISI/ISS 209	268	H 065
	AISI/ISS 217	268	H 065
	AISI/ISS 209	268	H 066
	AISI/ISS 217	268	H 066

기호	규격번호	페이지	색인번호
2011	ASTM B 211	582	R 077
	ASTM B 210	620	R 150
2014	ASTM B 209	548	R 009
	ASTM B 221	568	R 049
	ASTM B 211	582	R 078
	ASTM B 221	600	R 108
	ASTM B 241	600	R 108
	ASTM B 221	624	R 162
	ASTM B 247	640	R 189
	NF A 50-901	640	R 189
2014 A	BS 1472	640	R 189
2017	ASTM B 211	584	R 079
2017 A	NF A 50-901	640	R 190
2018	ASTM B 247	640	R 191
2024	ASTM B 209	596	R 102
	ASTM B 221	570	R 051
	ASTM B 211	584	R 081
	ASTM B 221	600	R 110
	ASTM B 241	600	R 110
	ASTM B 210	614	R 138
	ASTM B 221	626	R 164
2025	ASTM B 247	642	R 194
2117	ASTM B 316	584	R 080
2218	ASTM B 247	640	R 192
2219	ASTM B 209	550	R 011
	ASTM B 247	642	R 193
2618	ASTM B 247	642	R 195
2618 A	BS 1472	642	R 195
	NF A 50-901	642	R 195
3003	ASTM B 209	596	R 103
	ASTM B 221	570	R 052
	ASTM B 211	586	R 082
	ASTM B 221	600	R 111
	ASTM B 241	600	R 111
	ASTM B 210	614	R 139

기호	규격번호	페이지	색인번호
	ASTM B 221	626	R 165
3004	ASTM B 209	552	R 015
3005	ASTM B 209	554	R 017
	ASTM B 209	554	R 018
4032	ASTM B 247	644	R 197
	NF A 50-901	644	R 197
4130	AISI/ISS 209	264	H 050
	AISI/ISS 212	264	H 050
	AISI/ISS 214	264	H 050
	AISI/ISS 217	264	H 050
4131	AISI/ISS 209	264	H 051
	AISI/ISS 217	264	H 051
4135 H	AISI/ISS 209	272	H 077
	AISI/ISS 217	272	H 077
4137	AISI/ISS 209	264	H 052
	AISI/ISS 212	264	H 052
	AISI/ISS 217	264	H 052
4140	AISI/ISS 209	264	H 053
	AISI/ISS 212	264	H 053
	AISI/ISS 214	264	H 053
	AISI/ISS 217	264	H 053
4145	AISI/ISS 209	266	H 054
	AISI/ISS 212	266	H 054
	AISI/ISS 217	266	H 054
4145 H	AISI/ISS 209	272	H 079
	AISI/ISS 217	272	H 079
4161	ASTM A 689	358	K 009
	ASTM A 322	358	K 009
4320	AISI/ISS 209	260	H 032
	AISI/ISS 217	260	H 032
4320 H	AISI/ISS 209	274	H 085
	AISI/ISS 217	274	H 085
4340	AISI/ISS 209	260	H 034
	AISI/ISS 212	260	H 034
	AISI/ISS 214	260	H 034

기호	규격번호	페이지	색인번호
	AISI/ISS 217	260	H 034
5005	ASTM B 209	554	R 019
	BS EN 573-3	554	R 019
	BS EN 485-2	554	R 019
	ASTM B 210	620	R 153
5052	ASTM B 209	554	R 020
	ASTM B 221	570	R 053
	ASTM B 211	586	R 083
	ASTM B 316	586	R 083
	ASTM B 221	602	R 113
	ASTM B 224	602	R 113
	ASTM B 210	614	R 141
	ASTM B 221	628	R 167
5056	ASTM B 211	588	R 085
5083	ASTM B 209	558	R 027
	ASTM B 221	572	R 055
	ASTM B 221	604	R 117
	ASTM B 241	604	R 117
	ASTM B 210	616	R 144
	ASTM B 221	628	R 169
	ASTM B 247	644	R 200
	BS 1472	644	R 200
	NF A 50-901	644	R 200
5086	ASTM B 209	558	R 028
	ASTM B 210	622	R 156
	ASTM B 221	630	R 170
5120	AISI/ISS 209	262	H 041
	AISI/ISS 217	262	H 041
5120 H	AISI/ISS 209	270	H 070
	AISI/ISS 217	270	H 070
5130	AISI/ISS 209	262	H 042
	AISI/ISS 217	262	H 042
5130 H	AISI/ISS 209	270	H 071
	AISI/ISS 217	270	H 071
5132	AISI/ISS 209	262	H 043

기호	규격번호	페이지	색인번호
	AISI/ISS 217	262	H 043
5135 H	AISI/ISS 209	270	H 072
	AISI/ISS 217	270	H 072
5140	AISI/ISS 209	262	H 044
	AISI/ISS 212	262	H 044
	AISI/ISS 214	262	H 044
	AISI/ISS 217	262	H 044
5140 H	AISI/ISS 209	270	H 073
	AISI/ISS 217	270	H 073
5154	ASTM B 209	556	R 022
	ASTM B 211	594	R 096
	ASTM B 221	602	R 114
	ASTM B 210	616	R 142
5155	ASTM A 689	354	K 004
	ASTM A 322	354	K 004
5160	ASTM A 689	356	K 005
	ASTM A 322	356	K 005
5254	ASTM B 209	556	R 023
5454	ASTM B 209	556	R 024
	ASTM B 221	576	R 065
	ASTM B 221	602	R 115
	ASTM B 241	602	R 115
	ASTM B 221	628	R 168
5652	ASTM B 209	556	R 021
6005 A	ASTM B 221	634	R 180
6060	ASTM B 221	576	R 066
	ASTM B 221	608	R 128
	ASTM B 221	622	R 157
	ASTM B 221	634	R 179
6061	ASTM B 209	560	R 030
	ASTM B 221	572	R 056
	ASTM B 211	588	R 087
	ASTM B 316	588	R 087
	ASTM B 221	604	R 118
	ASTM B 241	604	R 118
	ASTM B 210	616	R 145
	ASTM B 221	630	R 171
	ASTM B 247	646	R 202
	NF A 50-901	646	R 202
6063	ASTM B 221	572	R 057
	ASTM B 221	604	R 119
	ASTM B 241	604	R 119
	ASTM B 210	618	R 146
	ASTM B 221	630	R 173
6150	ASTM A 689	356	K 006
	ASTM A 322	356	K 006
6151	ASTM B 247	646	R 201
6262	ASTM B 211	594	R 099
	ASTM B 210	624	R 158
7005	ASTM B 221	636	R 184
7050	ASTM B 247	646	R 203
7075	ASTM B 209	560	R 032
	ASTM B 221	574	R 060
	ASTM B 211	590	R 088
	ASTM B 221	606	R 122
	ASTM B 241	606	R 122
	ASTM B 210	618	R 147
	ASTM B 221	632	R 176
	ASTM B 247	648	R 204
	NF A 50-901	648	R 204
8617	AISI/ISS 209	258	H 029
	AISI/ISS 212	258	H 029
	AISI/ISS 214	258	H 029
	AISI/ISS 217	258	H 029
8620	AISI/ISS 209	258	H 029
	AISI/ISS 212	258	H 029
	AISI/ISS 214	258	H 029
	AISI/ISS 217	258	H 029
8620 H	AISI/ISS 209	258	H 084
	AISI/ISS 217	258	H 084

기호	규격번호	페이지	색인번호
8640	AISI/ISS 209	258	H 030
	AISI/ISS 212	258	H 030
	AISI/ISS 217	258	H 030
9254	SAE J 1249	256	K 008
9260	ASTM A 689	254	K 003
	ASTM A 322	254	K 003
17122	DIN 17440	294	I 022
22010	ASTM A 47	478	P 044
51100	ASTM A 295	368	M 001
52100	ASTM A 295	368	M 002

編著者略歷

【이 수 진】

인하대학교 금속공학과 졸업(공학박사)

現, 창원기능대학 재료학과 교수

e-mail : soojlee@cpc.ac.kr

KS, JIS, ANSI, AA, AISI/ISS, ASTM, SAE,
BS, DIN, VDEh, NF, EN, ISO

금속재료 규격데이터북 정가 90,000원

2003년 2월 3일 초판
2006년 11월 20일 1판 2쇄

편 저 : 이수진
발행인 : 박승합
발행처 : **도서출판 골드**

주 소 : 서울특별시 용산구 갈월동 11-50
등 록 : 1988. 1. 21 제3-163호
전 화 : 754-1867 / FAX : 753-1867
홈페이지 : http://gold.hompee.com

ISBN 89 - 8458 - 062 - 7 - 93550